中国古典文学名著丛书

二十年目睹之怪现状

下

吴趼人 著

黑龙江出版集团
黑龙江美术出版社

第五十五回
箕踞忘形军门被逐 设施已毕医士脱逃

德泉说完了这一套故事，我问道："协饷银子未必是现银，是打汇票的，他如何骗得去？这也奇了！"德泉道："这一笔听说是甘肃协饷。甘肃与各省通汇兑的很少，都是汇到了山西或陕西转汇的，他就在转汇的地方做些手脚，出点机谋，自然到手了。"子安从旁道："我在一部甚么书上看见一条，说嘉、道年间，还有一个冒充了成亲王到南京，从将军、总督以下的钱，都骗到了的呢。"德泉道："这是从前没有电报，才被他瞒过了；若是此刻，只消打个电去一问，马上就要穿了。"

说话时，只见电报局的信差，送来一封电报。我笑道："说着电报，电报就到了。"德泉填了收条，打发去了。翻出来一看，却是继之给我的，说苏、杭两处，可托德泉代去；叫我速回扬州一次，再到广东云云。德泉道："广东这个地方，只有你可以去得；要是我们去了，那是同到了外国一般了。"子安道："近来在上海久了，这里广东人多，也常有交易，倒有点听得懂了；初和广东人交谈，那才不得了呢。"德泉道："可笑我有一回，到棋盘街一家药房去买一瓶安眠药水，跑了进去，那柜上全是广东人，说的话都是所问非所答的，我一句也听不懂。我要买大瓶的，他给了我个小瓶；我要掉，他又不懂，必要做手势，比给他看，才懂了，换了大瓶的。我正在付价给他，忽然内进里跑出一个广东人来，右手把那瓶药水拿起来，提得高与额齐，拿左手指着瓶，眼睛看着我道：'这瓶药水，顶刮刮罗！顶刮刮罗！有仿单在此，你拿回去一看，便知明白了。'"听得我和子安都狂笑起来。德泉道："我当时听了他这几句话，也忍不住要笑。他对我说完之后，还对他那伙计叽咕了几句，虽然听他不懂，看他那神色，好像说他那伙计不懂官话的意思。我付过了价，拿了药水要走，他忽然又叫住我道：'俄基，俄基！'你猜他说甚么？便是我当时也楞住了。他拿起我付给他的洋钱，在柜上掼了两掼，是一块哑板。这才懂了，他要和我说上海话，说这一块洋钱是哑子，又说得不正，便说成一个'俄基'了。"当下说笑了一会，我不知继之叫我到广东，有甚要事，便即夜趁了轮船动身。偏偏第二天到镇江，已经晚上八点钟，看着不能过江，我也懒得到街上去了，就在趸船上住了一夜。

次日一早过江，赶得到城里，已是十二点多钟。见了继之，谈起到广东的事，原来也是经营商业的事情。我不觉笑道："我本来是个读书的，虽说是我生来的无意科名，然而困在家里没事，总不免要走这条路。无端的跑了出来，遇见大哥，就变了个幕友，这几年更是变了个商家了。"继之笑道："岂但是商家，还是个江湖客人呢。你这回到广东去，怕要四五个月才得回来，你不如先回南京一转，叙叙家常再去。"我道："这倒不必，写个信回去，告诉一声便了。"当下继之检出一本帐目给我。是夜盘桓了一夜。

明日我便收拾行李，别过众人，仍旧渡过江去，趁了下水船，仍到上海，又添置了点应用东西，等有了走广东的海船，便要动身。看了新闻纸，知道广利后天开行，便打发人到招商沪局去，写了一张官舱船票。到了那天，搬了行李上船。这个船的官舱，是在舱面的，倒也爽快。当天半夜里开船，及至天亮起来，已经出了吴淞口，走的老远的了。喜得风平浪静，没事便在舱面散步。

到了中午时候，只看一个人，摆着一张小小圆桌，在舱面吃酒；和我招呼起来，请问了姓氏，知道他姓李，便是本船买办。于是大家叙谈起来。我偶然问起这上海到广东，坐大餐房收多少水脚。买办道："一主一仆，单是一去，收五十元；写来回票，收九十元。这还是本局的船；若是外国行家的船，他还情愿空着，不准中国人坐呢。"我道："这是甚么意思？"买办道："这也是我们中国人自取的。有一回，一个甚么军门大人，带着家眷，坐了大餐房。那回是夏天，那位军门，光着脊梁，光着脚，坐在客座里，还要支给着腿，在那里抠脚丫，外国人看着，已经厌烦的了不得了。大餐间里本来备着水厕，厕门上有钥匙，男女可用的，那位太太偏要用自己的马桶；用了，舀了，洗了，就拿回他自己房里，倒也罢了，偏又嫌他湿，搁在客座里晾着。洗了裹脚布，又晾到客座椅靠背上。外国人见了，可大不答应了，把他们撵了出来。船到了上海，船主便到行里，见了大班，回了这件事。从此外国人家的船，便不准中国人坐大餐房了。你说这不是中国人自取的么！"我道："这个本来太不像样了。然而我们中国人不见得个个如此。"买办道："这个合了我们广东人一句话，'一个小鸡不好，带坏一笼'了。"

正说话时，又有一个广东人来招呼，自己说是姓何，号理之，是广东名利客栈招呼客人的伙伴，终年跟着轮船往来，以便招接客人的。便邀我到广东住到名利栈去。我答应了，托他招呼行李。

这船走了三天，到了香港，停泊了一夜；香港此时没有码头，船在海当中下锚。到了晚上，望见香港万家灯火，一层高似一层，竟成了个灯山，倒也是一个奇景。次日早晨启轮，到了广东，用驳船驳到岸上。原来名利栈就开在珠江边上，后门正对珠江，就在后门登岸。

安息了一天，便出去勾当我的正事，一面写信寄给继之。谁知我到了这里，头一次到街上去走走，就遇见了一件新闻。我走到一条街，这条街叫做沙基。沙基上有一所极大的房子，房子外面，挂着药房的招牌，门口围了不少的人，像是看热闹的光景。我再走过去看看，原来那药房里在那里拍卖，所卖的全是药水。 我暗想："这件事好奇怪，既然药房倒了，只有召人盘受，那里好拍卖得来？便是那个买的，他不是开药房，一单一单的药水买去，做甚么呢？"正在想着，只见他又指着两箱蓝玻璃瓶的来叫拍。我吃了一惊，暗想："外国药房的规矩，蓝瓶是盛毒药的，有几种还是轻易不肯卖，必要外国医生开到药方上才肯卖的，怎么也胡乱拍卖起来呢？"此时我身上还有正事，不便多耽搁，只看了一看便走了。

下午时候，回到名利栈。晚上没事，广利船还没有开行，何理之便到我房里来谈天。他嘴里有的没的乱说，一阵说甚么把韭菜带到新加坡，要卖一块洋钱一片菜叶；新鲜荔枝带到法兰西，要卖五个法郎一个；又是甚么播喊表，在法兰西只卖半个法郎一个。他只管乱说，我只管乱听，也不同他辩论。

后来我说起药房拍卖一节，很以为奇。理之拍手道："拍卖了么！可惜我不知道，不然，我倒要去和他记一记帐，看他还捞得回几个。"我道："这药房倒帐的情形，想是你知道的了？"理之道："倒帐的有甚稀奇！这是一个富而不仁的人，遭了个大骗子。这位大富翁姓荀，名叫莺楼，本来是由赌博起家，后来又运动了官场，包收甚么捐，尽情剥削。我们广东人都恨得他了不得。"我道："他不是广东人么？"理之道："他是直隶沧州人，不过在广东日子长久，学会说广东话罢了。他剥削的钱，也不知多少了。忽然一天，他走沙基经过，看见一个外国人，在那里指挥工匠装修房子，装修得很是富丽，不知要开甚么洋行；托了旁人去打听，才知道是开药房的。那外国人并不是外国人，不过扮了西装罢了，还是中国的辽东人呢。这荀莺楼听说他是辽东原籍，总算同是北边人，可以算得同乡，便又托人介绍去拜访他。见面之后，才知道他姓祖，《贰臣传》上祖大寿之后，单名一个武字。从四五岁的时候，他老子便带了他到外国去，到了七八岁时，便到外国学堂里去读书，另外取了个外国的名字，叫做Cove。后来回到中国，又把他译成中国北边口音，叫做劳佛，就把这劳佛两个字做了号。他外国书读得差不多了，便到医学堂里去学西医。在外国时，所有往来的中国人都是广东人，所以他倒说了一口广东话，把他自己的辽东话，倒反忘记个干净了。等在医学堂毕业出来，不知在那里混了两年，跑到这里来，要开个药房。

"恰好这荀莺楼是最信用西药的，两人见面之下，便谈起这件事。荀莺楼问他药房生意有多少利息。劳佛道：'利息是说不定的，有九分利的，也有一二分利的，然而总是利息厚的居多，通扯起来，可以算个七分利钱。'

荀莺楼道：‘照这样说，做一万银子生意，可以赚到七千了。不知要多少本钱？’劳佛道：‘本钱那里有一定的，外国的大药房，几十万本钱的不足为奇。’荀莺楼道：‘不知你开这个打算多少？’劳佛道：‘我只备了五万资本。’荀莺楼道：‘比方有人肯附点本钱，可能附得进去？’劳佛道：‘这有甚么不可的。’荀莺楼道：‘那么我打算附十万银子如何？’劳佛满口答应，便道：‘如此我便扩张起来。’他两个因此成了知己。

“不多几天，荀莺楼划了十万银子来，又派了一个帐房来。劳佛便取出一扣三千银子往来的庄折，叫他收存，要支甚么零用，只管去取。从此铺里一切杂用，劳佛便不过问，天天只忙着定货催货，铺里慢慢的用上十多个伙计。劳佛逐一细问，却没有一个懂得外国话，认得外国字的。荀莺楼闻得，便又荐了一个懂洋文的来；劳佛考他一考，说是他的工夫不够用，不要。又道：‘不过起头个把月忙点，关着洋文的事，我一个人来就是了。’荀莺楼见他习勤耐劳，倒反十分敬重他起来。过得个把月，劳佛对荀莺楼道：‘我的五万资本，因为扩充生意起见，已经一齐拿去定了货了。尊款十万，我托个朋友拿到汇丰存了。我本要存逐日往来的，谁知他拿去给我存了六个月期，真是误事！昨日头批定货到了，要三万银子起货，只得请你暂时挪一挪，好早点起了出来，早点开张。’荀莺楼满口答应，登时划了过来。到了明天，果然有人送来无数箱子，方的、长的，大小不等。劳佛督率各小伙计开箱，开了出来，都是各种的药水，一瓶一瓶的都上了架，登时满坑满谷起来。后来陆续再送来的，竟来不及开了，开了也没有架子放了，只得都堆到后头栈房里去，足足堆了一屋子。荀莺楼也来看热闹，又一一问讯，这是甚么，那是甚么，劳佛也一一告诉了。

“正在忙乱之际，忽然一个电局信差送来一封洋文电报，劳佛看了失惊道：‘怎么就死了！唉！这便怎么处！’荀莺楼忙问死了甚么人。劳佛把电报递给他，他看了，是一字不认得的。劳佛便告诉他道：‘香港大药房里一个总理配药的医生，他是我的好朋友，将来我这里有多少事，还靠他帮忙呢，谁知他今天死了。他的遗嘱，他死后，叫我去暂时代理他的职业。在交情上，又不得不去。这一去，最少也要三个月，那外国派来的人才得到，这里又有事，怎样呢？’荀莺楼也棱住了。

“劳佛想了一想道：‘这样罢，我到香港去找一个配药的人，到这里代了我罢。’帐房道：‘这里没有人懂话，怎样办呢？’劳佛道：‘这个不要紧，我找一个懂中国话的来。十分找不着，我叫他带一个西崽来。你们要和他说话，只对西崽说就是。好在只有三个月，我就来的。’荀莺楼问他香港那大药房是甚么招牌，劳佛叽叽咕咕说了个外国名字道：‘中国名字叫甚么，我也记不大清楚了，等到了那里，写信来通知，以便通信罢。我今天要坐晚轮船去了。’说罢，取出许多外国字纸来，交代给帐房，一一指点：这一迭是燕威士，这个货差不多就要到的了。这一迭是定单，这里面那几张是电定的，那几张是信定的。洋行里倘有燕威士送来，便好好收下，打还他回单图书。又拿出一扣折子来，十分慎重的交代道：‘这就是我那误事朋友，代存汇丰的十万银子的存折，是那一天存的，扣到那一天，便到了六个月期，你便去换上一个逐日往来的折子，以便随时应用。’荀鹭楼拿起折子一看道：‘怎么我存汇丰的存折，不是这个样子？’劳佛道：‘汇丰存折本来有两种：一种用给中国人的，一种用给外国人的。我这个是托一个外国朋友去存的，所以和用给中国人的两样了。’劳佛交代清楚，也不带甚么行李，只提了一个大皮包，便匆匆上晚轮船到香港去了。

“这里一等五六天，杳无音信，看见货物堆满了一铺子，不便久搁，只得先行开张。谁知开张之后，凡来买药水的，无有一个不来退换。退换去后，又回来要退还银子。原来那瓶子里，全是一瓶一瓶的清水；除了两箱林文烟花露水，和两箱洋胰子是真的，其馀没有一瓶不是清水。帐房大惊，连忙通知荀鹭楼，叫他带了懂洋文的人来，查看各种定单燕威士，谁知都是假造出来的。忙看那十万银子存折时，那里是甚么汇丰存折，是一个外国人用的日记簿子。这才知道遇了骗子，忙乱起来，派人到香港寻他，他已经不知跑到那里去了。再查那栈房里的货箱，连瓶也没有在里面，一箱箱的全是砖头瓦石，所以要拍卖了这些瓶，好退还人家房子啊。”

我道：“这个甚么劳佛，难道知道姓荀要来兜搭他，故意设这圈套的么？”理之道：“这倒不见得。他是学医生出身，有意是要开个药房，自己顺便挂个招牌行道，也是极平常的事。等到无端碰了这么个冤大头，一口便肯拿出十万，他便乐得如此设施了。像这样剥削来的钱，叫他这样失去，还不知多少人拍手称快呢。”正是：

悖入自应还悖出，且留快语快人心。

未知后事如何，且待下回再记。

第五十六回
施奇计奸夫变凶手　翻新样淫妇建牌坊

何理之正和我谈得高兴，忽然一个茶房走来说道：“何先生，去天字码头看杀人不去？帐房李先生已经去了。”何理之道：“杀人有甚么好看，我不去。但不知杀甚么人？”茶房道：“就是杀那个甚么苦打成招的夏作人。”何理之道：“我不看。”那茶房便去了。

我问道：“甚么苦打成招的？岂不是一个冤枉案子么？”理之道：“论情论理，这个夏作人是可杀的。然而这个案子可是冤枉得很，不过犯了和奸的案子，怎么杀得他呢？”我不觉纳闷道：“依律，强奸也不过是个绞罪，我记得好像还是绞监候呢，怎么就罗织成一个斩罪？岂不是一件怪事！”

理之道：“这是奸妇的本夫做的圈套。说起来又是一篇长话：这夏作人是新安县人氏，捐有一个都司职衔。平日包揽词讼，无恶不作，横行乡里，欺压良懦，那不必说了；更欢喜渔猎女色。因此他乡里的人，没有一个不恨他如切骨的了。我们广东地方，各乡都设一个公局，公举几个绅士在局里，遇了乡人有甚么争执等事，都由公局绅士议断。这夏作人又是坐了公局绅士的第一把交椅。你想谁还敢惹他！他看上了本乡一个婆娘，这婆娘的丈夫姓李，单名一个壮字，是在新加坡经商的，每年二三月回来一次，历年都是如此的。夏作人设法和那婆娘上了手之后，只有李壮回家那几天是避开的，李壮一走他就来了，犹如是他的家一般。左右邻里，无有一个不知道的；就是李壮回来，也略有所闻，不过拿不着凭据。

“有一回，李壮有个本家，也到新加坡去，见了李壮，说起这件事，说的千真万真，并且说夏作人竟是住在他家里。李壮听了，忿火中烧，便想了一个计策，买了一对快刀，两把是一式无异的，便附了船回家。这李壮本来是一个窃贼出身，飞檐走壁的工夫是很熟的。从前因为犯了案，官府要捉他，才逃走到新加坡，改业经商，居然多了几个钱。后来事情搁冷了，方才回家乡来娶亲的。他此番回到家乡，先不到家，在外面捱到天黑，方才掩了回去。又不进门，先耸身上屋，在天窗上望下一看，果然看见夏作人在那里和那婆娘对面说话，犹如夫妻一般。他此时若跳了下去，一刀一个，只怕也杀了。他一来怕夏作人力大，杀他不动；二来就是杀了，也要到官报杀奸，受了讼累，还要把一顶戴过的绿帽子晾出来。所以他未曾回来之先，已预定下计策。

“此时看得亲切，且不下去，跳至墙外，走到夏作人家里，逾墙而入，掩到他书房里，把所买的一对刀，取一把放在炕床底下，方才出来，一径回家去打门。里面问是那个，李壮答应一声。那婆娘认得声音，未免慌了，先把奸夫安顿，藏在床背后，方才出来开门。李壮不动声色的道：‘今天船到得晚了，弄到这个时候才到家，晚饭也不曾吃。’他婆娘听了，便去弄饭。一面又问他为甚么这一回不先给一个信，便突然回来。李壮道：‘这回是香港一家素有往来的字号，打电报叫我到香港去的，所以不及给信。’婆娘到厨下去了，很不放心，恐防李壮到房里去，看见了奸夫。喜得李壮并不进去，此时七月天气，他只在院子里摇着蒲扇取凉。

“一会儿饭好了，婆娘摆开了几样家常小菜，端了一壶家藏旧酒，又摆了两份杯箸。李壮道：‘怎么只摆两份？再添一份来。’婆娘道：‘我们只有两个人，为甚要三份？’李壮笑道：‘你何必瞒我！放着一个夏老爷在房里，难道我们两个好偏了他么？’这一句话，把婆娘吓得面如土色，做声不得。李壮又道：‘这个怕甚么！有甚么要紧！我并不在这个上头计论的。快请夏老爷出来，虽然家常便饭，也没有背客自吃之理啊。’那夏作人躲在里面，本来也有三分害怕，仗着自己气力大，预备打倒了李壮，还可以脱身；此刻听了他这两句话，越发胆壮得意，以为自己平日的威福足以慑服人，所以李壮虽然妻子被我奸了，还要这等相待。于是昂然而出。及至见了面，不知不觉的，也带了三分羞惭。倒是李壮坦然无事，一见了面，便道：‘夏老爷，违教许久了。舍下一向多承照应，实在感激！’夏作人连道：‘不敢，不敢！’李壮便让坐吃酒。那婆娘倒是羞答答起来。李壮正色道：‘你何必如此！我终年出门在外，家中没人照应，本不是事，就是我在外头，也不放心。得夏老爷这种好人肯照应你，是最好的了。你总要和我不在家时一样才好，不然，就同在一处吃饭，也是乏味的。’又对夏作人道：‘夏老爷，你说是不是呢？难得你老人家赏脸，不然，这一乡里面，夏老爷要看中谁，谁敢道个不字呢！’一席话说得夏作人洋洋得意。李壮又殷勤劝酒。那婆娘暗想：‘这个乌龟，自己情愿拿绿帽子往脑袋上磕，我一向倒是白耽惊怕的了。’于是也有说有笑起来。夏作人越是乐不可支，连连吃酒。李壮又道：‘可笑世上那些谋杀亲夫的，我看他们都是自取其祸；若像我这样，夏老爷，你两口子舍得杀我么？’婆娘接口道：‘天下那里有你这样好人！’李壮笑道：‘我也并不是好人。不过想起我们在外头嫖，不算犯法的，何以你们就养不得汉子呢？这么一想，心就平了。’夏作人点头道：‘李哥果然是个知趣朋友。’说话间，酒已多了。

“李壮看夏作人已经醉了，便叫婆娘盛饭，匆匆吃过，婆娘收拾开去。夏作人道：‘李哥，我要先走了。你初回来，我理当让你。’李壮道：‘且慢！我要和你借一样东西呢。’夏作人道：‘甚么东西？’李壮道：‘这件事，我便不计较，只是祖宗面上过不去。人家说：家里出了养汉子的媳妇，祖宗做鬼也哭的。除非把奸夫捉住，剪了他的辫子，在祖宗跟前，烧香禀告过，已经捉获奸夫，那祖宗才转悲为喜呢。夏老爷跟前，我不敢动粗，请夏老爷自己剪下来，借给我供一供祖宗。’夏作人愕然道：‘这个如何使得！’李壮忽然翻转了脸，飕的一声，在裤带上拔出一枝六响手枪，指着夏作人道：‘你偷了我老婆，我一点不计较，还是酒饭相待，此刻和你借一条无关痛痒的辫子也不肯！你可不要怪我，这枝枪是不认得人的！’这一下把夏作人的酒也吓醒了。要待不肯时，此时酒后力乏，恐怕闹他不过；况且他洋枪在手，只要把机簧一扳，就不是好玩的了。只得连连说道：'给你，给你！只求你剪剩二三寸，等我好另外装一条假的；不然，怎样见人呢。'李壮重新把洋枪插向裤带上道：'这个自然。难道好齐根剪下么？方才卤莽，夏老爷莫怪。'说罢，叫婆娘拿剪子来，走向夏作人身后，提起辫子。夏作人道：'稍为留长一点。'李壮道：'这个自然。'嘴里便这样说，手里早飕的一声，把那根辫子贴肉齐根的剪了下来。夏作人觉着，已经来不及了，只得快快而去，幸喜时在黑夜，无人看见，且等明日再设法罢了。

"李壮等他去后，便打开一个皮包，叫那婆娘道：'你来看，这是甚么东西？'婆娘走过去弯腰看时，他飕的一声，拔出一把一尺四五寸长的雪亮快刀，对准喉咙，尽力一刺。那婆娘只喊得一声'嗳'，那'呀'字还不曾喊出来，便往前倒了下去。李壮又在他左手上、左肋上搠了几刀，那婆娘便一缕淫魂，望鬼门关去了。李壮却拿夏作人的辫子，缠在死婆娘的右臂上；把剪下来的一头，给他握在手里。才断气的时候，手足还未全僵，李壮代他握了头发；又拿刀搠了他握发的手两刀，又拿自己的手握住他的手，等他冻僵了才放。安置停当，把自己身上整理洁净，已是三更多天了。他提了带回来的皮包，走了出来，把门反掩了，走出村外一间破庙里，胡乱歇了一夜。

"到天明起来，提了皮包，仍然走回家里。昨夜他回来时，是在黑夜，乡下人一到了断黑时，便家家关门闭户的了；却又起来极早，才破天亮，便家家都起来了，赶集的，耕田的，放牛的，往来的人已是络绎不绝，所以他提着皮包入村，大家都看见他了。都拱手招呼，说：'李大哥回来了，几时到的？我们都惦记你呢。新加坡生意可好？你发财啊。'李壮道：'今天一早到的。承记挂，多谢！我托福还好！'如此一路招呼到家，一村的人，都知道李壮今天回来了。到得门前，那左右邻居，也是一般的招呼，却是捏了一把汗，知道夏作人准在里面，今番只怕要撞破了！看着他举手，轻轻叩了两下门，不见答应；又叩了两三下，仍然没人答应。李壮道：'怎么这个时候，还不起来呢？'用力打了一下，那门呀的一声开了，原来是虚掩着的。李壮故装成诧异的样子道：'唔！'一面走了进去。不一会，忽然大呼小叫的走了出来道：'不好了！我的女人给人杀死了！'众人听说，老大吃了一惊，都纷纷进去。看见他手里握着一条辫子，鲜血满地，身上伤了七八刀。个个都称奇道怪。一面先惊动了地保，先去报官。李壮一面奔到公局，求众绅士作主。

这天众绅士都到了，单少了个夏作人。众绅听见说地方出了命案，便叫人去请他。一会回来说，夏老爷有点感冒，不能出来。李壮道：'我是今天才回来的，平空遇了这件事，不得主意。向来地方上有事，都是夏老爷做主的，偏偏他又病了；他既然是感冒避风，说不得请众位老爷带着我到他府上，求个主意的了。’众人见是人命大事，便同了李壮到夏家来。夏作人仍旧不肯相见，说是在上房睡了，不能起来。众人道：‘今天地方上出了命案，夏老爷不能起来，我们也要到上房去相见的了。’说罢，也不等传报，一齐踱了进去。只见夏作人睡在床上，盖上一床夹被窝，脸向外躺着。众人告诉这件事，他这一吓，非同小可，脸色登时大变起来，嘴里装着哼哼之声，没有半句说话，却拿双眼看着李壮。李壮故意走到床前道：‘夏老爷是甚么病？可有点发烧？’说罢，伸手在他额上去摸，故意摸到脑后，说一声‘嗳呀’！回头对众人道：‘我的死女人，手里握了一条辫子，此刻夏老爷的辫子是齐根没了的，莫非杀人的是夏老爷？’众人听说，吃了一惊，一拥上前去看。李壮不顾众人，便飞奔到县里去击鼓鸣冤，说夏作人杀人。

“知县官方才得了地保的报，正要去验尸，问了李壮口供，便带了仵作，出城下乡相验。官看了这个情形，明明是拒奸被杀，倒不觉对着那尸首肃然起敬。验过之后，叫取下辫子带回去，顺路去拜夏绅士。投帖进去，回出来说挡驾。官怒道：‘有人告了他在案，我不传他，亲来拜他，他倒装模做样起来了！莫非是情虚么！’说着，不等请，便自下轿进来。这夏作人喜欢结交官场，时常往来，所以他家里的路，官也走熟的了，不用引导，便到书房坐下。那官本来听了李壮说夏作人没了辫子，所以要亲来察看的，如何肯空回去？夏作人没法，又不曾装好假辫子，只得把老婆的髢子打了一条假辫，装在凉帽箍里面。匆忙之间，又没有辫穗子，将就用一根黑头绳打了结，换上衣冠，出来相见。因为有了亏心的事，脸色未免一阵红、一阵白，知县已是疑心。相见过后，分宾坐定。官有心要体察他，便说道：‘天气热得很，我们何妨升冠谈谈。’说着，自己先除了帽子。夏作人忙说‘不必’，脸上的汗，却直流下来。偏偏那官带来装烟的小跟班，把烟窝掉在地下，低头去拾；一瞥眼看见炕底下一把雪亮的刀，不觉失惊道：‘这个刀是杀人的啊！’夏作人方在那里说‘不必不必’，忽听了这句话，猛然吃了一惊道：‘那里有甚么刀？”小跟班道：‘炕底下的不是么！’说着，走进弯腰伸手拾了起来。夏作人此时心虚已经到了极点，一看见了，吓得魂不附体，汗如雨下，不觉战抖起来，说道：‘这……这……这是谁……谁放在这里的？这……这……这不是我的啊！’这个时候，恰好一个家人在夏作人背后，把他辫子捏了一捏，觉得油腻腻的；因回道：‘夏老爷的辫子是假的。’知县顿时翻了脸，喝叫把他带了衙门里去，这把凶刀也带了去。说着，先出来上轿去了。

“回到衙门，把凶刀和尸格一对，竟是一丝不走的。不由分说，先交代动公事详革了他的职衔，便坐堂提审。夏作人供道：‘这妇人向来与职员有奸的。'只说得这一句，官喝住了，喝叫先打五十嘴巴。打完了，才说道：'这妇人明明是拒奸被杀的，我见了他还肃然起敬，你开口便诬蔑他，这还了得！这五十下是打你的诬蔑烈妇！'又喝再打五十。打完了，又道：'你犯了法，这个职衔经本县详革了，你还称甚么职员！有甚么话，你讲！'夏作人道：'小人和这已死妇人，委实一向有奸的。'官大怒道：'你还要诬蔑好人！'喝再打一百嘴巴。打得夏作人两腮红肿，牙血直流。又供道：'这妇人不是小人杀的，青天大老爷冤枉！'官怒道：'你不杀他，你的辫子，怎么给他死握着？'夏作人要把昨夜的情由叙出来，无奈这个官不准他说和妇人犯奸，一说着，便不问情由，先打嘴巴，竟是无从叙起。又一时心慌意乱，不得主意，只含糊辩道：'这条辫子怕不是小人的。'官叫差役拿辫子在他头上去验，验得颜色粗细，与及断处痕迹，一一相符。从此便是跪铁链、上夹棍、背板凳、天平架，没有一样不曾尝过，熬不过痛苦，只得招了个'强奸不遂，一时性起，把妇人杀死；辫发被妇人扭住，不能摆脱，割辫而逃'。于是详上去，定了个斩决。上头还夸奖他破案神速。他又敬那婆娘节烈，定了案之后，他写了'节烈可风'四个字，做了匾，送给李壮悬挂。又办了祭品，委了典史太爷去祭那婆娘。更兼动了公事，申请大宪，和那婆娘奏请旌表，乞恩准其建坊。今天斩决公文到了，只怕那请旌的公事，也快回来了。"正是：

世事何须问真假，内容强半是糊涂。

未知后事如何，且待下回再记。

第五十七回 充苦力乡人得奇遇 发狂怒老父责顽儿

理之述完了这件事，我从头仔细一想，这李壮布置的实在周密狠毒。因问道："他这种的秘密布置，外头人那里知得这么详细呢？"何理之道："天下事，若要人不知，除非己莫为。何况我们帐房的李先生，就是李壮的胞叔，他们叔侄之间，等定过案之后，自然说起，所以我们知的格外详细。"说话之间，已到了吃饭时候，理之散去。

我在广东部署了几天，便到香港去办事，也耽搁了十多天。一天，走到上环大街，看见一家洋货店新开张，十分热闹。路上行人，都啧啧称羡，都说不料这个古井叫他淘着。我虽然懂得广东话，却不懂他们那市井的隐语，这“淘古井”是甚么，听了十分纳闷。后来问了旁人，才知道凡娶着不甚正路的妇人——如妓女、寡妇之类——做老婆，却带着银钱来的，叫做“淘古井”。知道这件事里面，一定有甚么新闻，再三打听，却又被我查着了。

原来花县地方，有一个乡下人，姓恽，名叫阿来，年纪二十多岁，一向在家耕田度日，和他老子两个，都是当佃户的。有一天，被他老子骂了两句，这恽来便赌气逃了出来，来到香港，当苦力度日（这“苦力”两个字，本来是一句外国话Coolie，是扛抬搬运等小工之通称。广东人依着外国音，这么叫叫，日子久了，便成了一个名词，也忘了他是一句外国话了）。

恽来当了两个月苦力之后，一天，公司船到了，他便走到码头上去等着，代人搬运行李，好赚几文工钱。到了码头，看见一个咸水妹（看官先要明白了“咸水妹”这句名词，是指的甚么人。香港初开埠的时候，外国人渐渐来的多了，要寻个妓女也没有。为甚么呢？因为他们生的相貌和我们两样，那时大家都未曾看惯，看见他那种生得金黄头发，蓝眼睛珠子，没有一个不害怕的，那些妇女谁敢近他？只有香港海面那些摇舢舨的女子，他们渡外国人上下轮船，先看惯了，言语也慢慢的通了，外国人和他们兜搭起来，他们自后就以此为业了。香港是一个海岛，海水是咸的，他们都在海面做生意，所以叫他做“咸水妹”。以后便成了接洋人的妓女之通称。这个“妹”字是广东俗话，女子未曾出嫁之称，又可作婢女解。现在有许多人，凡是广东妓女，都叫他做“咸水妹”，那就差得远了）。这咸水妹从公司轮下来，跨上舢舨，摇到岸边，恰好碰见恽来，便把两个大皮包交给他。问他：“这里那一家客栈最好，你和我扛了送去，我跟着你走。”恽来答应了，把一个大的扛在肩膀上，一个稍为小点的提在手里，领着那咸水妹走。

走到了一处十字路口，路上车马交驰，一辆马车，在恽来身后飞驰而来，几乎马头碰到身上，恽来急忙一闪；那边又来了一辆，又闪到路旁。回头一看，不见了那咸水妹，呆呆的站着等了一会，还不见到。他心中暗想：“这里面不知是甚么东西。他是从外国回来的，除了这两个皮包，别无行李，倘然失了，便是一无所有的了，只怕性命也要误出来。这便怎么处呢。”想了半天，还不见来，他便把两个皮包送到大馆里去（旅香港粤人，称巡捕房为大馆），一径走到写字间，要报明存放，等失主来领。谁知那咸水妹已经先在那里报失了，形色十分张皇；一见了恽来，登时欢喜的说不出来，一迭连声说：“你真是好人！”巡捕头问恽来来做甚么。那咸水妹表明他不见了物主，送来存放待领的话。巡捕头道：“那么你就仍旧叫他给你拿了去罢。”

于是两个出了大馆，寻到了客栈，拣定了房间。咸水妹问道：“你这送一送，要多少工钱？有定例的么？”恽来道：“没有甚么定例。码头上送到这里，约莫是两毫子左右（粤人呼小银元为毫子）；此刻多走一次大馆，随你多给我几文罢。”咸水妹给他三个毫子。他拿了，说一声“承惠”（承惠二字是广东话，义自明）便要走。咸水妹笑道：“你回来。这两个皮包，是我性命交关的东西，我走失了，你不拿了我的去，还送到大馆待领，我岂有仅给你三个毫子之理，你也太老实了。”说罢，在一个小皮夹里，取出五个金元来给他。恽来欢喜的了不得，暗想：“我自从到香港以来，只听见人说金仔（粤人呼金元为金仔），却还没有见过。总想积起钱来，买他一个玩玩，不料今日一得五个。”因说道：“这个我拿回去不便当。我住的地方人杂得很，恐怕失了，你有心给我，请你代我存着罢。”咸水妹道：“也好。你住在那里？”恽来道：“我住在苦力馆（小工总会也，粤言）。每天两毫子租钱，已经欠了三天租了。”咸水妹又在衣袋里，随意抓了十来个毫子给他。恽来道：“已经承惠了五个金仔，这个不要了。”咸水妹道：“你只管拿了去。你明天不要到别处去了，到我这里来，和我买点东西罢。”恽来答应着去了。

次日，他果然一早就来了。咸水妹见他光着一双脚，拿出两元洋钱，叫他自己去买了鞋袜穿了。方问他：“汇丰在那里？你领我去。”他便同着咸水妹出来。在路上，咸水妹又拿些金元，向钱铺里兑换了墨银。一路到了汇丰，只见那咸水妹取出一张纸，交到柜上，说了两句话，便带了他一同出来，回到客栈。因对他说道：“我住在客栈里，不甚便当。你没有事，到外面去找找房子去，找着了，我就要搬了。”又给他几元银道：“你自己去买一套干净点衣服，身上穿的太要不得了。”恽来答应着，便出去找房子。他当了两个多月苦力，香港的地方也走熟了，那里冷静，那里热闹，那里是铺户多，那里是人家多，一一都知道的了。出来买了衣服，便去寻找房子，绕了几个圈子，随便到小饭店里吃了午饭。又走了一趟，看了有三四处。

到三点钟时候，便回到客栈。劈面遇见咸水妹，从栈里出来。恽来道：“房子找了三四处，请你同去看看那一处合式。”咸水妹道：“我此刻要到汇丰去，没有工夫。”说着，在衣袋里取出房门钥匙，交给他道：“你开了门，在房里等着罢。”说罢，去了。恽来开门进房，趁着此时没有人，便把衣裤换了。桌上放着一面屏镜，自己弯下腰来一照，暗想：“我不料遇了这个好人，天下那里有这便宜事！此刻我身上的东西，都是他的了。不过代他扛送了一回东西，便赚了这许多钱。”想着，又锁了房门，把两件破衣裤拿到露台上去洗了，晾了，方才下来。恰好咸水妹回来了，手里提着一个小皮包，两个人扛着一个保险铁柜送了来。恽来连忙开了门，把铁柜安放妥当。送来的人去了。咸水妹开了铁柜，把小皮包放进去；又开了那两个大皮包，取了好些一包一包的东西，也放了进去；又开了一个洋式拜匣，检了一检，取了一个钻石戒指带上，方才锁起来。

恽来便问去看房子不去，又把买衣服剩下的钱缴还。咸水妹笑道："你带在身边用罢。我也性急得很，要搬出去，我们就去看看罢。"于是一同出来，去看定了一处，是三层楼上，一间楼面，讲定了租钱，便交代恽来去叫一个木匠来，指定地方，叫他隔作两间，前间大些，后间小些，都要装上洋锁；价钱大点都不要紧，明天一天之内，定要完工的。木匠听说价钱大也不要紧，能多赚两文，自然没有不肯的了。讲定之后，二人仍回到客栈里。

恽来看见没事，便要回去。咸水妹道："你去把铺盖拿了来，叫栈里开一个房，住一夜罢。从此你就跟着我帮忙，我每月给还你工钱，不比做苦力轻松么？"恽来暗想："我是甚么运气，碰了这么个好人。"因说道："我本来没有铺盖，一向都是和人家借用的。"咸水妹道："那么你就不要去了。"一会，茶房开了饭来，咸水妹叫多开一客。一会添了来，咸水妹叫恽来同吃。恽来道："那不行，你吃完了我再吃。"咸水妹道："这有甚么要紧。我请你来帮忙，就和请个伙计一般，并不当你是个下人。"恽来只得坐下同吃，却只觉着坐立不安。

吃过了晚饭，已是上火时候。咸水妹想了一想，便叫恽来领到洋货铺里去，拣了一张美国红毡，便问恽来这个好不好。恽来莫名其妙，只答应好。咸水妹便出了十八元银，买了两张。又拣了一床龙须席，问恽来好不好。恽来也只答应是好的。咸水妹也买了。又买了一对洋式枕头，方才回栈。对恽来道："你叫茶房另外开一个房，你拿这个去用罢。你跑了一天，辛苦了，早点去睡。"恽来大惊道："这几件东西，我看着买了二十多元银，怎么拿来给我！我没有这种福气！只怕用了一夜，还不止折短一年的命呢！"咸水妹笑道："我给了你，便是你的福气，不要紧的，你拿去用罢。"恽来推托再三，无奈只得受了。叫茶房另外开一间房，把东西放好。恐怕自己身上脏，把东西都盖脏了，走上露台自来水管地方，洗了个澡，方才回房安睡。一夜睡的龙须席，盖的金山毡，只喜得个心痒难挠，算是享尽了平生未有之福。

酣然一觉，便到天亮。咸水妹又叫他同去买铁床桌椅，及一切动用家私，一切都送到那边房子里去。又叫恽来去监督着木匠赶紧做，"我饭后就要搬来的"。恽来答应去了。到了午饭时候，便回栈吃饭。吃过饭，便算清房饭钱，叫人来搬东西。恽来道："只要叫一个人来，我帮着便抬去了，只有这铁箱子重些。"咸水妹道："我请你帮忙，不过是买东西等轻便的事，这些粗重的事不要你做，你以后不要如此。"于是另外叫了苦力，搬了过去。那三四个木匠，还在那里"砰砰訇訇"的做工，直到下午，方才完竣。两个人收拾好了，一一陈设起来。把恽来安置在后间，睡的还是一张小小铁床。又到近处包饭人家，说定了包饭。

从此恽来便住在咸水妹处，一连几个月，居然养尊处优的，养得他又白又胖起来。然而他到底是个忠厚人，始终不涉于邪，并好像不知那咸水妹是女人似的。那咸水妹也十分信他，门上配了两个钥匙，一人带了一个，出入无碍的。

一天，恽来偶然在外面闲行，遇见了一个从前同做苦力的人，问道："老恽，你好啊！几个月没看见，怎么这样光鲜了？那里发的财？"恽来终是个老实人，人家一问，便一五一十的都告诉了。那人一棱道："你和他有那回事么？"恽来愕然道："是那一回事？"那人知道他是个呆子，便不和他多说，只道："这是从金山发财回来的，铁柜里面不知有多少银纸（粤言钞票也），好歹捞他几张，逃回乡下去，还不发财么？何必还在这里听使唤，做他的西崽？"恽来听了，心中一动，默默无言，各自分散。

回到屋里，恰好那咸水妹不在家，看看桌上小钟，恰是省河轮船将近开行的时候。回想那苦力之言不错，便到咸水妹枕头边一翻，翻出了铁柜钥匙，开了柜门，果然横七竖八的放了好几卷银纸。恽来心中暴暴乱跳，取了两卷，还想再取，一想不要拿得太多了，害得他没得用。又怕他回来碰见，急急的忘了关上柜门，忙忙出来，把房门顺手一带；喜得房门是装了弹簧锁的，一碰便锁上了。恽来急急走了出来，径登轮船，竟回省城去了。

回到省城，又附了乡下渡船（犹江南之航船也），回到花县。到了家，见了他老子，便喜孜孜的拿出银纸来道："一个人到底是要出门，你看我已经发了财了。"他老子名叫阿亨，因他年纪老了，人家都叫他老亨。当下老亨听了儿子的话，拿起一卷，打开一看，大惊道："这是银纸啊！我还是前年才见过，我欢喜他，凑了一元银，买了一张藏着，永远舍不得用。你那里来这许多？莫非你在外面做了强盗么？你可不要在外头闯了祸累我！"恽来是老实到极的人，便把上项事一一说出。老亨不听犹可，听了之时，顿时三尸乱暴，七窍生烟，飞起脚来，就是一脚，接连就是两个嘴巴，大骂："你这畜生！不安分在家耕田，却出去学做那下流事情，回来辱没祖宗！还不给我去死了！"说着，又是没头没脑的两三拳。恽来知道自己的错，不敢动，也不敢则声。老亨气过一阵，想了个主意，取了一根又粗又大拴牛的麻绳来，把儿子反绑了，手提了一根桑木棍，把那两卷银纸紧紧藏在身边，押着下船。在路上饭也不许他吃。到了省城，换坐轮船，到了香港，叫他领到咸水妹家里。

那咸水妹为失了五百元的银纸，知是恽来所为，心中正自纳闷。过了一天，忽见一个老头子，绑着他押了来，心中正在不解。看那老头子，又不是公差打扮。正要开言相问，老亨先自陈了来历，又把儿子偷银纸的事说了。

取出银纸，一一点交，然后说道："这个人从此不是我的儿子了，听凭阿姑（粤人面称妓者为阿姑）怎样发落，打死他，淹死他，杀他，剐他，我都不管了！"说着，举起桑木棍，对准恽来头上尽力打去。吓得咸水妹抢上前来，双手接住。只听得"嗳呀"一声。正是：

双手高擎方挞子，一声娇啭忽惊人。

不知叫"嗳呀"的是谁，打痛了那里，且待下回再记。

第五十八回 陡发财一朝成眷属 狂骚扰遍地索强梁

原来恽老亨用力过猛，他当着盛怒之下，巴不得这一下就要结果了他的儿子。咸水妹抢过来双手往上一接，震伤了虎口，不觉喊了一声"嗳呀"。一面夺过了桑木棍，忙着舀了一碗茶送过来，又去松了恽来的绑，方才说道："这点小事，何必动了真气！老爷不要气坏了自己，我还有说话商量呢。"这恽老亨一向在乡下耕田，只有自己叫人家老爷，那里有人去叫过他一声老爷的呢？此刻忽然听得咸水妹这等称呼，弄得他周身不安起来。然而那个怒气终是未息，便说道："偷了许多银纸还算是小事，当真要杀了人才算大事么！阿姑你便饶了他，我可饶他不得！此刻银纸交还了你，请你点一点，我便要带他回去治死了他，免得人家说起来，总说我恽老亨没家教，纵容儿子作贼。"说着，又站起来，挥起拳头，打将过去。

咸水妹连忙拦住道："老爷有话慢慢说。等我说明白了，你就不恼了。"说罢，便把上岸遇见恽来的事，从头说了一遍。又道："我因为看他为人忠厚，所以十分信他敬他。就是他拿了这五百多元，我想也未必是他自己起意，必是有人唆弄他的。他虽然做了这个事，到底还是忠厚。若是别人，既然开了我的铁柜，岂有不尽情偷去之理？就是银纸，一起放着的，也有十二三卷，他只拿得两卷，还有多少钻石、宝石、金器、首饰，都在里面，他还丝毫没动。这不是他忠厚之处么？所以我前天回来，看见铁柜开了，点了点钱，只少了五百多元，我心中还自好笑，这个就像小孩子偷两文钱买东西吃的行为。我还耽着心，恐怕他惧罪，不知逃到那里去，就可惜了这个人了。难得老爷也这般忠厚，亲自送了来。我这一向本来有个心事，今天索性说明白了：我从十八岁那年，在这里香港做生意，头一个客人就是个美国人，一见了我就欢喜了，便包了我，一住半年。他得了电报要回去，又和我商量，要带我到美国，情愿多加我包银。我便跟他到美国去了，一住七年，不幸他死了。这个人本是个富家，他一心只想娶我，我也未尝不肯嫁他，然而他因为我究竟担了个妓女的名字，恐怕朋友看不起，所以迟迟未果。他却又不肯另娶别人，所以始终未曾娶亲。他临死的时候，写了遗嘱，把家财分给我二万，连我平日积蓄的也有万把。我想有了这点，在美国不算甚么，拿回中国来，是很好的一家人家了，所以附了公司船回来。不想一登岸便碰了他。见他十分老实可靠，他虽然无意，我倒有意要想嫁他了。我在外国住了七八年，学了些外国习气，不敢胡乱查问人家底细。后来试探了他的口气，知道他还没有娶亲，我越发欢喜。然而他家里的人是怎样的，还没有知道，此刻见了老爷也是这等好人，我意思更加决定了。但不知老爷的意思怎样？”

恽老亨听了，心中不觉十分诧异：“他何以看上了我们乡下人？娶了他做媳妇，马上就变了个财主了。只是他带了偌大的一份家当过来，不知要闹甚么脾气。倘使闹到一家人都要听他号令起来，岂不讨厌？”心中在那里踌躇不定。咸水妹见他迟疑，便道：“我虽然不幸吃了这碗饭，然而始终只有一个客，自问和那胡拉乱扯的还不同。老爷如果嫌到这一层，不妨先和他娶一房正室，我便情愿做了侍妾。”恽老亨吐出舌头道：“我们乡下人，还讲纳妾么！”咸水妹道：“那么就请老爷给个主意。”恽老亨还自沉吟。咸水妹道：“老爷不要多心。莫非疑心到我带了几个钱过来，怕我仗着这个，在翁姑丈夫跟前失了规矩么？我是要终身相靠的，要嫁他，也是我的至诚，怎肯那个样子呢？”恽老亨见他诚恳，便欢喜起来，一口应允。咸水妹见他应允了，更是欢喜。只有那恽来在旁边听得呆了，自己也不知是欢喜的好，还是不欢喜的好，心里头好像有一件东西，在那里七上八下，自己也不知是何缘故。

咸水妹便拿了两张银纸给恽来，叫他带着老子，先去买一套光鲜衣裤鞋袜之类，恽老亨便登时光鲜起来。又叫了裁缝来，量了他父子两个的衣裁，去做长衣。因为恽老亨住在这里不便，又买了一份铺盖，叫他父子两个，先到客栈里住下，一面另寻房屋。不到两天，寻着了一处，便置备木器及日用家私，搬了进去。择了吉日迎娶，一般的鼓乐彩舆，凤冠霞帔，花烛拜堂，成了好事。那女子在美国多年，那洋货的价钱都知道的，到了香港，看见香港卖的价钱，以为有利，便拿出本钱，开了这家洋货店。

我打听得这件事，觉得官场、士类、商家等，都是鬼蜮世界，倒是乡下人当中，有这种忠厚君子，实在可叹。那女子择人而事，居然能赏识在牝牡骊黄以外，也可算得一个奇女子了。

勾当了几天，便回省城。如此来来去去，不觉过了几个月。有一天，又从香港坐了夜船到省城。船到了省河时，却不靠码头，只在当中下了锚，不知是甚么意思。停了一会，来了四五艘舢舨，摇到船边来，二三十个关上扦子手，一拥上船，先把各处舱口守住，便到舱里来翻箱倒匣的搜索。此时是六月下旬天气，带行李的甚少。我来往向来只带一个皮包，统共不过八九寸长、五六寸高，他们也要开了看看，里面不过是些笔墨帐单之类，也舀了出来翻检一遍；连坐的藤椅，也翻转来看过；甚至客人的身上，也要摸摸。有两起外省人，带了家眷从上海来，在香港上岸，玩了两天，今天才附了这个船来的，有二三十件行李，那些扦子手便逐一翻腾起来，闹了个乱七八糟。也有看了之后，还要重新再看的；连那女客带的马桶，也揭开看过；夜壶箱也要开了，把夜壶拿出来看看。忽然又听得外面“訇”的一声，放了一响洋枪，吓得人人惊疑不定。忽然又在一个搭客衣箱里，搜出一杆六响手枪来，那扦子手便拿出手铐，把那人铐住了，派人守了。又搜索了半天，方才一哄而去。

我要到外面看时，舱口一个关上洋人守着，摇手禁止，不得出去。此时买办也在舱里面，我便问为了甚么事。买办道：“便是连我也不知道。方才船主进来，问那关上洋人，那洋人回说不便泄漏。正是不知为了甚么事呢。”我道：“已经搜过了，怎么还不让我们出去？”买办道：“此刻去搜水手、火夫的房呢，大约是恐怕走散了，有搜不到的去处，所以暂时禁止。”我道：“刚才外面为甚么放枪？”买办道：“关上派人守了船边，不准舢舨摇拢来。有一个舢舨，不知死活，硬要摇过来，所以放枪吓他的。”我听了不觉十分纳闷，这个到底为了甚么，何以忽然这般严紧起来。

又等了一大会，扦子手又进来了，把那铐了的客带了出去。然后叫一众搭客，十个一起的，鱼贯而出。走到船边，还要检搜一遍，方才下了舢舨，每十个人一船，摇到码头上来。码头上却一字儿站了一队兵，一个蓝顶花翎，一个晶顶蓝翎的官，相对坐在马鞍上。众人上岸要走，却被两个官喝住。便有兵丁过来，每人检搜了一遍。我皮包里有三四元银，那检搜的兵丁，便拿了两元，往自己袋里一放，方放我走了。走到街上，遇着两个兵勇，各人扛着一枝已经生锈的洋枪，迎面走来。走不多路，又遇了两个。一径走到名利栈，倒遇见了七八对，也有来的，也有往的。

回到栈里，我便问帐房里的李吉人，今天为了甚么事，香港来船，搜得这般严紧，街上又派了兵勇，到底为了甚么事。吉人道：“我也不知道。昨夜二更之后，忽然派了营兵，在城里城外各客栈，挨家搜查起来，说是捉拿反贼。到底是谁人造反，也不得而知。我已经着人进城去打听了。”我只得自回房里去歇息，写了几封信。吃过午饭，再到帐房里问信。那去打听的伙计已经回来了，也打听不出甚么，只说总督、巡抚两个衙门，都札了重兵，把甬道变了操场，官厅变了营房，还听说昨天晚上，连夜发了十三枝令箭调来的，此刻陆续还有兵来呢。督抚两个衙门，今天都止了辕，只传了臬台去问了一回话，到底也不知商量些甚么。城门也严紧得很，箱笼等东西，只准往外来，不准往里送；若是要送进去，先要由城门官搜检过才放得进去呢。两县已经出了告示，从今天起，起更便要关闸（街上栅栏，广东谓之闸）。我道："这些都不过是严紧的情形罢了。至于为了甚么事这般严紧，还是毫无头绪。"

正说话时，忽听得门外一声叱喝。回头看时，只见两名勇丁在前开道，跟着一匹马，驮着一个骨瘦如柴，满面烟色，几茎鼠须的人，戴着红顶花翎。我们便站到门口去看，只见后头还有五六匹马，马上的人，也有蓝顶子的，也有晶顶子的。几匹马过去后，便是一大队兵：起先是大旗队；大旗队过去，便有一队扛叉的，扛刀的，扛长矛的；过完这一队，又是一队抬枪；抬枪之后，便是洋枪队。最是这洋枪队好看：也有长杆子林明敦枪的，也有短杆子毛瑟枪的，有拿枪扛在肩膀上的，有提在手里的，有上了枪头刀的，有不曾上枪头刀的。路旁歇了一担西瓜，一个兵便拿枪头刀向一个西瓜戮去，顺手便挑起来。那瓜又重，瓜皮又脆，挑起来时，便破开了，"豁刺"一声，掉了下来，跌成七八块。那兵嘴里说了一句□□□□。我听他这一句，是合肥人骂人的村话，方知道是淮军。随后来的兵，又学着拿枪头刀去戮。吓得那卖西瓜的挑起来要走，可怜没处好走。我便招手叫他，让他挑到栈里避一避，卖瓜的便踉踉跄跄挑了进来，已经又被他戮破一个了。卖瓜的进来之后，又见一个老婆子，手里拿着一个碗，从隔壁杂货店里出来，颤巍巍的走过去。不期误踩了那跌破的西瓜，仰面一交跌倒，手里那碗便掼了出去打破了。碗里的酱油泼了出来，那一个兵身上穿的号衣，溅着了一点。那兵便出了队，抓住那老婆子要打。那老婆子才爬了起来，就被他抓住了，吓得跪在地下叩头求饶，还合着掌乱拜，又拿自己衣服，代他拭了那污点。旁边又走过几个人，前去排解，说他年纪大了，又不是有心的，求你大量饶了他罢，那个兵方悻悻的胡乱归队去了。这洋枪队过完之后，还有一个押队官，戴着砗磲顶子，骑着马。看他过完之后，我们方进来。大家议论这一队兵，又不知是从甚么地方调来的了。此时看大众情形，大有人心惶惶的样子。

我想要探听这件事情的底细，在帐房里坐到三点多钟。忽又见街上一对一对往来巡查的兵都没了，换上了街坊团练勇，也是一对一对的往来巡查，手中却是拿的单刀藤牌，腰上插了六响手枪。这些团练勇都是土人，吉人多有认识的，便出去问："为甚么调了你们出来？今天到底为了甚么事？"团练勇道："连我们也不知道，只听分付查察形迹可疑之人。上半天巡查那些兵，听说调去保护藩库了。"我听了这话，知道是有了强盗的风声；然而何至于如此的张皇，实在不解。只得仍回房里，看一回书，觉得烦热，便到后面露台上去乘凉。

原来这家名利栈，楼上设了一座倒朝的客厅，作为会客之地。厅前面是一个极开辟的露台，正对珠江，十分豁目。我走到外面，先有一个人在那里，手里拿着水烟筒，坐在一把皮马鞍上，是一个同栈住的客人。他也住了有个把月，相见得面也熟了，彼此便点头招呼。我看他那举动，颇似官场中人，便和他谈起今天的事，希冀他知道。那客道："很奇怪！我今天进城上院，走到城门口，那城门官逼着住了轿，把帽盒子打开看过；又要我出了轿，他要验轿里有无夹带，我不肯，他便拿出令箭来，说是制台分付的，没法，只得给他看了，才放进去。到了抚院，又碰了止辕，衙门里札了许多兵，如临大敌。我问了巡捕，才知道两院昨夜接了一个甚么洋文电报，便登时张皇起来。至于那电报说些甚么，便连签押房的家人也不知道。"

正说话时，有客来拜他，他就在客厅里会客。我仍在露台上乘凉。听见他和那客谈的也是这件事，只是听不甚清楚。谈了一会，他的客去了。便出来对我说道："这件事了不得！刚才我敝友来说起，他知道详细。那封洋文电报，说的是有人私从香港运了军火过来，要谋为不轨。已经挖成了隧道，直达万寿宫底下，装满了炸药，等万寿那天，阖城官员聚会拜牌时，便要施放。此刻城里这个风声传开来了，万寿宫就近的一带居民铺户，胆小的都纷纷搬走了。两院的内眷，都已避到泮塘（地名）一个乡绅人家去了。"我吃了一惊道："明天就是二十六了，这还了得！"那客道："明天行礼，已经改在制台衙门了。"正是：

如火如荼，军容何盛；疑神疑鬼，草木皆兵。

未知这件事闹得起来与否，且待下回再记。

第五十九回
干儿子贪得被拐出洋　戈什哈神通能撤人任

我听那同栈寓客的话，心中也十分疑虑，万一明日出起事来，岂不是一番扰乱？早知如此，何不在香港多住两天呢？此刻如果再回香港去，又未免太张皇了。一个人回到房里，闷闷不乐。

到了傍晚时候，忽听得房外有搬运东西的声音，这本来是客栈里的常事，也不在意。忽又听得一个人道："你也走么？"一个应道："暂时避一避再说。好在香港一夜就到了，打听着没事再来。”我听了，知道居然有人走避的了。便到帐房里去打听打听，还有甚么消息。吉人一见了我，就道：“你走么？要走就要快点下船了，再迟一刻，只怕船上站也没处站了。”我道：“何以挤到如此？”吉人道：“而且今天还特为多开一艘船呢。孖舲艇（广东小快船）码头的孖舲都叫空了。”我道：“这又到那里去的？”吉人道：“这都是到四乡去的了。”我道：“要走，就要到香港、澳门去。这件事要是闹大了，只怕四乡也不见得安靖。若是一哄而散的，这里离万寿宫很远，又有一城之隔，只怕还不要紧。而且我撒开的事情在外面，走了也不是事。我这回来，本打算料理一料理，就要到上海去的了，所以我打算不走了。”吉人点头无语。

我又到门口闲望一回，只见团练勇巡的更紧了。忽然一个人，扛着一扇牌，牌上贴了一张四言有韵告示，手里敲着锣，嘴里喊道：“走路各人听啊！今天早点回家。县大老爷出了告示，今天断黑关闸，没有公事，不准私开的啊！”这个人想是个地保了。看了一会，仍旧回房。虽说是定了主意不走，然而总不免有点耽心。幸喜我所办的事，都在城外的，还可以稍为宽慰。又想到明日既然在督署行礼，或者那强徒得了信息，罢了手不放那炸药，也未可知。既而又想到，他既然预备了，怎肯白白放过，虽然众官不在那里，他也可以借此起事。终夜耽着这个心，竟夜不曾合眼。

听着街上打过五更，一会儿天窗上透出白色来，天色已经黎明了，便起来走到露台上，一来乘凉，二来听听声息。过了一会，太阳出来了，却还绝无消息。这一天大家都是惊疑不定，草木皆兵。迨及到了晚上，仍然毫无动静。一连过了三天，竟是没有这件事，那巡查的就慢慢疏了。再过两天，督抚衙门的防守兵也撤退了，算是解严了。这两天我的事也料理妥贴，打算走了。

一天正在客厅闲坐，同栈的那客也走了来道：“无罪而戮民，则士可以徙，我们可以走了。”我问道：“这话怎讲？”他道：“今天杀了二十多人，你还不知道么？”我惊道：“是甚么案子？”他道：“就是为的前两天的谣言了。也不知在那里抓住了这些人，没有一点证据，就这么杀了。有人上了条陈，叫他们雇人把万寿宫的地挖开，查看那隧道通到那里，这案便可以有了头绪了。你想这不是极容易极应该的么？他们却又一定不肯这么办。你想照这样情形看去，这挖成隧道，谋为不轨的话，岂不是他们以意为之，拟议之词么？此刻他们还自诩为弭巨患于无形呢。”说罢，喟然长叹。我和他谈论了一回，便各自走开。

恰好何理之走来，我问可是广利到了。理之道：“不是。我回乡下去了一个多月，这回要附富顺到上海。”我问富顺几时走。理之道：“到了好几天了，说是今天走，大约还要明天，此刻还上货呢。”我道：“既如此，代我写一张船票罢。”理之道：“怎么便回去了？几时再来？”我道：“这个一年半载说不定的，走动了，总要常来。”理之便去预备船票，定了地方。到了明天，发行李下船。下午时展轮出口。到了香港，便下锚停泊。这一停泊，总要耽搁一天多才启轮，我便上岸去走一趟，买点零碎东西。

广东用的银元，是每经一个人的手，便打上一个硬印的。硬印打多了，便成了一块烂板，甚至碎成数片，除了广东、福建，没处行用的。此时我要回上海，这些烂板银，早在广州贴水换了光板银元。此时在香港买东西，讲好了价钱，便取出一元光板银元给他。那店伙拿在手里，看了又看，掼了又掼，说道：“换一元罢。”我换给他一元，他仍然要看个不了，掼个不了，又对我看看。我倒不懂起来，难道我贴了水换来的，倒是铜银？便把小皮夹里十几元一起拿出来道：“你拣一元罢。”那店伙又看看我，倒不另拣，就那么收了。再到一家买东西，亦复如此。买完了，又走了几处有往来的人家，方才回船上去。

停泊了一夜，次日便开行。在船上没事，便和理之谈天，谈起我昨天买东西，那店伙看银元的光景。理之笑道：“光板和烂板比较，要伸三分多银子的水。你用出去，不和他讨补水，他那得不疑心你用铜银呢？”我听了方才恍然大悟。然而那些香港人，也未免太不张眼睛了。我连年和继之办事经营，虽说是趸来趸去，也是一般的做买卖，何尝这样小器来。于是和理之谈谈香港的风气，我谈起那咸水妹嫁乡下人的事。理之道：“这个是喜出意外的。我此次回家，住了一个多月，却看见一件祸出意外的事。”我问甚么祸出意外。

理之道：“我家里隔壁一家人家，有两间房子空着，便贴了一张馀屋召租的条子。不多几天，来了一个老婆子，租来住了，起居动用，像是很宽裕的。然而只有一个人，用了一个仆妇。住了两个月，便与那女房东相好起来。他自己说是在新加坡开甚么行栈的，丈夫没了，又没有儿子，此刻回来，要在同族中过继一个儿子；谁知回来一查，族中的子侄，竟没有一个成器的，自己身后，正不知倚靠谁人。说着，便不胜凄惶。以后便常常说起。新加坡也常常有信来，有银子汇来。来了信，他便央男房东念给他听。以后更形相熟了。

“房东本有三个儿子，那第二个已经十七八岁了。那老婆子常常说他好：‘我有了这么个儿子就好了！’那女房东便说：‘你欢喜他，何不收他做个干儿子呢？’那老婆子不胜欢喜，便看了黄道吉日，拜干娘。到了这天，他还慎重其事的，置酒庆贺。干娘干儿子，叫得十分亲热。他又说要替干儿子娶亲了，一切费用，他都一力担任。那房东也乐得依他。于是就张罗起来，便有许多媒人来送庚贴说亲。说定了，便忙着拣日子行聘迎娶，十分热闹。待媳妇也十分和气。又替媳妇用了一个年轻梳头老妈子。房东见他这等相待，便说是亲生儿子也不过这样了。老婆子道：‘我们没有儿子的人，干儿子就和亲生的一般。我今年五十多岁，没有几年的人了，只要他将来肯当我亲娘一般，送我的终，我的一分家当便传授给他，也不去族中过继甚么儿子了。’女房东一想，他是个开行栈的人，家当至少也有几万，如何不乐从？便叫了儿子来，说知此事，儿子自然也乐得应允。老婆子更是欢喜，就在那里天天望孙了。偏偏这媳妇娶了来差不多一年，还没有喜信。老婆子就天天求神拜佛，请医生调理身子。过了几个月，依然没有信息。老婆子急不能待，便要和干儿子纳妾。叫了媒婆来说知，看了几家丫头和贫家女儿。看对了，便娶了一个过来。一样的和他用一个年轻梳头老妈子。

“刚娶了没有几天，忽然新加坡来了一封电信，说有一单货到期要出，恰好行里所有存款，都支发了出去，放在外面的，一时又收不回来，银行的一个存折，被女东带了回粤，务祈从速寄来云云。老婆子央房东翻出来，念了一遍，便道：‘你看，我不在那里，便一点主意都没了。自己的款项虽然支发出去，又何妨在别处调动呢。我们几十年的老行号，还怕没人相信么。’说着，闷闷不乐。又道：‘这个存折怎好便轻易寄去，倘或寄失了，那还了得么！’商量了半天道：‘不如我自己回去一趟罢。我还想带了干儿子同去。他此刻是小东家了，叫他去看看，也历练点见识，出来经历过一两年，自己就好当事了。’房东一心以为儿子承受了这分大家当，有甚么不肯之理。他见房东应允了，自是不胜欢喜。于是带了一个干儿子、两房干媳妇、两个梳头老妈子，一同到新加坡去了。这是去年的事。

“我这回到家里去，那房东接了他儿子来信了。你晓得他在新加坡开的是甚么行号？原来开的是娼寮。那老婆子便是鸨妇。一到了新加坡，他便翻转了面皮，把干儿子关在一间暗室里面。把两房干媳妇和两个梳头老妈子，都改上名字，要他们当娼；倘若不从，他家里有的是皮鞭烙铁，便要请你尝这个滋味。可怜这四个好人家女子，从此便跳落火坑了。那个干儿子呢，被他幽禁了两个月，便把他‘卖猪仔（读若崽）’到吉冷去了。卖了猪仔到那边做工。那边管得极为苛虐，一步都不能乱走的。这位先生能够设法寄一封信回来，算是他天大的本领了。”

我道：“卖猪仔之说，我也常有得听见，但不知是怎么个情形。说的那么苦，谁还去呢？”理之道：“卖猪仔其实并不是卖断了，就是那招工馆代外国人招的工，招去做工，不过订定了几年合同，合同满了，就可以回来。外国人本来招去做工，也未必一定要怎么苛待，后来偶然苛待了一两次，我们中国政府也不过问。那没有中国领事的地方，不要说了；就是设有中国领事的地方，中国人被人苛虐了，那领事就和不见不闻，与他绝不相干的一

般。外国人从此知道中国人不护卫自己百姓的，便一天苛似一天起来了。”我道：“那苛虐的情形，是怎么样的呢？”理之道：“这个我也不仔细，大约各处的办法不同。听说南洋那边有一个软办法：他招工的时候，恐怕人家不去，把工钱定得极优。他却在工场旁边，设了许多妓馆、赌馆、酒馆、烟馆之类，无非是销耗钱财的所在。做工的进了工场，合同未满，本来不能出工场一步的，惟有这个地方，他准你到。若是一无嗜好的，就不必说了；倘使有了一门嗜好，任从你工钱怎么优，也都被他赚了回去，依然两手空空。他又肯借给你，等你十年八年的合同满了，总要亏空他几年工钱，脱身不得，只得又联几年合同下去。你想这个人这一辈子还可以望有回来的一天么？还不和卖了给他一样么！因此广东人起他一个名字，叫他卖猪仔。”说话之间，船上买办打发人来招呼理之去有事，便各自走开。

一路无事。到了上海便登岸，搬行李到字号里去。德泉接着道：“辛苦了！何以到此时才来？继之半个月前，就说你要到了呢。”我道：“继之到上海来过么？”德泉道：“没有来过，只怕也会来走一趟呢。有信在这里，你看了就知道了。”说着，检出一封信来道：“半个月前就寄来的，说是不必寄给你，你就要到上海的了。”我拆开一看，吃了一惊，原来继之得了个撤任调省的处分，不知为了甚么事，此时不知交卸了没有。连忙打了个电报去问。直到次日午间，才接了个回电。一看电码的末了一个字，不是继之的名字。继之向来通电给我，只押一个“吴”字，这吴字的码，是〇七〇二，这是我看惯了，一望而知的；这回的码，却是个六六一五，因先翻出来一看，是个“述”字，知道是述农复的了。逐字翻好，是“继昨已回省。述”六个字。

我得了这个电，便即晚动身，回到南京，与继之相见。却喜得家中人人康健。继之又新生了一个儿子，不免去见老太太，先和干娘道喜。老太太一见了我，便欢喜的了不得，忙叫奶娘抱撤儿出来见叔叔。我接过一看，小孩子生得血红的脸儿，十分胐壮。因赞了两句，交还奶娘道：“已经有了名儿了，干娘叫他甚么，我还没有听清楚。是几时生的？大嫂身子可好？”老太太道：“他娘身子坏得很，继之也为了他赶回来的。此刻交代还没有算清，只留下文师爷在那边。这小孩子还有三天就满月了。他出世那一天，恰好挂出撤任的牌来，所以继之给他个名字叫撤儿。”我道：“大哥虽然撤了任，却还得常在干娘跟前，又抱了孙子，还该喜欢才是。”老太太道：“可不是么！我也说继之丢了一个印把子，得了个儿子，只好算秤钩儿打钉——扯直罢了。”我笑道：“印把子甚么稀奇，交了出去，乐得清净些，还是儿子好。”说罢，辞了出来，仍到书房和继之说话，问起撤任缘由，未免着恼。继之道：“这有甚么可恼。得失之间，我看得极淡的。”于是把撤任情由，对我说了。

原来今年是大阅年期，这位制军代天巡狩，到了扬州，江、甘两县自然照例办差。扬州两首县，是著名的“甜江都、苦甘泉”。然而州县官应酬上司，与及衙门里的一切开销，都有个老例，有一本老帐簿的。新任接印时，便由新帐房向旧帐房要了来，也有讲交情要来的，也有出钱买来的。这回帅节到了扬州，述农查了老例，去开销一切。谁知那戈什哈嫌钱少，退了回来。述农也不和继之商量，在例外再加丰了点再送去。谁知他依然不受。述农只得和继之商量。还没有商量定，那戈什哈竟然亲自到县里来，说非五百两银子不受。继之恼了，便一文不送，由他去。那戈什哈见诈不着，并且连照例的都没了。那位大帅向来是听他们说话的，他倘去说继之坏话，撤他的任倒也罢了，谁知后来打听得那戈什哈并未说坏话。正是：

不必蜚言腾毁谤，敢将直道拨雷霆。

那戈什哈不是说继之坏话，不知说的是甚么话，且待下回再记。

第六十回
谈官况令尹弃官　乱著书遗名被骂

那戈什哈，他不是说继之的坏话，难道他倒说继之的好话不成？那有这个道理！他说的话，说得太爽快了，所以我听了，就很以为奇怪。你猜他说甚么来？他简直的对那大帅说：“江都这个缺很不坏。沐恩等向吴令借五百银子，他居然回绝了，求大帅作主。”这种话你说奇不奇？那大帅听了，又是奇怪，他不责罚那戈什哈倒也罢了，却又登时大怒起来，说：“我身边这几个人，是跟着我出生入死过来的，好容易有了今天。他们一个一个都有缺的，都不去到任，都情愿仍旧跟着我，他们不想两个钱想甚么！区区五百两都不肯应酬，这种糊涂东西还能做官么！”也等不及回省，就写了一封信，专差送给藩台，叫撤了江都吴令的任，还说回省之后要参办呢。

我问继之道：“他参办的话，不知可是真的？又拿个甚么考语出参？”继之道：“官场中的办事，总是起头一阵风雷火炮，打一个转身就要忘个干净了。至于他一定要怎样我，那出参的考语，正是‘欲加之罪，何患无词’。好在参属员的折子上去，总是‘着照所请，该部知道’的，从来没有驳过一回。”我道：“本来这件事很不公的，怎么保举折子上去，总是交部议奏；至于参折，就不必议奏呢？”继之道：“这个未尽然。交部议奏的保折，不过是例案的保举。就是交部，那部里你当他认真的堂官、司员会议起来么？不过交给部办去查一查旧例，看看与旧例符不符罢了。其实这一条就是部中书吏发财的门路。所以得了保举与及补缺，都首先要化部费。那查例案最是混帐的事，你打点得到的，他便引这条例；打点不到，他又引那条例，那里有一定的呢！至于明保、密保的折子上去，也一样不交部议的。”我道：“虽说‘欲加之罪，何患无词’，究竟也要拿着人家的罪案，才有话好说啊。”继之道：“这又何必。他此刻随便出个考语，说我‘心地糊涂’，或者‘办事颟顸’，或者‘听断不明’，我还到那里同他辩去呢？这个还是改教的局面。他一定要送断了我，就随意加重点，难道我还到京里面告御状，同他辨是非么？”

我道：“提起这个，我又想起来了。每每看见京报，有许多参知县的折子，譬如‘听断不明’的改教，倒也罢了；那‘办事颟顸，心地糊涂’的，既然‘难膺民社’，还要说他‘文理尚优，着以教职归部铨选’，难道儒官就一点事都没得办么？把那心地糊涂的去当学老师，那些秀才们，不都叫他教成了糊涂虫么？”继之道：“照你这样说起来，可驳的地方也不知多少。参一个道员，说他‘品行卑污，着以同知降补’，可见得品行卑污的人，都可以做同知的了。这一位降补同知的先生，更是奉旨品行卑污的了。参一个知县，说他‘行止不端，以县丞降补’，那县丞就是奉了旨行止不端的了。照这样说穿了，官场中办的事，那一件不是可笑的？这个还是字眼上的虚文，还有那办实事的，候选人员到部投供，与及小班子的验看，大约一大半都是请人去代的，将来只怕引见也要闹到用替身的了。”我道：“那些验看王大臣，难道不知道的么？”继之道：“那有不知之理！就和唱戏的一样，不过要唱给别人听，做给别人看罢，肚子里那一个不知道是假的！碰了岔子，那王大臣还帮他忙呢。有一回，一个代人验看，临时忘了所代那人的姓名，报不出来，涨红了脸，楞了半天。一位王爷看见他那样子，一想这件事要闹穿了，事情就大了，便假意着恼道：“唔！这个某人，怎么那么糊涂！’这明明是告诉他姓名，那个人才报了出来。你想，这不是串通做假的一样么！”

我笑道：“我也要托人代我去投供了。”继之道：“你几时弄了个候选功名？”我道：“我并不要甚么功名，是我家伯代我捐的一个通判。”继之道：“化了多少钱？”我道：“颇不便宜，三千多呢。”继之默然。一会道：“你倒弄了个少爷官，以后我见你，倒要上手本，称‘大老爷’、‘卑职’呢。”我道：“怎么叫做少爷官？这倒不懂。”继之道：“世上那些阔少爷想做官，州县太烦剧，他懒做；再小的，他又不愿意做；要捐道府，未免价钱太贵。所以往往都捐个通判，这通判就成了个少爷官了。这里头他还有个得意之处：这通判是个三府，所以他一个六品官，和四品的知府是平行的，拜会时只拿个晚生帖子；却是比他小了一级的七品县官，是他的下属，见他要上手本，称'大老爷'、'卑职'。实缺通判和知县行起公事来，是下札子的，他的署缺又多，上可以署知府、直隶州，下可以署州县。占了这许多便宜，所以那些少爷，便都走了这条路了。其实你既然有了这个功名，很可以办了引见到省，出来候补。"我道："我舒舒服服的事不干，却去学磕头请安作甚么！"

继之想了一想道："劝你出来候补是取笑的。你回去把那第几卯，第几名，及部照的号数，一切都抄了来，我和你设法，去请个封典。"我道："又要化这个冤钱做甚么？"继之道："因为不必化钱，纵使化，也化不上几个，我才劝你干啊。你拿这个通判底子，加上两级，请一个封赠，未尝不可以博老伯母的欢喜。"我道："要是化得少，未尝不可以弄一个。但不知到那里去弄？"继之道："就是上海那些办赈捐的，就可以办得到。"我道："他们何以能便宜，这是甚么讲究？"

继之道："说来话长。向来出资助赈，是可以请奖的。那出一千银子，可以请建坊，是大家都知道的了。其馀不及一千的，也有奖虚衔，也有奖封典，是听随人便的。甚至那捐助的小数，自一元几角起至几十元，那彀不上请奖的，拿了钱出去就完了，谁还管他？可是数目是积少成多的，那一本总册在他那里，收条的存根也在他那里。那办赈捐的人一定兼办捐局，有人拿了钱去捐封典、虚衔，他们拿了那零碎赈捐，凑足了数目，在部办那里打点几个小钱，就给你弄了来，你的钱他可上了腰了。所以他们那里捐虚衔、封典，格外便宜，总可以打个七折。然而已经不好了，你送一百银子去助赈，他不错一点弊都不做，完全一百银子拿去赈饥，他可是在这一百之外，稳稳的赚了七十了。所以'善人是富'的，就是这个道理。这个毛病，起先人家还不知道，这又是他们做贼心虚弄穿的。有一回，一个当道荐一个人给他，他收了，派这个人管理收捐帐目，每月给他二十两的薪水。这个人已经觉得出于意外了。过得两个月便是中秋节，又送他二百两的节敬。这个人就大疑心起来，以为善堂办赈捐那里用得着如此开销，而且这种钱又往那里去报销？若说他自己掏腰包，又断没有这等事；一定这里面有甚么大弊病，拿这个来堵我的口的，我倒不可不留心查查他，以为他日要挟地步。于是细心静意的查他那帐簿，果然被他查了这个弊病出来，自此外面也渐渐有人知道了。有知道他这毛病的，他们总肯送一个虚衔或者一个封典，这也同贿赂一般，免得你到处同他传扬。前回一个大善士，专诚到扬州去劝捐，做得那种痌瘝在抱，愁眉苦目的样子，真正有'己饥己溺'的神情，被述农讥诮了两句。他们江苏人最会的是讥诮人，也最会听人家话里的因由。他们两个江苏人碰在一起，自然彼此会意。述农不知弄了他一个甚么，他还要送我的封典，我是早讲过的了，不曾要他的。此刻叫述农写一封信去，怕不弄了来，顶多部里的小费由我们认还他罢了。”我道：“这也罢了。等我翻着时，顺便抄了出来就是。”

当下，又把广东、香港所办各事大略情形，告诉了继之一遍，方才回到我那边，和母亲、婶娘、姊姊，说点别后的事，又谈点家务事情。在行李里面，取出两本帐簿和我在广东的日记，叫丫头送去给继之。

过得两天，撤儿满月，开了个汤饼会，宴会了一天，来客倒也不少。再过了十多天，述农算清交代回省，就在继之书房下榻。继之便去上衙门禀知，又请了个回籍措资的假，我和述农都不曾知道。及至明天看了辕门抄，方才晓得。便问为甚事请这个假。继之道：“我又不想回任，又不想求差，只管住在南京做甚么？我打算把家眷搬到上海去住几时，高兴我还想回家乡去一趟。这个措资假，是没有定期的，我永远不销假，就此少陪了，随便他开了我的缺也罢，参了我的功名也罢。我读书十年，总算上过场，唱过戏了，迟早总有下场的一天，不如趁此走了的干净。”述农道：“做官的人，像继翁这样乐于恬退的，倒很少呢。”继之道：“我倒不是乐于恬退。从小读书，我以为读了书，便甚么事都可以懂得的了。从到省以来，当过几次差事，做了两年实缺，觉得所办的事，都是我不曾经练的，兵、刑、钱、谷，没有一件事不要假手于人，我纵使处处留心，也怕免不了人家的蒙蔽。只有那回分校乡闱试卷，是我在行的。此刻回想起来，那一班取中的人，将来做了官，也是和我一样。老实说一句，只怕他们还不及我想得到这一层呢。我这一番到上海去，上海是个开通的地方，在那里多住几天，也好多知点时事。”述农道：“这么说，继翁倒深悔从前的做官了？”继之道：“这又不然。寒家世代是出来作官的，先人的期望我是如此，所以我也不得不如此还了先人的期望。已经还过了，我就可告无罪了。以后的日子，我就要自己做主了。我们三个，有半年不曾会齐了，从此之后，我无官一身轻，咱们三个痛痛快快的叙他几天。”说着，便叫预备酒菜吃酒。

述农对我道：“是啊。你从前只嬲人家谈故事，此刻你走了一次广东，自然经历了不少，也应该说点我们听了。”继之道：“他不说，我已经知道了。他备了一本日记，除记正事之外，把那所见所闻的，都记在上面，很有两件稀奇古怪的事情，你看了便知，省他点气，叫他留着说那个未曾记上的罢。”于是把我的日记给述农看。述农看了一半，已经摆上酒菜，三人入席，吃酒谈天。

述农一面看日记，末后指着一句道：“这‘《续客窗闲话》毁于潮人’是甚么道理？”我道：“不错。这件事本来我要记个详细，还要发几句议论的，因为这天恰好有事，来不及，我便只记了这一句，以后便忘了。我在上海动身的时候，恐怕船上寂寞，没有人谈天，便买了几部小说，预备破闷的。到了广东，住在名利栈里，隔壁房里住了一个潮州人，他也闷得慌，看见我桌子上堆了些书，便和我借来看。我顺手拿了部《续客窗闲话》给他。谁知倒看出他的气来了。我在房里，忽听见他拍桌子跺脚的一顿大骂。他说的潮州话，我不甚懂，还以为他骂茶房。后来听来听去，只有他一个人的声音，不像骂人。便到他门口望望。他一见了我，便指手画脚的剖说起来。我见他手里拿着一本撕破的书，正是我借给他的。他先打了广州话对我说道：'你的书，被我毁了。买了多少钱，我照价赔还就是。'我说：'赔倒不必。只是你看了这书为何动怒，倒要请教。'他找出一张撕破的，重新拼凑起来给我看。我看时，是一段《乌蛇已癞》的题目。起首两行泛叙的是：'潮州凡幼女皆蕴癞毒，故及笄须有人过癞去，方可婚配。女子年十五六，无论贫富，皆在大门外工作，诱外来浮浪子弟，交住弥月。女之父母，张灯彩，设筵席，会亲友，以明女癞去，可结婚矣'云云。那潮州人便道：'这麻疯是我们广东人有的，我何必讳他。但是他何以诬蔑起我合府人来？不知我们潮州人杀了他合族，还是我们潮州人谋了他的祖宗，他造了这个谣言，还要刻起书来，这不要气死人么！'说着，还拿纸笔抄了著书人的名字'海盐吴炽昌号芗厈'，夹在护书里，说要打听这个人，如果还在世，要约了潮州合府的人，去同他评理呢。"述农道："本来著书立说，自己未曾知得清楚的，怎么好胡说，何况这个关乎闺女名节的呢。我做了潮州人，也要恨他。"

我道："因为他这一怒，我倒把那广东麻疯的事情，打听明白了。"述农道："是啊。他那条笔记说的是癞，怎么拉到麻疯上来？"我道："这个是朱子的典故。他注'伯牛有疾'章说：'先儒以为癞也。'据《说文》：'癞，恶疾也'。广东人便引了他做一个麻疯的雅名。"继之"扑嗤"一声，回过脸来，喷了一地的酒道："麻疯还有雅名呢！"我道："这个不可笑，还有可笑的呢。其实麻疯这个病，外省也未尝没有，我在上海便见过一个，不过外省人不忌，广东人极忌罢了。那忌不忌的缘故，也不可解。大约广东地土热，犯了这个病要溃烂的，外省不至于溃烂，所以有忌有不忌罢了。广东地方，有犯了这个病的，便是父子也不相认的了，另外造了一个麻疯院，专收养这一班人，防他传染。这个病非但传染，并且传种的要到了第三代，才看不出来，然而骨子里还是存着病根。这一种人，便要设法过人了。男子自然容易设法。那女子却是掩在野外，勾引行人，不过一两回就过完了。那上当的男子，可是从此要到麻疯院去的了。这个名目，叫做'卖疯'，却是背着人在外面暗做的，没有彰明昭著在自己家里做的，也不是要经月之久才能过尽，更没有张灯宴客的事，更何至于阖府都如此呢。"

继之棱棱的道："你说还有可笑的，却说了半天麻疯的掌故，没有可笑的啊。"我道："可笑的也是麻疯掌故，广东人最信鬼神，也最重始祖，如靴业祀孙膑，木匠祀鲁班，裁缝祀轩辕之类，各处差不多相同的。惟有广东人，那怕没得可祀的，他也要硬找出一个来，这麻疯院当中供奉的却是冉伯牛。"正是：

享此千秋奇血食，斯人斯疾尚模糊。

未知麻疯院还有甚么掌故，且待下回再记。

第六十一回
因赌博入棘闹舞弊　误虚惊制造局班兵

我说了这一句话，以为继之必笑的了。谁知继之不笑，说道："这个附会得岂有此理！麻疯这个毛病，要地土热的地方才有，大约总是湿热相郁成毒，人感受了就成了这个病。冉子是山东人，怎么会害起这个病来。并且癞虽然是个恶疾，然而恶疾焉见得就是麻疯呢？这句注，并且曾经毛西河驳过的。"我道："那一班溃烂得血肉狼籍的，拈香行礼起来，那冉子才是血食呢。"述农皱眉道："在这里吃着喝着，你说这个，怪恶心的。"

我道："广东人的迷信鬼神，有在理的，也有极不在理的。他们医家只止有个华佗，那些华佗庙里，每每在配殿上供了神农氏，这不是无理取闹么！至于张仲景，竟是没有知道的。真是做古人也有幸有不幸。我在江、浙一带，看见水木两作都供的是鲁班，广东的泥水匠却供着个有巢氏，这不是还在理么？"继之摇头道："不在理。有巢氏构木为巢，还应该是木匠的祖师。"我道："最可笑的是那搭棚匠，他们供的不是古人。"述农道："难道供个时人？"我道："供的是个人，倒也罢了。他们供的却是一个蜘蛛，说他们搭棚就和蜘蛛布网一般，所以他们就奉以为师了。这个还说有所取意的。最奇的是剃头匠这一行事业，本来中国没有的，他又不懂得到满洲去查考查考这个事业是谁所创，却供了一个吕洞宾。他还附会着说：有一回，吕洞宾座下的柳仙下凡，到剃头店里去混闹，叫他们剃头；那头发只管随剃随长，足足剃了一整天，还剃不干净。幸得吕洞宾知道了，也摇身一变，变了个凡人模样，把那斩黄龙的飞剑取出来，吹了一口仙气，变了一把剃刀，走来代他剃干净了。柳仙不觉惊奇起来，问：'你是甚么人，有这等法力？'吕洞宾微微一笑，现了原形。柳仙才知道是师傅，连忙也现了原形，脑袋上长了一棵柳树，倒身下拜。师徒两个，化一阵清风而去。一班剃头匠，方才知道是神仙临凡，连忙焚香叩谢，从此就奉为祖师。”继之笑道：“这才像乡下人讲《封神榜》呢。”述农道：“剃头虽是满洲的制度，然而汉人剃头，有名色的，第一个要算范文程了，何不供了他呢？”继之道：“范文程不过是被剃的，不是主剃的。必要查着当日第一个和汉人剃头的人，那才是剃头祖师呢。”

我道：“这些都是他们各家的私家祖师。还有那公用的，无论甚么店铺，都是供着关神。其实关壮缪并未到过广东，不知广东人何以这般恭维他。还有一层最可笑的：凡姓关的人都要说是原籍山西，是关神之后。其实《三国志》载，‘庞德之子庞会，随邓艾入蜀，灭尽关氏家’，那里还有个后来？”继之道：“这是小说之功。那一部《三国演义》，无论那一种人，都喜欢看的。这部小说却又做得好，却又极推尊他，好像这一部大书都是为他而作的，所以就哄动了天下的人。”我道：“《三国》这部书，不错，是好的，若说是为关壮缪而作，却没有凭据。”继之道：“虽然没有凭据，然而一部书之中，多少人物，除了皇帝之外，没有一个不是提名道姓的，只有叙到他的事，必称之为‘公’，这还不是代一个人作墓碑家传的体裁么？其实讲究敬他忠义，我看岳武穆比他还完全得多，先没有他那种骄矜之气。然而后人的敬武穆不及敬他的多，就因为那一部《岳传》做得不好之故。大约天下愚人居多，愚人不能看深奥的书，见了一部小说，就是金科玉律，说起话来便是有书为证，不像我们看小说是当一件消遣的事。小说能把他们哄动了，他们敬信了，不因不由的，便连上等人也跟着他敬信了，就闹的请加封号，甚么王咧、帝咧，闹这种把戏，其实那古人的魂灵，已经不知散到那里去了，想穿了真是笑得死人！”

我道：“此刻还有人议论岳武穆不是的呢。”继之道：“奇了！这个人还有甚批评？倒要请教。”我道：“有人说他，‘将在外，君命有所不受’；况且十二道金牌，他未必不知道是假的，何必就班师回去，以致功败垂成。”继之道：“生在千年以后去议论古人，也要代古人想想所处的境界。那时候严旨催迫，自有一番必要他班师的话。看他百姓遮留时，出诏示之曰：‘我不得擅留。’可见得他自有必不能留的道理，不过史上没有载上那道诏书罢了。这样批评起古人来，那里不好批评！怪不得近来好些念了两天外国书的，便要讥诮孔子不知洋务。看得一张平圆地球图的，便要骂孔子动辄讲平天下，说来说去都是千乘之国，不知支那之外，更有五洲万国的了。”我笑道：“天下未必有这等人。”继之道：“今年三月里，一个德国人到扬州游历，来拜我，带来的一个翻译，就是这种议论。”

述农道：“这种人谈他做甚么，谈起来呕气。还是谈我们那对着迷信的见解，还可以说说笑笑。”我道：“要讲究迷信，倘使我开个店铺，情愿供桓侯，断不肯供壮缪。”述农道：“这又为甚么？”我道：“俗人凡事都取个吉利。店铺开张交易，供了桓侯，还取他的姓是个开张的‘张’字；若供了壮缪，一面才开张，一面便供出那关门的‘关’字来，这不是不祥之兆么！”说得述农、继之一齐笑了。

述农道：“广东的赌风向来是极盛的，不知你这回去住了半年，可曾赌过没有？”我道：“说起来可是奇怪。那摊馆我也到过，但是挤拥的不堪，总挨不到台边去看看。我倒并不要赌，不过要见识见识他们那个赌法罢了。谁知他们的赌法不曾看见，倒又看见了他们的祖师，用绿纸写了甚么‘地主财神’的神位，不住的烧化纸帛，那香烛更是烧得烟雾腾天的。”述农道：“地主是广东人家都供的，只怕不是甚么祖师。”我道：“便是我也知道。只是他为甚用绿纸写的，不能无疑。问问他的土人，他们也说不出个所以然来。”

述农道：“这龙门摊的赌博，上海也很利害，也是广东人顽的。而且他们的神通实在大，巡捕房那等严密，却只拿他们不着。有一回，巡捕头查得许多人都得了他们的陋规，所以想着要去拿他，就有人通了风声。这一回出其不意，叫一个广东包探，带了几十个巡捕，自己还亲自跟着去捉，真是雷厉风行，说走就走的了。走到半路上，那包探要吃吕宋烟，到一家烟店去买，拣了许久，才拣了一支，要自来火来吸着了。及至走到赌台时，连桌椅板凳都搬空了，只剩下两间大篷厂。巡捕头也楞住了，不知他们怎样得的信。没奈何，只放一把火，把那篷厂烧了回来。”我惊道：“怎么放起火来！”述农笑道：“他的那篷厂是搭在空场上面，纵使烧了，也是四面干连不着的。”我道：“这只可算是聊以解嘲的举动。然而他们到底那里得的信呢？”述农道：“他们那个赌场也是合了公司开的，有股份的人也不知多少。那家烟铺子也是股东。那包探去买烟时，轻轻的递了一个暗号，又故意以拣烟为名，俄延了许久，那铺子里早差人从后门出去，坐上车子，飞奔的报信去了，这边是步行去的，如何不搬一个空。”

继之道：“不知是甚么道理，单是广东人欢喜赌。那骨牌、纸牌、骰子，制成的赌具，拿他去赌，倒也罢了。那绝不是赌具，落了广东人的手，也要拿来赌，岂不奇么！像那个闱姓，人家好好的考试，他却借着他去做输赢。”述农道：“这种赌法，倒是大公无私，不能作弊的。”我道：“我从前也这么想。这回走了一次广东，才知道这里面的毛病大得很呢。第一件是主考、学台自己买了闱姓，那个毛病便说不尽了。还有透了关节给主考、学台，中这个不中那个的。最奇的，俗语常说，‘没有场外举子’，广东可闹过不曾进场，中了举人的了。”述农道：“这个奇了！不曾入场，如何得中？”我道：“他们买闱姓的赌，所夺的只在一姓半姓之间。倘能多中了一个姓，便是头彩。那一班赌棍，拣那最人少的姓买上一个，这是大众不买的。他却查出这一姓里的一个不去考的生员，请了枪手，或者通了关节，冒了他的姓名进场去考，自然要中了。等到放出榜来，报子报到，那个被人冒名去考的，还疑心是做梦，或是疑心报子报错的呢。”继之道：“犯到了赌，自然不会没弊的，然而这种未免太胡闹了。”我道：“这个乡科冒名的，不过中了就完了。等到赴鹿鸣宴、谒座主，还通知本人，叫他自己来。还有那外府荒僻小县，冒名小考的，并谒圣、簪花、谒师，都一切冒顶了，那个人竟是事后安享一名秀才呢。”述农道：“听说广东进一名学极不容易，这等被人冒名的人，未免太便宜了。”我道：“说也奇怪，一名秀才值得甚么，听说他们院考的时候，竟有交了白卷，拿银票夹在卷里，希冀学台取进他的呢。”

继之道：“随便那一项，都有人发迷的，像这种真是发秀才迷了。其实我也当过秀才，回想起来，有甚么意味呢。我们且谈正经事罢，我这几天打算到安庆去一走。你可到上海去，先找下一处房子，我们仍旧同住。只是述农就要分手，我们相处惯了，倒有点难以离开呢。我们且设个甚么法子呢？”述农道：“我这几年总没有回去过，继翁又说要到上海去住，我最好就近在上海弄一个馆地，一则我也免于出门，二则同在上海，时常可以往来。”继之想了一想道：“也好。我来同你设一个法。但不知你要甚么馆地？”述农道：“那倒不必论定，只要有个名色，说起来不是赋闲就罢了。我这几天，也打算回上海去了。我们将来在上海会罢。”当下说定了。

过得两天，继之动身到安庆去。我和述农同到上海，述农自回家去了。我看定了房子，写信通知继之。约过了半个月，继之带了两家家眷，到了上海，搬到租定的房子里，忙了几天，才忙定了。

继之托我去找述农。我素知他住在城里也是园滨的，便进城去访着了他，同到也是园一逛。这小小的一座花园，也还有点曲折，里面供着李中堂的长生禄位。游了一回出来，迎面遇见一个人，年纪不过三十多岁，却留了一部浓胡子，走起路来，两眼望着天。等他走过了，述农问道：“你认得他么？”我道：“不。”述农道：“这就是为参了李中堂被议的那位太史公。此刻因为李大先生做了两广，他回避了出来，住在这里蕊珠书院呢。”我想起继之说他在福建的情形，此刻见了他的相貌，大约是色厉内荏的一流人了。

一面和述农出城，到字号里去，与继之相见。述农先笑道：“继翁此刻居然弃官而商了，其实当商家倒比做官的少耽心些。”继之道：“耽心不耽心且不必说，先免了受那一种龌龊气了。我这回到安庆去，见了中丞，他老人家也有告退之意了。我说起要代你在上海谋一个馆地，又不知你怎样的才合式，因和他要了一张启事名片，等你想定了那里，我就代你写一封荐信。”述农道：“有这种好说话的荐主，真是了不得！但是局卡衙门的事，我不想干了。这些事情，东家走了，我们也跟着散，不如弄一个长局的好。好在我并不较量薪水，只要有了个处馆的名色罢了。这里的制造局，倒是个长局——”我不等说完，便道：“好，好。我听说那个局子里面故事很多的，你进去了，我们也可以多听点故事。”述农也笑了一笑。议定了，继之便写了一封信，夹了片子，交给述农。不多几天，述农来说，已经投了信，那总办已经答应了。此刻搬了行李到局里去住，只等派事。坐了一会就去了。

此时已过了中秋节，继之要到各处去逛逛，所以这回长江、苏、杭一带，都是继之去的。我在上海没有甚事。一天，坐了车子，到制造局去访述农。述农留下谈天，不觉谈的晚了。述农道：“你不如在这里下榻一宵，明日再走罢。”我是无可无不可的，就答应了。

到得晚上，一同出了局门，到街上去散步。到了一家酒店，述农便邀我进去，烫了一壶酒对吃。说道：“这里倒很有点乡村风味，为十里洋场所无的，也不可不领略领略。”一面谈着天，不觉吃了两壶酒。忽听得门外一声洋号吹起，接连一阵“咯蹬咯蹬”的脚步声。连忙抬头往外望时，只见一队兵，排了队伍，向局子里走去，正不知为了甚么事。等那队兵走过了，忽然一个人闯进来道：“不好了！局子里来了强盗了！”我听了，吃了一惊。取出表来一看，只得八点一刻钟，暗想：“时候早得很，怎么就打劫了呢？”此时述农早已开发了酒钱，就一同出来。

走到栅门口，只见两排兵，都穿了号衣，擎着洋枪，在黑暗地下对面站着。进了栅门，便望见总办公馆门口，也站了一排兵，严阵以待。走过护勇棚时，只见一个人，生得一张狭长青灰色的脸儿，浓浓的眉毛，一双抠了进去的大眼睛，下颏上生成的挂脸胡子，却不曾留；穿一件缺襟箭袖袍子，却将袍脚撩起，掖在腰带上面，外面罩一件马褂，脚上穿了薄底快靴，腰上佩了一把三尺多长的腰刀，头上却还戴的是瓜皮小帽；年纪不过三十多岁；在那里指手画脚，撇着京腔说话。一班护勇都垂手站立。述农拉我从旁边走过道：“这个便是总办。”走过护勇棚，向西转弯，便是公务厅，这里又是有两排兵守着。过了公务厅，往北走了半箭多路，便是述农的住房。述农到得房里，叫当差的来问：“外面到底是甚么事？”当差的道：“就是洋枪楼藏了贼呢。”述农道：“谁见来？”当差的道：“不知道。”

正说话间，听得外面又是一声洋号。出来看时，只见灯球火把，照耀如同白日，又是一大队洋枪队来。看他那号衣，头一队是督标忠字营，第二队是督标信字营字样。正是：

调来似虎如貔辈，要捉偷鸡盗狗徒。

未知到底有多少强盗，如何捉获，且待下回再记。

第六十二回 大惊小怪何来强盗潜踪　上张下罗也算商人团体

述农指着西北角上道：“那边便是洋枪楼，到底不知有了甚么贼。这忠字营在徽州会馆前面，信字营在日晖港，都调了来了。”我道：“我们何妨跟着去看看呢。”述农道：“倘使认真有了强盗，不免要放枪，我们何苦冒险呢。”说话间，两队兵都走过了，跟着两个蓝顶行装的武官押着阵。那总办也跟在后头，一个家人扛着一枝洋枪伺候着过去。我到底耐不住，往北走了几步，再往西一望，只见那些兵一字儿面北排班站着，一个个擎枪在手，肃静无哗。到底不知强盗在那里，只得回到述农处。述农已经叫当差的打听去了。一会儿回来说道：“此刻东栅门只放人进来，不放人出去。进来的兵只有两哨，其馀的也有分派在码头上，也有分派在西炮台。沪军营也调来了，都在局外面团团围住。听见有几十个强盗，藏在洋枪楼里面呢。此刻又不敢开门，恐怕这里一开门，那里一拥而出，未免要伤人呢。”述农道：“奇了！洋枪楼是一放了工便锁门的，难道把强盗锁到里头去了？”

正说话间，外面来了一群人，当头一个身穿一件蜜色宁绸单缺襟袍，罩了一件崭新的团花天青宁绸对襟马褂，脚穿的是一双粉底内城式京靴，头上却是光光的没有戴帽。后面跟着两个家人，打着两个灯笼。家人后面，跟了四名穿号衣的护勇，手里都拿着回光灯，在天井里乱照。述农便起身招呼。当头那人只点了点头，对我看了一眼，便问：“这是谁？”述农道：“这是晚生的兄弟。”那人道：“兄弟还不要紧，局子里不要胡乱留人住！”述农道：“是。”又道：“本来吃过晚饭要去的，因为此刻东栅门不放出去，不便走。”那人也不回话，转身出去，跟来的人一窝蜂似的都去了。述农道：“这是会办。大约因为有了强盗，出来查夜的。”我道：“这个会办生得一张小白脸儿，又是那么打扮，倒很像个京油子，可惜说起话来是湖南口音。”

说话间，忽听得远远的一声枪响。我道：“是了，只怕是打强盗了。”过了一会，忽听得有人说话，述农喊着问是谁。当差的进来说道：“听说提调在大厅上打倒了一个强盗。”述农忙叫快去打听，那当差的答应着去了。

一会回来，笑了个弯腰捧腹。我和述农忙问甚么事情。当差道：“今天晚上出了这件事，总办亲自出来督兵，会办和提调便出来查夜。提调查到大厅上面，看见角子上一团黑影，窸窣有声，便喝问是谁。喝了两声，不见答应。提调手里本来拿了一枝六响手枪，见喝他不答应，以为是个贼，便放了一枪。谁知这一枪放去，‘汪’的一声叫了起来，不是贼，是两只狗，打了一只，跑了一只。那只跑的直扑门口来，在提调身边擦过。提调吃了一惊，把手枪掉在地下，拾起来看时，已经跌坏了机簧，此刻在那里跺脚骂人呢。”说得我和述农一齐笑了。

我道：“今天我进来时，看见这局里许多狗，不知都是谁养的？”述农道：“谁去养他！大约是衙门、大局子，都有一群野狗，听其自己孳生，左右大厨房里现成的剩菜剩饭，总够供他吃的。这里的狗，听说曾经捉了送到浦东去，谁知他遇了渡江的船，仍旧渡了过来。”我道：“狗这东西，本来懂点人事的，自然会渡回来。”述农道：“说这件事，我又想起一件事了。浙江抚台衙门也是许多狗，那位抚台讨厌他，便叫人捉了，都送到钱塘江当中一块涨滩上去。这块涨滩上面，有几十家人家，那滩地都已经开垦的了。那滩上的居民，除了完粮以外，绝不进城，大有与世隔绝的光景。那一群狗送到之后，一天天孳生起来，不到两年，变了好几百，内中还有变了疯狗的，践踏得那田禾不成样子。乡下人要赶他，又没处可赶，迫得到钱塘县去报荒。钱塘县派差去查过，果然那些狗东奔西窜，践踏田禾。差人回来禀知，钱塘县回了抚台，派了两棚兵，带了洋枪出去剿狗。你说不是笑话么！”我听了，又说笑了一会。惦记着外面的事，和述农出来望望，见那些兵仍旧排列着，那两个押队官和总办，却在熟铁厂帐房里坐着。

此时已有三更时分，望了一会，殊无动静，仍回到房里去。方才坐下，外面查夜的又来了。当头那人，生得臃肿肥胖，唇上长了几根八字鼠须，脸上架了一副茶碗口大的水晶眼镜，身上穿的是半截湖色熟罗长衫，也没罩马褂，挺着一个大肚子，脚上却也穿了一双靴子，一样的带了家人护勇，只站在门口望了一望。述农起身招呼。那人道：“还没睡么？”述农道：“没有呢。外面乱得很，也睡不安稳。”那人自去了。述农道：“这个便是提调。”我道：“这局子只有一个总办，一个会办么？”述农道：“还有一个襄办，这两天到苏州去了。”两个谈至更深，方才安歇。外面那洋号一回一回的，吹得“呜呜”响，人来人往的脚步声音，又是那打更的梆子敲个不住，如何睡得着？方才朦胧睡去，忽听得外面“呜呜”的洋号声，鼕鼕的铜鼓声大振起来。连忙起身一望，天色已经微明，看看桌上的钟，才交到五点半的时候。述农也起来了，忙到外面去看，只见忠字营、信字营、沪军营、炮队营的兵，纷纷齐集到洋枪楼外面。

我见路旁边一棵柳树，柳树底下放着一件很大的铁家伙，也不知是甚么东西，我便跨了上去，借他垫了脚，扶住了柳树，向洋枪楼那边望去。恰好看见两个人在门口，一个拿了钥匙开锁，这边站的三四排兵，都拿洋枪对着洋枪楼门口。那开锁的人开了，便一人推一扇门，只推开了一点，便飞跑的走开了，却又不见有甚动静。忽见一个戴水晶顶子的官，嘴里喊了一句甚么话，那穿炮队营号衣的兵，便一步步向洋枪楼走去，把那大门推的开足了，鱼贯而入。这里忠、信两营，与及沪军营的兵，也跟着进去。不一会，只见楼上楼下的窗门，一齐开了。众兵在里面来来往往，一会儿又都出来了，便是嘻嘻哈哈的一阵说笑。进去的是兵，出来的依旧是兵，何尝有半个强盗影子。便下来和述农回房。

述农道："惊天动地的闹了一夜，这才是笑话呢。"我道："倒底怎样闹出这句话来呢？"说话时，当差送上水，盥洗过，又送上点心来。当差说道："真是笑话！原来昨天晚上，熟铁厂里的一个师爷，提了手灯到外面墙脚下出恭，那手灯的火光，正射在洋枪楼向东面的玻璃窗上。恰好那打更的护勇从东面走来，远远的看见玻璃窗里面的灯影子，便飞跑的到总办公馆去报，说洋枪楼里面有了人。那家人传了护勇的话进去，却把一个'人'字，说成了一个'贼'字。那总办慌了，却又把一个'贼'字，听成了'强盗'两个字。便即刻传了本局的炮队营来，又挥了条子，请了忠、信两营来；去请沪军营请不动，还专差人到道台那里，请了令箭调来呢。此刻听说总办在那里发气呢。"我和述农不觉一笑。

吃过点心，不久就听见放汽筒开工了。开过工之后，述农便带着我到各厂去看看，十点钟时候，方才回房。走过一处，听得里面人声嘈杂，抬头一看，门外挂着"议价处"三个字的牌子。我问："这是甚么地方？"述农道："这不明明标着议价处么，是买东西的地方。你可要做生意？进去看看，或者可以做一票。"我道："生意不必一定要做，倒要进去见识见识怎么个议法。"

述农便领了我进去。只见当中一间是空着的，旁边一间，摆着一张西式大桌子，围着许多人，也有站的，也有坐的。上面打横坐了三个人，述农介绍了与我相见，通过姓名，方知两个是议价委员，一个是誊帐司事。那委员问我可是要做生意。我道："进来见识见识罢了，有合式的也可以做点。"委员一面问我宝号，一面递一张纸给我看。我一面告诉了，一面接过那张纸看时，上面写着："请饬购可介子煤三千吨、豆油十篓、高粱酒二篓"等字。旁边又批了"照购"两个字，还有两个长方图书磕在上面。我想这一票煤倒有万把银子生意，但不知那豆油、高粱酒，这里买来何用。看罢了，交还委员。委员问道："你可会做煤么？这是一票大生意呢。"我道："会是会的。不知要栈货，还是路货？”旁边一个宁波人接口道：“此地向来不用栈货的，都是买路货。”我道：“这两年头番可介子很少了。”委员道：“我们不管头番、二番，只要东西好，价钱便宜。”我道：“关税怎样算呢？”委员道：“关税是由此地请免单的。”我道：“不知要几天交货？”委员道：“二十天、一个月，都可以。你原船送到码头就是，起到岸上是我们的事。多少银子一吨，你说罢。”我默算一算道：“每吨四两五钱银子罢。”一个宁波人看了我一眼道：“我四两四。”那委员又对那些人道：“你们呢？”却没人则声。委员又对我道：“你呢，再减点，你做了去。”我道：“那么就四两三罢。”又一个宁波人抢着道：“我四两二。”我心中暗想：“这个那里是议价，只是在这里跌价。外国人的拍卖行是拍卖，这里是拍买呢！”算一算，这个价钱没甚利息，我便不再跌了。那宁波人对我道：“你再跌罢，再跌一钱，你做了去。”我道：“三千吨呢，跌一钱便是三百两，好胡乱跌么！”委员道：“你再减点罢，早得很呢。”我筹算了一会道：“再减去五分罢。”

说犹未了，忽听得一声拍桌子响，接着一声大吼道：“我四两，齐头数！”接着，哄然一声叫好。我暗想：“这个明明是欺我生，和我作对。这个情形，外头拍卖行也有的，几个老拍卖联合了不肯抬价，及至有一个生人到了要拍，他们便很命把价抬起来。照这样看起来，纵使我再跌，他们也不肯让给我做的了，我何不弄他们一弄，看他们怎样。”想罢，便道：“三两九罢。”道犹未了，“忽”的一声跳起一个宁波人来，把手一扬，喊道：“三两五！”接着又是哄然叫好。委员拿了一张承揽纸，叫他写。我在旁边看时，那承揽纸上印就的格式，甚么限月日交货，甚么不得以低货朦充等字样，都是刻就的，只要把现在所定的货物、价目，填写上去便是了。看他拿起笔要写时，我故意道：“三两四如何？”那人拿着笔往桌子上一拍道：“三两三！”我道：“三两二。”便有一班人劝他道：“让他做了去罢。”我心中一想，不好，他倘让我做了，吃亏不少，要弄他倒弄了自己了。想犹未了，只听他大喊道：“三两一！我今日要让旁人做了，便不是个好汉！”我笑道：“我三两，你还能进关么？”他抢着喊道：“二两九！”我也抢着道：“二两八。”他把双脚一跳，直站起来道：“二两五！”我道：“四钱半。”他便道：“让你，让你。”我一想：“不好了！这回真上当了。”便坐下去，拿过承揽纸来，提笔要写。忽听得另外一个人道：“二两四我来！”我听了方才把心放下，乐得推给他去做了。那个人写好了，两个委员画了押。

又议那豆油、高粱酒，却是一个南京人做去的，并没有人向他抢跌价钱。等他写好时，已听得“呜呜”的汽筒响，放工了。我回头一看，不见了述农，想是先走了。那些人也一哄而散。

我也出了议价处，好得贴着隔壁便是述农住的地方，我见了述农，说起刚才的情形。因说道："这一票煤，最少也要赔两把银子一吨，不知他怎么做法。你在这里头，我倒托你打听打听呢。"述农道："这里是各人管各事的，怎样打听得出来？而且我还生得很呢。"我道："倒是那票油酒是好生意，我看见为数太少了，不去和他抢夺罢了。"说话间，已经开饭。

饭后别过述农，出来叫了车，回家走了一次，再到号里去，闲闲的又和管德泉说起制造局买煤的情形来。德泉吐出舌头来道："你几乎惹出事来！这个生意做得的么！只怕就是四两五钱给你做了，也要累得你一个不亦乐乎呢！"我道："我算过，从日本运到这里，不过三两七八钱左右便彀了，如果四两五钱做了，何至受累？"德泉道："就算三两八办到了，赚了七钱银子一吨，三七二千一到手了。轮船到了黄浦江，你要他驶到南头，最少要加他五十两。到了码头上，看煤的人来看了，凭你是拿花旗白煤代了东洋可介子，也说你是次货，不是碎了，便是潮了，挑剔了多少。有神通的，化上二三百，但求他不要原船退回，就万幸了。等到要起货时，归库房长夫经手，不是长夫忙得没有工夫，便是没有小工，给你一个三天起不清。轮船上耽搁他一天，最少也要赔他五百两，三五已经去了一千五了。好容易交清了货，要领货价时，他却给你个一搁半年，这笔拆息你和谁算去！他们是做了多年的，一切都熟了，应酬里面的人也应酬到了，所有里面议价处、核算处、库房、帐房，处处都要招呼到。见了委员、司事，卑污苟贱的，称他老爷、师爷；见了长夫、听差，呵腰打拱的，和他称兄道弟。到了礼拜那天，白天里在青莲阁请长夫、听差喝茶开灯，晚上请老爷、师爷在窑姐儿里碰和喝酒。这都是好几年的历练资格呢。"

我道："既如此，他们免不得要遍行贿赂的了。那里面人又多，照这样办起来，纵使做点买卖，那里还有好处？"德泉道："贿赂遍不遍，未曾见他过付，不能乱说。然而他们是联络一气的，所以你今天到了，他们便拚命的和你跌价，等你下次不敢去。他吃亏做了的买卖，便拿低货去充。譬如今天做的可介子，他却去弄了蒲古来充。如果还要吃亏，他便搀点石头下去，也没人挑剔。等你明天不去了，他们便把价钱揹住了不肯跌。再不然，值一两银子的东西，他们要价的时候，却要十两，几个人轮流减跌下来，到了五六两，也就成交了。那议价委员是一点事也不懂得，单知道要便宜。他们那赚头，却是大家记了帐，到了节下，照人数公摊的。你想初进去的人，怎么做得他们过！"我听了这话，不觉恍然大悟。正是：

回首前情犹在目，顿将往事一撄心。

不知悟出些甚么来，且待下回再记。

第六十三回
设骗局财神遭小劫　谋复任臧获托空谈

我听德泉一番话，不觉恍然大悟道："怪不得今日那承揽油酒的，没有人和他抢夺。这两天豆油的行情，不过三两七八钱，他却做了六两四钱；高粱酒行情，不过四两二三，他却做了七两八钱；可见得是通同一气的了。"德泉道："这些话，我也是从佚庐处听来的，不然我那里知道。他们当日本来是用了买办出来采办的，后来一个甚么人上了条陈，说买办不妥，不如设了报价处，每日应买甚么东西，挂出牌去，叫各行家弥封报价，派了委员会同开拆，拣最便宜的定买。谁知一班行家得了这个信，便大家联络起来。后来局里也看着不对，才行了这个当面跌价的规矩，报价处便改了议价处。起先大家要抢生意，自然总跌得贱些，不久却又联络起来了。其实做买卖联络了同行，多要点价钱，不能算弊病；那卖货的和那受货的联络起来，那个货却是公家之货，不是受货人自用之货，这个里面便无事不可为了。"

我道："从前既是用买办的，不知为甚么又要改了章程，只怕买办也出了弊病了。"德泉道："这个就难说了。官场中的事情，只准你暗中舞弊，却不准你明里要钱。其实用买办倒没有弊病，商家交易一个九五回佣，几乎是个通例的了。制造局每年用的物料，少说点，也有二三十万，那当买办的，安分照例办去，便坐享了万把银子一年，他何必再作弊呢？虽然说人心没厌足，谁能保他？不过作了弊，万一给人家攻击起来，撤了这个差使，便连那万把一年的好处也没了。不比这个单靠几两银子薪水的，除了舞弊，再不想有丝毫好处，就是闹穿了，开除了，他那个事情本来不甚可惜。这般利害相衡起来，那当买办的自然不敢舞弊了。谁知官场中却不这么说，拿了这照规矩的佣钱，他一定要说是弊，不肯放过，单立出这些名目来，自以为弊绝风清，中间却不知受了多少蒙蔽。"

我道："他买货是一处，收货是一处，发价又是一处，要舞弊，可也不甚容易。"德泉道："岂但这几处，那专跑制造局做生意的，连小工都是通同一气的。小工头，上海人叫做'箩间'。那边做箩间的人，却兼着做砖灰生意，制造局所用的砖灰，都是用他的。他也天天往议价处跑，所以就格外容易串通了。有一回，买了一票砖，害得人家一个痛快淋漓。这里起造房子的砖，叫做'新放砖'，名目是二寸厚，其实总不免有点厚薄。制造局买砖，向来是要验过厚薄的。其实此举也是多事，一二分的上下，起造时，那泥水匠本可以在用灰上设法的。他那验厚薄之法，是用五块砖迭起，把尺一量，是十寸，便算对了。那做砖灰生意的，自己是个箩间，验起来时自然容易设法，厚的薄的搀起来迭，自然总在十寸光景。他也不知垄断了若干年了。有一回，跑了个生脸的人，去承揽了十万新放砖。等到送货的时候，不免要请教他的小工。那小工却把厚的和厚的迭在一处，薄的和薄的迭在一处，拿尺量起来，不是量了十一寸，便是量了九寸。收货的司事，便摆出满脸公事样子来，说一定不能用，完全要退回去。又说甚么工程赶急，限时限刻，要换了好货来。害得那家人家，雇了他的小工，一块一块的拣起来，十成之中，不过三成是恰合二寸厚的。只得到窑里去商量，窑里也不能设法一律匀净。十万砖，送了七次，还拣不到四万。一面又是风雷火炮的催货。那家人家没了法，只得不做这个生意，把下馀未曾交齐的六万多砖，让给他去交货，每万还贴还他若干银子，方才了结。还要把人家那三万多的货价，捺了五个月，才发出来。照这样看去，那制造局的生意还做得么？这样把持的情形，那当总办的木头人，那里知道！说起来，还是只有他家靠得住呢。”我道：“发价是局里的事，他怎么能捺得住？”德泉道：“他只要弄个玄虚，叫收货的人不把发票送到帐房里，帐房又从何发起？纵使发票已经到了帐房，他帐房也是通的，又奈他何呢！”

凡做小说的有一句老话，是“有话便长，无话便短”。等到继之查察了长江、苏、杭一带回来，已是十月初旬了。此时外面倒了一家极大的钱庄，一时市面上沸沸扬扬起来，十分紧急，我们未免也要留心打点。一时谈起这家钱庄的来历，德泉道：“这位大财东，本来是出身极寒微的，是一个小钱店的学徒，姓古，名叫雨山。他当学徒时，不知怎样认识了一个候补知县，往来得甚是亲密。有一回，那知县太爷要紧要用二百银子，没处张罗，便和雨山商量。雨山便在店里，偷了二百银子给他。过得一天查出了，知道是他偷的。问他偷了给谁，他却不肯说。百般拷问，他也只承认是偷，死也不肯供出交给谁。累得荐保的人，受了赔累。店里把他赶走了，他便流离浪荡了好几年。碰巧那候补知县得了缺，便招呼了他，叫他开个钱庄，把一应公事银子都存在他那里，他就此起了家。他那经营的手段，也实在利害，因此一年好似一年，各码头都有他的商店。也真会笼络人，他到一处码头，开一处店，便娶一房小老婆，立一个家。店里用的总理人，到他家里去，那小老婆是照例不回避的。住上几个月，他走了，由得那小老婆和总理人鬼混。那总理人办起店里事来，自然格外巴结了，所以没有一处店不是发财的。外面人家都说他是美人局。像他这种专会设美人局的，也有一回被人家局骗了，你说奇不奇？”

我道："是怎么个骗法呢？"德泉道："有一个专会做洋钱的，常常拿洋钱出来卖。却卖不多，不过一二百、二三百光景。然而总便宜点：譬如今天洋价七钱四分，他七钱三就卖了；明天洋市七钱三，他七钱二也就卖了，总便宜一分光景。这些钱庄上的人，眼睛最小，只要有点便宜给他，那怕叫他给你捧□□，都是肯的。上海人恨的叫他'钱庄鬼'。一百元里面，有了一两银子的好处，他如何不买，甚至于有定着他的。久而久之，闹得大家都知道了。问他洋钱是那里来的，他说是自己做的。看着他那雪亮的光洋钱，丝毫看不出是私铸的。这件事叫古雨山知道了，托人买了他二百元，请外国人用化学把他化了，和那真洋钱比较，那成色丝毫不低。不觉动了心，托人介绍，请了他来，问他那洋钱是怎么做的，究竟每元要多少成本。他道：'做是很容易的，不过可惜我本钱少；要是多做了，不难发财。成本每元不过六钱七八分的谱子。'古雨山听了，不觉又动了心，要求他教那制造的法子。他道：'我就靠这一点手艺吃饭，教会了你们这些大富翁，我们还有饭吃么！'雨山又许他酬谢，他只是不肯教。雨山没奈何，便道：'你既然不肯教，我就请你代做，可使得？'他道：'代做也不能。你做起来，一定做得不少，未必信我把银子拿去做，一定要我到你家里来做。这件东西，只要得了窍，做起来是极容易的，不难就被你们偷学了去。'雨山道：'我就信你，请你拿了银子去做。但不知一天能做多少？'他道：'就是你信用我，我也不敢担承得多。至于做起来，一天大约可以做三四千。'雨山道：'那么我和你定一个合同，以后你自己不必做了，专代我做。你六钱七八的成本，我照七钱算给你，先代我做一万元来，我这里便叫人先送七千两银子到你那里去。'他只推说不敢担承。说之再四，方才应允。订了合同，还请他吃了一顿馆子，约定明天送银子去。除了明天不算，三天可以做好，第四天便可以打发人去取洋钱。到了明天，这里便慎重其事的，送了七千两现银子过去。到第四天，打发人去取洋钱，谁知他家里，大门关得紧紧的，门上粘了一张召租的帖子，这才知道上当了。"

我道："他用了多少本钱，费了多少手脚，只骗得七千银子，未免小题大做了。"德泉道："你也不是个好人，还可惜他骗得少呢。他能用多少本钱，顶多卖过一万洋钱，也不过蚀了一百两银子罢了。好在古雨山当日有财神之目，去了他七千两，也不过是九牛一毛，太仓一粟。若是别人，还了得么。"我道："别人也不敢想发这种财。你看他这回的倒帐，不是为屯积了多少丝，要想垄断发财所致么？此刻市面各处都被他牵动，吃亏的还不止上海一处呢。"

正说话间，继之忽然跑了来，对我道："苟才那家伙又来了。他来拜过我一次，我去回拜过他一次，都说些不相干的话。我厌烦的了不得，交代过家人们，他再来了，只说我不在家，挡驾。此刻他又来了，直闯进来。家人们回他说不在家，他说有要紧话，坐在那里，叫人出来找我。我从后门溜了出来。请你回去敷衍他几句，说到我的事情，你是全知道的，随意回复他就是了。”我听了莫名其妙，只得回去。原来我们住的房子，和字号里只隔得一条胡同，走不多路便到了。

当下与苟才相见，相让坐下。苟才便问继之到那里去了。我道：“今天早起还在家，午饭后出去，遇了两个朋友，约着到南翔去了。”苟才愕然道：“到南翔做甚么？怎么家里人也不晓得？”我道：“是在外面说起就走的，家里自然不知。听说那边有个古漪园，比上海的花园，较为古雅。还有人在那边起了个搓东诗社，只怕是寻诗玩景去了。”苟才道：“好雅兴！但不知几时才回来？”我道：“不过一两天罢了。不知有甚么要紧事？”苟才沉吟道：“这件事，我已经和他当面说过了。倘使他明天回来，请他尽明天给我个信，我有人到南京。”我道：“到底为甚么事，何妨告诉我。继之的事，我大半可以和他作主的，或者马上就可以说定，也未可知。”苟才又沉吟半晌道：“其实这件事本是他的事，不过我们朋友彼此要好，特地来通知一声罢了。兄弟这回到上海，是奉了札子来办军装的。藩台大人今年年下要嫁女儿，顺便托兄弟在上海代办点衣料之类。临行的时候，偶然说起，说是还差四十两金首饰，很费踌躇。兄弟到了这里，打听得继之还在上海，一想，这是他回任的好机会，能够托人送了四十两金子进去，怕藩台不请他回江都去么！”我道：“大人先和继之说时，继之怎样说呢？”苟才道：“他总是含含糊糊的。”我道：“他请假措资，此时未必便措了多少，一时怕拿不出来。”苟才道：“他那里要措甚么资！我看他不过请个假，暂时避避大帅的怒罢了。那里有措资的人，堂哉皇哉，在上海打起公馆的？”

我暗想：大约继之被他这种话聒得麻烦了，不如我代他回绝了罢。想罢，便道：“大人这一个‘避’字，倒是说着了，然而只着得一半。继之的避，并不是暂时避大帅的怒，却是要永远避开仕路的意思。此刻莫说是要化钱回任，便是不化钱叫他回任，只怕也不愿意的了。他常常和我说，等过了一年半载，上头不开他的缺，他也要告病开缺，他要自己去注销这个知县呢。”苟才愕然道：“这个奇了！江都又不是要赔累的缺，何至如此？若说碰钉子呢，我们做官的人，那一天不碰上个把钉子？要都是这么使脾气，官场中的人不要跑光了么！”我道：“便是我也劝过他好几次，无奈他主意打定了，凭劝也劝不过来。大人这番美意，我总达到就是了。”苟才道：“就是继翁正当年富力强的时候，此刻已经得了实缺，巴结点的干，将来督抚也是意中事。”我没得好说，只答应了两个“是”字。苟才又道：“令伯许久不见了，此刻可好？在那里当差？”我道：“在湖北，此刻当的是宜昌土捐局的差事。”苟才道：“这个差事怕不坏罢？”我道：“这倒不知道。”苟才道：“沾着厘捐的，左右没有坏差使。”说着，两手拿起茶碗，往嘴唇上送了一送，并不曾喝着一点茶，放下茶碗，便站起来，说道：“费心继翁跟前达到这个话，并劝劝他不要那么固执，还是早点出山的好。”我一面答应着，就送他出去。我要送他到胡同口上马车，他一定拦住，我便回了进来。

继之的家人高升对我道：“这么一个送上门的好机会，别人求也求不着的，怎么我们老爷不答应？求老爷好歹劝劝，我们老爷答应了，家人们也沾点儿光。”我笑道：“你们老爷自己不愿意做官，叫我怎样劝呢？”高升道：“这是一时气头上的话，不愿意做官，当初又何必出来考试呢。不要说有这么个机会，就是没有机会，也要找路子呢。前年盐城县王老爷不是的么，到任不满三个月，上忙没赶上，下忙还没到，为了乡下人一条牛的官司，叫他那舅老爷出去，左弄右弄，不知怎样弄拧了，就撤了任，闹了一身的亏空。后来找了一条路子，是一个候补道蔡大人，和藩台有交情，能说话，可是王老爷没有钱化，还是他的两三个家人，凑上了一吊多银子，不就回了任了吗。虽然赶回任的时候，把下忙又过了，明年的上忙还早着；到此刻，可是好了。倘使我们老爷不肯拿出钱来，就是家人们代凑着先垫起来，也可以使得。请老爷和家人说说。”我道：“你跟了你老爷这几年，还不知他的脾气吗？我可不能代你去碰这个钉子，要说你自己说去。”高升道：“家人们去说更不对了。”我正要走进去，字号里来了个出店，说有客来了。我便仍到字号里来。正是：

仕路方聆新怪状，家庭又听出奇闻。

不知那来客是谁，且听下回再记。

第六十四回
无意功名官照何妨是假　纵非因果恶人到底成空

那客不是别人，正是文述农。述农一见了我，便猝然问道：“你那个摇头大老爷，是那里弄来的？”我愕然道：“甚么摇头大老爷？我不懂啊。”继之笑道：“官场礼节，知县见了同、通，都称大老爷。同知五品，比知县大了两级，就叫他一声大老爷，似乎还情愿的，所以叫做点头大老爷。至于通判，只比他大得一级，叫起来未免有点不情愿，不情愿，就要摇头了，所以叫做摇头大老爷。那回我和你说过请封典之后，我知道你于此等事是不在心上的，所以托你令姊抄了那卯数、号数出来，托述农和你办去。其馀你问述农罢。”我道：“这是家伯托人在湖南捐局办来的。”述农道：“你令伯上了人家的当了，这张照是假的。”我不觉愕然，楞了半天道：“难道部里的印信，都可以假的么？你又从那里知道的呢？”述农道：“我把你官照的号码抄去，托人和你办封典，部里复了出来，说没有这张照，还不是假的么！”

我道：“这真奇了！那一张官照的板可以假得，怎么假起紫花印信来！这做假的，胆子就很不小。”继之道：“官照也是真的，印信也是真的，一点也不假，不过是个废的罢了。你未曾办过，怨不得你不知道。本来各处办捐的老例，系先填一张实收，由捐局汇齐捐款，解到部里，由部里填了官照发出来，然后由报捐的拿了实收，去倒换官照。遇着急于筹款的时候，恐怕报捐的不踊跃，便变通办理，先把空白官照，填了号数，发了出来，由各捐局分领了去劝捐。有来报捐的，马上就填给官照。所有剩下来用不完的，不消缴部，只要报明由第几号起，用到第几号，其馀均已销毁，部里便注了册，自第几号至第几号作废，叫做废照。外面报过废的照，却不肯销毁，仍旧存着，常时填上个把功名，送给人作个玩意儿。也有就此穿了那个冠带，充做有职人员的，谁还去追究他？也有拿着这废照去骗钱的，听说南洋新加坡那边最多。大约一个人有了几个钱，虽不想做官，也想弄个顶戴。到新加坡那边发财的人很多，那边捐官极不容易，所以就有人搜罗了许多废照，到那边去骗人。你的那张，自然也是废照。你快点写信给你令伯，请他向前路追问。只怕……”说到这两个字，继之便不说了。述农道：“其实功名这样东西，真的便怎么，假的弄一个玩玩也好。”

我听了这话，想起苟才的话来，便告诉了继之。继之道：“这般回绝了他也好，省得他再来麻烦。”我道：“大哥放着现成真的不去干，我却弄了个假的来，真是无谓。”述农道：“这样东西，真的假的，最没有凭据。我告诉你一个笑话：我们局里前几年，上头委了一个盐运同来做总办。这局子向来的总办都是道班，这一位是破天荒的。到差之后，过了一年多，才捐了个候选道。你道他为甚么加捐起来？原来他那盐运同是假的。”继之道：“假功名，戴个顶子玩玩就罢了，怎么当起差来？”述农道：“他还是奉宪准他冒官的呢。他本是此地江苏人。他的老兄，是个实缺抚台。他是个广东盐大使。那年丁忧回籍，办过丧事之后，不免出门谢吊；谢过吊，就不免拜客。他老兄见了两江总督，便代自家兄弟求差使，说本籍人员，虽然不能当地方差使，但如洋务、工程等类，也求赏他一个。总督答应了，他便递了一张‘广东候补盐大使某某’的条子。说过之后，许久没有机会。忽然一天，这局子里的总办报了丁忧，两江总督便想着了他。可巧那张条子不见了，书桌上、书架上、护书里、抽屉里，翻遍了都没有。便仔细一想，把他名字想了出来，却忘了他的官阶。想了又想，仿佛想起一个‘盐’字，便糊里糊涂给他填上一个盐运同。这不是奉宪冒官么！”我道：“他已经捐过了道班，这件事又从那里知道他的呢？”述农道：“不然那里知道，后来他死了，出的讣帖，那官衔候选道之下，便是广东候补盐大使，竟没有盐运同的衔头，大家才知道的啊。”

继之道：“自从开捐之后，那些官儿竟是车载斗量，谁还去辨甚么真假。我看将来是穿一件长衣服的，都是个官，只除了小工、车夫与及小买卖的，是百姓罢了。”述农道：“不然，不然。上一个礼拜，有个朋友请我吃花酒，吃的时候晚了，我想回家去，叫开老北门或新北门到也是园滨还远得很，不如回局里去。赶到宁波会馆叫了一辆东洋车。那车夫是个老头子，走的慢得很。我叫他走快点，情愿加他点车钱。他说走不快了，年轻时候，出来打长毛，左腿上受过枪弹，所以走起路来，很不便当。我听了很以为奇怪，问他跟谁去打长毛，他便一五一十的背起履历来。他还是花翎、黄马褂、硕勇巴图鲁、记名总兵呢。背出那履历来，很是内行，断不是个假的。还有这里虹口鸿泰木行一个出店，也是个花翎、参将衔的都司。这都是我亲眼看见的，何必穿长衣的才是个官呢！”德泉道：“方佚庐那里一个看门的，听说还是一个曾经补过实缺的参将呢。”继之道：“军兴的时候，那武职功名，本来太不值钱了；到了兵事过后，没有地方安插他们，流落下来，也是有的。那年我进京，在客店里看见一首题壁诗，署款是：‘解弁将军’。那首诗很好的，可惜我都忘了。只记得第二句是‘到头赢得一声驱’。只这七个字，那种抑郁不平之气，也就可想了。”当下谈了一会，述农去了，各自散开。

我想这废照一节，不便告诉母亲，倘告诉了，不过白气恼一场，不如我自己写个信去问问伯父便了。于是写就一封信，交信局寄去。回到家来，我背着母亲、婶娘，把这件事对姊姊说了。姊姊道：“这东西一寄了来，我便知道有点蹊蹊。伯娘又不曾说过要你去做官，你又不是想做官的人，何必费他的心，弄这东西来。你此刻只不要对伯娘说穿，有心代他瞒到底，免得伯娘白生气。”我道：“便是我也是这个意思，姊姊真是先得我心了。”姊姊道：“本来做官不是一件容易的事，便是真的，你未必便能出去做；就出去了，也未必混得好。前回在南京的时候，继之得了缺，接着方伯升到安徽去，那时你看干娘欢喜得甚么似的，以为方伯升了抚台，继之更有照应了。他未曾明白，隔了一省，就是鞭长不及马腹了。俗语说的好：‘朝里无人莫做官。’所以才有撤任的这件事。此刻譬如你出去候补，靠着谁来照应呢？并且就算有人照应，这靠人终不是个事情。并且一走了官场，就是你前回说的话，先要学的卑污苟贱，灭绝天良。一个人有好人不学，何苦去学那个呢！这么一想，就管他真的也罢，废的也罢，你左右用他不着。不过……”说到这里，就顿住了口，歇一歇道：“这两年字号里的生意也很好，前两天我听继之和伯娘说起，我们的股本，积年将利作本，也上了一万多了。那里不弄回三千银子来？只索看破点罢了。”我道：“不错，这里面很像有点盈虚消息。倘使老人家的几个钱，不这般糊里糊涂的弄去了，我便不至于出门；不出门，便不遇见继之，那里能挣起这个事业来呢？到了此刻，却强我做达人。”

说话之间，婶娘走了进来道：“侄少爷在这里说甚么？大喜啊！”我愕然道：“婶婶说甚么？喜从何来？”婶娘对我姊姊说道：“你看他一心只巴结做生意，把自己的事，全然不管，连问他也装做不知道了。”姊姊道：“这件事来往信，一切都是我经理的，难怪他不知道。”婶娘道：“难道继之也不向他提一句？”姊姊道：“他们在外面遇见时，总有正经事谈，何必提到，况且继之那里知道我们瞒着他呢？”说着，又回头对我道：“你从前定下的亲，近来来了好几封信催娶了，已经定了明年三月的日子。这里过了年，就要动身回去办喜事。瞒着你，是伯娘的主意，说你起服那一年，伯娘和你说过好几遍，要回去娶媳妇儿，你总是推三阻四的，所以这回不和你商量，先定了日子，到了时候，不由你不去。”我笑着站起来道：“我明年过了年，正月里便到宜昌去看伯父，住他一年半载才回来。”说着，走了下楼。

光阴荏苒，转瞬又到了年下，正忙着各处的帐目，忽然接到伯父的回信，我拆开一看，上面敷衍了好些不相干的话，末后写着说：“我因知王俎香在湘省办捐，吾侄之款，被其久欠不还，屡次函催，伊总推称汇兑不便。故托其即以此款，代捐一功名，以为吾侄他日出山之地。不图其以废照塞责。今俎香已死，虽剖吾心，无以自明。惟有俟吾死后，于九泉之下，与之核算”云云。我看了，只好付之一笑。到了晚上回家，给姊姊看了，姊姊也是一笑。

腊月的日子格外易过，不觉又到了新年。过年之后，便商量动身。继之老太太也急着要带撤儿回家谒祖，一定要继之同去。继之便把一切的事都付托了管德泉，退了住宅房子，一同上了轮船。在路走了四天，回到家乡，真是河山无恙，桑梓依然。在上海时，先已商定由继之处拨借一所房子给我居住。好在继之房子多，尽拨得出来。所以起岸之后，一行人轿马纷纷，都向继之家中进发。伯衡接着，照应一切行李。当日草草在继之家中歇了一天。次日，继之把东面的一所三开间、两进深的宅子，指拨给我。我道：“我住不了这些房子啊。”继之道：“住是住不了，然而办起喜事来却用得着。并且家母和你老太太同住热闹惯了，住远了不便。我自己这房子后面一所花园，却跨到那房子的后面，只要在那边开个后门，内眷们便可以不出大门一步，从花园里往来了。这是家母的意思，你就住了罢。"我只得依了。继之又请伯衡和我过去，叫人扫除一切。

原来这所房子，是继之祖老太爷晚年习静之处。正屋是三开间、两进深，西面还有一个小小院落，一间小小花厅，带着一间精雅书房，东面另有一间厨房，位置得十分齐整。伯衡帮着忙，扫除了一天，便把行李一切搬了过来。动用的木器家伙，还是我从前托伯衡寄存的，此时恰好应用，不够的便添置起来。母亲住了里进上首房间，婶娘暂时住了花厅，姊姊急着回婆家去了。我这边张罗办事，都是伯衡帮忙。安顿了三天，我才到各族长处走了一次，于是大家都知道我回来娶亲了。自此便天天有人到我家里来，这个说来帮忙，那个说来办事，我和母亲都一一谢去了。

有一天，要配两件零碎首饰，我暗想尤云岫向来开着一家首饰店的，何不到他那里去买，也顺便看看他。想罢，便一路走去。久别回乡的人，走到路上，看见各种店铺，各种招牌，以及路旁摆的小摊，都是似曾相识，如遇故人，心中另有一种说不出的情景。走到云岫那店时，谁知不是首饰店了，变了一家绸缎店。暗想莫非我走错了，仔细一认，却并未走错。只得到左右邻居店家去问一声，是搬到那里去了，谁知都说不是搬去，却是关了。我暗想："云岫这个人，何等会算计，何等尖刻，何至好好的一家店关了呢。"只得到别家去买。这条街本是一个热闹所在，走不上多少路，就有了首饰店，我进去买了。因为他们同行，或者知道实情，顺便问问云岫的店为甚么关了。一个店伙笑道："没有关。"说着，把手往南面一指道："搬到那边去了。往南走出了栅栏，路东第一家，便是他的宝号。"我听了，又暗暗诧异，怎么他的旧邻又说是关了呢。

谢过了那店伙，便向南走去，走出半里多路，到了栅栏，踱了过去。向路东第一间一望，只是这间房子，统共不过一丈开阔，还不到五尺深；地下摆了两个矮脚架子，架着两个玻璃扁匣，匣里面摆着些残旧破缺的日本耍货；匣旁边坐了一个老婆子，脸上戴着黄铜边老花眼镜，在那里糊自来火匣子，连柜台也没有一张。回过头来一看，却有一张不到三尺长的柜台，柜台上面也放着一个玻璃扁匣，匣里零零落落的放着几件残缺不全的首饰，旁边放着一块写在红纸贴在板上的招牌，是"包金法蓝"四个字。柜台里面坐着一个没有留胡子的老头子，戴了一顶油腻腻的瓜皮小帽，那帽顶结子，变了黑紫色的了，露出那苍白短头发，足有半寸多长，犹如洋灰鼠一般，身上穿了一件灰色洋布棉袄，肩上襟前，打了两个大补钉。仔细一看，正是尤云岫，不过面貌憔悴了好些。我跨进去一步，拱拱手，叫一声世伯。他抬起头来，我道："世伯还认得我么？"云岫连忙站起来弯着腰道："嗄！咦！啊！唔！哦！哦！哦！认得，认得！到那里去？请坐，请坐！"我见他这种神气，不觉忍不住要笑。

正要答话，忽听得后面有人叫我。我回头一看，却是伯衡。我便对云岫道："我有一点事，回来再谈罢。"弯了弯腰，辞了出来，问伯衡甚么事。伯衡道："继之老太太要送你一套袍褂，叫我剪料，恰好遇了你，请你同去看看花样颜色。"我道："这个随便你去买了就是，那有我自己去拣之理。"伯衡道："既如此，买了穿不得的颜色，你不要怨我。"我道："又何苦要买穿不得的颜色呢！"伯衡道："不是我要买，老太太交代，袍料要出炉银颜色的呢。"我笑道："老太太总还当我是小孩子，在他跟前，穿得老实点，他就不欢喜。今年新年里，还送我一条洒花腰带，硬督着要我束上，你想怎好拂他的意思。这样罢，袍料你买了蜜色的罢，只说我自己欢喜的，他老人家看了，也不算老实，我还可以穿得出。劳了你驾罢，我要和云岫谈谈去。"伯衡答应去了。

我便回头再到云岫那里。云岫见了我，连忙站起来道："请坐，请坐！你几时回来的？我这才想起来了。你头回来，我实在茫然。后来你临去那一点头，一呵腰，那种神气，活像你尊大人，我这才想起来了。请坐，请坐！"我看他只管说请坐，柜台外面却并没一把椅子。正是：

剩有阶前盈尺地，不妨同作立谈人。

柜台外面既没有椅子，不知坐到那里，且待下回再记。

第六十五回 一盛一衰世情商冷暖 忽从忽违辩语出温柔

云岫一口气说了六七句"请坐"，猛然自己觉着柜台外面没有凳子，连忙弯下腰去，要把自己坐的凳子端出来。我忙道："不必了，我们到外面去谈谈罢。但不知这里要看守不？"云岫道："好，好，我们外面去谈，这里不要紧的。"于是一同出来，拣了一家酒楼要上去。云岫道："到茶楼上去谈谈，省点罢。"我道："喝酒的好。"于是相将登楼，拣了坐位，跑堂的送上酒菜。

云岫问起我连年在外光景，我约略说了一点。转问他近年景况。云岫叹口气道："我不料到了晚年才走了坏运，接二连三的出几件事，便弄到我一败涂地！上前年先母见背下来，不上半年，先兄，先嫂，以及内人、小妾，陆续的都不在了。半年工夫，我便办了五回丧事。正在闹的筋疲力尽，接着小儿不肖，闯了个祸，便闹了个家散人亡！直是令我不堪回首！”我道：“此刻宝号里生意还好么？”云岫道：“这个那里好算一个店，只算个摊罢了！并且也没有货物，全靠代人家包金、法蓝，赚点工钱，那里算得个生意！”我道：“那个老婆子又是甚么人？”云岫道：“我租了那一点点地方，每年租钱要十元洋钱，在这个时候那里出得起！因此分租给他，每年也得他七元，我只要出三元就够了。”说时不住的欷歔叹息。我道：“这个不过暂屈一时，穷通得失，本来没有一定的。像世伯这等人，还怕翻不过身来么！”云岫道：“这么一把年纪，死期也要到快了，才闹出个朝不谋夕的景况来。不饿死就好了，还望翻身么！”我道：“世伯府上，此时还有甚人？”云岫见问，摇头不答，好像就要哭出来的样子。

我也不便再问，让他吃酒吃菜。又叫了一盘炒面，他也就不客气，风卷残云的吃起来。一面又诉说他近年的苦况，竟是断炊的日子也过过了。去年一年的租钱还欠着，一文不曾付过。分租给人家的七元，早收来用了。我见他穷得着实可怜，在身边摸一摸，还有几元洋钱，两张钞票，洋钱留着，恐怕还要买东西，拿出那两张钞票一看，却是十元一张的，便递了给他道：“身边不曾多带得钱，世伯不嫌亵渎，请收了这个，一张清了房钱，一张留着零用罢。”云岫把脸涨得绯红，说道：“这个怎好受你的！”我道：“这个何须客气。朋友本来有通财之义，何况我们世交，这缓急相济，更是平常的事了。”云岫方才收了。叹道：“人情冷暖，说来实是可叹！想我当日光景好的时候，一切的乡绅世族，那一家那一个不和我结交？办起大事来，那一家不请我帮忙？就是你们贵族里，无论红事、白事，那一回少了我的？自从倒败下来，一个个都掉头不顾了。先母躺了下来，还是很热闹的；及至内人死后，散出讣帖去，应酬的竟就寥寥了；到了今日，更不必说了。难得你这等慷慨，真是有其父必有其子。你老翁在家时，我就受他的惠不少，今天又叨扰你了。到底出门人，市面见得多，手段是两样的。”说着，不住的恭维。一时吃完了酒，我开发过酒钱，吃得他醺然别去。我也就回家。

晚上没事，我便到继之那边谈天，可巧伯衡也在书房里。我谈起云岫的事，不觉代他叹息。伯衡道：“你便代他叹息，这里的人看着他败下来，没有一个不拍手称快呢。你从前年纪小，长大了就出门去了，所以你不知道他。他本是一个包揽词讼，无恶不作的人啊！”我道：“他好好的一家铺子，怎样就至于一败涂地？”伯衡道：“你今天和他谈天，有说起他儿子的事么？”我道：“不曾说起。他儿子怎样？”伯衡道：“杀了头了！”我猛吃了一大惊道：“怎样杀的？”伯衡笑道：“杀头就杀了，还有多少样子的么？”我道：“不是。是我说急了，为甚么事杀的？”伯衡道：“他家老大没有儿子，云岫也只有这一个庶出儿子，要算是兼祧两房的了，所以从小就骄纵得非常。到长大了，便吃喝嫖赌，没有一样不干。没钱化，到家来要；赌输了，也到家来要。云岫本来是生性悭吝的，如何受得起！无奈他仗着祖母疼爱，不怕云岫不依。及至云岫丁了忧，便想管束他，那里管束得住？接着他家老大夫妻都死了，手边未免拮据，不能应他儿子所求。他那儿子妙不可言，不知跑到那里弄了点闷香来，把他夫妻三个都闷住了，在父母身边搜出钥匙，把所有的现银首饰，搜个一空。又搜出云岫的一本底稿来。这本底稿在云岫是非常秘密的，内中都是代人家谋占田产、谋夺孀妇等种种信札，与及诬捏人家的呈子。他儿子得了这个，欢喜的了不得，说道：‘再不给我钱用，我便拿这个出首去！’云岫虽然闷住，心中眼中是很明白的，只不过说不出话来，动弹不得。他儿子去了许久，方才醒来，任从气恼暴跳，终是无法可施。他儿子从此可不回家来了，有时到店里去走走，也不过匆匆的就去了。你道他外面做甚么？原来是做了强盗！抢了东西，便拿到店里，店里本有他的一个卧房，他便放在自己卧房里面。有一回，又纠众打劫，拒伤事主。告发之后，被官捉住了，追问赃物窝藏所在，他供了出来。官派差押着到店里起出赃物，便把店封了，连云岫也捉了去，拿他的同知职衔也详革了。罄其所有打点过去，方才仅以身免。那家店就此没了。因为案情重大，并且是积案累累的，就办了一个就地正法。云岫的一妻一妾，也为这件事，连吓带痛的死了。到了今日，云岫竟变了个孤家寡人了。”我听了，方才明白日里我问他还有甚人，他现出了一种凄惶样子的缘故。当下又谈了一会，方才告别回去。

这几天没事，我便到族中各处走走。有时谈到尤云岫，却是没有一个不恨他的。我暗想：“虽然云岫为人可恶，然而还是人情冷暖之故。记得我小的时候，云岫那一天不到我们族中来？那一个不和他拉相好？既然知道他不是个好人，为甚么那时候不肯疏远他，一定要到了此时才恨他呢？这种行径，虽未尝投井，却是从而下石了。”炎凉之态，想着实在可笑可怕。

闲话少提。不知不觉，已到了三月初旬娶亲的吉期了。到了这天，云岫也还备了蜡烛、花爆等四式礼物送来。我想：“他穷到这个样子，那里还好受他的？然而这些东西，我纵然退了回去，他却不能退回店家的了。”只得受了下来，交代多给他脚钱。又想到这脚钱是来人得的，与他何干，因检出一张五元的钞票，用信封封固了，交与来人，只说是一封要紧信，叫他带回去交与云岫。这里的拜堂、合卺、闹房、回门等事，都是照例的，也不必细细去说他了。

匆匆过了喜期，继之和我商量道：“我要先回上海去了，你在家里多住几时。从此我们两个人替换着回家。我到上海之后，过几时写信来叫你；等你到了，我再回来。”我道：“这个倒好，正是瓜时而往，及瓜而代呢。”继之道：“我们又不是戍兵，何必约定日子，不过轮流替换罢了。”商量既定，继之便定了日子，到上海去了。

一天，云岫忽然着人送一封信来，要借一百银子。我回信给他，只说我的钱都放在上海，带回来有限，办喜事都用完了。回信去后，他又来了一封信，说甚么“尊翁去世时，弟不远千里，送足下到浙，不无微劳，足下岂遂忘之？”云云。我不禁着了恼，也不写回信，只对来人说知道了。来人道：“尤先生交代说，要取回信呢。”我道：“回信明日送来。”那人才去了。我暗想：“你要和我借钱，只诉诉穷苦还好；若提到前事，我巴不得吃你的肉呢！此后你莫想我半文。当日若是好好的彼此完全一个交情，我今日看你落魄到此，岂有不帮忙之理？”到了明日，云岫又送了信来。我不觉厌烦了，叫人把原信还了他，回说我上坟修墓去了，要半个月才得回来。

从此我在家里，一住三年。婶娘便长住在我家里。姊姊时常归宁。住房后面，开了个便门，通到花园里去，便与继之的住宅相通，两家时常在花园里聚会。这日子过得比在南京、上海，又觉有趣了。撤儿已经四岁，生得雪白肥胖，十分乖巧，大家都逗着他玩笑，更不寂寞，所以日子更容易过了。

直到三年之后，继之才有信来叫我去。我便定了日子，别过众人，上轮船到了上海，与继之相见。德泉、子安都来道候。盘桓了两天，我问继之几时动身回去。继之道：“我还不走，却要请你再走一遍。”我道：“又到那里？”继之道：“这三年里面，办事倒还顺手。前年去年，我亲到汉口办了两年茶，也碰了好机会。此刻打算请你到天津、京城两处去走走，察看那边的市面能做些甚么。”我道：“几时去呢？”继之道：“随便几时，这不是限时限刻的事。”

说话之间，文述农来了，大家握手道契阔。说起我要到天津的话，述农道：“你到那边很好。舍弟杏农在水师营里，我写封信给你带去，好歹有个人招呼招呼。”我道：“好极！你几时写好，我到你局里来取。”述农道：“不必罢，那边路远。今天是礼拜，我才出来，等再出来，又要一礼拜了，我就在这里写了罢。”说罢，就在帐桌上一挥而就，写了交给我，我接过来收好了。

大家谈些别后之事，我又问问别后上海的情形。述农道：“你到了两天，这上海的情形，总有人告诉过你了。我来告诉你我们局里的情形罢。你走的那年夏天，我们那位总办便高升了，放了上海道。换了一个总办来，局里面的风气就大变了。前头那位总办是爱朴素的，满局里的人，都穿的是布长褂子、布袍子。这一位是爱阔的，看见这个人朴素，便说这个人没用，于

是乎大家都阔起来。他爱穿红色的，到了新年里团拜，一色的都是枣红摹本缎袍子。有一个委员，和他同姓，出来嫖，窑姐儿里都叫他大人。到了节下，窑姐儿里照例送节礼给嫖客。那送给委员的到了局里，便问某大人。须知局子里，只有一个总办是大人，那看栅门的护勇见问，便指引他到总办公馆里去了。底下人回上去，他却茫然，叫了来人进去问，方知是送那委员的，他还叫底下人带了他到委员家去。若是前头那位总办，还了得么！”

我道：“那么说，这位总办也嫖的了？”述农道：“怎么不嫖！还嫖出笑话来呢。我们局里的议价处，是你到过的了。此刻那议价处没了权了，不过买些零碎东西。凡大票的煤铁之类，都归了总办自己买。有一个甚么洋行的买办，叫做甚么舒淡湖，因为做生意起见，竭诚尽瘁的巴结。有一回，请总办吃酒，代他叫了个局，叫甚么金红玉，总办一见了，便赏识的了不得，当堂给了他一百元的钞票。到第二回吃酒，又叫了他，不住口的赞好。舒淡湖便在自己家里，拾掇了一间密室，把总办请到家里来，把金红玉叫到家里来，由他两个去鬼混了两次。我们这位总办着了迷了，一定要娶他。舒淡湖便挺了腰子，揽在身上，去和金红玉说。往返说了几遍，说定了身价，定了日子要娶了。

“谁知金红玉有一个客人，听见红玉要嫁人，便到红玉处和他道喜，说道：‘恭喜你高升了，做姨太太了！只是有一件事，我很代你耽心。’红玉问：‘耽心甚么？’客人道：‘我是耽心做官的人，脾气不好。况且他们湖南人，长毛也把他杀绝了，你看凶的还了得么！’红玉笑道：‘我又不是长毛，他未必杀我。况且杀长毛是一事，娶妾又是一事，怎么好扯到一起去说呢。’客人道：‘话是不错。只是做官的人家，与平常人家不同，断不能准你出入自由的。况且他五十多岁的人，已经有了六七房姬妾了。今天欢喜了你，便娶了去，可知你进门之后，那六七个都冷淡的了。你保得住他过几时不又再看上一个，又娶回去么？须知再娶一个回去时，你便和这六七个今天一样了。若在平常人家，或者还可以重新出来，或者嫁人，或者再做生意；他们公馆里，能放你出来么？还不是活着在那里受冷淡！我是代你耽心到这一层，好意来关照你，随你自己打主意去。’红玉听了，总如冷水浇背一般，唇也青了，面也白了，做声不得。等那客人去了，便叫外场去请舒淡湖。

“舒淡湖是认定红玉是总办姨太太的了，莫说请他他不敢不来，就是传他他也不敢不来。来了之后，恭恭敬敬的请示。红玉劈头一句便道：‘我不嫁了！’舒淡湖吃了一惊道：‘这是甚么话？’红玉道：‘承某大人的情，抬举我，我有甚不愿意之理。但是我想来想去，我的娘只有我一个女儿，嫁了去，他便举目无亲了。虽说是大人赏的身价不少，但是他几十岁的一个老太婆，拿了这一笔钱，难保不给歹人骗去，那时叫他更靠谁来！’舒淡湖道：‘我去和大人说，接了你娘到公馆里，养他的老，不就好了么！’红玉道：‘便是我何尝不想到这一层。须知官宦人家，看那小老婆的娘，不过和老妈子一样，和那丫头、老妈子同食同睡。我嫁了过去，便那般锦衣玉食，却看着亲生的娘这般作践，我心里实在过不去。若说和亲戚一般看待呢，莫说官宦人家没有这种规矩，便是大人把我宠到头顶上去，我也不敢拿这种非礼的事去求大人啊。我十五岁出来做生意，今年十八岁了，这几年里面，只挣了两副金镯子。’说着，便在手上每副除下一只来，交给舒淡湖道：‘这是每副上面的一只，费心舒老爷，代我转送给大人，做个纪念，以见我金红玉不是忘恩负义的人。上海标致女人尽多着，大人一定要娶个人，怕少了比我好的么？’

“舒淡湖听了一番言语，竟是无可挽回的了，就和红玉刚才听了那客人的话一般，唇也青了，面也白了，如水浇背，做声不得，接了金镯子，快快回去。暗想只恨不曾先下个定，倘是下了定，凭他怎样，也不能悔议；此刻弄到这个样子，别的不打紧，倘使总办恼了，说我不会办事，以后的生意便难做了。这件事竟急了他一天一夜，在床上翻来覆去想法子，总不得个善法。直至天明，忽然想一条妙计，便一跃而起。”只因这一条妙计，有分教：

谮语不如蜚语妙，解铃还是系铃人。

不知是一条甚么妙计，且待下回再记。

第六十六回
妙转圜行贿买蜚言　猜哑谜当筵宣谑语

“舒淡湖一跃而起，匆匆梳洗了，藏好了两只金镯子，拿了一百元的钞票，坐了马车，到四马路波斯花园对过去，找着了《品花宝鉴》上侯石翁的一个孙子，叫做侯翱初的，和他商量。这侯翱初是一家甚么报馆的主笔，当下见了淡湖，便乜斜着眼睛，放出那一张似笑非笑的脸来道：‘好早啊！有甚么好意？你许久不请我吃花酒了，想是军装生意忙？’淡湖陪笑道：‘一向少候。今日特来，有点小事商量。’翱初拍手道：‘你进门我就知道了。你们这一班军装大买办，平日眼高于天，何尝有个朋友在心上！除了呵外国人的卵脬，便是拍大人先生的马屁，天天拿这两件事当功课做；馀下的时候，便是打茶围、吃花酒，放出阔老的面目去骄其娼妓了，那里有个朋友在心上！所以你一进门，我就知道你是有为而来的了。这才是无事不登三宝殿啊。’

“淡湖被他一顿抢白，倒没意思起来。搭讪了良久，方才说道：‘我有件事情和你商量，求你代我设一个善法，我好好的谢你。’翱初摇手道：‘莫说，莫说，说到谢字，呕得死人！前回一个朋友代人家来说项了一件事。你道是甚么事呢？是一个赌案里面牵涉着三四个体面人，恐怕上出报来，于声名有碍，特地来托我，请我不要上报。我念朋友之请，答应了他，更兼代他转求别家报馆，一齐代他讳了。到了案结之后，他却送我一份“厚礼”，用红封套封了，签子上写了“袍金”两个字。我一想，也罢了，今年恰好我狐皮袍子要换面子，这一封礼，只怕换两个面子也够了。及至拆开一看，却是一张新加坡甚么银行的五元钞票，这个钞票上海是不流通的，拿去用，每元要贴水五分，算起来只有四元七角半到手。我想这回我的狐皮袍子倒了运了，要靠着他，只怕换个斗纹布的面子还不够呢。你说可要呕死人！’舒淡湖道：‘翱翁，你不要骂人，我可不是那种人。你若不放心时，我先谢了你，再商量事体也使得。’说罢，拿出一百元钞票来，摆在桌上道：‘我们是老朋友，我也不客气，不用甚么封套、签子，也不写甚么袍金、褂金，简直是送给你用的，凭你换面子也罢，换里子也罢。’翱初看见了一百元钞票，便登时眉花眼笑起来，说道：‘淡翁，有事只管商量，我们老朋友，何必客气。’淡湖方才把金红玉一节事，详详细细，诉说了一遍。翱初耸起了一面的肩膀，侧着脑袋听完了，不住口的说：‘该死，该死！此刻有甚法子挽回呢？’淡湖道：‘此刻那里还有挽回的法子，只要设法弄得那一边也不要讨就好了。’翱初道：‘这有甚么法子呢？’淡湖便坐近一步，向翱初耳边细细的说了两句话。翱初笑道：‘亏你想得好法子，却来叫我无端诬谤人。’淡湖站起来一揖到地，说道：‘求你老哥成全了我，我生生世世不忘报答！’翱初看在一百元的面子上，也就点头答应了。淡湖又叮嘱明天要看见的，翱初也答应了。淡湖才欢天喜地而去。这一天心旷神怡的过去了。

“到了次日，一早起来，便等不得送报人送报纸来，先打发人出去买了一张报纸，略略看了一遍，欢天喜地的坐了马车，到总办公馆里去。总办还没有起来。好得他是走拢惯的，一切家人，又都常常得他的好处，所以他到了，绝无阻挡，先引他到书房里去坐。一直等到十点钟，那总办醒了，知道淡湖到了，想来是为金红玉的事，便连忙升帐，匆匆梳洗，踱到书房相见。淡湖那厮，也亏他真做得出，便大人长、大人短的乱恭维一阵，然后说是：‘娶新姨太太的日子近了，一切事情，卑职都预备了。他们向来是没有妆奁的，新房里动用物件，卑职也已经敬谨预备。那个马桶，卑职想来桶店里买的，又笨重，又不雅相，卑职亲自到福利公司去买了一个洋式白瓷的，是法兰西的上等货。今天特地来请大人的示，几时好送到公馆里来，专等大人示下，卑职好遵办。’总办听了，也是喜欢，便道：‘一切都费心得很！明后天随便都可以送来。至于用了多少钱，请你开个帐来，我好叫帐房还你。’淡湖道：‘卑职孝敬大人的，大人肯赏收，便是万分荣耀，怎敢领价！到了喜期那天，大人多赏几钟喜酒，卑职是要领吃的。’一席话，说的那一位总办大人，通身松快，便留他吃点心。

这时候，家人送进三张报纸来，淡湖故意接在手里，自己拿着两张，单把和侯翱初打了关节的那张，放在桌上。总办便拿过来看，看了一眼，颜色就登时变了，再匆匆看了一会，忽然把那张报往地下一扔，跳起来大骂道：‘这贱人还要得么！’淡湖故意做成大惊失色的样子，连忙站起来，垂了手问道：‘大人为甚么忽然动气？’那总办气喘如牛的说道：‘那贱人我不要了！你和我去回绝了他，叫他还是嫁给马夫罢！至于这个情节，我不要谈他！’说时，又指着扔下的报纸道：‘你自己看罢！’淡湖又装出一种惶恐样子，弯下腰，拾起那张报来一看，那论题是‘论金红玉与马夫话别事’。这个论题，本是他自己出给侯翱初去做的，他早起在家已是看过的了，此时见了，又装出许多诧异神色来，说道：‘只怕未必罢。’又唠唠叨叨的说道：‘上海同名的妓女，也多得很呢。’总办怒道：‘他那篇论上，明明说是将近嫁人，与马夫话别，难道别个金红玉，也要嫁人了么！’淡湖得了这句话，便放下报纸不看，垂了手道：‘那么，请大人示下办法。’总办啐了他一口道：‘不要了，有甚么办法！’他得了这一句话，死囚得了赦诏一般，连忙辞了出来。回到家中，把那两只金镯子，秤了一秤，足有五两重，金价三十多换，要值到二百多洋钱。他虽给了侯翱初一百元，还赚着一百多元呢。”

述农滔滔而谈，大家侧耳静听。我等他说完了，笑道：“依你这样说，那舒淡湖到总办公馆里的情形，算你近在咫尺，有人传说的；那总办在外面吃酒叫局的事，你又从何得知？况且舒淡湖的设计一层，只有他心里自己知道的事，你如何也晓得了？这事未必足信，其中未免有些点染出来的。”述农道：“你那里知道，那舒淡湖后来得了个疯瘫的毛病，他的儿子出来滥嫖，到处把这件事告诉人，以为得意的，所以我们才知道啊。”

继之道：“你们不必分辩了，这些都是人情险恶的去处，尽着谈他作甚么！我们三个人，多年没有畅叙，今日又碰在一起，还是吃酒罢。明天就是中秋，天气也甚好，我们找一个甚么地方，去吃酒消遣他半夜，也算赏月。”述农道：“是啊，我居然把中秋忘记了。如此说，我明天也还没有公事，不要到局，正好陪你们痛饮呢。”我道：“这里上海，红尘十丈，有甚么好去处，莫若就在家里的好。子安、德泉都是好量，若是到外面去，他们两个人总不能都去，何不就在家里，大家在一起呢。”继之道：“这也好，就这么办罢。”德泉听说，便去招呼厨房弄菜。

我对继之道：“离了家乡几年，把故园风景都忘了，这一次回去，一住三年，方才温熟了。说起中秋节来，我想起一件事，那打灯谜不是元宵的事么？原来我们家乡，中秋节也弄这个玩意儿的。”继之道：“你只怕又看了好些好灯谜来了。”我道：“看是看得不少，好的却极难得，内中还有粗鄙不堪的呢。我记得一个很有趣的，是‘一画，一竖，一画，一竖，一画，一竖；一竖，一画，一竖，一画，一竖，一画’，打一个字。大哥试猜猜。”继之听了，低头去想。述农道：“这个有趣，明明告诉了你一竖一画的写法，只要你写得出来就好了。”金子安、管德泉两个，便伸着指头，在桌子上乱画，述农也仰面寻思。我看见子安等乱画，不觉好笑。继之道：“自然要依着你所说写起来，才猜得着啊，这有甚么好笑？”我道：“我看见他两位拿指头在桌子上写字，想起我们在南京时所谈的那个旗人上茶馆吃烧饼蘸芝麻，不觉好笑起来。”继之笑道：“你单拿记性去记这些事。”述农道：“我猜着一半了。这个字一定是‘弓’字旁的，这‘弓’字不是一画，一竖，一画，一竖，一画，一竖的么？”我道：“‘弓’字多一个钩，他这个字并没有钩的。”继之道：“‘曹’字可惜多了一画，不然都对了。”于是大家都伸出指头把“曹”字写了一回。述农笑道：“只可以向那做灯谜的人商量，叫他添一画算了‘曹’字罢。我猜不着了。”金子安忽然拍手道：“我猜着了，可是个‘亞’字？”我道：“正是，被子翁猜着了。”大家又写了一回，都说好。

述农道：“还有好的么？”我道：“还有一个猜错的，比原做还好的，是一个不成字的谜画，‘丿丨’，打一句四书，原做的谜底是‘一介不以与人’，你猜那猜错的是甚么？”子安道：“我们书本不熟，这个便难猜了。”继之道：“这个做的本不甚好，多了一个‘以’字；若这句书是‘一介不与人’就好了。”说话间，酒菜预备好了，继之起来让坐。坐定了，述农便道：“那个猜错的，你也说了出来罢。此刻大家正要吃酒下去，不要把心呕了出来。”我道：“那猜错的是‘是非之心’。”继之道：“好，却是比原做的好，大家赏他一杯。”

吃过了，继之对述农道：“你怕呕心出来，我却想要借打灯谜行酒令呢。”述农未及回言，子安先说道：“这个酒令，我们不会行。打些甚么书句，我们肚子里那里还掏得出来？只怕算盘歌诀还有两句。”继之笑道：“会打谜的打谜，不会的只管行别的令，不要紧。”述农道：“既如此，我先出一个。”继之道：“我是令官，你如何先出？”我道：“不如指定要一个人猜，猜不出，罚一杯；猜得好，大家贺一杯；倘被别人先猜出了，罚说笑话一个。”德泉道：“好，好，我们听笑话下酒。”继之道：“就依这个主意。我先出一个给述农猜。我因为去年被新任藩台开了我的原缺，通身为之一快。此刻出一个是：‘光绪皇帝有旨，杀尽天下暴官污吏。’打四书一句。”我拍手道：“大哥自己离开了那地位，就想要杀尽他们了。但不知为甚么事开的缺，何以家信中总没有提及？”继之道：“此刻吃酒猜谜，你莫问这个。”述农道：“这一句倒难猜，孔、孟都没有这种辣手段。”我道：“猜谜不能这等老实，总要从旁面着想，其中虚虚实实，各具神妙。若要刻舟求剑，只能用朱注去打四书的了。”说到这里，我忽然触悟起来道：“我倒猜着了。”述农道：“你且莫说出来，我不会说笑话。”继之道：“你猜着了，何妨说出来，看对不对。”我道：“今之从政者殆而。”述农拍手道：“妙，妙！是骂尽了也！只是我不会说笑话，我情愿吃三杯，一发请你代劳了罢。”说罢，先自吃了三杯。

德泉道：“我们可有笑话听了。你不要把《笑林广记》那个听笑话的说了出来，可不算数的。”继之道：“他没有这种粗鄙的话，你请放心，并且老笑话也不算数。”我道：“玉皇大帝一日出巡，群仙都在道旁舞蹈迎驾，只有李铁拐坐在地下，偃蹇不为礼。玉皇大怒道：‘你虽然跛了一只脚，却还站得起来，何敢如此傲慢！’拐仙奏道：‘臣本来只跛一只脚，此刻却两只都跛了也。’玉皇道：‘这却为何？’拐仙道：‘下界的画家，动辄喜欢画八仙，那七个都画的不错，只有画到臣像，有个画臣跛的左脚，有个画臣跛的右脚，岂非两脚全跛了么！’”众人笑了一笑。

继之道：“你猜着了，应该还要你出一个给我们猜。”我道：“有便有一个。我说出来大家猜，不必限定何人。猜着了，我除饮酒之外，再说一个笑话助兴。”述农道：“这一定是好的，快说出来。”我道：“‘含情迭问郎。’四书一句、唐诗一句。”述农道：“好个旖旎风光的谜儿！娶了亲，领略过温柔乡风味，作出这等好灯谜来了。”继之道：“他这一个谜面，倒要占两个谜底呢。我们大家好好猜着他的，好听他的笑话。”述农道：“这个要往温柔那边着想。”继之道：“四书里面，除了一句‘宽裕温柔’，那里还有第二句。只要从问的口气上着想，只怕还差不多。”述农道：“如此说，我猜着了，四书是‘夫子何为’，唐诗是‘夫子何为者’。”继之道：“这个又妙，活画出美人香口来，传神得很！我们各贺一大杯，听他的笑话。”

我道：“观音菩萨到玉皇大帝处告状，说：‘我本来是西竺国公主，好好一双大脚，被下界中国人搬了我去，无端裹成一双小脚，闹的筋枯骨烂，痛彻心脾。求请做主！’玉皇攒眉道：‘我此刻自顾不暇，焉能再和你做主呢！’观音诧问何故。玉皇道：‘我要下凡去嫁老公了。’观音大惊道：‘陛下是个男身，如何好嫁人？’玉皇道：‘不然，不然，我久已变成女身了。’观音不信。玉皇道：‘你如果不信，只要到凡间去打听那一班惧内的朋友，没有一个不叫老婆做玉皇大帝的。’”说的合席大笑。述农道：“只怕你是叫惯了玉皇大帝的，所以知道。”

我道：“你不要和我取笑。你猜着了我的，你快点出一个我们猜。”述农道：“有便有一个，只怕不好。我们江南的话，叫拿尖利的兵器去刺人，叫做‘戳’。我出一句上海俗话：‘戳弗杀。’打《西厢》一句，请你猜。”我道：“这有何难猜！我一猜就着了，是‘银样蜡枪头’。”述农道：“我也知道这个不好，太显了，我罚一杯。”

我道：“我出一个晦的你猜：‘大会于孟津’。《孟子》二字。”述农道：“只有两个字倒难了，不然就可以猜‘武王伐纣’。”我道：“这两个字其实也是一句，所以不说一句，要说二字的缘故，就怕猜到那上头去。”继之道：“这个谜好的，我猜着了，是‘征商’。”子安道：“妙，妙！今夜尽有笑话听呢。”

述农道：“我向不会说笑话，还是那一位代我说个罢。”我道：“你吃十杯，我代你说一个。”述农道：“只要说得发笑，便是十杯也无妨。”我道：“你先吃了，包你发笑。”述农道：“你只会说菩萨，若再说了菩萨，虽笑也不算数。”我道：“只要你先吃了，我不说菩萨，说鬼如何？”述农只得一杯一杯的吃了十杯。正是：

只要莲花翻妙舌，不妨麹蘖落欢肠。

未知说出甚么笑话来，且待下回再记。

第六十七回
论鬼蜮挑灯谈宦海　冒风涛航海走天津

我等述农吃过了十杯之后，笑说道：“无常鬼、龌龊鬼、冒失鬼、酒鬼、刻薄鬼、吊死鬼，围坐吃酒行酒令，要各夸说自己的能事，夸说不出的，罚十杯。”述农道：“不好了，他要说我了！”我道：“我说的是鬼，不说你，你听我说下去。当下无常鬼道：‘我能勾魂摄魄，免吃。’龌龊鬼道：‘我最能讨人嫌，免吃。’冒失鬼道：‘我最工于闯祸，免吃。’酒鬼道：‘我最能吃酒，也免吃。’刻薄鬼道：‘刻薄是我的专长，已经著名，不必再说，也免吃。’轮到吊死鬼说，吊死鬼攒眉道：‘我除了求代之外，别无能处，只好认吃十杯的了。’”说得众人一齐望着述农大笑。述农道：“好，好！骂我呢！我虽是个吊死鬼，你也未免是刻薄鬼了！”

继之道：“不要笑了。子安们说是书句不熟，我出一个小说上的人名，不知可还熟？”子安道：“也不看甚么小说。”继之道：“《三国演义》总熟的了？”子安道：“姑且说出来看。”继之道：“我说来大家猜罢：‘曹丕代汉有天下。’三国人名一。”德泉道：“三国人名多得很呢，刘备、关公、张飞、赵云、黄忠、曹操、孔明、孙权、周瑜……”述农道：“叫你猜，不叫你念，你只管念出来做甚么。”德泉道：“我侥幸念着了，不是好么？”我笑道：“这个名字，你念到天亮也念不着的。”德泉道：“这就难了。然而你怎么知道我念不着呢？”我道：“我已经猜着了，是‘刘禅’。”子安道：“《三国演义》上那里有这个名字？”我道：“就是阿斗。”德泉道：“这个我们那里留心，怪不得你说念不到的了。”

继之道：“你猜了，快点出一个来。”我道：“我出一个给大哥猜：‘今世孔夫子。’古文篇名一。”继之凝思了一会道：“亏你想得好！这是《后出师表》。”述农道：“好极，好极！我们贺个双杯。”于是大众吃了。子安道：“我们跟着吃了贺酒，还莫名其妙呢。”述农道：“孔夫子只有一个，是万世师表；他出的是今世孔夫子，是又出了个孔夫子了，岂不是后出的师表么？”子安、德泉都点头领会。

继之道：“我出一个：‘大勾决。’《西厢》一句。大家猜罢，不必指定谁猜了。”我道：“大哥今天为何只想杀人？方才说杀暴官污吏，此刻又要勾决了。”述农拍手道：“妙啊！‘这笔尖儿横扫五千人’。”我道：“果然是好，若不是五千人，也安不上这个‘大’字。”

述农拿筷子蘸了酒，在桌子上写了半个字，是“示”。说道：“四书一句。”子安道：“只半个字，要藏一句书，却难！”我道：“并不难，是一句‘视而不见’。”述农道：“我本来不长此道，所以一出了来，就被人猜去了。”

我道：“我出一个：‘山节藻棁’（素腰格）。《三字经》一句。这个可容易了，子翁、德翁都可以猜了。”子安道：“《三字经》本来是容易，只是甚么素腰格，可又不懂了。”述农道：“就是白字格：若是头一个字是白字，叫白头格；末了一个是白字，叫粉底格；素腰格是白当中一个字。”德泉道：“照这样说来，遇了头一个字是要圈声的，应该叫红头格；末了一个圈声的，要叫赤脚格；上下都要圈声，只有当中一个不圈的，要叫黑心格；若单是圈当中一个字的，要叫破肚格了。”我道：“为甚么要叫破肚？”德泉道：“破了肚子，流出血来，不是要红了么？”继之道：“不必说那些闲话，我猜着了，是‘有归藏’。我也出一个：‘南京人’（卷帘格）。也是一句《三字经》。”子安道：“甚么又叫卷帘格？”述农道：“要把这句书倒念上去的。你看卷帘子，不是从下面卷上去的么？”我笑道：“才说了‘有龟藏’，就说南京人，叫南京人听了，还当我们骂他呢。这‘南京人’可是‘汉业建’？”继之道：“是。”述农道：“我们上海本是一个极纯朴的地方，自通商之后，五方杂处，坏人日见其多了，我不禁有所感慨，出一个：‘良莠杂居，教刑乃穷’。《孟子》二句。”我接着叹道：“‘虽日挞而求其齐也，不可得矣。’”述农道：“怎么我出的，总被你先抢了去？”继之道：“非但抢了去，并且乱了令了。他猜着我的，应该他出，怎么你先出了？”

一言未了，忽听得门外人声嘈杂，大嚷大乱起来。大众吃了一惊，停声一听，仿佛听说是火，于是连忙同到外面去看，只见胡同口一股浓烟，冲天而起。金子安道：“不好！真是走了水也！”连忙回到帐房，把一切往来帐簿及一切紧要信件、票据，归到一个帐箱里锁起来，叫出店的拿着，往外就走。我道：“在南面胡同口，远得很呢。真烧到了，我们北面胡同口也可以出去，何必这样忙？”子安道：“不然。上海不比别处，等一会巡捕到了，是不许搬东西的。”说罢，带了出店，向北面出去了。我们站在门口，看着那股浓烟，一会工夫，烘的一声，通红起来，火星飞满一天。那人声更加嘈杂，又听得警钟乱响。不多一会，救火的到了，四五条水管望着火头射去。幸而是夜没有风，火势不大，不久便救熄了。大家回到里面，只觉得满院子里还是浓烟。大家把酒意都吓退了，也无心吃饭，叫打杂的且收过去，等一会再说。过了一会，子安带着出店的把帐箱拿回来了。我道：“子翁到那里去了一趟？”子安道：“就在北面胡同外头熟店家里坐了一会，也算受了个虚惊。”

我道：“火烛起来，巡捕不许搬东西，这也未免过甚。”子安道：“他这个例，是一则怕抢火的，二则怕搬的人多，碍着救火。说来虽在理上，然而据我看来，只怕是保险行也有一大半主意。”我道：“这又为何？”子安道：“要不准你们搬东西，才逼得着你们家家保险啊。”德泉道：“凡是搬东西，都一律以为是抢火的，也不是个道理。人家莫说没有保险，就算保了险，也有好些不得不搬的东西。譬如我们此地也是保了险的，这种帐簿等，怎么能够不搬？最好笑有一回三马路富润里左右火烛，那富润里里面住的，都是穷人家居多。有一个听说火烛，连忙把些被褥布衣服之类，归在一只箱子里，扛起来就跑。巡捕当他是抢火的，捉到巡捕房里去，押了一夜。到明天早堂解审，那问官也不问青红皂白就叫打。打了三十板，又判赃候失主具领。那人便叩头道：‘小人求领这个赃。’问官怒道：‘你还嫌打得少呢！’那人道：‘这箱子本来是小人的东西，里面只有一床花布被窝、一床老蓝布褥子，那褥子并且是破了一块的，还有几件布衣服。因为火起，吓得心慌，把钥匙也锁在箱子里面。老爷不信，撬开来一看便知道了。’问官叫差役撬开，果然一点不错，未免下不了台，干笑着道：‘我替你打脱点晦气也！’你说冤枉不冤枉！”

金子安道：“这点冤枉算得甚么！我记得有一回，一个乡下人才冤枉呢！静安寺路（上海马路名）一带，多是外国人的住宅。有一天，一个乡下人放牛，不知怎样，被那条牛走掉了，走到静安寺路一个外国人家去，把他家草皮地上种的花都践踏了。外国人叫人先把那条牛拴起来。那乡下人不见了牛，一路寻去，寻到了那外国人家。外国人叫了巡捕，连人带牛交给他。巡捕带回捕房，押了一夜，明日早上解送公堂，禀明原由。那原告外国人却并没有到案。那官听见是得罪了外国人，被外国人送来的，便不由分说，给了一面大枷，把乡下人枷上，判在静安寺路一带游行示众，一个月期满，还要重责三百板释放。任凭那乡下人叩响头哭求，只是不理。于是枷起来，由巡捕房派了一个巡捕，押着在静安寺路游行。游了七八天。

“忽然一天，那巡捕要拍外国人马屁，把他押到那外国人住宅门口站着，意思要等那外国人看见，好喜欢他的意思。站了一天，到下午，那外国人从外面坐了马车回来，下了车看见了，认得那乡下人，也不知他为了甚事，要把这木头东西箍着他的颈脖子，便问那巡捕。巡捕一一告诉了。那外国人吃了一惊，连忙仍跳上马车，赶到新衙门去，拜望那官儿。那官儿听说是一个绝不相识的外国人来拜，吓得魂不附体，手足无措，连忙请到花厅相会。外国人说道：‘前个礼拜，有个乡下人的一只牛，跑到我家里……’那官儿恍然大悟道：‘是，是，是。这件事，兄弟不敢怠慢，已经判了用五十斤大枷，枷号在尊寓的一条马路上游行示众，等一个月期满后，还要重责三百板，方才释放。如果密司不相信，到了那天，兄弟专人去请密司来监视行刑。’外国人道：‘原来贵国的法律是这般重的？’官儿道：‘敝国法律上并没有这一条专条，兄弟因为他得罪了密司，所以特为重办的。如果密司嫌办得轻，兄弟便再加重点也使得，只请密司吩咐。’外国人道：‘我不是嫌办得轻，倒是嫌太重了。’那官儿听了，以为他是反话，连忙说道：‘是，是。兄弟本来办得太轻了。因为那天密司没有亲到，兄弟暂时判了枷号一个月。既是密司说了，兄弟明天改判枷三个月，期满责一千板罢。’那外国人恼了道：‘岂有此理！我因为他不小心，放走那只牛，糟蹋我两棵花，送到你案下，原不过请你申斥他两句，警戒他下次小心点，大不了罚他几角洋钱就了不得了。他总是个耕田安分的人。谁料你为了这点小事，把他这般凌辱起来！所以我来请你赶紧把他放了。'那官儿听了，方才知道这一下马屁拍在马腿上去了，连忙说道：'是，是，是。既是密司大人大量，兄弟明天便把他放了就是。'外国人道：'说过放，就把他放了，为甚么还要等到明天，再押他一夜呢？'那官儿又连忙说道：'是，是，是。兄弟就叫放他。'外国人听说，方才一路干笑而去。

"那官儿便传话出去，叫把乡下人放了。又恐怕那外国人不知道他马上释放的，于是格外讨好，叫一名差役，押着那乡下人到那外国人家里去叩谢。面子上是这等说，他的意思，是要外国人知道他惟命是听，如奉圣旨一般。谁知那外国人见了乡下人，还把那官儿大骂一顿，说他岂有此理，又叫乡下人去告他。乡下人吓得吐出了舌头道：'他是个老爷，我们怎么敢告他！'外国人道：'若照我们西例，他办冤枉了你，可以去上控的。并且你是个清白良民，他把那办地痞流氓的刑法来办你，便是损了你的名誉，还可以叫他赔钱呢。'乡下人道：'阿弥陀佛！老爷都好告的么！'那外国人见他着实可怜，倒不忍起来，给了他两块洋钱。你说这件事不更冤枉么！"

继之道："冤枉个把乡下人，有甚么要紧！我在上海住了几年，留心看看官场中的举动，大约只要巴结上外国人，就可以升官的。至于民间疾苦，冤枉不冤枉，那个与他有甚么相干！"我道："此风一开，将来怕还不止这个样子，不难有巴结外国人去求差缺的呢。"述农道："天下奇奇怪怪的事，想不到的，也有人会做得到。你既然想得到这一层，说不定已经有人做了，也未可知。"继之叹了一口气。大众又谈谈说说，夜色已深，遂各各安歇。述农也留在号里。明日是中秋佳节，又畅叙了一天，述农别去。

过了几天，我便料理动身到天津去。附了招商局的普济轮船。子安送我到船上。这回搭客极多，我虽定了一个房舱，后来也被别人搭了一个铺位，所以房里挤的了不得。子安到来，只得在房门口外站着说话。我想起继之开缺的缘故，子安或者得知，因问道："我回家去了三年，外面的事情，不甚了了。继之前天说起开了缺，到底不知是甚么缘故？"子安道："我也不知底细。只闻得年头上换了一个旗人来做江宁藩台，和苟才是甚么亲戚。苟才到上海来找了继翁几次，不知说些甚么，看继翁的意思，好像很讨厌他的。后来他回南京去了，不上半个月光景，便得了这开缺的信了。"我听了子安的话，才知道又是苟才做的鬼。好在继之已弃功名如敝屣一般的了，莫说开了他的缺，便是奏参了他，也不在心上的。当下与子安又谈了些别话，子安便说了一声"顺风"，作别上岸去了。

我也到房里拾掇行李，同房的那个人，便和我招呼。彼此通了姓名，才知道他姓庄，号作人，是一个记名总兵，山东人氏，向来在江南当差，这回是到天津去见李中堂的。彼此谈谈说说，倒也破了许多寂寞。忽然一个年轻女人走到房门口，对作人道：“从上船到此刻，还没有茶呢，渴的要死，这便怎样？”作人起身道：“我给你泡去。”说罢，起身去了。我看那女子年纪，不过二十岁上下，说出话来，又是苏州口音，生得虽不十分体面，却还五官端正，而且一双眼睛，极其流动，那打扮又十分趋时。心中暗暗纳罕。过了一会，庄作人回到房里，说道：“这回带了两个小妾出来，路上又没有人招呼，十分受累。”我口中唯唯答应。心中暗想，他既是做官当差的人，何以男女仆人都不带一个？说是个穷候补，何以又有两房姬妾之多？心下十分疑惑，不便诘问，只拿些闲话，和他胡乱谈天。

到了半夜时，轮船启行，及至天明，已经出海多时了。我因为舱里闷得慌，便终日在舱面散步闲眺。同船的人也多有出来的，那庄作人也同了出来。一时船舷旁便站了许多人。我忽然一转眼，只见有两个女子，在那边和一伙搭客调笑。内中一个，正是叫庄作人泡茶的那个。其时庄作人正在我这一边和众人谈天，料想他也看见那女子的举动，却只不做理会。我心中又不免暗暗称奇。

站了一会，忽然海中起了大浪，船身便颠簸起来。众人之中，早有站立不住的，都走回舱里去了。慢慢的风浪加大，船身摇撼更甚，各人便都一齐回房。到了夜来，风浪更紧，船身两边乱歪。搭客的衣箱行李，都存放不稳，满舱里乱滚起来。内中还有女眷们带的净桶，也都一齐滚翻，闹得臭气逼人。那晕船的人，呕吐更甚。足足闹了一夜一天，方才略略宁静。

及至船到了天津，我便起岸，搬到紫竹林佛照楼客栈里，拣了一间住房，安置好行李。歇息了一会，便带了述农给我的信，雇了一辆东洋车，到三岔河水师营去访文杏农。正是：

阅尽南中怪状，来寻北地奇闻。

未知访着文杏农之后，还有何事，且待下回再记。

第六十八回 笑荒唐戏提大王尾 恣嚣威打破小子头

当时我坐了一辆东洋车，往水师营去。这里天津的车夫，跑的如飞一般，风驰电掣，人坐在上面，倒反有点害怕。况且他跑的又一点没有规矩，不似上海只靠左边走，便没有碰撞之虞；他却横冲直撞，恐后争先。有时到了挤拥的地方挤住了，半天走不动一步，街路两旁又是阳沟，有时车轮陷到阳沟里面，车子便侧了转来，十分危险。我被他挤了好几次，方才到了三岔河口。过了浮桥，便是水师营。

此时天色已将入黑。我下了车，付过车钱，正要进去，忽然耳边听见“哈打打、哈打打”的一阵喇叭响。抬头看时，只见水师营门口，悬灯结彩，一个营兵，正在那里点灯。左边站了一个营兵，手中拿了一个五六尺长的洋喇叭，在那里鼓起两腮，身子一俯一仰的，“哈打打、哈打打”吹个不住。看他忽然喇叭口朝天，忽然喇叭口贴地，我虽在外多年，却没有看过营里的规矩，看了这个情景，倒也是生平第一回的见识，不觉看的呆了。正看得出神，忽又听得“咚咚咚”的鼓声。原来右边坐了一个营兵，在那里擂鼓。此时营里营外，除了这两种声音之外，却是寂静无声，也不见别有营兵出进。我到了此时，倒不好冒昧进去，只得站住了脚，等他一等再说。抬眼望进去，里外灯火，已是点的通明，仿佛看见甬道上，黑魆魆的站了不少人，正不知里面办甚么事。

足足等了有十分钟的时候，喇叭和鼓一齐停了，又见一个营兵，“轰轰轰”的放了三响洋枪。我方才走过去，向那吹喇叭的问道：“这营里有一位文师爷，不知可在家？”那兵说道：“我也不知道，你跟我进去问来。”说罢，他在前引路，我跟着他走。只见甬道当中，对站了两排兵士，一般的号衣齐整，擎着明晃晃的刀枪。我们只在甬道旁边走进去，行了一箭之地，旁边有一所房子，那引路的指着门口道：“这便是文师爷的住房。”说罢，先走到门口去问道：“文师爷在家么？有客来。”里边便走出一个小厮来，我把名片交给他，说有信要面交。那小厮进去了一会，出来说请，我便走了进去。

杏农迎了出来，彼此相见已毕，我把述农的信交给他。他接来看过道：“原来与家兄同事多年，一向少亲炙得很！”我听说，也谦让了几句。因为初会，彼此没有甚么深谈。彼此敷衍了几句客气说话，杏农方才问起我到天津的缘故，我不免告诉一二。谈谈说说，不觉他营里已开夜饭，杏农便留我便饭。我因为与述农相好多年，也不客气。杏农便叫添菜添酒，我要阻止时，已来不及。

当下两人对酌了数杯。我问起今日营里有甚么事，里里外外都悬灯结彩的缘故。杏农道：“原来你还不知！我们营里，接了大王进来呢！”我不觉吃了一惊道：“甚么大王？”杏农笑道：“你向来只在南边，不曾到北边来过，怨不得你不懂。这大王是河神，北边人没有一个不尊敬他的。”我道：“就是河神应该尊敬，你们营里怎么又要接了他来呢？”杏农道：“他自己来了，指名要到这里，怎么好不接他呢？”我吃惊道：“那么说，这大王居然现出形来，和人一般，并且能说话的了？”杏农笑道：“不是现人形，他原是个龙形。”我道：“有多少大呢？”杏农道：“大小不等，他们船上人都认得，一见了，便分得出这是某大王、某将军。”我道：“他又怎会说话，要指名到那里那里呢？”杏农道：“他不说话。船上人见了他，便点了香烛，对他叩头行礼，然后筶卜他的去处。他要到那里，问的对了，跌下来便是胜筶；得了胜筶之后，便飞跑往大王要到的地方去报。这边得了信，便排了执事，前去迎接了来。我们这里是昨天接着的，明天还要唱戏呢。”我道：“这大王此刻供在甚么地方？可否瞻仰瞻仰？”杏农道：“我们饭后可以到演武厅上去看看，但是对了他，不能胡乱说话。”我笑道：“他又不能说话，我们自然没得和他说的了。”

一会饭罢之后，杏农便带了我同到演武厅去。走到厅前，只见檐下排了十多对红顶、蓝顶、花翎、蓝翎的武官，一般的都是箭袍、马褂、佩刀，对面站着，一动也不动，声息全无。这十多对武官之下，才是对站的营兵，这便是我进营时，看见甬道上站的了。走到厅上看时，只见当中供桌上，明晃晃点了一对手臂粗的蜡烛，古鼎里香烟袅绕，烧着上等檀香。供桌里面，挂了一堂绣金杏黄幔帐，就和人家孝堂上的孝帐一般，不过他是金黄色的罢了；上头挂了一堂大红缎子红木宫灯，地下铺了五彩地毡，当中加了一条大红拜垫，供桌上系了杏黄绣金桌帷。杏农轻轻的掀起幔帐，招手叫我进去。我进去看时，只见一张红木八仙桌，上面放着一个描金朱漆盘；盘里面盘了一条小小花蛇，约摸有二尺来长，不过小指头般粗细，紧紧盘着，犹如一盘小盘香模样。那蛇头却在当中，直昂起来。我低头细看时，那蛇头和那蕲蛇差不多，是个方的，周身的鳞，湿腻且滑，映着烛光，显出了红蓝黄绿各种颜色，其馀没有甚么奇怪的去处。心中暗想：“为了这一点点小幺魔，便闹的劳师动众，未免过于荒唐了。我且提他起来，看是个甚么样子。”想定了主意，便仔细看准了蛇尾所在，伸手过去捏住了，提将起来（凡捕蛇之法，提其尾而抖之，虽至毒之品，亦不能施其恶力矣。此老于捕蛇者所言也）。还没提起一半，杏农在旁边，慌忙在我肘后用力打了一下，我手臂便震了一震，那蛇是滑的，便捏不住，仍旧跌到盘里去。

杏农拉了我便走，一直回到他房里，喘息了一会，方才说道：“幸而没有闹出事来！”我道：“这件事荒唐得很！这么一条小蛇，怎么把他奉如神明起来？我着实有点不信。方才不是你拉了我走，我提他起来，把他一阵乱抖，抖死了他，看便怎样！”杏农道：“你不知道，这顺、直、豫、鲁一带，凡有河工的地方，最敬重的是大王。况且这是个金龙四大王，又是大王当中最灵异的。你要不信，只管心里不信，何苦动起手来。万一闹个笑话，又何苦呢！”我道：“这有甚么笑话可闹？”杏农道：“你不知道，今天早起才闹了事呢。昨天晚上四更时候，排队接了进来；破天亮时，李中堂便委了委员来敬代拈香。谁知这委员才叩下头去，旁边一个兵丁，便昏倒在地；一会儿跳起来，乱跳乱舞，原来大王附了他的身，嘴里大骂：'李鸿章没有规矩，好大架子！我到了你的营里，你还装了大模大样，不来叩见，委甚么委员恭代！须知我是受了煌煌祀典，只有谕祭是派员拈香的。李鸿章是甚么东西，敢这样胡闹起来！'说时，还舞刀弄棒，跳个不休。吓得那委员重新叩头行礼，应允回去禀复中堂，自来拈香，这兵丁才躺了下来，过一会醒了。此刻中堂已传了出来，明天早起，亲来拈香呢。"

我道："这又不足为信的。这兵丁或者从前赏罚里面，有憾于李中堂，却是敢怒而不敢言，一向无可发泄，忽然遇了这件事，他便借着神道为名，把他提名叫姓的，痛乎一骂，以泄其气，也是料不定的。"杏农笑了一笑道："那兵丁未必有这么大胆罢。"我道："总而言之，人为万物之灵，怎么向这种小小幺魔，叩头礼拜起来，当他是神明菩萨？我总不服。何况我记得这四大王，本来是宋理宗谢皇后之侄谢暨，因为宋亡，投钱塘江殉国，后来封了大王，因为他排行第四，所以叫他四大王，不知后人怎样，又加上了'金龙'两个字。他明明是人，人死了是鬼，如何变了一条蛇起来呢？"杏农笑道："所以牛鬼蛇神，连类而及也。"说的大家都笑了。

杏农又道："说便这样说，然而这样东西也奇得很！听说这金龙四大王很是神奇的。有一回，河工出了事，一班河工人员，自然都忙的了不得。忽然他出现了，惊动了河督，亲身迎接他，排了职事，用了显轿，预备请他坐的。不料他老先生忽然不愿坐显轿起来，送了上去，他又走了下来，如此数次。只得向他卜筶，谁知他要坐河督大帅的轿子。那位河督只得要让他。然而又没有多预备轿子，自己总不能步行；要骑马罢，他又是赏过紫缰的，没有紫缰，就不愿意骑。后来想了个通融办法，是河督先坐到轿子里，然后把那描金朱漆盘，放在轿里扶手板上。说也作怪，走得没有多少路，他却忽然不见了，只剩了一个空盘。那河督是真真近在咫尺的，对了他，也不曾看见他怎样跑的，也只得由他的了。谁知到了河督衙门下轿时，他却盘在河督的大帽子里，把头昂起在顶珠子上。你道奇不奇呢！这还是我传闻得来的。

"还有一回，是我亲眼见的事：我那回同了一个朋友去办河工。此刻我的同知、直隶州，还是那回的保案，从知县上过的班。我那个同事姓张，别字星甫，我和他一同奉了礼，去查勘要工。一天到了一个乡庄上，在一家人家家里借住，就在那里耽搁两天。这是我们办河工常有的事。住了两天，星甫偶然在院子里一棵向日葵的叶子上，看见一个壁虎（即守宫，北人呼为壁虎，粤中谓之盐蛇），生得通身碧绿，而且布满了淡黄斑点，十分可爱。星甫便叫我去看。我便拿了一个外国人吃皮酒的玻璃杯出来，一手托着叶子，一手拿杯把他盖住，叫星甫把叶子摘下来，便拿到房里，盖在桌上，细细把玩。等到晚饭过后，我们两个还在灯底细看，星甫还轻轻的把玻璃杯移动，把他的尾巴露出来，给他拴上一根红线，然后关门睡觉。这房里除了我两个之外，再没有第三个人了。谁知到了明天，星甫一早起来看时，那玻璃杯依然好好盖住，里面的东西却不见了。星甫还骂底下人放跑了的，然而房门的确未开，是没有人进来过的。闹了一阵，也就罢了。又过了几天，我们赶到工上，只见工上的人，都喧传说大王到了，就好望合龙了。我和星甫去看那大王时，正是我们捉住的那个壁虎，并且尾巴上拴的红线还在那里。问他们几时到的，他们说是某日晚上三更天到的，说的那天，正是我们拿住他的那天。你说这件事奇不奇呢！”

我道：“那里有这等事！不过故神其说罢了。”杏农道：“这是我亲眼目睹的，怎么还是故神其说呢。”我道：“又焉见得不是略有一点影响，你却故神其说，作为谈天材料呢？总而言之，后人治河，那一个及得到大禹治水。你看《禹贡》上面，何尝有一点这种邪魔怪道的话，他却实实在在把水治平了。当日‘敷土刊木，奠高山大川’，又何尝仗甚么大王之力。那奠高山大川，明明是测量高低、广狭、深浅，以为纳水的地位，水流的方向；孔颖达疏《尚书》，不该说是‘以别祀礼之崇卑’，遂开后人迷惑之渐。大约当日河工极险的时候，曾经有人提倡神明之说，以壮那工人的胆，未尝没有小小效验。久而久之，变本加厉，就闹出这邪说诬民的举动来了。时候已经将近二炮了，我也暂且告辞，明日再来请教一切罢。”说罢，起身告辞。杏农送我出来。我仍旧雇了东洋车，回到紫竹林佛照楼客栈。夜色已深，略为拾掇，便打算睡觉了。

此时虽是八月下旬，今年气候却还甚热。我顺手推开窗扇乘凉，恰好一阵风来，把灯吹灭了，我便暗中摸索洋火。此时栈里已是静悄悄地，忽然间一阵抽抽噎噎的哭声，直刺入我耳朵里，不觉呆了一呆。且不摸索洋火，定一定神，仔细听去，仿佛这声音出在隔壁房里。黑暗中看见板壁上一个脱节的地方，成了一个圆洞，洞中却射出光来，那哭声好像就在那边过来的。我便轻移脚步，走近板壁那边，那洞却比我高了些，我又移过一张板凳，垫了脚，向那洞中望去。只见隔壁房里坐了一个五十多岁的颁白妇人，穿了一件三寸宽、黑缎滚边的半旧蓝熟罗衫，蓝竹布扎腿裤，伸长两腿，交放起一双四寸来长的小脚，头上梳了一个京式长头，手里拿了一根近五尺长的旱烟筒，在那里吸烟。他前面却跪了一个二十来岁的年轻小子，穿一件补了两块的竹布长衫，脚上穿的是毛布底的黑布鞋，只对着那妇人呜呜饮泣。那妇人面罩重霜般，一言不发。再看那小子时，却是生得骨瘦如柴，脸上更是异常瘦削。看了许久，他两个人只是不做声，那小子却哭得更利害。

我看了许久，看不出其所以然来，便轻轻下了板凳。正要重新去摸洋火，忽又听得隔壁一阵劈拍之声，又是一阵詈骂之声，不觉又起了多事之心，重新站上板凳，向那边一张。只见那妇人站了起来，拿着那旱烟筒，向那小子头上乱打，嘴里说道："我只打死了你，消消我这口气！我只打死了你，消消我这口气！"说来说去，只是这两句，手里却是不住的乱打。那小子仍是跪在那里，一动也不动，伸着脖子受打。不提防"拍拆"一声，烟筒打断了。那妇人嚷道："我吃了二十多年的烟袋（北人通称烟袋），在你手里送折了，我只在你身上讨赔！"说时，又拿起那断烟筒，狠命的向那小子头上打去。不料烟筒杆子短了，格外力大，那铜烟锅儿（粤人谓之烟斗，苏、沪间谓之烟筒头），恰恰打在头上，把头打破了，流出血来，直向脸上淌下去。那小子先把袖子揩拭了两下，后来在袖子里取出手帕来擦，仍旧是端端正正跪着不动。那妇人弯下腰来一看，便捶胸顿足，号啕大哭起来，嘴里嚷道："天呵，天呵！我好命苦呵！一个儿子也守不住呵！"

我起先只管呆看，还莫名其妙，听到了这两句话，方才知道他是母子两个。却又不知为了甚么事。若说这小子是个逆子呢，看他那饮泣受杖的情形又不像；若说不是逆子呢，他又何以惹得他母亲动了如此大气。至于那妇人，也是测度他不出来：若说他是个慈母呢，他那副很恶凶悍的尊容又不像；若说他不是个慈母，何以他见儿子受了伤，又那么痛哭起来？

正在那里胡思乱想，忽然他那房门已被人推开，便进来了四五个人。认得一个是栈里管事的，其馀只怕是同栈看热闹的人。那管事的道："你们来是一个人来的，虽是一个人吃饭，却天天是两个人住宿。住宿也罢了，还要天天晚上闹甚么神号鬼哭，弄的满栈住客都讨厌。你们明天搬出去罢！"此时跪下的小子，早已起来了。管事的回头一看，见他血流满面，又厉声说道："你们吵也罢，哭也罢，怎么闹到这个样子，不要闹出人命来！"管事的一面说，那妇人一面哭喊。那小子便走到那妇人跟前，说道："娘不要哭，不要怕！儿子没事，破了一点点皮，不要紧的。"那妇人咬牙切齿的说道："就是你死了，我也会和他算帐去！"那小子一面对管事的说道："是我们不好，惊动了你贵栈的寓客。然而无论如何，总求你担代这一回，我们明日搬到别家去罢。"管事的道："天天要我担代，担代了七八天了。我劝你们安静点罢！要照这个样子，随便到谁家去，都是不能担代的。"说罢，出去了。那些看热闹的，也就一哄而散。

我站的久了，也就觉得困倦，便轻轻下了板凳，摸着洋火，点了灯，拿出表来一看，谁知已经将近两点钟了，便连忙收拾睡觉。正是：

贪观隔壁戏，竟把睡乡忘。

未知此一妇人，一男子，到底为了甚么事，且待下回再记。

第六十九回 责孝道家庭变态 权寄宿野店行沽

且喜自从打破了头之后，那边便声息俱寂，我便安然鼾睡。一觉醒来，已是九点多钟，连忙叫茶房来，要了水，净过嘴脸，写了两封信，拿到帐房里，托他代寄。走过客堂时，却见杏农坐在那里，和昨夜我看见的那小子说话。原来佛照楼客栈，除了客房之外，另外设了两座客堂，以为寓客会客之用。杏农见我走过，便起身招呼道："起来了么？"我道："想是到了许久了。"杏农道："到了一会儿。"说着，便走近过来。我顺便让他到房里坐。他一面走，一面说道："方才来回候你，你未起来，恰好遇了一个朋友，有事托我料理。此时且没工夫谈天，请你等我一等，我去去再来。"说罢，拱手别去。

我回到房里，等了许久，直到午饭过后，仍不见杏农来。料得他既然有事，未必再来的了。我便出门到外面逛了一趟，又到向来有来往的几家字号里去走走。及至回到栈时，已经四点多钟，客栈饭早，茶房已经开上饭来。吃饭过后，杏农方才匆匆的来了，喘一口气，坐定说道："有劳久候了！"我道："我饭后便出去办了一天事，方才回来。"杏农道："今天早起，我本来专诚来回候你，不料到得此地，遇了一个敝友，有点为难的事，就代他调排了一天，方才停当。"我道："就是早起在客堂里那一位么？"杏农道："正是，他本来住在你这里贴隔壁的房间。我到此地时才八点钟，打你的门，你还没有起来。我正要先到别处走走，不期遇了他开门出来，我便揽了这件事上身，直到此刻才办妥了。"

我道："昨夜我听见隔壁房里有人哭了许久，后来又吵闹了一阵，不知为的是甚么事？"杏农叹道："说起来，话长得很。我到了天津，已经十多年，初到的时候，便识了这个朋友。那时彼此都年轻，他还没有娶亲，便就了这里招商局的事。只有一个母亲，在城里租了我的两间馀屋，和我同住着。几两银子薪水，虽未见得丰盛，却也还过得去。"我笑道："你说了半天他，究竟他姓甚名谁？"杏农道："他姓石，别字映芝，是此地北通州人。他祖父是个翰林，只放过两回副主考，老死没有开坊，所以穷的了不得。他老子是个江苏知县，署过几回事，临了闹了个大亏空，几乎要查抄家产，为此急死了。遗下两房姨太太，都打发了。那时映芝母子，本没有随任，得信之后，映芝方才到南京去运了灵柩回来。可怜那年映芝只得十五岁！”

我听了这话，不觉心中一动，暗想：“我父亲去世那年，我也只得十五岁，也是出门去运灵柩回家的，此人可谓与我同病相怜的了。”因问道：“你怎么知道的这般详细？”杏农道：“我同他一相识之后，便气味相投，彼此换了帖，无话不谈的。以后的事，我还要知得详细呢。他运柩回来之后，便到京里求了一封荐信，荐到此地招商局来。通州离这里不远，便接了他母亲来津。那时我的家眷也在这里，便把我住的房子腾出两间，转租给他。因此两下同居，不免登堂拜母。那时却也相安无事。映芝为人，十分驯谨，一向多有人和他做媒，映芝因为家道贫寒，虽有人提及，自己也不敢答应。及至服阕之后，才定了这天津城里的一位贫家小姐，却也是个书香人家，丈人是个老儒士。谁知过门之后，不到一年光景，便闹了个婆媳不对，天天吵闹不休，连我们同居的也不得安。”我道：“想是娶了个不贤的妇人来了。这不贤妻、不孝子，最是人生之累。”

杏农叹道：“在映芝说呢，他母亲在通州和妯娌亲戚们，都是和和气气的，从来不会和人家拌嘴；在我们旁观的呢，实在不敢下断语。从此那位老太太，因为和媳妇不对，便连儿子也厌恶起来了，逢着人便数说他儿子不孝。闹的映芝没有法子，便写了一纸休书要休了老婆。他老太太知道了，便闹的天翻地覆起来，说映芝有心和他赌气：‘难道你休了老婆，便罢了不成！左右我和你拚了这条命！’如此一来，吓的映芝又不敢休了。这位媳妇受气不过，便回娘家去住几天，那柴米油盐的家务，未免少了人照应。老太太又不答应了，说道是：‘我偌大年纪了，儿子也长大了，媳妇也娶了，还要我当这个穷家！’映芝没法子，只得把老婆接了回来。映芝在招商局领了薪水回来，总是先交给母亲，老太太又说‘我不当家，交给我做甚么？’只得另外给老太太几块钱零用，他又不要。及至吵骂起来，他总说：‘儿子媳妇没有钱给我用，我要买一根针、一条线，都要求媳妇指头缝里宽一宽，才流得出来！’诸如此类的闹法，一个月总有两三回。他老太太高兴起来，便到街坊邻舍上去，数落他儿子一番。再不然，便找到映芝朋友家里去，也不管人家认得他不认得，走进去便把自己儿子尽情数落。最可笑的，有一回我一个舍亲，从南边来了，便到我家里去，谈起来是和映芝老人家认得的。我那舍亲姓丁，别字纪昌，向来在南京当朋友的，谈到映芝老人家亏空急死的，也十分叹息。却被那老太太听见了，便到我这边来，对纪昌着着实实的把映芝数落了一顿，总说他怎么的不孝。这是路过的一个人，说过也就罢了，谁知后来却累的映芝不浅。”

我道：“怎样累呢？”杏农道：“你且莫问，等我慢慢的说来。到后来他竟跑到招商局里去，求见总办，要告他儿子的不孝。总办那里肯见他？便坐在大门口外面，哭天哭地的诉说他儿子怎么不孝，怎么不孝。经映芝多少朋友劝了，他才回来。还有一回，白天闹的不够，晚上也闹起来，等人家都睡了，他却拍桌子打板凳的大骂，又把瓷器家伙一件件的往院子里乱摔，搅了个鸡犬不宁。到明天，实在没有法子了，映芝的老婆避回娘家去了，映芝也住在局里不敢回家。过了一夜，这位老太太见一个人闹的没味了，便拿了一根带子，自己勒起颈脖子来。恰好被我用的老妈子看见了，便嚷起来。那天刚刚我在家，便同内人过去解救。一面叫我用的一个小孩子，到招商局去叫映芝回来。偏偏映芝又不在局里，那小孩子没轻没重的，便说：'不好了，石师爷的老太太上了吊了！'这句话恰被一个和映芝不睦的同事听了去，便大惊小怪的传扬起来，说甚么天津地方要出逆伦重案了，快点叫人去捉那逆子，不要叫他逃脱了。这么一传扬起来，叫总办知道了，便把映芝的事情撤去，好好的二十两银子的馆地，从此没了。天津如何还住得下？只好搬回通州去了。

"住了一年，终不是事，听说有几个祖父的门生、父亲的相好，在南京很有局面，便凑了盘缠，到南京去希图谋个馆地。不料我方才说的那位舍亲丁纪昌，听了他老太太的话，回到南京之后，逢人便说，没处不谈，赶映芝到了南京，一个个的无不是白眼相加。映芝起初还莫名其妙，后来有人告诉了他丁纪昌的话，方才知道。幸亏回到上海，寻着了述农家兄，方才弄了一份盘缠回来。你说这个不是大受其累么。谁知回到通州，他那位老太太，又出了花样了，不住在家里，躲向亲戚家里去了。映芝去接他回家时，他一定不肯，说是我不惯和他同居。映芝没法，把老婆送到天津来，住到娘家去了，然后把自己母亲接回家中。通州地面小，不能谋事，自己只得仍到天津来，谋了东局的一件事。东局离这里远，映芝有时到市上买东西，或到这里紫竹林看朋友，天晚了不便回去，便到丈人家去借住。不知怎样，被他老太太知道了，又从通州跑到天津来，到亲家家里去大闹，说亲家不要脸，嫁女儿犹如婊子留客一般，留在家里住宿。"我道："难道映芝的老婆，一回娘家之后，便永远不回夫家了么？"杏农道："只有过年过节，由映芝领回去给婆婆拜年拜节，不过住一两天便走了。倒是这个办法，家里过得安静些，然而映芝却又担了一个大名气了。"

我道："甚么名气呢？"杏农道："他那位老太太，满到四处的去说，说他的儿子赚了钱，只顾养老婆的全家，不顾娘的死活，所以映芝便担了这个名气。那东局的事，也没有办得长，不多几个月，就空下来了。一向都是就些短局，一年倒有半年是赋闲的。所谓人穷志短，那映芝这两年，闹的神采也没有了。今年春上，弄了一个筹防局的小馆地，一个月只有六吊大钱。

他自己一个人，连吃饭每月只限定用一吊五百文，给老婆五百文的零用，其馀四吊，是按月寄回通州去的。馆地愈小，事情愈忙，这是一定之理，他从春上得了这件事之后，便没有回通州去过。所以他老太太这回赶了来，先把行李落在这里，要到筹防局去找儿子，却不料找错了，找到巡防局里去。人家对他说，我们局里没有这个人。他便说是儿子串通了门丁，不认娘了，在那里叫天叫地的哭骂起来。人家办公事的地方，如何容得这个样子，便有两个局勇驱赶他。他又说儿子赶娘了。人家听了这个话，越发恨了。在那里受了一场大辱，方才回到这里，哭喊了一夜。第二天映芝打听着了，连忙到了这里来，求他回去。他见了映芝，便是一场大骂，说他指使局勇，羞辱母亲。映芝和他分辩，说：'儿子并不在那个局里，是母亲走错了地方。'他说：'既然不是这个局，是那个局？'映芝是前回招商局的事情，被他母亲闹掉了的，这回怕再是那个样，如何敢说。他见映芝不说，便天天和映芝闹。可怜映芝白天去办公事，晚上到这里来捱骂，如此一连八九天。这里房饭钱又贵，每客每天要三百六十文，五天一结算。映芝实在是穷，把一件破旧熟罗长衫当了，才开销了五天房饭钱。再一耽搁，又是第二个五天到了。昨天晚上，映芝央求他回通州去，不知怎样触怒了他，便把映芝的头也打破了。今天早起我来了，知道了这件事，先把他老人家连哄带骗的，请到了我一个朋友家里，然后劝了他一天，映芝还磕了多少头，陪了多少小心，直到方才，才把他劝肯了，和他雇定了船，明天一早映芝送他回通州去。一切都说妥了，我方才得脱身到这里来。"

这一席长谈，不觉已掌灯多时了。知道杏农没有吃夜饭，便叫厨房里弄了两样菜，请他就在栈里便饭。饭后又谈了些正事，杏农方才别去。

我在天津住了十多天，料理定了几桩正事，便要进京。我因为要先到河西务去办一件事，河西务虽系进京的大路，因恐怕到那边有耽搁，就没有雇长车，打算要骑马。谁知这里马价很贵，只有骑驴的便宜，我便雇了一头驴。好在我行李无多，把衣箱寄在杏农那里，只带了一个马包，跨驴而行。说也奇怪，驴这样东西，比马小得多，那性子却比马坏。我向来没有骑过，居然使他不动。出了西沽，不上十里路，他忽然把前蹄一跪，幸得我骑惯了马的，没有被他摔下来。然而尽拉缰绳，他总不肯站起来了。只得下来，把他拉起，重新骑上。走不了多少路，他又跪下了。如此几次，我心中无限焦燥，只得拉着缰绳步行一程，再骑一程，走到太阳偏西，还没有走到杨村（由天津进京尖站），越觉心急。看见路旁一家小客店，只得暂且住下，到明天再走。

入到店里，问起这里的地名，才知道是老米店。我净过嘴脸之后，拿出几十钱，叫店家和我去买点酒来，店家答应出去了。我见天时尚早，便到外

面去闲步。走出门来，便是往来官道。再从旁边一条小巷子里走进去，只见巷里头一家，便是个烧饼摊，饼摊旁边，还摆了几棵半黄的青菜，隔壁便是一家鸦片烟店。再走过去，约莫有十来家人家，便是尽头。那尽头的去处，却又是一家卖鸦片烟的。从那卖鸦片烟的人家前面走过去，便是一片田场。再走几十步，回头一望，原来那老米店，通共只有这几家人家，便算是一条村落的了。

信步走了一回，仍旧回到店里，呆呆的坐了一大会。看看天要黑下来了，那店家才提了一壶酒回来交给我。我道："怎么去这半天？"店家道："客人只怕是初走这里？"我道："正是。"店家道："这老米店没有卖酒的地方，要喝一点酒，要走到十二里地外去买呢。客人初走这里，怨不得不知道。"我一面听他说话，一面舀出酒来呷了一口，觉得酒味极劣。暗想天津的酒甚好，何以到了此地，便这般恶劣起来。想是去买酒的人，赚了我的钱，所以买这劣酒搪塞，深悔方才不曾多给他几文。

心里正在这么想着，外面又来了一个客人，却是个老者，鬓发皆白，脸上却是一团书卷气；手里提着一个长背搭，也走到房里来。原来北边地方的小客店，每每只有一个房，一铺炕，无论多少寓客，都在一个炕上歇的。那老者放下背搭，要了水净面，便和我招呼，我也随意和他点头。因见桌上有一个空茶碗，顺手便舀一碗酒让他喝。他也不客气，举杯便饮。我道："这里的酒很不好！"老者道："这已经是好的了。碰了那不好的，简直和水一样。"

我道："这里离天津不远，天津的酒很好，何以不到那边贩来呢？"老者道："卫里（北直人通称天津为卫里，以天津本卫也）吗，那里自然是好酒。老客想是初走这边，没知道这些情形。做酒的烧锅都在卫里，卫里的酒，自然是好的了。可是一过西沽就不行了，为的是厘卡上的捐太重；西沽就是头一个厘卡，再往这边来，过一个卡子，就捐一趟，自然把酒捐坏了。"我道："捐贵了还可以说得，怎么会捐坏了呢？"老者道："卖贵了人家喝不起，只得搀和些水在酒里。那厘捐越是抽得利害，那水越是搀得利害，你说酒怎么不坏！"

我问道："那抽捐是怎么算法？可是照每担捐多少算的吗？"老者道："说起来可笑得很呢！他并不论担捐，是论车捐，却又不讲每车捐多少，偏要讲每个车轮子捐多少。说起来是那做官的混帐了，不知道这做买卖的也不是个好东西，他要照车轮子收捐，这边就不用牲口拉的车，只用人拉的车。"我道："这又有甚么分别？"老者道："牲口拉的车，总是两个轮子。他们却做出一种单轮子的车来，那轮子做的顶小，安放在车子前面的当中，那车架子却做的顶大，所装的酒篓子，比牲口拉的车装的多，这车子前面用三四个人拉，后头用两个人推，就这么个玩法。”正是：

一任你刻舟求剑，怎当我掩耳盗铃。

未知那老者还说出些甚么来，且待下回再记。

第七十回
惠雪舫游说翰苑　周辅成误娶填房

我听那老者一席话，才晓得这里酒味不好的缘故，并不是代我买酒的人落了钱。于是再舀一碗让他喝，又开了一罐罐头牛肉请他。大家盘坐在炕上对吃。我又给钱与店家，叫他随便弄点面饭来。方才彼此通过姓名。

那老者姓徐，号宗生，是本处李家庄人。这回从京里出来，因为此地离李家庄还有五十里，恐怕赶不及，就在这里下了店。我顺便问问京里市面情形。宗生道：“我这回进京，满意要见焦侍郎，代小儿求一封信，谋一个馆地。不料进京之后，他碰了一桩很不自在的事，我就不便和他谈到谋事一层，只住了两天就走了。市面情形，倒未留心。”

我道：“焦侍郎可就是刑部的焦理儒？”宗生道：“正是他。”我道：“我在上海看了报，他这侍郎是才升转的，有甚么不自在的事呢？”宗生道：“他们大老官，一帆风顺的升官发财，还有甚么不自在，不过为点小小家事罢了。然而据我看来，他实在是咎由自取。他自己是一个绝顶聪明人，笔底下又好，却是学也不曾入得一名。如今虽然堂堂八座，却是异途出身。四五个儿子，都不肯好好的念书，都是些不成材的东西。只有一位小姐，爱同拱璧，立志要招一位玉堂金马的贵婿。谁知立了这么一个志愿，便把那小姐耽误了，直到了去年，已过二十五岁了，还没有人家。耽误了点年纪，还没有甚么要紧，还把他的脾气惯得异乎寻常的出奇，又吃上了鸦片烟瘾，闹的一发没有人敢问名的了。去年六月间，有一位太史公断了弦。这位太史姓周，号辅成，年纪还不满三十岁。二十岁上便点了翰林，放过一任贵州主考，宦囊里面多了三千金，便接了家眷到京里来，省吃俭用的过日子，望开坊。谁知去年春上，染了个春瘟病，捱到六月间死了。你想这般一位年轻的太史公，一旦断了弦，自然有多少人家央人去做媒的了。这太史公倒也伉俪情深，一概谢绝。这信息被焦侍郎知道了，便想着这风流太史做个快婿。虽然是个续弦，且喜年纪还差不多。想定了主意，便打算央媒说合。既而一想，自己是女家，不便先去央求。又打听得这位太史公，凡是去做媒的，一概谢绝，更怕把事情弄僵了，所以直等到今年春天，才请出一个人来商量。这个人便是刑部主事，和周太史是两榜同年，却是个旗人，名叫惠覃，号叫雪舫，为人极其能言舌辩。焦侍郎请他来，把这件事直告诉了他，又说明不愿自己先求他的意思。雪舫便一力担承在身上，说道：‘大人放心，司官总有法子说得他服服帖帖的来求亲。大人这里还不要就答应他，放出一个欲擒故纵的手段，然后许其成事，方不失了大人这边的门面。’焦侍郎大喜，便说道：‘那么这件事，就尽托在老兄身上了。’

“雪舫得了这个差使，便不时去访周辅成谈天。周辅成老婆虽死了，却还留下一个六岁大的男孩子，生得眉清目秀，十分可人。雪舫到了，总是逗他玩笑，考他认字。偶然谈起说道：‘怪可怜的一个小孩子，小小年纪没了娘了。你父亲怎么就不再娶一个？’辅成听了笑道：‘伤心还没有得过，那里便谈到这一层？况且我是立志鳏居以终的了。’雪舫道：‘你莫嘴强，这是办不到的。纵使你伉俪情深，一时未忍，久后这中馈乏人，总不是事。况且小孩子说大不大，总得要有人照应的。你此刻还赶伤心追悼的那边去，未必肯信我这个话，久后你便要知道的。’辅成未及回答，雪舫又道：‘说来也难，娶了一个好的来也罢了；倘使娶了个不贤的，那非但自己终身之累，就是小孩子对付晚娘，也不容易。’辅成道：‘可不是吗！我这立定鳏居以终之志，也是看到这一着。’雪舫道：‘这也足见你的深谋远虑。其实现在好好的女子很少，每每听见人家说起某家的晚娘待儿子怎样，某家的晚娘待儿子怎样，听着也有点害怕。辅成兄，你既然立定主意不娶，何不把令郎送回家乡去？自己住到会馆里，省得赁宅子，要省得多呢。’辅成道：‘我何尝不想。只为家母生平最爱的是内人，去年得了我这里的信息，已经不知伤心的怎样了。此刻再把小孩子送回去，老人家见子思母，岂非又撩拨起他的伤心来！何况小儿说大虽不大，也将近可以读书了，我们衙门清闲无事，也想借课子消遣，因此未果。’雪舫道：‘既如此，你也大可以搬到会馆里面去，到底省点浇裹。’辅成道：‘我何尝不想。只因这小孩子还小，一切料理，打辫洗澡，还得用个老妈子伺候。’雪舫道：‘就是这个难，并且用老妈子，也不容易用着好的。’辅成道：‘这倒不然，我现在用的老妈子，就是小孩子的奶娘，还是从家乡带来的。’雪舫道：‘这么说，你夫人虽是没了，这过日子浇裹，还是一文不能省的。’辅成道：‘这个自然。’雪舫道：‘这么说，你还是早点续弦的好。’辅成发急道：‘这话怎讲？’雪舫笑了一笑，却不答话。

“辅成心下狐疑，便追着问是甚么道理。雪舫道：‘我要待不说，又对你不起；要待说了出来，一则怕你不信，二则怕你发急。’辅成道：‘说的不近情理，不信或者有之，又何至于发急呢？’雪舫又笑了一笑，依然没有话说。辅成道：‘你这个样子，倒是令我发急了。我和你彼此同年相好，甚么话不好说，要这等藏头露尾作甚么呢？’雪舫正色道：‘我本待不说，然而若是终于不说呢，实在对朋友不起，所以我只得直说了。但是说了，你切莫发急。’辅成道：‘你说了半天，还是未说，你这是算甚么呢！’雪舫道：‘此刻我直说了罢。若是在别的人呢，这是稀不相干的事。无奈我们是做官的人，……’说着，又顿住了。辅成恨道：‘你简直爽快点一句两句说了罢，我又不和你作甚么文字，只管在题前作虚冒，发多少议论作甚么！’雪舫道：‘你是身居清贵之职的，这个上头更要紧。’辅成更急了道：‘你还要故作盘旋之笔呢，快说罢！’雪舫道：‘老实说了罢，你近来外头的声名，不大好听呢！’

“辅成生平是最爱惜声名的，平日为人谨饬的了不得。忽然听了这句话，犹如天上吊下了一个大霹雳来，直跳起来问道：‘这是那里来的话？’雪舫道：‘我说呢，叫你不要着急。’辅成道：‘到底是那里来的话？我不懂啊。到底说的是那一行呢？’雪舫拍手道：‘你知道我近来到你这里来坐，格外来得勤，是甚么意思？我是要来私访你的。谁知私访了这几天，总访不出个头绪来，只得直说了。外头人都说你自从夫人没了之后，便和用的一个老妈子搭上了，缠绵的了不得，所以凡是来和你做媒的，你都一概回绝。’辅成道：‘这些谣言从那里来的？’雪舫道：‘外头那个不知？还要问那里来的呢。不信，你去打听你们贵同乡，大约同乡官没有一个不知道的了。’辅成直跳起来道：‘这还了得！我明日便依你的话，搬到会馆去住，乐得省点浇裹。’雪舫道：‘这一着也未尝不是；然而你既赁了宅子，自己又住到会馆里，怎么见得省？’辅成道：‘那里的话！我既住到会馆，便先打发了老妈子，带着小孩子住进去了。’雪舫道：‘早就该这样办法的了。’

“辅成便忙着要拣日子就搬。雪舫道：‘你且莫忙，这不是一时三刻的事，我也在这里代你打算呢。小孩子说小虽然不小，然而早起晚睡，还得要人招呼，还有许多说不出的零碎事情，断不是我们办得到的。譬如他顽皮搅湿了衣服，或者挂破了衣服等类，都是马上要找替换，要缝补的，试问你我可以办得到么？这都是平常无事的话。万一要有甚么伤风外感，那不更费手脚么？我正在这里和你再三盘算，左也不是，右也不是。看不出这么一件小小事情，倒是很费商量的。’一席话说得辅成呆了。歇了半晌道：‘不然，索性把小孩子送回家乡去也好。’雪舫道：‘你方才不是说怕伤太夫人的心么？’辅成搓手顿足了半响，没个理会。雪舫又道：‘不如我和你想个法子罢，是轻而易举，绝不费事的，不知你可肯做？’辅成道：‘你且说出来，可以做的便做。’雪舫道：‘你若肯依了我做去，包管你就可以保全声

名。’辅成道：‘你又来作文字了，又要在题前盘旋了，快直说了罢。’

“雪舫道：‘你今日起，便到处托人做媒，只说中馈乏人，要续弦了。这么一来，外头的谣言自然就消灭了。’辅成道：‘这个不过暂时之计，不可久长的。况且央人做媒，做来做去，总不成功，也不是个事；万一碰了合式的，他样样肯将就，任我怎样挑剔，他都答应，那却如何是好呢？’雪舫正色道：‘那不就认真续了弦就完了。我劝你不要那么呆，天下那里有从一而终的男子？你此刻还是热烘烘的，自然这样说。久而久之，中馈乏人，你便知道鳏居的难处了。与其后来懊悔，还是赶早做了的好。依我劝你，趁此刻自己年纪不十分大，儿子也还小，还容易配；倘使耽搁几年，自己年纪也大了，小孩子也长成了，那时后悔，想到续弦，只怕人家有好好的女儿未必肯嫁给于思于思的老翁了。况且说起来，前妻的儿子已经若干大了，人家更多一层嫌弃。还有一层，比方你始终不续弦的话，将来开坊了，外放了，老大人、太夫人总是要迎养的，同寅中官眷往来，你没有个夫人，如何得便？难道还要太夫人代你应酬么？你细想想，我的话是不是？’辅成听了低下头去，半晌没有话说。雪舫又道：‘说虽如此说，这件事却是不能卤莽的，最要紧是打听人品。倘使弄了一个不贤的来，那可不是闹玩的！’辅成叹了一口气，却不言语。雪舫又道：‘此刻你且莫愁这些，先撒开了话，要求人做媒，赶紧要续弦，先把谣言息一息再讲。’辅成也没有话说。雪舫又谈些别样说话，然后辞去。

“过了一日，雪舫未曾出门，辅成先去拜访了，说是踌躇了一天一夜，没有别的法子，只好依你之计，暂时息一息谣言再说的了。雪舫道：‘既如此，便从我先做起媒来。陆中堂有一位小姐，是才貌兼备的，等我先去碰一碰看。’辅成道：‘你少胡闹！他家女儿怎肯给我们寒士？何况又是个填房。’雪舫道：‘求不求在你，肯不肯由他，问一问不见得就玷辱了他，那又何妨呢。’辅成也就没言语了。再过一天，雪舫便来回话说：‘陆中堂那边白碰了。今日我又到张都老爷那边去说，因为听说张都老爷有个妹子，生得十分福气，今日没有回话，过几天听信罢。’

“此时辅成因为谣言可怕，也略略活动了一点了，这两天也在别个朋友跟前提起续弦的话。一时同衙门的、同乡的，都知道周太史要续弦了，那做媒的便络绎不绝，这个夸说张家小姐才能，那个夸说李家小姐标致，说的心如槁木的一位太史公，心中活泼泼起来。雪舫又时时走来打动，商量要怎么的好，怎么的不好，又说第一年纪大的好。辅成问他是甚么缘故。雪舫道：‘若是元配，自然年纪不怕小的。此刻你的是续弦，进了你门，就要做娘的，翁姑又不在跟前，倘使年纪过轻，怎么能当得起这个家？若是年纪大点的，在娘家纵使未曾经练过，也看见得多了，招呼小孩子，料理家务，自然都会的了。你想不是年纪大的好么？’说的辅成合了意。他却另外挽出一个人来，和辅成做焦侍郎小姐的媒。辅成便向雪舫打听。雪舫道：‘这一门我早就想着了，一则怕这位小姐不肯许人家做填房，二则我和焦老头子有堂属之分，彀不上去说这些事，所以未曾提及。这门亲倘是成了，倒是好的。听说那一位小姐，雅的是琴棋书画，俗的是写算操作，没有一件不来的。况且年纪好像在二十以外一点了，于料理小孩子一层，自然是好的了。’辅成听了，也巴望这门亲定了，好得个内助。偏偏焦侍郎那边，又没有着实回话，倒闹得辅成心焦起来，又托雪舫去说。求之再四，方才应允。一连跑了四五天，把这头亲事说定。一面择日行聘。过了几时，又张罗行亲迎大礼，央了钦天监选择了黄道吉日，打发了鼓吹彩舆去迎娶，择定了午正三刻拜堂合卺。

“这一天，周太史家里贺客盈门，十分热闹，格外提早点吃了中饭，预备彩舆到了，好应吉时拜堂。一班同年、同馆的太史公，都预备了催妆诗、合卺词。谁知看看到了吉时，不见彩舆到门，众亲友都呆呆的等着看新人。等彀多时，已是午过未来，还是寂无消息。办事的人便打发人到坤宅去打听，回报说新人正在那里梳妆呢。众人只得仍旧呆等。等到了未末申初，两顶大媒老爷的轿子到了，说来了来了，快了快了，马上就登舆了。周太史一面款待大媒。闹了一会，已交酉刻，天已晚下来了，只得张罗开席宴客。吃到半席时，忽然间鼓乐喧天的，新娘娶回来了，便连忙撤了席，拜堂、送房、合卺，又忙了一阵，直到戌正，才重新入席。那新人的陪嫁，除了四名丫头之外，还有两房仆妇、两名家人，都是很漂亮的。众人尽欢散席时，已是亥正了。大家宽坐了一会，便要到新房里看新人。周太史只得陪着到新房里去。众人举目看时，都不觉楞了一楞，原来那位新人，早已把凤冠除下，却仍旧穿的蟒袍霞帔，在新床上摆了一副广东紫檀木的鸦片烟盘，盘中烟具，十分精良，新人正躺在新床吃旧公烟呢。看见众人进来，才慢慢的坐起，手里还拿着烟枪。两个伴房老妈子，连忙过去接了烟枪，打横放在烟盘上，一个接手代他戴上凤冠。陪嫁家人过来，把烟盘收起来，回身要走，忽听得娇滴滴的声音叫了一声‘来’，这个声音正是新人口中吐出来的。那陪嫁家人，便回转身子，手捧烟盘，端端正正的站着。只听得那新人又说道：‘再预备十二个泡儿就够了。’那陪嫁家人，连答应了三四个‘是’字，方才退了出去。众人取笑了一回，见新人老气横秋的那个样子，便纷纷散去。新人见客散了，仍旧叫拿了烟具来，一口一口的吹，吹足了十二口时，天色已亮，方才卸妆睡觉。周辅成这一气，几乎要死！然米已成饭，无可如何了，只打算日后设法禁制他罢了。那位新人一睡，直到三下钟方才起来。梳洗已毕，便有他的陪嫁家人，带了一个面生人，手里拿了一包东西，到上房里去，辅成此时一肚子没好气，也没做理会。第二天晚上，便自己睡到书房里去了。

"到了第三天，是照例回门，新婿新人，先后同去。行礼已完，新婿也照例先回。及至辅成回到家时，家人送上两张帐单。辅成接过来一看，一张是珠宝市美珍珠宝店的，上面开着珍珠头面一副、穿珠手镯一副、西洋钻石戒指五个，共价洋四千五百两；又一张是宝兴金店的，上面开着金手镯一副、押发簪子等件，零零碎碎，共价是三百十五两。辅成看了便道：'我家里几时有买过这些东西？'家人回道：'这是新太太昨天叫店里送来的。'辅成吓了一跳，呆了半响，没有话说，慢腾腾的踱到书房，换过便衣，唉声叹气的坐立不安。直等到晚上十二点多钟，新人方才回来。辅成一肚子没好气，走到上房。只见那位新夫人，已经躺下吃烟了，看见丈夫进来，便慢腾腾的坐起。辅成不免也欠欠身坐下，半晌开口问道：'夫人昨天买了些首饰？'新人道：'正是。我看见今天回门，倘使还戴了陪嫁的东西，不像样子，所以叫他们拿了来，些微拣了两件，其实还不甚合意。'辅成道：'既然不甚合意，何不退还了他呢？'说时，脸上很现出一种不喜欢的颜色。新人听了这话，看了新婿的颜色，不觉也勃然变色起来。"正是：

房帏未遂齐眉乐，《易》像先呈反目爻。

未知一对新人，闹到怎么样子，且待下回再记。

第七十一回
周太史出都逃妇难　焦侍郎入粤走官场

"当下新人变了颜色，一言不发。辅成也忍耐不住，说道：'不瞒夫人说，我当了上十年的穷翰林，只放过一回差，不曾有甚么积蓄。'新人不等说完，便抢着说道：'罢，罢！几吊钱的事情，你不还，我娘家也还得起，我明日打发人去要了来，不烦你费心。不过我这个也是挣你的体面。今天回门去，我家里甚么王爷、贝子、贝勒的福晋、姑娘，中堂、尚书、侍郎的夫人、小姐，挤满了一屋子，我只插戴了这一点捞什子，还觉着怪寒尘的，谁知你到那么惊天动地起来！早知道这样，你又何必娶甚么亲！'说着，又叫了一声'来'，那陪嫁家人便走了进来，垂手站着。新人拿眼睛对着鸦片烟盘看了一看，那家人便走到床前，半坐半躺的烧了一口烟，装到斗上。辅成冷眼觑着，只见那家人把烟枪向那边一送，新人躺下来接了，向灯上去吸，那家人此时简直也躺了下来，一手挡着枪梢，一手拿着烟签子，拨那斗门上的烟。辅成见了，只气得三尸乱暴，七窍生烟！只因才做了亲不过三朝，不便发作，忍了一肚子气，仍到书房里去安歇了。

“从此那珠宝店、金子店的人，三天五天便来催一次，辅成只急得没路投奔。雪舫此时却不来了，终日闷着一肚子气，没处好告诉，没人好商量。一连过了二十多天，看看那娶来的新人，非但愈形骄蹇放纵，并且对于那六岁孩子，渐渐露出晚娘的面目来了。辅成更加心急，想想转恨起雪舫来。然而徒恨也无益，总要想一个善后之策，因此焦灼的一连几夜总睡不着。并且自从娶亲以来，便和上房如同分了界一般，足迹轻易不踏到里面。小孩子受了晚娘的气，又走到自己跟前哭哭啼啼，益加烦闷。

“忽然一日，自己决绝起来，定下一个计策，暗地里安排妥当。只说家中老鼠多，损伤了书籍字画，把一切书画都归了箱，送到会馆里存放，一共运去了十多箱书画，暗中打发一个家人，到会馆里取了，运回家乡去。等到了满月那天，新人又照例回门去了，这一次回门，照例要娘家住几天。这位周太史等他夫人走了，便写了个名条，到清秘堂去请了一个回籍措资的假，雇了长车，带了小孩子，收拾了细软，竟长行回籍去了。只留下一个家人看门，给了他一个月的工钱，叫他好好看守门户，诳他说到天津，去去就来的。他自己到了天津之后，却寄了一封信给他丈人焦侍郎。这封信却是骈四骊六的，足有三千多字，写得异常的哀感顽艳。焦侍郎接了这封信，一气一个死！无可奈何，只得把女儿权时养在家里，等日后再做道理。我进京找他求信，恰好碰了这个当口。所以我也不便多说，耽搁了几天，只得且回家去，过几时再说的了。”

徐宗生一席长谈，一面谈着，一面喝着，不觉把酒喝完了，饭也吃了，问店家要了水来净了面。我又问起焦侍郎为甚么把一位小姐惯到如此地位。宗生道：“这也不懂。论起来，焦侍郎是很有阅历的人，世途上、仕途上，都走的烂熟的了，不知为甚么家庭中却是如此。”我道：“世路仕路的阅历，本来与家庭的事是两样的。”宗生道：“不是这样说。这位焦理儒，他是经过极贫苦来的，不应把小孩子惯得骄纵到这步田地。他焦家本是个富家，理儒是个庶出的晚子，十七八岁上，便没了老子，弟兄们分家，他名下也分到了二三万的家当。搁不起他老先生吃喝嫖赌，无一不来，不上几年，一份家当，弄得精光，闹的弟兄不理，族人厌恶，亲戚冷眼，朋友远避。在家乡站不住了，赌一口气走了出来，走到天津，住在同乡的一家字号里，白吃两顿饭，人家也没有好面目给他。可巧他的运气来了，字号里的栈房碰破了两箱花椒，连忙修钉好了，总不免有漏出来的，字号里的小伙计把他扫了回来。被这位焦侍郎看见了，不觉触动了他的一门手艺，把那好的整的花椒，拣了出来，用一根线一颗一颗的穿起来，盘成了一个班指。被字号里的伙计看见了，欢喜他精致，和他要了。于是这个要穿一个，那个要穿一个，弄得天天很忙。他又会把他盘成珠子，穿成一副十八子的香珠。穿了香珠，却没有人要；只有班指要的人多，甚至有出钱叫他穿的。齐巧有一位候补道进京引见，路过天津，是他的世伯辈，他用了'世愚侄'的帖子去见了一回，便把所穿的香珠，凑了一百零八颗，配了一副烧料的佛头、纪念，穿成一挂朝珠，又穿了一个细致的班指，作一份礼送了去。那位候补道欢喜的了不得，等他第二次去见了，便问他在天津作甚么。他一时没得好回答，便随嘴答应，说要到广东去谋事。那候补道便送了他五十两银子程仪。他得了这笔银子，便当真到广东去了。

"原来他有一位姑丈，是广东候补知府，所以他一心要找他姑丈去。谁知他在家乡那等行为，早被他哥哥们写信告诉了姑丈了，所以他到了广东，那位姑丈只给他一个不见。他姑母是早已亡故的了，他姑丈就在广东续的弦，他向来没有见过，就是请见也见不着。五十两银子有限，从天津到得广东，已是差不多的了，再是姑丈不见，住了几天客栈，看看银子没有了。他心急了，便走到他姑丈公馆门口等着，等他姑丈拜客回来，他抓住了轿杠便叫姑丈。他姑丈到了此时，没有法子，只得招呼他进去，问他来意。他说要谋事。他姑丈说："谈何容易！这广东地方虽大，可知人也不少，非有大帽子压下来，不能谋一个馆地，并且你在家里荒唐惯了，到了外面要守外面的规矩，你怎样办得到！不如仍旧回去罢。'他道：'此刻盘缠也用完了，回去不得，只得在这里等机会。我就搬到姑丈公馆来住着等，想姑丈也不多我这一碗闲饭。'他姑丈没奈何，只得叫他搬到自己公馆里住。这一住又是好几个月。喜得他还安分，不曾惹出逐客令来。

"他姑丈在广东，原是一个红红儿的人，除了外面两三个差使不算，还是总督衙门的文案。这一天总督要起一个折稿，三四个文案拟了出来，都不合意，便把这件事交代了他姑丈。他姑丈带回公馆里去弄，也弄不好。他看见了那奏稿节略，便自去拟出一篇稿来，送给他姑丈看，问使得使不得。他姑丈向来鄙薄他的，如何看得在眼里，拿过来便搁在一旁。但苦于自己左弄不好，右弄不好，姑且拿他的来看看，看了也不见得好。暗想且不要管他，明天且拿他去塞责。于是到了明天，果然袖了他的稿子去上辕。谁知那位制军一看见了，便大加赏识，说：'好得很，却不像老兄平日的笔墨。'他姑丈一时无从隐瞒，又不便撒谎，只得直说了：'是卑府亲戚某人代作的。'制军道：'他现在办甚么事？是个甚么功名？'他姑丈回说：'没有事，也没有功名。'制军道：'有了这个才学，不出身可惜了。我近来正少一个谈天的人，老兄回去，可叫他来见我。'他姑丈怎么好不答应，回去便给他一身光鲜衣服，叫他去见制军。那制军便留他在衙门里住着，闲了时，便和他谈天。他谈风却极好。有时闷了，和他下围棋，他却又能够下两子，并且输赢当中，极有分寸，他的棋子虽然下得极高，却不肯叫制军大败，有时自己还故意输去两子。偶然制军高兴了，在签押房里和两位师爷小酌，他的酒量却又不输与别人，并且出主意行出个把酒令来，都是雅俗共赏的。若要和他考究经史学问，他却又样样对答得上来。有时唱和几首诗，他虽非元、白、李、杜，却也才气纵横。因此制军十分隆重他，每月送他五十两银子的束脩。他就在广东阔天阔地起来。

“不多几时，潮州府出了缺，制台便授意藩台，给他姑丈去署了。一年之后，他姑丈卸事回来，禀知交卸。制军便问他：‘我这回叫你署潮州，是甚么意思，你可知道？’他姑丈回说：‘是大帅的栽培。’制军道：‘那倒并不是，我想你那个亲戚，总要想法子叫他出身。你在省城当差，未必有钱多，此刻署了一年潮州，总可以宽裕点了，可以代你亲戚捐一个功名了。’他姑丈此时不能不答应，然而也太刻薄一点，只和他捐了一个未入流，带捐免验看，指分广东。他便照例禀到。制军看见只代他弄了这么个功名，心中也不舒服，只得吩咐藩台，早点给他一个好缺署理。总督吩咐下来的，藩司那里敢怠慢？不到一个月，河泊所出了缺，藩台便委了他。原来这河泊所是广东独有的官，虽是个从九、未入，他那进款可了不得。事情又风流得很，名是专管河面的事，就连珠江上妓船也管了。他做了几个月下来，那位制军奉旨调到两江去了，本省巡抚坐升了总督，藩台坐升了抚台，剩下藩台的缺，却调了福建藩台来做。那时候一个最感恩知己的走了，应该要格外小心的做去才是个道理。谁知他却不然，除了上峰到任，循例道喜之外，朔望也不去上衙门，只在他自己衙门里，办他的风流公案。

“那时新藩台是从福建来的，所有跟来的官亲幕友，都是初到广东，闻得珠江风月，那一个不想去赏鉴赏鉴？有一天晚上，藩台的少爷，和一个衙门里的师爷，两个人在谷埠（妓船麇聚之所）船上请客。不知怎样，妓家得罪了那位师爷，师爷大发雷霆，把席面掀翻了，把船上东西打个稀烂，大呼小叫的，要叫河泊所来办人。吓得一众妓女，莺飞燕散的，都躲开了。一个鸨妇见不是事，就硬着头皮，闪到舱里去，跪下叩头认罪。那师爷顺手拿起一个茶碗，劈头摔去，把鸨妇的头皮摔破了，流出血来。请来的客，也有解劝的，也有帮着嚷打的。

“这个当口，恰好那位焦理儒，带了两个家人，划了一艘小船，出来巡河，刚刚巡到这个船边，听得吵闹，他便跳过船来。刚刚走在船头，忽见一个人在舱里走出来，一见了理儒便道：‘来得好，来得好！’理儒抬头一看，却是一位姓张的候补道，也是极红的人。原来理儒在督署里面，当了差不多两年的朋友，又是大帅跟前极有面子的，所以那一班候补道府，没有一个不认得他的。当下理儒看见是熟人，便站住了脚。姓张的又低低的说道：‘藩宪的少大人和老夫子在里面，是船家得罪了他。阁下来得正好，请办一办他们，以警将来。’理儒听了，理也不理，昂起头走了进去，便厉声问道：‘谁在这里闹事？’旁边有两个认得理儒的，便都道：‘好了，好了！他们的管头来了。’有个便暗暗告诉那师爷，这便是河泊所焦理儒了。那师爷便上前招呼。理儒看见地下跪着一个头破血流的妇人，便问谁在这里打伤人。那师爷便道：‘是兄弟摔了他一下。’理儒沉下脸道：‘清平世界，那里来的凶徒！’回头叫带来的家人道：‘把他拿下了！’藩台的少爷看见这个情形，不觉大怒道：‘你是甚么人，敢这么放肆！’理儒也怒道：‘你既然在这里胡闹，怎么连我也不知道！想也是凶徒一类的。’喝叫家人，把他也拿了。旁边一个姓李的候补府，悄悄对他说道：‘这两位一个是藩台少爷，一个是藩台师爷。’理儒喝道：‘甚么少爷老爷，私爷公爷，在这里犯了罪，我总得带到衙门里办去。’姓李的见他认真起来，便闪在一边，和一班道府大人，闪闪缩缩的，都到隔壁船上去，偷看他作何举动。只见他带来的两个家人，一个看守了师爷，一个看守了少爷，他却居中坐了，喝问那鸨妇：‘是那一个打伤你的，快点说来。’那鸨妇只管叩头，不肯供说。那师爷气愤愤的说道：‘是我打的，却待怎样！’理儒道：‘好了，得了亲供了。’叫家人带了他两个，连那鸨妇一起带到衙门里去。

“此时师爷少爷带来的家人，早飞也似的跑进城报信去了。理儒把一起人也带进城，到衙门里，分别软禁起来，自已却不睡，坐在那里等信。到得半夜里，果然一个差官拿了藩台的片子来要人。理儒道：‘要甚么人？’差官道：‘要少爷和师爷。’理儒道：‘我不懂。我是一个人在衙门里办公，没带家眷，没有少爷；官小俸薄，请不起朋友，也没有师爷。’差官怒道：‘谁问你这个来！我是要藩宪的少大人与及藩署的师爷！’理儒道：‘我这里没有！’差官道：‘你方才拿来的就是。’理儒道：‘那不是甚么少爷师爷，是两个闹事伤人的凶徒！’差官道：‘只他两个就是，你请他出来，我一看便知。’理儒把桌子一拍，大喝道：‘你是个甚么东西，要来稽查本衙门的犯人！’喝叫家人：‘给我打出去！’两个家人，一片声叱喝起来，那差官没好气，飞马回衙门报信去了。藩台听了这话，也十分诧异，一半以为理儒误会，一半以为那差官搅不清楚，只得写了一封信，再打发别人去要。理儒接了信，付之一笑。草草的回了一个禀，交来人带去。禀里略言‘卑职所拿之人，确系凶徒，现有受伤人为证。无论此凶徒系何人，既以公事逮案，案未结，未便遽释’云云。

“这两次往返，天已亮了。理儒却从从容容的吃过了早饭，才叫打轿回公事去。谁知他昨夜那一闹，外面通知道了，说是河泊所太爷误拿藩台的人，这一回是死无葬身之地的了，不难合衙门的人都有些不便呢。此风声一夜传了开去，到得天明，合衙门的书吏差役，纷纷请假走了，甚至于抬轿的人也没有了。理儒看见觉得好笑，只得另外雇了一乘小轿，自己带了那一颗小小的印把，叫家人带了那少爷、师爷、鸨妇，一同上制台衙门去。"

这一去，有分教：

胸前练雀横飞出，又向最高枝上栖。

未知理儒见了制台，怎样回法，且待下回再记。

第七十二回
逞强项再登幕府　走风尘初入京师

"前一夜藩台因为得了幕友、儿子闹事，被河泊所司官捉去的信，心中已经不悦，及至两次去讨不回来，心中老大不舒服。暗想这河泊所是甚么人，他敢与本司作对！当时便有那衙门旧人告诉他，说是这河泊所本来是前任制台的幕宾，是制台交代前任藩台给他这个缺的。藩台一想，前任藩台便是现任的抚军，莫非他仗了抚军的腰子么？等到天明，便传伺候上院去，把这件事嗫嗫嚅嚅的回了抚台。抚台道：'这个人和兄弟并没有交情，不过兄弟在司任时，制军再三交代给他一个缺，恰好碰了河泊所出缺，便委了他罢了。但是听说他很有点才干。昨夜的事，他一定明知是公子，但不知他要怎样玩把戏罢了。我看他既然明知是公子，断不肯仅于回首县，说不定还要上辕来。倘使他到兄弟这里，兄弟自当力为排解，叫他到贵署去负荆请罪；就怕他径到督宪那里去，那就得要阁下自己去料理的了。'

"藩台听说，便辞了抚台，去见制台。喜得制台是自己同乡世好，可以无话不谈的。一直上了辕门，巡捕官传了手本进去，制台即时请见。藩台便把这件事，一五一十的回明白了，又说明这河泊所焦理儒系前任督宪的幕宾。制台听了这话，沉吟了一会道：'他若是当一件公事，认真回上来，那可奈何他不得，只怕阁下身上也有点不便。这个便怎生区处？"藩台此时也呆了，垂手说道：'这个只求大帅格外设法。'制台道：'他动了公事来，实在无法可设。'藩台正在踌躇，那巡捕官早拿了河泊所的手本上来回话了。制台道：'他一个人来的么？'巡捕道：'他还带了两个犯人、一个受伤的同来。'藩台起初只知道儿子和师爷在外闹事，不曾知道打伤人一节，此刻听了巡捕的话，又加上一层懊恼。制台便对藩台说道：‘这可是闹不下来了！或者就请了他进来，你们彼此当面见了，我在旁边打个圆场，想来还可以下得去。’藩台道：‘他这般倔强，万一他一定顶真起来，岂不是连大帅也不好看？’制台忽然想了一个主意道：‘有了。只是要阁下每月津贴他多少钱，这件事就包在我身上，霎时间就冰消瓦解了。’藩台道：‘终不成拿钱买他？’制台道：‘不是买。你只管每月预备二百银子，也不要你出面，你一面回去，只管拣员接署河泊所就是了。’藩台满腹狐疑，不便多问，制台已经端茶送客。一面对巡捕说：‘请焦大老爷。’向来传见末秩没有这种声口的，那巡捕也很以为奇，便连忙跑了出去。藩台一面辞了出来，走到麒麟门外，恰遇见那巡捕官拿着手版，引了焦理儒进去。那巡捕见了藩台，还站了一站班；只有理儒要理不理的，只望了他一眼。藩台十分气恼，却也无可如何。

“理儒进去见了制台，常礼已毕，制台便拉起炕来。理儒到底不敢坐，只在第二把交椅前面站定。制台道：‘老兄的风骨，实在令人可敬！请上坐了，我们好谈天。将来叨教的地方还多呢。’理儒只得到炕上坐了。制军又亲手送过茶，然后开谈道：‘昨天晚上那件事，兄弟早知道了。老兄之强项风骨，着实可敬！现在官场中那里还有第二个人！只可惜屈于末僚。兄弟到任未久，昧于物色，实在抱歉得很！’理儒道：‘大帅奖誉过当，卑职决不敢当！只是责守所在，不敢避权贵之势，这是卑职生性使然。此刻开罪了本省藩司，卑职也知道罪无可逭，所以带印在此，情愿纳还此职，只求大帅把这件事公事公办。’说着，在袖里取出那一颗河泊所印来，双手放在炕桌上。制台道：‘这件事，兄弟另外叫人去办，不烦阁下费心；不过另有一事，兄弟却要叨教。’说罢，叫一声‘来’，又努一努嘴，一个家人便送上一副梅红全帖。制台接在手里便站起来，对理儒深深一揖，理儒连忙还礼。制台已双手把帖子递上道：‘今后一切，都望指教！’理儒接来一看，却是延聘书启老夫子的关书，每月致送束脩二百两，便连忙一揖道：‘承大帅栽培，深恐驽骀，不足以副宪意！’制台道：‘前任督宪，是兄弟同门世好，最有知人之明，阁下不以兄弟不才，时加教诲，为幸多矣！’当下又谈了些别话，便把理儒留住。一面叫传藩司，一面叫人带了理儒进去，与各位师爷相见。

“原来那藩台并不曾回去，还在官厅上，一则等信息，二则在那里抱怨师爷，责备儿子。一听得说传，便连忙进去。制台把上项事，仔细告诉了一遍，又道：‘一则此人之才一定可用，二则借此可以了却此事。阁下回去，赶紧委人接署。此后每月二百两的束脩，由尊处送来就是了。’藩台听说，谢了又谢。制台又把那河泊所的印，交他带去道：‘也不必等他交代，你委了人，就叫他带印到任便了。’藩台领命辞去。从此焦河厅又做了总督幕宾。总是他生得人缘美满，这位制军得了他之后，也是言听计从，叫他加捐了一个知县，制台便拜了一个折，把他明保送部引见。回省之后，便署了一任香山，当了好些差使。从此连捐带补的，便弄了个道台。就此一帆风顺，不过十年，便到了这个地位。只可怜他那姑丈，此刻六十多岁了，还是一个广东候补府，自从署一任潮州下来，一直不曾署过事。你说这宦海升沉，有何一定呢。”

我本来和宗生谈的是焦侍郎不善治家庭的事，却无意中惹了他这一大套，又被我听了不少的故事。当下夜色已深，大家安睡一宿，次日便分路而行。

我到河西务料理了两天的事，又到张家湾耽搁了一日，方才进京，在骡马市大街广升客栈歇下。因为在河西务、张家湾寄信不便，所以直等到了京城，才发各路的信，一连忙了两天，不曾出门，方才料理清楚。因为久慕京师琉璃厂之名，这天早上，便在客栈柜上问了路径，步行前去，一路上看看各处市景。街道虽宽，却是坎坷的了不得，满街上不绝的骆驼来往，偶然起了一阵风，便黄尘十丈。以街道而论，莫说比不上上海，凡是我经过的地方，没有一处不比他好几倍的。

一路问讯到了琉璃厂，路旁店铺，尽是些书坊、笔墨、古玩等店家。走到一家松竹斋纸店，我想这是著名的店家，不妨进去看看。想定了，便走近店门，一只脚才跨了进去，里边走出一个白胡子的老者，拱着手，呵着腰道：“你佇来了（你佇，京师土语，尊称人也。发音时唯用一佇字，你字之音，盖藏而不露者。或曰：‘你老人家’四字之转音也，理或然欤），久违了！你佇一向好，里边请坐！”我被这一问，不觉楞住了，只得含糊答应，走了进去。便有一个小后生，送上一枝水烟筒来，老者连忙拦住，接在手里，装上一口烟，然后双手递给我。那小后生又送上一碗茶，那老者也接过来，一手拿起茶碗，一手把茶托侧转，舀了一舀，重新把茶碗放上，双手递过了来，还齐额献上一献。然后自已坐定，嘴里说些：“天气好啊，还凉快，不比前年，大九月里还是很热。你佇有好两个月没请过来了。”我一面听他说，一面心中暗暗好笑。我初意进来，不过要看看，并不打算买东西，被他这么一招呼，倒不好意思空手出去了，只得拣了几个墨盒、笔套等件，好在将来回南边去，送人总是用得着的。老者道：“墨盒子盖上可要刻个上下款？”我被他提醒了，就随手写了几个款给他。

然后又看了两种信笺。老者道：“小店里有一种‘永乐笺’，头回给你佇看过的，可要再看看？”说罢，也不等我回话，便到柜里取出一个大纸匣来。我打开匣盖一看，里面是约有八寸见方的玉版笺，左边下角上一朵套色角花，纸色极旧。老者道："这是明朝永乐年间，大内用的笺纸，到此刻差不多要到五百年了，的真是古货。你佇瞧，这角花不是印板的，是用笔画出来的，一张一个样子，没有一张同样儿的。"我拿起来仔细一看，的确是画的，看看那纸色，纵使不是永乐年间的，也是个旧货了，因问他价钱。老者道："别的东西有个要价还价，这个纸是言无二价的，五分银子一张。"我笑道："怎么单是这一种做不二价的买卖呢？"老者道："你佇明见得很，我不能瞒着你佇。别的东西，市价有个上下，工艺有个粗细，唯有这一号纸，是做不出来的，卖了一张，我就短了一张的了。小号收来是三千七百二十四张，此刻只剩了一千三百十二张了。"我心里虽是笑他捣鬼，却也欢喜那纸，就叫他数了一百张，一共算帐。因为没带钱，便写了个条子，叫他等一会送到广升栈第五号。便走出来。那老者又呵腰打拱的一路送出店门之外，嘴里说了好些"没事请来谈论"的话。

我别过了，走到一家老二酉书店，也是最著名的，便顺着脚走了进去。谁知才进了门口，劈头一个人在我膀子上一把抓着道："哈哈，是甚么风把你佇吹来了！我计算着你佇总有两个月没来了。你佇是最用功的，看书又快，这一向买的是谁家的书，总没请过来？"说话时，又瞅着一个学徒的道："你瞧你，怎么越闹越傻了（傻音近要字音，京师土谚，痴呆之意也）！老爷们来了，茶也忘了送了，烟也忘了装了。像你这么个傻大头，还学买卖吗！"他嘴里虽是这么说，其实那学徒早已捧着水烟筒，在那里伺候了。那个人把我让到客座里，自己用袖子拂拭了椅子，请我坐下，然后接过烟筒，亲自送上。此时已是另有一个学徒，泡上茶来了。那人便问道："你佇近来看甚么书啊？今儿个要办甚么书呢？"

我未及回答，忽见一个人拿了一封信进来，递给那人。那人接在手里，拆开一看，信里面却有一张银票。那人把信放在桌上，把银票看了一看，绉眉道："这是松江平，又要叫我们吃亏了。"说着，便叫学徒的，"把李大人那箱书拿出来，交他管家带去。"学徒捧了一个小小的皮箱过来，摆在桌上。那箱却不是书箱，像是个小文具箱样子，还有一把锁锁着。那送信的人便过来要拿。那人交代道："这锁是李大人亲手锁上的，钥匙在李大人自己身边，你就这么拿回去就得了。"那送信人拿了就走。这个当口，我顺眼看他桌上那张信，写的是"送上书价八十两，祈将购定之书，原箱交来人带回"云云。我暗想："这个小小皮箱，装得了多大的一部书，却值得八十两银子！"忍不住向那人问道："这箱子里是一部甚么书，却值得那么大价？"那人笑道："你佇也要办一份罢？这是礼部堂官李大人买的。"我道："到底是甚么书，你佇告诉了我，许我也买一部。"那人道："那箱子里共是三部：一部《品花宝鉴》，一部《肉蒲团》，一部《金瓶梅》。"我听了，不觉笑了一笑。那人道："我就知道这些书，你佇是不对的；你佇向来是少年老成，是人所共知的。咱们谈咱们的买卖罢。"我初进来时，本无意买书的，被他这一招呼应酬，倒又难为情起来，只得要了几种书来。拣定了，也写了地址，叫他送去取价。我又看见他书架上庋了好些石印书，因问道："此刻石印书，京里也大行了？"那人道："行是行了，可是卖不出价钱。从前还好，这两年有一个姓王的，只管从上海贩了来，他也不管大众行市，他贩来的便宜，就透便宜的卖了，闹的我们都看不住本钱了。"我道："这姓王的可是号叫伯述？"那人道："正是。你佇认得他么？"我道："有点相熟。不知道他此刻可在京里？住在甚么地方？"那人道："这可不大清楚。"我就不问了。

别了出来，到各处再逛逛。心中暗想：这京城里做买卖的人，未免太油腔滑调了。我生平第一次进京，头一天出来闲逛，他却是甚么"许久不来"啊，"两个月没来"啊，拉拢得那么亲热，真是出人意外。想起我进京时，路过杨村打尖，那店家也是如此。我骑着驴走过他店门口，他便拦了出来，说甚么"久没见你佇出京啊，几时到卫里去的，你佇用的还是那匹老牲口"，说了一大套。当时我还以为他认错了人，据今日这情形看来，北路里做买卖的，都是这副伎俩的了。

正这么想着，走到一处十字街口，正要越走过去，忽然横边走出一头骆驼，我只得站定了，让他过去。谁知过了一头，又是一头，络绎不绝。并且那拴骆驼之法，和拴牛一般，穿了鼻子，拴上绳，却又把那一根绳，通到后面来，拴后面的一头，如此头头相连，一连连了二三十头。那身躯又长大，走路又慢，等他走完了，已是一大会的工夫，才得过去。

我初到此地，路是不认得的，不知不觉，走到了前门大街。老远的看见城楼高耸，气像雄壮，便顺脚走近去望望。在城边绕行一遍，只见瓮城凸出，开了三个城门，东西两个城门是开的，当中一个关着。这一门，是只有皇帝出来才开的，那一种严肃气像，想来总是很利害的了。我走近那城门洞一看，谁知里面瓦石垃圾之类，堆的把城门也看不见了。里面挤了一大群叫化子，也有坐的，也有睡的，也有捧着烧饼在那里吃的，也有支着几块砖当炉子，生着火煮东西的。我便缩住脚回头走。

走不多路，经过一家烧饼店，店前摆了一个摊，摊上面摆了几个不知隔了几天的旧烧饼。忽然来了一群化子，一拥上前，一人一个或两个，抢了便飞跑而去。店里一个人大骂出来，却不追赶，低头在摊台底下，又抓了几个出来摆上。我回眼看时，那新摆出来的烧饼，更是陈旧不堪，暗想这种烧饼，还有甚么人要买呢。想犹未了，就看见一个人丢了两个当十大钱在摊上，说道："四十。"那店主人便在里面取出两个雪白新鲜的烧饼来交给他。我这才明白他放在外面的陈旧货，原是预备叫化子抢的。

顺着脚又走到一个胡同里，走了一半，忽见一个叫化子，一条腿肿得和腰一般粗大，并且烂的血液淋漓，当路躺着。迎头来了一辆车子，那胡同很窄，我连忙闪避在一旁，那化子却还躺着不动。那车了走到他跟前，车夫却把马缰收慢了，在他身边走过。那车轮离他的烂腿，真是一发之顷，幸喜不曾碰着。那车夫走过了之后，才扬声大骂，那化子也和他对骂。我看了很以为奇，可惜初到此处，不知他们捣些甚么鬼。又向前走去，忽然抬头看见一家山东会馆，暗想伯述是山东人，进去打听或者可以得个消息，想罢，便踱了进去。正是：

方从里巷观奇状，又向天涯访故人。

未知寻得着伯述与否，且待下回再记。

第七十三回
书院课文不成师弟　家庭变起难为祖孙

当下我走到山东会馆里，向长班问讯。长班道："王伯述王老爷，前几天才来过。他不住在这里。他卖书，外头街上贴的萃文斋招纸，便是他的。好像也住在一家甚么会馆里，你佇到街上一瞧就知道了。"我听说便走了出来，找萃文斋的招贴，偏偏一时找不着。倒是沿路看见不少的"包打私胎"的招纸，还有许多不伦不类卖房药的招纸，到处乱贴，在这辇毂之下，真可谓目无法纪了。走了大半条胡同，总看不见"萃文斋"三个字。直走出胡同口，看见了一张，写的是"萃文斋洋版书籍"，旁边"寓某处"的字，却是被烂泥涂盖了的。再走了几步，又看见一张同前云云，旁边却多了一行小字，写着"等米下锅，赔本卖书"八个字。我暗想，这位先生未免太儿戏了。及至看那"寓某处"的地方，仍旧是用泥涂了的，我实在不解。在地下拾了一片木片，把那泥刮了下来，仔细去看，谁知里面的字，已经挖去的了。只得又走，在路旁又看见一张，这是完全的了，写着"寓半截胡同山会邑馆"。

我便一路问信要到半截胡同，谁知走来走去，早已走回广升栈门口了，我便先回栈里。又谁知松竹斋、老二酉的伙计，把东西都送了来，等了半天了。客栈中饭早开过了。我掏出表来一看，原来已经一点半钟了。我便拿银子到柜上换了票子，开发了两家伙计去了。然后叫茶房补开饭来，胡乱吃了两口。又到柜上去问半截胡同，谁知这半截胡同就在广升栈的大斜对过，近得很的。

我便走到了山会邑馆，一直进去，果然看见一个房门首，贴了“萃文斋寓内”的条子。便走了进去，却不见伯述，只有一个颁白老翁在内。我便向他叩问。老翁道：“伯述到琉璃厂去了，就回来的，请坐等一等罢。”我便请教姓名。那老翁姓应，号畅怀，是绍兴人。我就坐下同他谈天，顺便等伯述。等了一会，伯述来了，彼此相见，谈了些别后的话。我说起街上招贴涂去了住址一节。伯述道：“这是他们书店的人干的。我的书卖得便宜，他又奈何我不得，所以出了这个下策。”我道：“怪不得呢，我在老二酉打听姻伯的住处，他们只回说不知道。”伯述道：“这还好呢，有两回有人到琉璃厂打听我，他们简直的回说我已经死了，无非是妒忌我的意思。老二酉家，等一回就要来拿一百部《大题文府》，怎么不知我住处呢！”我又说起在街上找萃文斋招贴，看见好些“包打私胎”招纸的话。伯述道：“你初次来京，见了这个，自以为奇，其实稀奇古怪的多得很呢。这京城里面，就靠了这个维持风化不少。”我不觉诧异道：“怎么这个倒可以维持风化起来？”伯述道：“在外省各处，常有听见生私孩子的事，惟有京城里出了这一种宝货，就永无此项新闻了，岂不是维持风化么？你还没有看见满街上贴的招纸，还有出卖妇科绝孕丹的呢，那更是弭患于无形的善法了。”说罢，呵呵大笑。又谈了些别话，即便辞了回栈。

连日料理各种正事，伯述有时也来谈谈。一连过了一个月，接到继之的信，叫我设法自立门面。我也想到长住在栈里，终非久计，但是我们所做的都是转运买卖，用不着热闹所在，也用不着大房子。便到外面各处去寻找房屋。在南横街找着了一家，里面是两个院子，东院那边已有人住了，西院还空着，我便赁定了，置备了些动用家伙，搬了进去，不免用起人来。又过了半个月，继之打发他的一个堂房侄子吴亮臣进京来帮我，并代我带了冬衣来。亮臣路过天津时，又把我寄存杏农处的行李带了来。此时又用了一个本京土人李在兹帮着料理各项，我倒觉得略为清闲了点。

且说东院里住的那一家人姓符，门口榜着“吏部符宅”；与我们虽是各院，然而同在一个大门出入，总算同居的。我搬进来之后，便过去拜望，请教起台甫，知道他号叫弥轩，是个两榜出身，用了主事，签分吏部。往来过两遍，彼此便相熟了。我常常过去，弥轩也常常过来。这位弥轩先生，的真是一位道学先生，开口便讲仁义道德，闭口便讲孝弟忠信。他的一个儿子，名叫宣儿，只得五岁，弥轩便天天和他讲《朱子小学》。常和我说：“仁义道德，是立身之基础；倘不是从小熏陶他，等到年纪大了，就来不及了。”因此我甚是敬重他。

有一天，我又到他那边去坐。两个谈天正在入彀的时候，外面来了一个白须老头子，穿了一件七破八补的棉袍，形状十分瑟缩，走了进来。弥轩望了他一眼，他就瑟瑟缩缩的出去了。我谈了一回天之后，便辞了回来，另办正事。

过了三四天，我恰好在家没事，忽然一个人闯了进来，向我深深一揖，我不觉愕然。定睛一看，原来正是前几天在弥轩家里看见的老头子。我便起身还礼。那老头子战兢兢的说道："忝在同居，恕我荒唐，有残饭乞赐我一碗半碗充饥。"我更觉愕然道："你住在那里？我几时和你同居过来？"那老头子道："弥轩是我小孙，彼此岂不是有个同居之谊。"我不觉吃了一惊道："如此说是太老伯了！请坐，请坐。"老头子道："不敢，不敢！我老朽走到这边，也是无可奈何的事，只求有吃残的饭，赐点充饥，就很感激了。"我听说忙叫厨子炒了两碗饭来给他吃。他忙忙的吃完了，连说几声"多谢"，便匆匆的去了。我要留他再坐坐谈谈。他道："恐怕小孙要过来不便。"说着，便去了。

我遇了这件事，一肚子狐疑，无处可问，便走出了大门，顺着脚步儿走去，走到山会邑馆，见了王伯述，随意谈天，慢慢的便谈到今天那老头子的事。伯述道："弥轩那东西还是那样吗，真是岂有此理！这是认真要我们设法告他的了。"我道："到底是甚么样一桩事呢？符弥轩虽未补缺，到底是个京官，何至于把乃祖弄到这个样子，我倒一定要问个清楚。"

伯述道："他是我们历城（山东历城县也）同乡。我本来住在历城会馆。就因为上半年，同乡京官在会馆议他的罪状，起了底稿给他看过，要他当众与祖父叩头伏罪。又当众写下了孝养无亏的切结，说明倘使仍是不孝，同乡官便要告他。当日议事时，我也在会馆里，同乡中因为我从前当过几天京官，便要我也署上一个名。我因为从前虽做过官，此刻已是经商多年了，官不官，商不商，便不愿放个名字上去。好得畅怀先生和我同在一起，他是绍兴人，我就跟他搬到此地来避了。

"论起他的家世，我是知的最详。那老头子本来是个火居道士，除了代别人唪经之外，还鬼鬼祟祟的会代人家画符治病，偶然也有治好的时候，因此人家上他一个外号，叫做'符最灵'。这个名气传了开去，求他治病的人更多了，居然被他积下了几百吊钱。生下一个儿子，却是很没出息的，长大了，游手好闲，终日不务正业。老头儿代他娶了一房媳妇，要想仗媳妇来管束儿子。谁知非但管束不来，小夫妻两个反时时向老头儿吵闹，说老人家是个守财虏，守着了几百吊钱，不知道拿出来给儿子做买卖，好歹也多挣几文，反要怪做儿子的不务正业，你叫我从那个上头做起！吵得老头儿没了法了，便拿几吊钱出来，给儿子做小买卖，不多几天，亏折个罄尽。他不怪自己不会打算，倒怪说本钱太少了，所以不能赚钱。老头儿没奈何，只得又拿些出来，不多几天，也是没了。如此一拿动了头，以后便无了无休了，足足把他半辈子积攒下来的几百吊钱，化了个一干二净。真是俗语说的是个讨债儿子，把他老子的钱弄干净了，便得了个病，那时候'符最灵'变了'符不灵'了，医治无效，就此呜呼了。且喜代他生下一个孙子，就是现在那个宝货符弥轩了。他儿子死了不上一个月，他的媳妇就带着小孩子去嫁了。这一嫁嫁了个江西客人，等老头子知道了时，那江西客人已经带着那婆娘回籍去了。老头儿急得要死，到历城县衙门去告，上下打点，不知费了多少手脚，才得历城县向江西移提了回来，把这个宝货孙子断还了他。

"那时这宝货只有三岁，亏他祖父符最灵百般抚养，方得长大，到了十二三岁时，实在家里穷得不能过了，老头子便把他送到一家乡绅人家去做书僮。谁知他却生就一副聪明，人家请了先生教子弟读书，他在旁边听了，便都记得。到了背书时，那些子弟有背不下去的，他便在旁边偷着提他。被那教读先生知道了，夸奖他聪明，便和东家说了，不叫他做事，只叫他在书房伴读。一连七八年，居然被他完了篇。那一年跟随他小主人入京乡试，他小主人下了第，正没好气。他却自以为本事大的了不得，便出言无状起来。小主人骂了他，他又反唇相稽。他小主人怒极了，把他撵走了，从此他便流落在京。幸喜写的一笔好字，并且善变字体，无论颜、柳、欧、苏，都能略得神似。别人写的字，被他看一遍，他摹仿起来，总有几分意思。因此就在琉璃厂卖字。倒也亏他，混了三年，便捐了个监生下乡场，谁知一出就中了。次年会试连捷，用了主事，签分了吏部。那时还是住在历城会馆里。可巧次年是个恩科，他的一个乡试座主，又放了江南主考，爱他的才，把他带了去帮阅卷。他便向部里请了个假，跟着到了江南。从中不知怎样鬼混，卖关节舞弊，弄了几个钱。等主考回京复命时，他便逗留在上海，滥嫖了几个月，娶了一个烟花中人，带了回山东，骗人说是在苏州娶来的，便把他作了正室，在家乡立起门户。他那位令祖看见孙子成了名，自是欢喜。谁知他把一个祖父看得同赘瘤一般，只是碍着邻里，不敢公然暴虐。在家乡住了一年，包揽词讼，出入衙门，无所不为。历城县请他做历城书院的山长，他那旧日的小主人，偏是在书院肄业，他便摆出山长的面目来，那小主人也无可如何。

"有一回，书院里官课，历城县亲自到院命题考试。内中有一个肄业生，是山东的富户，向来与山长有点瓜葛的，私下的孝敬，只怕也不少。只苦于没有本事，作出文字来，总不如人。屡次要想取在前列，以骄同学，私下的和山长商量过好几次。弥轩便和他商定：如取在第一，酬谢若干；取在五名前，酬谢若干；十名前又酬谢若干。商定之后，每月师课时，也勉强取了两回在十名之内，得过些酬谢。要想再取高些，又怕诸生不服。恰好这回遇了官课，照例当堂缴卷之后，汇送到衙门里，凭官评定甲乙的。那弥轩真是利令智昏，等官出了题目之后，他却偷了个空，惨淡经营，作了一篇文字，暗暗使人传递与那肄业生。那肄业生却也荒唐，得了这稿子，便照誊在卷上，誊好了，便把那稿子摔了。却被别人拾得，看见字迹是山长写的，便觉得奇怪，私下与两个同学议论，彼此传观。及至出了案，特等第一名的文章，贴出堂来，是和拾来的稿子一字不易。于是合院肄业生、童大哗起来，齐集了一众同学，公议办法。那弥轩自恃是个山长，众人奈何他不得，并不理会，也并未知道自己笔迹落在他人手里。那肄业生却是向来恃'财'傲物的，任凭他人纷纷议论，他只给他一概不知。众人议定了，联合了合院肄业生、童，具禀到历城县去告，历城县受了山长及那富户的关节，便捺住这件公事，并不批出来。众人只得又催禀。他没法，只得批了。那批的当中只说：'官课之日，本县在场监考，当堂收卷，从何作弊？诸生、童等工夫不及他人，因羡生妒，屡次冒渎多事，特饬不准'云云。批了出来，各生、童又大哗，又联名到学院里去告，又把拾来的底稿，粘在禀帖上，附呈上去。学院见了大怒，便传了历城县去，把那禀及底稿给他去看，叫他彻底根究。谁知历城县仍是含糊禀复上去。学院恼了，传了弥轩去，当堂核对笔迹，对明白了，把他当面痛痛的申饬一番，下了个札给历城县，勒令即刻将弥轩驱逐出院，又把那肄业生衣顶革了。

"弥轩从此便无面目再住家乡，便带了那上海讨来的婊子，撇下了祖父，一直来到京城，仍旧扯着他几个座师的旗号，在那里去卖风云雷雨。有一回，博山（山东县名，出玻璃料器甚佳）运了一单料货到烟台，要在烟台出口装到上海，不知是漏税或是以多报少，被关上扣住要充公。那运货的人与弥轩有点瓜葛，打了个电报给他，求他设法。他便出了他会试座主的衔名，打了一个电报给登莱青道，叫把这一单货放行。登莱青道见是京师大老的电报，便把他放了。事后才想起这位大老是湖南人，何以干预到山东公事，并且自己与他向无往来，未免有点疑心。过了十多天，又不见另有墨信寄到，便写了一封信，只说某日接到电报如何云云，已遵命放行了。他这座主接到这封信，十分诧异，连忙着人到电报局查问这个电报是那个发的，却查不出来。把那电报底稿吊了去，核对笔迹，自己亲信的几个官亲子侄，又都不是的。便打发几个人出来，明查暗访，那里查得出来？却得一个少爷，是个极精细的人，把门房里的号簿吊了进来，逐个人名抄下，自己却一个个的亲自去拜访，拜过了之后，便是求书求画，居然叫他把笔迹对了出来。他却又并不声张，拿了那张电底去访弥轩，出其不意，突然拿出来给他看。他忽然看见了这东西，不觉变了颜色，左支右吾了一会。却被那位少爷查出了，便回去告诉了老子，把他叫了来，痛乎其骂了一顿，然后撵走了，交代门房，以后永不准他进门。他坏过这一回事之后，便黑了一点下来。

“他那位令祖，因为他虽然衣锦还乡，却不曾置得丝毫产业，在家乡如何过得活？便凑了盘川，寻到京里来，谁知这位令孙却是拒而不纳。老人家便住到历城会馆里去。那时候恰好我在会馆里，那位老人家差不多顿顿在我那里吃饭，我倒代他养了几个月的祖父。后来同乡官知道这件事，便把弥轩叫到会馆里来，大众责备了他一番，要他对祖父叩头认罪，接回宅子去奉养。以为他总不敢放恣的了，却不料他还是如此。”

伯述正在汩汩而谈，谁知那符最灵已经走了进来。正是：

暂停闲议论，且听个中言。

未知符最灵进来有何话说，且待下回再记。

第七十四回 符弥轩逆伦几酿案　车文琴设谜赏春灯

当下符最灵走了进来，伯述便起身让坐。符最灵看见我在座，便道：“原来阁下也在这里。早上我荒唐得很，实在饿急了，才蒙上一层老脸皮。”我道：“彼此同居，这点小事，有甚么要紧！”伯述接口道：“怎么你那位令孙，还是那般不孝么？”符最灵道：“这是我自己造的孽，老不死，活在世界上受这种罪！我也不怪他，总是我前一辈子做错了事，今生今世受这种报应！”

伯述道：“自从上半年他接了你回去之后，到底怎样对付你？我们虽见过两回，却不曾谈到这一层。”符最灵道：“初时也还没有甚么，每天吃三顿，都是另外开给我吃的。”伯述道：“不同在一起吃么？你的饭开在甚么地方吃？”符最灵道：“因为我同孙媳妇一桌吃不便当，所以另外开的。”伯述道：“到底把你放在甚么地方吃饭？”符最灵嗫嚅着道：“在厨房后面的一间柴房里。”伯述道：“睡呢？”符最灵道：“也睡在那里。”伯述把桌子一拍道：“这还了得！你为甚么不出来惊动同乡去告他？”符最灵道：“阿弥陀佛！如此一来，岂不是送断了他的前程？况且我也犯不着再结来生的冤仇了。”

伯述叹了一口气道：“近来怎样呢？”符最灵又喘着气道：“近来一

个多月，不是吃小米粥（小米，南人谓之粟，无食之者，惟以饲鸟；北方贫人，取以作粥），便是棒子馒头（棒子，南人谓之珍珠米；北人或磨之成屑，调蒸作馒头，色黄如蜡，而粗如砂，极不适口，谓之棒子馒头，亦贫民之粮也），吃的我胃口都没了，没奈何对那厨子说，请他开一顿大米饭（南人所食之米，北方土谚谓之大米，盖所以别于小米也），也不求甚么，只求他弄点咸菜给我过饭便了。谁知我这句话说了出去，一连两天也没开饭给我吃。我饿极了，自己到灶上看时，却已是收拾的干干净净，求一口米泔水都没了。今天早起，实在捱不过了，只得老着脸向同居求乞。”

伯述道：“闹到如此田地，你又不肯告他。我劝你也不必在这里受罪了，不如早点回家乡去罢。”符最灵道：“我何尝不想。一则呢，还想看他补个缺；二则我自己年纪大了，唪经画符都干不来了，就是干得来，也怕失了他的体面，家里又不曾挣了一丝半丝产业，叫我回去靠甚么为生？有这两层难处，所以我捱在这里；不然啊，我早就拔碇了（拔碇，山东济南土谚，言舍此他适也）。”伯述道：“我本来怕理这等事，也懒得理。此刻看见这等情形，我也耐不住了。明日我便出一个知单，知会同乡，收拾他一收拾。”符最灵慌忙道：“快不要如此！求你饶了我的残命罢！要是那么一办，我这几根老骨头就活不成了！”伯述道：“这又奇了！我们同乡出面，无非责成他孝养祖父的意思，又何至关到你的性命呢？”符最灵道：“各同乡虽是好意，就怕他不肯听劝，不免同乡要恼了。倘使当真告他一告，做官的不知道我的下情，万一把他的功名干掉了，叫我还靠谁呢？”伯述冷笑道：“你此刻是靠的他么！也罢，我们就不管这个闲事，以后你也不必出来诉苦了。”符最灵被伯述几句话一抢白，也觉得没意思，便搭讪着走了。

应畅怀连忙叫用人来，把符最灵坐过的椅垫子拿出去收拾过，细看有虱子没有。他坐过的椅子，也叫拿出去洗。又叫把他吃过茶的茶碗也拿去了，不要了，最好摔了他，“你们舍不得，便把他拿到旁处去，不要放在家里。”伯述见他那种举动，不觉棱住了，问是何故。畅怀道：“你们两位都是近视眼，看他不见。可知他身上的虱子，一齐都爬到衣服外头来了，身上的还不算，他那一把白胡子上，就爬了七八个，你说腻人不腻人！”伯述哈哈一笑，对我道：“我是大近视，看不见，你怎么也看不见起来？”我道：“我的近视也不浅了。这东西，倒是眼不见算干净的好。”正说话时，外面用人嚷起来，说是在椅垫子上找出了两个虱子。畅怀道：“是不是？倘使我也近视了，这两个虱子不定往谁身上跑呢。”大家说笑一阵，我便辞了回去。

刚到家未久，弥轩便走了过来，彼此相见熟了，两句寒暄话之外，别无客气。谈话中间，我说起彼此同居月馀，向不知道祖老大人在侍，未曾叩见，甚为抱歉。弥轩道："不敢，不敢！家祖年纪过大，厌见生人，懒于酬应，虽迎养在京寓，却向不见客的。"我道："年纪大的人，懒于应酬，也是人情之常。只是老人家久郁在家里，未免太闷，不知可常出来逛逛？"弥轩道："说起来我们做晚辈的很难！寒家本是几代寒士，家训相承，都是淡泊自守。只有到了兄弟，侥幸通籍，出来当差。处于这应酬纷繁之地，势难仍是寒儒本色，不免要随俗附和，穿两件干净点的衣服，就是家常日用，也不便过于俭啬。这一点点下情，想来当世君子，总可以原谅我的。然而家祖却还是淡泊自甘。兄弟的举动支消，较之于同寅中，已是省之又省的了。据家祖的意思，还以为太费。平日轻易不肯茹荤，偶见家人辈吃肉，便是一场教训。就是衣服一层，平素总不肯穿一件绸衣，兄弟做了上去请老人家穿，老人家非但不穿，反惹了一场大骂，说是'暴殄天物，我又不应酬，不见客，要这个何用'。这不是叫做小辈的难过么！兄弟襁褓时，先严、慈便相继弃养，亏得祖父抚养成人，以有今日，这昊天罔极之恩，无从补报万一，思之真是令人愧恨欲死！"我听了他这一席话，不住的在肚子里干笑，只索由他自言自语，并不答他。等他讲完了这一番孝子顺孙话之后，才拉些别的话和他谈谈，不久他自去了。

到了晚上，各人都已安歇，我在枕上隐隐听得一阵喧嚷的声音，出在东院里。侧耳细听，却听不出是嚷些甚么，大约是隔得太远之故。嚷了一阵，又静了一阵；静了一阵，又嚷一阵。虽是听不出所说的话来，却只觉得耳根不得清净，睡不安稳。到得半夜时，忽听得一阵"訇訇"之声，甚是利害。接着又是一阵乱嚷乱骂之声，过了半晌，方才寂然。我起先听得"訇訇"之声之时，便披衣坐起，侧耳细听；听到没有声息之后，我的睡魔早已过了，便睡不着。直等到自鸣钟报了三点之后，方才朦胧睡去。

等到一觉醒来，已是九点多钟了。连忙起来，穿好衣服，走出客堂。只见吴亮臣、李在兹和两个学徒、一个厨子、两个打杂，围在一起，窃窃私语。我忙问是甚么事。亮臣早已看见我出来，便叫他们舀洗脸水，一面回我说没甚么事。我一面要了水漱口，接着洗过脸，再问亮臣、在兹："你们议论些甚么？"亮臣正要开言，在兹道："叫王三说罢，省了我们费嘴。"

打杂王三便道："是东院符老爷家的事。昨天晚上半夜里，我起来解手，听见东院里有人吵嘴，我要想去听听是甚么事。走到那边，谁想他们院门是关上的，不便叫门，已经想回来睡觉了。忽然又想到咱们后院是统的，就摸到后院里，在他们那堂屋的后窗底下偷听。原来是符老爷和符太太两个在那里骂人，也不知他骂的是谁，听了半天，只听不出。后来轻轻的用舌尖把纸窗舐破了一点，往里面偷看，原来符老爷和符太太对坐在上面，那一个到我们家里讨饭的老头儿坐在下面，两口子正骂那老头子呢。那老头子低着头哭，只不做声。那符太太骂得最出奇，说道：‘一个人活到五六十岁，就应该死的了，从来没见过八十多岁人还活着的！’符老爷道：‘活着倒也罢了，无论是粥是饭，有得吃吃点，安分守己也罢了。今天嫌粥了，明天嫌饭了！你可知道要吃好的，喝好的，穿好的，是要自己本事挣来的呢。’那老头子道：‘可怜我并不求好吃好喝，只求一点儿咸菜罢了。’符老爷听了，便直跳起来说道：‘今日要咸菜，明日便要咸肉，后日便要鸡鹅鱼鸭；再过些时，便燕窝鱼翅都要起来了！我是个没补缺的穷官儿，供应不起！’说到那里，拍桌子打板凳的大骂。骂了一回，又是一回，说的是他们山东土话，说得又快，全都是听不出来。骂到热闹头上，符太太也插上了嘴，骂到快时，却又说的是苏州话，只听得‘老蔬菜’（吴人詈老人之词）、‘杀千刀’两句是懂的，其馀一概不懂。骂彀了一回，老妈子开上酒菜来，摆在当中一张独脚圆桌上。符老爷两口子对坐着喝酒，却是有说有笑的；那老头子坐在底下，只管抽抽咽咽的哭。符老爷喝两杯，骂两句。符太太只管拿骨头来逗着叭儿狗玩。那老头子哭丧着脸，不知说了一句甚么话，符老爷登时大发雷霆起来，把那独脚桌子一掀，訇訇一声，桌上的东西翻了个满地，大声喝道：‘你便吃去！’那老头子也太不要脸，认真就爬在地下拾来吃。符老爷忽的站了起来，提起坐的凳子对准了那老头子摔去，幸亏旁边站着的老妈子抢着过来接了一接，虽然接不住，却挡去势子不少，那凳子虽还摔在那老头子的头上，却只摔破了一点头皮。倘不是那一挡，只怕脑子也磕出来了！”

我听了这一番话，不觉吓了一身大汗，默默自己打主意。到了吃饭时，我便叫李在兹赶紧去找房子，我们要搬家了。在兹道：“大腊月里，往来的信正多，为甚忽然要搬家起来？”我道：“你且不要问这些，赶着找房子罢。只要找着了空房子，合式的自然合式，不合式的也要合式，我是马上就要搬的。”在兹道：“那么说，绳匠胡同就有一处房子，比这边还多两间，也是两个院子，北院里住着人，南院子本来住的是我的朋友，前几天才搬走了，现在还空着。”我道：“那么你吃过饭赶紧去看，马上下定，马上今天就搬。”在兹道：“何必这样性急呢？大腊月里天气短，怕来不及。”我道：“怕来不及，多雇两辆大敞车（敞之为言露天也，敞车无顶篷，所以载运货物者），一会儿就搬走了。”在兹答应着，饭后果然便去找房东下定，又赶着回来招呼搬东西。赶东西搬完了，新屋子还没拾掇清楚，那天气已经断黑了，便招呼先吃晚饭。

晚饭中间，我问起李在兹：“你知道今天王三说的，被符弥轩用凳子摔破头的那老头子，是弥轩的甚么人？”在兹道：“虽是两个月同居下来，却还不得底细，一向只知道是他的一个穷亲戚。”我道：“比亲戚近点呢。”

在兹道："难道是自家人？"我道："还要近点。"在兹道："到底是甚么人？"我道："是他嫡亲的祖父呢！"在兹吐舌道："这还了得！"我道："非但是嫡亲的祖父，并且他老子先死了，他还是一个承重孙呢。你想今天听了王三的话，怕人不怕人？万一弄出了逆伦重案，照例左右邻居，前后街坊，都要波及的，我们好好的作买卖，何苦陪着他见官司，所以赶着搬走了。此刻只望他昨天晚上的伤不是致命的，我们就没事；万一因伤致命，只怕还要传旧邻问话呢。"当下我说明白了，众人才知道我搬家的意思。一连几日，收拾停妥了，又要预备过年。

这边北院里同居的，也是个京官，姓车，号文琴，是刑部里的一个实缺主事，却忘了他在那一司了。为人甚是风流倜傥。我搬进来之后，便过去拜望他；打听得他宅子里只有一位老太太，还有一个小孩子，已经十岁，断了弦七八年，还不曾续娶。我过去拜望过他之后，他也来回拜。走了几天，又走熟了。

光阴迅速，残冬过尽，早又新年。新年这几天，无论官商士庶，都是不办正事的。我也无非是看看朋友，拜个新年，胡乱过了十多天。

这天正是元宵佳节，我到伯述处坐了一天，在他那里吃过晚饭，方才回家。因为月色甚好，六街三市，甚是热闹，便和伯述一同出来，到各处逛逛，绕着道儿走回去。回到家时，只见门口围了一大堆人。抬头一看，门口挂了一个大灯，灯上糊了好些纸条儿，写了好些字，原来是车文琴在那里出灯谜呢。我和伯述都带上了眼镜来看。只见一个个纸条儿排列得十分齐整，写的是：

（一）吊者大悦……………………………《论语》一句
（二）斗……………………………………药名一
（三）四……………………………………《论语》一句
（四）子不子………………………………《孟子》一句
（五）硬派老二做老大……………………《孟子》一句
（六）不可夺志……………………………《孟子》一句
（七）飓……………………………………《书经》一句
（八）徐稚下榻……………………………县名一
（九）焚林…………………………………字一
（十）老太太………………………………字一
（十一）杨玉环嫁王约……………………县名一
（十二）地府国丧…………………………《聊》目一
（十三）霹雳………………………………《西游》地名一
（十四）开门见山…………………………《水浒》浑一

（十五）一角屏山……………………………《水浒》浑一

（十六）亅……………………………………常语一句

（十七）广东地面……………………………《孟子》一句

（十八）宫……………………………………《易经》一句

（十九）监照…………………………………《孟子》一句

（二十）凤鸣岐山……………………………《红楼》人一

看到这里，伯述道："我已经射着好几条了，请问了主人，再看底下罢。"说话时，人丛里早有一个人，踮着脚，伸着脖子望过来。看见伯述和我说话，便道："原来是□老爷来了（第一回楔子，叙明此书为九死一生之笔记，此九死一生始终以一'我'字代之，不露姓名，故此处称其姓之处，仍以□代之）。自己一家人，屋里请坐罢。咱们老爷还在家里做谜儿呢。"原来是车文琴的家人在那里招呼。我便约了伯述，回到文琴那边去。才进了大门，只见当中又挂了一个灯，上面写的全是《西厢》谜儿：

（二十一）一杯闷酒尊前过

（二十二）天兵天将捉嫦娥

（二十三）望梅止渴

（二十四）相片

（二十五）破镜重圆

（二十六）哑巴看戏

（二十七）北岳恒山………………………………三句

（二十八）走马灯人物

（二十九）藏尸术

（三十）谜面太晦

（三十一）亏本潜逃

（三十二）新诗成就费推敲…………………………白一字

（三十三）强盗宴客

（三十四）打不着的灯谜

我两人正看到这里，忽然车文琴从里面走了出来，一把拉着我手臂道："请教，请教。"我连说："不敢，不敢。"于是相让入内。正是：

门前榜出雕虫技，座上邀来射虎人。

未知所列各条灯谜，均能射中否，且待下回再记。

第七十五回
巧遮饰赀见运机心　先预防嫖界开新面

当下我和伯述两个跟了文琴进去，只见堂屋当中还有一个灯，文琴却让我们到旁边花厅里去坐。花厅里先有了十多个客，也有帮着在那里发给彩物的，也有商量配搭赠品的，也有在那里苦思做谜的。彼此略略招呼，都来不及请教贵姓台甫。文琴一面招呼坐下，便有一个家人拿了三张条子进来，问猜的是不是。原来文琴这回灯谜比众不同，在门外谜灯底下，设了桌椅笔砚，凡是射的，都把谜面条子撕下，把所射的写在上面，由家人拿进来看。是射中的，即由家人带赠彩出去致送；射错的，重新写过谜面粘出去。

那家人拿进来的三条，我看时，射的是第二条“百合”，第九条“樵”字，第二十条“周瑞”。文琴说对的，那家人便照配了彩物，拿了出去。伯述道：“我还记得那外面第一条可是‘临丧不哀’？第五条可是‘吾必以仲子为巨擘焉’？第十七条可是‘五羊之皮’？”文琴拍手道：“对，对！非但打得好，记性更好！只看了一看，便连粘的次第都记得了，佩服，佩服！”说罢，便叫把那几条收了进来，另外换新的出去，一面取彩物送与伯述。家人出去收了伯述射的三条，又带了四条进来。我看时，是第三条射“非其罪也”，第四条射“当是时也”，第十九条射“以粟易之”，第六条射“此匹夫之勇”。我道：“作也作得好，射也射得好。并且这个人四书很熟，是《孟子》、《论语》的，只怕全给他射去了。”文琴给了赠彩出去。我道：“第十一条只怕我射着了，可是‘合肥’？”文琴拍手道：“我以为这条没有人射着的了，谁记得这么一个痴肥王约！”我道：“这个应该要作卷帘格更好。”文琴想了一想，大笑道：“好，好！好个肥合！原来阁下是个老行家。”我道：“不过偶然碰着了，何足为奇。不知第二十一条可是‘未饮心先醉’？”文琴道：“正是，正是。”我道：“这一条以《西厢》打《西厢》，是天然佳作。”文琴忙叫取了那两条进来，换过新的出去，一面又送彩给我。伯述道：“两个县名，你射了一个难的去，我射一个容易的罢。第八条可是‘陈留’？”我道：“姻伯射了第八条，我来射第十六条，大约是‘小心’。”文琴道：“敏捷得很！这第十六条是很泛的，真了不得！”又是一面换新的，一面送彩过来，不必多赘。

文琴检点了一回道：“《西厢》谜只射了一个。”我道：“我恰好想了几个，不知对不对。第三十一可是‘撇下赔钱货’？三十二可是‘反吟伏吟’？三十三可是‘这席面真乃乌合’？三十四可是‘只许心儿空想’？”文琴惊道：“阁下真是老行家！堂屋里还有几条，一并请教罢。”说着，引了我和伯述到当中堂屋里去看，只见先有几个人在那里抓耳挠腮的想。抬眼看时，只见：

（三十五）舁……………………《孟子》一、《论语》一
（三十六）僣……………………《论语》一、《孟子》一
（三十七）正……………………《论语》一、《中庸》一
（三十八）谏迎佛骨………………《论语》一、《孟子》一
（三十九）尸解……………………《孟子》二句，不连
（四十）、（此一点乃朱笔所点）…《孟子》一、《论语》一
……

我们正要再看，忽听得花厅上哄堂大笑。连忙走过去问笑甚么。原来第十八条谜面的“宫”字，有人射着了“乾道乃革”一句，因此大众哄堂。伯述道：“我射一条虽不必哄堂，却也甚可笑的，那第二十六条定是‘眼花撩乱口难言’。”众人想一想谜面，都不觉笑起来。我道：“请教那第四十条一点儿红的，《孟子》可是‘观其色’？《论语》可是‘赤也为之小’？”伯述不等文琴开口，便拍手道：“这个射得好！我也来一个：第三十八可是‘故退之’，‘不得于君’？”文琴摇头道：“你两位都是健将！”正说话时，堂屋里走出一个人，拿了第三十五条问道：“《孟子》可是‘可以与’？《论语》可是‘可以兴’？”文琴连忙应道：“是，是，是。”即叫人分送了彩，又换粘上新的。伯述道：“这一条别是一格。我们射的太多了，看看旁人射的罢。”于是又在花厅上检看射进来的。只见第七条射了“四方风动”，十四条射了“没遮拦”，十五条射了“小遮拦”，十三条射了“大雷音”。

我看见第三十七条底下注明赠彩是时表一枚，一心要得他这时表来玩玩，因此潜心去想。想了一大会，方才想了出来，因问文琴道：“三十七条可是‘天之未丧斯文也’，‘则其政举’？”文琴连忙在衣袋里掏出一个时表，双手送与我道：“承教，承教！这一条又晦又泛，真亏你射！”我接过谦谢了，拿起来一看，却是上海三井洋行三块洋钱一个的，虽不十分贵重，然而在灯谜赠彩中，也算得独竖一帜的厚彩了。伯述看见了道：“你不要瞧他是三块钱的东西，我却在他身上赚过钱的了。这东西买他一个要三块钱，要是买一打，可以打九折；买十打，可以打八折；买五十打，可以打到七五折。我前年买了五十打，回济南走了一趟，后来又由济南到河南去，从河南再来京，我贩的五十打表，一个也没有卖去。沿路上见了当铺，我便拿一个

去当，当四两银子一个也有，当五两一个的时候也有，一路当到此地，六百个表全当完了，碰巧那当票还可以卖几百文。我仔细算了一算，赚的利钱比本钱还重点呢。”说笑了一回，又看别人射了几个，夜色已深，各自散去。

过了几天，各行生意都开市了，我便到向有往来的一家钱铺子里去，商量一件事。到得那里，说是掌柜的有事，且请坐一坐。原来那掌柜的姓恽，号洞仙，我自从入京之后，便认得了他，一向极熟的。每来了，总是到他办事房里去坐。这一回我来了，铺里的人却让我坐到客堂里，说办事房里另外有客，请在这里等一等。我只得就在客堂里坐下。

等了一大会，才见恽洞仙笑吟吟的送一个客出来，一直送到大门口，上了车，方才回转来，对我拱手道："有劳久候了，屈驾得很！请屋里坐罢。”于是同到他办事房里去，重新让坐送茶。洞仙道："兄弟今年承周中堂委了一个差使，事情忙点，一向都少候。你佇是大量的，想来也不怪我懒。”我道："好说，好说！得了中堂的差使，一定是恭喜的。”洞仙道："不过多点穷忙的事罢了，但得有事办，就忙点也是值得的。”说时，手指着桌上道："你佇瞧，这就是方才那个客送我们老中堂的贽见，特诚来烦兄弟代送的，说不得也要给他当差。”我看那桌上时，摆着两个紫檀木匣子。我走过去揭开盖子一看，一匣子是平排列着五十枝笔，一匣子是平列着十锭墨，都是包了金的。我暗想："虽是送中堂之品，却未免太讲究了。墨上包金，还有得好说；这笔杆子是竹子做的，怎么都包上金呢，用两天不要都掉了下来么？”一面想着，顺手拿起一枝笔来看，谁知拿到手里，沉甸甸的重的了不得，不觉十分惊奇。拔去笔套一看，却又是没有笔头的，更觉奇怪。洞仙在旁呵呵大笑道："我要说一句放恣的话，这东西你佇只怕是头一回瞧见呢！”我道："为甚么那么重？难道是整根是金子的么？”洞仙道："可不是！你佇瞧那墨么？”我伸手取那墨时，谁知用力少点，也拿他不动，想来自然也是金子了。便略为看了一看，仍旧放下道："这一份礼很不轻。”洞仙道："也不很重。那笔是连笔帽儿四两一枝（京师人呼笔套为帽），这墨是二十两一锭，统共是四百两。”我道："这又何必。有万把两银子的礼，不会打了票子送去，又轻便，在受礼的人，有了银子，要甚么可以置办甚么。何必多费工钱做这些假笔墨呢！送进去，就是受下他来，也是没用的。”洞仙呵呵大笑道："我看天底下就是你佇最阔，连金子都说是没用的。”我道："谁说金子没用，我说拿金子做成假笔墨，是没用的罢了。”洞仙道："那么你佇又傻了。他用的是金子，并不用假笔墨。我也知道打了票子进去最轻便的，怎奈大人先生不愿意担这个名色，所以才想方做成这东西送去。人家看见，送的是笔墨，很雅的东西，就是受了也取不伤廉。”

我道："这是一份贽礼，却送得那么重！”洞仙道："凡有所为而送的，无所谓轻重，也和咱们做卖买一般，一分行情一分货。你还没知道，去年里头大叔生日，闽浙萧制军送的礼，还要别致呢，是三尺来高的一对牡丹花。白玉的花盆，珊瑚碎的泥，且不必说；用了一对白珊瑚作树，配的是玛瑙片穿出来的花，葱绿翡翠作的叶子，都不算数；这两颗花，统共是十二朵，那花心儿却是用金丝镶了金钢钻做的，有人估过价，这一对花要抵得九万银子。送过这份礼之后，不上半年，那位制军便调了两广总督的缺。最苦是闽浙，最好是两广，你想这份礼送得着罢。”我道：“这一份笔墨，又是那一省总督的呢？”洞仙道：“不配，不配！早得很呢！然而近来世界，只要肯应酬，从府道爬到督抚，也用不着几年工夫。你伢也弄个功名出来干罢！”我笑道：“好，好！赶明天我捐一个府道，再来托你送笔墨。”说着，大家都笑了。我便和他说了正事，办妥了，然后回去。

回到家时，恰好遇见车文琴从衙门里回来，手里拿了一个大纸包。我便让他到我这边坐。他便同我进来，随意谈天。我便说起方才送金笔墨的话。文琴忙问道：“经手的是甚么人？”我道：“是一个钱铺的掌柜，叫做恽洞仙。”文琴道：“这等人倒不可不结识结识。”我笑道：“你也想送礼么？”文琴道：“我们穷京官不配。然而结识了他，万一有甚么人到京里来走路子，和他拉个皮条，也是好的。”

说话时，桌上翻了茶碗，把他那纸包弄湿了，透了许久，方才觉着。连忙打开，把里面一张一张的皮纸抖了开来，原来全是些官照，也有从九的，也有未入流的，也有巡检的，也有典史的，也有把总的。我不觉诧异道：“那里弄了这许多官照来？”文琴笑道：“你可要？我可以奉送一张。”我道：“这都填了姓名、三代的，我要他作甚么！”文琴道：“这个不过是个玩意儿罢了，顶真那姓名做甚么。”我道：“奇极了！官照怎么拿来做玩意儿？这又有甚么玩头呢？”文琴道：“你原来不知道，这个虽是官照，却又是嫖妓的护符。这京城里面，逛相公是冠冕堂皇的，甚么王公、贝子、贝勒，都是明目张胆的，不算犯法；惟有妓禁极严，也极易闹事，都老爷查的也最紧。逛窑姐儿的人，倘给都老爷查着了，他不问三七二十一，当街就打；若是个官，就可以免打；但是犯了这件事，做官的照例革职。所以弄出这个玩意儿来，大凡逛窑姐儿的，身边带上这么一张，倘使遇了都老爷，只把这一张东西缴给他，就没事了。”

我道：“为了逛窑姐儿，先捐一个功名，也未免过于张致了。朝廷名器，却不料拿来如此用法！”文琴道：“谁捐了功名去逛窑姐儿！这东西正是要他来保全功名之用。比方我去逛窑姐儿，被他查着了，谁愿意把这好好的功名去干掉了。我要是不认是个官，他可拉过来就打，那更犯不上了。所以备了这东西在身边，正是为保全功名之用。”我道：“你弄了这许多来，想是一个老嫖客了。然而未见得每嫖必遇见都老爷的，又何必要办这许多呢？”文琴道：“这东西可以卖，可以借可以送，我向来是预备几十张在身边的。”我道：“卖与送不必说了，这东西有谁来借？”文琴道：“你不知道，这东西不是人人有得预备的。比方我今日请你吃花酒，你没有这东西，恐怕偶然出事，便不肯到了；我有了这个预备，不就放心了么？”一面说话时，已把那湿官照一张一张的印干了，重新包起来。又殷殷的问恽洞仙是那一家钱铺的掌柜。我道：“你一定要结识他，我明日可以给你们拉拢。”文琴大喜。

到了次日，一早就过来央我同去。我笑道：“你也太忙，不要上衙门么？”文琴道：“不相干，衙门里今日没有我的事。”我道：“去的太早了，人家还没有起来呢。”文琴又连连作揖道：“好人！没起来，我们等一等；倘使去迟了，恐怕他出去了呢。”我给他缠的没法，只得和他同去。谁知洞仙果然出门去了。问几时回来，说是到周宅去的，不定要下午才得回来。文琴没法，只得回去。

我却到伯述那里去有事。办过正事之后，便随意谈天。我说起文琴许多官照的事，伯述道：“这是为的从前出过一回事，后来他们才想出这个法子的。自从行出这个法子之后，户部里却多了一单大买卖，甚至有早上填出去的官照，晚上已经缴了的，那要嫖的人不免又要再捐一个，那才是源源而来的生意呢。”

我道：“从前出的是甚么事？”伯述道：“京城里的窑姐儿最粗最贱，不知怎么那一班人偏要去走动，真所谓逐臭之夫了。有一回，巡街御史查到一家门内有人吵闹，便进去拿人。谁知里面有三个阔客：一个是侍郎，一个是京堂，一个是侍讲。一声说都老爷查到了，便都吓得魂不附体。那位京堂最灵便，跑到后院里，用梯子爬上墙头，往外就跳。谁知跳不惯的人，忽然从高落下，就手足无措的了，不知怎样一闪，把腿跌断了，整整的医了半年才得好，因此把缺也开了。那一位侍郎呢，年纪略大了，跳不动，便找地方去躲，跑到毛厕里去，以为可以躲过了，谁知走得太忙，一失脚掉到了粪坑里去，幸得那粪坑还浅，不曾占灭顶之凶，然而已经闹得异香遍体了。只有那位侍讲，一时逃也逃不及，躲也躲不及，被他拿住了，自己又不敢说是个官，若是说了，他问出了官职，明日便要专折奏参的，只得把一个官字藏起来。那位都老爷拿住了，便喝叫打了四十下小板子。这一位翰林侍讲平空受此奇辱，羞愧的无地自容，回去便服毒自尽了；却又写下了一封遗书给他同乡，只说被某御史当街羞辱，无复面目见人。同乡京官得了这封书，便要和那御史为难。恰好被他同嫖的那两位侍郎、京堂知道了，一个是被他逼断了腿的，一个是被他逼下粪坑的，如何不恨，便暗中帮忙，怂恿起众人。于是同乡京官斟酌定了文饰之词，只说某侍讲某夜由某处回寓，手灯为风所熄，适被某御史遇见，平日素有嫌隙，指为犯夜，将其当街笞责云云。据了这个意思，联衔入奏。那两位侍郎、京堂，更暗为援助，锻炼成狱，把那都老爷革职，发往军台。这件事出了以后，一班逐臭之夫，便想出这官照的法子来。”

正说得高兴时，家里忽然打发人来找我，我便别过伯述回去。正是：

只缘一段风流案，断送功名更戍边。

不知回去之后，又有甚事，且待下回再记。

第七十六回 急功名愚人受骗 遭薄幸淑女蒙冤

我回到家时，原来文琴坐在那里等我。我问在兹找我做甚么。在兹道：“就是车老爷来说有要紧事情奉请的。”我对文琴道：“你也太性急了，他说下午才得回家呢。”文琴道：“我另外有事和你商量呢。”我问他有甚么事时，他却又说不出来，只得一笑置之。捱到中饭过后，便催我同去。及至去了，恽洞仙依然没回来。我道：“算了罢，我们索性明天再来罢。”

文琴正在迟疑，恰好门外来了一辆红围车子，在门首停下，车上跳下一个人来，正是洞仙。一进门见了我，便连连打拱道：“有劳久候！失迎得很！今天到周宅里去，老中堂倒没有多差使，倒是叫少大人把我缠住了，留在书房里吃饭，把我灌个稀醉，才打发他自己的车子送我回来。”说罢，呵呵大笑，又叫学徒的：“拿十吊钱给那车夫，把我的片子交他带一张回去，替我谢谢少大人。”说罢了，才让我们到里面去。我便指引文琴与他相见。彼此谈得对劲，文琴便扯天扯地的大谈起来，一会儿大发议论，一会儿又竭力恭维。我自从相识他以来，今天才知道他的谈风极好。

谈到下午时候，便要拉了洞仙去上馆子。洞仙道：“兄弟不便走开，恐怕老中堂那边有事来叫。”文琴道：“我们约定了在甚么地方，万一有事，叫人来知照就是了。你大哥是个爽快人，咱们既然一见如故，应该要借杯酒叙叙，又何必推辞呢！”洞仙道：“不瞒你车老爷说，午上我给周少大人硬灌了七八大钟，到此刻还没醉得了呢。”文琴道：“不瞒你大哥说，我有一个朋友从湖北来，久慕你大哥的大名，要想结识结识，一向托我。我从去年冬月里就答应他引见你大哥的，所以他一直等在京里，不然他早就要赶回湖北去的了。今儿咱们遇见了，岂有不让他见见你大哥之理！千万赏光！我今天也并不是请客，不过就这么二三知己，借此谈谈罢了。”洞仙道：“你车老爷那么赏脸，实在是却之不恭，咱们就同去。不过还有一说，你伫两位请先去，做兄弟的等一等就来。”文琴连忙深深一揖道：“老大哥，你不要怪我！我今儿没具帖子，你不要怪我！改一天我再肃具衣冠，下帖奉请如何？”洞仙呵呵大笑道：“这是甚么话！车老爷既然那么说，咱们就一块儿走。不过有屈两位稍等一等，我干了一点小事就来。”文琴大喜道：“既如此，就请便罢，咱两个就在这里恭候。”我道：“我却要先走一步，回来再来罢。”文琴一把拉住道：“这是甚么话！我知道你是最清闲的，成天没事，不过找王老头子谈天。我和你是同院子的街坊，怎么好拿我的腔呢！”我道：“这是甚么话！我是有点小事，要去一去。你不许我去，我就不去也使得，何尝拿甚么腔呢！”洞仙道：“既如此，你两位且在这里宽坐一坐，我到外面去去就来。”说罢，拱拱手，笑溶溶的往外头去了。

这一去，便去得寂无消息，直等到天将入黑，还不见来，只急得文琴和热锅上蚂蚁一般。好容易等得洞仙来了，一迭连声只说：“屈驾，屈驾！实在是为了一点穷忙，分身不开，不能奉陪，千万不要见怪！”文琴也不及多应酬，拉了便走。

出了大门，各人上了车，到了一家馆子里，拣定了座，文琴忙忙的把自己车夫叫了来，交代道：“你赶紧去请陆老爷，务必请他即刻就来，说有要紧话商量。”车夫去了。这边文琴又忙着请点菜。忙了一会，文琴的车夫引了一个人进来，文琴便连忙起身相见，又指引与洞仙及我相见，一一代通姓名。又告诉洞仙道：“这便是敝友陆俭叔，是湖北一位著名的能员，这回是明保来京引见的。”又指着洞仙和俭叔说道：“这一位恽掌柜，是周中堂跟前头一个体己人，为人极其豪爽，所以我今儿特为给你们拉拢。”说罢，又和我招呼了几句。俭叔便问有烟具没有，值堂的忙答应了一个“有”字，即刻送了上来，把烟灯剪好，俭叔便躺下去烧鸦片烟。我在旁细看那陆俭叔，生得又肥又矮，雪白的一张大团脸，两条缝般的一双细眼睛。此时正月底边，天气尚冷，穿了一身大毛衣服，竟然像了一个圆人。值堂的送上酒来，他那鸦片烟还抽个不了。文琴催了他两次，方才起来坐席。文琴一面让酒让菜，一面对了俭叔吹洞仙如何豪爽，如何好客，一面对了洞仙吹俭叔如何慷慨，如何至诚。吃过了两样菜，俭叔又去烟炕上躺下。文琴忽然起身拉了洞仙到旁边去，唧唧哝哝，说了一会话，然后回到席上招呼俭叔吃酒。俭叔又抽了一口，方才起来入席。洞仙问道：“陆老爷欢喜抽两口？”俭叔道：“其实没有瘾，不过欢喜摆弄他罢了。”这一席散时，已差不多要交二鼓，各人拱揖分别，各自回家。

从此一连十多天，我没有看见文琴的面。有一天，我到洞仙铺里去，恰好遇了文琴。看他二人光景，好像有甚事情商量一般。我便和洞仙算清楚了一笔帐，正要先行，文琴却先起身道："我还有点事，先走一步，明天问了实信再来回话罢。"说罢，作辞而去。洞仙便起身送他，两个人一路唧唧哝哝的出去，直到门口方休。洞仙送过文琴，回身进内，对我道："代人家办事真难！就是车老爷那位朋友，甚么陆俭叔，他本是个一榜，由拣选知县，在法兰西打仗那年，广西边防上得了一个保举，过了同知、直隶州班，指省到了湖北；不多几年，倒署过了几回州县。这回明保送部引见，要想设法过个道班，却又不愿意上兑，要避过这个'捐'字，转托了车老爷来托我办。你佇想，这是甚么大事，非得弄一个特旨下来不为功，咱们老中堂圣眷虽隆，只怕也办不到。他一定要那么办，不免我又要央及老头子设法。前几天拜了门，是我给他担代的，只送得三撇头的贽见。这两天在这里磋磨使费，那位陆老爷一天要抽三两多大烟，没工夫来当面，总是车老爷来说话，凡事不得一个决断。说了几天，姓陆的只肯出八竿使费。他们外官看得一班京官都是穷鬼，老实说，八千银子谁看在眼里！何况他所求的是何等大事，倒处处那么慳吝起来！我这几天叫他们麻烦的彀了，他再不爽爽快快的，咱们索性撒手，叫他走别人的路子去。"正说得高兴时，文琴又来了，我便辞了出去。

光阴迅速，不觉到了八月。我一面打发李在兹到张家口，一面收拾要回上海一转，把一切事都交给亮臣管理。便到伯述那边辞行。恰好伯述因为畅怀往上海去了，许久并未来京，今年收的京版货不少，也要到上海去，于是约定同行。雇了长车，我在张家湾、河西务两处也并不耽搁，不过稍为查检查检便了。一直到了天津，仍在佛照楼住下。伯述性急，碰巧有了上海船，便先行了。我因为天津还有点事，未曾同行。安顿停当，先去找杏农。杏农一见我，便道："你接了家兄的信没有？"我道："并未接着，有甚么事？"杏农道："家兄到山东去了，我今天才接了信。"我道："到山东有甚么事？"杏农道："有一个朋友叫蔡侣笙，是山东候补知县，近日有了署事消息，打电报到上海叫他去的。"我不觉欢喜道："原来蔡侣笙居然出身了！我这几年从未得过他的信，不知他几时到的山东？那边我还有一个家叔呢。"杏农道："家兄给我的信，说另有信给你，想是已经寄到京里去了。"我稍为谈了一会，便回到栈里，连忙写了一封信入京，叫如有上海信来，即刻寄出天津。把信发了，我又料理了一天的正事。

次日下午，杏农来谈了一天，就在栈里晚饭。饭后，约了我出去，到侯家后一家南班子里吃酒（天津以上海所来之妓院为南班子），另外又邀了几个朋友。这等事本是没有甚么好记的，这一回杏农请的都是些官场朋友，又没有甚么唐玉生的“竹汤饼会”故事，又何必记他呢。因为这一回我又遇了一件奇事，所以特为记他出来。

你道是甚么事呢？原来这一席中间，他们叫来侍酒的，都是南班子的人，一时燕语莺声，尽都是吴侬娇语。内中却有两个十分面善的，非但言语声音很熟，便是那眉目之间，也好像在那里见过的，一时却想不起来。回思我近来在家乡一住三年，去年回到上海，不上几天，就到北边来了。在上海那几天，并未曾出来应酬，从何处见过这两个人呢？莫非四年以前所见的？然而就是四年以前，我也甚少出来应酬，何以还有这般面善的人呢？一面满肚子乱想，一双眼睛，便不住的钉着他看。内中一个是杏农叫的，杏农看见我这情形，不觉笑道：“你敢是看中了他，何不叫他转一个条子？”我道：“岂有此理！我不过看见他十分面善，不知从何处见来。他又叫甚么名字？”杏农道：“他叫红玉。”又指着一个道：“他叫香玉。都是去年才从上海来的，要就你在上海见过他。”我道：“我已经三年没住上海了，去年到得一到，并没有出来应酬，不上两天，我就到这边来了，从何见起？”杏农道：“正是。你去年进了京，不多几天，我就认识了他，那时候他也是初到没有几天。”

我听了这话，猛然想起这两个并非他人，正是我来天津时，同坐普济轮船的那个庄作人的两个小老婆，如何一对都落在这个地方来。不觉心中又是怀疑，又是纳罕，不住的要向杏农查问，却又碍着耳目众多，不便开口。直等到众人吃到热闹时，方才离了座，拉杏农到旁边问道：“这红玉、香玉到底是甚么出身，你知道么？”杏农道：“这是这里的忘八到上海贩来的，至于甚么出身，又从何稽考呢？你既然这么问，只怕是有点知道的了。”我道：“我仿佛知道他是人家的侍妾。”杏农道：“嫁人复出，也是此辈之常事。但不知是谁的侍妾？”我道：“这个人我也是一面之交，据说是个总兵，姓庄，号叫作人。”杏农道：“既是一面之交，你怎么便知道这两个是他侍妾？”我便把去年在普济船上遇见的话，说了一遍。杏农想了一想道：“呸！你和乌龟答了话，还要说呢。这不明明是个忘八从上海买了人，在路上拿来冒充侍妾的么！”我回头想了一想当日情形，也觉得自己太笨，被他当面瞒过还不知道，于是也一笑归座。等到席散了，时候已经不早，杏农还拉着到两家班子里去坐了一坐，方才雇车回栈。

叩开了门，取表一看，已经两点半钟了。走过一个房门口，只见门是敞着的，门口外面蹲着一个人，地下放着一盏鸦片烟灯，手里拿着鸦片烟斗，在那里出灰，门口当中站着一个人，在那里骂人呢。只听他骂道：“这么大早，茶房就都睡完了，天下那有这种客栈！”一回眼看见我走过，又道：“你看我们说睡得晚了，人家这时候才从外面回来呢。”我听了这话，不免对他望一望，原来不是别人，正是在京里车文琴的朋友陆俭叔。不免点头招呼，彼此问了几时到的，住在几号房，便各自别去。

次日，我办了一天正事，到得晚饭之后，我正要到外面去散步，只见陆俭叔踱了进来，彼此招呼坐下。俭叔道："早没有知道你老哥也出京，若是早知道了，可以一起同行，兄弟也可以靠个照应。"我道："正是。出门人有个伴，就可以互相照应了。"俭叔道："像我兄弟是个废人，那里能照应人？约了同伴，正是要靠人照应。这一回虽说是得了个明保进京引见，却赔累的不少。这也罢了，这回出京，却又把一件最要紧的东西失落了，此刻赶信到京里去设法，过两天回信来，正不知怎样呢。"我道："丢了东西，应该就地报失追查，怎么反到京里去设法呢？"俭叔叹道："我丢了的不是别的东西，却是一封八行书，夹在护书里面。那天到杨村打了个尖，我在枕箱里取出护书来记一笔帐，不料一转眼间，那护书就不见了。连忙叫底下人去找，却在店门口地下找着了，里面甚么东西都没有丢，单单就丢了这封信，你说奇不奇呢！你叫我如何报失？"我道："那么说，就是写信到京里也是没用。"俭叔道："这是我的妄想，要想托文琴去说，补写一封，不知可办得到。"我道："这一封是谁的信呢？"

俭叔道："一言难尽！我这封信是化了不少钱的了。兄弟的同知、直隶州，是从拣选知县上保来的，一向在湖北当差。去年十月里，章制军给了一个明保送部引见。到了京城，遇了舍亲车文琴，劝我过个道班。兄弟怕的是担一个捐班的名气，况且一捐升了，到了引见时，那一笔捐免保举的费是很可观的，所以我不大愿意。文琴他又说在京里有路子可走，可以借着这明保设法过班，叫我且不要到部投到。我听了他的话，一耽搁就把年过了。直到今年正月底，才走着了路子，就是我们同席那一个姓恽的，烦了他引进，拜了周中堂的门。那一份贽见，就化了我八千！只见得中堂一面，话也没有多说两句，只问得一声几时进京的，湖北地方好，就端茶送客了。后来又是打点甚么总管咧、甚么大叔咧，前前后后，化上了二万多，连着那一笔贽见，已经三万开外了！满望可以过班的了，谁知到了引见下来，只得了'仍回原省照例用'七个字。你说气死人不呢！我急了，便向文琴追问，文琴也急了，代我去找着前途经手人。找了十多天，方才得了回信，说是引见那天，里头弄错了。你想里头便这样稀松，可知道人家银子是上三四万的去了！后来还亏得文琴替我竭力想法，找了原经手人，向周中堂讨主意。可奈他老人家也无法可想，只替我写了一封信给两湖章制军，那封信却写得非常之切实，求他再给我一个密保，再委一个报销或解饷的差使云云，其意是好等我再去引见，那时却竭力想法。我得了这一封信，似乎还差强人意，谁知偏偏把他丢了，你说可恨不可恨呢！"

我听了他这一番话，不觉暗暗疑讶，又不便说甚么，因搭讪着道："原来文琴是令亲，想来总可以为力的。"俭叔道："兄弟就信的是这一点。文琴向来为朋友办事是最出力的，何况我当日也曾经代他排解过一件事的，他这一回无论如何，似乎总应该替我尽点心。"我道："既如此，更可放心了。"嘴里是这样说，心中却很想知道他所谓排解的是甚么事，因又挑着地道："这排难解纷最是一件难事，遇了要人排解的事，总是自己办不下来的了，所以尤易感激。文琴受过你老哥这个惠，这一回一定要格外出力的。"俭叔道："文琴那回事，其实他也不是有心弄的，不过太过于不羁，弄出来的罢了。他断了弦之后，就续定了一位填房，也是他家老亲，那女子和文琴是表兄妹，从前文琴在扬州时，是和他常见的。谁知文琴丧偶之后，便纵情花柳，直到此刻还是那个样子，所以他虽是定下继配，却并不想娶。定的时候，已是没有丈人的了；过了两年，那外母也死了，那位小姐只依了一个寡婶居住。等到母服已满，仍不见文琴来娶。那小姐本事也大，从扬州找到京师，拿出老亲的名分，去求见文琴的老太太。他到得京里，是举目无亲的，自然留他住下。谁知这一住，就住出事情来了。"正是：

　　凫雁不成同命鸟，鸳鸯翻作可怜虫。

未知住出了甚么事，且待下回再记。

第七十七回
泼婆娘赔礼入娼家　阔老官叫局用文案

"那小姐在他宅子里住下，每日只跟着他老太太。大约没有人的时候，不免向老太太诉苦，说依着婶娘不便，求告早点娶了过来，那是一定的了。文琴这件事，却对人不住，觑老太太不在旁时，便和那小姐说体己话，拿些甜话儿骗他。那小姐年纪虽大，却还是一个未经出阁的闺女，主意未免有点拿不定，况且这个又是已经许定了的丈夫，以为总是一心一意的了，于是乎上了他的当。文琴又对他说：'你此时寻到京城，倘使就此办了喜事，未免过于草草。不如你且回扬州去，我跟着就请假出京，到扬州去迎娶，方为体面。'那小姐自然顺从，不多几天，便仍然回扬州去了。文琴初意本也就要请假去办这件事，不知怎样被一个窑姐儿把他迷住了，一定要嫁他，便把他迷昏了，写了一封信给他的叔丈母——便是那小姐的婶子——说：'本来早就要来娶的，因为访得此女不贞，然而还未十分相信，尚待访查清楚，然后行事。讵料渠此次亲身到京，不贞之据已被我拿住，所以不愿再娶’云云。那小姐得了这个信，便羞悔交迸，自己吊死了。那女族平时好像没有甚么人，要那小姐依寡婶而居；及至出了人命，那族人都出来了，要在地方上告他，倘告他不动，还商量京控。那时我恰好在扬州有事，知道闹出这个乱子，便一面打电报给他，一面代他排解，费了九牛二虎之力，把这件事弄妥了，未曾涉讼。经过这一回事之后，他是极感激我的，一向我和他通信，他总提起这件事，说不尽的感激图报。所以我这回进京，一则因为自己抽了两口烟，未免懒点；二则也信得他可靠，所以一切都托了他经手的。不料自己运气不济，一连出了这么两个岔子！”说罢，连连叹气。我随意敷衍他几句。他打了两个呵欠，便辞了去，想是要紧过瘾去了，所以我也并不留他。

自此过了几天，京里的信，寄了出来，果然有述农给我的一封信。内中详说侣笙历年得意光景："两月之前，已接其来信，言日间可有署缺之望，如果得缺，即当以电相邀，务乞帮忙。前日忽接其电信，嘱速赴济南，刻拟即日动身，取道烟台前去"云云。我见了这封信，不觉代侣笙大慰。

正在私心窃喜时，忽然那陆俭叔哭丧着脸走过来，说道："兄弟的运气真不好！车文琴的回信来了，说接了我的信，便连忙去见周中堂，却碰了个大钉子。周中堂大怒，说‘我生平向不代人写私信，这回因为陆某人新拜门，师弟之情难却，破例做一遭儿，不料那荒唐鬼糊涂虫，才出京便把信丢了！丢了信不要紧，倘使被人拾了去，我几十年的老名气，也叫他弄坏了！他还有脸来找我再写！我是他甚么人，他要一回就一回，两回就两回！你叫他赶快回湖北去听参罢，我已经有了办法了’云云。这件事叫我如何是好！”我听了他的话，看了他的神色，觉得甚是可怜。要想把我自己的一肚子疑心向他说说，又碍着我在京里和文琴是个同居，他们到底是亲戚，说得他相信还好，倘使不相信，还要拿我的话去告诉文琴，我何苦结这种冤家；况且看他那呆头呆脑的样子，不定我说的他果然信了，他还要赶回京里和文琴下不去，这又何苦呢。因此隐忍了不曾谈，只把些含糊两可的话，安慰他几句就算了。俭叔说了一回，不得主意，便自去了。

再过几天，我的正事料理清楚，也就附轮回上海去。见了继之，不免一番叙别，然后把在京在津各事，细细的说了一遍，把帐略交了出来。继之便叫置酒接风。金子安在旁插嘴道："还置甚么酒呢，今天不是现成一局么！"继之笑道："今天这个局，怕不成敬意。"德泉道："成敬意也罢，不成敬意也罢，今日这个局既然允许了，总逃不了的，就何妨借此一举两得呢。"

我问："今天是甚么局？何以碰得这般巧？"继之道："今天这一局是干犯名教的，然而在我们旁边人看着，又不能不作是快心之举。这里上海有一个著名的女魔王，平生的强横，是没有人不知道的了。他的男人一辈子受他的气，到了四十岁上便死了，外面人家说，是被他磨折死的。这件以前的事，我们不得而知。后来他又拿磨折男人的手段来磨折儿子，他管儿子是说得响的，更没有人敢派他不是了，他就越闹越强横起来。”我道：“说了半天，究竟他的儿子是谁？”继之道：“他男人姓马，叫马霱臣，是广西人，本是一个江苏候补知县。他儿子马子森，从小是读会英文的。自从父亲死后，便考入新关，充当供事，捱了七八年，薪水倒也加到好几十两一月了。他那位老太太，每月要儿子把薪水全交给他，自己霸着当家，平生绝无嗜好，惟有敬信鬼神，是他独一无二的事，家里头供的甚么齐天大圣、观音菩萨，乱七八糟的，闹了个烟雾腾天。子森已是敢怒不敢言的了。他却又最相信的是和尚、师姑、道士，凡是这一种人上了他的门，总没有空过的，一张符、一卷经，不是十元，便是八元，闹的子森所赚的几十两银子，不够他用。连子森回家吃饭，一顿好饭也没得吃，两块咸萝卜，几根青菜，就是一顿。有时子森熬不住了，说何不买点好些小菜来吃呢，只这一句话，便触动了老太太之怒，说儿子不知足，可知你今日有这碗饭吃，也是靠我拜菩萨保佑来的，唠叨的子森不亦乐乎。

“后来子森私下蓄了几个钱，便与人凑股开了一家报关行，倒也连年赚钱。这笔钱，子森却瞒了老太太，留以自用的了。外面做了生意，不免便有点应酬，被他老太太知道了，找到了妓院里去，把他捉回去了，关在家里，三天不放出门，几乎把新关的事也弄掉了。又有一回，子森在妓院里赴席，被他知道了，又找了去。子森听见说老太太又来了，吓得魂不附体，他老太太在后面上楼，他便在前窗跳了下去，把脚骨跌断了，把合妓院的人都吓坏了，恐怕闹出人命。那老太太却别有肺肠，非但不惊不吓，还要赶到房里，把席面扫个一空，骂了个无了无休。

“众朋友碍着子森，不便和他计较，只得劝了他回去。然而到底心里不甘，便有个促狭鬼，想法子收拾他。前两天找出一个人来，与子森有点相像的，瞒着子森，去骗他上套。子森的辫顶留得极小，那个朋友的辫顶也极小。那促狭鬼定下计策，布置妥当，便打发人往那位女魔王处报信，说子森又到妓院里去了，在那一条巷，第几家，妓女叫甚么名字，都说得清清楚楚。那位老太太听了，便雄赳赳气昂昂的跑来，一直登楼入房。其时那促狭鬼约定的朋友，正坐在房里等做戏，听说是魔头到了，便伏在桌上，假装磕睡，双手按在桌上，掩了面目，只把一个小辫顶露出来。那魔头跑到房里，不问情由，左手抓了辫子，提将起来，伸出右手，就是一个巴掌。这小辫顶朋友故意问甚么事情。那魔头见打错了人，翻身就跑，被隔房埋伏的一班人，一拥上前，把他围住，和他讲理，问他为甚么来打人。他起先还要硬挺，说是来找儿子的。众人问他儿子在那里，你所打的可是你的儿子，他才没了说话，却又叫天叫地的哭起来。那促狭鬼布置得真好，不知到那里去找出一个外国人，又找了两个探伙来，一味的吓他，要拉他到巡捕房里去。那魔头虽然凶横，一见了外国人，便吓得屁也不敢放了。于是乎一班人做好做歹，要他点香烛赔礼，还要他烧路头（吴下风俗，凡开罪于人者，具香烛至人家燃点，叩头伏罪，谓之点香烛。烧路头，祀财神也，亦祓除不祥之意。烧路头之典，妓院最盛）。定了今天晚上去点香烛，烧路头。上海妓院遇了烧路头的日子，便要客人去吃酒，叫做'绷场面'。那一家妓院里我本有一个相识的在里面，约了我今天去吃酒，我已经答应了。他们知道了这件事，便顶着我要吃花酒。"

我道："这一台花酒，不吃也罢。"德泉忙道："这是甚么话！"我道："辱人之母博来的花酒，吃了于心也不安。"继之道："所以我说是干犯名教的。其实平心而论，辱人之母，吃一台花酒，自是不该；若说惩创一个魔头，吃一台花酒，也算得是一场快事。"我道："他管儿子总是正事，不能全说是魔头。"德泉道："他认真是拿了正理管儿子，自然不是魔头。须知他并不是管儿子，不过要多刮儿子几个钱去供应和尚、师姑。这种人也应该要惩创惩创他才好。"

子安道："这还是管儿子呢。我曾经见过一个管男人的，也闹过这么一回事，并且年纪不小了，老夫妻都上了五十多岁了。那位太太管男人，管得异常之严。男人备了一辆东洋车，自己用了车夫，凡是一个车夫到工，先要听太太分付。如果老爷到甚么妓院里去，必要回来告诉的；倘或瞒了，一经查出，马上就要赶滚蛋的。有一回，不知听了甚么人的说话，说他男人到那里去嫖了，这位太太听了，便登时坐了自己包车寻了去。不知走到甚么地方，胡乱打人家的门。打开了，看见一个五六十岁的老妇人，他也不问情由，伸出手来就打。谁知那家人家是有体面的，一位老太太凭空受了这个奇辱，便大不答应起来。家人仆妇，一拥上前，把他捉住。他嘴里还是不干不净的乱骂，被人家打了几十个嘴巴，方才住口。那包车夫见闹出事来，便飞忙回家报信。他男人知道了，也是无可设法，只得出来打听，托了与那家人家相识的人去说情，方才得以点香烛服礼了事。"我道："这种女子，真是戾气所钟！"

继之叹道："岂但这两个女子！我近来阅历又多了几年，见事也多了几件，总觉得无论何等人家，他那家庭之中，总有许多难言之隐的。若要问其所以然之故，却是给妇人女子弄出来的，居了百分之九十九。我看总而言之，是女子不学之过。"我听了这话，想起石映芝的事，因对继之等述了一遍，大家叹息一番。

到了晚上，继之便邀了我和德泉、子安一同到尚仁里去吃酒。那妓女叫金赛玉。继之又去请了两个客，一个陈伯琦，一个张理堂，都是生意交易上素有往来的人。我们这边才打算开席，忽然丫头们跑来说："快点看，快点看！马老太太来点香烛了。"于是众人都走到窗户上去看。只见一个大脚老婆子，生得又肥又矮，手里捧着一对大蜡烛，步履蹒跚的走了进来。他走到客堂之后，楼上便看他不见了，不知他如何叩头礼拜，我们也不去查考了。

忽然又听得隔房一阵人声，叽叽喳喳说的都是天津话。我在门帘缝里一张，原来也是一帮客人，在那里大说大笑，彼此称呼，却又都是大人、大老爷，觉得有点奇怪。一个本房的丫头，在我后面拉了一把道："看甚么？"我顺便问道："这是甚么客？"那丫头道："是一帮兵船上的客人。"我听他那边的说话，都是粗鄙不文的，甚以为奇。忽又听见他们叽哩咕噜的说起外国话来，我以为他们请了外国客来了，仔细一看，却又不然，两个对说外国话的，都是中国人。

我们这边席面已经摆好，继之催我坐席，随便拣了一个靠近那门帘的坐位坐下，不住的回头去张他们。忽然听见一个人叫道："把你们的帐房叫了来，我要请客了。"过了一会，又听得说道："写一张到同安里'都意芝'处请李大人；再写一张到法兰西大马路'老宜青'去。"又听见一个苏州口音的问道："'老宜青'是甚么地方？"这个人道："王大人，你可知李大人今天是到'老宜青'么？"又一个道："有甚么不是，张裁缝请他呢，他们宁波人最相信的是他家。"此时这边坐席已定，金赛玉已到那边去招呼。便听见赛玉道："只怕是老益庆楼酒馆。"那个人拍手道："可不是吗！我说了'老宜青'，'老宜青'，你们偏不懂。"赛玉道："张大人请客，为甚不自己写条子，却叫了相帮来坐在这里（苏、沪一带，称妓院之龟奴曰相帮）？"那个人道："我们在船上，向来用的是文案老夫子，那怕开个条子买东西，自己都不动手的。今天没带文案来，就叫他暂时充一充罢。"

正说话间，楼下喊了一声"客来"，接着那边房里一阵声乱说道："李大人来了，李大人来了！客票不用写了，写局票罢。李大人自然还是叫'都意芝'了？"那李大人道："算了，你们不要乱说了。原来他不是叫'都意芝'，是叫'约意芝'的。那个字怎么念成'约'字，真是奇怪！"一个说道："怎么要念成'约'字，只怕未必。"李大人道："刚才我叫张裁缝替我写条子，我告诉他'都意芝'，他茫然不懂，写了个'多意芝'。我说不是的，和他口讲指画，说了半天，才写了出来，他说那是个'约'字。"旁边一个道："管他'都'字'约'字，既然上海人念成'约'字，我们就照着他写罢，同安里'约意芝'，快写罢。"又一个道："我叫公阳里'李流英'。那个'流'字，却不是三点水的，觍琐得很。"又听那龟奴道："到

底是那个流？我记得公阳里没有‘李流英’。”一个说道：“我天天去的，为甚没有。”龟奴道：“不知在那一家？”那个人道：“就是三马路走进去头一家。”龟奴道：“头一家有一个李毓英，不知是不是？”那人道：“管他是不是，你写出来看。”歇了一会，忽然听见说道：“是了，是了。这里的人很不通，为甚么任甚么字，都念成‘约’字呢？”我听到这里，才恍然大悟，方才那个‘约意芝’，也是郁意芝之误，不觉好笑。

继之道：“你好好的酒不喝，菜不吃，尽着出甚么神？”我道：“你们只管谈天吃酒，我却听了不少的笑话了。”继之道：“我们都在这里应酬相好，招呼朋友，谁像你那个模样，放现成的酒不喝，却去听隔壁戏。到底听了些甚么来？”我便把方才留心听来的，悄悄说了一遍，说的众人都笑不可仰。继之道：“怪道他现成放着吃喝都不顾，原来听了这种好新闻来。”陈伯琦道：“这个不足为奇，我曾经见过最奇的一件事，也是出在兵船上的。”正是：

鹅鹳军中饶好汉，燕莺队里现奇形。

未知陈伯琦还说出甚么奇事来，且待下回再记。

第七十八回
巧蒙蔽到处有机谋　报恩施沿街夸显耀

当下陈伯琦道：“那边那一班人，一定是北洋来的。前一回放了几只北洋兵船到新加坡一带游历，恰好是这几天回到上海，想来一定是他们。他们虽然不识字，还是水师学堂出身，又在兵船上练习过，然后挨次推升的，所以一切风涛沙线，还是内行。至于一旦海疆有事，见仗起来是怎么样，那是要见了事才知道的了。至于南洋这边的兵船，那稀奇古怪的笑话，也不知闹了多少。去年在旅顺南北洋会操，指定一个荒岛作为敌船，统领发下号令，放舢舨，抢敌船，于是各兵船都放了舢舨，到那岛上去。及至查点时，南洋各兵，没有一个带干粮的。操演本来就是预备做实事的规模，你想一旦有事也是如此，岂不是糟糕了么！操了一趟，闹的笑话也不知几次。

“这些且不要说他，单说那当管带的。有一位管带，也不知他是个甚么出身，莫说风涛沙线一些不懂，只怕连东南西北他还没有分得清楚呢。恰好遇了一位两江总督，最是以察察为明的，听见人说这管带不懂驾驶，便要亲身去考察。然而这位先生，向来是最容易蒙蔽的。他从前在广东时候，竭力提倡蚕桑，一个月里头，便动了十多回公事，催着兴办，动支的公款，也不知多少。若要问到究竟，那一个是实力奉行的，徒然添了一个题目，叫他们弄钱。过了半年光景，他忽然有事要到肇庆去巡阅，他便说出来要顺便踏勘桑田。这个风声传了出去，吓得那些承办蚕桑的乡绅，屎屁直流！这回是他老先生亲身查勘的，如何可以设法蒙蔽呢？内中却出来了一个人，出了一个好主意，只要三万银子，包办这件事。众人便集齐了这笔款，求他去办。他得了这笔款，便赶到西南（三水县乡名）上游两岸的荒田上，连夜叫人扎了篱笆，自西南上游，经过芦包以上，两岸三四百里路，都做起来。又在篱笆外面，涂了一块白灰，写了'桑园'两个字，每隔一里半里，便做一处。不消两天，就做好了。到得他老先生动身那天，他又用了点小费，打点了衙门里的人役，把他耽搁到黄昏时候，方才动身。恰好是夜月色甚好，他老先生高兴，便叫小火轮连夜开船，走到西南以上，只见两岸全是桑园，便欢喜得他手舞足蹈起来。你说这么一个混沌的人，他这回要考察那兵船管带，还不是一样被他瞒过么！"

我道："他若要亲身到了船上看他驾驶，又将奈何！"伯琦道："便亲看了又怎么？我还想起他一个笑话呢。他到了两江任上，便有一班商人具了一个禀帖，去告一个厘局委员。他接了禀帖，便大发雷霆。恰好藩台来禀见，他便立刻传见，拿了禀帖当面给藩台看了，交代即日马上立刻把那委员撤了差，调到省里来察看。藩台奉了宪谕，如何敢怠慢，回到衙门，便即刻备了公事，把那委员撤了。撤了之后，自然要另委一个人去接差的了。这个新奉委的委员接了札子之后，谢过藩台，便连忙到制台衙门去禀知禀谢。他老先生看见了手本，便立刻传见。见面之后，人家还在那里行礼叩头谢委，未曾起来，他便拍手跳脚的大骂，说你在某处厘局，怎样营私舞弊，怎样被人告发，怎样辜负宪恩，怎样病商病民，'我昨天已经交代藩司撤你的差，你今天还有甚么脸面来见我！'从人家拜跪时骂起，直骂到人家起来，还不住口。等人家起来了，站在那里听他骂。他骂完了，又说：'你还站在这里做甚么！好糊涂的东西，还不给我滚出去！'那新奉委的直到此时才回说：'卑职昨天下午才奉到藩司大人的委札，今天特来叩谢大帅的。'他听了这话，才呆了半天，嘴里不住的荷荷荷荷乱叫，然后让坐。你想这种糊涂虫，叫他到船上去考验管带，那还不容易混过去么！然而他那回却考察得凶，这管带也对付得巧。他在南京要到镇江、苏州这边阅操，便先打电报到上海来调了那兵船去，他坐了兵船到镇江。船上本来备有上好办差的官舱，他不要坐，偏要坐到舵房里，要看管带把舵。那管带是预先得了信的，先就预备好了，所以在南京开行，一直把他送到镇江，非常安稳。骗得他呵呵大笑，握着管带的手说道：'我若是误信人言，便要委屈了你。'从此倒格外看重了这管带。你说奇不奇！”

我道：“既然被他瞒过了，从此成了知遇，那倒不奇。只是他向来不懂驾驶的，忽然能在江面把舵，是用的甚么法子？这倒有点奇呢！”继之道：“我也急于要问这个。”伯琦道：“兵船上的规矩，成天派一个兵背着一杆枪，在船头了望的，每四点钟一班；这个兵满了四点钟，又换上一个兵来，不问昼夜风雨，行驶停泊，总是一样的。这位管带自己虽不懂驾驶，那大副、二副等却是不能不懂的。他得了信，知道制台要来考察，他便出了一个好主意，预先约了大副，等制台叫他把舵时，那大副便扮了那个兵，站在船头上：舵房是正对船头的，应该向左扳舵时，那大副便走向左边；应该向右扳舵时，那大副便向右边走；暂时不用扳动时，那大副就站定在当中。如此一路由南京到了镇江，自然无事了。”众人听说，都赞道：“妙计，妙计！莫说由南京到镇江，只怕走一趟海也瞒过了。”伯琦道：“所以他才从此得了意，不到一年，便做了南洋水师统领啊。”

我道：“照这样蒙蔽，自然任谁都被蒙蔽住了。”伯琦道：“不然，那位制军是格外与人不同的。就是那回阅操，阅到一个甚么军，这甚么军是不归标的，另外立了名目，委了一个候补道去练起洋操来，说是练了这一军，中国就可以自强的。他阅到这甚么军时，那一位候补道要卖弄他的精神，请了许多外国人来陪制台看操；看过了操，就便在演武厅吃午饭，办的是西菜。谁知那位制军不善用刀叉，在席上对了别人发了一个小议论，说是西菜吃味很好，不过就是用刀叉不雅观。这句话被那位候补道听见了，到了晚上，便请制台吃饭，仍然办的是西菜，仍用的是西式盘子，却将一切牛排、鸡排是整的都切碎了，席上不放刀叉，只摆着筷子。那制台见了，倒也以为别致。他便说道：‘凡善学者当取其所长，弃其所短。职道向来都很重西法，然而他那不合于我们中国所用的，未尝不有所弃取。就如吃东西用刀叉，他们是从小用惯了的，不觉得怎样；叫我们中国人用起来，未免总有点不便当。所以职道向来吃西菜，都是舍刀叉而用筷子的。’只这么一番说话，就博得那制军和他开了一个明保，那八个字的考语，非常之贴切，是‘兼通中外，动合机宜’。”继之笑道：“为了那一顿西菜出的考语，自然是确切不移的了。”说的大家一笑。大众一面谈天，一面吃喝，看着菜也上得差不多了，于是再喝过几杯，随意吃点饭就散了座。

赛玉忽向继之问道：“你们明天可看大出丧（凡富家之丧，于出殡时多方铺排，卖弄阔绰者，沪谚谓之大出丧）？”继之道：“我不知道。是谁家大出丧？”赛玉道：“咦！那个不知道金姨太太死了，明天大出丧，你怎么不知道！”金子安道：“好好的你为甚要带了我姓说起来？”赛玉笑道：“他是姓金的，我总不好说他姓银。”我道：“大不了一个姨太太罢了，怎么便大出丧起来？”子安道：“这件事提起来，你要如遇故人的。然而说起来话长，我们回去再谈罢。”伯琦、理堂也同说道：“时候不早了，我们都散了罢。”于是一同出门，分路各回。

我回到号里，就问子安为甚么说这件事我要如遇故人。子安道：“你忘了么？我看见你从前的笔记，记着那年到汉口去，遇了甚么督办夫人吃醋，带了一个金姨太太从上海赶到汉口，难道你忘了么？”我道：“这件事，一碰好几年了，难道就是那位金姨太太么？那位夫人醋性如此之利害，一个姨太太死了，怎肯容他大铺排？”子安道：“你不曾知道这位姨太太的来历，自然那么说。须知他非但入门在这位继配夫人之前，并且他曾有大恩德于这位督办的。这位督办本来是个宦家公子出身。他老太爷做过一任抚台才告老回家。这督办二十多岁时，便捐了个佐杂，在外面当差。老人家是现任的大员，自然有人照应，等到他老太爷告老时，他已经连捐带保的弄到一个道台了，只差没有引见。因为老子回家享福了，他也就回家鬼混。不知怎样，弄得失爱于父，就跑到上海来，花天酒地的乱闹。那时候那金姨太太还在妓院里做生意呢，他两个就认识了。后来那位金姨太太嫁了一个绸庄的东家，姓蒯的，局面虽大，年纪可也不小了，况且又是一个鸦片烟鬼，一年到头，都是起居无节，饮食失时的。一个年纪轻轻的女人，况且又是出身妓院的，如何合他过得日子来，便不免与旧日情人，暗通来往。这位督办，那时候正在上海游手好闲，无所事事，正好有工夫做那些不相干的闲事。不知他两人怎样商通了，等到六月里，那位蒯老太太照例是要带了合家人等到普陀烧香的。本来那位姨太太也要跟着去的，他偏有计谋，悄悄地只对那鸦片鬼说，腹中震动，似是有喜。有了这个喜信，老太太自然要知道的，便说既是有喜，恐妨动了胎，就不要去了，留下他看家罢。这么一来，正中了他的下怀，等各人走过之后，他才不慌不忙的收拾了许多金珠物件，和那位督办大人坐了轮船，逃之夭夭的到天津去了。从天津进京，他两个一路上怎生的盟天誓地，这是我们旁人不得而知的。单知道那督办答应过他，以后如果得意，一定以嫡礼相待。”

我道：“这又怎么能知道的呢？”子安道：“你且莫问，听我说下去，自然有交代啊。他两个到京之后，就仗着蒯家带出来的金珠，各处去打点。天下事自然钱可通神，况且那督办又是前任二品大员之子，寅谊、世谊总还多。被他打通了路子，拜了两个阔老师，引见下来，就得了一个记名简放。他有了这个引子，就格外的打点，格外的应酬，不到半年便放了海关道，堂哉皇哉的带了家眷，出京赴任。到了地头，自然有人办差，打好了公馆。新道台择了接印日期，颁了红谕出去，到了良时吉日，便具了朝衣朝冠，到衙门接印。再过几天，前任的官眷搬出衙门，这边便打发轿子去接姨太太入衙。谁知去接一次不来，两次不来。新道台莫名其妙，只得亲身到公馆里，问是甚么事。那位金姨太太面罩重霜的不发一言，任凭这边赔尽小心，那边只是不理不睬。急得新道台没法，再三的柔声下气去问。姨太太恼过了半天，方才冷笑道：‘好个嫡礼相待！不知我进衙门该用甚么礼，就这么一乘轿子就要抬了去！我以为就是个丫头，老远的跟了大人到任，也应该消受得起的了，却原来是大人待嫡之礼！’新道台听了，连忙说道：‘该死，该死！这是我的不是。’又回头骂伺候的家人道：‘你这班奴才，为甚么办差办得那么糊涂！又不上来请示！一班王八都是饭桶！还不过来认罪！’在那里伺候的家人有十来个，便一字儿排列在廊檐底下，行了个一跪三叩礼，起来又请了一个安。这一来，才得姨太太露齿一笑道：‘没脸面的，自己做错了事，却压着奴才们代你赔礼。’新道台得了这一笑，如奉恩诏一般，马上分付备了执事及绿呢大轿，姨太太穿了披风红裙，到衙门去了。自从那回事出了之后，他那些家人传说出来，人家才知道他嫡礼相待之誓。”

我道：“这等相待，不怕僭越了么？”子安道：“岂但如此，他在衙门里，一向都是穿的红裙。后来那督办的正室夫人也到了，倘使仍然如此，未免嫡庶不分；然而叫他不穿，他又不肯。后来想了一个变通办法，姨太太穿的裙，仍然用大红裙门，两旁打百裥的，用了青黄绿白各种艳色相间，叫做‘月华裙’；还要满镶裙花，以掩那种杂色。此刻人家的姨娘都穿了月华裙，就是他起的头了。后来正室死了，在那督办的意思，是不再娶的了，只把这一位受恩深重的姨太太扶正了，作为聊报涓埃。倒是他老太爷一定不肯，所以才续娶了吃大醋的那一位。那一位虽然醋心重，然而见了金姨太太，倒也让他三分，这也是他饮水思源的意思。此刻他死了，他更乐得做人情了，还争甚么呢！”

我道：“这位先生不料闹过这种笑话。”子安道：“他在北边闹的笑话多呢。”我道：“我最欢喜听笑话，何妨再告诉点给我听呢。”子安道：“算了罢，他的事情要尽着说，只怕三天三夜都说不尽呢。时候不早了，要说，等明天空了再说罢。”当下各自归寝。

到了次日，我想甚么大出丧，向来在上海倒不曾留心看过，倒要去看看是甚么情形，便约定继之，要吃了早饭一同出去看看。继之道：“知他走那条路，到那里去碰他呢？”子安道：“不消问得，大马路、四马路是一定要走的。”于是我和继之吃过早饭，便步行出去，走到大马路，自西而东，慢慢的行去。一路走过，看见几处设路祭的，甚么油漆字号的，木匠作头的，煤行里的，洋货字号里的，各人分着帮，摆设了猪羊祭筵，衣冠济济的在那里伺候。走到石路口，便远远的望见从东面来了。我和继之便站定了。此时路旁看的，几于万人空巷，大马路虽宽，却也几乎有人满之患。只见当先是两个纸糊的开路神，几几乎高与檐齐。接着就是一对五彩龙凤灯笼。以后接二连三的旗锣扇伞，衔牌职事，那衔牌是甚么布政使司布政使，甚么海关道，甚么大臣，甚么侍郎，弄得人目迷五色。以后还有甚么顶马、素顶马、细乐、和尚、师姑、道士、万民伞、逍遥伞、铭旌亭、祭亭、香亭、喜神亭、功布、亚牌、马执事，……等类，也记不尽许多。还有一队西乐。魂轿前面，居然用奉天诰命、诰封恭人、晋封夫人、累封一品夫人的素衔牌。魂轿过后，便是棺材，用了大红缎子平金的大棺罩，开了六十四抬。棺材之后，素衣冠送的，不计其数，内眷轿子，足有四五百乘。过了半天，方才过完，还要等两旁看热闹的人散了，我们方才走得动。

和继之绕行到四马路去，谁知四马路预备路祭的人家更多，甚么公司的，甚么局的，甚么栈的，一时也记不清楚。我和继之要找一家茶馆去歇歇脚，谁知从第一楼（当时四马路最东之茶馆）起，至三万昌（四马路最西之茶馆）止，没有一家不是挤满了人的，都是为看大出丧而来。我两个没法，只得顺着脚打算走回去。谁知走到转角去处，又遇见了他来了。我不觉笑道："犯了法的，有游街示众之条。不料这位姨太太死了，也给人家抬了棺材去游街。"正是：

任尔铺张夸伐阅，有人指点笑游街。

未知以后还有何事，且待下回再记。

第七十九回 论丧礼痛砭陋俗 祝冥寿惹出奇谈

继之笑道："自从有大出丧以来，不曾有过这样批评，却给你一语道着了。我们赶快转弯，避了他罢。"于是向北转弯，仍然走到大马路。此时大马路一带倒静了，我便和继之两个，到一壶春茶馆里泡一碗茶歇脚。只听得茶馆里议论纷纷，都是说这件事，有个夸赞他有钱的，有个羡慕死者有福的。

我问继之道："别的都不管他，随便怎么说，总是个小老婆，又不曾说起有甚么儿子做官，那诰封恭人、晋封夫人的衔牌，怎么用得出？"继之笑道："你还不知道呢，小老婆用诰命衔牌，这件事已经通了天，皇帝都没有说话的了。"我道："那里有这等事！"继之道："前年两江总督死了个小老婆，也这么大铺张起来，被京里御史上折子参了一本，说他滥用朝廷名器。须知这位总督是中兴名臣，圣眷极隆的，得了折子，便降旨着内阁抄给阅看，并着本人自己明白回奏。这位总督回奏，并不推辞，简直给他承认了，说：‘臣妾病殁，即令家人等买棺盛殓，送回原籍。家人等循俗例为之延僧礼忏，僧人礼忏，例供亡者灵位，不知称谓，以问家人，家人无知，误写作诰封爵夫人’云云。末后自己引了一个失察之罪。这件事不是已经通了天的么？何况上海是个无法无天的地方。曾经见过一回，西合兴里死了一个老鸨，出殡起来，居然也是诰封宜人的衔牌。后来有人查考他，说他姘了一个县役（按：姘，古文嫔字，吴侬俗谚读若姘。不媒而合，无礼之娶，均谓之姘），这个县役因缉捕有功，曾经奖过五品功牌的。这一说虽是勉强，却还有勉强的说法。前一回死了一个妓女，他出殡起来，也用了诰封宜人、晋封恭人的衔牌，你说这还有甚么道理！”

我笑道：“姘了个五品功牌的捕役，可以称得宜人；做妓女的，难道就不许他有个四五品的嫖客么？”继之道：“若以嫖客而论，又何止四五品，他竟可用夫人的衔牌了。总而言之，上海地方久已没了王法，好好的一个人，倘使没有学问根底，只要到上海租界上混过两三年，便可以成了一个化外野人的。你说他们乱用衔牌是僭越，试问他那‘僭越’两个字，是怎么解？非但他解说不出来，就是你解说给他听，说个三天三夜，他还不懂呢。”我道：“这个未免说得太过罢。”继之道：“你说是说得太过，我还以为未曾说得到家呢。”我道：“难道今日那大出丧之举，他既然是做着官的，难道还不解僭越么？”继之道：“正惟这一班明知故犯的王八蛋做了出来，才使得那一班无知之徒跟着乱闹啊。你以为我说他们不解‘僭越’二字，是说的太过了，还有一件三岁孩子都懂的事情，他们会不懂的，我等一会告诉你。”我道：“又何必等一会呢。”继之道：“我只知得一个大略，德泉他可以说得原原本本，你去问了他，好留着做笔记的材料。”我道：“既如此，回去罢。”于是给过茶钱，下楼回去。

到得号里，德泉、子安都在那里有事。我也写了几封信，去京里及天津、张家湾、河西务等处。一会儿便是午饭。饭后大家都空闲了，继之却已出门去了，我便问德泉说那一件事。德泉道：“到底是那一件事？这样茫无头绪的，叫我从何说起！”我回想一想，也觉可笑，于是把方才和继之的议论，告诉了他一遍，又道：“继之说三岁孩子都懂的事情，居然有人不懂的，你只向这个着想。”德泉道：“这又从何想起！”我又道：“继之说我听了又可以做笔记材料的。”德泉正在低头寻思，子安在旁道：“莫不是李雅琴的事？”德泉笑道：“只怕继翁是说的他。去年我们谈这件事时，就说过可惜你不在座，不然，又可以做得笔记材料的了。”我道：“既如此，不问是不是，你且说给我听。”

德泉道："这李雅琴本来是一个著名的大滑头（滑头，沪谚。小滑头指轻薄少年而言，大滑头则指专以机械阴险应人，而又能自泯其迹，使人无如之何者而言），然而出身又极其寒苦，出世就没了老子。他母亲把他寄在人家哺养，自己从宁波走到上海，投在外国人家做奶妈。等把小孩子奶大了，外国人还留着他带那小孩子。他娘就和外国人说了个情，要把自己孩子带出来，在自己身边。外国人答应了，便托人从宁波把他带了到上海。这是他出身之始。他既天天在外国人家里，又和那小外国人在一起，就学上了几句外国话。到了十二三岁上，便托人荐到一家小钱庄去学生意。这年把里头，他的娘就死了。等他在钱庄上学满了三年，不过才十五六岁，庄上便荐他到一家洋货店里做个小伙计。他人还生得干净，做事也还灵变，那洋货店的东家，很欢喜他，又见他没了父母，就认他做个干儿子。在那洋货店里做了五六年，干老子慢慢的渐见信用了，他的本事也渐渐大了，背着干老子，挪用了店里的钱做过几票私货，被他赚了几个。干老子又帮他忙，于是娶了一房妻子，成了家。那年恰好上海闹时症，他干老子自己的两个儿子都死了。不到一个月，他干老子也死了。只剩了一个干娘。他就从中设法，把一家洋货店，全行干没了过来，就此发财起家。专门会做空架子，那洋货店自归了他之后，他便把门面装璜得金碧辉煌，把些光怪陆离的洋货，罗列在外。内中便惊动了一个专办进口杂货的外国人，看见他外局如此热闹，以为一定是个大商家了，便托出人来，请他做买办。他得了那买办的头衔，又格外阔起来。本事也真大，居然被他一帆风顺的混了这许多年。又捐了一个不知靠得住靠不住的同知，加了个四品衔，便又戴了一个蓝顶子充官场。前几年又弄着一个军装买办，走了一回南京，两回湖北，只怕做着了两票买卖。这军装买卖，是最好赚钱的，不知被他捞了多少。

"去年又想闹阔了，然而苦于没有题目，穷思极想，才想得一个法子，是给他娘做阴寿。你想他从小不曾读过书的，不过在小钱庄时认识过几个数目字，在洋货店时强记了几个洋货名目字，这等人如何会做事？所以他一向结识了一个好友华伯明。这华伯明是苏州人，倒是个官家子弟。他父亲是个榜下知县，在外面几十年，最后做过一任道台，六十岁开外，告了病，带了家眷，住在上海，这两年只怕上七十岁了。只有伯明一个儿子，却极不长进，文不能文，武不能武，只有一样长处，出来见了人，那周旋揖让，是很在行的。所以李雅琴十分和他要好。凡遇了要应酬官场的事，无不请他来牵线索，自己做傀儡。就是他到南京，到湖北，要见大人先生，也先请了伯明来，请他指教一切，甚至于在家先演过几次礼，盘算定应对的话，方才敢去。这一回要拜阴寿，不免又去请伯明来主持一切。

"伯明便代他铺张扬厉起来，甚么白云观七天道士忏，寿圣庵七天和尚忏，家里头却铺设起寿堂来，一样的供如意，点寿烛。预先十天，到处去散帖。又算定到了那天，有几个客来，屈着指头，算来算去，甚么都有了，连外国人都可以设法请几个来撑持场面，炫耀邻里。只可惜计算定来客，无非是晶顶的居多，蓝顶的已经有限，戴亮蓝顶的计算只有一个，却没有戴红顶的，一定要伯明设法弄一个红顶的来。伯明笑道：'你本来没有戴红顶的朋友，叫我到那里去设法？'雅琴便闷闷不乐起来。伯明所以结交雅琴之故，无非是贪他一点小便宜，有时还可以通融几文。有了这个贪念，就不免要竭力交结他。看见他闷闷不乐，便满肚里和他想法子。忽然得了一计道：'有便有一个人，只是难请。'雅琴便问甚么人。伯明道：'家父有个二品衔，倒是个红顶，只是他不见得肯来。'雅琴听说，欢喜得直跳起来道：'原是远在天边，近在眼前！无论如何，你总要代我拉了来的。'伯明道：'如何拉得来？'雅琴道：'是你老子，怎么拉不动？"伯明道：'你到底不懂事。若是设法求他请他，只怕还有法子好想。'雅琴道：'这又奇了！儿子和老子还要那么客气？'伯明笑道：'我便是父子，你一面也不曾见过，怎么不要客气？'雅琴道：'所以我叫你去拉，不是我自己去拉。'伯明道：'请教我怎么拉法呢？又不是我给母亲做阴寿。'雅琴睖了半天道：'依你说有甚么法子好想？'伯明道：'除非我引了你到我家里去，先见过他，然后再下一副帖子，我再从中设法，或者可以做得到。'雅琴大喜，即刻依计而行。伯明又教了他许多应对的话，与及见面行礼的规矩，雅琴要巴这颗红顶子来装门面，便无不依从。果然伯明的老子华国章见了雅琴，甚是欢喜。于是雅琴回来，就连忙补送一分帖子去。

"此时日子更近了，陆续有人送礼来，一切都是伯明代他支应。又预备叫一班髦儿戏来，当日演唱。到了正日的头一天，便铺设起寿堂来，伯明亲自指挥督率，铺陈停妥，便向雅琴道：'此刻可请老伯母的喜神出来了。'雅琴道：'甚么喜神？'伯明道：'就是真容。'雅琴道：'是甚么样的？'伯明道：'一个人死了，总要照他的面庞，画一个真容出来，到了过年时，挂出来供奉，这拜阴寿更是必不可少的。'雅琴愕然道：'这是向来没有的。'伯明道：'这却怎么处？偏是到今天才讲起来；若是早几天，倒还可以找了百像图，赶追一个。'雅琴道：'买一个现成的也罢。'伯明道：'这东西那里有现成的！'雅琴道：'难道是外国的定货？'伯明道：'你怎么死不明白！这喜容或者取生前的小照临下来的，或者生前没有小照，便是才死下来的时候对着死者追摹下来的。各人各像，那里有现成的卖！'雅琴道：'死下来追摹，也得像么？'伯明道：'那怕不像，他是各人自己的东西，那里有拿出来卖的。'雅琴道：'那么说，不像的也可以充得过了？'伯明笑道：'你真是糊涂！谁管你像不像，只要有这样东西。'

雅琴道：‘我不是糊涂，我是要问明白了，倘使不像的也可以，倒有法子想。’伯明问甚么法子。雅琴道：‘可以设法去借一个来。’伯明听说，倒也呆了一呆，暗暗服他聪明。因说道：‘往那里借呢？’雅琴道：‘借到这样东西，并且非十分知己的不可，我想一客不烦二主，就求你借一借罢。无论你家那一代的祖老太婆，暂时借来一用，好在只挂一天，用不坏的；就是坏了，我也赔得起。’伯明道：‘祖上的都在家乡存在祠堂里，谁带了这家伙出门。只有先母是初到上海那年，在上海过的，有一轴在这里。’雅琴道：‘那么就求你借一借罢。’伯明果然答应了，连忙回家，瞒着老子，把一轴喜神取了出来，还到老子跟前，代雅琴说了几句务求请去吃面的话，方才拿了喜神，径到李家，就把他挂起来。雅琴看见凤冠霞帔，画的十分庄严，便大喜道：‘办过这件事之后，我要照样画一张，倒要你多借几天呢。’伯明一面叫人挂起来，一面心中暗暗好笑：‘明天他拜他娘的寿，不料却请了我的娘来享用。并且我明天行礼时，我拜我的娘，他倒在旁边还礼，岂不可笑！’心里一面暗想，一面忍笑，却不曾听得雅琴说的话。

“到了次日，果然来拜寿的人不少，伯明又代他做了知客。到得十点钟时，那华国章果然具衣冠来了。在寿堂行过礼之后，抬头见了那幅喜神，不觉心中暗暗疑讶。此时伯明不便过来揖让，另外有知客的，招呼献茶。华老头子有心和那知客谈天，谈到李老太太，便问不知是几岁上过的，那知客回说不甚清楚，但知道雅翁是从小便父母双亡的。老头子一想，他既是从小没父母，他的父母总是年轻的了，何以所挂的喜神，画的是一个老媪？越想越疑心，不住的踱出寿堂观看，越看越像自己老婆的遗像，便连面桌也不曾好好的吃，匆匆辞了回去，叫人打开画箱一查，所有字画都不缺少，只少了那一轴喜神。不觉大怒起来，连忙叫人赶着把伯明叫回来。那伯明在李家正在应酬的高兴，忽然一连三次，家里人来叫快回去，老爷动了大气呢。伯明还莫名其妙，只得匆匆回家。入得门时，他老子正拄着拐杖，在那里动气呢。见了伯明，兜头就是一杖，骂道：‘我今日便打死你这畜生！你娘甚么对你不住，他六十多岁上才死的，你还不容他好好的在家，把他送到李家去，逼着你已死的母亲失节。害着我这个未死的老子，当一个活乌龟！’说着，又是一杖，又骂道：‘还怕我不知道，故意引了那不相干的杂种来，千求万求，要我去，要我去！我老糊涂，睡在梦里，却去露一张乌龟脸给人家看！你这是甚么意思！我还不打死你！’说着，雨点般打下来。打了一顿，喝家人押着去取了喜容回来。伯明只得带了家人，仍到雅琴处，一面叫人赏酒赏面，给那家人，先安顿好了，然后拉了雅琴到僻静处，告诉了他，便要取下来。雅琴道：‘这件事说不得你要担代这一天的了，此刻正要他装门面，如何拿得下来？’伯明正在踌躇，家里又打发人来催了，伯明、雅琴无可奈何，只得取下交来人带回去，换上一幅麻姑画像。继之对你说的，或者就是这件事。”

说声未绝，忽然继之在外间答道：“正是这件事。”说着，走了进来。笑道：“你们说到商量借喜神时，我已经回来了，因为你们说得高兴，我便不来惊动。”又对我说道：“你想喜神这样东西能借不能借，不是三岁孩子都知道的么？他们居然不懂，你还想他们懂的甚么叫做‘僭越’。”子安道：“喜神这样东西虽然不能借，却能当得钱用。”我道：“这更奇了！”子安道：“并不奇。我从前在宁波，每每见他们拿了喜神去当的。”我道：“不知能当多少钱？”子安道：“那里当得多少，不过当二三百文罢了。”我道：“这就没法想了。倘是当得多的，那些画师没有生意，大可以胡乱画几张裱了去当；他只当得二三百文，连裱工都当不出来，那就不行了。但不知拿去当的，倘使不来赎，那当铺里要他那喜神作甚么？”继之笑道：“想是预备李雅琴去买也。”说的众人一笑。正是：

无端市道开生面，肯代他人贮祖宗。

未知典当里收当喜神，果然有甚么用，且待下回再记。

第八十回
贩丫头学政蒙羞　遇马扁富翁中计

子安道：“那里有不来取赎的道理？这东西又不是人人可当，家家收当的，不过有两个和那典伙相熟的，到了急用的时候，没有东西可当，就拿了这个去做个名色，等那典伙好有东西写在票上，总算不是白借的罢了。”各人听了，方才明白这真容可当的道理。

我从这一次回到上海之后，便就在上海住了半年。继之趁我在上海，便亲自到长江各处走了一趟，直到次年二月，方才回来。我等继之到了上海，便附轮船回家去走一转。喜得各人无恙，撤儿更加长大了。我姊姊已经择继了一个六岁大的侄儿子为嗣，改名念椿，天天和撤儿一起，跟着我姊姊认字。我在家又盘桓了半年光景，继之从上海回来了，我和继之叙了两天之后，便打算到上海去。继之对我说道：“这一次你出去，或是烟台，或是宜昌，你拣一处去走走，看可有合宜的事业，不必拘定是甚么。”我道：“亮臣在北边，料来总妥当，所用的李在兹，人也极老实，北边是暂时不必去的了。长江一带，不免总要去看看，几时到了汉口，或者走一趟宜昌，或者沙市也可以去得。”继之道：“随便你罢。你爱怎样就怎样，我不过这么提一提。各处的当事人，我这几年虽然全用了自己兄弟子侄，至于他们到底靠得住靠不住，也要你随事随时去查察的。”我应允了。不到几天，便别过众人，仍旧回上海去。

刚去得上海，便接了芜湖的信，说被人倒了一笔帐，虽不甚大，却也得去设法。我就附了江轮到芜湖去，耽搁了十多天，吃点小亏，把事情弄妥了，便到九江走了一趟。见诸事都还妥当，没甚耽搁，便附了上水船到汉口。考察过一切之后，便打算去宜昌。这几年永远不曾接过我伯父一封信。从前听说在宜昌，此时不知还在那边不在。便托人过江到武昌各衙门里去打听，不两日，得了实信，说是在宜昌掣验局里。我便等到有宜昌船开行，附了船到宜昌去，就在南门外江边一家吉升栈住下，安顿好行李，便去找掣验局。

这个局就在城外，走不多路就到了。我抬头看时，只有一间房子，敞着大门，门外挂了一面掣验川盐局的牌子，两旁挂了两扇虎头牌，里面坐着两个穿号衣的局勇。我暗想：“这么就算一个局了么？我伯父又在那里呢？”不免上前去问那局勇。谁知我问的这个，那一个答应起来了，说道：“他是个聋子。你问的是谁？”我就告诉他。那局勇听见说是本局老爷的侄少爷，便连忙站起来回说道：“老爷向来不在局里办事，住在公馆里。”我问：“公馆在甚么地方？”局勇道：“就在南门里不远。少爷初到不认得路，我领了去罢。”我道：“那么甚好。”那局勇便走在前面。我看他走路时，却又是个跛的，不觉暗暗好笑。他一拐一拐的在前面走，我只得在后面跟着。进了城不多点路就到了。那局勇急拐了两步，先到门房去告诉。门房里家人听说，便通报进去。我跟着到了客堂站定。只见客堂东面辟了一座打横的花厅，西面是个书房，客堂前面的天井很大，种了许多花，颇有点小花园的景致，客堂后面还有一个天井，想是上房了。

不一会，我伯父出来，我便上前叩见。同入到花厅，伯父命坐，我便在一旁侍坐。伯父问道：“你这回来做甚么？”我道：“侄儿这几年总跟着继之，这回是继之打发来的。”伯父道：“继之撤了任之后，又开了缺了。近来他又有了差使么？”我道：“没有差使，近年来继之入了生意一途。侄儿这回来，是到此地看看市面的。”伯父道：“好好的缺，自己去干掉了，又闹甚么生意！年轻人总欢喜胡闹！那么说，你也跟着他学买卖了？”我道：“是。”伯父道：“宜昌是个穷地方，有甚么市面！你们近来做买卖很发财？”我听了没有答话。伯父又道：“论理要发财，就做买卖也一样发财。然而我们世家子弟，总不宜下与市侩为伍，何况还不见得果然发财呢。像你父亲，一定不肯做官，跑到杭州去，绸庄咧、茶庄咧，一阵胡闹，究竟躺了下来剩了几个钱？生下你来，又是这个样，真真是父是子了。你此刻住在那里？”我道：“住在城外吉升栈。”伯父道：“有几天耽搁？”我道：“说不定，大约也不过十天半月罢了。”伯父道：“没事可常到这里来谈。”说着，便站了起来。我只得辞了出来，依着来路出城。

回到吉升栈，只见栈门口挂着一条红彩绸，挤了十多个兵，那号衣是四川督学部院亲兵；又有几个东湖县民壮，东湖县的执事衔牌也在那里。我入到栈，开了房门，便有栈里的人来和我商量，要我另搬一个房，把这个房让出来。我本是无可无不可的，便问他搬到那里。他带我到一个房里去看，却在最后面又黑又暗、逼近厨房的所在。我不肯要这个房。他一定要我搬来，说是四川学台要住。我便赌气搬到隔壁一家兴隆栈里去了。搬定之后，才写了几封信，发到帐房里，托他们代寄。

对房住了一个客，也是才到的，出入相见，便彼此交谈起来。那客姓丁，号作之，安徽人，向在四川做买卖，这回才从四川出来。我也告诉他由吉升栈搬过来的缘故。作之道：“不合他同一栈也罢。我合他同一船来的，一天到夜，一夜到天亮，不是骂这个，便是骂那个，弄得昼夜不宁。”我道：“怎的那么的脾气？”作之道：“我起初也疑心，后来仔细打听了，才知道他原来是受了一场大气，没处发泄，才借骂人出气的。”我道：“他从四川到此地，自然是个交卸过的了。四川学政本来甚好的，做满了一任，满载而归，还受甚么气呢？”作之道：“四川的女人便宜是著名的。省城里专有那贩人的事业，并且为了这事业，还专开了茶馆。要买人的，只要到那茶馆里拣了个座，叫泡两碗茶，一碗自己喝，一碗摆在旁边，由他空着。那些人贩看见，就知道你要买人了，就坐了过来，问你要买几岁的。你告诉了他，他便带你去看。看定了，当面议价，当面交价。你只告诉了他住址，他便给你送到。大约不过十吊、八吊钱，就可以买一个七八岁的了；十六七岁的是个闺女，不过四五十吊钱就买了来；如果是嫁过人的，那不过二十来吊钱也就买来了。这位学政大人在任上到处收买，统共买了七八十个，这回卸了事，便带着走。单是这班丫头就装了两号大船。走到嘉定，被一个厘局委员扣住了。”

我道：“这委员倒是强项的。”作之道：“并不是强项，是有宿怨的。那学台初到任时，不知为的甚么事，大约总是为办差之类，说这个委员不周到，在上宪前说了他的坏话，这委员从此黑了一年多。去年换了藩台，这新藩台是和他有点渊源的，就得了这厘局差使。可巧他老先生赶在他管辖地方经过，所以就公报私仇起来。查着了之后，那委员还亲身到船上禀见，说：‘只求大人说明这七八十个女子的来历，卑职便可放行。卑职并不是有意苛求，但细想起来，就是大人官眷用的丫头，也没有如许之多，并且讯问起来，又全都是四川土音，只求大人交个谕单下来，说明白这七八十个女子从何处来，大人带他到何处去，卑职断不敢有丝毫留难。’那学台无可奈何，只得向他求情。谁知他一味的打官话，要公事公办，一面就打迭通禀上台，一面把官船扣住。那学台只得去央及嘉定府去说情。留难了十多天，到底被他把两船女子扣住，各各发回原籍，听其父母认领，不动通禀的公事，算卖了面情给嘉定府。禀上去只说缉获水贩船二艘，内有女子若干口，水贩某人，已乘隙逃遁。由嘉定府出了一角通缉文书，以掩耳目，这才罢了。他受了这一场大气，破了这一注大财，所以天天骂人出气。其实四川的大员，无论到任卸任，出境入境，夹带私货是相沿成例的了。便是我这回附他的船，也是为了几十担土。”我道：“怎么那厘卡上没有查着你的土么？”作之道：“他在嘉定出的事，我在重庆附他来的，我附他的船时，早已出过了那回事了。”谈了一回，各自回房。

我住了两天，到各处去走走。大约此地系川货出口的总汇，甚么楠木、阴沉木最多。川里的药材也甚多，甚至杜仲、厚朴之类，每每有乡下人挑着出来，沿街求卖的。得暇我便到作之房里去，问问四川市面情形，打算入川走一趟。作之道：“四川此时到处风声鹤唳，没有要紧事，宁可缓一步去罢。”我道：“有了乱事么？”作之道：“乱事是没有，然而比有乱事还难过。”我道：“这又是甚么道理呢？”作之道：“因为出了一个骗子、一个蠢材，就闹到如此。那骗子扮了个算命看相之流，在成都也不知混了多少年了。忽然一天，遇了一个开酱园的东家来算命，他要运用那骗子手段，便恭维他是一个大贵之命，说是府上一定有一位贵人的，最好是把一个个的八字都算过。那酱园东家大喜，便邀他到家里去，把合家人的八字都写了出来请他算。”

我道：“这酱园东家姓甚么？”作之道：“姓张，是一个大富翁，川里著名的张百万。那骗子算到张百万女儿的一个八字，便大惊道：‘在这里了！这真是一位大贵人！’张百万问怎么贵法。他道：‘是一位正宫娘娘的命！就是老翁的命，也是这一位的命带起来的。不知是府上那一位？’张百万也大惊道：‘这是甚么话！无论皇上大婚已经多年，况且满、汉没有联婚之例，那里来的这个话！’骗子道：‘这件事自然不是凡胎肉眼所能看得见。我早就算定真命天子已经降世。我早年在湖北，望见王气在四川，所以跟寻到川里来，要寻访着了那位真命天子，做一个开国元勋。此刻皇帝不曾寻着，不料倒先寻见了娘娘。这位娘娘是府上甚么人，千万不要待慢了他！’张百万听得半疑半信，答道：‘这是我小女的命。’骗子听说，慌忙跪下叩头道：‘原来是国丈大人，恕罪，恕罪！’吓得张百万连忙还礼。又问道：‘依先生说，我女儿便是娘娘，但不知这真命天子在那里？我女儿又如何嫁得到他？近来虽有几家来求亲，然而又都是生意人，那里有个真命天子在内！'骗子道：'千万不可胡乱答应！倘把娘娘误许了别人，其罪不小！大凡真龙降生，没有一定之地。不信，你但看朱洪武皇帝，他看过牛，做过和尚，除了刘伯温，那个知道他是真命天子呢？'张百万道：'话虽如此，但是我又不是刘伯温，那里去寻个朱洪武出来呢？'骗子道：'国丈说的那里话！生命注定的，何必去寻。何况龙凤配合，自有一切神灵暗中指引；再加我时时小心寻访，一经寻访着了，自然引驾到府上来。'张百万此时将信将疑，便留那骗子在家住下。张家本有个花园，他每天晚上，约了张百万在园里指天画地的，说望天子气。天天说些蛊惑的话，蛊惑得张百万慢慢的信服起来，所有来求他女儿亲事的，一概回绝。

"混了一年多，张百万又生起疑心来，说那里有甚么真命天子。那骗子骗了一年多的好吃好喝，恐怕一旦失了，遂造起谣言来，说是近日望见那天子气到了成都了，我要亲身出去访查。于是日间扮得不尴不尬，在外头乱跑；晚上回到张百万家里去睡，只说是出去访寻真命天子。如此者，又好几个月。忽然一天，在市上遇了一个二十来岁的樵夫，那骗子把他一拉拉到一个僻静去处，纳头便拜，说道：'臣接驾来迟，罪该万死！'那樵夫是一条蠢汉，见他如此行为，也莫名其妙。问道：'你这先生，无端对我叩头做甚么？'骗子悄悄说道：'陛下便是真命天子！臣到处访求了好几年，今日得见圣驾，万千之幸！'樵夫道：'怎么我可以做得真命天子？谁给我做的？'骗子道：'这是上天降生的。陛下跟了臣同到一个去处，自然有人接驾。'

"那樵夫便跟了骗子到张百万家。骗子在前，樵夫在后，一直引他入了花园，安置停当，然后叫张百万来，说：'皇帝驾到了，快点去见驾！'张百万到得花园，看见那樵夫粗眉大目，面色焦黄，心中暗暗疑讶：怎么这般一个人便是皇帝！一面想着，未免住了脚步，迟疑不前。骗子连忙拉他到一边，和他说道：'这是你一生富贵关头，快去叩头见驾，不可自误。'张百万道：'这个人面目也没甚奇异之处，并且衣服褴褛，怎见得是个皇帝？先生，莫非你看差了！'骗子道：'真龙未曾入海，你们凡人那里看得出来？你如果不相信，我便领了圣驾到别人家去，你将来错过了富贵，不要怨我。'张百万听了他的话，居然千真万真，便走过去，对了那樵夫叩头礼拜，口称'臣张某见驾'。那樵夫本是呆蠢一流人，见人对他叩头，他并不知道还礼，只呆呆的看着。

"张百万叩过了无数的头，才起来和骗子商量，怎样款待这皇帝。骗子道：'你看罢！你的命是大贵的，倘使不是真命天子，他如何受得起你的叩头呢？此刻且先请皇帝沐浴更衣，择一个洁净所在，暂时做了皇宫，禁止一切闲杂人等，不可叫他进来，以免时时惊驾；然后择了日子，请皇帝和娘娘成亲。’张百万道：‘知道他几时才真个做皇帝呢，我就轻轻把女儿嫁他？’骗子道：‘凡一个真命天子出世，天上便生了一条龙。要等那条龙鳞甲长齐了，在凡间的皇帝，才能被世上的能人看得出，去辅佐他；还等那条龙眼睛开了，在凡间的皇帝才能登位。这一个真命天子，向来在成都，我一向都看他不出，就是天上那条龙未曾长齐鳞甲之故。近来我夜观天像，知道那条龙鳞甲都长齐了，所以一看就看了出来。我劝你一不做，二不休。如果不相信，便由我带到别处去；如果相信了，便听我的指挥。’张百万听说，还只信得一半。”

我道：“这件事要就全行误信了，要就登时拒绝他，怎么会信一半的呢？”正是：

惟有痴心能乱志，从来贪念易招殃。

未知作之又说出甚么来，这件事闹到怎生了结，且待下回再记。

第八十一回 真愚昧惨陷官刑　假聪明贻讥外族

作之道：“张百万依了他的话，拿几套衣服给那樵夫换过，留在花园住下。骗子见张百万还不死心塌地，便又生出一个计策来，对张百万说道：‘凡是真命天子，到了吃醉酒睡着时，必有神光异彩现出来，直透到房顶上，但是必要在远处方才望见。你如果不相信，可试一试看。’张百万听说，果然当夜备了酒肴，请那樵夫吃酒，有意把他灌得烂醉。骗子也装做大醉模样，先自睡了。张百万灌醉了樵夫，打发他睡下，便急急忙忙跑回自己宅内的一座楼上凭栏远眺，要看那真命天子的神光异彩。那骗子假睡在床上，听得张百万已经去了，花园里伺候的人也陆续去睡了，方才慢慢起来，取出他所预备的松香末（这松香末，就是戏场上做天神出场时撒火用的），他又加上些硝磺药料，悄悄的取了一把短梯，爬到墙头上，点上了火，一连向上撒了四五把，方才下来。到了半夜时，又去撒了几把。然后收拾停当，安心睡觉。张百万在自己楼上，远远的望着花园里，忽然见起了一阵红光，不觉吃了一惊。谁知惊犹未了，接着又起了三四阵，不觉又惊又喜，呆呆的坐着，要等再看，谁知越等越看不见了。听一听四面寂无人声，正要起身去睡，忽然又看见起了四五阵。大凡一个人，心里有了疑念，眼里看见的东西，也会跟着他的疑念变幻的。撒那松香火，不过是一阵火光，火光熄了，便剩了一团烟。骗子一连撒了几把火，便有几团烟，看在张百万的眼里，便隐隐成了一条龙形。他还暗自揣测，那里是龙头，那里是龙尾，那里是龙爪，越看越像。一时间那烟消灭了，他还闭着眼睛，暗中去想像呢。

"到了次日，一早便爬起来，到花园里去找骗子。骗子还在那里睡着呢，张百万把他叫醒了。他连忙一骨碌爬起来，说道：'甚时候了？我昨夜醉的了不得，一夜也不曾醒。'张百万便告以夜来所见，又道：'红光当中，隐隐还现了一条龙形呢！'骗子道：'可惜我也醉了，不曾看得见，不然，倒可以看看他开了眼睛不曾。'张百万道：'这个还不容易吗，今天晚上再请他吃一回酒，先生到我那边楼上去看便了。'骗子吐出了舌头道：'这是甚么话！昨天晚上一回，已经是冒险的了，倘使多出现了，被别人看见，还了得么！何况他已经现了龙形，更不相宜！他那原形，天天在那里长，必要长足了，才能登极。每出现一次，便阻他一次生机，长得慢了许多。所以从今以后，最要紧不可被他吃醉了。你已经见过一次就是了，要多见做甚么！'张百万果然听了他的话，从此便不设酒了，央骗子拣了黄道吉日，把女儿嫁给那樵夫，张灯结彩，邀请亲友，只说是招女婿，就把花园做了甥馆。一切都是骗子代他主张。

"成过亲之后，张百万便安心乐意做国丈，天天打算代女婿皇帝预备登极，买了些绫罗绸缎来，做了些不伦不类的龙袍。那樵夫此时养得又肥又白，腰圆背厚，穿起了龙袍，果然好看，喜欢的张百万便山呼万岁起来。骗子在旁指挥，便叫樵夫封张百万做国丈，自己又讨封了军师。几个人在花园里，就同做戏一般乱闹。这风声便渐渐传了出去，外面有人知道了。骗子也知道将近要败露了，便说：'我夜来望气，见犍为地方出有能人，我要亲去聘了他来，辅佐天子。'就向张百万讨了几百银子，只说置办聘礼，便就此去了。

"这里还是天天胡闹。那樵夫被那骗子教得说起话来，不是孤家，便是寡人。家里用人都叫他万岁。闹得地保知道了，便报了成都县。县官见报的是谋反大案，吓的先禀过首府，回过司道，又禀知了总督，才会同城守，带了兵役，把张百万家团团围住。男女老幼，尽行擒下，不曾走了一个。带回衙门，那樵夫身上还穿着龙袍，张百万的女儿头上还戴着凤冠。县官开堂审讯，他还在那里称孤道寡，嘴里胡说乱道，指东画西，说甚么我资州有多少兵，绵州有多少马，茂州有多少粮；甚么宁远、保宁、重庆、夔州、顺庆、叙永、酉阳、忠州、石砫……处处都有人马。这些话总是骗子天天拿来骗他的。他到了公堂，不知轻重，便一一照说出来。成都县听了，吓的魂不附体，连忙把他钉了镣铐，通禀了上台。上台委了委员来会审过两堂，他也是一样的胡说乱道。上台便通行了公事，到各府、厅、州、县，一律严密查拿。那一班无耻官吏，得了这个信息，便巴不得迎合上意，无中生有的找出两个人来去邀功，还想借此做一条升官发财的门路，就此把一个好好的四川省闹的阖属鸡犬不宁。这种呆子遇了骗子的一场笑话，还要费大吏的心，拿他专折入奏，并且随折开了不少的保举。只是苦了我们行客，入店投宿，出店上路，都要稽查，地保衙役便借端骚扰。你既然那边未曾立定事业，又何苦去招这个累呢。”

我道：“听说四川地方，民风极是俭朴，出产又是富足，鱼米之类，都极便宜，不知可确？”作之道：“这个可是的，然而近年以来，也一年不如一年了。据老辈人说的，道光以前，川米常常贩到两湖去卖；近来可是川里人要吃湖南米了。”我道：“这都为何？”作之道：“田里的莺粟越种越多，米麦自然越种越少了。我常代他们打算，现在种莺粟的利钱，自然是比种米麦的好，万一遇了水旱为灾，那个饥荒才有得闹呢！”我道：“川里吃烟的人，只怕不少？”作之道：“岂但不少，简直可以算得没有一个不吃烟的。也不必说川里，就是这里宜昌，你空了下来，我和你到街上去看看，那种吃烟情形，才有得好看呢！”我道：“川里除了鸦片烟之外，还有甚么大出产呢？”作之道：“那不消说，自然是以药料为大宗了。然而一切蚕桑矿产等类，也无一不备，也没有一样不便宜，所以在川里过日子是很好的，只有两吊多钱一石米，几十文钱一担煤，这是别省所无的。”我道：“他既然要吃到湖南米，那能这样便宜？”作之道：“那不过青黄不接之时，偶一为之罢了。倘使终岁如此，那就不得了！”

我道：“那煤价这等贱，何不运到外省来卖呢？”作之道：“说起煤价贱，我却想起一个笑话来。有一位某观察，曾经被当道专折保举过的，说他‘留心时务，学贯中西’。他本来是一个通判，因为这一保，就奉旨交部带领引见。引见过后，就奉旨以道员用。他本是四川人，在外头混了几年，便仍旧回到四川去，住在重庆。一天，他忽然打发人到外头煤行里收买煤斤；又在他住宅旁边，租了一片四五十亩大的空地，买了煤来，都堆在那空地上头。不多几天，把重庆的煤价闹贵了，他又专人到各处矿山去买。”我道：“他那里有这许多钱？买那许多煤，又有甚用处呢？”作之道：“你不知道，他一面买煤，一面在那里招股呢。”

我道：“不知他招甚么股？”作之道：“你且莫忙，等我说下去，有笑话呢！他打发人到四处矿里收买，一连三四个月，也不知收了多少煤，非但重庆煤贵了，便连四处的煤都贵了。在我们中国人，虽然吃了他的亏，也还不懂得去考问他为甚么收那许多煤，内中却惊动起外国人来了。驻扎重庆的外国领事，看得一天天的煤价贵了，便出来查考，知道有这么一位观察在那里收煤，不觉暗暗纳罕，便去拜会重庆道，问起这件事来。谁知重庆道也不晓得。领事道：‘被他一个人收得各处的煤都贵了，在我们虽不大要紧，然而各处的穷人未免受他的累了。还求贵道台去问问那位某观察，他收来有甚用处。可以不收，就劝他不要收了，免得穷民受累。’

“重庆道答应了，等领事去后，便亲自去拜那位某观察，问起这收煤的缘故，并且说起外面煤价昂贵，小民受累的话。某观察却慎重其事的说道：‘这是兄弟始创的一个大公司，将来非但富家，并且可以富国。兄弟此刻，非但在这里收煤，还到各处去找寻煤矿，要自己开采煤斤呢。至于小民吃亏受累，只好暂时难为他们几天，到后来我公司开了之后，还他们莫大的便宜。我劝老公祖不妨附点股分进来，这是我们相好的知己话；若是别人，他想来入股，兄弟还不答应，留着等自己相好来呢。’重庆道道：‘说了半天，到底是甚么公司？甚么事业？’那位观察道：‘这是一个提煤油的公司。大凡人家点洋灯用的煤油，都是外国来的，运到川里来，要卖到七十多文一斤。我到外国去办了机器来，在煤里面提取煤油，每一百斤煤，最少要提到五十斤油。我此刻收煤，最贵的是三百文一担，三百文作二钱五分银子算，可以提出五十斤油；趸卖出去，算他四十文一斤，这四十文算他三分二厘银子。照这样算起来，二钱五分银子的本钱，要卖到一两六钱银子，便是赚了一两三钱五分，每担油要赚到二两七钱。办了上等机器来，每天可以出五千担油，便是每天要赚到一万三千五百两；一年三百六十天，要有到四百八十六万的好处。内中提一百万报效国家，公司里还有三百八十六万。老公祖想想看，这不是富国富家，都在此一举么！所以别人的公司招股分，是各处登告白，散传单，惟恐别人不知；兄弟这个公司，却是惟恐别人知道，以便自己相好的亲戚朋友，多附几股。倘使老公祖不是自己人，兄弟也绝不肯说的。’重庆道听了他一番高论，也莫名其妙，又谈了几句别的话，就别去了。

“回到衙门里，暗想这等本轻利重的生意，怪不得他一向秘而不宣。他今日既然直言相告，不免附他几股，将来和他利益均沾，岂不是好？并且领事那里，也不必和他说穿，因为这等大利所在，外国人每每要来沾手，不如瞒他几时，等公司开了出来，那时候他要沾手也来不及了。定了主意，便先不回领事的信，等那位观察来回拜时，当面订定，附了五千两的股分。某观察收了银子，立刻填给收条，那收条上注明，俟公司开办日，凭条例换股票，每年官息八厘，以收到股银日起息云云。某观察更说了多少天花乱坠的话，说得那重庆道越发入了道儿。那领事来问了几次回信，只推说事忙不曾去问得。

“俄延了一个多月，那煤越发贵了，领事不能再耐，又亲自去拜重庆道。此时重庆道没得好推挡了，只得从实告诉，说：‘是某观察招了股分，集成公司，收买这些煤，是要拿来提取煤油的。’领事愕然道：‘甚么煤油？’重庆道道：‘就是点洋灯的煤油。’领事听了，稀奇的了不得，问道：‘不知某观察的这个提油新法，是那一国人那一个发明的？用的是那一国那一个厂家的机器？倒要请教请教。’重庆道道：‘这个本道也不甚了了。贵领事既然问到这一层，本道再向某观察问明白，或者他的机器没有买定，本道叫他向贵国厂家购买也使得。’领事摇头道：“敝国没有这种厂家，也没有这种机器。还是费心贵道台去问问某观察，是从那一国得来的新法子，好叫本领事也长长见识。’重庆道到了此时，才有点惊讶，问道：‘照贵领事那么说，贵国用的煤油，不是在煤里提出来的么？’领事道：‘岂但敝国，就是欧美各国，都没有提油之说。所有的煤油，都是开矿开出来的，煤里面那里提得出油来！’重庆道大惊道：‘照那么说，他简直在那里胡闹了！’领事冷笑道：‘本领事久闻这位某观察，是曾经某制军保举过他“留心时务，学贯中西”的，只怕是某观察自己研究出来的，也未可知。’说罢，便辞了去。

“重庆道便忙忙传伺候，出门去拜某观察。偏偏某观察也拜客去了，重庆道只得留下话来，说有要紧事商量，回来时务必请到我衙门里去谈谈。直到了第二天，某观察才去拜重庆道。重庆道一见了他，也不暇多叙寒暄，便把领事的一番话述了出来。某观察听了，不觉张嘴挢舌。”正是：

忽从天外开奇想，要向玄中夺化机。

未知他那提煤油的妙法，到底在那里研究出来的，且待下回再记。

第八十二回
紊伦常名分费商量　报涓埃夫妻勤伺候

“某观察听重庆道述了一遍领事的话，不觉目定口呆，做声不得，歇了半晌，才说道：‘那里有这个话！这是我在上海，识了一个宁波朋友，名叫时春甫，他告诉我的。他是个老洋行买办，还答应我合做这个生意。他答应购办机器，叫我担认收买煤斤，此时差不多机器要到上海了。我想起来，这是那领事妒忌我们的好生意，要轻轻拿一句话来吓退我们。天下事谈何容易！我来上你这个当！’重庆道道：‘话虽如此，阁下也何妨打个电报去问问，也不费甚么。’某观察道：‘这个倒使得。’于是某观察别过重庆道，回来打了个电报到上海给时春甫，只说煤斤办妥，叫他速运机器来。去了五六天，不见回电。无奈又去一个电报，并且预付了复电费，也没有回电。

“这位观察大人急了，便亲自跑到上海，找着了时春甫，问他缘故。春甫道：‘这件事，我们当日不过谈天谈起来，彼此并未订立合同，谁叫你冒冒失失就去收起煤斤来呢！’某观察道：‘此刻且不问这些话，只问这提煤油的机器，要向那一国定买？’时春甫道：‘这个要去问起来看，我也不过听得一个广东朋友说得这么一句话罢了。若要知道详细，除非再去找着那个广东人。’某观察便催他去找。找了几天，那广东人早不知到那里去了。后来找着了那广东人的一个朋友，当日也是常在一起的，时春甫向他谈起这件事，细细的考问，方才悟过来。原来当日那广东人正打算在清江开个榨油公司，说的是榨油机器。春甫是宁波人，一边是广东人，彼此言语不通，所以误会了。大凡谈天的人，每每喜欢加些装点，等春甫与某观察谈起这件事时，不免又说得神奇点，以致弄出这一个误会。春甫问得明白，便去回明了某观察。某观察这才后悔不迭，不敢回四川，就在江南地方谋了个差使混起来。好在他是明保过人才的，又是个特旨班道台，督抚没有个看不起的，所以得差使也容易，从此他就在江南一带混住了。”说到这里，客栈里招呼开饭，便彼此走开。

我在宜昌耽搁了十多天，到伯父处去过几次，总是在客堂里，或是花厅里坐，从不曾到上房去过，然而上房里总像有内眷声音。前几年在武昌打听，便有人说我伯父带了家眷到了此地，但是一向不曾听说他续弦。此时我来了，他又不叫我进去拜见，我又不便动问，心中十分疑惑。

有一天，我又到公馆里去，只见门房里坐了一个家人，说是老爷和小姐到上海去了。我问道：“是那一个小姐？是几时动身去的？”那家人道：“就是上前年来的刘三小姐，前天动身去的。”我看那家人生得轻佻活动，似是容易探听说话的，一向的疑心，有意在他身上打听打听这件事情，便又问道：“此刻上房里还有谁？”一面说着，一面往里走。那家人跟着进来，一面答应道：“此刻上面卧房都锁着，没有人了，只有家人在这里看家。”我走到花厅里坐下，那家人送上一碗茶。我又问道：“这刘三小姐，到底是个甚么人？在这里住了几年？你总该知道。”那家人看了我一眼，歇了一歇道：“怎的侄少爷不知道？”我道：“我一向在家乡没有出来，这里老爷我是不常见的，怎能知道？”那家人道：“三小姐就是舅老爷的女儿。”我道：“这更奇了！怎么又闹出个舅老爷来呢？”那家人道：“那么说，侄少爷是不知道的了。舅老爷是亲的是疏的，家人也不得而知，一向在上海的，想是侄少爷向未见过。”我听了更觉诧异，我向在上海，何以不知道有这一门亲戚呢？因答他道：“我可是未见过。”那家人道：“上前年老爷在上海玩了大半年，天天和舅老爷一起。”我道：“你且不要说这些，舅老爷住在上海那里？是做甚么事的？”那家人道：“那时候家人跟在老爷身边伺候，舅老爷公馆是常去的，在城里叫个甚么家弄，却记不清楚了，那时候正当着甚么衙门的帮审差呢。”

我回头细细一想，才知道这个人是自己亲戚，却是伯父向来没有对我说过，所以一向也没有往来，直到今日方知，真是奇事。因又问道：“那三小姐跟老爷到这里来做甚么？这里又没个太太招呼。”那家人道：“这个家人不知道，也不便说。”我道：“这有甚么要紧！你说了，我又不和你搬弄是非。”那家人道：“为甚么要来，家人也不知道。只是来的时候，三小姐舍不得父母，哭得泪人儿一般。他家还有一个极忠心的家人叫胡安，送三小姐到船上，一直抽抽咽咽的背着人哭。直等船开了，他还不曾上岸，只得把他载到镇江，才打发他上岸，等下水船回上海去的。”我听了不觉十分纳闷，怎么说了半天，都是些不痛不痒的话，内中不知到底有甚么缘故，因又问道：“那三小姐到这里，不过跟亲戚来玩玩罢了，怎么一住两三年呢？又没有太太招呼。”那家人道：“这个家人不知道。”我道：“这两三年当中，我不信老爷可以招呼得过来。就是用了老妈子，也怕不便当。”那家人听了，默默无言。

我道：“你好好的说了，我赏你。这是我问我自己家里的事，你说给我，又不是说给外人去，怕甚么呢！”那家人嗫嚅了半晌道：“三小姐到了这里，不到三个月，便生下个孩子。”我听了，不禁吃了一大惊，脑袋上“轰”的一声响了，两个脸蛋登时热了，出了一身冷汗，嘴里不觉说道：“吓！”忽又回想了一想道：“原来是已经出嫁的。”那家人笑道：“这回老爷送他回上海才是出嫁呢，听说嫁的还是山东方抚台的本家兄弟。”我听了，心中又不觉烦燥起来，问道：“那生的孩子呢？此刻可还在？”那家人道：“生下来，就送到育婴堂去了。”我道：“以后怎么耽搁住了还不走？”那家人道：“这个家人那里得知？但知道舅老爷屡次有信来催回去，老爷总是留住。这回是有了两个电报来，说男家那边迎娶的日子近了，这才走的。”

我道：“那三小姐在这里住得惯？”那家人想了一想，无端给我请了一个安道：“家人已经嘴快，把上项事情都说了，求少爷千万不要给老爷说！”我笑道：“我说这些做甚么！我们家里的规矩严，就连正经话常常也来不及说，还说得到这个吗！”那家人道：“起先三小姐从生下孩子之后，不到一个月，就闹着要走，老爷只管留着不放，三小姐闹得个无了无休。有一天，好好的同桌吃饭，偶然说起要走，不知怎样闹起来，三小姐连饭碗都摔了，哭了整整一天。后来不知怎样，又无端的恼了一天，闹了一天。自从这天之后，便平静了，绝不哭闹了。家人们纳罕，私下向上房老妈子打听，才知道接了舅老爷的信，说胡安嫌工钱不够用，屡次告退，已经荐了他到甚么轮船去做帐房了。三小姐见了这封信，起先哭闹，后来就好了。”我听了这两句话，又是如芒在背，坐立不安。在身边取出两张钱票子，给了那家人，便走了。

一路走回兴隆栈，当头遇了丁作之，不觉心中又是一动，好像他知道我亲戚有这桩丑事的一般，十分难过。回头想定了，才觉着他是不知道的，心下始安。作之问我道：“今天晚上彝陵船开，我已经写定了船票，我们要下次会了。”我想了一想，此处虽是开了口岸，人家十分俭朴，没有甚么可销流的货物。至于这里的货物，只有木料、药材是办得的，然而若与在川里办的比较起来，又不及人家了。所以决意不在这里开号了，不如和作之做伴，先回汉口再说罢。定了主意，便告诉了作之，叫帐房写了船票，收拾行李，当夜用划子划到了彝陵船上，拣了一个地方，开了铺盖。

刚刚收拾停当，忽然我伯父的家人走在旁边，叫了我一声，说道：“少爷动身了。”我道：“你来作甚么？”那家人道：“送党老爷下船，因为老爷有两件行李，托党老爷带到南京的。”我心中暗想：“既然送甚么小姐到上海，为甚又带行李到南京去呢？真是行踪诡秘，令人莫测了。”那家人又道：“方才少爷走了，家人想起来，舅老爷此刻不住在城里，已经搬到新胏长庆里去了。”我点了点头。那家人便走到那边去招呼一个搭客。原来这彝陵船没有房舱，一律是统舱，所以同舱之人，彼此都可以望见的。我看着那家人所招呼的，谅来就是姓党的了，默默的记在心里。歇了一会，那家人又走过来，我问他道：“你对党老爷可曾说起我在这里？”那家人道：“不曾说起。少爷可要拜他？家人去回一声。”我道：“不要，不要。你并且不要提起我。”那家人答应了，站了一会，自去了。

半夜时，启轮动身。一宿无话。次日起来，觉得异常闷气，那一种鸦片烟的焦臭味，扑鼻而来，十分难受。原来同舱的搭客，除了我一个之外，竟是没有一个不吃烟的。我熬不住，便终日走到舱面上去眺望。舱里的人也有出来抒气的。到了下午时候，只见那姓党的也在舱面上站着，手里拿了一根水烟袋，一面吸烟，一面和一个人说话，说的是满嘴京腔。其时我手里也拿着烟袋，因想了一个主意，走到他身边，和他借火，乘势操了京话，和他问答起来。才知道他号叫不群，是一个湖北候补巡检，分到宜昌府差委的。我便和他七拉八扯的先谈起来。喜得他谈锋极好，和他谈谈，倒大可以解闷。

过了一天，船已过了沙市，我和他谈得更熟了，我便作为无意中问起来，说道：“你伫在宜昌多年，可认得一位敝本家号叫子仁的？”党不群道：“你们可是一家？”我道：“不，同姓罢了。”不群道：“这回可见着他？”我道：“没见着呢。我去找他，他已经动身往上海去了。”不群道：“你们向来是相识的？”我道：“从先有过一笔交易，赶后来结帐的时候，有一点儿找零没弄清楚，所以这回顺便的看看他，其实没甚么大不了的事情。”不群道：“你仁再过两个月，到南京大香炉陈家打听他，就打听着了。”我道：“他住在那边么？”不群道：“不，他下月续弦，娶的是陈府上的姑娘。”我听了这话，不觉心下十分怀疑，因问道：“他既然到南京续娶，为甚又到上海去呢？”不群笑道：“他这一门亲已经定了三四年了，被他的情人盘踞住他，不能迎娶。他这回送他情人到上海去了，回来就到南京娶亲。”我听了这话，心里兀的一跳，又问道：“这情人是谁？为甚老远的要送到上海去？”不群道：“他情人本是住在上海的，自然要送回上海去。”我道：“是个甚么样人？”不群道：“这个不便说他了。”我听了这话，也不便细问，也不必细问了。忽然不群仰着面，“哈哈”的笑了两声，自言自语道：“料不到如今晚儿，人伦上都有升迁的，好好的一个大舅子，升做了丈人！”我听了这话，也不去细问，胡乱谈了些别的话，敷衍过去。不一天，船到了汉口，各自登岸。我自到号里去，也不问党不群的下落了。

我到了号里之后，照例料理了几条帐目。歇了两天，管事的吴作猷，便要置酒为我接风。这吴作猷是继之的本家叔父，一向在家乡经商。因为继之的意思，要将自己所开各号，都要用自己人经管，所以邀了出来，派在汉口，已经有了两年了。当下作猷约定明日下午在一品香请我。我道：“这又何必呢，我是常常往来的。”作猷道：“明日一则是吃酒，二来是看迎亲的灯船，所以我预早就定了靠江边的一个座儿，我们只当是看灯船罢了。”我道：“是甚么人迎亲？有多少灯船，也值得这么一看？”作猷道：“阔得很呢！是现任的镇台娶现任抚台的小姐。”我道：“是甚么镇台娶甚么抚台的小姐，值得那么热闹？”作猷道：“是郧阳镇娶本省抚台的小姐，还不阔么！”我摇头道：“我于这里官场踪迹都不甚了了，要就你告诉我，我才明白呢。”作猷道：“你不厌烦，我就一一告诉你。”我道：“你有本事说他十天十夜，我总不厌烦就是了。”

作猷道：“如此，我就说起来罢。这一位郧阳总镇姓朱，名叫阿狗，是福建人氏。那年有一位京官新放了福建巡抚，是姓侯的。这位侯中丞是北边人，本有北边的嗜好；到了福建，闻说福建恰有此风，那真是投其所好了。及至到任之后，却为官体所拘，不能放恣，因此心中闷闷不乐。到任半年之后，忽然他签押房里所糊的花纸霉坏了，便叫人重裱。叫了两个裱糊匠来，裱了两天，方才裱得妥当。到了第二天下午，两个裱糊匠走了，只留下一个学徒在那里收拾家伙。这位侯中丞进来察看，只见那学徒生得眉清目秀，唇红齿白，不觉动了怜惜之心，因问他：‘姓甚名谁？有几岁了？’那学徒说道：‘小人姓朱，名叫阿狗，人家都叫小的做朱狗，今年十三岁。’侯中丞见他说话伶俐，更觉喜欢，又问他道：‘你在那裱糊店里，赚几个钱一月？’朱狗道：‘不瞒大人说，小的们学生意是没有工钱的。到了年下，师傅喜欢，便给几百文鞋袜钱；若是不喜欢，一文也没有呢。’侯中丞眉花眼笑的道：‘既是这么样，你何苦去当徒弟呢？’朱狗笑道：‘大人不知道，我们穷人家都是如此。’侯中丞道：‘我不信穷人家都是如此，我却叫你不如此。你不要当这学徒了，就在这里伺候我。我给你的工钱，总比师傅的鞋袜钱好看些。’那朱狗真是福至心灵，听了这话，连忙趴在地下，咯嘣咯嘣的磕了三个响头，说道：‘谢大人恩典！’侯中丞大喜，便叫人带他去剃头，打辫，洗澡，换衣服。一会儿，他整个人便变了样子，穿了一身时式衣服，剃光了头，打了一条油松辫子，越显得光华夺目。侯中丞益发欢喜，把他留在身边伺候。坐下时，叫他装烟；躺下时，叫他捶腿。一边是福建人的惯家，一边是北直人的风尚，其中的事情，就有许多不堪闻问的了。

“两个的恩爱，日益加深。侯中丞便借端代他开了个保举，和他改了姓侯名虎，弄了一个外委把总，从此他就叫侯虎了。侯中丞把他派了辕下一个武巡捕的差使，在福建着实弄了几文。后来侯中丞调任广东，带了他去，又委他署了一任西关千总，因此更发了财。但只可怜他白天虽然出来当差做官，晚上依然要进去伺候。侯中丞念他一点忠心，便把一名丫头指给他做老婆。侯虎却不敢怠慢，备了三书六礼，迎娶过来。夫妻两个，饮水思源，却还是常常进去伺候，所以侯中丞也一时少不了他夫妻两个。前两年升了两湖总督，仍然把他奏调过来。他一连几年，连捐带保的，弄到了一个总兵。侯制军爱他忠心，便代他设法补了郧阳镇。他却不去到任，仍旧跟着侯制军统带戈什哈。”正是：

改头换面夸奇遇，浃髓沦肌感大恩。

未知后事如何，且听下回再记。

第八十三回 误联婚家庭闹意见 施诡计幕客逞机谋

“这一位侯总镇的太太，身子本不甚好，加以日夕随了总镇伺候制军，不觉积劳成疾，呜呼哀哉了。侯总镇自是伤心。那侯制军虽然未曾亲临吊奠，却也落了不少的眼泪。到此刻只怕有了一年多了，侯总镇却也伉俪情深，一向不肯续娶。倒是侯制军屡次劝他，他却是说到续娶的话，并不赞一词，只有垂泪。侯制军也说他是个情种。一天，武昌各官在黄鹤楼宴会，侯制军偶然说起侯总镇的情景来，又说道：‘看不出这么一个赳赳武夫，倒是一个旖旎多情的男子！’其时巡抚言中丞也在坐。这位言中丞的科第却出在侯制军门下，一向十分敬服，十分恭顺的。此时虽是同城督抚，礼当平行，言中丞却是除了咨移公事外，仍旧执他的弟子礼。一向知道侯总镇是老师的心腹人，向来对于侯总镇也十分另眼。此时被了两杯酒，巴结老师的心，格外勃勃，听了制军这句话，便道：“师帅赏拔的人，自然是出色的。门生有个息女，生得虽不十分怎样，却还略知大义，意思想仰攀这门亲，不知师帅可肯作伐？’此时侯总镇正在侯制军后面伺候，侯制军便呵呵大笑，回头叫侯总镇道：‘虎儿，还不过来谢过丈人么！’侯总镇连忙过来，对着言中丞恭恭敬敬叩下头去。言中丞眉花眼笑的还了半礼。侯总镇又向侯制军叩谢过了，仍到后面去伺候。侯制军道：‘你此刻是大中丞的门婿了，怎么还在这里伺候？你去罢。’侯总镇一面答应着，却只不动身，俄延到散了席，仍然伺候侯制军到衙门里去，请示制军，应该如何行聘。侯制军道：‘这个自然不能过于俭啬，你自己斟酌就是了。’

“侯总镇欢欢喜喜的回到公馆里，已是车马盈门了。原来当席定亲一节，早已哄传开去。官场中的人物，没有半个不是势利鬼，侯总镇向来是制军言听计从的心腹，此刻又做了中丞门下新婿，那一个不想巴结！所以阖城文武印委各员，都纷纷前来道贺。就是藩臬两司，也亲到投片，由家丁挡过驾。有几个相识的，便都列坐在花厅上，专等面贺。侯总镇入得门来，招呼不迭，一个个纷纷道喜，侯总镇一一招呼让坐送茶。送去了一班，又来了一班，倒把个侯总镇闹乏了。忽然一个戈什哈，捧了一角文书，进来献上。总镇接在手里，便叫家人请赵师爷来。一会儿，赵师爷出来了，不免先向众客相见，然后总镇递给他文书看。赵师爷拆去文书套，抽出来一看，不觉满脸堆下笑来，对着总镇深深一揖道：‘恭喜大人，贺喜大人！又高升了！督帅札委了大人做督标统领呢。’于是众客一齐站起来，又是一番足恭道喜。一个个嘴里都说道：‘这才是双喜临门呢！’总镇也自扬扬得意。

“送过众客，便骑上了马，上院谢委。吩咐家丁，凡来道喜的，都一律挡驾。自家到得督辕，见了制军，便叩头谢委。制军笑道：‘这算是我送给你的一份贺礼，倒反劳动你了。’总镇道：‘恩帅的恩典，就和天地父母一般，真正不知做几世狗马，才报得尽！奴才只有天天多烧几炉香，叩祝恩帅长春不老罢了。’侯制军道：‘罢了！你这点孝心，我久已生受你的了。你赶紧回去，打点行聘接差的事罢。’总镇又请了个安，谢过了恩帅，然后出辕上马，回到公馆。不料仍然是车马盈门的，几乎挤拥不开。原来是督标各营的管带、帮带，以及各营官等，都来参谒。总镇下马，入得门来，各人已是分列两行，垂手站班。总镇只呵着腰，向两面点点头，吩咐改天再见。径自到书房里，和赵师爷商量，择日行聘去了。

“只苦了言中丞，席散之后，回到衙门，进入内室，被言夫人劈头唾了几口，吓得言中丞酒也醒了。原来席间订婚之事，早被家人们回来报知，这也是小人们讨好的意思。谁知言夫人听了，便怒不可压，气的一言不发，直等到中丞回来，方才一连唾了他几口。言中丞愕然道：‘夫人为何如此？’言夫人怒道：‘女儿虽是姓言，却是我生下来的，须知并不是你一个人的女儿。是关着女儿的，无论甚么事，也应该和我商量商量，何况他的终身大事！你便老贱不拣人家，我的女儿虽是生得十分丑陋，也不至于给兔崽子做老婆！更不至于去填那臭丫头的房！你为甚便轻轻的把女儿许了这种人？须知儿女大事，我也要做一半主。你此刻就轻轻许了，我看你怎样对他的一辈子！’一席话，骂得言中丞嘿嘿无言。半晌方才说道：‘许也许了，此刻悔也悔不过来。况且又是师帅做的媒，你叫我怎样推托！’言夫人啐道：‘你师帅叫你吃屎，你为甚不吃给他看！幸而你的师帅做个媒人，不过叫女儿嫁个兔崽子；倘使你师帅叫你女儿当娼去，你也情愿做老乌龟，拿着绿帽子往自己头上去磕了！’说话时，又听得那位小姐在房里嘤嘤啜泣。言夫人叹了一口气，说声‘作孽’，便自到房里去了。言中丞此时失了主意，从此夫妻反目。

“过得两天，营务处总办陆观察来上辕，禀知奉了督帅之命，代侯总镇作伐，已定于某日行聘。言中丞只得也请了本辕文案洪太守做女媒。一面到里面来告诉言夫人说：‘你闹了这几天，也就够了。此刻人家行聘日子都定了，你也应该预备点。’言夫人道：“我早就预备好了，每一个丫头、老妈子都派一根棒，来了便打出去！’言中丞道：‘夫人，你这又何苦！生米已成了熟饭了。’言夫人道：‘谁管你的饭熟不熟，我的女儿是不嫁他的！你给我闹狠了，我便定了两条主意。”言中丞道：“事情已经如此了，还有甚么主意？’言夫人道：‘等你们有了迎娶的日子，我带了女儿回家乡去；不啊，我就到你那甚么师帅的地方去和他评理，问他强逼人家婚嫁，在《大清律例》那一条上？’言中丞听了，暗暗吃了一惊，他果然闹到师帅那边，如何是好呢！

“一时没了主意，因为是家事，又不便和外人商量。身边有一个四姨太太，生来最有机警，便去和四姨太太商量。四姨太太道：‘太太既然这么执性，也不可不防备着。回家乡啊，见师帅啊，这倒是第二着；他说聘礼来了要打出去一层，倒是最要紧。并且没有几天了，回盘东西，一点也没预备，也得要张罗起来。’言中丞道：‘我给他闹的没了主意了，你替我想想罢。’四姨太太道：‘别的都好打算，只有那回盘礼物，要上紧的办起来。’言中丞道：‘你就叫人去办罢。一切都从丰点，不要叫人家笑寒尘。要钱用，打发人到帐房里去要。’四姨太太道：‘办了来，都放在那里？叫太太看见了，又生出气来。’言中丞道：‘罢了！我就拨了外书房给你办这件事罢。我自到花厅里设个外书房。’四姨太太道：‘这么说，到了行聘那天也不必惊动上房罢，都在外书房办事就完了。’言中丞点头答应。于是四姨太太登时忙起来。倒也亏他，一切都办的妥妥当当。到了行聘的前一天，一一请言中丞过目，叫书启老夫子写了礼单、礼书，一切都安排好了。

“到了这天，竟是瞒着上房办起事来，总算没闹笑话。侯家送过来的聘礼，也暂时归四姨太太收贮。不料事机不密，到了下晚时候，被言夫人知道了，叫人请了言中丞来大闹。闹得中丞没了法子，便赌着气道：‘算了！我明日就退了他的聘礼，留着这女孩子老死在你身边罢！’言夫人得了这句话，方才罢休。这一夜，言中丞便和四姨太太商量，有甚法子可以挽回。两个人商量了一夜，仍是没有主意。

“次日言中丞见了洪太守，便和他商量。原来洪太守是言中丞的心腹，向来总办本辕文案，这回小姐的媒人是叫他做的。所以言中丞将一切细情告诉了他，请他想个主意，洪太守想了半天道：‘这件事只有劝转宪太太之一法，除此之外，实在没有主意。’言中丞无奈，也只得按住脾气，随时解劝。无奈这位言夫人，一听到这件事便闹起来，任是甚么说话都说不上去。足足闹了一个多月，绝无转机。偏偏侯制军要凑高兴，催着侯统领（委了督标统领，故改称统领也）早日完娶。侯统领便择了日子，央陆观察送过去。

“言中丞见时机已迫，没了法，又和洪太守商量了几天，总议不出一个办法。洪太守道：‘或者请少爷向宪太太处求情，母子之间，或可以说得拢。’言中丞道：‘不要说起！大小儿、二小儿都不在身边，这是你知道的；只有三小儿在这里，这孩子不大怕我，倒是怕娘，娘跟前他那里敢哼一个字！’洪太守道：‘这就真真难了！’大家对想了一回，仍是四目相看，无可为计。须知这是一件秘密之事，不能同大众商量的，只有知己的一两个人可以说得，所以总想不出一条妙计。到后来洪太守道：‘卑府实在想不出法子，除非请了陆道来，和他商量。他素来有鬼神不测之机，巧夺造化之妙，和他商量，必有法子。但是这个人很贪，无论何人求他设一个法子，他总先要讲价钱。前回侯制军被言官参了一本，有旨交他明白回奏。文案上各委员拟的奏稿都不洽意，后来请他起了个稿。他也托人对制军说：“一分钱，一分货，甚么价钱是甚么货色。”侯制军甚是恼他放恣，然而用人之际，无可奈何，送了他一千银子。本打算得了他的稿子之后，借别样事情参了他，谁知他的稿子送上去，侯制军看了，果然是好，又动了怜才之念，倒反信用他起来。'言中丞道：'果然他有好法子，说不得破费点也不能吝惜的了。但是商量这件事，兄弟当面不好说，还是老哥去拜他一次，和他商议，就是他有点贪念，也可以转圜。若是兄弟当了面，他倒不好说了。'洪太守依言，便去拜陆观察。

"你道那陆观察有甚么鬼神不测之机，巧夺造化之妙？原来他是一个江南不第秀才，捐了个二百五的同知，在外面瞎混。头一件精明的是打得一手好麻雀牌，大家同是十三张牌，他却有本事拿了十六张，就连坐在他后面观局的人，也看他不穿的。这是他天字第一号的本事。前两年北洋那边有一位叶军门，请了他做文案。恰好为了朝鲜的事，中日失和，叶军门奉调带兵驻扎平壤。后来日本兵到了，把平壤围住。围虽围了，其时军饷尚足，倘能守待外援，未尝不可以一战。这位陆观察却对叶军门说得日本兵怎生利害，不难杀得我们片甲不留，那时军门的处分怎生担得起！说得叶军门害怕了，求他设法，他便说：'好在平壤不是朝廷土地，纵然失了，也没甚大处分。不如把平壤让与日本人，还可以全军退出，不伤士卒，保全军饷。'叶军门道：'但是怎样对上头说呢？'陆观察道：'对上头只报一个败仗罢了。打了败仗，还能保全士卒，不失军火，总没甚大处分，较之全军覆没总好得多。'叶军门被他说得没了主意。

"大约总是恋禄固位，贪生怕死之心太重了，不然，就和日本见一仗，胜败尚未可知。就是果然全军覆没，连自己也死了，乐得谥法上坐一个'忠'字，何致上这种小人的当呢！当时叶军门被生死荣辱关头吓住了，便说道：'但是怎生使得日本兵退呢。'陆观察道：'这有何难！只要军门写一封信给日本的兵官，求他让我们一条出路，把平壤送给他。他不费一枪一弹得了平壤，还可以回去报捷，何乐不为呢。'叶军门道：'既如此，就请你写一封信去罢。'陆观察道：'这个是军务大事，别人如何好代，必要军门亲笔的。'叶军门道：'我如何会写字！'陆观察道：'等我写好一张样子，军门照着写就是了。'叶军门无奈，只得依他。他便用八行书，写了两张纸。起头无非是几句恭维话，中间说了几句卑污苟贱、摇尾乞怜的话，落后便叙明求退开一路，让我兵士走出，保全性命，情愿将平壤奉送的话。叶军门便也拿了纸，蒙在他的信上写起来，犹如小孩子写仿影一般。可怜叶军门是拿长矛子出身的，就是近日的洋枪也还勉强拿得来，此刻叫他拿起一枝绝没分量的笔向纸上去写字，他就犹如拿了几百斤东西一般，撇也撇不开，捺也捺不下，不是画粗了，便是竖细了。好容易捱了起来，画过押，放下笔，觉得手也颤了。

"陆观察拿过来仔细看过一遍，忽然说道：'不好，不好！中间落了一句要紧话不曾写上，还得另写一封。'叶军门道：'算了罢，我写不动了！’陆观察道：‘这封信去，他不肯退兵，依然要再写的，不如此刻添上一两句写去的爽快。’叶军门万分没法，由得他再写一通，照样又去描了一遍。签过押之后，非但是手颤，简直腰也酸了，腿也痛了，两面肩膀，就和拉弓拉伤一般。放下了笔，便向炕上一躺道：‘再要不对，是要了我命了！’陆观察道：‘对了，对了，不必再写了。可要发了去罢？’叶军门道：‘请你发一发罢。’陆观察便拿去加了封，标了封面，糊了口，叫一个兵卒拿去日本营投递。日本兵官接到了这封信，还以为支那人来投战书呢，及至拆开一看，原来如此，不觉好笑，说道：‘也罢！我也体上天好生之德，不打你们，就照来书行事罢。’那投书人回去报知，叶军门就下令准备动身。

“到了次日，日本兵果然让开一条大路，叶军门一马当先，领了全军，排齐了队伍，浩浩荡荡，离开平壤，退到三十里之外，扎下行营。一面捏了败仗情形，分电京、津各处。此时到处沸沸扬扬，都传说平壤打了败仗，那里知道其中是这么一件事！当夜夜静时，陆观察便到叶军门行帐里辞行，说道：‘兵凶战危，我实在不敢在这里伺候军门了。求军门借给我五万银子盘费。’叶军门惊道：‘盘费那里用得许多！’陆观察道：‘盘费数目本来没有一定，送多送少，看各人的交情罢了。’叶军门道：‘我那里有许多银子送人！’陆观察道：‘军门牛庄、天津、烟台各处都有寄顿，怎说没有？’叶军门是个武夫，听到此处，不觉大怒道：‘我有我的钱，为甚要送给你！’陆观察道：‘送不送本由军门，我不过这么一问罢了，何必动怒。’说罢，在怀里取出叶军门昨天亲笔所写那第二封信来。原来他第二封信，加了‘久思归化，惜乏机缘’两句，可怜叶军门不识字，就是模糊影响认得几个，也不解字义，糊里糊涂照样描了。他却仍把第一封信发了，留下这第二封，此时拿出来逐句解给叶军门听。解说已毕，仍旧揣在怀里，说道：‘有了五万银子，我便到外国游历一趟；没有五万银子，我便就近点到北京玩玩，顺便拿这封信出个首，也不无小补。’说罢起身告辞。吓得叶军门连忙拦住。”正是：

最是小人难与伍，从来大盗不操戈。

未知叶军门到底如何对付他，且待下回再记。

第八十四回
接木移花丫鬟充小姐　弄巧成拙牯岭属他人

“这件事，到底被他诈了三万银子，方才把那封信取回。然而叶军门到底不免于罪。他却拿了三万银子到京里去，用了几吊，弄了一个道台，居然观察大人了。有人知道他这件事，就说他足智多谋，有鬼神不测之机了。

“当日洪太守奉了言中丞之命，专诚到营务处去拜陆观察，闲闲的说起儿女姻亲的事情来，又慢慢的说到侯、言两家一段姻缘，一说即合，我两个倒做了个现成媒人。说笑一番，方才渐渐露出言夫人不满意这头亲事的意思。陆观察道：‘这个大约嫌他是个武官，等将来过了门，见了新婿的丰采，自然就没有话说了。’洪太守道：‘不呢！听说这位宪太太，竟有誓死不放女儿嫁人家填房之说。这位抚帅是个惧内的，急得没有法子，跑来和我商量。’陆观察道：‘既是那么着，总不是一天的说话，为甚么不早点说，还受他的聘呢？’洪太守道：‘这亲事当日席上一言为定的，怎么能够不受聘？’陆观察笑道：‘本来当日定亲的地方不好，跑到那“黄鹤一去不复返”的去处定个亲，此刻闹得新娘变了黄鹤了，为之奈何！’洪太守道：‘我们虽是他们请出来的现成货，却也担着个媒人名色，将来怕不免费手脚代他们调停呢。’陆观察道：‘说是督帅的意思，只怕言夫人也不好过于怎样。’洪太守道：‘当日的情形，登时就有人报到内署，明明是抚帅自己先说起的，怎样能够赖到督帅身上？何况言夫人还说过，要到督帅那边，问为甚要把我女儿许做人家填房呢。’陆观察道：‘这就难了！据阁下这么说，言夫人的意思，竟是不能挽回的了？’洪太守道：‘果然不能挽回。请教有甚妙策？’陆观察道：‘这又何难！拣一个有点姿色的丫头，替了小姐就是了。’洪太守道：‘这个如何使得！万一闹穿了，非但侯统领那边下不去，就是督帅那边也难为情。’嘴里虽这么说，心里却暗暗佩服他的妙计，但是此计是他说出来的，不免要拉他做了一党，方才妥当。陆观察道：‘除此之外，再没有别的法子。除非抚帅的姨太太连夜再生一位小姐下来，然而也来不及长大啊。’

“洪太守一面低头寻思，有甚妙策可以拉他做同党。陆观察也在那里默默无言，肚子里不知打算些甚么；歇了好一会，忽然说道：‘法子便有一个，只是我也要破费点，代人家设法，未免犯不着。’洪太守道：‘是甚么妙计？倘是面面周到的，破费一层，倒好商量。’陆观察又沉吟了一会道：‘兄弟有个小女，今年十八岁，叫他去拜在抚帅膝下做个女儿，代了小姐，岂不是好？’洪太守大喜道：‘得观察如此，是好极的了！’陆观察道：‘但是如此一来，我把小女白白送掉了，将来亲戚也认不得一门。’洪太守道：‘这个倒不必过虑。令千金果然拜在抚帅膝下，对人家说，只说是抚帅小姐，却是观察的干女儿，将来不是一样的往来么！’陆观察道：‘我赔了小女不要紧，虽说是妆奁一切都有抚帅办理，然而我做老子的不能一点东西不给他。近年来这营务处的差使，是有名无实的，想阁下也都知道。’洪太守道：‘这个更不必过虑。要代令千金添置东西，大约要用多少，抚帅那边尽可以先送过来。’陆观察道：‘这是我们知己之谈，我并不是卖女儿，这一两吊银子的东西是要给他的。”洪太守道：‘这都好商量。但不知尊夫人肯不肯？’陆观察道：‘内人总好商量，大约不至于像言宪太太那么利害。’洪太守道：‘那么兄弟就去回抚帅照办就是了’。说罢，辞了回去，一五一十的照回了言中丞。

“中丞正在万分为难之际，得了这个解纷之法，如何不答应。一面进去告诉言夫人，说：‘现在营务处陆道的闺女，要来拜在夫人膝下，将来侯家那门亲，就叫他去对，夫人可以不必恼了。’言夫人道：‘甚么浪蹄子，肯替人家嫁！肯嫁给兔崽子，有甚么好东西！我没那么大的福气，认不得那么个好女儿！你干，你们干去，叫他别来见我！’言中丞碰了这个钉子，默默无言，只得又去和洪太守商量。洪太守道：‘既然宪太太不愿意，就拜在姨太太膝下，也是一样。’言中丞道：‘但不知陆道怎样？’洪太守道：‘据卑府看，陆道这个人，只要有了钱，甚么都办得到的。就不知他家里头怎样，等卑府再去试探他来。’于是又坐了轿子到营务处，谁知陆观察已回公馆去了。原来陆观察送过洪太守之后，便回到公馆，往上房转了一转，望着大丫头碧莲丢了个眼色，便往书房里去。

“原来陆观察除正室夫人之外，也有两房姨太太。这碧莲是个大丫头，已经十八岁了，陆观察最是宠爱他，已经和他鬼混得不少，就差没有光明正大的收房。这天看见陆观察向他使眼色，不知又有甚么事，便跟到书房里去。陆观察拉他的手，在身边坐下，说道：‘我问你一句话，你可老实答应我。’碧莲道：‘有甚么话只管说。’陆观察道：‘你到底愿意嫁甚么人？’碧莲伸手把陆观察的胡子一拉，瞟了一眼道：‘我还嫁谁！’陆观察道：‘我送你到一个好地方去，嫁一个红顶花翎的镇台做正室夫人，可好不好？’碧莲道：‘我没有这么个福气，你别呕我！’陆观察道：‘不是呕你，是一句正经话。’说罢，便把言中丞一节事情，仔细说了一遍，又道：‘此刻没了法子，要找一个人做言小姐的替身。我在言中丞跟前，说有个女儿，情愿拜在中丞膝下，替他的小姐，意思就叫你去。’碧莲道：‘那么你又要做起我老子来了！’陆观察道：‘这个自然。你如果答应了，我和太太说好，即刻就改起口来；不过两三天，就要到抚台衙门里去了。’碧莲道：‘你也糊涂了！还当我是个孩子，好充闺女去嫁人？’陆观察道：‘你才糊涂！须知你是抚台的小姐，制台做的媒人，他敢怎样！何况他前头的老婆……’说到这里，附着碧莲的耳朵，悄悄的说了两句。碧莲笑道：‘原来是个张着眼睛的乌龟！我可不干这个。’陆观察道：‘你真是傻子！他又怎敢要你干这个，便是制台也不好意思啊。’碧莲道：‘你好会占便宜！开坛的酒，自己喝的不要喝，才拿来送人。还不知道是拿我卖了不是呢！’陆观察道：‘我卖你，还要认你做女儿呢！’

“正说话时，家人报洪大人来了。陆观察叫请，又对碧莲道：‘这是讨回信的来了，你肯不肯，快说一声，我好答应人家。’碧莲道：‘由得你摆弄就是了，我怎敢做主。’陆观察便到客堂里会洪太守。洪太守难于措词，只得把言夫人的情形，及自己的意思说了。陆观察故意沉吟了一会，叹一口气道：‘为上司的事情，说不得委屈点也要干的了！’洪太守得了这句话，便去回复言中丞。陆观察便回到上房，对他夫人说知此事。陆太太笑对碧莲道：‘这丫头居然是一品夫人了！’碧莲道：‘这是老爷太太的抬举！其实到了别人家去，不能终身伏侍老爷太太，丫头心里着实难过。求老爷另外叫一个去罢。’说着，流下两点眼泪来。陆太太道：‘胡说！难道做丫头的，应该伏侍主人一辈子的么？’陆观察道：‘叫人预备香烛，明天早起，叫他拜拜祖宗，大家改个称呼。言中丞那边，不知几时来接呢。’

“到了明天，果然点起蜡烛来，碧莲拜过陆氏祖宗，又拜过陆观察夫妻两个，改口叫爹爹妈妈，又向两位姨娘行过礼。然后一众家人、仆妇、丫头们都来叩见，一律改称小姐。陆观察又悄悄地嘱咐他，到了言家，便是我的亲女，言氏是寄父母；到了侯家，便是言氏亲女，我这边是寄父母。碧莲一一领会。这天下午，洪太守送了二千银子的票子来，顺便说明天来接小姐过去认亲。陆观察有了银子，莫说是认亲，就是断送了，也未尝不可，何况是个丫头。

“过了一天，言中丞那边打发了轿子来接，碧莲充了小姐，到抚台衙门里去。原来言中丞被他夫人闹得慌了，索性把四姨太太搬到花园里去住，就在花园里接待干女儿；将来出嫁时，也打算在花园里办事，省得惊动上房。这天碧莲到来，一群丫头仆妇，早在二门迎着，引到花园里去。四姨太太迎将出来，搀了手，同到堂屋里。抬头看见点着明晃晃的一对大蜡烛，碧莲先向上拜过言氏祖宗，请言中丞出来拜见，又拜了四姨太太，爹爹妈妈叫得十分亲热。又要拜见言夫人，言中丞只推说有病，改日再见罢。又因为喜期不远，叫人去和陆观察说知，留小姐在这边住下。碧莲本来生得伶牙俐齿，最会随机应变，把个言中丞及四姨太太巴结得十分欢喜，赛如亲生女儿一般。

"丫头们三三两个的便传说到上房里去。言夫人忽发奇想，叫人到冥器店里定做了一百根哭丧棒。家人们奉命去做，也莫名其妙。便是冥器店里也觉得奇怪，不知是那个有福的人死了，足足一百个儿子。买回来堆在上房里。言中丞过来看见了，问是甚么事弄了这个东西来。言夫人道：'我有用处，你休管我！'言中丞道：'这些不祥之物，怎么凭空堆了一屋子？'喝叫家人：'快拿去烧了！'言夫人怒道：'那个敢动！我预备着要打花轿的！'言中丞道：'夫人！你这个是何苦！此刻不要你的女儿了，你算是事不干己的了，何必苦苦作对呢？'言夫人道：'我这个办法，是代你言氏祖宗争气。女儿的事，是叫我扳住了，偏不死心，那里去弄个浪蹄子来充女儿，是要抬一个兔崽子的女婿，辱到你言氏祖宗！你自己想想，你心里过得去过不去？'言中丞说：'此刻是别姓的女儿了，我只当代人嫁女儿，夫人又何必多管呢。'言夫人道：'他可不要到我衙门里来娶，他踩进我辕门，我便拿哭丧棒打出来！'

"言中丞知道他不可以理喻的了，因定了个主意，说衙门的方向冲犯了小姐的八字，要另外找房子出嫁。又想到在武昌办事，还怕被夫人侦知去胡闹，索性到汉口来，租了南城公所相近的一处房子，打发几位姨太太及三少爷陪了小姐过来。明日是亲迎喜期，拜堂的吉时听说在晚上十二点钟，这边新人也要晚上上轿，所以用了灯船。"

我道："看灯船是小事，倒是听了这段新闻有趣。但是这件事，外面人都知得这么明亮透彻，难道那侯统领是个聋子瞎子，一点风声都没有么？"作猷道："你又来了！有了风声便怎样？此刻做官的那一个不是自欺欺人，掩耳盗铃的故智？揭穿了底子，那一个是能见人的？此刻武、汉一带，大家都说是言中丞的小姐嫁郧阳镇台，就大家都知道花轿里面的是个替身，侯统领纵使也明知是个替身，只要言中丞肯认他做女婿，那怕替身的是个丫头也罢，婊子也罢，都不必论的了。就如那侯统领，那个不知他是个兔崽子？就是他手下所带的兵弁，也没有一个不知他是兔崽子，他自己也明知自己是个兔崽子，并且明知人人知道他是个兔崽子。无奈他的老斗阔，要抬举他做统领，那些兵弁，就只好对他站班唱名了，他自己也就把那回身就抱的旖旎风情藏起来，换一副冠冕堂皇的面目了。说的是侯统领一个，其实如今做官的人，无非与侯统领大同小异罢了。"大家闲谈一回，各自走开。

到了次日下午，作猷约了早点到一品香去眺望江景。到了一品香之后，又写了条子去邀客。我自在露台上凭栏闲眺，颇觉得心胸开豁。等到客齐入席，闹了一回酒，席散时已是七点多钟。忽听得远远一阵鼓乐之声，大家赶到露台看时，只见招商局码头，泊了二三十号长龙舢舨，船上灯球火把，照耀得如同白日。另外有四五号大船，船上一律的披红挂彩，灯烛辉煌，鼓乐并作，陆续由小火轮拖了开行。就是长龙舢舨，也用了小火轮拖带，船上人并不打桨，只在那里作军乐。一时开到江心，只见旌旗招展，各舢舨上的兵士，不住的燃放鞭炮及高升炮。远远望去，犹如一条火龙一般，果然热闹。直望他到了武昌汉阳门那边停泊了，还望得见灯火闪烁。作猷笑道："这也算得大观了！"我道："我来的时候，就看见那些长龙舢舨，停在招商局码头，旗帜格外鲜明。我还以为是甚么大员过境来伺候的，不料却是迎亲之用。然而迎亲用了兵船兵队，似乎不甚相宜。"作猷道："岂但迎亲，他那边来迎的是督标兵，这边送亲的是抚标兵呢！"我笑道："自有兵以来，未有遭如是之用者。"作猷道："在外面如是之用，还不为奇。只怕两个开战时，还要他们摇旗呐喊，遥助声威呢！"说得众人大笑。闲谈一回，各自散了。

我又住了十多天，做了几次无谓的应酬，便到九江去走一次。管事的吴味辛接着，我清查了一向帐目。我因为到了九江好几次，却没有进过城，这天没事，邀了味辛到城里去看看。地方异常龌龊，也与汉口内地差不多。却有一样与他省不同之处：大凡人家住宅房屋，多半是歪的，绝少看见有端端正正的一方天井，不是三角的，便是斜方的。问起来，才知道江西人极信风水，其房屋之所以歪斜，都为限于方向与地势不合之故。

走到道台衙门前面，忽见里面一顶绿呢大轿，抬了一个外国人出来。味辛道："这件交涉只怕还未得了，不知争得怎样呢。"我道："是甚么交涉？"味辛道："好好的一座庐山，送给外国人了！"我吃惊道："是谁送的？"味辛道："前两年有个外国人，跑到庐山牯牛岭去逛。这外国人懂了中国话，还认得两个中国字。看见山明水秀，便有意要买一片地，盖所房子，做夏天避暑的地方。不知那里来了个流痞，串通了山上一个甚么庙里的和尚，冒充做地主。那外国人肯出四十元洋银，买一指地。那和尚与流痞，以为一只指头大的地，卖他四十元，很是上算的。便与他成交，写了一张契据给他，也写的是一指地。他便拿了这个契据，到道署里转道契。道台看了不懂，问他：'甚么叫一指地？'他说：'用手一指，指到那里，就是那里。'道台吃了一惊道：'用手一指，可以指到地平线上去，那可不知是那里地界了！我一个九江道，如何做得主填给你道契呢！"连忙即叫德化县和他去勘验，并去提那流痞及和尚来。谁知他二人先得了信，早已逃走了。那外国人还有良心，所说的一指地，只指了一座牯牛岭去。从此起了交涉，随便怎样，争不回来。闹到详了省，省里达到总理衙门，在京里交涉，也争不回来。此时那坐轿子出来的，就是领事官，就怕的是为这件事了。"

我叹道："我们和外国人办交涉，总是有败无胜的，自从中日一役之后，越发被外人看穿了！”味辛道：“你还不知那一班外交家的老主意呢。前一向传说总理衙门里一位大臣，写一封私函给这里抚台，那才说得好呢。”正是：

一纸私函将意去，五中深虑向君披。

未知那总理衙门大臣的信说些甚么，且待下回再记。

第八十五回
恋花从公子扶丧　定药方医生论病

“这封信，你道他说些甚么？他说：‘台湾一省地方，朝廷尚且拿他送给日本，何况区区一座牯牛岭，值得甚么！将就送了他罢！况且争回来，又不是你的产业，何苦呢！’这里抚台见了他的信，就冷了许多，由得这里九江道去搅，不大理会了。不然，只怕还不至于如此呢。”我听了这一番话，没得好说，只有叹一口气罢了。逛了一回，便出城去。

看看没甚事，我便坐了下水船，到芜湖、南京、镇江各处走了一趟，没甚耽搁，回到上海。恰好继之也到了，彼此相见。我把各处的正事述了一遍，检出各处帐略，交给管德泉收贮。

说话间，有人来访金子安，问那一单白铜到底要不要。子安回说价钱不对，前路肯让点价，再作商量。那人道：“比市面价钱已经低了一两多了。”子安道：“我也明知道。不过我们买来又不是自已用，依然是要卖出去的，是个生意经，自然想多赚几文。”那人又谈了几句闲话，自去了。我问：“是甚么白铜？有多少货？”子安道：“大约有五六百担。我已经打听过，苏州、上海两处的脚炉作、烟筒店，尽有销路，所以和继翁商量，打算买下来。”我道：“是那里来的货，可以比市面上少了一两多一担？”子安道：“听说是云南藩台的少爷，从云南带来的。”我道：“方才来的是谁？”子安道：“是个掮客（经手买卖者之称，沪语也）。”我道：“用不着他，我明天当面去定了来。”继之道：“你认得前路么？”我道：“陈稚农，我在汉口认得他，说是云南藩台的儿子，不是他还有那个？是他的东西，自然该便宜的。”子安道：“何以见得？”我道：“他这回是运他娘的灵柩回福建原籍的，他带的东西，自然各处关卡都不完厘上税的了。从云南到这里，就是那一笔厘税，就便宜不少。我在汉口和他同过好几回席，总没有谈到这个上头。”继之道：“他是个官家子弟，扶丧回里，怎么沿途赴席起来？”我道：“岂但赴席，我和他同席几回，都是花酒呢。终日沉迷在南城公所一带。他比我先离汉口的，不知几时到的上海？”子安道：“这倒不了利，并且也不知他住在那里。”我道：“这个容易，一打听就着了。”说罢，叫一个会干事的茶房来，叫他去各家大客栈里去打听云南藩台的少大人住在那里。那茶房道：“我有个亲戚，在天顺祥票号里做出店的，前回他来说过，有个陈少大人住在那边。此刻不知在那里不在，一问便知道了。”说罢自去。过了一会来说：“陈少大人只在那里歇一歇脚，就搬到集贤里天保栈去了，住在楼上第五、第六、第七号。”

我听了，等到明天饭后，便到天保栈去找他。谁知他并不在栈里，只有几个家人在那里，回我说：“少爷这几天有病，在美仁里林慧卿家养病呢。”我听了，便记了地方，先自回去。等吃过晚饭，再到美仁里林慧卿处，问了龟奴，说房间在楼上，我便登楼，说是看陈老爷的。那丫头招呼到房里，慧卿站起来招呼道：“陈老爷，朋友来了。”我却看不见他。回转头来，原来他拥了一床大红绉纱被窝，坐在床上，欠身道：“失迎，失迎！恕我不能下床！阁下几时到的？”我道：“昨天才到的。白天里到天保栈去拜访。”稚农又忙道：“失迎，失迎！”我接着道：“贵管家说是在这里，所以特来拜望。”说着，又看了慧卿一眼道：“顺便瞻仰瞻仰贵相好。”慧卿笑道：“这位老爷倒会说！来看朋友罢了，偏要拿旁人带一带。还不曾请教贵姓啊？”我笑道：“方才我坐车子到这里来，忘了带车钱，无可奈何，拿我的姓到当铺里当了。”慧卿笑道：“当了多少钱？我借给你去赎出来罢。不然，没了姓，不像个老爷。”我道：“原来老爷要带着姓做的，今天又长了见识了。”稚农道：“阁下来了就热闹。我这几天正想着你的谈锋。自从到了这里，所见的无非是几个掮客，说出话来，无非是肉麻到入骨的恭维话，听了就要恶心，恨的我誓不见他们的面了，只叫法人、醉公两个招呼他们。”

原来稚农带了两个人同行：一个姓计，号醉公；一个姓缪，号法人。大抵是他门下清客一流人，我在汉口也同过两回席的。我听说，便问道：“此刻缪、计二公在那里？”稚农问慧卿道：“出去了么？”慧卿用手一指道：“在那边呢。”稚农推开被窝下床。我道：“稚翁不要客气，何必起来招呼。”稚农道：“不，我本要起来了。”慧卿忙过去招呼伺候，稚农早立起来。我看他身上穿的洋灰色的外国绉纱袍子，玄色外国花缎马褂，羽缎瓜皮小帽，核桃大的一个白丝线帽结，钉了一颗明晃晃白果大的钻石帽准。较之在汉口时打扮，又自不同。走到烟炕一边坐下，招呼我过去谈天。我此时留神打量一切，只见房里放着一口保险铁柜，这东西是向来妓院里没有的，不觉暗暗称奇。

谈了几句应酬话，忽然计醉公从那边房里跑了过来，手里拿着一个钻戒。见了我便彼此招呼，一面把戒指递给稚农道：“这一颗足有九厘重。”稚农接来一看道：“几个钱？”醉公道：“四百块。”慧卿在稚农手里拿过来一看道：“是个男装的，我不要。”醉公道：“男装女装好改的。”慧卿道：“这里首饰店没有好样式，是要外国来的才好。”醉公便拿了过去，一面招呼我道：“没事到这边来谈谈。”我顺口答应了。稚农对我道：“这回亏了他两个，不然，我就麻烦死了！”一言未了，醉公又跑了过来道：“昨天那挂朝珠，来收钱了。”稚农道：“到底多少钱？”醉公道：“五百四十两。”稚农道：“你打给他票子。”醉公又过去了，一会儿拿了一张支票过来。稚农在身边掏出一个钥匙来交给慧卿，慧卿拿去把那保险铁柜开了，取出一个小小拜匣来。稚农打开，取出一方小小的水晶图书，盖在支票上面。醉公拿了过去，慧卿把拜匣仍放到铁柜里去，锁好了，把钥匙交还稚农。我才知道这铁匣是稚农的东西。

和他又谈了几句，就问起白铜的事。稚农道：“是有几担铜，带在路上压船的。不知卖了没有，也要问他们两个。”我道：“如此，我过去问问看。”说罢，走了过去，先与缪法人打招呼。原来林慧卿三个房间，都叫稚农占住了。他起坐的是东面一间，当中一间空着做个过路，缪、计二人在西边一间。我走过去一看，只见当中放着一张西式大餐台子，铺了白台布，上面七横八竖的，放着许多古鼎、如意、玉器之类。除了缪、计二人之外，还坐了七八个人，都是宁波、绍兴一路口气，醉公正和他们说话。我就单向法人招呼了，说了几句套话，便问起白铜一节。法人道：“就是这一件东西也很讨厌，他们天天来问，又知道我们不是经商的，胡乱还价。阁下倘是有销路最好了。”我道：“不知共有多少？如果价钱差不多，我小号里可以代劳。”法人道：“东西共是五百担，存在招商局栈里。至于价钱一层，我有云南的原货单在这里，大家商量加点运费就是了。”说罢，检出一张票子，给我看过，又商定了每担加多少运费。我道：“既这么着，我明天打票子来换提货单便了。但不知甚么时候可来？”法人道：“随便下午甚时候都可以。”

商定了，我又过去看稚农，只见一个医生在那里和他诊脉，开了脉案，定了一个十全大补汤加减，便去了。稚农问道：“说好了么？”我道：“说好了，明天过来交易。”慧卿拿了小小的一把银壶过来道：“酒烫了，可要吃？”稚农点点头。慧卿拿过一个银杯，在一个洋瓶里，倾了些末子在杯里，冲上了酒，又在头上拔下一根金簪子，用手巾揩拭干净，在酒杯里调了几下，递给稚农，稚农一吸而尽。还剩些末子在杯底，慧卿又冲了半杯酒下去，稚农又吃了。对我说道：“算算年纪并不大，身子不知那么虚，天天在这里参啊、茸啊乱闹，还要吃药。”我道：“出门人本来保重点的好。”稚农道：“我在云南从来不是这样，这还是在汉口得的病。”我道：“总是在路上劳顿了。”慧卿道：“可不是。这几天算好得多了，初来那两天还要利害呢。”我随便应酬了几句，便作别走了。回到号里，和子安说知，已经成交了。所定的价钱，比那掮客要的，差了四两五钱银子一担。子安道：“好很心！少赚点也罢了。”一宿无话。

到了次日下午，我打了票子，便到林慧卿家去，和法人换了提单。走到东面房里，看看稚农。稚农道：“阁下在上海久，可知道有甚么好医生？我的病实在了不得，今天早起下地，一个头晕就栽下来！”我道：“这还了得！可是要赶紧调理的了。从前我有个朋友叫王端甫，医道甚好，但是多年不见了，不知可还在上海。回来我打听着了送信来。”稚农道：“晚上有个小宴，务请屈尊。”我道：“阁下身子不好，何必又宴客？”稚农道：“不过谈谈罢了。”说罢，略谈了几句，便作别回来。

把提单交给子安，验货出栈的事，由他们干去，我不管了。因问起王端甫不知可在上海。管德泉道：“自从你识了王端甫，我便同他成了老交易，家里有了毛病总是请他。他此刻搬到四马路胡家宅，为甚不在上海。”我道：“在甚么巷子里？”德泉道：“就在马路上，好找得很。”过了一会，稚农那边送了请客帖子来，还有一张知单。我看时，上面第一个是祥少大人云甫，第二个便是我，还有两个都士雁、褚迭三，以后就是计醉公、缪法人两个。打了知字，交来人去了。我问继之道：“那里有个姓祥的，只怕是旗人？”继之道：“可不是。就是这里道台的儿子，前两天还到这里来。”我道：“大哥认得他么？”继之道：“怎么不认得！年纪比你还轻得多。在南京时，他还是个小孩子，我还常常抚摩玩弄他呢。怪不得我们老了，眼看见的小孩子，都成了大人了。”

大家闲谈了一会，没到五点钟，稚农的催请条子已经来了，并注了两句“有事奉商，务请即临”的话。我便前去走一趟。稚农接着道：“恕我有病，不能回候，倒屡次屈驾！”我笑道：“倒是我未尽点地主之谊，先来奉扰，未免惭愧！”稚农道：“彼此熟人，何必客气！早点请过来，是兄弟急于要问方才说的那位医生。”我道：“我也方才问了来，他就住在四马路胡家宅。”稚农道：“不知可以随时请他不？”我道：“尽可以。这个人绝没有一点上海市医习气，如果要请，兄弟再加个条子，包管即刻就来。”

稚农便央我写了条子，叫人拿了医金去请，果然不到一点钟时候就来了。先向我道了阔别。我和他二人代通了姓名，然后坐定诊脉。诊完之后，端甫道：“不知稚翁可常住在上海？”稚农道：“不，本来有事要回福建原籍，就叫这个病耽误住了。”端甫点头道：“据兄弟愚见，还是早点回府上去，容易调理点。上海水土寒，恐怕于贵体不甚相宜。”说罢，定了脉案，开了个方子，却是人参养荣汤的加减。说道：“这个方子只管可以服几剂，但是第一件最要静养。多服些血肉之品，似乎较之草根树皮有用。”稚农道：“鹿茸可服得么？”端甫道：“服鹿茸——”说到这里，便顿住了，“未尝没点功效，但是总以静养为宜。”说罢，又问我道：“可常在号里？我明日来望你呢。”我道：“我常在号里，没事只管请过来谈。”端甫便辞去了。

我又和稚农谈了许久。祥云甫来了，通过姓名。我细细打量他，只见他生得唇红齿白，瘦削身裁，穿一件银白花缎棉袍，罩一件夹桃灰线缎马褂，鼻子上架一副金丝小眼镜，右手无名指上，套了一个镶钻戒指，说的一口京腔。再过了一会，外面便招呼坐席。原来都、褚两个早来了，不过在西面房里坐，没有过来。稚农起身，招呼到当中一间去，亲自筛了一轮酒，定了坐，便叫醉公代做主人，自己仍到房里歇息。醉公便叫写了局票发出去。坐定了，慧卿也来周旋了一会，筛了一轮酒，唱了一支曲子，也到房里去了。

我和都、褚两个通起姓名，才知都士雁是骨董铺东家，褚迭三是药房东家。数巡酒后，各人的局陆续都来了。祥云甫身边的一个，也不知他叫甚名字，生得也还过得去，一只手搭在云甫肩膀上，只管唧唧哝哝的说话。忽然看见云甫的戒指，便脱了下来，在自己中指上一套，说道：“送给我罢。”云甫道：“这个不能，明日另送你一个罢。”那妓女再三不肯还他，并说道：“我要转到褚老爷那边了。”说罢，便走到褚迭三旁边坐下。迭三身边本有一个，看见有人转过来，含了一脸的醋意，不多一会，便起身去了。恰好外面传进来一张条子，是请云甫的，云甫答应就来，随向那妓女讨戒指。那妓女道：“你去赴席，左右是要叫局的，难道带在我手里，就会没了你的吗？”云甫便起身向席上说声“少陪”，一面要到房里向稚农道谢告辞。醉公兀的一下跳起来，向房里便跑。不料门房口立了个大丫头，双手下死劲把醉公一推道：“冒冒失失的，做甚么啊！”回身对云甫道：“陈老爷刚才睡着了。他几夜没睡了，祥大人不要客气罢。”云甫道：“那么他醒了，你代我说到一声。”那丫头答应了，又叫慧卿送客。慧卿在房里一面答应，一面说：“祥大人走好啊！待慢啊！明天请过来啊！”却只不出来。云甫又对众人拱拱手自去了。这里醉公便和众人豁拳闹酒，甚么摆庄咧，通关咧，众人都有点陶然了，慧卿才从房里亭亭款款的出来，右手理着鬓发，左手搭在醉公的椅子靠背上，说道：“黄汤又灌多了！”醉公道：“我不……”说到这里，便顿住了。众人都说酒多了，于是吃了稀饭散坐。

我问慧卿：“陈老爷可醒着？”慧卿道：“醒着呢。”我便到房里去，只见稚农盘膝坐在烟炕上，下身围了一床鹦哥绿绉纱被窝。我向他道了谢，又略谈了几句，便辞了过来，和众人作别，他们还不知在那里议论甚么价钱呢，我便先走了。回到号里，才十点钟，继之们还在那里谈天呢。我觉得有点醉了，便先去睡觉。一宿无话。

次日饭后，王端甫果然来访我，彼此又畅谈了许多别后的事。又问起陈稚农可是我的好友。我道："不过在汉口萍水相识，这回不过要买他的一单铜，所以才去访他，并非好友。"端甫道："这个人不久的了！犯的毛病，是个色痨。你看他一般的起行坐立，不过动生厌倦，似乎无甚大病，其实他全靠点补药在那里撑持住，一旦溃裂起来，要措手不及的。"我道："你看得准他医得好医不好呢？"端甫道："我昨天说叫他回去调理的话，就是叫他早点归正首邱了。"我道："这么说，犯了这个病，是一定要死的了？"端甫道："他从此能守身如玉起来，好好的调理两个月后，再行决定。你可知他一面在这里服药，一面在那边戕伐，碰了个不知起倒的医生，还给他服点燥烈之品，正是泼油救火，恐怕他死得不快罢了。"我道："他还高兴得很，请客呢。"端甫道："他昨天的花酒有你吗？"我道："你怎么知道？"端甫道："你可知这一台花酒，吃出事情来了。"正是：

杯酒联欢才昨夜，缄书挑衅遽今朝。

未知出了甚么事，端甫又从何晓得，且待下回再记。

第八十六回 旌孝子瞒天撒大谎 洞世故透底论人情

我连忙问道："出了甚么事？你怎生得知？"端甫道："席上可有个褚迭三？"我道："有的。"端甫道："可有个道台的少爷？"我道："也有的。"端甫道："那褚迭三最是一个不堪的下流东西！从前在城里充医生，甚么妇科、儿科、眼科、痘科，嘴里说得天花乱坠。有一回，不知怎样，把人家的一个小孩子医死了。人家请了上海县官医来，评论他的医方，指出他药不对症的凭据，便要去告他，吓得他请了人出来求情，情愿受罚。那家人家是有钱的，罚钱，人家并不要。后来旁人定了个调停之法，要他披麻带孝，扮了孝子去送殡。前头抬的棺材不满三尺长，后头送的孝子倒是昂昂七尺的，路上的人没有不称奇道怪的。及至问出情由，又都好笑起来。

"自从那回之后，他便收了医生招牌，搜罗些方书，照方合了几种药，卖起药来。后来药品越弄越多了，又不知在那里弄了几个房药的方子，合起来，堂哉皇哉，挂起招牌，专卖这种东西。叫一个姓苏的，代他做几个仿单。那姓苏的本来是个无赖文人，便代他作得淋漓尽致，他就喜欢的了不得，拿出去用起来。那姓苏的就借端常常向他借钱。久而久之，他有点厌烦了，拒绝了两回。姓苏的就恨起来，做了一个禀帖，夹了他的房药仿单，向地方衙门一告。恰好那位官儿有个儿子，是在外头滥嫖，新近脱阳死的，看了禀帖，疑心到自己儿子也是误用他的药所致，即刻批准了，出差去把迭三提了来，说他败坏人心风俗，伪药害人，把他当堂的打了五百小板子，打得他皮开肉绽，枷号了三个月，还把他递解回籍。那杂种也不知他是那里人，他到堂上时供的是湖北人，就把他递解到湖北。

"不多几时，他又逃回上海，不敢再住城里，就在租界上混。又不知弄了个甚么方子，熬了些药膏，挂了招牌，上了告白，卖戒烟药。大凡吸鸦片烟的人，劝他戒烟，他未尝不肯戒，多半是为的从上瘾之后，每日有几点钟是吃烟的，成了个日常功课，一旦叫他丢了烟枪，未免无所事事，因此就因循下去了。迭三这宝货，他揣摩到了这一层，却异想天开，夸说他的药膏，可以在枪上戒烟，譬如吃一钱烟的，只要秤出九分烟，加一分药膏在烟里，如此逐渐减烟加膏，至将烟减尽为止，自然断瘾。一班吃烟的人，信了他这句话，去买来试戒。他那药膏要卖四块洋钱一两，比鸦片烟贵了三倍多。大凡买来试的，等试到烟药各半之后，才觉得越吃越贵了，看看那情形，又不像可以戒脱的，便不用他的药了。谁知烟瘾并未戒脱丝毫，却又上了他的药瘾了，从此之后，非用他的药搀在烟里，不能过瘾。你道他的心计毒么！"

我听到这里，笑道："你说了半天，还不曾到题。这些闲话，与昨夜吃花酒的事，有甚干涉？"端甫道："本是没干涉，不过我先谈谈迭三的行径罢了。他近年这戒烟药一层弄穿了，人家都知道他是卖假药的了，他却又卖起外国药来了，店里弄得不中不西，样样都有点。这回只怕陈稚农又把他的牛尾巴当血片鹿茸买了，请他吃起花酒来，却闹出这件事。他叫的那个局，名字叫林蜚卿，相识了有两三年的了。后来那祥少大人到了上海，也看上了蜚卿，他便有点醋意，要想设法收拾人家，可巧碰了昨天那个机会。祥云甫所带的那个戒指，并不是自己的东西，是他老子的。"我道："他老子不是现任的道台么？"端甫道："那还用说。这位道台，和现在的江苏抚台是换过帖的。那位抚台，从前放过一任外国钦差，从外国买了这戒指回来，送给老把弟。这戒指上面，还雇了巧匠来，刻了细如牛毛的上下款的。他少爷见了欢喜，便向老子求了来带上。昨夜吃酒的时候，被蜚卿闹着玩，要了去带在手上，这本是常有之事。谁知蜚卿却被迭三骗了去，今天他要写信向祥云甫借三千银子呢。"我道："他骗了人家的戒指，还要向人家借银子，这是甚么说话？"端甫道："须知云甫没了这个戒指，不能见他老子，这明明是讹诈，还是借钱么！”

我笑道：“你又是那里来的耳报神？我昨夜当面的还没有知道，你倒知的这么详细？”端甫道：“这也是应该的。我因为天气冷了，买了点心来家吃，往往冷了，今天早起，刚刚又来了个朋友，便同到馆子里吃点心。我们刚到了，恰好他也和了两三个人同来，在那里高谈阔论，商量这件事，被我尽情听了。”我道：“原来你也认得他？”端甫道：“我和他并不招呼，不过认得他那副尊容罢了。”我道：“这是秘密的事，他敢在大庭广众之下喧扬起来？”端甫道：“他正要闹的通国皆知，才得云甫怕他呢。我今日来是专诚奉托一件事，请你对稚农说一声，叫他不要请我罢。他现在的病情，去死期还有几天，又不便回绝他，何苦叫我白赚他的医金呢。”我道：“你放心。他那种人有甚长性，吃过你两服药不见效，他自然就不请你了。”端甫又谈了一会，自去了。

到了晚上，我想起端甫何以说得稚农的病如此利害，我看他不过身子弱点罢了，不免再去看看他是何情景。想罢出门，走到林慧卿家，与稚农周旋了一会，问他的病如何，吃了端甫的药怎样。稚农道：“总是那样不好不坏的。此刻除非有个神仙来医我，或者就好了。”慧卿在旁边插嘴道：“胡说！不过身子弱点罢了，将息几天，自然会好的。你总是这种胡思乱想，那病更难好了。稚农道：“方才又请了端甫来，他还是劝我早点回去，说上海水土寒。”慧卿又插嘴说道：“郎中嘴是□（吴人称医生为郎中），说到那里是那里。据他说上海水土寒，上海住的人，早就一个个寒的死完了。你的病不好，我第一个不放你走。已经有病的人，再在轮船上去受几天颠播，还了得么！”说罢，又回头对我道：“老爷，你说是不是？”我只含笑点点头。稚农又道：“便是我也怕到这一层。早年进京会试，走过两次海船，晕船晕的了不得。”我故意向慧卿看了一眼，对稚农道：“我看暂时回天保栈去调养几时也好。”慧卿抢着道：“老爷，你不要疑心我们怎样。我不过看见他用的都是男底下人，笨手笨脚，伏伺得不称心，所以留他在这里住下。这是我一片好心，难道怎样了他么！”我笑道：“我也不过说说罢了，难道我不知道他离不了你。”慧卿笑道：“我说你不过。”

正说话时，外面报客来，大家定神一看，却是祥云甫。招呼坐定，便走近稚农身边，附着耳要说话。我见此情形，便走到西面房里，去看缪、计二人。只见另有一个人，拿了许多裙门、裙花、挽袖之类，在那里议价，旁边还堆了好几匹绸绉之类。我坐了一会，也不惊动稚农，就从这边走了。从此我三天五天，总来看看他。此时他早已转了医生，大剂参、茸、锁阳、肉苁蓉专服下去。确见他精神好了许多，只是比从前更瘦了，两颧上现了点绯红颜色。如此，又过了半个多月。

一天，我下午无事，又走到慧卿处，却不见了稚农。我问时，慧卿道："回栈房去了。"我道："为甚么忽然回去了呢？"慧卿道："他今天早起，病的太重了！他两个朋友说在这里不便当，便用轿子抬回去了。"我心中暗想："莫非端甫的说话应验了？"我回号里，左右要走过大马路，便顺到天保栈一看。他已经不住在楼上了，因为扶他上楼不便，就在底下开了个房间。房间里齐集了七八个医生，缪、计二人忙做一团。稚农仰躺在床上，一个家人在那里用银匙灌他吃参汤。我走过去望他，他看了我一眼，微微点了点头。众医生在那里七张八嘴，有说用参的，有说用桂的。我问法人道："我前天看他还好好的，怎么变动起来？"法人道："今天早起，天还没亮，忽然那边慧卿怪叫起来。我两个衣服也来不及披，跑过去一看，只见他直挺挺的躺在地下。连忙扶他起来，躺在醉翁椅上，话也不会说了。我们问慧卿是怎生的。他说：'起来小便，立脚不稳，栽了一交，并没甚事。近来常常如此的，不过一搀他就起来，今天搀了半天搀他不动才叫的。'我们没了主意，姜汤、参汤，胡乱灌救。到天色大亮时，他能说话了，自己说是冷得很。我们要和他加一床被窝，他说不是，是肚子里冷。我伸手到他口边一摸，谁知他喷出来的气，都是冷的。我才慌了，叫人背了他下楼，用轿子抬了回来。"我道："请过几个医生？吃过甚么药了？"法人道："今天的医生，只怕不下三四十个了。吃了五钱肉桂下去，喷出气来和暖些。此刻又是一个医生的主意，用干姜煎了参汤在那里吃着。"说话时，又来了两个医生，向法人查问病情。我便到床前再看看，只见他两颧的红色，格外利害，才悟到前几天见他的颜色是个病容，因问他道："此刻可好点？"稚农道："稍为好点。"我便说了声"保重"，走了回去。和继之说起，果然不出端甫所料，陈稚农大约是不中用的了。

到了明天早起，他的报丧条已经到了，我便循着俗例，送点蜡烛、长锭过去。又过了十来天，忽然又送来一份讣帖，封面上刻着"幕设寿圣庵"的字样，便抽出来一看，讣帖当中，还夹了一扣哀启。及至仔细看时，却不是哀启，是个知启。此时继之在旁边见了道："这倒是个创见。谁代他出面？又'知'些甚么呢？"我便摊开了，先看是甚么人具名的，谁知竟是本地印委各员，用了全衔姓名同具的，不禁更觉奇怪。及至看那文字时，只看得我和继之两个，几乎笑破了肚子！你道那知启当中，说些甚么？且待我将原文照写出来，大家看看，其文如下：

> 稚农孝廉，某某方伯之公子也。生而聪颖，从幼即得父母欢。稍长，即知孝父母，敬兄爱弟，以故孝弟之声，闻于闾里。方伯历仕各省，孝廉均随任，服劳奉养无稍间，以故未得预童子试。某科，方伯方任某省监司，为之援例入监，令回籍应乡试。孝廉雅不

欲曰："科名事小，事亲事大，儿不欲暂违色笑也。"方伯责以大义，始勉强首涂。榜发，登贤书。孝廉泣曰："科名虽侥幸，然违色笑已半年馀矣。"其真挚之情如此。越岁，入都应礼闱试，沿途作《思亲诗》八十章，一时传诵遍都下，故又有才子之目。及报罢，即驰驿返署，问安侍膳，较之夙昔，益加敬谨。语人曰："将以补前此之阙于万一也。"以故数年来，非有事故，未尝离寝门一步。去秋，其母某夫人示疾，孝廉侍奉汤药，衣不解带，目不交睫者三阅月。及冬，遭大故。孝廉恸绝者屡矣，赖救得苏，哀毁骨立。潜告其兄曰："弟当以身殉母，兄宜善自珍卫，以奉严亲。"兄大惊，以告方伯，方伯复责以大义，始不敢言，然其殉母之心已决矣。故今年禀于方伯，独任奉丧归里，沿途哀泣，路人为之动容。甫抵上海，已哀毁成病，不克前进。奉母夫人柩，暂厝于某某山庄。已则暂寓旅舍，仍朝夕扶病，亲至厝所哭奠，风雨无间，家人苦劝力阻不听也。至某月某日，竟遂其殉母之志矣！临终遗言，以衰绖殓。呜呼！如孝廉者，诚可谓孝思不匮矣！查例载：孝子顺孙，果有环行奇节，得详具事略，奏请旌表。某等躬预斯事，不便湮没，除具详督、抚、学宪外，谨草具事略，伏望海内文坛，俯赐鸿文巨制，以彰风化，无论诗文词诔，将来汇刻成书，共垂不朽。无任盼切！

继之看了还好，我已是笑得伏在桌上，差不多肠都笑断了！继之道："你只管笑甚么？"我道："大哥没有亲见他在妓院里那个情形，对了这一篇知启，自然没得好笑。"继之道："我虽没有看见，也听你说的不少了。其实并不可笑。照你这种笑法，把天下事都揭穿了，你一辈子也笑不完呢。何况他所重的，就是一个'殉'字。古人有个成例，'醇酒妇人'也是一个殉法。"我听了，又笑起来道："这个代他辩的好得很。但可惜他不曾变做人虾，如果也变了人虾，就没有这段公案了。"继之道："人家说少见多怪，你多见了还是那么多怪。你可记得那年你从广东回来说的，有个甚么淫妇建牌坊的事，同这个不是恰成一对么！依我看，不止这两件事，大凡天下事，没有一件不是这样的。总而言之，世界上无非一个骗局。你看到了妓院里，他们应酬你起来，何等情殷谊挚；你问他的心里，都是假的。我们打破了这个关子，是知道他是假的；至于那当局者迷一流，他却偏要信是真的。你须知妓院的关子容易打破，至于世界上的关子就不容易破了。惟其不能破，所以世界上的人还那么熙来攘往。若是都破了，那就没了世界了。"

我道："这一说，只能比人情上的情伪，与这行事上不相干。"继之道："行事与人情，有甚么两样！你不想想：南京那块血迹碑，当年慎而重之的，说是方孝孺的血荫成的，特为造一座亭子嵌起来。其实还不是红纹大理石，那有血迹可以荫透石头的道理！不过他们要如此说，我们也只好如此说，万不宜揭破他；揭破他，就叫做煞风景；煞风景，就讨人嫌；处处讨了人嫌，就不能在世界上混。如此而已。这血迹碑是一件死物，我还说一件活人做的笑话给你听。有一个乡下人极怕官。他看见官出来总是袍、褂、靴、帽、翎子、顶子，以为那做官的也和庙里菩萨一般，无昼无夜，都是这样打扮起来的。有一回，这乡下人犯了点小事，捉到官里去，提到案下听审。他抬头一看，只见那官果然是袍儿、褂儿、翎子、顶子，不曾缺了一样，高高的坐在上面，把惊堂一拍，喝他招拱。旁边的差役，也帮着一阵吆喝。他心中暗想：'果然不差，做老爷的在家里，也打扮得这么光鲜。'正在胡思乱想的时候，忽然一阵旋风，把公案的桌帏吹开了，那乡下人仔细往里一看，原来老爷脱了一只靴子，脚上没有穿袜，一只手在那里抠脚丫呢。"说得我不觉笑了，旁边德泉、子安等，都一齐笑起来。继之道："统共是他一个人，同在一个时候，看他的外面何等威严，揭起桌帏一看原来如此。可见得天下事，没有一件不如此的了。不过我是揭起桌帏看过的，你们都还隔着一幅桌帏罢了。"

我们谈天是在厢房里，正说话之间，忽见门外跨进一个人，直向客堂里去。我一眼瞥见这个人，十分面善，却一时想不起来。正要问继之，只见一个茶房走进来道："苟大人来了。"我听得这话，不觉恍然大悟，这个是许多年前见过的苟才。继之当时即到外面去招呼他。正是：

座中方论欺天事，户外何来阔别人？

不知苟才来有何事，且待下回再记。

第八十七回 遇恶姑淑媛受苦 设密计观察谋差

原来苟才的故事，先两天继之说过，说他自从那年贿通了督宪亲兵，得了个营务处差事，阔了几年。就这几年里头，弥补以前的亏空，添置些排场衣服，还要外面应酬，面子上看得是极阔。无奈他空了太多，穷得太久，他的手笔又大，因此也未见得十分裕如。何况这几年当中，他又替他一个十六岁的大儿子娶了亲。

这媳妇是杭州驻防旗人。父亲本是一个骁骑校，早年已经去世，只有母亲在侍。凭媒说合，把女儿嫁给苟大少爷。过门那年，只有十五岁，却生得有沉鱼落雁之容，闭月羞花之貌。苟观察带了大少爷到杭州就亲。喜期过后，回门会亲，诸事停当，便带了大少爷、少奶奶，一同回了南京。少奶奶拜见了婆婆，三天里头，还没话说。过了三天之后，那苟太太便慢慢发作起来。起初还是指桑骂槐，指东骂西；再过几天，便渐渐骂到媳妇脸上来了。少奶奶早起请早安，上去早了，便骂“大清老早的，跑来闹不清楚，我不要受你那许多礼法规矩，也用不着你的假惺惺”。少奶奶听说，到明天便捱得时候晏点才上去，他又骂：“小蹄子不害臊，搂着汉子睡到这咱才起来！咱们家的规矩，一辈比一辈坏了！我伏伺老太爷、老太太的时候，早上、中上、晚上，三次请安，那里有不按着时候的，早晚两顿饭，还要站在后头伏伺添饭、送茶、送手巾。如今晚儿是少爷咧、少奶奶咧，都藏到自己屋里享福了，老两口子，管他咽住了也罢，呛出来了也罢，谁还管谁的死活！我看，这早安免了罢，到了晚上一起来罢，省得少奶奶从南院里跑到北院里，一天到晚，辛苦几回。”苟才在旁，也听不过了，便说道：“夫人算了罢！你昨天嫌他早；他今天上来迟些，就算听你命令的了。他有甚么不懂之处，慢慢的教起来。”苟太太听了，兀的跳起来骂道：“连你也帮着派我的不是了！这公馆里都是你们的世界，我在这里是你们的眼中钉！我也犯不上死赖在这里讨人嫌，明儿你就打发我回去罢！”苟才也怒道：“我在这里好好儿的劝你：大凡一家人家过日子，总得要和和气气，从来说家和万事兴，何况媳妇又没犯甚么事！”这句话还未说完，苟太太早伸手在桌子上一拍，大吼道：“吓！你简直的帮着他们派我犯法了！”少奶奶看见公公、婆婆一齐反目，连忙跪在地下告求。那边少爷听见了，吓得自己不敢过来见面，却从一个夹弄里绕到后面，找他姨妈。

原来这一位姨妈，便是苟太太的嫡亲姊姊。嫁的丈夫，也是一个知县，早年亡故了。身后只剩了两吊银子，又没个儿子。那年恰好是苟才过了道班，要办引见，凑不出费用，便托苟太太去和他借了来凑数。说明白到省之后，迎他到公馆同住。除了一得了差缺，即连本带利清还外，还答应养老他。将来大家有福同享，有祸同当。那位姨妈自己想想，举目无亲，就是搂了这两吊银子，也怕过不了一辈子，没个亲人照应，还怕要被人欺负呢。因此答应了。等苟才办过引见之后，便一同到了南京。苟才穷到吃尽当光的那两年，苟太太偶然有应酬出门，或有个女客来，这位姨妈曾经践了有祸同当之约，充过几回老妈子的了。此刻苟才有了差使，便拨了后面一间房子，给他居住。

当下大少爷找到姨妈跟前，叫声：“姨妈，我爹合我妈，不知为甚吵嘴。小丫头来告诉我，说媳妇跪在地下求告，求不下来。我不敢过去碰钉子，请姨妈出去劝劝罢。”说着，请了一个安。姨妈道：“哼！你娘的脾气啊！”只说了这一句，便往前面去了。大少爷仍旧从夹弄绕到自己院里，悄悄的打发小丫头去打听。直等到十点多钟，才看见少奶奶回房。大少爷接着问道：“怎样了？”少奶奶一言不发，只管抽抽噎噎的哭。大少爷坐在旁边，温存了一会。少奶奶良久收了眼泪，仍是默默无言。大少爷轻轻说道：“我娘脾气不好，你受了委屈，少不得我来陪你的不是。你心里总得看开些，不要郁出病来。照这个样子，将来贤孝两个字的名气，是有得你享的。”大少爷只管汩汩而谈，不料有一个十二岁的小少爷——就是那年吃了油麻团，一双油手抓脏了赁来衣服的那宝货——在旁边听了去，便飞跑到娘跟前，一五一十的尽情告诉了。苟太太手里正拿着茶碗喝茶，听了这话，恨得把茶碗向地下尽命的一摔，“豁啷”一声，茶碗摔得粉碎。跳起来道：“这还了得！”又喝叫小丫头：“快给我叫他来！”小丫头站着，垂手不动。苟太太道：“还不去吗！”小丫头垂手道：“请太太的示，叫谁？”苟太太伸手“劈拍”的打了一个巴掌道：“你益发糊涂了！”此时幸得姨妈尚在旁边，因劝道：“妹妹你的火性也太利害了！是叫大少爷，是叫少奶奶，也得你吩咐一声；你单说叫他来，他知道叫谁呢？”苟太太这才喝道：“给我叫那畜生过来！”姨妈又加了一句道：“快去请大少爷来，说太太叫。”那小丫头才回身去了。

一会儿，大少爷过来，知道母亲动了怒，一进了堂屋，便双膝跪下。苟太太伸手向他脸蛋上“劈劈拍拍”的先打了十多下，打完了，又用右手将他的左耳，尽力的扭住，说道：“今天先扭死了你这小崽子再说！我问你，是《大清律例》上那一条的例，你家祖宗留下来的那一条家法，宠着媳妇儿，派娘的罪案？你老子宠媳灭妻，你还要宠妻灭母，你们倒是父是子！”说到这里，指着姨妈道：“须知我娘家有人在这里，你们须灭我不得！”一面说，一面下死劲往大少爷耳朵上拧。拧得大少爷痛很了，不免两泪交流，又不敢分辩一句。幸得姨妈在旁边，竭力解劝，方才放手。大少爷仍旧屈膝低头跪着，一动也不敢动，从十点多钟跪起，足足跪到十二点钟。

小丫头来禀命开饭，苟太太点点头。一会儿先端出杯、筷、调羹、小碟之类，少奶奶也过来了。原来少奶奶一向和大少爷两个在自己房里另外开饭，苟才和太太、姨妈，另在一所屋子里同吃。今天早起，少奶奶听了婆婆说他伏侍老太爷、老太太时，要站在后头伺候的，所以也要还他公婆这个规矩，吩咐丫头们打听，上头要开饭，赶来告诉。此刻得了信，赶着过来伺候，仍是和颜悦色的，见过姨妈、婆婆，便走近饭桌旁边，分派杯筷小碟，在怀里取出雪白的丝巾，一样样的擦过。苟太太大喝道：“滚你妈的蛋！我这里用不着你在这里献假殷勤！”吓得少奶奶连忙垂手站立，没了主意。姨妈道："少奶奶先过去罢。等晚上太太气平了，再过来招呼罢。"少奶奶听说，便退了出来。

苟才今天闹过一会之后，就到差上去了。他每每早起到了差上，便不回来午饭，因此只有姨妈、苟太太两个带着小少爷同吃。及至开出饭来，大少爷仍是跪着。姨妈道："饶他起来吃饭去罢。我们在这里吃饭，边旁跪着个人，算甚么样子！"苟太太道："怕甚么！饿他一顿，未见得就饿死他！"姨妈道："旁边跪着个人，我实在吃不下去。"苟太太道："那么看姨妈的脸，放他起来罢。"姨妈忙接着道："那么快起来罢。"大少爷对苟太太磕了三个头，方才起来。又向姨妈叩谢了。苟太太道："要吃饭在我这里吃，不准你到那边去！"大少爷道："儿子这会还不饿，吃不下。"苟太太猛的把桌子一拍道："敢再给我赌气！"姨妈忙劝道："算了罢！吃不下，少吃一口儿。丫头，给大少爷端座过来。"大少爷只得坐下吃饭。

一时饭毕，大少爷仍不敢告退。苟太太却叫大丫头、老妈子们捡出一分被褥来，到姨妈的住房对过一间房里，铺设下来。姨妈也不知他是何用意。一天足足扣留住大少爷，不曾放宽一步。到了晚上九点钟时候，姨妈要睡觉了，他方才把大少爷亲自送到姨妈对过的房里，叫他从此之后，在这里睡。又叫人把夹弄门锁了，自己掌了钥匙。可怜一对小夫妻，成婚不及数月，从此便咫尺天涯了。

可巧这位大少爷，犯了个童子痨的毛病。这个毛病，说也奇怪，无论男女，当童子之时，一无所觉；及至男的娶了，或者女的嫁了，不过三五个月，那病就发作起来，任是甚么药都治不好，一定是要死的。并且差不多的医生，还看不出他的病源，回报不出他的病名来，不过单知道他是个痨病罢了。这位大少爷从小得了这个毛病，娶亲之后，久要发作，恰好这天当着一众丫头、仆妇，家人们，受了这一番挫辱，又活活的把一对热剌剌的恩爱夫妻拆开，这一夜睡到姨妈对过房里，便在枕上饮泣了一夜。到得下半夜，便觉得遍身潮热。及至天亮，要起来时，只觉头重脚轻，抬身不得，只得仍旧睡下。丫头们报与苟太太。苟太太还当他是假装的，不去理会他。姨妈来看过，说是真病了，苟太太还不在意。倒是姨妈不住过来问长问短，又叫人代他熬了两回稀饭，劝他吃下。足足耽误了一天。直到晚上十点多钟，苟才回来问起，亲到后面一看，只见他当真病了，周身上下，烧得就和火炭一般，不觉着急起来，立刻叫请医生。连夜诊了，连夜服药，足足忙了一夜。苟太太却行所无事，仍旧睡他的觉。

有话便长，无话便短。大少爷一病三月，从来没有退过烧。医生换过二三十个，非但不能愈病，并且日见消瘦。那苟太太仍然向少奶奶吹毛求疵，但遇了少奶奶过来，总是笑啼皆怒；又不准少奶奶到后头看病，一心一

意，只要隔绝他小夫妻。究竟不知他是何用意，做书人未曾钻到他肚子里去看过，也不便妄作悬拟之词。只可怜那位少奶奶，日夕以眼泪洗面罢了。又过了几天，大少爷的病越发沉重，已经晕厥过两次。经姨妈几番求情，苟太太才允了，由得少奶奶到后头看病，少奶奶一看病情凶险，便暗地里哀求姨妈，求他在婆婆跟前再求一个天高地厚之恩，准他昼夜侍疾。姨妈应允，也不知费了多少唇舌，方才说得准了。从此又是一个来月，任凭少奶奶衣不解带，目不交睫，无奈大少爷寿元已尽，参术无灵，竟就呜呼哀哉了！

少奶奶伤心哀毁，自不必说。苟才痛子心切，也哭了两三天。惟有苟太太，虽是以头抢地的哭，那嘴里却还是骂人。苟才因是个卑幼之丧，不肯发讣成礼。谁知同寅当中，一人传十，十人传百，已经有许多人知道他遭了丧明之痛。及至明日，辕门抄上刻出了"苟某人请期服假数天"，大家都知道他儿子病了半年，这一下更是通国皆知了，于是送奠礼的，送祭幛的，都纷纷来了。这是他遇了红点子，当了阔差使之故；若在数年以前，他在黑路上的时候，莫说死儿子，只怕死了爹娘，还没人理他呢。

闲话少提。且说苟才料理过一场丧事之后，又遇了一件意外之事，真是福无重至，祸不单行。你道遇了一件甚么事？原来京城里面有一位都老爷，是南边人，这年春上，曾经请假回籍省亲，在江南一带，很采了些舆论，察得江南军政、财政两项，都腐败不堪，回京销假之后，便参了一本，军政参了十八款，财政参了十二款，奉旨派了钦差，驰驿到江南查办。钦差到了南京，照例按着所参各员，咨行总督，一律先行撤差、撤任，听候查办。苟才恰在先行撤差之列。他自入仕途以来，只会要牌子，讲应酬，至于这等风险，却向来没有经过。这回碰了这件事情，犹如当头打了个闷雷一般，吓得他魂不附体。幸而不在看管之列，躲在公馆里，如坐针毡一般，没了主意。

一连过了三四天，才想起一个人来。你道这人是谁？是一个候补州同，现当着督辕文巡捕的，姓解，号叫芬臣。这个人向来与苟才要好。芬臣是个极活动的人，大凡省里当着大差的道府大人们，他没有一个不拉拢的，苟才自然也在拉拢之列。苟才却因他是个巡捕，乐得亲近亲近他，四面消息都可以灵通点。这回却因芬臣足智多谋，机变百出，而且交游极广，托他或有法子好想。定了主意，等到约莫散辕之后，便到芬臣公馆里来，将来意说知。芬臣道："大人来得正好。卑职正要代某大人去斡旋这件事，就可以顺便带着办了，但是这里头总得要点缀点缀。"苟才道："这个自然。但不知道要多少？"芬臣道："他们也是看货要价的：一，看官阶大小；二，看原参的轻重；三，他们也查访差缺的肥瘠。"苟才道："如此，一切费心了。"说罢辞去。

从此之后，苟才便一心一意，重托了解芬臣，到底化了几万银子，把个功名保全了。从此和芬臣更成知己。只是功名虽然保全，差事到底撤了。他一向手笔大，不解理财之法，今番再干掉了几万，虽不至于像从前吃尽当光光景，然而不免有点外强中干了。所以等到事情平静以后，苟才便天天和解芬臣在一起，钉着他想法子弄差使。芬臣道："这个时候最难。合城官经了一番大调动，为日未久，就是那钦差临行时交了两个条子，至今也还想不出一个安插之法，这是一层；第二层是最标致、最得宠的五姨太太，前天死了。"苟才惊道："怎么外面一点信息没有？是几时死的？"芬臣道："大人千万不要提起这件事。老帅就恐怕人家和他举动起来，所以一概不叫知道。前天过去了，昨天晚上成的殓；在花园里那竹林子旁边，盖一个小房子停放着，也不抬出来，就是恐怕人知的意思。为了此事，他心上正自烦恼，昨天今天，连客也没会，不要说没有机会，就是有机会，也碰不进去。"苟才道："我也不急在一时，不过能够快点得个差使，面子上好看点罢了。"又问："这五姨太太生得怎么个脸蛋？老帅共有几房姨太太？何以单单宠他？"芬臣道："姨太太共是六位。那五姨太太，其实他没有大不了的姿色，我看也不过情人眼里出西施罢了，不过有个人情在里面。"苟才道："有甚人情？"芬臣道："这位五姨太太是现任广东藩台鲁大人送的。那时候老帅做两广，鲁大人是广西候补府。自从送了这位姨太太之后，便官运亨通起来，一帆顺风，直到此刻地位。"苟才听了，默默如有所思。闲谈一会，便起身告辞。

回到公馆，苟太太正在那里骂媳妇呢，骂道："你这个小贱人，命带扫帚星！进门不到一年，先扫死了丈夫，再把公公的差使扫掉了！"刚刚骂到这里，苟才回来，接口道："算了罢！这一案南京城里撤差的，单是道班的也七八个，全案算起来，有三四十人，难道都讨了命带扫帚星的媳妇么？"苟太太道："没有他，我没得好赖；有了他，我就要赖他！"苟才也不再多说，由他骂去。到了晚上，夫妻两个，切切私议了一夜。

次日是辕期，苟才照例上辕，却先找着了芬臣，和他说道："今日一点钟，我具了个小东，叫个小船，喝口酒去，你我之外，并不请第三个人。在问柳（酒店名）下船。我也不客气，不具帖子了。"芬臣听说，知道他有机密事，点头答应。到了散辕之后，便回公馆，胡乱吃点饭，便坐轿子到问柳去。进得门来，苟才先已在那里，便起来招呼，一同在后面下船。把自己带来的家人留下，道："你和解老爷的管家，都在这里伺候罢，不用跟来了。解老爷管家，怕没吃饭，就在这里叫饭叫菜请他吃，可别走开。"说罢，挽了芬臣，一同跨上船去。酒菜自有伙食船跟去。苟才吩咐船家，就近点把船放到夫子庙对岸那棵柳树底下停着。芬臣心中暗想："是何机密大事，要跑到那人走不到的地方去？"正是：

要从地僻人稀处，设出神机鬼械谋。

未知苟才邀了芬臣，有何秘密事情商量，且待下回再记。

第八十八回
劝堕节翁姑齐屈膝　谐好事媒妁得甜头

当下苟才一面叫船上人剪好烟灯，通好烟枪，和芬臣两个对躺下来，先说些别样闲话。苟才的谈锋，本来没有一定，碰了他心事不宁的时候，就是和他相对终日，他也只默默无言；若是遇了他高兴头上，那就滔滔汩汩，词源不竭的了。他盘算了一天一夜，得了一个妙计，以为非但得差，就是得缺升官，也就是在此一举的了。今天邀了芬臣来，就是要商量一个行这妙法的线索。大凡一个人心里想到得意之处，虽是未曾成事，他那心中一定打算这件事情一成之后，便当如何布置，如何享用，如何酬恩，如何报怨，越想越远，就忘了这件事未曾成功，好像已经成了功的一般。世上痴人，每每如此，也不必细细表他。

单表苟才原是痴人一流，他的心中，此时已经无限得意，因此对着芬臣，东拉西扯，无话不谈。芬臣见他说了半天，仍然不曾说到正题上去，忍耐不住，因问道："大人今天约到此地，想是有甚正事赐教？"苟才道："正是。我是有一件事要和阁下商量，务乞助我一臂之力，将来一定重重的酬谢！"芬臣道："大人委办的事，倘是卑职办得到的，无有不尽力报效。此刻事情还没办，又何必先说酬谢呢。先请示是一件甚么事情？"苟才便附到他耳边去，如此这般的说了一遍。芬臣听了，心中暗暗佩服他的法子想得到。这件事如果办成了功，不到两三年，说不定也陈臬开藩的了。因说道："事情是一件好事，不知大人可曾预备了人？"苟才道："不预备了，怎好冒昧奉托。"又附着耳，悄悄的说了几句，又道："咱们是骨肉至亲，所以直说了，千万不要告诉外人！"芬臣道："卑职自当效力。但恐怕卑职一个人办不过来，不免还要走内线。"苟才道："只求事情成功，但凭大才调度就是了。"芬臣见他不省，只得直说道："走了内线，恐怕不免要多少点缀些。虽然用不着也说不定，但卑职不能不声明在前。"苟才道："这个自然是不可少的，从来说'欲成大事者，不惜小费'啊。"两个谈完了这一段正事，苟才便叫把酒菜拿上来，两个人一面对酌，一面谈天，倒是一个静局。等饮到兴尽，已是四点多钟，两个又叫船户，仍放到问柳登岸。苟才再三叮嘱，务乞鼎力，一有好消息，望即刻给我个信。芬臣一一答应。方才各自上轿分路而别。

苟才回到公馆，心中上下打算。一会儿又想发作，一会儿又想到万一芬臣办不到，我这里冒冒失失的发作了，将来难以为情，不如且忍耐一两天再说。从这天起，他便如油锅上蚂蚁一般，行坐不安。一连两天，不见芬臣消息，便以上辕为由，去找芬臣探问。芬臣让他到巡捕处坐下，悄悄说道："卑职再三想过，我们倒底说不上去。无奈去找了小跟班祁福，祁福是天天在身边的，说起来希冀容易点。谁知那小子不受抬举，他说是包可以成功，但是他要三千银子，方才肯说。"苟才听了，不觉一棱。慢慢的说道："少点呢，未尝不可以答应他；太多了，我如何拿得出！就是七拼八凑给了他，我的日子又怎生过呢！不如就费老哥的心，简直的说上去罢。"芬臣道："大人的事，卑职那有个不尽心之理！并且事成之后，大人步步高升，扶摇直上，还望大人栽培呢。但是我们说上去，得成功最好；万一碰了，连弯都没得转，岂不是弄僵了么？还是他们帮忙容易点，就是一下子碰了，他们意有所图，不消大人吩咐，他们自会想法子再说上去。卑职这两天所以不给大人回信的缘故，就因和那小子商量少点，无奈他丝毫不肯退让。到底怎样办法，请大人的示。在卑职愚见，是不可惜这个小费，恐怕反误了大事。"苟才听了，默默寻思了一会道："既如此，就答应了他罢。但必要事情成了，赏收了，才能给他呢。"芬臣道："这个自然。"苟才便辞了回去。

又等了两天，接到芬臣一封密信，说"事情已妥，帅座已经首肯，惟事不宜迟，因帅意急欲得人，以慰岑寂也"云云。苟才得信大喜，便匆匆回了个信，略谓"此等事亦当择一黄道吉日，况置办奁具等，亦略须时日，当于十天之内办妥"云云。打发去后，便到上房来，径到卧室里去，招呼苟太太也到屋子里，悄悄的说道："外头是弄妥了，此刻赶紧要说破了。但是一层，必要依我的办法，方才妥当，万万不能用强的。你可千万牢记了我的说话，不要又动起火来，那就僵了。"苟太太道："这个我知道。"便叫小丫头去请少奶奶来。一会儿，少奶奶来了，照常请安侍立。苟太太无中生有的找些闲话来说两句，一面支使开小丫头。再说不到几句话，自己也走出房外去了。

房中只剩了翁媳二人，苟才忽然间立起来，对着少奶奶双膝跪下。这一下子，把个少奶奶吓的昏了，不知是何事故，自己跪下也不是，站着又不是，走开又不是，当了面又不是，背转身又不是，又说不出一句话来。苟才更磕下头去道："贤媳，求你救我一命！"少奶奶见此情形，猛然想起莫非他不怀好意，要学那"新台故事"。想到这里，心中十分着急。要想走出去，怎奈他跪在当路，在他身边走过时，万一被他缠住，岂不是更不成事体？急到无可如何，便颤声叫了一声婆婆。苟太太本在门外，并未远去，听得叫，便一步跨了进去。大少奶奶正要说话，谁知他进得门来，翻身把门关上，走到苟才身边，也对着少奶奶“扑咚”一声双膝跪下。少奶奶又是一惊，这才忙忙对跪下来道：“公公婆婆有甚么事，快请起来说。”苟太太道：“没有甚么话，只求贤媳救我两个的命！”少奶奶道：“公公婆婆有甚差事，只管吩咐。快请起来，这总不成个样子！”苟才道：“求贤媳先答应了，肯救我一家性命，我两个才敢起来。”少奶奶道：“公公婆婆的命令，媳妇怎敢不遵！”苟才夫妇两个，方才站了起来。苟太太一面搀起了少奶奶，捺他坐下，苟才也凑近一步坐下，倒弄得少奶奶踽踳不安起来。

苟才道：“自从你男人得病之后，迁延了半年，医药之费，化了几千，得他好了倒也罢了，无奈又死了。唉！难为贤媳青年守寡！但得我差使好呢，倒也不必说他了，无端的又把差使弄掉了。我有差使的时候，已是寅支卯粮的了；此刻没了差使才得几个月，已经弄得百孔千疮，背了一身亏累。家中亲丁虽然不多，然而穷苦亲戚弄了一大窝子，这是贤媳知道的。你说再没差使，叫我以后的日子怎生得过！所以求贤媳救我一救！”少奶奶当是一件甚么事，苟才说话时，便拉长了耳朵去听。听他说头一段自己丈夫病死的话，不觉扑簌簌的泪落不止。听他说到诉穷一段，觉得莫名其妙：自己一家人，何以忽然诉起穷来？听到末后一段，心里觉得奇怪：莫不是要我代他谋差使？这件事我如何会办呢？听完了便道：“媳妇一个弱女子，能办得了甚么事？就是办得到的，也要公公说出个办法来，媳妇才可以照办。”

苟才向婆子丢个眼色，苟太太会意，走近少奶奶身边，猝然把少奶奶捺住，苟才正对了少奶奶，又跪下去。吓得少奶奶要起身时，却早被苟太太捺住了。况且苟太太也顺势跪下，两只手抱住了少奶奶双膝。苟才却摘下帽子，放在地下，然后鼜的鼜的，碰了三个响头。原来本朝制度，见了皇帝，是要免冠叩首的，所以在旗的仕宦人家，遇了元旦祭祖，也免冠叩首，以表敬意。除此之外，随便对了甚么人，也没有行这个大礼的。所以当下少奶奶一见如此，自己又动弹不得，便颤声道：“公公这是甚么事？可不要折死儿媳啊！”苟才道：“我此刻明告诉了媳妇，望媳妇大发慈悲，救我一救！这件事除了媳妇，没有第二个可做的。”少奶奶急道：“你两位老人家怎样啊？那怕要媳妇死，媳妇也去死，媳妇就遵命去死就是了！总得要起来好好的说啊。”苟才仍是跪着不动道：“这里的大帅，前个月没了个姨太太，心中十分不乐，常对人说：‘怎生再得一个佳人，方才快活。’我想媳妇生就的沉鱼落雁之容，闭月羞花之貌，大帅见了，一定欢喜的。所以我前两天托人对大帅说定，将媳妇送去给他做了姨太太，大帅已经答应下来。务乞媳妇屈节顺从，这便是救我一家性命了。”

少奶奶听了这几句话，犹如天雷击顶一般，头上“轰”的响了一声，两眼顿时漆黑，身子冷了半截，四肢登时麻木起来。歇了半晌方定，不觉抽抽咽咽的哭起来。苟才还只在地下磕头。少奶奶起先见两老对他下跪，心中着实惊慌不安，及至听了这话，倒不以为意了。苟才只管磕头，少奶奶只管哭，犹如没有看见一般。苟太太扶着少奶奶的双膝劝道：“媳妇不要伤心。求你看我死儿子的脸，委屈点救我们一家，便是我那死儿子，在地底下也感激你的大恩啊！”少奶奶听到这里，索性放声大哭起来，一面哭，一面说：“天啊，我的命好苦啊！爸爸啊，你撇得我好苦啊！”苟才听了，在地下又鼕的鼕的碰起头来，双眼垂泪道：“媳妇啊！这件事办的原是我的不是，但是此刻已经说了上去，万难挽回的了。无论怎样，总求媳妇委屈点，将就下去。”

此时少奶奶哭诉之声，早被门外的丫头、老妈子听见，推了推房门，是关着的，只得都伏在窗外偷听。有个寻着窗缝往里张的，看见少奶奶坐着，老爷、太太都跪着，不觉好笑，暗暗招手，叫别个来看。内中有个有年纪的老妈子，恐怕是闹了甚么事，便到后头去请姨妈出来解劝。姨妈听说，也莫名其妙，只得跟到前面来，叩了叩门道：“妹妹开门！甚么事啊？”苟太太听得是姨妈声音，便起来开门。苟才也只得站了起来。少奶奶兀自哭个不止。姨妈跨进来便问道：“你们这是唱的甚么戏啊？”苟太太一面仍关上门，一面请姨妈坐下，一面如此这般，这般如此的告诉了一遍。又道：“这都是天杀的在外头干下来的事，我一点也不晓得。我要是早点知道，那里肯由得他去干！此刻事已如此，只有委屈我的媳妇就是了。”姨妈沉吟道：“这件事怕不是我们做官人家所做的罢。”苟才道：“我岂不知道？但是一时糊涂，已经做了出去，如果媳妇一定不答应，那就不好说了。大人先生的事情，岂可以和他取笑？答应了他，送不出人来，万一他动了气，说我拿他开心，做上司的要抓我们的错处容易得很，不难栽上一个罪名，拿来参了，那才糟糕到底呢！”说着，叹了一口气。姨妈看见房门关着，便道：“你们真干的好事！大白天的把个房门关上，好看呢！”苟太太听说，便开了房门。当下四个人相对，默默无言。丫头们便进来伺候，装烟舀茶。少奶奶看见开了门，站起来只向姨妈告辞了一声，便扬长的去了。

苟太太对苟才道：“干他不下来，这便怎样？”苟才道：“还得请姨妈去劝劝他，他向来听姨妈说话的。”说罢，向姨妈请了一个安道：“诸事拜托了。”姨妈道：“你们干得好事，却要我去劝！这是各人的志向，如果他立志不肯，又怎样呢？我可不耽这个干系。”苟才道：“这件事，他如果一定不肯，认真于我功名有碍的。还得姨妈费心。我此刻出去，还有别的事呢。”说罢，便叫预备轿子，一面又央及了姨妈几句。姨妈只得答应了。苟才便出来上轿，吩咐到票号里去。

且说这票号生意，专代人家汇划银钱及寄顿银钱的。凡是这些票号，都是西帮所开。这里头的人最是势利，只要你有二钱银子存在他那里，他见了你时，便老爷咧、大人咧，叫得应天响；你若是欠上他一厘银子，他向你讨起来，你没得还他，看他那副面目，就是你反叫他老爷、大人，他也不理你呢。当时苟才虽说是撤了差穷了，然而还有几百两银子存在一家票号里。这天前去，本是要和他别有商量的。票号里的当手姓多，叫多祝三，见苟才到了，便亲自迎了出来，让到客座里请坐，一面招呼烟茶，一面说："大人好几天没请过来了，公事忙？"苟才道："差也撤了，还忙甚么！穷忙罢咧。"多祝三道："这是那里的话！看你老人家的气色，红光满面，还怕不马上就有差使，不定还放缺呢。小号这里总得求大人照应照应。"苟才道："咱们不说闲话。我今日来要和你商量，借一万两银子。利息呢，一分也罢，八厘也罢，左右我半年之内，就要还的。"多祝三道："小号的钱，大人要用，只管拿去好了，还甚么利不利。但是上前天才把今年派着的外国赔款，垫解到上海，今天又承解了一笔京款，藩台那边的存款，又提了好些去，一时之间，恐怕调动不转呢。"

苟才道："你是知道我的，向来不肯乱花钱。头回存在宝号的几万，不是为这个功名，甚么查办不查办，我也不至于尽情提了去，只剩得几百零头，今天也不必和你商量了。因为我的一个丫头，要送给大帅做姨太太，由文巡厅解芬臣解大老爷做的媒人，一切都说妥了。你想给大帅的，与给别人的又自不同，咱们老实的话，我也望他进去之后，和我做一个内线，所以这一分妆奁，是万不能不从丰的。我打算赔个二万，无奈自己只有一万，才来和你商量。宝号既然不便，我到别处张罗就是了。"苟才说这番话时，祝三已拉长了耳朵去听，听完了，忙道："不，因为这两天，东家派了一个伙计来查帐。大人的明见，做晚的虽然在这里当手，然而他是东家特派来的人，既在这里，做晚的凡事不能不和他商量商量。他此刻出去了，等他回来，做晚的和他说一声，先尽了我的道理，想来总可以办得到的。办到了，给大人送来。"苟才道："那么，行不行你给我一个回信，好待我到别处去张罗。"祝三一连答应了无数的"是"字，苟才自上轿回去。

那多祝三送过苟才之后，也坐了轿子，飞忙到解芬臣公馆里来。原来那解芬臣自受了苟才所托之后，不过没有机会进言，何尝托甚么小跟班。不过遇了他来讨回信，顺口把这句话搪塞他，也就顺便诈他几文用用罢了。在芬臣当日，不过诈得着最好，诈不着也就罢了。谁知苟才那厮，心急如焚，一诈就着。芬臣越发上紧，因为办成了，可以捞他三千，又是小跟班扛的名气，自己又还送了交情，所以日夕在那里体察动静。那天他正到签押房里要

回公事，才揭起门帘，只见大帅拿一张纸片往桌子上一丢，重重的叹了一口气。芬臣回公事时，便偷眼去瞧那纸片，原来不是别的，正是那死了的五姨太太的照片儿。芬臣心中暗喜，回过了公事，仍旧垂手站立。大帅道："还有甚么事？"芬臣道："苟道苟某人，他听说五姨太太过了，很代大帅伤心。因为大帅不叫外人知道，所以不敢说起。"大帅拿眼睛看了芬臣一眼，道："那也值得一回。"芬臣道："苟道还说已经替大帅物色着一个人，因为未曾请示，不敢冒昧送进来。"大帅道："这倒费他的心。但不知生得怎样？"芬臣道："倘不是绝色的，苟道未必在心。"这位大帅，本是个色中饿鬼，上房里的大丫头，凡是稍为生得干净点的，他总有点不干不净的事干下去，此刻听得是个绝色，如何不欢喜？便道："那么你和他说，叫他送进来就是了。"

芬臣应了两个"是"字，退了出去，便给信与苟才。此时正在盘算那三千头，可以稳到手了。正在出神之际，忽然家人报说票号里的多老办来了，芬臣便出去会他。先说了几句照例的套话，祝三便说道："听说解老爷代大帅做了个好媒人。这媒人做得好，将来姨太太对了大帅的劲儿，媒人也要有好处的呢。我看谢媒的礼，少不了一个缺。应得先给解老爷道个喜。"说罢，连连作揖。芬臣听了，吃了一惊，一面还礼不迭，一面暗想："这件事除了我和大帅及苟观察之外，再没有第四个人知道。我回这话时，并且旁边的家人也没有一个，他却从何得知呢？"因问道："你在那里听来的？好快的消息！"祝三道："姨太太还是苟大人那边的人呢，如何瞒得了我！"芬臣是个极机警的人，一闻此语，早已了然胸中，因说道："我是媒人，尚且可望得缺，苟大人应该怎样呢？你和苟大人道了喜没有？"祝三道："没有呢。因为解老爷这边顺路，所以先到这边来。"芬臣正色道："苟大人这回只怕官运通了，前回的参案参他不动，此刻又遇了这么个机会。那女子长得实在好，大帅一定得意的。"祝三听了，敷衍了几句，辞了出来，坐上轿子，飞也似的回到号里，打了一张一万两的票子，亲自送给苟才。正是：

　　奸刁市侩眼一孔，势利人情纸半张。

未知祝三送了银票与苟才之后，还有何事，且待下回再记。

第八十九回
舌剑唇枪难回节烈　忿深怨绝顿改坚贞

南京地方辽阔，苟才接得芬臣的信，已是中午时候，在家里胡闹了半天，才到票号里去。多祝三再到芬臣处转了一转，又回号里打票子，再赶到苟才公馆，已是掌灯时候了。苟才回到家中，先向婆子问："劝得怎样了？"苟太太摇摇头。苟才道："可对姨妈说，今天晚上起，请他把铺盖搬到那边去，一则晚上劝劝他，二则要防到他有甚意外。"苟太太此时，自是千依百顺，连忙请姨妈来，悄悄说知，姨妈自无不依之理。

苟才正在安排一切，家人报说票号里多先生来了，苟才连忙出来会他。祝三一见面，就连连作揖道："耽误了大人的事，十分抱歉！我们那伙计方才回来，做晚的就忙着和他商量大人这边的事。大人猜我们那伙计说甚么来？"苟才道："不过不肯信付我们这背时的人罢了。"祝三拍手道："正是，大人猜着了也！做晚的倒很很儿给他埋怨一顿，说：'亏你是一号的当手，眼睛也没生好！像苟大人那种主儿，咱们求他用钱，还怕苟大人不肯用。此刻苟大人亲自赏光，你还要活活的把一个主儿推出去！就是现的垫空了，咱们那里调不动万把银子，还不赶着给苟大人送去！'大人，你老人家替我想想，做晚的不过小心点待他，倒反受了他的一阵埋怨，这不是冤枉吗！做晚的并没有丝毫不放心大人的意思，这是大人可以谅我的。下回如果大人驾到小号，见着了他，还得请大人代做晚的表白表白。"

说罢，在怀里掏出一个洋皮夹子，在里面取出一张票子来，双手递与苟才道："这是一万两，请大人先收了，如果再要用时，再由小号里送过来。"苟才道："这个我用不着，你先拿了回去罢。"祝三吃了一惊，道："想大人已经向别家用了？"苟才道："并不。"祝三道："那么还是请大人赏用了，左右谁家的都是一样用。"苟才道："我用这个钱，并不是今天一下子就要用一万，是要来置备东西用的，三千一处也不定，二千一处也不定，就是几百一处、几十一处，都是论不定的。你给我这一张整票子，明天还是要到你那边打散，何必多此一举呢。"祝三道："是，是，是！这是做晚的糊涂。请大人的示，要用多少一张的？或者开个横单子下来，做晚的好去照办。"苟才道："这个那里论得定！"祝三道："这样罢，做晚的回去，送一份三联支票过来罢，大人要用多少支多少，这就便当了。"苟才道："我起意是要这样办，你却要推三阻四的，所以我就没脸说下去了。"祝三道："大人说这是那里话来！大人不怪小人错，准定就照那么办，明天一早，再送过来就是了。"苟才点头答应，祝三便自去了。

苟才回到上房，恰好是开饭时候，却不见姨妈。苟才问起时，才知道在那边陪少奶奶吃去了。原来少奶奶当日，本是夫妻同吃的，自从苟太太拆散他夫妻之后，便只有少奶奶一个人独吃。那时候，已是早一顿、迟一顿的了；到后来大少爷死了，更是冷一顿、热一顿，甚至有不能下箸的时候，少奶奶却从来没过半句怨言，甘之若素。却从苟才起了不良之心之后，忽然改了观，管厨房的老妈，每天还过来请示吃甚么菜，少奶奶也不过如此。这天中上，闹了事之后，少奶奶一直在房里嘤嘤啜泣。姨妈坐在旁边，劝了一天。等到开出饭来，丫头过来请用饭。少奶奶说："不吃了，收去罢。"姨妈道："我在这里陪少奶奶呢，快请过来用点。"少奶奶道："我委实吃不下，姨妈请用罢。"姨妈一定不依，劝死劝活，才劝得他用茶泡了一口饭，勉强咽下去。饭后，姨妈又复百般劝慰。

今天一天，姨妈所劝的话，无非是埋怨苟才夫妻岂有此理的话，绝不敢提到劝他依从的一句。直到晚饭之后，少奶奶的哭慢慢停住了，姨妈才渐渐入起彀来，说道："我们这个妹夫，实在是个糊涂虫！娶了你这么个贤德媳妇，在明白点的人，岂有不疼爱得和自己女儿一般的？却在外头去干下这没天理的事情来。亏他有脸，当面说得出！我那妹子呢，更不用说，平常甚么规矩咧、礼节咧，一天到晚闹不清楚，我看他向来没有把好脸色给媳妇瞧一瞧，他男人要干这没天理的事情，他就帮着腔，也柔声下气起来了。"少奶奶道："岂但柔声下气，今天不是姨妈来救我，几乎把我活活的急死了！他两老还双双的跪在地下呢。公公还摘下小帽，'咯嘣咯嘣'的碰头。"姨妈听了笑道："只要你点一点头，便是他的宪太太了，再多碰几个，也受得他起。"少奶奶道："姨妈不要取笑，这等事岂是我们这等人家做出来的！"

姨妈道："啊唷！不要说起！越是官宦人家，规矩越严，内里头的笑话越多。我还是小时候听说的，苏州一家甚么人家，上代也是甚么状元宰相，家里秀才举人，几几乎数不过来。有一天，报到他家的大少爷点了探花了，家中自然欢喜热闹，开发报子赏钱，忙个不了。谁知这个当刻，家人又来报三少奶奶跟马夫逃走了。你想这不是做官人家的故事？直到前几年，那位大少爷早就扶摇直上，做了军机大臣了。那位三少奶奶，年纪也大了，买了七八个女儿，在山塘灯船上当老鸨，口口声声还说我是某家的少奶奶，军机大臣某人，是我的大伯爷。有个人在外面这样胡闹，他家里做官的还是做官。如今晚儿的世界，是只能看外面，不能问底子的了。"少奶奶道："这是看各人的志气，不能拿人家来讲的。"

姨妈道："天唷！天底下有几个及得来我的少奶奶的！唷！老天爷也实在糊涂！越是好人，他越给他磨折得利害！像少奶奶这么个人，长得又好，脾气又好，规矩、礼法、女红、活计，那一样输给人家？真正是谁见谁爱，谁见谁疼的了，却碰了我妹子那么个糊涂蛋的婆婆。一年到晚，我看你受的那些委屈，我也不知陪你淌了多少眼泪。他们索性玩出这个把戏来了！少奶奶啊，方才我替你打算过来，不知你这一辈子的人怎么过呢！他们在外头丧良心、没天理的干出这件事来，我听说已经把你的小照送给制台看过，又求了制台身边的人上去回过，制台点了头，并且交代早晚就要送进去的，这件事就算已经成功的了。少奶奶却依着正大道理做事，不依从他，这个自是神人共敬的。但是你公公这一下子交不出人来，这个钉子怕不碰得他头破血流！如今晚儿做官的，那里还讲甚么能耐，讲甚么才情！会拉拢、会花钱就是能耐，会巴结就是才情。你向来不来拉拢，不来巴结，倒也罢了；拉拢上了，巴结上了，却叫他落一个空，晓得他动的是甚么气！不要说是差缺永远没望，说不定还要干掉他的功名。他的功名干掉了，是他的自作自受，极应该的。少奶奶啊，这可是苦了你了！他功名干掉了，差使不能当了，人家是穷了，这里没面子再住了，少不得要回旗去。咱们是京旗，一到了京里，离你的娘家更远了。你婆婆的脾气，是你知道的，不必再说了。到了那时候，说起来，公公好好的功名，全是给你干掉的，你这一辈子的磨折，只怕到死还受不尽呢！"说着，便倘下泪来。

少奶奶道："关到名节上的事情，就是死也不怕，何况受点折磨？"姨妈道："能死得去倒也罢了，只怕死不去呢！老实对你说，我到这里陪你，就是要监守住你，防到你有三长两短的意思。你想我手里的几千银子，被他们用了，到此刻不曾还我，他委托我一点事情，我那里敢不尽心！你又从何死起？唉！总是运气的原故。你们这件事闹翻了，他们穷了，又是终年的闹饥荒，连我养老的几吊棺材本，只怕从此拉倒了，这才是城门失火，殃及池鱼呢！"少奶奶听了这些话，只是默默无言。姨妈又道："我呢，大半辈子的人了，就是没了这几吊养老本钱，好在有他们养活着我。我死了下来，这几根骨头，怕他们不替我收拾！"说到这里，也淌下眼泪来，又道："只是苦了少奶奶，年纪轻轻的，又没生下一男半女，将来谁是可靠的？你看那小子（指小少爷也），已经长到十二岁了，一本《中庸》还没念到一半，又顽皮又笨，那里像个有出息的样子！将来还望他看顾嫂嫂？"说到这里，少奶奶也抽抽咽咽的哭了。姨妈道："少奶奶，这是你一辈子的事，你自己过细想想看。"当时夜色已深，大众安排睡觉。一宵晚景休提。

且说次日，苟才起来，梳洗已毕，便到书房里找出一个小小的文具箱，用钥匙开了锁，翻腾了许久，翻出一个小包、一个纸卷儿，拿到上房里来。

先把那小包递给婆子道："这一包东西，是我从前引见的时候，在京城里同仁堂买的。你可交给姨妈，叫他吃晚饭时候，随便酒里茶里，弄些下去，叫他吃了。"说罢，又附耳悄悄的说了那功用。苟太太道："怪道呢！怨不得一天到晚在外头胡闹，原来是备了这些东西。"苟才道："你不要这么大惊小怪，这回也算得着了正用。"说罢，又把那纸卷儿递过去道："这东西也交代姨妈，叫他放在一个容易看见的地方。左右姨妈能说能话，叫他随机应变罢了。"苟太太接过纸卷，要打开看看，才开了一开，便涨红了脸，把东西一丢道："老不要脸的！那里弄了这东西？"苟才道："你那里知道！大凡官照、札子、银票等要紧东西里头，必要放了这个，作为镇压之用。凡我们做官的人，是个个备有这样东西的。"苟太太也不多辩论，先把东西收下。觑个便，邀了姨妈过来，和他细细说知，把东西交给他。姨妈一一领会。

这一天，苟才在外头置备了二三千银子的衣服首饰之类，作为妆奁。到得晚饭时，姨妈便蹑手蹑脚，把那小包子里的混帐东西，放些在茶里面。饭后仍和昨天一般，用一番说话去旁敲侧击。少奶奶自觉得神思昏昏，老早就睡下了。姨妈觑个便，悄悄的把那个小纸卷儿，放在少奶奶的梳妆抽屉里。这一夜，少奶奶竟没有好好的睡，翻来覆去，短叹长吁，直到天亮，只觉得人神困倦。盥洗已毕，临镜理妆，猛然在梳妆抽屉里看见一个纸卷儿，打开一看，只羞得满脸通红，连忙卷起来。草草梳妆已毕，终日纳闷。姨妈又故意在旁边说些今日打听得制军如何催逼，苟才如何焦急等说话，翻来覆去的说了又说。到了晚上，又如法泡制，给他点混帐东西吃下。自己又故意吃两钟酒，借着点酒意，厚着脸面，说些不相干的话，又说："这件事，我也望少奶奶到底不要依从。万一依从了，我们要再见一面，就难上加难了。做了制台的姨太太，只怕候补道的老太太还不及他的威风呢！何况我们穷亲戚，要求见一面，自然难上加难了。"少奶奶只不做声。如此一连四五天，苟才的妆奁也办好了，芬臣也来催过两次了。

姨妈看见这两天少奶奶不言不语，似乎有点转机了，便出来和苟太太说知，如此如此。苟太太告诉了苟才，苟才立刻和婆子两个过来，也不再讲甚么规矩，也不避甚么丫头老妈，夫妻两个，直走到少奶奶房里，双双跪下。吓得少奶奶也只好陪着跪下，嘴里说道："公公婆婆，快点请起，有话好说。"苟才双眼垂泪道："媳妇啊！这两天里头，叫人家逼死我了！我托了人和制台说成功了，制台就要人，天天逼着那代我说的人。他交不出人，只得来逼我，这个是要活活逼死我的了！救人一命，胜造七级浮屠，望媳妇大发慈悲罢！"少奶奶到了此时，真是无可如何，只得说道："公公婆婆，且先请起，凡事都可以从长计议。"苟才夫妇才起来。姨妈便连忙来搀少奶奶起来，一同坐下。苟才先说道："这件事本来是我错在前头，此刻悔也来不及了。古人说的：'一失足成千古恨，再回头是百年身。'我也明知道对不住人，但是叫我也无法补救。"少奶奶道："媳妇从小就知妇人从一而终的大义，所以自从寡居以后，便立志守节终身。况且这个也无须立志的，做妇人的规矩，本是这样，原是一件照例之事。却不料变生意外！"说到这里，不说了。

苟才站起来，便请了一个安道："只望媳妇顺变达权，成全了我这件事，我苟氏生生世世，不忘大恩！"少奶奶掩面大哭道："只是我的天唷！"说着，便大放悲声。姨妈连忙过来解劝。苟太太一面和他拍着背，一面说道："少奶奶别哭，恐怕哭坏了身子啊。"少奶奶听说，咬牙切齿的跺着脚道："我此刻还是谁的少奶奶唷！"苟太太听了，也自觉得无味，要待发作他两句，无奈此时功名性命，都靠在他身上，只得忍气吞声，咽了一口气下去。少奶奶哭够多时，方才住哭，望着姨妈道："我恨的父母生我不是个男子，凡事自己作不动主，只得听从人家摆布。此刻我也没有话说了，由得人家拿我怎样便怎样就是了。但是我再到别家人家去，实在没脸再认是某人之女了。我爸爸死了，不用说他；我妈呢，苦守了几年，把我嫁了。我只有一个遗腹兄弟，常说长大起来，要靠亲戚照应的，我这一去，就和死一样，我的娘家叫我交付给谁！我是死也张着眼儿的！"苟才站起来，把腰子一挺道："都是我的！"

少奶奶也不答话，站起来往外就走，走到大少爷的神主前面，自己把头上簪子拔了下来，把头一颠，头发都散了，一弯腰，坐在地下，放声大哭起来，一面哭，一面诉。这一哭，直是哭得一佛出世，二佛涅槃！任凭姨妈、丫头、老妈子苦苦相劝，如何劝得住？一口气便哭了两个时辰。哭得伤心过度了，忽然晕厥过去。吓的众人七手八脚，先把他抬到床上，掐人中，灌开水，灌姜汤，一泡子乱救，才救了过来。一醒了，便一咕噜爬起来坐着，叫声："姨妈！我此刻不伤心了。甚么三贞九烈，都是哄人的说话；甚么断鼻割耳，都是古人的呆气。唱一出戏出来，也要听戏的人懂得，那唱戏的才有精神，有意思；戏台下坐了一班又瞎又聋的，他还尽着在台上拚命的唱，不是个呆子么！叫他们预备香蜡，我要脱孝了。几时叫我进去，叫他们快快回我。"苟才此时还在房外等候消息，听了这话，连忙走近门口垂手道："宪太太再将息两天，等把哭的嗓子养好了，就好进去。"少奶奶道："哼！只要炖得浓浓儿的燕窝，吃上两顿就好了，还有工夫慢慢的将息！"苟太太在旁边，便一迭连声叫："快拣燕窝！要拣得干净，落了一根小毛毛儿在里头，你们小心抠眼睛、拶指头！"丫头们答应去了。这里姨妈招呼着和少奶奶重新梳裹已毕。少奶奶到大少爷神主前，行过四跪八肃礼，便脱去素服，换上绸衣，独自一个在那里傻笑。

过得一天，苟才便托芬臣上去请示。谁知那制台已是急得了不得，一听见请示，便说是："今天晚上抬了进来就完了，还请甚么，示甚么！"苟才得了信，这一天下午，便备了极丰盛的筵席，饯送宪太太。先是苟才，次是苟太太和姨妈，挨次把盏。宪太太此时乐得开怀畅饮，以待新欢。等到筵席将散时，已将交二炮时候，苟才重新起来，把了一盏。宪太太接杯在手，往桌上一搁道："从古用计，最利害的是美人计。你们要拿我去换差换缺，自然是一条妙计；但是你们知其一，不知其二，可知道古来祸水也是美人做的？我这回进去了，得了宠，哼！不是我说甚么……"苟才连忙接着道："总求宪太太栽培！"宪太太道："看着罢咧！碰了我高兴的时候，把这件事的始末，哭诉一遍，怕不断送你们一辈子！"说着，拿苟才把的一盏酒，一吸而尽。苟才听了这个话，犹如天雷击顶一般。苟太太早已当地跪下。姨妈连忙道："宪太太大人大量，断不至于如此，何况这里还答应招呼宪太太的令弟呢。"

原来苟才也防到宪太太到了衙门时，贞烈之性复起，弄出事情来，所以后来把那一盏酒，重重的和了些那混帐东西在里面。宪太太一口吸尽，慢慢的觉得心上有点与平日不同。勉强坐定了一回，双眼一饧，说道："酒也够了，东西也吃饱了，用不着吃饭了。要我走，我就走罢！"说着，站起来，站不稳，重又坐下。姨妈忙道："可是醉了？"宪太太道："不，打轿子罢。"苟才便喝叫轿子打进来。苟太太还兀自跪在地下呢，宪太太早登舆去了，所有妆奁也纷纷跟着轿子抬去。这一去，有分教：

宦海风涛惊起落，侯门显赫任铺张。

不知后事如何，且待下回再记。

第九十回 差池臭味郎舅成仇　巴结功深葭莩复合

苟才自从送了自己媳妇去做制台姨太太之后，因为他临行忽然有祸水出自美人之说，心中着实后悔，夫妻两个，互相埋怨。从此便怀了鬼胎，恐怕媳妇认真做弄手脚，那时候真是"赔了夫人又折兵"了。一会儿，又转念媳妇不是这等人，断不至于如此。只要媳妇不说穿了，大帅一定欢喜的，那就或差或缺，必不落空。如此一想，心中又快活起来。

次日，解芬臣又来说，那小跟班祁福要那三千头了。苟才本待要反悔，又恐怕内中多一个作梗的，只得打了三千票子，递给芬臣，说道："费心转交过去，并求转致前路，内中有甚消息，大帅还对劲不，随时给我个信。"芬臣道："这还有甚不对劲的！今天本是辕期，忽然止了辕。九点钟时候，祁福到卑职那里要这个，卑职问他：'为甚么事止的辕？'祁福说：'并没有甚么事，我也不知道为甚止辕的。'卑职又问：'大帅此刻做甚么？'祁福说：'在那里看新姨太太梳头呢。'大人的明见，想来就是为这件事止的辕了，还有不得意的么！"苟才听了，又是忧喜交集。

官场的事情，也真是有天没日，只要贿赂通了，甚么事都办得到的。不出十天，苟才早奉委了筹防局、牙厘局两个差使。苟才忙得又要谢委，又要拜客，又要到差，自以为从此一帆顺风，扶摇直上的了。却又恰好遇了苏州抚台要参江宁藩台的故事，苟才在旁边倒得了个署缺。这件事是个甚么原因？先要把苏州抚台的来历表白了，再好叙下文。

这苏州抚台姓叶，号叫伯芬，本是赫赫侯门的一位郡马。起先捐了个京职，在京里住过几年，学了一身的京油子气。他有一位大舅爷，是个京堂，到是一位严正君子，每日做事，必写日记。那日记当中，提到他那位叶妹夫，便说他年轻而纨袴习气太重。除应酬外，乃一无所长，又性根未定，喜怒无常云云。伯芬的为人，也就可想而知了。他在京里住的厌烦了，大舅爷又不肯照应，他便忿忿出京，仗着一个部曹，要在外省谋差事。一位赫赫侯府郡马，自然有人照应，委了他一个军装局的会办。这军装局局面极阔，向来一个总办，一个会办，一个襄办，还有两个提调。总办向来是道台，便是会办、襄办也是个道台，就连两个提调都是府班的。他一个部曹，戴了个水晶顶子去当会办，比着那红蓝色的顶子，未免相形见绌。何况这局里的委员，蓝顶子的也很有两个，有甚么事聚会起来，如新年团拜之类，他总不免踽踽不安，人家也就看他不起。那总办更是当他小孩子一般看待。伯芬在局里觉得难以自容，便收拾行李，请了个假，出门去了。

你道他往那里去来？原来他的大舅爷放了外国钦差，到外国去了，所以他也跟踪而去。以为在京时你不肯照应我罢了，此刻万里重洋的寻了去，虽然参赞、领事所不敢望，一个随员总要安置我的。谁知千辛万苦，寻到了外洋，访到中国钦差衙门，投了帖子进去，里面马上传出来请，伯芬便进去相见。钦差一见了他，行礼未完，便问道："你来做甚么？"伯芬道："特地来给大哥请安。"钦差道："哼！万里重洋的，特地为了请安而来，头一句就是撒谎！"伯芬道："顺便就在这里伺候大哥，有甚么差使，求赏一个。"钦差道："亏你还是仕宦人家出身，怎么连这一点节目都不懂得！这钦差的随员，是在中国时逐名奏调的，等到了此地，还有前任移交下来的人员，应去应留，又须奏明在案，某人派某事，都要据实奏明的。你当是和中国督抚一般，可以随时调剂私人的么？”伯芬楞了半天，说不出话来。此时他带来的行李，早已纷纷发到，家人上来请钦差的示，放在那里。钦差道：“我这衙门里没地方放，由他搁过一边，回来等他找定了客店搬去。”伯芬听说，更觉楞了。钦差道：“我这里，一来地方小，住不下闲人；二来我定的例，早晚各处都要点名，早上点过名才开大门，晚上也点过名才关门，不许有半个闲人在衙门里面。所以你这回来了，就是门房里也住你不下，你可赶紧到外头去找地方。你是见机的，就附了原船回去；要是不知起倒，当作在中国候差委一般候着，我可不理的。这里浇裹又大，较之中国要顶到一百几十倍，你自己打算便了。我这里有公事，不能陪你，你去罢。”

伯芬无奈，只得退了出来，便拿片子，去拜衙门里的各随员。谁知各随员都受了钦差严谕，不敢招呼，一个个都回出来说挡驾。伯芬此时急的要哭出来，又是悔，又是恨，又是恼，又是急，一时心中把酸咸苦辣都涌了上来。到了此地，人生路不熟，又不懂话，正不知如何是好。幸得带来的家人曾贵，和一个钦差大臣带来的二手厨子认得，由曾贵去央了那二手厨子出来，代他主仆两个，找定了一所客店，才把行李搬了过来住下。天天仍然到钦差衙门来求见，钦差只管不见他。到第三天去见时，那号房简直不代他传帖子了，说是：“递了上去就碰钉子，还责骂我们，说为甚不打出去。姑老爷，你何苦害我们捱骂呢！”伯芬听了，真是有苦无处诉。带来的盘费，看看用尽了。恰好那坐来的船，又要开到中国了。伯芬发了急，便写一封信给钦差，求他借盘缠回去。到了下午，钦差打发人送了回信来，却是两张三等舱的船票。

伯芬真是气得涨破了肚皮，只得忍辱受了，附了船仍回中国，便去销假，仍旧到他军装局的差。在老婆跟前又不便把大舅爷待自己的情形说出，更不敢露出忿恨之色，那心中却把大舅爷恨的犹如不共戴天一般。又因为局里众人看不起他是个部曹，好得他家里有的是钱，他老太爷做过两任广东知县，很刮了些广东地皮回家，便向家里搬这银子出来，去捐了个候补道，加了个二品顶戴，入京引过见，从此他的顶子也红了。人情势利，大抵如此，局里的人看见他头上换了颜色，也不敢看他不起了。伯芬却是恨他大舅爷的心事，一天甚似一天。每每到睡不着觉时，便打算我有了个道班做底子，怎样可以谋放缺，怎样可以升官，几年可以望到督抚，怎样设法，可以调入军机。那时候大舅爷的辫子自然在我手里，那时便可以如何报仇，如何雪恨了。每每如此胡思乱想，想到彻夜不寐。

他却又一面广交声气，凡是有个红点子的人，他无有不交结的。一天正在局子里闲坐，忽然家人送上一张帖子，说是赵大人来拜。原这赵大人也是一个江南候补道，号叫啸存，这回进京引见，得了内记名出来。从前在京时，叶伯芬本来是相识的，这回出京路过上海，便来拜访。伯芬见了片子，连忙叫请。两人相见之下，照例寒暄几句，说些契阔的话。在赵啸存无非是照例应酬，在叶伯芬看见赵啸存新得记名，便极力拉拢。等啸存去后，便连忙叫人到聚丰园定了座位，一面坐了马车去回拜啸存，当面约了明日聚丰园。及至回到局里，又连忙备了帖子，开了知单送去，啸存打了知字回来。

伯芬到了次日下午五点钟时，便到聚丰园去等候。他所请的，虽不止赵啸存一人，然而其馀的人都是与这书上无干的，所以我也没工夫去记他的贵姓台甫了。客齐之后，伯芬把酒入席。坐席既定，伯芬便说闷饮寡欢，不如叫两个局来谈谈，同席的人，自然都应允，只有啸存道："兄弟是个过路客，又是前天才到，意中实在无人。不啊，就请伯翁给我代一个罢。"伯芬一想，自己只有两个人：一个是西荟芳陆蘅舫，一个是东棋盘街吴小红。蘅舫是一向有了交情的，誓海盟山，已有白头之约，并且蘅舫又亲自到过伯芬公馆，叩见过叶太太。叶太太虽是满肚醋意，十分不高兴，面子上却还不十分露出来。倒是叶老太太十分要好，大约年老人欢喜打扮得好的，自己终年在公馆里，所见的无非丫头、老妈，忽然来了个花枝招展的，自是高兴，因此和他十分亲热。这些闲话，表过不提。

且说伯芬当时暗想："吴小红到底是个幺二，又只得十三岁，若荐给啸存，恐怕他不高兴。好在他是个过客，不多几天就要走的，不如把蘅舫荐给他罢。"想定了主意，便提笔写了局票发出去。一会儿各人的局陆续来了。陆蘅舫来到，伯芬指给啸存，啸存一见，十分赏识，赞不绝口。伯芬又使个眼色给蘅舫，叫他不要转局，蘅舫是吃甚么饭的人，自然会意。席散之后，啸存定要到蘅舫处坐坐，伯芬只得奉陪。啸存高兴，又在那里开起宴来。席中与伯芬十分投契，便商量要换帖。伯芬暗想："他是个新得记名的人，不久就可望得缺的，并且他这回的记名，是从制台密保上来的，纵使一时不能得缺，他总是制台的一个红人，将来用他之处正多呢。"想到这里，自然无不乐从。互相问了年纪，等到席散，伯芬便连忙回到公馆，将一分帖子写好。次日一早，便差一个家人送到啸存寓所。又另外备了一分请帖知单，请今天晚上在吴小红处。不一会，啸存在单上打了知字回来。

且慢，叶伯芬他虽不肖，也还是一个军装局会办，虽是纯乎用钱买来的，却叫名儿也还是个监司大员，何以玩到幺二上去？这幺二妓院人物，都是些三四等货，局面尤其狭小，只有几个店家的小伙计们去走动走动的。岂不是做书的人撒谎也撒得不像么？不知非也！这吴小红本是姊妹两个，小红居长，那小的叫吴小芳。小红十一岁，小芳十岁的时候，便出来应局。有叫局的，他姊妹两个总是一对儿同来，却只算一个局钱，这名目叫做小双挡。

此时已经长到十六七岁了，却都出落得秋瞳剪水，春黛衔山。小红更是生得粉脸窝圆，朱唇樱小。那时候东棋盘街有一座两楼两底的精巧房子，房子里面，门扇窗格，一律是西洋款式；房子外面，却是短墙曲绕，芳草平铺，还种了一棵枇杷树，一棵七里香。小红的娘，带着两个女儿，就租了那所房子，自开门户。这是当时出名的叫做小花园。因为东西棋盘街都是幺二妓女麇聚之所，众人也误认了他做幺二，其实他与那一个妓院聚了四五十个妓女的幺二妓院，有天渊之隔呢。不信，但问老于上海的人，总还有记得的。表过不提。

且说啸存下午也把帖子送到伯芬那里。到了晚上，便在吴小红那里畅叙了一宵。啸存年长，做了盟兄，伯芬年少，做了盟弟，非常热闹。到了次日，啸存又请在陆蘅舫处闹了一天。这两天闹下来，大哥老弟，已叫得十分亲热的了。加以旁边的朋友，以贺喜为名，设席相请，于是又一连吃了十多天花酒。每有酒局，啸存总是带蘅舫，伯芬总是叫小红。他两个也是你叫我大伯娘，我叫你小婶婶的，好不有趣。一连二十多天混下来，啸存便和蘅舫落了交情，两个十分要好。啸存便打算要娶他，来和伯芬商量。伯芬和蘅舫虽曾订约，却没有说定，此时听得啸存要娶，也就只好由他。况且官场中纷纷传说，肃存有放缺消息，便索性把醋意捐却，帮着他办事，一面托人和老鸨说定了身价，一面和啸存租定公馆。到了吉期那天，非但自己穿了花衣前去道喜，并且因为啸存客居上海，没有内眷，便叫自己那位郡主太太，奉了老太太，到赵公馆里去招呼一切。等新姨太太到来，不免逐一向众客见礼。到得上房，便先向叶老太太和叶太太行礼。这一双婆媳，因他是勾阑出身，嘴里虽连说“不敢当，还礼还礼”，却并不曾还礼。忙了一天，成其好事，不多几时，啸存便带了新姨太太晋省。得过记名的人，真是了不得，不上一年多，啸存便奉旨放了上海道。伯芬应酬得更为忙碌。

可巧这个时候，他的大舅爷钦差任满回华，路过上海。此时伯芬的主意，早已改换了。从前把大舅爷恨入骨髓，后来屡阅京报，见大舅爷虽在外洋钦差任上，内里面却是接二连三的升官，此时已升到侍郎了。伯芬心上一想：“要想报仇是万不能的了，不如还是借着他的势子，升我的官。”主意打定，等大舅爷到了上海之后，便天天到行辕里伺候。大舅爷本来挈眷同行的，伯芬是郎舅至亲，与别的官员不同，上房咧、签押房咧，他都可以任意穿插。又先把自己太太送到行辕里去，兄妹相见，自有一番友于之谊。伯芬又设法先把一位舅嫂巴结上了，没事的时候，便衣到上房，他便拿出手段去伺候，比自己伺候老太太还殷勤，茶咧、烟咧，一天要送过十多次。舅太太是个妇道人家，懂得甚么，便口口声声总说姑老爷是个独一无二的好人。

他在外面巴结大舅爷呢，却又另外一副手段，见了大舅爷，不是请教些政治学问，便是请教些文章学问。大舅爷写字是写魏碑的，他写起字来，也往魏碑一路摹仿。大舅爷欢喜做诗，近体欢喜学老杜，古体欢喜学晋、魏、六朝。他大舅爷偶然把自己诗藁给他看，他便和了两首律诗，专摹少陵；又和了两首古风，专仿晋、魏。大舅爷能画画，花卉、翎毛、山水，样样都来；他虽不懂画，却去买了两部《画征录》来，连夜去看，及至大舅爷和他谈及画理，他也略能回报一二。因此也骗动了大舅爷，说他与前大不相同了。

他得了大舅爷这点颜色，便又另外生出一番议论来，做一个不巴结之巴结，不要求之要求。他说："做小兄弟的这几年来，每每想到少年时候的行径，便深自怨艾，赶忙要学好，已经觉得来不及了，只好求点实学，以赎前愆。军装局总办某道，化学很精通的，兄弟天天跟他学点；上海道赵道，政治一道，很有把握，兄弟也时时前去讨教的。细想起来，我们世受国恩的，若不及早出来报效国家，便是自暴自弃。大哥这回进京复命，好歹要求大哥代兄弟图个出身。做小兄弟的并不是要干求躁进，其实我们先人受恩深重，做子孙的若不图个出身报效，非但无以对皇上，亦且无以对先人。此时年力正壮，若不及早出来，等将来老大徒伤，纵使出身，也怕精力有限，非但不能图报微末，而且还怕陨越贻羞了。"那位大舅爷的老子，便是伯芬的丈人，是一生讲究理学的。大舅爷虽没有老子讲的利害，却也是岸然道貌的。伯芬真会揣摩，他说这一番话时，每说到甚么世受国恩咧、复命咧、先人咧、皇上咧这些话，必定垂了手，挺着腰，站起来才说的。起先一下子，大舅爷还不觉得；到后来觉着了，他站起来说，大舅爷也只得站起来听了。只他这一番言语举动，便把个大舅爷骗得心花怒放，说："'士三日不见，当刮目相待。'这句话古人真是说得不错。"这也是叶伯芬升官的运到了，所以一个极精明、极细心、极燎亮的大舅爷，被他一骗即上。正是：

　　世上如今无直道，只须狐媚善逢迎。

不知叶伯芬到底如何升官，且待下回再记。

第九十一回
老夫人舌端调反目　赵师母手版误呈词

叶伯芬自从巴结上大舅爷之后，京里便多了个照应，禁得他又百般打点，逢人巴结，慢慢的也就起了红点子了。此时军装局的总办因事撤了差，上峰便以"以资熟手"为名，把他委了总办。啸存任满之后，便陈臬开藩，连升上去。几年功夫，伯芬也居然放了海关道。恰好同一日的上谕，赵啸存由福建藩司坐升了福建巡抚。伯芬一面写了禀帖去贺任，顺便缴还宪帖，另外备了一分门生帖子，夹在里面寄去，算是拜门。这是官场习气，向来如此，不必提他。

且说赵啸存出仕以来，一向未曾带得家眷，只有那年在上海娶陆蘅舫，一向带在任上。升了福建抚台，不多几时，便接着家中电报，知道太太死了。啸存因为上了年纪，也不思续娶，蘅舫一向得宠，就把他扶正了，作为太太。从此陆蘅舫便居然夫人了。

又过得几时，江西巡抚被京里都老爷参了一本，降了四品京堂，奉旨把福建巡抚调了江西。啸存交卸过后，便带了夫人，乘坐海船，到了上海，以便取道江西。上海官场早得了电报，预备了行辕。啸存到时，自然是印委各员，都去迎接。等宪驾到了行辕之后，又纷纷去禀安、禀见。啸存抚军传令一概挡驾，单请道台相见。伯芬整整衣冠，便跟着巡捕进内。行礼已毕，啸存先说道："老弟，我们是至好朋友，你又何必客气，一定学那俗套，缴起帖来，还要加上一副门生帖子，叫我怎么敢当！一向想寄过来恭缴，因为路远不便。此刻我亲自来了，明日找了出来，再亲自面缴罢。"伯芬道："承师帅不弃，收在门下，职道感激的了不得！师帅客气，职道不敢当！"啸存道："这两年上海的交涉，还好办么？"伯芬道："涉及外国人的事，总有点覙琐，但求师帅教训。"伯芬的话还未说完，啸存已是举茶送客了。伯芬站起来，啸存送至廊檐底下，又说道："一两天里，内人要过来给老太太请安。"伯芬连忙回道："职道母亲不敢当。师母驾到，职道例当扫径恭迎。"说罢，便辞了出来，上了绿呢大轿，鸣锣开道，径回衙门。

一直走到上房，便叫他太太预备着，一两天里头，师母要来呢。那位郡主太太便问甚么师母。伯芬道："就是赵师帅的夫人。"太太道："他夫人不早就说不在了，记得我们还送奠礼的，以后又没有听见他续娶，此刻又那里来的夫人？"伯芬道："他虽然没有续娶，却把那年讨的一位姨太太扶正了。"夫人道："是那一年讨的那一位姨太太？"伯芬笑道："夫人还去吃喜酒的，怎么忘了？"太太道："你叫他师母？"伯芬道："拜了师帅的门，自然应该叫他师母。"太太道："我呢？"伯芬笑道："夫人又来了，你我还有甚分别？"太太道："几时来？"伯芬道："方才师帅交代的，说一两天就来，说不定明天就来的。"太太回头对一个老妈子道："周妈，你到外头去，叫他们赶紧到外头去打听，今天可有天津船开。有啊，就定一个大菜间；没有呢，就叫他打听今天长江是甚么船，也定一个大菜间，是到汉口去的。"周妈答应着要走。

伯芬觉得诧异道："周妈，且慢着。夫人，你这是甚么意思？"那位郡主夫人，脸罩重霜的说道：“有天津船啊，我进京看我哥哥去；不啊，我就走长江回娘家。你来管我！”伯芬心中恍然大悟，便说道：“夫人，这个又何必认真，糊里糊涂应酬他一次就完了。”夫人道：“完了，完了！我进了你叶家的门，一点光也没有沾着，稀罕过你的两轴诰命！这东西我家多的拿竹箱子装着，一箱一箱的喂蠹鱼，你自看得稀罕！我看的拿钱买来的东西，不是香货。我们家的，不是男子们一榜两榜博到的，就是丈夫们一刀一枪挣来的。我从小儿就看到，稀罕了你这点东西！开口夫人，闭口夫人，却叫我拜臭婊子做师母！甚么赵小子长得那个村样儿，字也不多认得一个，居然也抚台了。叫他到我们家去舀夜壶，看用得着他不！居然也不要脸，受人家的门生帖子！也有那一种不长进的下流东西，去拜他的门！周妈，快去交代来！我年纪虽然不大，也上三四十岁了，不能再当婊子，用不着认婊子作师母！”伯芬道：“夫人，你且息怒。须知道做此官，行此礼。况且现在的官场，在外头总要融和一点，才处得下去。如果处处认真，处处要摆身分，只怕寸步也难行呢。”太太道：“我摆甚么身分来！你不要看得我是摆身分，我不是摆身分的人家出身。我老人家带了多少年兵，顶子一直是红的，在营里头那一天不是与士卒同甘苦？我当儿女的敢摆身分吗！”伯芬道：“那么就请夫人通融点罢，何苦呢！”夫人道：“你叫我和谁通融？我代你当了多少年家，调和里外，体恤下情，那一样不通融来！”伯芬道：“一向多承夫人贤慧……”说到这里，底下还没说出来。夫人把嘴一披道：“免恭维罢！少糟蹋点就够了！”伯芬道：“我又何敢糟蹋夫人？”夫人道：“不糟蹋，你叫我认婊子做师母？”

伯芬道：“唉！不是这样说。我不在场上做官呢，要怎样就怎样；既然出来做到官，就不能依着自己性子了，要应酬的地方，万不能不应酬。我再说破一句直捷痛快的话，简直叫做要巴结的地方，万不能不巴结！你想我从前出洋去的时候，大哥把我糟蹋得何等利害，闹的几几乎回不得中国，到末末了给我一张三等船票，叫我回来。这算叫他糟蹋得够了罢！论理，这种大舅子，一辈子不见他也罢了。这些事情，我一向并不敢向夫人提起，就是知道夫人脾气大，恐怕伤了兄妹之情。今天不谈起来，我还是闷在肚里。后来等到大哥从外洋回来，你看我何等巴结他，如果不是这样，那里……”这句话还没说完，太太把桌子一拍道：“吓！这是甚么话！你今天怕是犯了疯病了！怎么拿婊子比起我哥哥来！再不口稳些，也不该说这么一句话！你这不是要糟蹋我娘家全家么！我娘家没人在这里，我和你见老太太去，评评这个理看，我哥哥可是和婊子打比较的？”

伯芬还没有答话，丫头来报道：“老太太来了。”夫妻两个，连忙起身相迎。原来他夫妻两个斗嘴，有人通报了老太太，所以老太太来了。好个叶太太，到底是诗礼人家出身，知道规矩礼法，和丈夫拌嘴时，虽闹着说要去见老太太评理，等到老太太来了，他却把一天怒气一齐收拾起来，不知放到那里去了，现出一脸的和颜悦色来，送茶装烟。伯芬见他夫人如此，也便敛起那悻悻之色。老太太道："他们告诉我，说你们在这里吵嘴，吓得我忙着出来看，谁知原是好好儿的，是他们骗我。"伯芬心中定了主意，要趁老太太在这里把这件事商量妥当，省得被老婆横亘在当中，弄出笑话。因说道："儿子正在这里和媳妇吵嘴呢。"老太太道："好好的吵甚么来！你好好的告诉了我，我给你们判断是非曲直。"伯芬便把上文所叙他夫妻两个吵闹的话，一字不漏的述了一遍。

老太太坐在当中，两手拄着拐杖，侧着脑袋，细细的听了一遍。叹了一口气，对太太道："唉！媳妇啊！你是个金枝玉叶的贵小姐，嫁了我们这么个人家，自然是委屈你了！"太太吓得连忙站起来道："老太太言重了！媳妇虽不敢说知书识礼，然而'嫁鸡随鸡，嫁狗随狗'这句俗话，是从小儿听到大的，那里有甚么叫做委屈！"说罢，连忙跪下。老太太连忙扶他起来，道："媳妇，你且坐下，听我细说。这件事，气呢，原怪不得你气，就是我也要生气的。然而要顾全大局呢，也有个无可奈何的时候，到了无可奈何的时候，就不能不自己开解自己。我此刻把最高的一个开解，说给你听。我一生最信服的是佛门，我佛说'一切众生，皆是平等'。我们便有人畜之分，到了我佛慧眼里头，无论是人，是鸡，是狗，是龟，是鱼，是蛇虫鼠蚁，是虱子蛇蚤，总是一律平等。既然是平等，那怕他认真是鳖是龟，我佛都看得是平等，我们就何妨也看得平等呢，何况还是个人。这是从佛法上说起的，怕你们不信服。你两口子都是做官人家出身，应该信服皇上。你们可知道皇上眼里，看得一切百姓，都是一样的么？那做官的人，不过皇上因为他能办事，或者立过功，所以给他功名，赏他俸禄罢了；如果他不能立功，不能办事，还不同平常百姓一样么？你不要看着外面的威风势力是两样的，其实骨子里头，一样的是皇上家的百姓，并不曾说做官的有个官种，做平常百姓的有个平常百姓种，这就不应该谁看不起谁。譬如人家生了几个儿子，做父母的总有点偏心，或者疼这个，或者疼那个，然而他们的兄弟还是兄弟，难道那父母疼的就可以看不起那父母不疼的么？这是从人道上说起的。然而你们心中总不免有个贵贱之分，我索性和你们开解到底。媳妇啊！你不要说我袒护儿子，我这是平情酌理的说话，如果说得不对，你只管驳我，并不是我说的话都合道理的。陆蘅舫呢，不错，他是个婊子出身。然而伯芬并不是在妓院里拜他做师母的，亦并不是做赵家姨太太的时候拜他做师母的，甚至赵啸存升了抚台，这边璧帖拜门，那时还有个真正师母在头上，直等到真正师母死了，啸存把他扶正了，他才是师母。须知这个师母不是你们拜认的，是他的运气好，恰恰碰上的。何况堂堂封疆，也认了他做老婆，非但主中馈，主苹蘩，居然和他请了诰命，做了朝廷命妇。你想，皇上家的诰命都给了他，还有甚门生、师母的一句空话呢？媳妇，你懂得‘嫁鸡随鸡，嫁狗随狗’，须知他此刻是‘嫁龙随龙，嫁虎随虎了’。暂时位分所在，要顾全大局，我请媳妇你委屈一回罢。”

太太起先听到不是在妓院拜师母的一番议论，已经局促不安；听得老太太说完了，越觉得脸红耳热，连忙跪下道：“老太太息怒。这都是媳妇一时偏执，惹出老太太气来。”老太太连忙搀起来道：“唉！我怒甚么，气甚么？你太多礼了。你只说我的话错不错？”太太道：“老太太教训的是。”老太太道：“伯芬呢，也有不是之处。”伯芬听见老太太派他不是，连忙站了起来。老太太道：“我亲家是何等人家！你大舅爷是何等身分！你却轻嘴薄舌，拿婊子和大舅爷打起比较来！”说着，抡起拐杖，往伯芬腿上就打。伯芬见老太太动气，正要跪下领责，谁知太太早飞步上前，一手接住拐杖，跪下道：“老太太息怒。他……他……他这话是分两段说的，并没有打甚么比较，是媳妇不合使性冤他的。老太太要打，把媳妇打几下罢。”老太太道：“唉！你真正太多礼了。我搀你不动了，伯芬，快来代我搀你媳妇起来。”伯芬便叫丫头们快搀太太起来。老太太拿拐杖在地下一拄道：“我要你搀！”伯芬便要走过来搀，吓得太太连忙站了起来，往后退了几步。老太太呵呵大笑道：“你们的一场恶闹，给我一席话，弄得瓦解冰销。我的嘴也说干了，你们且慢忙着请师母，先弄一盅酒，替我解解渴罢。”伯芬看着太太陪笑道：“儿子当得孝敬。”太太也看着伯芬陪笑道：“媳妇当得伺候。”老太太便拄了拐杖，扶了丫头，由伯芬夫妻送回上头去了。自有老太太这一番调和，才把事情弄妥了。

过了一天，啸存打发人来知会，说明日我们太太过来，给老太太请安。伯芬便叫人把阖衙门里里外外，一齐张灯挂彩。饬下厨房，备了上等满汉酒席。又打发人去探听明天师母进城的路由，回报说是进小东门，直到道署。伯芬便传了保甲东局委员来，交代明天赣抚宪太太到我这里来，从小东门起到这里，沿道要派人伺候，局勇一律换上鲜明号衣。又传了本辕督带亲兵的哨弁来，交代明日各亲兵一个不准告假，在辕门里面，站队伺候。又调了沪军营两哨勇，在辕门外站队。一切都预备妥当。

到了这天，诰封夫人、晋封一品夫人、赵宪太太陆夫人，在天妃宫行辕坐了绿呢大轿登程。前头顶马，后头跟马，轿前高高的一顶日照，十六名江西巡抚部院的亲兵，轿旁四名戴顶拖貂佩刀的戈什，簇着过了天妃宫桥，由大马路出黄浦滩，迤逦到十六铺外滩。转弯进了小东门，便看见沿路都是些巡防局勇丁，往来梭巡。这一天城里的街道，居然也打扫干净了，只怕从有上海城以来，也不曾有过这个干净的劲儿。

走不多时，忽见前面一排兵勇，扛着大旗，在那里站队。有一个穿了灰布缺襟袍，天青羽纱马褂，头戴水晶顶，拖着蓝翎，脚穿抓地虎快靴的，手里捧着手版。宪太太的轿离着他还有二三丈路，那个人便跪下，对着宪太太的轿子，"吱啊咕啊咕啊吱啊"的，不知他说些甚么东西。宪太太一声也不懂他的，肚子里还想道："格格人朝仔倪痴形怪状格做啥介？"想犹未了，又听得一声怪叫，那路旁站的兵队，便都一齐屈了一条腿，作请安式蹲下。一路都是如此。过了旗队，便是刀叉队、长矛队、洋枪队。忽见路旁又是一个人，手里捧着手版跪着，说些甚么。宪太太心中十分纳闷。过去之后，还是旗队、刀叉队、洋枪队。抬头一看，已到辕门，又是一个捧着手版的东西，跪在那里吱咕。宪太太忽然想道："这些人手里都拿着禀帖，莫非是要拦舆告状的，看见我护卫人多，不敢过来？"越想越像，要待喝令停轿收他状子，无奈轿子已经抬过了。耳边忽又听得"轰轰轰"三声大炮，接着一阵鼓吹，又听得一声"门生叶某，恭迎师母大驾"。宪太太猛然一惊，转眼一望。原来已经到了仪门外面。

叶伯芬身穿蟒袍补褂，头戴红顶花翎，在仪门外垂手站立。等轿子走近，一手搭在轿杠上，扶着轿杠往里去，一直抬上大堂，穿过暖阁，进了麒麟门，到二堂下轿。叶老太太、叶太太早已穿了披风红裙，迎到二堂上，让到上房。宪太太向老太太行礼，老太太连忙回礼不迭。礼毕之后，又对叶太太福了一福。叶太太却要拜见师母，叫人另铺拜毡，请师母上坐。宪太太连说"不敢当"，叶太太已经拜了下去。宪太太嘴里连说"不敢当，不敢当，还礼还礼"，却并不曾还礼，三句话一说，叶太太已拜罢起身了。然后叶伯芬进来叩见师母，居然也是一跪三叩首，宪太太却还了个半礼，伯芬退了出去。这里是老太太让坐，太太送茶，分宾主坐定，无非说几句寒暄客套的话。略坐了一会，老太太便请升珠，请宽衣，摆上点心用过。宪太太又谈谈福建的景致，又说这上房收拾得比我们住的时候好了。

七拉八扯，谈了半天，就摆上酒席。老太太定席，请宪太太当中坐下，姑媳两人，一面一个相陪。宪太太从前给人家代酒代惯的，著名洪量，便一杯一杯吃起来。叶伯芬具了衣冠，来上过一道鱼翅，一道燕窝。停了一会，又亲来上烧烤。宪太太倒也站了起来，说道："耐太客气哉！"原来宪太太出身是苏州人，一向说的是苏州话，及至嫁与赵啸存，又是浙东出干菜地方的人氏，所以家庭之中，宪太太仍是说苏州话，啸存自说家乡话，彼此可以相通的，因此宪太太一向不会说官话。随任几年，有时官眷往来，勉强说几句，还要带着一大半苏州土话呢。就是此次和老太太们说官话，也是不三不四，词不能达意的。至于叶伯芬能打两句偘苏白，是久在宪太太洞鉴之中的，所以冲口而出，就说了一句苏州话。伯芬未及回答，宪太太又道："划一（划一，吴谚有此语。惟揣其语意，当非此二字。近人著《海上花列传》，作此二字，姑从之）今早奴进城格辰光，倒说有两三起拦舆喊冤格呀！"伯芬吃了一惊道："来浪啥场化？"宪太太道："就来浪路浪向哙。问倪啥场化，倪是弗认得格哙。"伯芬道："师母阿曾收俚格呈子？"宪太太道："是打算收俚格，轿子跑得快弗过咯，来弗及哉。"伯芬道："是格啥底样格人？"宪太太道："好笑得势！俚告到状子哉，还要箭衣方马褂，还戴起仔红缨帽子。"伯芬恍然大悟道："格个弗是告状格，是营里格哨官来浪接师母，跪来浪唱名，是俚笃格规矩。"宪太太听了，方才明白。如此一趟应酬，把江西巡抚打发过去。叶伯芬的曳尾泥涂，大都如此，这回事情，不过略表一二。正是：

泥涂便是终南径，几辈凭渠达帝阍。

不知叶伯芬后来怎样做了抚台，为何要参藩台，且待下回再记。

第九十二回
谋保全拟参僚属　巧运动赶出冤家

如今晚儿的官场，只要会逢迎，会巴结，没有不红的。你想像叶伯芬那种卑污苟贱的行径，上司焉有不喜欢他的道理？上司喜欢了，便是升官的捷径。从此不到五六年，便陈臬开藩，扶摇直上，一直升到苏州抚台。因为老太太信佛念经，伯芬也跟着拿一部《金刚经》，朝夕唪诵。此时他那位大舅爷，早已死了，没了京里的照应，做官本就难点，加之他诵经成了功课，一天到晚，躲在上房念经，公事自然废弃了许多，会客的时候也极少，因此外头名声也就差了。慢慢的传到京里去，有几个江苏京官，便商量要参他一本，因未曾得着实据，未曾动手。各各写了家信回家，要查他的实在劣迹。恰好伯芬妻党，还有几个在京供职的，得了这个风声，连忙打个电报给他，叫他小心准备。

伯芬得了这个消息，心中十分纳闷，思量要怎样一个办法，方可挽回，意思要专折严参几个属员，貌为风厉，或可以息了这件事。无奈看看苏州合城文武印委各员，不是有奥援的，便是平日政绩超著的；在黑路里的各候补人员，便再多参几个也不中用；至于外府州县，自己又没有那么长的耳目去觑他的破绽。正在不得主意，忽然巡捕拿了手本上来，说时某人禀见，说有公事面回，伯芬连忙叫请。

原来这姓时的，号叫肖臣，原是军装局的一个司事，当日只赚得六两银子薪水一月。那时候伯芬正当总办，不知怎样看上了他，便竭力栽培他，把他调到帐房里做总管帐。因此，时肖臣便大得其法起来，捐了个知县，照例引见，指省江苏，分宁候补。恰好那时候伯芬放了江海关道，肖臣由南京来贺任，伯芬便重重的托他，在南京做个坐探，所有南京官场一举一动，随时报知。肖臣是受恩深重的人，自然竭力报效。从此时肖臣便是伯芬的坐探。也是事有凑巧，伯芬官阶的升转，总不出江苏、江西、安徽三省，处处都用得着南京消息的，所以时肖臣便代他当了若干年的坐探。此次专到苏州来，却是为了他自己的私事。凡上衙门的规矩，是一定要求见的，无论为了甚么事，都说是有公事面回的。这时肖臣是伯芬的私人，所以见了手版就叫请。

巡捕去领了肖臣进来，行礼已毕，伯芬便问道："你近来差事还好么？"肖臣道："大帅明见，卑职自从交卸扬州厘局下来，已经六个月了，此刻还是赋闲着，所以特为到这边来给大帅请安；二则求大帅赏封信给江宁惠藩台，吹嘘吹嘘，希冀望个署缺。"伯芬道："署缺，那边的吏治近来怎样了？"肖臣道："吏治不过如此罢了。近来贿赂之风极盛，无论差缺，非打点不得到手。"伯芬道："那么你也去打点打点就行了，还要我的信做甚么。"肖臣道："大帅栽培的，较之鬼鬼祟祟弄来的，那就差到天上地下了。"伯芬心中忽然有所触，因说道："你说差缺都要打点，这件事可抓得住凭据么？"肖臣道："卑职动身来的那两天，一个姓张的署了山阳县，挂出牌来，合省哗然。无人不知那姓张的，是去年在保甲局内得了记大过三次、停委两年处分的，此时才过了一年，忽然得了缺，这里头的毛病，就不必细问了。有人说是化了三千得的，有人说是化了五千得的。卑职以为事不干己，也没有去细查。"伯芬道："要细查起来，你可以查得着么？"肖臣道："要认真查起来，总可以查得着。"伯芬道："那么写信的事且慢着谈，你的差缺，我另外给你留心，你赶紧回去，把他那卖差卖缺的实据，查几件来。这件事第一要机密，第二要神速。你去罢。"说罢，照例端茶送客。肖臣道："那么卑职就动身，不再过来禀辞了。"伯芬点点头。肖臣辞了出来，赶忙赶回南京去，四面八方的打听，却被他打听了十来起，某人署某缺，费用若干，某人得某差，费用若干，开了一张单，写了禀函，寄给伯芬。

伯芬得了这个，便详详细细写了一封信给南京制台，胪陈惠藩台的劣迹，要和制台会衔奏参。制台得了信，不觉付之一笑。原来这惠藩台是个旗籍，名叫惠福，号叫锡五，制台也是旗籍，和他带点姻亲，并且惠藩台是拜过制台门的。有了这等渊源，旁人如何说得动坏话，何况还说参他呢。好笑叶伯芬聪明一世，蒙瞳一时，同在一省做官，也不知道同寅这些底细，又不打听打听，便贸贸然写了信去。制台接信的第二天，等藩台上辕，便把那封信给藩台看了。藩台道："既是抚帅动怒，司里听参就是了。"制台一笑道："叶伯芬近来念《金刚经》念糊涂了，要办一件事情，也不知道过细想想，难道咱们俩的交情，还是旁人唆得动的吗？"藩台谢过了，回到自己衙门，动了半天的气。一个转念，想道："我徒然自己动气，也无济无事。古人说得好：'无毒不丈夫'。且待我干他一干，等你知道我的手段！"打定了主意，便亲自起了个一百多字的电稿，用他自己私家的密码译了出来，送到电局，打给他胞弟惠禄。

这惠禄号叫受百，是个户部员外郎，拜在当朝最有权势的一位老公公膝下做个干孙子，十分得宠。无论京外各官，有要走内线的，若得着了受百这条门路，无有不通的。京官的俸禄有限，他便专靠这个营生，居然臣门如市起来。便是他哥哥锡五放了江宁藩台，也是因为走路子起见，以为江南是财富之区，做官的容易赚钱，南京是个大省会，候补班的道府，较他处为多，所以弄了这个缺，要和他兄弟狼狈为奸。有要进京引见的，他总代他写个信给兄弟，叫他照应。如此弄起来，每年也多了无限若干的生意。这回因为叶伯芬要参他，他便打了个电报给兄弟，要设法收拾叶伯芬，并须如此如此。

受百接了电报，见是哥哥的事情，不敢怠慢，便坐了车子，一径到他干祖父宅子里去求见，由一个小内侍引了到上房。只见他干祖父正躺在一张醉翁椅上，双眼迷蒙，像是要磕睡的光景，便不敢惊动，垂手屏息，站在半边。站了足足半个钟头，才见他干祖父打了个翻身，嘴里含糊说道："三十万便宜了那小子！"说着，又蒙胧睡去。又睡了一刻多钟，才伸了伸懒腰，打个呵欠坐起来。受百走近一步，跪了下来，恭恭敬敬叩了三个头，说道："孙儿惠禄，请祖爷爷的金安。"他干祖父道："你进来了。"受百道："孙儿进来一会了。"他干祖父道："外头有甚么事？"受百道："没有甚么事。"他干祖父道："乌将军的礼送来没有？"受百道："孙儿没经手，不知他有送宅上来没有。"他干祖父道："有你经着手，他敢吗！他别装糊涂，仗着老佛爷腰把子硬，叫他看！"受百道："这个谅他不敢，内中总还有甚么别的事情。"他干祖父就不言语了，歇了半天才道："你还有甚么事？"受百走近一步，跪了下来道："孙儿的哥哥惠福，有点小事，求祖爷爷做主。"他那干祖父低头沉吟了一会道："你们总是有了事情，就到我这里麻烦。你说罢，是甚么事情？"受百道："江苏巡抚叶某人，要参惠福。"他干祖父道："参出来没有？"受百道："没有。"他干祖父说道："那忙甚么，等他参出来再说罢咧。"受百听了，不敢多说，便叩了个头道："谢过祖爷爷的恩典。"叩罢了起来，站立一旁，直等他干祖父叫他"你没事去罢"，他方才退了出来，一径回自己宅子里去。入门，只见兴隆金子店掌柜的徐老二在座。

原来这徐老二，是一个专门代人家走路子的，著名叫徐二滑子，后来给人家叫浑了，叫成个徐二化子。大凡到京里来要走路子的，他代为经手过付银钱，从中赚点扣头过活，所开的金子店，不过是个名色罢了。这回是代乌将军经手，求受百走干祖父路子的。当下受百见了徐二化子，便仰着脸摆出一副冷淡之色来。徐二化子走上前请了个安，受百把身子一歪，右手往下一拖，就算还了礼。徐二化子歇上一会，才开口问道："二爷这两天忙？"受百冷笑道："空得很呢！空得没事情做，去代你们碰钉子！"徐二化子道："可是上头还不答应？"受百道："你们自己去算罢！乌某人是叫八个都老爷联名参的，罪款至七十多条，赃款八百多万；牛中堂的查办，有了凭据的罪款，已经五十几条，查出的赃款，已经五百多万。要你们三百万没事，那别说我，就是我祖爷爷也没落着一个，大不过代你们在堂官大人们、司官老爷们处，打点打点罢了。你们总是那么推三阻四！咱们又不做甚么买卖，论价钱，对就对，不对咱们撒手，何苦那么一天推一天的，叫我代你们碰钉子！"徐二化子忙道："这个呢，怨不得二爷动气，就是我也叫他们闹的厌烦了。但是君子成人之美，求二爷担代点罢。我才到刑部里去来，还是没个实在。我也劝他，说已经出到了二百四十万了，还有那六十万，值得了多少，麻麻糊糊拿了出来，好歹顾全个大局。无奈乌老头子，总像仗了甚么腰把子似的。"受百道："叫他仗腰把子罢！已经交代出去，说我并不经管这件事，上头又催着要早点结案，叫从明天起，只管动刑罢！"徐二化子大惊道："这可是今天的话？"受百不理他，径自到上房去了。徐二化子无可奈何，只得出了惠宅，干他的事去。

到了下午，又来求见，受百出来会他。徐二化子道："前路呢，三百万并不是不肯出，实在因为筹不出来，所以不敢胡乱答应。我才去对他说过，他也打了半天的算盘，说七拼八凑，还勉强凑得上来，三天之内，一定交到，只要上头知道他冤枉就是了。可否求二爷再劳一回驾，进去说说，免了明天动刑的事？"受百道："老实说：我祖爷爷要是肯要人家的钱，二十年头里早就发了财了，还等到今天！这不过代你们打点的罢了。要我去说是可以的，就是动刑一节话，已经说了出去，只怕不便就那么收回来，也要有个办法罢。"徐二化子听了，默默无言，歇了一会道："罢，罢！无非我们做中人的晦气罢了，我再走一回罢。二爷，你佇等我来了再去。"说罢，匆匆而去。

歇了一大会，又匆匆来了，又跟着一个人，捧了一大包东西。徐二化子亲自打开包裹，里面是一个紫檀玻璃匣，当中放着一柄羊脂白玉如意。匣子里还有一个圆锦匣子，徐二化子取了出来，打开一看，却是一挂朝珠，一百

零八颗都是指顶大的珍珠穿成的。徐二化子又在身边取出两个小小锦匣来，道："这如意、朝珠，费心代送到令祖老太爷处，是不成个礼的，不过见个意罢了。"说罢，递过那两个小匣子道："这点点小意思，是孝敬二爷的，务乞笑纳。"受百接过，也不开看，只往桌上一放道："你看天气已经要黑下来了，闹到这会才来，又要我连夜的走一趟！你们差使人，也得有个分寸！"徐二化子连忙请了个安道："我的二爷！你佇那里不行个方便？这个简直是作好事！二爷把他办妥了，就是救了他一家四五十个人的性命，还不感动神佛，保佑二爷升官发财吗！"受百道："一个人总不要好说话，像我就叫你们麻烦死了！"徐二化子又请了一个安道："务求二爷方便这一回，我们随后补报就是。我呢，以后再有这种覙琐事情，我也不敢再经手了。"受百哼了一声，又叹了一口气，便直着嗓子喊套车子，徐二化子又连忙请了个安道："谢二爷。"方才辞了出去。忽然又回转来道："那两样东西，请二爷过目。"受百道："谁要他的东西！你给他拿回去罢。"徐二化子道："请二爷留着赏人罢。"一面说，一面把两个小匣子打开，等受百过了目，方才出去。受百看那两样东西，一个是玻璃绿的老式班指，一个是铜钱大的一座钻石帽花。仍旧把匣子盖好，揣在怀里。叫家人把如意、朝珠拿到上房里去。一面心中盘算："这如意可以留着做礼物送人，帽花、班指留下自用。只有这挂朝珠，就是留着他也挂不出去，不如拿去孝敬了祖爷爷，和哥哥斡旋那件事，左右是我动刑的一句话吓出来的。"定了主意，专等明天行事，一夜无话。

次日，赶一个早，约莫是他干祖父下值的时候，便怀了朝珠，赶到他宅子里去。叩过头，请过安，便禀道："乌将军那里，一向并不是敢悭吝，实在一时凑不上来。昨天孙儿去责备过了，他说三天之内，照着祖爷爷的吩咐送过来。请祖爷爷大发慈悲，代他们打点打点。"他干祖父道："可不是吗？我眼睛里还看得见他的钱吗！现在那些中堂大人们，那一个不是棺材里伸出手来——死要的！"受百跪下来磕了个头道："孙儿孝敬祖爷爷的。"一面将一匣朝珠呈上。他干祖父并不接受道："你揭开看。"受百揭开匣盖，他干祖父定睛一看，见是一挂珍珠朝珠，暗想："老佛爷现在用的虽然有这个圆，却还没有这个大。我一向要弄这么一挂，可奈总配不匀停，今天可遇见了。"想罢，才接在手里道："怎好生受你的？"受百又磕了一个头，谢过赏收，才站起来道："这个不是孙儿的，是孙儿哥哥差人连夜赶送进来，叫孙儿代献祖爷爷的。"他干祖父道："是啊，你昨天说甚么人要参你哥哥？"受百道："是江苏巡抚。"他干祖父道："你哥哥在那里？"受百道："是江宁藩司。"他干祖父想了一想道："江宁藩司，江苏巡抚，不对啊，他怎么可以参他呢？"受百道："他终究是个上司，打起官话来，他要参就参了。”他干祖父道：“岂有此理！你哥哥也是我孙子一样，咱家的小孩子出去，都叫人家欺负了，那还成个话！你想个甚么法子惩治惩治那姓叶的，我替你办。”受百道：“孙儿不敢放恣，只求把姓叶的调开了就好。”他干祖父道：“你有甚么主意，和军机上华中堂说去，就说是我的主意。”受百又叩头谢过，辞了出来，就去谒见华中堂，把主意说了，只说是祖爷爷交代如此办法。华中堂自然唯唯应命。

过了几天，新疆巡抚出了缺，军机处奉了谕旨，新疆巡抚着叶某人调补，江苏巡抚着惠福补授，却把一个顺天府府尹放了江宁藩司，另外在京员当中，简了个顺天府府尹。这一个电报到了南京，头一个是藩台快活，阖城文武印委员，纷纷禀贺。制台因为新藩台来，尚须时日，便先委巡道署理了藩台，好等升抚交代藩篆，先去接印，却委苟才署了巡道。苟才这一喜，正是：

宪恩深望知鳌戴，佥事威严展狗才。

未知苟才署了巡道之后，又复如何，且听下回分解。

第九十三回 调度才高抚台运泥土　被参冤抑观察走津门

苟才得署了巡道，那且不必说。只说惠升抚交卸了藩篆，便到各处辞行。乘坐了钧和差船，到了镇江起岸，自常镇道、镇江府以下文武印委各员，都到江边恭迓宪节。丹徒、丹阳两县，早已预备行辕。新抚台舍舟登陆，坐了八抬绿呢大轿，到行辕里去。轿子走过一处地方，是个河边，只见河岸上的土，堆积如山，沿岸迤逦不绝。惠抚台坐在轿子里，默默寻思：“这镇江地方，想不到倒是出土的去处。”一路思思想想，不觉已到行辕，徒、阳两县，已在那里伺候。惠抚台便叫两县上来见。两县连忙进内，行礼已毕，惠抚台问道：“方才兄弟走过一处地方，看见一条河道，两岸上的土却堆放得不少，那是甚么地方？”丹阳县一想，回道：“那条河便是丹徒、丹阳的分界，叫做徒阳河。因为年久淤塞，近来雇工挑浚，两岸的土都是从河底挖上来的，一时没地方送，暂时堆在那里的。”惠抚台大喜道：“兄弟倒代你们想了一个送处。南京现在开辟马路，漫到四处的找土填地，谁知南京的土少得很。这里有了那么许多土，从明日起，就陆续把他送到南京去，以为填马路之用。”徒、阳两县，一时未便禀驳，只得应了几个“是”字下来。恰好遇了开浚徒阳工程委员进去，两县便把上项话告诉了他。委员道："这个办不到。为了那不相干的泥土，还出了运费，运到南京呢！"说罢，自跟了手版上去谒见。

原来惠抚台的意思，到了镇江，只传见几个现任官，那地方上一切委员，都不见的。因为看了这个手版，是开浚徒阳河的工程委员，他心中有了运土往南京的一篇得意文章，恰好这是个工程委员，便传见了。委员行过礼之后，抚台先开口道："那甚么河的工程，是你老哥办着？"委员道："是卑职办着徒阳河工程。"抚台道："我不管'徒羊'也罢，'徒牛'也罢，河里挖出来的土，都给我送到南京去。因为南京此刻要修马路没土，这里挖出来的土太多，又没个地方存放，往南京一送，岂不是两得其便吗？"委员道："这里的土往南京送，恐怕雇不出那许多船，并且船价贵了，怕不合算。"抚台道："何必要雇船，就由轮船运去就行了，又快。"委员不敢多说，只得答应了几个"是"字。抚台也就端茶送客。

委员退了出来，一肚子又好气又好笑，一径到镇江府去上衙门，禀知这件事，求府尊明日谒见时转个圜。府尊道："这个怎样办得到！那稀脏的，人家外国人的轮船肯装吗？我明日代你们回就是了。"委员退了出来，又到常镇道衙门去求见，禀知这件事。道台听了，不觉好笑起来道："好了！有了这种精明上司，咱们将来有得伺候呢。你老哥也太不懂事了，这是抚宪委办的，你不就照办，将来报销多少，是这一笔运费，都注着'奉抚宪谕'的，款子不够，管上来领，也说是'奉抚宪谕'的，咱们好驳你么？"委员听了道台一番气话，默默无言。道台又道："赶明天见了再说罢。"一面拿起茶碗，一面又道："还是你们当小差使的好。像这种事情，到兄弟这里一回，老兄的干系就都卸了，钉子由得我去碰。"委员也无言可答，又不便说是是是，只得一言不发，退了出来。

到了明日，道、府两位，一同到行辕禀安、禀见。及至相见之下，抚台又说起要运土往南京的话。府尊道："昨天委员已经到卑府这边说过，用民船运呢，怕没那么些民船；要用轮船运罢，这个稀脏的东西，怕轮船不肯装。"抚台道："外国人的轮船不肯罢了，咱们招商局的船呢，也不肯装，说不过去罢。"府尊道："招商局船，也是外国人在那里管事。"抚宪道："他们嫌脏，也有个法子：弄了麻布袋来，一袋一袋的都盛起来，缝了口，不就装去了吗！"府尊道："那么一来，费用更大了，恐怕不上算，到底不过是点土罢了。"抚台怒道："你们怎都没听见，南京地方没土，这会儿等土用，化了钱还没地方买。你当兄弟真糊涂了！"

府尊和抚台答话时，道台坐在半边，一言不发，只冷眼看着府尊去碰钉子。此时抚台却对道台说道："凡是办事的人，全靠一个调度。你老哥想，这里挖出来的土，堆得漫到四处都是，走路也不便当，南京恰在那里等土用，这么一调度，不是两得其益么！”道台道：“往常职道晋省，看见南京城里的河道也淤塞的了不得，其实也很可以开浚开浚，那土就怕要用不完了。”抚台一想，这话不错，然而又不肯认错，便道：“那么这边的土，就由他那么堆着？”道台道：“这边租界上有人造房子，要来垫地基，叫他们挑去，非但不化挑费，多少还可以卖几个钱呢。”抚台道：“南京此刻没有开河的工程。咱们既然办到这个工程，也不在乎卖土那点小费，叫人家听着笑话。还是照兄弟的办法罢。”道府二人，无可奈何，只得传知工程委员去办。

那工程委员听说用麻袋装土，乐得从中捞点好处，便打发人去办，登时把镇江府城厢内外各麻包店的麻包、席包买个一空。雇了无限若干人，在那里一包一包的盛起来。又用了麻线缝针，一律的缝了口。从徒阳河边一直运送到江边，上了招商趸船。这东西虽然不要完税，却是出口货物，照例要报关的，又要忙着报关。等上水船到了，便往船上送。船上人问知是烂泥，便不肯放在舱里，只叫放在舱面上，把一个舱面，堆积如山的堆起来。到了南京，又要在下关运到城里，闹的南京城厢内外的人，都引为笑话，说新抚台一到镇江，便刮了多少地皮，却往南京来送。如此装运了三四回，还运不到十分之一。

恰好一回土包上齐了船之后，船便开行，却遇了一阵狂风暴雨，那舱面的土包，一齐湿透了，慢慢的溶化起来。加之船上搭客，看见船上堆了那许多麻包，不知是些甚么东西，挖破了看，看见是土，还以为土里藏着甚么呢，又要挖进去看，那窟窿便越挖越大；又有些是缝口时候，没有缝好的，遇了这一阵狂风大雨，便溶化得一齐卸了下来，闹得满舱面都是泥浆。船主恨极了，叫了买办来骂。买办告诉他这是苏州抚台叫运往南京去的，外国人最是势利，听说是抚台的东西，他就不敢多说了。一面叫人洗。那里禁得黄豆般大的雨点，四面八方打过来，如何洗得干净，只好由他。等赶到南京时，天色还没大亮。轮船刚靠了趸船，便有一班挑夫、车夫，与及客栈里接客的，一齐拥上船来。有个喊的是“挑子要罢”，有个喊的是“车子要罢”，有两个是“大观楼啊”、“名利栈啊”，不道一律的声犹未了，或是仰跌的，或是扑跌的。更有一班挑夫，手里拿着扁担扛棒，打在别人身上的，及至爬起来，立脚未定，又是一跌。那站得稳，不至于跌的，被旁边的人一碰，也跌下去了。登时大乱起来。不上一会功夫，带得满舱里面都是泥浆。

恰好这一回有一位松江提督，附了船来，要到南京见制台的。船到时，便换了行装衣帽，预备登岸。这里南京自然也有一班营弁接他的差，无奈到了船上，一个个都跌得头晕眼花，到官舱里禀见时，没有一个不是泥蛋似的。那提督大人便起身上岸。不料出了官舱，一脚踏到外面，仰面就是一个跟斗，把他一半跌在里面，一半跌在外面。吓得一众家人，连忙赶来搀扶。谁知一个站脚不稳，恰恰一跌，爬在提督身上，赶忙爬起来时，已被提督大骂不止。一面起来重新到舱里去开衣箱换衣服，一根花翎幸而未曾跌断。更衣既毕，方才出来。这回却是战战兢兢的，低下头一步一步的捱着走，不敢摆他那昂藏气概了。那一班在舱外站班的，见他老人家出来，军营里的规矩，总是请一个安。谁知这一请安，又跌下了四五个人。那提督也不暇理会，慢慢的一步一步捱到趸船上，又从趸船上捱到码头上。这一回幸未陨越，方才上轿而去。

再说船上那些烂泥包儿，一个个多已瘪了，用手提一提，便挤出无限泥浆，码头上小工都不肯搬。闹了一会，船上买办急了，通知了岸上巡防局，派了局勇到船上来弹压，众小工无奈，只得连拖带拽的，起到趸船上。好好的一座趸船，又变成一只泥船了。趸船上人急了，只得又叫人拖到岸上去。偏偏连日大雨不止，闹得招商局码头，泥深没踝。只这一下子，便闹到怨声载道，以后招商船也不肯装运了，方才罢休。

且说惠抚台在镇江耽搁了两天，游过金山、焦山、北固山等名胜，便坐了官船，用小火轮拖带，向苏州进发。一面颁出红谕，定期接印。苏州那边，合城文武，自然一体恭迎。在八旗会馆备了行辕。抚台接见过僚属之后，次日便去拜前任抚台，无非说几句寒暄套话。到了接印那天，新抚台传谕，因为前任官眷未曾出署，就在行辕接印。旧抚台便委了中军，赍了抚台印信及旗牌、令箭等，排齐了职事，送至八旗会馆。新抚台接印、谢恩、受贺等烦文，不必细表。

且说旧抚台叶伯芬交过印之后，便到新抚台惠锡五处辞行。坐谈了一会，伯芬兴辞。锡五道："兄弟有一句临别赠言的话，不知阁下可肯听受？"伯芬当他是甚么好话，连忙应道："当得领教。"锡五道："阁下到了新疆那边，正好多参两个藩司！"伯芬听了，不觉目定口呆，涨红了脸，回答不上来，只好搭讪着走了。到了动身那天，锡五只差人拿个片子去送行，伯芬也自觉得无味。这里锡五却又专人到京里去和他兄弟受百商量，罗织了伯芬前任若干款，买出两个都老爷参出去。有旨即交惠福查明复奏。他那复奏中，自然又加了些油盐酱醋在里面，叶伯芬便奉旨革职。可怜他万里长征的到了新疆，上任不到半年，便碰了这一下子，好不气恼！却又无可出气，只拣了几十个属员，有的没的，出了些恶毒考语，缮成奏折，倒填日子，奏参出去，以泄其忿。等他交卸去了之后，过了若干日子，才奉了上谕："叶某奏参某某等，着照所请，该部知道。"这一个大参案出了来，新疆官场，无不恨如切骨，无奈他已去的远了，奈何他不得。只此一端，亦可见叶伯芬的为人了。

且说苟才自从署了巡道之后，因为是个短局，却还带着那筹防局、牙厘局的差使。署了两个多月，新任藩台到了，接过了印。那原任巡道，应该要回本任的了，因为制台要栽培苟才，就委原任巡道去署淮扬道。传见的时候，便说道："老兄交卸藩篆下来，极应该就回本任。无奈扬州近日出了一起盐务讼案，连盐运司都被他们控到兄弟案下。兄弟意思要委员前去查办。无奈此时第一要机密，若是委员前去，恐怕他们得了信息，倒查不出个实情来，并且兄弟意中，也没有第二个能办事的人，所以奉托辛苦一趟。务请到任之后，暗暗查访，务得实情，以凭照办。所有那讼案的公事，回来叫他们点查清楚，送过来就是了。"巡道受了这个米汤，自然是觉得宪恩高厚，宪眷优隆了，奉了公事，便到署任去了。这里苟才便安安稳稳署他的巡道。此时一班候补道见苟才的署缺变了个长局，便有许多人钻谋他的筹防局、牙厘局了；制台也觉得说不过去，便委了别人。苟才虽然不高兴，然而自己现成抓了印把子，也就罢了。

谁知这个当刻儿，又出了调动。那位两江制台调了直隶总督，并且有"迅速来京陛见"字样；两湖总督调了两江。电报一到，那南京城里的官场，忙了个奔走汗流，顿时禀贺的轿马，把"两江保障"、"三省钧衡"两面辕门，都塞满了。制台忙着交卸进京，照例是藩台护理总督，巡道署理藩台。苟才这一乐，登时就同成了天仙一般。虽然是看几天印把，没有甚么大不了的好处，面子上却增了多少威风，因此十分得意。

谁料他所用的一个家人，名叫张福的，系湖北江夏人。他初署巡道时，正是气焰初张的时候，那张福忽然偷了他一点甚么东西，他便拿一张片子，叫人把张福送到首县去叫办。首县便把张福打了两百小板子，递解回籍。张福是个在衙门公馆当差惯了的人，自有他的路子，递回江夏之后，他便央人荐到总督衙门文案委员赵老爷处做家人。他心中把苟才恨如彻骨，没有事时，便把苟才送少奶奶给制台的话，加点材料，对同事各人淋漓尽致的说起来，大家传作新闻。久而久之，给赵老爷听见了，便把张福叫上去问。张福见主人问到这一节，便尽情倾吐。赵老爷听了，也当作新闻，茶馀酒后，未免向各同事谈起。久而久之，连两湖督宪都知道了，说南京道员当中有这么一个人，还叫他署事，那吏治就可想了。加以他的大名叫得别致，大家都叫别了，总是叫他"狗才"，所以一入耳之后，便不会忘记的。因此苟才的行为，久已在两湖督宪洞鉴之中的了。

两湖督宪奉了上谕，调补两江之后，便料理交代，这边的印务是奉旨交湖北巡抚兼署的。交代过后，便料理起程，坐了一号浅水兵轮，到了南京，颁出红谕，定期接印。那时离原任总督交卸的日子，虽然不过十多天，然而苟才已经心满意足了。却是新制台初到手时，各官到码头迎迓，新制台见了苟才手版，心中已是一条刺；及至延见之时，不住的把双眼向苟才钉住。苟才那里知道这里面的原委？还以为新制台赏识他的相貌呢。

及至新制台接印之后，苟才也交卸藩篆，仍回署任。不出三日之内，忽然新制台一个札子下来：另委一个候补道去署淮扬道篆，却饬令原署淮扬道，仍回巡道本任；现署巡道苟才，着另候差委。这么一个札子下来，别人犹可，惟有苟才犹如打了个闷雷一般，正不知是何缘故。要想走走路子，无奈此时督辕内外各人，都已换了，重新交结起来，很要费些日子。有两个新督宪奏调过来的人，明知他是红的，要去结交他时，他却有点像要理不理的样子。苟才心中满腹狐疑，无从打听。不料新督宪到任三个月之后，照例甄别属员，便把苟才插入当中，用了“行止龌龊，无耻之尤”八个字考语，把他参掉了。这一气，把苟才气的直跳起来，骂道：“从他到任之后，我统共不过见了他三次，他从那里看见我的‘行止龌龊’，从何知道我是‘无耻之尤’！我这官司要和他到都察院里打去！”骂了一顿，于事无济，又不免拿家人仆妇去出气。那些家人仆妇看见主人已经革职，便有点看不在眼里的样子。从前受了主人的骂，无非逆来顺受；此时受骂，未免就有点退有后言了。何况他是借此出气的，骂得不在理上，便有两个借此推辞，另投别人的了。苟才也无可如何，回到上房，无非是唉声叹气。

还是姨妈有主意，说道：“自从我们把少奶奶送给前任制台之后，也不曾得着他甚么好处，他便走了。”苟才忙道：“可不是。早知道这样，我不会留下，等送这一个！”姨妈道：“不是这样说。你要送姨太太给他，也要探听着他的脾气，是对这一路的，才送得着；要是不对这一路的，送他也不受呢。”苟太太道：“罢，罢！我看他们男人们，没有一个不对这一路的，随便甚么臭婊子都拿着当宝贝，何况是人家送的呢！”姨妈道：“你们都不知说些甚么，我在这里替你们打算正经事呢。大凡人总有一个情字，前任制台白受了我们一位姨太太，我们并未得着他甚么好处，他便走了。此时妹夫坏了功名，这边是站不住的了。我看不如到北洋走一趟，求求他，总应该有个下文。你们看我的话怎样？”只这一句话，便提醒了苟才道：“是呀，我到天津伸冤去。”即日料理到北洋去。正是：

三窟未能师狡兔，一枝尚欲学鷦鹩。

不知苟才到北洋去后如何，且待下回再记。

第九十四回
图恢复冒当河工差　巧逢迎垄断银元局

苟才自从听了姨妈的话，便料理起程到天津去。却是苟太太不答应，说是："要去大家一股脑儿去，你走了，把我们丢在这里做甚么？"苟才道："我这回去，不过是尽人事以听天命罢了，说不定有差使没差使。要是大家同去，万一到了那边没有事情，岂不又是个累？好歹我一个人去，有了差使，仍旧接了你们去；谋不着差事，我总要回来打算的。一个人往来的浇裹轻，要是一家子同去，有那浇裹，就可以过几个月的日子了，何苦呢！"姨妈也从旁相劝。苟太太道："你不知道，放他一个人出去，又是他的世界了，甚么浪蹄子，臭婊子，弄个一大堆还不算数，还要叫他们充太太呢！"姨妈道："此刻他又多了好几年的年纪了，断不至于这样了。你放心罢。"苟太太仍是不肯。苟才道："如果必要全眷同行，我就情愿住在南京饿死，也不出门去了。"还是亏得姨妈从旁百般解劝，劝的苟太太点了头，苟才方才收拾行李，打点动身。

附了江轮，到得上海，暂时住在长发栈。却在栈里认得一个人。这个人姓童，号叫佐訚，原是广东人氏，在广东银元局里做过几天工匠，犯了事革出来，便专门做假洋钱，向市上混用，被他骗着的钱不少。此时因为事情穿了，被人告发，地方官要拿他，他带了家眷，逃到上海，也住在长发栈。恰好苟才来了，住在他隔壁房间，两人招呼起来，从此相识。苟才问起他到上海何事的，佐訚随口答道："不要说起！是兄弟前几年向制台处上了一个条陈，说：现在我们中国所用的全是墨西哥银圆，利权外溢，莫此为甚；不如办了机器来，我们设局自铸。制台总算给我脸，批准了，办了机器来，开了个银元局鼓铸，委了总办、会办、提调。因为兄弟上的条陈，机器化学一道，兄弟也向来考究的，就委了兄弟做总监工。当时兄弟曾经和总办说明白，所有局中出息，兄弟要用二成；馀下八成，归总办、会办、提调，与及各司事等人俵分。办了两年，相安无事。不料前一向换了个总办，他却要把那出息一股脑提去，只给我五厘，因此我不愿意，辞了差到上海玩一玩。"苟才道："那银元局总办，一年的出息有多少呢？"佐訚道："那就看他派几成给人家了。我拿他二成，一年就是八十万。"苟才听了，暗暗把舌头一伸。从此天天应酬佐訚。佐訚到上海，原是为的避地而来，住栈究非长策，便在虹口篷路地方，租了一所洋房，置备家私，搬了进去。在新赁房子里，也请苟才吃过两顿。

苟才有事在身，究竟不便过于耽搁，便到天津去了。到得天津，下了客栈，将息一天，便到总督衙门去禀见。制台见了手本，触起前情，便叫请。苟才进去，行礼之后，制台先问道："几时来的？"苟才道："昨天才到。"制台道："我走了之后，你到底怎么搅的，把功名也弄掉了？"苟才道："革道一向当差谨慎，是大帅明鉴的。从大帅荣升之后，不到半个月，就奉札交卸巡道印务，以后并没得过差使。究竟怎样被革的，革道实在不明白。"制台道："你这回来有甚么意思没有？"苟才道："求大帅栽培！"制台道："北洋这边呢，不错，局面是大，然而人也不少。现在候差的人，兄弟也记不了许多。况且你老哥是个被议的人。你只管候着罢，有了机会，我再来知照。"说罢，端茶送客。苟才只得告辞出来。从此苟才十天八天去上一趟辕，朔望照例挂号请安。上辕的日子未必都见着，然而十回当中，也有五六回见着的。幸得他这回带得浇裹丰足，在天津一耽搁就是大半年，还不至于拮据。而且制台幕里，一个代笔文案，姓冒，号叫士珍，被他拉拢得极要好，两人居然换了帖，苟才是把兄，冒士珍是把弟，因此又多一条内线。

看看候到八个月光景，仍无消息，又不敢当面尽着催。正想托冒士珍在旁边探一探声口，忽然来了个戈什，说是大帅传见。苟才连忙换了衣冠，坐轿上辕。手版上去，马上就请。制台一见面，便道："你老兄来了，差不多半年了罢？"苟才想了一想，回道；"革道到这边八个多月了。"制台道："我一点事没给你，也抱歉得很！"苟才道："革道当得伺候大帅。"制台道："今天早起，来了个电报，河工上出了事了，口子决得不小。兄弟今天忙了半天，人都差不多委定了，才想起你老兄来。"苟才道："这是大帅栽培！"制台道："你虽是个被议的人员，我要委你个差使呢，未尝不可以，但是无端多你一个人去分他们的好处，未免犯不上。你晓得他们巴了多少年，就望这一点工程上捞两个，此刻仗了我的面子，多压你一个人下去，在我固然犯不上，在你老哥，也好像……"说到这里，就停住了口。苟才道："只求大帅的栽培，甚么都是一样。"制台道："所以啊，我想只管给你一个河工上的公事，你也不必到差，我也不批薪水，就近点就在这里善后局领点夫马费，暂时混着。等将来合龙的时候，我随折开复你的功名。"苟才听到这里，连忙爬在地下叩了三个头道："谢大帅恩典！"制台道："这么一来啊，我免了人家的闲话，你老哥也得了实在了。"苟才连连称"是"。制台端茶送客。

苟才回到下处，心中十分得意。到了明日，辕上便送了札子来。苟才照例赏了札费，打发去了。看那札子时，虽不曾批薪水，却批了每月一百两的夫马费，也就乐得拿来往侯家后去送。

光阴似箭，日月如梭，早又过了三四个月，河工合龙了，制台的保折出去了。不多几日，批回到了。别的与这书上不相干的，不要提他，单说苟才是赏还原官、原衔，并赏了一枝花翎。苟才这一乐，乐得他心花怒放！连忙上辕去叩谢宪恩，一面打电报到南京，叫汇银来，要进京引见。不日银子汇到，便上辕禀见请咨，恭辞北上。

到京之后，他原想指到直隶省的，因为此时京里京外，沸沸扬扬的传说，北洋大臣某人，圣眷优隆，有召入军机之议，苟才恐怕此信果确，不难北洋一席，又是调来南京那魔头，我若指了直隶，岂非自己碰到太岁头上去。因此进京之后，未曾引见，先走路子，拜了华中堂的门。心中一算，安徽抚台华筱池，是华中堂的堂兄弟，并且是现任北洋大臣的门生，因此引见指省，便指了安徽。

在京求了新拜老师华中堂一封信。到了天津，又求了制台一封信。对制台只说浇裹带得少，短少指省费，是掣签掣了安徽的。制军自然给他一封信。苟才得了这封信，却去和冒士珍商量，不知鬼鬼祟祟的送了他多少，叫他再另写一封。原来大人先生荐人的信，若是泛泛的，不过由文案上写一封楷书八行就算了；要是亲切的，便是亲笔信。但是说虽说是亲笔，仍由代笔文案写的。这回制台给他的信，已是冒士珍代笔的了，他却还嫌保举他的字眼不甚着实，所以不惜工本，央求冒士珍另写一封异常着实的，方才上辕辞行，仍走海道，到了上海。先去访着了童佐誾，查考了银元局的章程，机器的价钱，用人多少，每天能造多少，官中馀利多少，一一问个详细。便和童佐誾商定，有事大家招呼。方才回南京去，见了婆子，把这一年多的事情，约略述了一遍。消停几天，便到安庆去到省。

安徽抚台华熙，本是军机华中堂的远房兄弟，号叫筱池。因他欢喜傻笑，人家就把他叫浑了，叫他做“笑痴”。当下苟才照例穿了花衣禀到，一面缴凭投信，一面递履历。抚台见有了一封军机哥哥的信，一封老师的信，自然另眼相看。并且老师那封信，还说得他“品端学粹，才识深长”，更是十分器重。当下无非说两句客套话，问问老中堂好啊，老师帅好啊，京里近来光景怎样啊，“兄弟在外头，一碰又七八年没进京了，你老哥的才具是素仰的，这回到这里帮忙，将来仰仗的地方多着呢。”照例说了一番过去。

不上半个月，便委了他一个善后局总办。苟才一面谢委，拜客，到差；一面租定公馆，专人到南京去接取眷属。一面又自己做了一个条陈底稿。自到差之后，本来请的有现成老夫子，便叫老夫子修改。老夫子又代他斟酌了几条，又把他连篇的白字改正了，文理改顺了，方才誊正，到明日上辕，便递了上去。他是北洋大臣保说过“才识优长”的，他的条陈抚台自然要格外当心去看。当下只揭了一揭，看了大略，便道："等兄弟空了，慢慢细看罢。"苟才又回了几件公事，方才退出。

又过了两天，他南京家眷到了，正在忙的不堪，忽然来了个戈什，说院上传见。苟才立刻换了衣冠上院。抚台一见了便道："老兄的才具，着实可以！我们安徽本来是个穷省分，要说到理财呢，无非是往百姓身上想法子。安徽百姓穷，禁得住几回敲剥？难为老兄想得到！"苟才一听，知道是说的条陈上的事情，便道："大帅过奖了。其实这件事，首先是广东办开的头，其次是湖北，此刻江南也办了，职道不过步趋他人后尘罢了。"抚台道："是啊。兄弟从前也想办过来，问问各人，都是说好的，甚么'裕国便民'啊，'收回利权'啊，说得天花乱坠；等问到他们要窍的话，却都棱住了。你老哥想，没一个内行懂得的人，单靠兄弟一个，那里担代得许多？老哥的手折，兄弟足足看了两天，要找一件事再问问都没有了，都叫老哥说完了。"苟才此时心中十分得意，因说道："便是职道承大帅栽培，到了善后局差之后，细细的把历年公事看了一遍，这安徽公事，实在难办！在底下当差的，原是奉命而行，没有责任的，就难为上头的筹划，所以不能不想个法子出来，活动活动。"抚台道："是啊。这句话对极了！当差的人要都跟老哥一样，还有办不下来的事情吗？但是这件事情，必要奏准了，才可以开办。你老兄肯担了这个干纪，兄弟就马上拜折了。"苟才道："大帅的栽培，职道自然有一分心，尽一分力。"抚台喜孜孜的，送客之后，便去和奏折老夫子商量，缮了个奏折，次日侵晨，拜发出去。

苟才上院回家之后，满面得意，自不必说。忙了两天，才把一座公馆收拾停当。那位苟太太却在路上受了风寒，得了感冒，延医调治，迄不见效，缠绵了一个多月，竟呜呼哀哉了。苟才平日本是厌恶他悍妒泼辣，样样俱全，巴不得他早死了，不过有姨妈在旁，不能不干号两声罢了。苟才一面料理后事，一面叫家人拿手版上辕去请十天期服假。可巧这天那奏折的批回到了，居然准了。抚台要传苟才来见，偏偏他又在假内，把个抚台急的了不得。苟才是抚帅的红人，同寅中那个不巴结！出了个丧事，吊唁的人，自然不少。忙过了盛殓之后，便又商量刻讣，择日开吊，又到城外一个甚么庙里商量寄放棺木。

诸事办妥，假期已满，上院销假。抚台便和他说："上头准了，这件事要仰仗老兄的了。兄弟的意思，要连工程建造的事，都烦了老兄。"苟才道："这一着且慢一慢，先要到上海定了机器，看了机器样子，量了尺寸，才可以造房子呢。"抚台见他样样在行，越觉欢喜，又说了两句唁慰的话，苟才便辞了回家。到下晚时，院上已送了一个札子来，原来是委他到上海办机器的。苟才便连忙上院谢委辞行，乘轮到了上海，先找着了童佐訚，和他说知办机器一事。童佐訚在上海已经差不多两年了，一切情形，都甚熟悉，便带苟才到洋行里去，商量了两天，妥妥当当的定了一分机器，订好了合同，交付过定银。他上条陈时，原是看定了一片官地，可以作为基址的。此番他来时，又叫人把那片地皮量了尺寸四至，草草画了一个图带来的，又托佐訚找一个工程师，按着地势打了一个厂房图样。凡以上种种，无非是童佐訚教他的，他那里懂得许多？事情已毕，还不到二十天功夫，他便忙着赶回安庆，给死老婆开吊。一面和童佐訚商定，一力在抚台跟前保举他，叫他一得信就要赶来的。童佐訚自然答应。

苟才回到安庆之后，上院销差，顺便请了五天假，因为后天便是他老婆五七开吊之期。到了那天，却也热闹异常，便是抚院也亲临吊奠，当由家丁慌忙挡驾。忙过了一天，次日便出殡。出殡之后，又谢了一天客，方才停当，上院销差。顺便就保举了童佐訚，说他熟悉机器工艺，又深通化学。抚台就答应了将来用他，先叫他来见。苟才又呈上那张厂房图。抚台看过道：“这可是老兄自己画的？”苟才道：“不，职道不过草创了个大概，这回奉差到上海，请外国工程师画的。”抚台道：“有了这个，工程可以动手了罢？”苟才道：“是。”抚台送过客之后，跟着就是一个督办银元局房屋工程的札子下来。苟才一面打电报给童佐訚，叫他即日动身前来，抚院立等传见。不多几天，佐訚到了，苟才便和他一同上辕，抚院也都一齐请见，无非问了几句机器制造的话，便下来了。

从此苟才专仗了佐訚做线索，自己不过当个傀儡，一面招募水木匠前来估价，起造房屋，有应该包工做的，有应该点工造的。又拣几个平素肯巴结他的佐贰，禀请下来，派做了甚么木料处、砖料处、灰料处的委员，便连他自己公馆里一班不识字、没出息、永远荐不出事情的穷亲戚都有了事了，甚么督工司事、监工司事、某处司事、某处司事，胡乱装些名目，一个个都支领起薪水来了。

谁知他当日画那片地图时，画拧了一笔，稍为画开了二三分；那个打样的工程师，是照他的地势打的，此时按图布置起来，却少了一个犄角，约莫有四尺多长，是个三角式。虽然照面积算起来，不到十方尺的地皮，然而那边却是人家的一座祠堂；若把那房子挪过点来，这边又没出路。承造的工匠，便来请示。苟才也无法可想，只得和佐訚商量。佐訚自去看过，又把这图样再三审度，也无法可想，道：“为今之计，只有再画清楚地图，再叫人打样的了。”苟才道：“已经动了工了，那里来得及。”佐訚道：“不然，就把他那房子买了下来。”苟才一想，这个法子还可以使得，便亲自去拜怀宁县，告知要买那祠堂的缘故，请他传了地保来查明祠主，给价买他的。

怀宁县见是省里第一个红人委的，如何敢不答应，便传了地保，叫了那业主来，说明要买他祠堂的话。那业主不肯道："我这个是七八代的祠堂，如何卖得！"县主道："你看筑起铁路来，坟墓也要迁让呢，何况祠堂！这个银元局是奏明开办的，是朝廷的工程。此刻要买你的，是和你客气办法；不啊，就硬拆了你的，你往那里告去！"那业主慌道："这不是我一个人的事，这是合族的祠堂，就是卖，也要和我族人父老商量妥了，才卖得啊。"怀宁县道："那么，限你明天回话，下去罢。"那人回去，只好惊动了族人父老商量。他以官势压来，无可抵抗，只得卖了，含泪到祠堂里请出神主。至于业主到底得了多少价，那是著书的无从查考，不能造他谣言的。不过这笔钱苟才是不能报销的，不知他在那一项上的中饱提出来弥补的就是了。

从此之后，直到厂房落成，机器运到，他便一连当了两年银元局总办。直到第三个年头，却出了钦差查办的事。正是：

追风莫漫夸良骥，失火须防困跃龙。

从第八十六回之末，苟才出现，八十七回起，便叙苟才的事，直到此处九十四回已终，还不知苟才为了何事，再到上海。谁知他这回到上海，又演出一场大怪剧的，且待下回再记。

第九十五回
苟观察就医游上海　少夫人拜佛到西湖

苟才自从当了两年银元局总办之后，腰缠也满了。这两年当中，弄了五六个姨太太。等那小儿子服满之后，也长到十七八岁了，又娶了一房媳妇。此时银子弄得多，他也不想升官得缺了，只要这个银元局总办由得他多当几年，他便心满意足了。

不料当到第三年上，忽然来了个九省钦差，是奉旨到九省地方清理财赋的。那钦差奉旨之后，便按省去查。这一天到了安庆，自抚台以下各官，无不懔懔栗栗。第一是个藩台，被他缠了又缠，弄得走头无路，甚么厘金咧、杂捐咧、钱粮咧，查了又查，驳了又驳。后来藩台走了小路子，向他随员当中去打听消息，才知道他是个色厉内荏之流，外面虽是雷厉风行，装模作样，其实说到他的内情，只要有钱送给他，便万事全休的了。藩台得了这个消息，便如法泡制，果然那钦差马上就圆通了，回上去的公事，怎样说怎样好，再没有一件驳下来的了。

钦差初到的时候，苟才也不免栗栗危惧，后来见他专门和藩台为难，方才放心。后来藩司那边设法调和了，他却才一封咨文到抚台处，叫把银元局总办苟道先行撤差，交府厅看管，俟本大臣彻底清查后，再行参办。这一下子，把苟才吓得三魂去了二魂，六魄剩了一魄！他此时功名倒也不在心上，一心只愁两年多与童佐闾狼狈为奸所积聚的一注大钱，万一给他查抄了去，以后便难于得此机会了。当时奉了札子，府经厅便来请了他到衙门里去。

他那位小少爷，名叫龙光，此时已长到十七八岁了，虽是娶了亲的人，却是字也不曾多认识几个，除了吃喝嫖赌之外，一样也不懂得。此刻他老子苟才撤差看管，他倘是有点出息的，就应该出来张罗打点了，他却还是昏天黑地的，一天到晚，躲在赌场妓馆里胡闹。苟才打发人把他找来，和他商量，叫他到外头打听打听消息。龙光道："银元局差事又不是我当的，怎么样的做弊，我又没经过手，这会儿出了事，叫我出来打听些甚么！"苟才大怒，着实把他骂了一顿；然而于实事到底无济，只好另外托人打听。

幸得他这两年出息的好，他又向来手笔是阔的，所有在省印委候补各员，他都应酬得面面周到，所以他的人缘还好。自从他落了府经厅之后，来探望他、安慰他的人，倒也络绎不绝。便有人暗中把藩台如何了事的一节，悄悄的告诉了他。苟才便托了这个人，去代他竭力斡旋，足足忙了二十多天，苟才化了六十万两银子，好钦差，就此偃旗息鼓的去了。苟才把事情了结之后，虽说免了查办，功名亦保住了，然而一个银元局差使却弄掉了。化的六十万虽多，幸得他还不在乎此，每每自己宽慰自己道："我只当代他白当了三个月差使罢了。"

幸得抚台宪眷还好，钦差走后，不到一个月，又委了他两三个差使，虽是远不及银元局的出息，面子上却是很过得去的了。如此又混了两年，抚台调了去，换了新抚台来，苟才便慢慢的不似从前的红了。幸得他宦囊丰满，不在乎差使的了。闲闲荡荡的过了几年，觉得住在省里没甚趣味，兼且得了个怔忡之症，夜不成寐，闻声则惊，在安庆医了半年，不见有效，便带了全眷，来到上海，在静安寺路租了一所洋房住下，遍处访问名医。医了两个月也不见效，所以又来访继之，也是求荐名医的意思。已经来过多次，我却没有遇着，不过就听得继之谈起罢了。

当下继之到外面去应酬他，我自办我的正事。等我的正事办完，还听得他在外面高谈阔论。我不知他谈些甚么，心里熬不住，便走到外面与他相见。他已经不认得我了，重新谈起，他方才省悟，又和我拉拉扯拉，说些客气话。我道："你们两位在这里高谈阔论，不要因我出来了打断了话头，让我也好领教领教。"苟才听说，又回身向继之汩汩而谈，直谈到将近断黑时，方才起去。我又问了继之他所谈的上半截，方才知道是苟才那年带了大儿子到杭州去就亲，听来的一段故事，今日偶然提起了，所以谈了一天。

你道他谈的是谁？原来是当日做两广总督汪中堂的故事。那位汪中堂是钱塘县人，正室夫人早已没了，只带了两个姨太太赴任，其馀全眷人等，都住在钱塘原籍。把自己的一个妹子，接到家里来当家。他那位妹子，是个老寡妇了，夫家没甚家累，哥哥请他回去当家，自然乐从。汪府中上下人等，自然都称他为姑太太。中堂的大少爷早已亡故，只剩下一个大少奶奶。还有一个孙少爷，年纪已经不小，已娶过孙少奶奶的了。那位大少奶奶，向来治家严肃，内外界限极清，是男底下人，都不准到上房里去，丫头们除了有事跟上人出门之外，不准出上房一步。因此家人们上他一个徽号，叫他迂奶奶。自从中堂接了姑太太来家之后，迂奶奶把他待得如同婆婆一般，万事都禀命而行，教训儿子也极有义方，因此内外上下，都有个贤名。只有一样未能免俗之外，是最相信的菩萨，除了家中香火之外，还天天要入庙烧香。别的妇女入庙烧香起来，是无论甚么庙都要到的，迂奶奶却不然，只认定了一个甚么寺，是他烧香所在，其馀各庙，他是永远不去的。

有一天，他去烧香回来，轿子进门时，看见大门上家里所用的裁缝，手里做着一件实地纱披风，便喝停住了轿，问那披风是谁叫做的。裁缝连忙垂手，禀称是孙少爷叫做的，大约是孙少奶奶用的。迂奶奶便不言语。等轿子抬了进去，回到上房之后，把儿子叫来。孙少爷不知就里，连忙走到。迂奶奶见了，劈面就是一个巴掌，问道：“你做纱披风给谁？”孙少爷被打了一下，吃了一惊，不知何故。及至迂奶奶问了出来，方才知道，回道：“这是媳妇要用的，并不是给谁。”迂奶奶道：“他没有这个？”孙少爷道：“有是有的，不过是三年前的东西，不大时式了，所以再做一件。”迂奶奶听说，劈面又是一个巴掌，吓得孙少爷连忙跪下。孙少奶奶知道了，也连忙过来跪着陪不是。迂奶奶只是不理。

旁边的丫头、老妈子看见了，便悄悄的去报知姑太太。姑太太听了，便过来说情。迂奶奶道：“这些贱孩子，我平日并不是不教训他，他总拿我的话当做耳边风！出去应酬的衣裳，有了一件就是了，偏是时式咧，不时式咧，做了又做。三年前的衣服，就说不时式了。我穿的还是二十年前的呢！不要说是自己没能耐，不能进学中举，自己混个出身去赚钱，吃的穿的，都是祖老太爷的；就是自己有能耐，做了官，赚了钱，也要想想朱柏庐先生《治家格言》的话，‘一丝一缕，当思来处不易’。这些话，我少说点，一天也有四五遍教他们，他们拿我的话不当话，你说气人不气人！”姑太太道：“少奶奶说了半天，倒底谁做了甚么来啊？”迂奶奶道：“那年办喜事，我们盘里是四季衣服都全的。他那边陪嫁过来的，完全不完全，我可没留神。就算他不完全罢，有了我们盘里的，也就够穿了。叫甚么少奶奶嫌式子老了，又在那里做甚么实地纱披风了。你说他们阔不阔！”

姑太太道：“年轻孩子们，要时式，要好看，是有的。少奶奶教训过就是了，饶了他们叫起去罢，叫他们下回不要做就是了。”迂奶奶道：“呀，姑太太！这句话可宠起他们来了！甚么叫做年轻小孩子，就应该要时式，要好看？我也从年轻小孩子上过来的，不是下娘胎就老的，我可没那样过。我偏不饶他们，看拿我怎么！”姑太太无端碰了这么个钉子，心里老大不快活，冷笑道：“不要说我们这种人家，多件把披风算不了甚么；就是再次一等的人家，只要做起来，不拿他睹糟蹋，也就算得一丝一缕，想到来处不易的了。要是天下人都像了少奶奶的脾气，只怕那开绸缎铺子的人，都要饿死了！”迂奶奶听了，并不答姑太太的话，却对着儿子、媳妇道：“好，好！怨得呢，你们是仗了硬腰把子来的！可知道你们终究是我的儿子、媳妇，凭你腰把子再硬点，是没用的！”姑太太听了，越发气了上来，说道：“少奶奶这是甚么话！他是姓汪的人，化他姓汪的钱，再化多点，也用不着我旁人做甚么腰把子！”迂奶奶道：“就是这个话！我嫁到了姓汪的就是姓汪的人，管得着姓汪的事，我可没管到别姓人家的去。”姑太太这一气，更是非同小可。要待和他发作起来，又碍着家人仆妇们看着不像样，暂时忍了这口气不再理他。回到自己房里，把迂奶奶近年的所为，起了个电稿，用自己家里的密码，编了电报，叫家人们送到电报局发到广东。

那位两广制军得了电报，心里闷闷不乐，想了半天，才发一个电报给钱塘县。这里钱塘县知县，无端接了广东一个头等印电，心中惊疑不定，不知是何事故，连忙叫师爷译了出来。原来是：“某寺僧名某某，不守清规，祈速访闻，提案严办，馀俟函详。”共是二十二个字。其馀便是收电人名、发电人名及一个印字。知县看了，十分惶惑：不知这位老先生为了甚事，老远的从广东打个电报来办一个和尚？这和尚又犯了甚么事，杭州城里多少绅士都不来告发，却要劳动他老先生老远的告起来？又叫我作为访案，又叫我严办，却又只说得他“不守清规”四个字，叫我怎样严办法呢？办到甚么地步才算严呢？便拿了这封电报，和刑名老夫子商量。老夫子道：“据晚生看来，我们这位老中堂，是一位阿弥陀佛的人。听说他在广东杀一回强盗，他还代那强盗念一天《往生咒》呢。他有到电报要办的人，所犯的罪，一定是大的；不啊，便怕有关涉到他汪府上的事。据晚生的意思，不如一面先把和尚提了来，一面打个电报，请示办法。好得他有‘馀俟函详’一句，他墨信里头，总有一个办法在内，我们就照他办就是了。老父台以为如何？”知县也没甚说得，只好照他的办法，立刻出了票子，传了值日差役，去提和尚，说马上要人问话。不一会提到了，知县意思要先问一堂，回想这件事又没个原告，那电报又叫我作为访案的，叫我拿甚么话问他呢？没奈何，叫把他先押起来，明天再问。

谁知到了明天，大清老早，知县才起来，门上来报汪府上大少奶奶来了。知县吃了一惊，便叫自己孺人迎接款待。迁奶奶行过礼之后，便请见老父台。知县在房中听见，十分诧异，只得出来相见。见礼已毕，迁奶奶先开口道："听说老父台昨天把某寺的某和尚提了来，不知他犯了甚么事？"知县听说，心中暗想：刑席昨天料说这和尚关涉他家的事，这句话想是对了。此刻他问到了，叫我如何回答呢？若说是我访拿的，他更要钉着问他犯的是甚么罪，那更没得回答了。迁奶奶见知县不答话，又追问一句道："这个案，又是谁的原告？"知县道："原告么，大得很呢！"嘴里这么说，心里想道，不如推说上司叫拿的，他便不好再问。回想又不好，他们那等人家，那个衙门他不好去？我顶多不过说抚台叫拿的，万一他走到抚台那里去问，我岂不是白碰钉子！迁奶奶又顶着问道："到底那个的原告？大到那么个样子，也有个名儿？"知县此时主意已定，便道："是闽浙总督，昨天电札叫拿的。"迁奶奶吃了一惊道："他有甚么事犯到福建去，要那边电札来拿他？"知县道："这个侍生那里知道？大约福建那边有人把他告发了。"迁奶奶低头一想道："不见得。"知县道："没有人告发，何至于惊动到督帅呢？"迁奶奶道："这么罢，此刻还不知道他犯的是甚么罪，老父台也不便问他，拿他搁在衙门里，倒是个累赘。念他是个佛门子弟，准他交了保罢。"知县道："这是上宪电拿的犯人，似乎不便交保。"迁奶奶道："交一个靠得住的保人，随时要人，随时交案，似乎也不要紧。"知县道："那么侍生回来叫保出去就是。"迁奶奶道："叫谁保呢？"知县道："那得要他自己找出人来。"迁奶奶道："就是我来保了他罢。"知县心中只觉好笑，因说道。"府上这等人家，少夫人出面保个和尚，似乎叫旁人看着不大好看。不如少夫人回去，叫府上一个管家来保去罢。"迁奶奶脸上也不觉一红，说道："那就叫我的轿夫具个名，可使得？"知县道："这也使得。"

迁奶奶便叫跟来的老妈子，出去叫轿夫阿三具保状，马上保了知尚出去。知县便道："如此，少夫人请宽坐，侍生出去发落了他们。"说罢，便到外头去，叫传地保。原来知县心中早就打了主意，知道这里面一定有点跷蹊，不过看着那迁奶奶也差不多有五十岁的人，疑心不到那里去就是了。但是叫他们保了去，万一将来汪中堂一定要人，他们又不肯交，未免要怪我办理不善。所以特地出来传了地保，硬要他在保状上也具个名字；并交代他切要留心，"如果被他走了，追你的狗命！"那地保无端背了这个干系，只得自认晦气，领命下去。

这件事，早又传到姑太太耳朵里去了，不觉又动了怒，详详细细的，又是一个电报到广东去。此时钱塘县也有电报去了。不一日，就有回电来：

和尚仍请拿办，并请到西湖边某图某堡地方，额镌某某精舍屋内，查抄本宅失赃，并将房屋发封云云。知县一见，有了把握，立刻饬差去提和尚，立时三刻就要人。一面亲自坐了轿子，带了差役书吏，叫地保领路，去查赃封屋。到得那里，入门一看，原来是三间两进的一所精致房屋，后面还有一座两亩多地的小花园。外进当中，供了一尊哥窑观音大士像，有几件木鱼钟磬之类。入到内进，只见一律都是红木家伙，摆设的都是夏鼎商彝。墙上的字画，十居其九，是汪中堂的上款。再到房里看时，红木大床，流苏熟罗帐子，妆奁器具，应有尽有，甚至便壶马桶，也不遗一件。衣架上挂着一领袈裟，一顶僧帽，床下又放着一双女鞋。还有一面小镜架子，挂着一张小照，仔细一看，正是那个迂奶奶！知县先拿过来，揣在怀里。书吏便一一查点东西登记。差役早把一个十二三岁的小和尚，及两个老妈、一个丫头拿下了。查点已毕，便打道回衙，一面发出封条，把房屋发封。

知县回到衙门时，谁知迂奶奶已在上房了。见了面，就问道："听说老父台把我西湖边上一所别墅封了，不知为着何事？"知县回来时，本要到上房更衣歇息，及见了迂奶奶，不觉想起一桩心事来，便道："侍生是奉了老中堂之命而行。回来问过了，果然是少夫人的，自然要送还。此刻侍生要出去发落一件希奇古怪的案件，就在二堂上问话。"又对孺人道："你们可以到屏风后面看看。"说着，匆匆出去了。正是：

只为遭逢强令尹，顿教愧煞少夫人。

不知那钱塘县出去发落甚么稀奇古怪案件，且待下回再记。

第九十六回
教供辞巧存体面　写借据别出心裁

原来那钱塘县知县未发迹时，他的正室太太不知与和尚有了甚么事，被他查着凭据，欲待声张，却又怕于面子有碍，只得咽一口气，写一纸休书，把老婆休了，再娶这一位孺人的。此刻恰好遇了这个案子，那迂奶奶又自己碰了来，他便要借这个和尚出那个和尚的气，借迂奶奶出他那已出老婆的丑。

当时坐了二堂，先问"和尚提到了没有"。回说"提到了"。又叫先提小和尚上来，问道："你有师父没有？"回说："有。"又问："叫甚名字？"回说："叫某某。"又问："你还有甚么人？"回说："有个师太。”问：“师太是甚么人？”回说：“师太就是师太，不知道是甚么人。”问：“师父师太，可是常住在那里？”回说：“不是，他两个天天来一遍就去了。”问：“天天甚时候来？”回说：“或早上，或午上，说不定的。”问：“他们住在那里？”回说：“师父住在某庙里，师太不知道住在那里。”问：“他们天天来做甚么？”回说：“不知道。来了便都到里面去了，我们都赶在外面，不许进去，不知他们做甚么。有一回，我要偷进去看看，老妈妈还喝住我，不许我进去，说师父和师太□□呢。”知县喝道：“胡说！”随在身边取出那张小照，叫衙役递给小和尚，问他：“这是谁？”小和尚一看见，便道：“这就是我的师太。”知县叫把小和尚带下去，把和尚带上来。知县叫抬起头来。和尚抬起头，知县把他仔细一端详，只见他生得一张白净面孔，一双乌溜溜的色眼，倒也唇红齿白。知县把惊堂一拍道：“你知罪么？”和尚道：“僧人不知罪。”知县冷笑道：“好个不知罪！本县要打到你知罪呢！”把签子往下一撒，差役便把和尚按倒，褪下裤子，一啊，二啊的打起来。打到二十多下，知县喝叫停住了。问那行刑的差役道：“你们受了那和尚多少钱，打那个虚板子？”差役吓得连忙跪下道：“小的不敢，没有这件事。”知县道：“哼！我做了二十多年老州县，你敢在我跟前捣鬼呢！”喝叫先把他每人先打五十大杖，锁起来，打得他两个皮开肉绽，锁了下去。知县喝叫再打和尚。这回行刑的，虽是受了钱，也不敢做手脚了，用尽平生之力，没命的打下去，打得那和尚杀猪般乱叫。一口气打了五百板，打得他血肉横飞，这才退堂。入到上房，只见那迂奶奶脸色青得和铁一般，上下三十二个牙齿一齐叩动，浑身瑟瑟乱抖。

原来知县说是发落稀奇古怪案子，又叫他孺人去看，孺人便拉了迂奶奶同去。迂奶奶就有点疑心，不肯去，无奈一边尽管相让。迂奶奶回念一想：那和尚已经在保，今天未听见提到，或者不是这件事也未可知，不妨同去看看。原来那和尚被捉时，他一党的人都不在寺里，所以没人通信。及至同党的人回来知道了，赶去报信，迂奶奶已先得了封房子的信，赶到衙门里来了，所以不知那和尚已经提到。当下走到屏风后头，往外一张，见只问那小和尚。心中虽然吃了一惊，回想小和尚不知我的姓氏，问他，我倒不怕，谅他也不敢叫我去对质。后来见知县拿小照给小和尚看，方才颜色大变，身上发起抖来。孺人不知就里，见此情形，也吃了一惊，忙叫丫头仍扶了到上房去。再三问他觉得怎么，他总是一言不发。又叫打轿子我回去。谁知这县衙门宅门在二堂之后，若要出去，必须经过二堂，堂上有了堂事，是不便出去的。迂奶奶愈加惊怪，以为知县故意和他为难。又听得老妈子们来说：“老爷好古怪！问了小和尚的话，却拿一个大和尚打起来，此刻打的要死快了！”迂奶奶听了，更是心如刀刺，又是羞，又是恼，又是痛，又是怕。羞的是自己不合到这里来当场出丑；恼的是这个狗官不知听了谁的唆使，毫不留情；痛的是那和尚的精皮嫩肉，受此毒刑；怕的是那知县虽然不敢拿我怎样，然而他退堂进来，着实拿我挖苦一顿，又何以为情呢！有了这几个心事，不觉越抖越利害，越见得脸青唇白，慢慢的通身抖动起来。吓得孺人没了主意。

恰好知县退堂进来，他的本意是要说两句挖苦话给他受受的，及至见了他如此光景，也就不便说了。连忙叫人去拿姜汤来，调了定惊丸灌下去。歇了半晌，方才定了，又不觉一阵阵的脸红耳热起来。知县道："少夫人放心！这件事只怪和尚不好。别人不打紧，老中堂脸上，侍生是要顾着的，将来办下去，包管不碍着府上丝毫的体面。"迁奶奶此时，说谢也不是，说感激也不是，不知说甚么好，把一张脸直红到颈脖子上去。知县便到房里换衣去了。迁奶奶无奈，只得搭讪着坐轿回府。

这边知县却叫人拿了伤药去替和尚敷治，说用完了再来拿，他的伤好了来回我。家人拿了出去，交代明白。过了几天，却不见来取伤药。知县心里疑惑，打发人去问，回说是已经有人从外头请了伤科医生，天天来诊治了。知县不觉一笑。等过了半个月，人来说和尚的伤好了，他又去坐堂，提上来喝叫打，又打了一百板押下去。那边又请医调治，等治得差不多好了，他又提上来打。

如此四五次，那知县借这个和尚出那个和尚的气，也差不多了，然后叫人去给那和尚说："你犯的罪，你自己知道。你到了堂上，如果供出实情，你须知汪府上是甚么人家，只怕你要死无葬身之地呢！我此刻教你一个供法：你只说向来以化斋为名，去偷人家的东西，并且不要说都是偷姓汪的，只拣那有款的字画，说是偷姓汪的，其馀一切东西，偷张家的，偷李家的，胡乱供一阵。如此，不过办你一个积窃，顶多不过枷几天就没事了。"和尚道："他提了我上去，一问也不问就是打，打完了就带下来，叫我从何供起？"那人道："包你下次上去不打了。你只照我所教的供，是不错的。"

和尚果然听了他的话，等明日问起来，便照那人教的供了。知县也不再问，只说道："据你所供东西是偷来的，是个贼，但是你做和尚的，为甚又置备起妇人家的妆奁用具来，又有女鞋在床底下？显见得是不守清规了。"喝叫拖下去打，又打了三百板，然后判了个永远监禁。一面叫人去招呼汪家，叫人来领赃，只把几张时人字画领了去。一面写个禀帖禀复汪中堂，也只含含糊糊的，说和尚所偷赃物，已讯明由府上领去，和尚不守清规，已判永远监禁。汪中堂还感激他办得干净呢。他却是除了汪府领去几张字画之外，其馀各赃，无人来领，他便声称存库，其实自行享用了。更把那一所甚么精舍，充公召卖，却又自己出了二百吊钱，用一个旁人出面来买了，以为他将来致仕时的菟裘。

苟才和继之谈的，就是这么一桩故事。我分两橛听了，便拿我的日记簿子记了起来。

天已入黑了。我问继之道："苟才那厮，说起话来，没有从前那么乱了。"继之道："上了年纪了，又经过多少阅历，自然就差得多了。"我道："他来求荐医生，不知大哥可曾把端甫荐出去？"继之道："早十多天我就荐了，吃了端甫的药，说是安静了好些。他今天来算是谢我的意思。"说话间，已开夜饭，忽然端甫走了来。继之便问吃过饭没有。端甫道："没有呢。"继之道："那么不客气，就在这里便饭罢。"端甫也就不客气，坐下同吃。

饭后，端甫对继之道："今天我来，有一件奇事奉告。"继之忙问："甚么事？"端甫道："自从继翁荐我给苟观察看病后，不到两三天，就有一个人来门诊，说是有了个怔忡之症，夜不成寐，闻声则惊，求我诊脉开方。我看他六脉调和，不像有病的，便说你六脉里面，都没有病像，何以说有病呢？他一定说是晚上睡不着，有一点点小响动，就要吓的了不得。我想这个人或者胆子太小之过，这胆小可是无从医起的，虽然药书上或有此一说，我看也不过说说罢了，未必靠得住，就随便开了个安神定魄的方子给他。他又问这个怔忡之症会死不会。我对他说：'就是真正得了怔忡之症，也不见得一时就死，何况你还不是怔忡之症呢。'他又问忌嘴不忌，我回他说不要忌的，他才去了。不料明天他又来，仍旧是觍觍琐琐的问，要忌嘴不要，怕有甚么吃了要死的不。我只当他一心怕死，就安慰他几句。谁知他第三天又来了，无非是那几句话，我倒疑心他得了痰病了。及至细细的诊他脉像，却又不是，仍旧胡乱开了个宁神方子给他。叫他缠了我六七天。上前天我到苟公馆里去，可巧巧儿碰了那个人。他一见了我，就涨红了脸，回身去了。当时我还不以为意，后来仔细一想，这个情形不对，他来看病时，口口声声说的病情，和苟观察一样的，却又口口声声只问要忌嘴不要，吃了甚么是要死的，从来没问过吃了甚么快好的话，这个人又是苟公馆里的人，不觉十分疑惑起来。要等他明天再来问他，谁知他从那天碰了我之后，就一连两天没来了。真是一件怪事！我今天又细细的想了一天，忽然又想起一个疑窦来：他天天来诊病，所带来的原方，从来是没有抓过药的。大凡到药铺里抓药，药铺里总在药方上盖个戳子，打个码子的。我最留神这个，因为常有开了要紧的药，那病人到那小药铺子里去抓，我常常知照病人，谁家的药靠得住，谁家的靠不住，所以我留神到这个。继翁，你看这件事奇不奇！"

我和继之听了，都不觉棱住了。我想了一想道："这个是他家甚么人，倒不得明白。"端甫道："他家一个少爷，一个书启老夫子，一个帐房，我都见过的。并且我和他帐房谈过，问他有几位同事，他说只有一个书启，并无他人。”我道：“这样说来，难道是底下人？”端甫道：“那天我在他们厅上碰见他，他还手里捧着个水烟袋抽烟，并不像是个下人。”继之道：“他跟来的穷亲戚本来极多，然而据他说，早都打发完了。”端甫道：“不问他是谁，我今天是过来给继翁告个罪，那个病我可不敢看了。他家有了这种人，不定早晚要出个甚么岔子，不要怪到医生头上来。”继之道：“这又何必呢。端翁只管就病治病，再知照他忌吃甚么，他要在旁边出个甚么岔子，可与你医生是不相干的。”端甫道：“好在他的病，也不差甚么要痊愈了。明天他再请我，我告诉他要出门去了，叫他吃点丸药。他那种阔佬，知道我动了身，自然去请别人。等别人看熟了，他自然就不请我了。”说罢，又谈了些别的话，方才辞去。

我和继之参详这个到底是甚么人，听那个声口，简直是要探听了一个吃得死的东西，好送他终呢。继之道：“谁肯作这种事情，要就是他的儿子。”我道：“干是旁人是不肯干这个的。干到这个，无非为的是钱，旁人干了下来，钱总还在他家里，未必拿得动他的。要说是儿子呢，未必世上真有这种枭獍。”

继之道：“这也难说，我已经见过一个差不多的了。这里上海有一个富商，是从极贫寒、极微贱起家的。年轻时候，不过提个竹筐子，在街上叫卖洋货，那出身就可想而知了。不多几时便发了财，到此刻是七八家大洋货铺子开着，其馀大行大店，他有股分的，也不知多少。生下几个儿子，都长大成人了。内中有一个最不成器的，终年在外头非嫖即赌，他老子知道了，便限定他的用钱，每月叫帐房支给他二百洋钱。这二百块钱，不定他两三个时辰就化完了，那里够他一个月的用？闹到不得了，便在外头借债用。起初的时候，仗着他老子的脸，人家都相信他，商定了利息，订定了日期，写了借据。及至到期向他讨时，非但本钱讨不着，便连一分几厘的利钱也付不出。如此搅得多了，人家便不相信他了。

“他可又闹急了，找着一个专门重利盘剥的老西儿，要和他借钱。老西儿道：‘咱借钱给你是容易的，但是你没有还期，咱有点不放心，所以啊，咱就不借了。’他说道：‘我和你订定一个日子，说明到期还你。如果不还，凭你到官去告。好了罢？’老西儿道：‘哈哈！咱老子上你的当呢！打到官司，多少总要化两文，这个钱叫谁出啊！你说罢，你说订个甚期限罢？’他说道：‘一年如何？’老西儿摇头不说话。他道：‘半年如何？’老西儿道：‘不对，不对。’他道：‘那么准定三个月还你。’老西儿哈哈大笑道：‘你越说越不对了。’他想这个老西儿，倒不信我短期还他，我就约他一个远期，看他如何。他要我订远期，无非是要多刮我几个利钱罢了，好在我不在乎此。因说：‘短期你不肯，我就约你的长期，三年五年，随便你说罢。’老西儿摇摇头。他急道：‘那么十年八年，再长久了，恐怕你没命等呢！’老西儿仍是摇头不语。他着了气道：‘长期又不是，短期又不是，你不过不肯借罢了。你既然不肯借，为甚不早说，耽搁我这半天！’老西儿道：‘咱老子本说过不借的啊。但是看你这个急法儿，也实在可怜，咱就借给你。但是还钱的日期，要我定的。’他道：‘如此要那一天还？你说。’老西儿道：‘咱也不要你一定的日子，你只在借据上写得明明白白的，说我借到某人多少银子，每月行息多少，这笔款子等你的爸爸死了，就本利一律清算归还，咱就借给你了。’他听了一时不懂，问道：‘我借你的钱，怎么要等你的爸爸死了还钱？莫非你这一笔款子，是专预备着办你爸爸丧事用的么？’老西儿道：‘呸！咱说是等你的爸爸死了，怎么错到咱的爸爸头上来！呸，呸，呸！’他心中一想：‘这老西儿的主意却打得不错，我老头子不死，无论约的那一年一月，都是靠不住的，不如依了他罢。’想罢，便道：‘这倒依得你。你可以借一万给我么？’老西儿道：‘你依了咱，咱就借你一万，可要五分利的。’他嫌利息太大。老西儿说道：‘咱这个是看见款子大，格外相让的。咱平常借小款子给人家，总是加一加二的利钱呢。’两个人你争多，我论少，好容易磋磨到三分息。那老西儿又要逐月滚息，一面不肯，于是又重新磋磨，说到逐年滚息，方才取出纸笔写借据。

“可怜那位富翁的儿子，从小不曾好好的读书，提起笔来，要有十来斤重。平常写十来个字的一张请客条子，也要费他七八分钟时候，内中还要犯了四五个别字。笔画多点的字，还要拿一个字来对着临仿。及至仿了下来，还不免有一两笔装错的。此刻要他写一张借据，那可就比新贡士殿试写一本策还难点了。好容易写出了‘某人借到某人银一万两’几个字，以后便不知怎样写法。没奈何，请教老西儿。老西儿道：‘咱是不懂的，你只写上等爸爸死了还钱就是。’他一想，先是爸爸两个字，非但不会写，并且生平没有见过。不要管他，就写了父亲罢。提起笔来先写了一个‘父’字，却不曾写成‘艾’字，总算他本事的了。又写了半天，写出一个‘親’字来，却把左半边写了个‘幸’字底下多了两点，右半边写成一个‘頁’字，又把底下两点变成个‘冗’字。自己看看有点不像，也似乎可以将就混过去了。又想一想，就写‘死了’两个字，总不成文理，却又想不出个甚么字眼来。拿着笔，先把写好的念了一遍。偏又在‘父’字上头，漏写了个‘等’字，只急得他满头大汗。没奈何，放下笔来说道：‘我写不出来，等我去找一个朋友商量好稿子，再来写罢。’老西儿没奈何，由他去。

“他一走走到一家烟馆里，是他们日常聚会所在，自有他的一班嫖朋赌友。他先把缘由叙了出来，叫众人代他想个字眼。一个道：‘这有甚么难！

只要写“等父亲死后”便了。’一个说：‘不对，不对。他原是要避这个死字，不如用“等父亲殁后”。’一个道：‘也不好。我往常看见人家死了父母，刻起讣帖来，必称“孤哀子”，不如写“等做孤哀子后”罢’。”正是：

局外莫讥墙面子，此中都是富家郎。

不知到底闹出个甚么笑话，且待下回再记。

第九十七回 孝堂上伺候竟奔忙 亲族中冒名巧顶替

“内中有一个稍为读过两天书的，却是这一班人的篾片，起来说道：‘列位所说的几个字眼，都是很通的，但是都有点不很对。’众人忙问何故。那人道：‘他因为“死了”两个字不好听，才来和我们商量改个字眼，是嫌那“死”字的字面不好看之故。诸位所说的，还是不免“死”啊、“殁”啊的；至于那“孤哀子”三个字，也嫌不祥。我倒想了四个字很好的，包你合用。但是古人一字值千金，我虽不及古人，打个对折是要的。’他屈指一算，四个字是二千银子。便说道：“承你的情，打了对折，却累我借来的款就打了八折了，如何使得！’于是众人做好做歹，和他两个说定，这四个字，一百元一个字，还要那人跟了他去代笔。那人应充了，才说出是‘待父天年’四个字。众人当中还有不懂的，那人早拉了他同去见老西儿了。那人代笔写了，老西儿又不答应，说一定要亲笔写的，方能作数。他无奈又辛辛苦苦的对临了一张，签名画押，式式齐备。

“老西儿自己不认得字，一定要拿去给人家看过，方才放心。他又恐怕老西儿拿了借据去，不给他钱，不肯放手。于是又商定了，三人同去。他自己拿着那张借据，走到胡同口，有一个测字的，老西儿叫给他看。测字的看了道：‘这是一张写据。’又颠来倒去看了几遍，说道：‘不通，不通！甚么“父天年”！老子年纪和天一般大，也写在上头做甚么！’老西儿听了，就不答应。那人道：‘这测字的不懂，这个你要找读书人去请教的。’老西儿道：“有了，我们到票号里去，那里的先生们，自然都是通通儿的了。’于是一起同行，到得一家票号，各人看了，都是不懂。偏偏那个写往来书信的先生，又不在家。老西儿便嚷靠不住：‘你们这些人串通了，做手脚骗咱老子的钱，那可不行！’其时票号里有一个来提款子的客人，老西儿觉得票号里各人都看过了，惟有这个客人没有看过，何不请教请教他呢。便取了那借据，请那客人看。那客人看了一遍，把借据向桌子上一拍道：'这是那一个没天理、没王法、不入人类的混帐畜生忘八旦干出来的！'老西儿未及开口，票号里的先生见那客人忽然如此臭骂，当是一张甚么东西，连忙拿起来再看，一面问道：'到底写的是甚么？我们看好像是一张借据啊。'那客人道："可不是个借据！他却拿老子的性命抵钱用了，这不是放他妈的狗臭大驴屁！'票号里的先生不懂道：'是谁的老子，可以把性命抵得钱用？'客人道：'我知道是那个枭獍干出来的！他这借据上写着等他老子死了还钱，这不是拿他老子性命抵钱吗！唉！外国人常说雷打是没有的，不过偶然触着电气罢了。唉！雷神爷爷不打这种人，只怕外国人的话有点意思的。'一席话，当面骂得他置身无地，要走又走不得。

"幸得老西儿听了，知道写的不错，连忙取回借据，辞了出来，去划了一万银子给他。那人坐地分了四百元。他还问道：'方才那个客人拿我这样臭骂，为甚又忽然说我孝敬呢？'那人不懂道：'他几时说你孝敬？'他道：'他明明说着"孝敬"两个字，不过我学不上他那句话罢了。'那人低头细想，方悟到'枭獍'二字被他误作'孝敬'，不觉好笑，也不和他多辩，乐得拿了四百元去享用。这个风声传了出去，凡是曾经借过钱给他的，一律都拿了票子来，要他改做了待父天年的期，他也无不乐从，免得人家时常向他催讨。据说他写出去的这种票子，已经有七八万了。"

我听了不禁吐舌道："他老子有多少钱，禁得他这等胡闹！"继之道："大约分到他名下，几十万总还有。然而照他这样闹，等他老子死下来，分到他名下的家当，只怕也不够还债了。"说话时夜色已深，各自安歇。

过得几天，便是那陈稚农开吊之期。我和他虽然没甚大不了的交情，但是从他到上海以来，我因为买铜的事，也和他混熟了。况且他临终那天，我还去看过他，所以他讣帖来了，我亦已备了奠礼过去。到了这天，不免也要去磕个头应酬他，借此也看看他是甚么场面。吃过点心之后，便换了衣服，坐个马车，到寿圣庵去。我一径先到孝堂去行礼。只见那孝帐上面，七长八短，挂满了挽联，当中供着一幅电光放大的小照。可是没个亲人，却由缪法人穿了白衣，束了白带，戴了摘缨帽子，在旁边还礼谢奠。我行过礼之后，回转身，便见计醉公穿了行装衣服，迎面一揖。我连忙还礼，同到客座里去。座中先有两个人，由醉公代通姓名，一个是莫可文，一个是卜子修。这两位的大名，我是久仰得很的，今日相遇了，真是闻名不如见面。可惜我一枝笔不能叙两件事，一张嘴不能说两面话，只能把这开吊的事叙完了，再补叙他们来历的了。

当下计醉公让坐送茶之后，又说道："当日我们东家躺了下来，这里道台知道稚翁在客边，没有人照应，就派了卜子翁来帮忙。子翁从那天来了之后，一直到今天，调排一切，都是他一人之力，实在感激得很！”卜子修接口道：“那里的话！上头委下来的差事，是应该效力的。”我道：“子翁自然是能者多劳。”醉公又道：“今天开吊，子翁又荐了莫可翁来，同做知客。一时可未想到，今天有好些官场要来的，他二位都是分道差委的人员，上司来起来，他二位招呼，不大便当。阁下来了最好，就奉屈在这边多坐半天，吃过便饭去，代招呼几个客。”说罢，连连作揖道：“没送帖子，不恭得很。”我道：“不敢，不敢。左右我是没事的人，就在这里多坐一会，是不要紧的。”卜子修连说：“费心，费心。”

我一面和他们周旋，一面叫家人打发马车先去，下半天再来。一面卸下玄青罩褂，一面端详这客座。只见四面挂的都是挽幛、挽联之类，却有一处墙上，粘着许多五色笺纸。我既在这里和他做了知客，此刻没有客的时候，自然随意起坐，因走到那边仔细一看，原来都是些挽诗，诗中无非是赞叹他以身殉母的意思。我道：“讣帖散出去没有几天，外头吊挽的倒不少了。”醉公道：“我是初到上海，不懂此地的风土人情。幸得卜子翁指教，略略吹了个风到外面去：如果有人作了挽诗来的，一律从丰送润笔。这个风声一出去，便天天有得来，或诗，或词，或歌，或曲，色色都有。就是所挂的挽联，多半也是外头来的，他用诗笺写了来，我们自备绫绸重写起来的。”我道：“这件事情办得好，陈稚翁从此不朽了！”醉公道：“这件事已经由督、抚、学三大宪联衔出奏，请宣付史馆，大约可望准的。”

说话之间，外面投进帖子来，是上海县到了，卜、莫两个，便连忙跑到门外去站班。我做知客的，自不免代他迎了出去，先让到客座里。这位县尊是穿了补褂来的，便在客座里罩上玄青外褂，方到灵前行礼。卜、莫两个，早跑到孝堂里，笔直的垂手挺腰站着班。上海县行过礼之后，仍到客座里，脱去罩褂坐下，才向我招呼，问贵姓台甫。此时我和上海县对坐在炕上。卜、莫两个，在下面交椅上，斜签着身子，把脸儿身子向里，只坐了半个屁股。上海县问：“道台来过没有？”他两个齐齐回道：“还没有来。”忽然外面轰轰放了三声大炮，把云板声音都盖住了，人报淞沪厘捐局总办周观察、糖捐局总办蔡观察同到了。上海县便站起来到外头去站班迎接，卜、莫两个，更不必说了。这两位观察却是罩了玄青褂来的，径到孝堂行礼，他三个早在孝帐前站着班了。行礼过后，我招呼着让到客座升炕；他两个就在炕上脱去罩褂，自有家人接去。略谈了几句套话，便起身辞去。大家一齐起身相送。到得大门口时，上海县和卜、莫两个先跨了出去，垂手站了个出班。等他两个轿子去后，上海县也就此上轿去了，卜、莫两个，仍旧是站班相送。从此接连着是会审委员、海防同知、上海道，及各局总办、委员等，纷纷来吊。卜、莫两个，但是遇了州县班以上的，都是照例站班，计醉公又未免有些琐事，所以这知客竟是我一个人当了。幸喜来客无多，除了上海几个官场之外，就没有甚么人了。

忙到十二点钟之后，差不多客都到过了。开上饭来，醉公便招呼升冠升珠，于是大众换过小帽，脱去外褂，法人也脱去白袍。因为人少，只开了一个方桌，我和卜、莫两个各坐了一面，缪、计二人同坐了一面。醉公起身把酒。我正和莫可文对坐着，忽见他襟头上垂下了一个二寸来长的纸条儿，上头还好像有字，因为近视眼，看不清楚，故意带上眼镜，仔细一看，上头确是有字的，并且有小小的一个红字，像是木头戳子印上去的。我心中莫名其妙，只是不便做声。席间谈起来，才知道莫可文现在新得了货捐局稽查委员的差使。卜子修是城里东局保甲委员，这是我知道的。大家因是午饭，只喝了几杯酒就算了。

吃过饭后，莫可文先辞了去。我便向卜子修问道："方才可翁那件袍子襟上，拴着一个纸条儿，上头还有几个字，不知是甚道理？"卜子修愕然，棱了一棱，才笑道："我倒不留神，他把那个东西露出来了。"醉公道："正是。我也不懂，正要请教呢。那纸条儿上的字，都是不可解的，末末了还有个甚么四十八两五钱的码子。"卜子修只是笑。我此时倒省悟过来了。禁不住醉公钉着要问，卜子修道："莫可翁他空了多年下来了，每有应酬，都是到兄弟那边借衣服用。今天的事，兄弟自己也要用，怎么能够再借给他呢。兄弟除了这一身灰鼠之外，便是羔皮的。褂子是个小羔，还可以将就用得，就借给了他。那件袍子，可是毛头太大了，这个天气穿不住。叫他到别处去借罢，他偏又交游极少，借不出来。幸得兄弟在东局多年，彩衣街一带的衣庄都认得的，同他出法子，昨天去拿了两件灰鼠袍子来，说是代朋友买的，先要拿去看过，看对了才要，可是这个朋友在吴淞，要送到吴淞去看，今天来不及送回来，要耽搁一天的。那衣庄上看兄弟的面子，自然无有不肯的，不过交代说，钮绊上的码子是不能解下来的，解了下来，是一定要买的。其实解了下来，穿过之后，仍旧替他拴上，有甚要紧。这位莫可翁太老实了，恐怕他们拴的有暗记，便不敢解下来。大约因为有外褂罩住，想不到要宽衣吃饭，穿衣时又不曾掖进去，就露了人眼。真是笑话！"醉公听了方才明白。

坐了一会，家人来说马车来了，我也辞了回去。换过衣服，说起今天的情形，又提到陈稚农要宣付史馆一节，不禁叹道："从此是连正史都不足信的了！"继之道："你这样说，可当《二十四史》都是信史了？"我道："除他之外，难道还有比他可信的么？"继之道："你只要去检出《南北史》来看便知，尽有一个人的列传，在这一朝是老早死了，在那一朝却又寿登耄耋的，你信那一面的好？就举此一端，已可概其馀了。后人每每白费精神，往往引经注史，引史证经，生在几千年之后，瞎论几千年以前的事，还以为我说得比古人的确。其实极显浅的史事，随便一个小学生都知道的，倒没有人肯去考证他。”

我道：“是一件甚么史事？”继之道：“天下最可信的书莫如经。《礼记》上载的：‘文王九十七乃终，武王九十三而终。’这可是读过《礼记》的小孩子都知道的，武王十三年伐纣，十九年崩；文王是九十七岁死的，再加十九年，是一百十六岁。以此算去，文王二十三岁就生武王的了。《通鉴》却载武王生于帝乙二十三祀，计算起来，这一年文王六十三岁。请教依那一说的好？还有一层，依了《通鉴》，武王十九年崩，那年才得五十四岁；那又列入六经的《礼记》，反为不足信了。有一说，说是五十四岁是依《竹书纪年》的。《竹书纪年》托称晋太康二年，发魏襄王墓所得的，其书未经秦火，自是可信。然而我看了几部版子的《竹书纪年》，都载的是武王九十四岁，并无五十四岁之说。据此看来，九十三、九十四，差得一年，似是可信的了，似乎可以印证《礼记》的了；然而武王死了下来，他的长子成王，何以又只得十三岁？难道武王八十一岁才生长子的么？你只管拿这个翻来覆去的去反复印证，看可能寻得出一个可信之说来？这还是上古的事。最近的莫如明朝，并且明朝遗老，国初尚不乏人，只一个建文皇帝的踪迹，你从那里去寻得出信史来！再近点的，莫如明末，只一个弘光皇帝，就有人说他是个假的，说是张献忠捉住了老福王宰了，和鹿肉一起煮了下酒，叫做‘福禄酒’；那时候福王世子，亦已被害了，家散人亡，库藏亦已散失，这厮在冷摊上买着了福王那颗印，便冒起福王来。亦有人说，是福王府中奴仆等辈冒的。但是当时南都许多人，难道竟没有一个人认得他的，贸贸然推戴他起来，要我们后人瞎议论，瞎猜摩？但是看他童妃一案，始终未曾当面，又令人不能不生疑心。像这么种种的事情，又从那里去寻一个信据？”我道：“据此看来，经史都不能信的了？”继之道：“这又不然。总而言之，不能泥信的就是了。大凡有一篇本纪，或世家，或列传的，总有这个人，但不过有这个人就是了，至于那本纪、世家、列传所说的事迹，只能当小说看，何必去问他真假。他那内中或有装点出来的，或有传闻失实的，或有故为隐讳的，怎么能信呢！譬如陈稚农宣付史馆，将来一定入《孝子传》的了。你生在今日，自然知道他不是孝子；百年以后的人，那就都当他孝子了。就如我们今日看古史，那些《孝子传》，谁敢保他那里头没有陈稚农其人呢！”

说话之间，外面有人来请继之去有事。继之去了，我又和金子安们说起今天莫可文袍子上带着纸条儿的事，大家说笑一番。我又道：“这两个人，我都是久仰大名的，今日见了，真是闻名不如见面！”子安道：“据此说来，那两个人又是一定有甚故事的。你每每叫人家说故事，今天你何妨说点给我们听呢。”我道。“说是可以，叫我先说那一个呢？”德泉道：“你爱先说谁就说谁，何必问我们呢。”

我道：“我头一次到杭州，就听得这莫可文的故事。原来他不叫莫可文，叫莫可基。十八岁上便进了学，一直不得中举；保过两回廪，都被革了。他的行为，便不必说了。一向以训蒙为业，但是训蒙不过是个名色，骨子里头，唆揽词讼，鱼肉乡民，大约无所不为的了。到三十岁头上，又死了个老婆，便又借着死老婆为名，硬派人家送奠分，捞了几十吊钱。可巧出了那莫可文的事。可文是可基的嫡堂兄弟。可文的老子，是一个江西候补县丞，候了不知若干年，得着过两次寻常保举，好容易捱得过了班，满指望署缺抓印把子，谁知得了一病，就此呜呼了。可文年纪尚轻，等到三年服满之后，才得二十岁左右，一面娶亲，一面想克承父志，便写信到京城，托人代捐了一个巡检，并代办验看，指省江苏，到部领凭。领到之后，便寄到杭州来。谁知可文连一个巡检都消受不起，部凭寄到后，正要商量动身到省禀到，不料得了个急痧症死了。可基是嫡堂哥哥，至亲骨肉无多，不免要过来帮忙，料理丧事。亏得他足智多谋，见景生情，便想出一个法子来，去和弟妇商量说：‘此刻兄弟已经死了，又没留下一男半女，弟妇将来的事，我做大伯子的自然不能置身事外。但是我只靠着教几个小学生度日，如何来得及呢？兄弟捐官的凭照，放在家里，左右是没用的，白糟蹋了，不如拿来给我，等我拿了他去到省，弄个把差使，也可以顾家，总比在家里坐蒙馆好上几倍。’他弟妇见人已死了，果然留着也没用，又不能抵钱用的，就拿来给了他。他得了这个，便马上收拾趁船，到苏州冒了莫可文名字去禀到。”正是：

源流虽一派，泾渭竟难分。

未知假莫可文禀到之后，尚有何事，且待下回再记。

第九十八回
巧攘夺弟妇作夫人　遇机缘僚属充西席

“从此之后，莫可基便变成了莫可文了。从此之后，我也只说莫可文，不再说莫可基了。莫可文到了苏州，照例禀到缴凭，自不必说。他又求上头分到镇江府当差，上头自然无有不准的。他领到札子，又忙到镇江去禀到。你道他这个是甚么意思？原来镇江府王太尊是他同乡，并且太尊的公子号叫伯丹，小时候曾经从他读过两三年书的，他向来虽未见过王太尊，却有个宾东之分在那里。所以莫可文到得镇江，禀见过本府下来，就拿帖子去拜少爷，片子后面，注明'原名可基'。王伯丹见是先生来了，倒也知道敬重，亲自迎了出来，先行下拜。行礼已毕，便让可文上坐。可文也十分客气，口口声声只称少爷，只得分宾坐了。说来说去，无非说些套话。在可文的意思，是要求伯丹在老子跟前吹嘘，给个差使，但是初见面，又不便直说，只说得一句'此次到这边来，都是仰仗尊大人栽培'。伯丹还是个十七八岁的孩子，只当他是客气话，也支些客气话回答他。

"可文住在客栈里十多天，不见动静，又去拜过两次伯丹。伯丹请他吃过一回馆子，却是个早局，又叫了四五个局来，都是牛鬼蛇神一般的，伯丹却倾倒的了不得。可文很以为奇，暗暗的打听，才知道王太尊自从断弦之后，并未续娶，又没有个姨太太，衙门里头，并无内眷。管儿子极严，平常不准出衙门一步，闲话也不敢多说一句。伯丹要出来玩玩，无非是推说那里文会，那里诗会，出来玩个半天，不到太阳下山，就急急的回去了。就是今天的请客，也是禀过命，说出去会文，才得出来的。所以虽是牛鬼蛇神的妓女，他见了就如海上神山一般，可望不可即的了。可文得了这个消息，知道伯丹还纯乎是个孩子家，虽托了他也是没用。据如此说，太尊还不知我和他是宾东呢。要想当面说，自己又初入仕途，不知这话说得说不得。

"踌躇了两天，忽然想了一个办法，便请了几天假，赶回杭州去。此时，他住的两间祖屋，早已租了给人家住了。这一次回来，便把行李搬到弟妇家去。告诉弟妇：'已经禀过到了，此刻分在镇江，不日就可以有差使了。我此刻回来，接你到镇江同住。从此就一心一意在镇江当差候补，免得我身子在那边，心在这边，又不晓得你几时没了钱用，又恐怕不能按着时候给你。因此想把你接了去，同住在一起，我赚了钱，便交给你替我当家。有是有的过法，没有是没有的过法，自己一家人，那是总好说话的。'弟妇听了他这个话，自然是感激他，便问几时动身。可文道：'我来时只请了十五天的假，自然越赶快越好。今天不算数，我们明天收拾起来罢。'弟妇答应了。因为他远道回来，便打了二斤三白酒，请他吃晚饭。居乡的人不甚讲究规矩，便同桌吃起饭来。可文自吃酒，让弟妇先吃饭。

"等弟妇饭吃完了，他的酒还只吃了一半，却仗着点酒意，便和弟妇取笑起来，说了几句不三不四的话。他弟妇本是个乡下人，虽然长得相貌极好，却是不大懂得道理，听了他那不三不四的话，虽然知道涨红了脸，却不解得回避开去。可文见他如此，便索性道：'弟妇，我和你说一句知己话。

你今年才二十岁——'弟妇道：'只有十九岁，你兄弟才二十岁呢。'可文道：'那更不对了！你十九岁便做了寡妇，往后的日子怎样过？虽说是吃的穿的有我大伯子当头，但是人生一世，并不是吃了穿了，就可以过去的啊。并且还有一层，我虽说带了你去同住，但是一个公馆里面，只有一个大伯子带着一个小婶，人家看着也不雅相。我想了一个两得其便的法子，但不知你肯不肯？'弟妇道：'怎样的法子呢？'可文道：'如果要两得其便，不如我们从权做了夫妻。'弟妇听了这句话，不觉登时满面通红，连颈脖子也红透了，却只低了头不言语。可文又连喝了两杯酒道：'你如果不肯呢，我断不能勉强你。不过有一句话，你要明白：你要替我兄弟守节，那是再好没有的事，不过像你那个守法，就过到头发白了，那节孝牌坊都轮不到你的头上。街邻人等，都知道你是莫可文的老婆。我此刻到了省，通江苏的大小官员，都知道我叫莫可文。两面证起来，你还是个有夫之妇。你这个节，岂不是白过了的么？可巧我的婆子死在前头，我和你做了夫妻，岂不是两得其便？并且你肯依了，跟我到得镇江，便是一位太太。我亦并不拘束你，你欢喜怎样就怎样，出去看戏咧、上馆子咧，只要我差使好，化得起，尽你去化，我断不来拘管你的。你看好么？'他弟妇始终不曾答得一句话，还伏侍他吃过了酒饭，两个人大约就此苟且了。

"几日之间，收拾好家私行李，雇了一号船，由内河到了镇江，仍旧上了客栈。忙着在府署左近，找了一所房子，前进一间，后进两间，另外还有个小小厨房，甚为合式，便搬了进去。喜得木器家私，在杭州带来不少，稍为添买，便够用了。搬进去之后，又用起人来：用了一个老妈子；又化几百文一月，用了一个十四五岁的男孩子，便当是家人。弟妇此时便升了太太。安排妥当，明日便上衙门销假，又去拜少爷。

"消停了两天，自己家里弄了两样菜，打了些酒，自己一早专诚去请王伯丹来吃饭。说是前回扰了少爷的，一向未曾还东，心上十分不安。此刻舍眷搬了来，今日特为备了几样菜，请少爷赏光去吃顿晚饭。伯丹道：'先生赏饭，自当奉陪，争奈家君向来不准晚上在外面，天未入黑，便要回署的，因此不便。'可文道：'那么就改作午饭罢，务乞赏光！'伯丹只得答应了。不知又向老子捣个甚么鬼，早上溜了出来，到可文家去。可文接着，自然又是一番恭维，又说道：'兄弟初入仕途，到此地又没得着差使，所以租不出好地方，这房子小，简慢得很。好在我们同砚，彼此不必客气，回来请到里面去坐，就是内人也无容回避。'伯丹连称：'好说，好说。门生本当要拜见师母。'坐了一会，可文又到里面走了两趟，方才让伯丹到里面去。到得里面，伯丹便先请见师母。可文揭开门帘，到房里一会，便带了太太出来。伯丹连忙跪下叩头，太太也忙说：'不敢当，还礼，还礼。'一面说，一面还过礼。可文便让坐，太太也陪在一旁坐下，先开口说道：‘少爷，我们都同一家人一般，没有事时候，不嫌简慢，不妨常请过来坐坐。’伯丹道：‘门生应该常来给师母请安。’闲话片时，老妈子端上酒菜来，太太在旁边也帮着摆设。一面是可文敬酒，伯丹谦让入座。又说‘师母也请喝杯酒’。可文也道：‘少爷不是外人，你也来陪着吃罢。’太太也就不客气，坐了过来，敬菜敬酒，有说有笑。畅饮了一回，方才吃饭。

“饭后，就在上房散坐。可文方才问道：‘兄弟到了这里，不知少爷可曾对尊大人提起我们是同过砚的话？’伯丹道：‘这个倒不曾。’原来伯丹这个人有点傻气，他老子恐怕他学坏了，不许他在外交结朋友。其时有几个客籍的文人，在镇江开了个文会，他老子只准他到文会上去，与一班文人结交。所以他在外头识了朋友，回去绝不敢提起。这回他先生来了，也绝不敢提起。在可文是以为与太尊有个宾东之分，自己虽不便面陈，幸得学生是随任的，可以借他说上去，所以禀到之后，就去拜少爷。谁知碰了这么个傻货！今天请他吃饭，正是想透达这个下情。当下又说道：‘少爷何妨提一提呢？’伯丹道：‘家君向来不准学生在外面交结朋友，所以不便提起。’可文道：‘这个又当别论。尊大人不准少爷在这里交结朋友，是恐怕少爷误交损友，尊大人是个官身，不便在外面体察的原故。像我们是在家乡认得的，务请提一提。’

“伯丹答应了，回去果然向太尊提起。又说这位莫可文先生是进过学的。太尊道：‘原来是先生，你为甚不早点说？我还当是一个平常的同乡，想随便安插他一个差使呢。你是几岁上从他读书的？’伯丹道：‘十二三四岁那几年。’太尊道：‘你几岁上完篇的？’伯丹道：‘十三岁上。’太尊道：‘那么你还是他手上完的篇。’随手又检出莫可文的履历一看，道：‘他何尝在庠，是个监生报捐的功名。’伯丹道：‘孩儿记得清清楚楚，先生是个秀才。’太尊道：‘我是出外几十年的人，家乡的事，全都糊里糊涂的了。你既然在他手下完篇的，明天把你文会上作的文章誊一两篇去，请他改改看，可不必说是我叫的。’

“伯丹答应了，回到书房，誊好了一篇文章，明日便拿去请可文改。可文读了一遍，摇头摆尾的，不住赞好道：‘少爷的文章进境，真是了不得！这个叫兄弟从何改起？只有五体投地的了！’伯丹道：‘先生不要客气，这是家君叫请先生改的。’可文兀的一惊道：‘少爷昨天回去，可是提起来了？’伯丹道：‘是的。’可文丢下了文章不看，一直钉住问，如何提起，如何对答，尊大人的颜色如何。伯丹不会撒谎，只得一一实说。可文听到秀才、监生一说，不觉呆了一呆，低头默默寻思，如果问起来，如何对答，须要预先打定主意。到底包揽词讼的先生，主意想得快，一会儿的功夫，早想

定了。并且也料到叫改文章的意思，便不再和少爷客气，拿起笔来，飕飕飕的一阵改好了，加了眉批、总批，双手递与伯丹道：‘放恣，放恣！尊大人跟前，务求吹嘘吹嘘！’伯丹连连答应。坐了一会，便去了。

“到了明日是十五，一班佐杂太爷，站过香班，上过道台衙门，又上本府衙门。太爷们见太尊，向来是班见，没有坐位的。这一天，号房拿了一大叠手版上去。一会儿下来，把手版往桌上一丢，却早抽出一个来道：‘单请莫可文莫太爷。’众佐杂太爷们听了这句话，都把眼睛向莫可文脸上一望，觉得他脸上的气色是异常光彩，运气自然与众不同，无怪他独荷垂青了。莫可文也觉得洋洋得意，对众同寅拱拱手，说声‘失陪’，便跟了手版进去。走到花厅，见了太尊，可文自然常礼请安。太尊居然回安拉炕，可文那里敢坐？只在第二把交椅上坐下。太尊先开口道：‘小儿久被化雨，费心得很。老夫子到这边来，又不提起，一向失敬。还是昨天小儿说起，方才知道。’可文听了这番话，又居然称他老夫子，真是受宠若惊，不知怎样才好，答应也答应不出来，末末了只应得两个‘是’字。太尊又道：‘听小儿说，老夫子在庠？’可文道：‘卑职侥幸补过廪，此次为贫而仕，是不得已之举，所以没有用廪名报捐。到了乡试年分，还打算请假下场。’太尊点头道：‘足见志气远大！’说罢，举茶送客。可文辞了出来。只见一班太爷们还在大堂底下，东站两个，西站三个的，在那里谈天。见了可文，便都一哄上前围住，问见了太尊说些甚么，想来一定得意的。可文洋洋得意的说道：‘无意可得。至于太尊传见，不过谈谈家乡旧事，并没有甚么意思。’内中一个便道：‘阁下和太尊想来必有点渊源？’可文道：‘没有，没有，不过同乡罢了。’说着，便除下大帽子，自有他带来那小家人接去，送上小帽换上。他又卸下了外褂，交给小家人。他的公馆近在咫尺，也不换衣服，就这么走回去了。

“从此之后，伯丹是奉了父命的，常常到可文公馆里去。每去，必在上房谈天，那师母也绝不回避，一会儿送茶，一会儿送点心，十分殷勤。久而久之，可文不在家，伯丹也这样直出直进的了。可文又打听得本府的一个帐房师爷，姓危号叫瑚斋的，是太尊心腹，言听计从的，于是央伯丹介绍了见过几面之后，又请瑚斋来家里吃饭，也和请伯丹一般，出妻见子的，绝无回避。那位太太近来越发出落得风骚，逢人都有说有笑，因此危瑚斋也常常往来。如此又过了一个来月，可文才求瑚斋向太尊说项。太太从旁也插嘴道：‘正是。总要求危老爷想法子，替他弄个差使当当才好。照这样子空下去，是要不得了的！这里镇江的开销，样样比我们杭州贵，要是闹到不得了，我们只好回杭州去的了。’说罢，嫣然一笑。

“危瑚斋受了他夫妻嘱托，便向太尊处代他说项。太尊道：‘这个人啊，我久已在心的了。因为不知他的人品如何，还要打听打听，所以一直没给他的事。只叫小儿仍然请他改改课卷，我节下送他点节敬罢了。’瑚斋道：‘莫某人的人品，倒也没甚么。’太尊道：‘你不知道。我看读书人当中，要就是中了进士，点了翰林，飞黄腾达上去的，十人之中，还有五六是个好人；若是但进了个学，补了个廪，以后便蹭蹬住的，那里头，简直要找半个好人都没有。他们也有不得不做坏人之势。单靠着坐馆，能混得了几个钱？自然不够他用。不够用起来，自然要设法去弄钱。你想他们有甚弄钱之法？无非是包揽词讼，干预公事，鱼肉乡里，倾轧善类，布散谣言，混淆是非，甚至窝娼庇赌，暗通匪类，那一种奇奇怪怪的事，他们无做不到。我府底下虽然没有甚么重要差使，然而委出去的人，也要拣个好人，免得出了岔子，叫本道说话。莫某人他是个廪生，他捐功名，又不从廪贡上报捐，另外弄个监生，我很怀疑他在家乡干了甚么事，是个被革的廪生，那就好人有限了。’瑚斋道：‘依晚生看去，莫某人还不至于如此，不过头巾气太重，有点迂腐腾腾的罢了。晚生看他世情都还不甚了了，太尊所说种种，他未必去做。’太尊道：‘既然你保举他，我就留心给他个事情罢了。’既而又说道：‘他既是世情都不甚了了的，如何能当得差呢？我看他笔墨还好，我这里的书启张某人，他屡次接到家信，说他令兄病重，一定要辞馆回去省亲。我因为一时找不出人来，没放他走。不如就请了莫某人罢。好在他本是小儿的先生，一则小儿还好早晚请教他，二来也叫他在公事上历练历练。’瑚斋道：‘这是太尊的格外栽培。如此一来，他虽是个坏人，也要感激的学好了。’说罢，辞了出来，挥个条子，叫人送给莫可文，通知他。可文一见了信，直把他喜得赛如登仙一般。”正是：

任尔端严衡品行，奈渠机智善欺蒙。

不知莫可文当了镇江府书启之后，尚有何事，且待下回再记。

第九十九回
老叔祖娓娓讲官箴　少大人殷殷求仆从

“莫可文自从做了王太尊书启之后，办事十分巴结；王伯丹的文章，也改得十分周到；对同事各人，也十分和气。并备了一分铺盖，在衙门里设一个床铺，每每公事忙时，就在衙门里下榻。人家都说他过于巴结了，自己公馆近在咫尺，何必如此。王太尊也是说他办事可靠，那里知道他是别有用心的呢！他书启一席，就有了二十两的薪水；王太尊喜他勤慎，又在道台那边，代他求了一个洋务局挂名差使，也有十多两银子一月；连他自己鬼鬼祟祟做手脚弄的，一个月也不在少处。后来太湖捕获盐枭案内，太尊代他开个名字，向太湖水师统领处说个人情，列入保举案内，居然过了县丞班。过得两年，太尊调了苏州首府，他也跟了进省。不幸太尊调任未久，就得病死了。

"那时候，他手边已经积了几文，想要捐过知县班，到京办引见，算来算去，还缺少一点。正在踌躇设法，他那位弟妇过班的太太，不知和那一个情人一同逃走了，把他几年的积蓄，虽未尽行卷逃，却已经十去六七了。他那位夫人，一向本来已是公诸同好，作为谋差门路的，一旦失了，就同失了靠山一般，何况又把他积年心血弄来的，卷了一大半去，只气得他一个半死！自己是个在官人员，家里出了这个丑事，又不便声张，真是'哑子吃黄莲，自家心里苦'。久而久之，同寅中渐渐有人知道了，指前指后，引为笑话。他在苏州蹲不住了，才求分了上海道差遣，跑到上海来。因为没了美人局，只怕是一直瘪到此刻的。这是莫可文的来历。

"至于那卜子修呢，他的出身更奇了。他是宁波人，姓卜，却不叫子修，叫做卜通。小时候在宁波府城里一家杂货店当学徒。有一天，他在店楼上洗东西，洗完了，拿一盆脏水，从楼窗上泼出去。不料鄞县县大老爷从门前经过，这盆水不偏不倚，恰恰泼在县大老爷的轿子顶上。"金子安听我说到这里，忙道："不对，不对，他在楼上看不见底下。容或有之，大凡官府出街，一定是鸣锣开道的，难道他聋了，听不见？"我道："你且慢着驳，这一天恰好是忌辰，官府例不开道鸣锣呢。县大老爷大怒，喝叫停轿，要捉那泼水的人。众差役如狼似虎般拥到店里，店里众伙计谁敢怠慢，连忙从楼上叫了他下来。那差役便横拖竖曳，把他抓到轿前。县大老爷喝叫打，差役便把他按倒在地，褪下裤子，当街打了五十小板子。"金子安道："忌辰例不理刑名，怎么他动起刑来？"我道："这就叫做'只许州官放火，不准百姓点灯'。当时把他打得血流漂杵！只这一打，把他的官兴打动了。他暗想：'做了官便如此威风，可以任意打人。若是我们被人泼点水在头上，顶多不过骂两声，他还可以和我对骂；我如果打他，他也就不客气，和我对打了。此刻我的水不过泼在他轿子上，并没有泼湿他的身，他便把我打得这么利害！'一面想，一面喊痛，哼声不绝。一面又想道：'几时得我做了官，也拿人家这样打打，才出了今日的气。'可怜这几下板子，把他打得溃烂了一个多月，方才得好。东家因为他犯了官刑，便把他辞歇了。

"他本是一个已无父母，不曾娶妻的人，被东家辞了，便无家可归。想起有个远房叔祖，曾经做过一任那里典史的，刻下住在镇海，不免去投奔了他，请教请教：做官是怎样做的？像我们这样人，不知可以去做官不可以？

如果可以的，我便上天入地，也去弄个官做做，方才遂心。主意打定，便跑到镇海去。不一日到了，找到他叔祖家去。

“他叔祖名叫卜士仁，曾经做过几年溧阳县典史。后来因为受了人家二百文铜钱，私和了一条命案，偏偏弄得不周到，苦主那边因止泪费上吃了点亏，告发起来，便把他功名干掉了，他才回到镇海，其时已经七十多岁了。儿子卜仲容，在乡间的土财主家里，管理杂务，因此不常在家。孙子卜才，在府城里当裁缝。还有个曾孙，叫做卜兑，只有八岁，代人家放牛去了。卜士仁一个老头子，在家里甚是闷气，虽然媳妇、孙媳妇都在身边，然而和女人们总觉没有甚么谈头。忽看见侄孙卜通来了，自是欢喜，问长问短，十分亲热。卜通也一一告诉，只瞒起了被鄞县大老爷打屁股的事。

“他谈谈便问起做官的事，说道：‘叔公是做了几十年官的了，外头做官的规矩，总是十分熟的了。不知怎样才能有个官做？不瞒叔公说，侄孙此刻也很想做官，所以特地到叔公跟前求教的。’卜士仁道：‘你的志气倒也不小，将来一定有出息的。至于官，是拿钱捐来的，钱多官就大点，钱少官就小点，你要做大官小官，只要问你的钱有多少。至于说是做官的规矩，那不过是叩头、请安、站班，却都要历练出来的。任你在家学得怎么纯熟，初出去的时候，总有点蹑手蹑脚的；等历练得多了，自然纯熟了。这是外面的话。至于骨子里头，第一个秘诀是要巴结。只要人家巴结不到的，你巴结得到；人家做不出的，你做得出。我明给你说穿了，你此刻没有娶亲，没有老婆；如果有了老婆，上司叫你老婆进去当差，你送了进去，那是有缺的马上可以过班，候补的马上可以得缺，不消说的了。次一等的，是上司叫你呵□□，你便马上遵命，还要在这□□上头加点恭维话，这也是升官的吉兆。你不要说做这些事难为情，你须知他也有上司，他巴结起上司来，也是和你巴结他一般的，没甚难为情。譬如我是个典史，巴结起知县来是这样；那知县巴结知府，也是这样；知府巴结司道，也是这样；司道巴结督抚，也是这样。总而言之，大家都是一样，没甚难为情。你千万记着“不怕难为情”五个字的秘诀，做官是一定得法的。如果心中存了“难为情”三个字，那是非但不能做官，连官场的气味也闻不得一闻的了。这是我几十年老阅历得来的，此刻传授给你。但不知你想做个甚么官？’卜通道：‘其实侄孙也不知做甚么官好。譬如要做个县大老爷，不知要多少钱捐来？’

“卜士仁道：‘好，好！好大的志气！那个叫做知县，是我的堂翁了。’又问：‘你读过几年书了？’卜通道：‘读书几年？一天也没有读过！不过在学堂门口听听，听熟了“赵钱孙李，周吴郑王”两句罢了。’卜士仁道：‘没有读过书，怎样做得文官！你看我足足读了五年书，破承题也作过十多次，出起身来不过是个捕厅。像你这不读书的，只好充地保罢了。’卜通不觉楞住了，说道：‘不读书，不能做官的么？’卜士仁道：‘如果没读过书都可以做官的，那个还去读书呢？’又沉吟了一会道：‘我看你志气甚高，你文官一途虽然做不得，但是武弁一路还不妨事。我有一张六品蓝翎的功牌，从前我出一块洋钱买来的，本来打算给我孙子去用的，争奈他没志气，学了裁缝。我此刻拿来给了你，你只要还我一块洋钱就是了。’卜通道：‘六品蓝翎的功牌，是个甚么官？’卜士仁道：‘不是官，是个顶戴。你有了他，便可以戴个白石顶子，拖根蓝翎，到营里去当差。’卜通道：‘此刻侄孙有了这个，可是跑到营里，就有人给我差使？’卜士仁道：‘那里有这么容易！就有了这个，也要有人举荐的。’卜通道：‘那么侄孙有了这个，到那里去找人荐事情呢？’

“卜士仁又沉吟了一会道：‘路呢，是有一条，不过是要我走一趟。’卜通道：‘如果叔公可以荐我差使，我便要了那张甚么功牌。’卜士仁道：‘这么说罢，我们大家赌个运气，我们做伴到定海去走一趟。定海镇的门政大爷，是我拜把子的兄弟，我去托他，把你荐在那里，吃一份口粮。这一趟的船钱，是各人各出。事情不成，我白赔了来回盘缠；如果事成了，你怎样谢我？’卜通道：‘叔公怎说怎好，只请叔公吩咐就是了。’卜士仁道：‘如果我荐成功了你的差使，我要用你三个月口粮的。但是你每月的口粮都给了我，你自己一个钱都没了，如何过得？我和你想一个两得其便的法子：三个月的口粮，你分六个月给我，这六个月之中，每月大家用半个月的钱，你不至于吃亏，我也得了实惠了。你看如何？’卜通道：‘不知每月的口粮是多少？’卜士仁道：‘多多少少是大家的运气，你此刻何必多问呢。’卜通道：‘那么就依叔公就是了。’卜士仁道：‘那功牌可是一块钱，我是照本卖的，你不能少给一文。’卜通道：‘去吃一份口粮，也要用那功牌么？’卜士仁道：‘暂时用不着，你带在身边，总是有用的。将来高升上去，做百长，做哨官，有了这个，就便宜许多。’卜通道：‘这样罢，侄孙身边实在不多几个钱，来不及买了。此刻一块洋钱兑一千零二十文铜钱，我出了一千二百文。如果事情成功，我便要了，也照着分六个月拔还，每月还二百文罢。可有一层：事情不成功，我是不要他的。’卜士仁见有利可图，便应允了。当日卜士仁叫添了一块臭豆腐，留侄孙吃了晚饭。晚上又教他叩头、请安、站班，各种规矩，卜通果然聪明，一学便会。

“次日一早，公孙两个，附了船到定海去。在路上，卜士仁悄悄对卜通道：‘你要得这功牌的用处，你就不要做我侄孙。’卜通吃惊道：‘这话怎讲？’卜士仁道：‘这张功牌填的名字叫做贾冲，你要了他，就要用他的名字，不能再叫卜通了。’卜通还不懂其中玄妙，卜士仁逐一解说给他听了，他方才明白’说道：‘那么我一辈子要姓贾，不能姓卜的了？’卜士仁道：‘只要你果然官做大了，可以呈请归宗的。’卜通又不懂那归宗是甚么东西，卜士仁又再三和他解说，他才明白。卜士仁道：‘有此一层道理，所以你不能做我的侄孙了。回来到了那边，你叫我一声外公，我认你做外孙罢。’两个商量停当，又把功牌交给卜通收好。

“到了定海，卜士仁带着卜通，问到了镇台衙门。挨到门房前面，探头探脑的张望。便有人问找那个的。卜士仁忙道：‘在下要拜望张大爷，不知可在家里？’那人道：‘那么你请里面坐坐，他就下来的。’卜士仁便带了卜通到里面坐下。歇了一会，张大爷下来了，见了卜士仁，便笑吟吟的问道：‘老大哥，是甚么风吹你到这里的？许久不见了。’卜士仁也谦让了两句，便道：‘我有个外孙，名叫贾冲，特为带他来叩见你。’说罢，便叫假贾冲过来叩见。贾冲是前一夜已经演习过的，就走过来跪下，恭恭敬敬叩了三个头，起来又请了一个安。张大爷道：‘好漂亮的孩子！’卜士仁道：‘过奖了。’又交代贾冲道：‘张大爷是我的把兄，论规矩，你是称呼太老伯的，然而太觍琐了，我们索性亲热点，你就叫一声叔公罢。’张大爷道：‘不敢当，不敢当！’一面问：‘几岁了？一向办甚么事？’卜士仁道：‘一向在乡下，不曾办过甚么。我在江苏的时候，曾经代他弄了个六品功牌，打算拜托老弟，代他谋个差使当当，等他小孙子历练历练。’张大爷道：‘老大哥，你也是官场中过来人，文武两途总是一样的，此刻的世界，唉！还成个说话吗！游击、都司，空着的一大堆；守备、千总，求当个什长，都比登天还难。靠着一个功牌，想当差使，不是做兄弟的说句荒唐话，免了罢。’卜士仁忙道：‘不是这么说。但求鼎力位置一件事，或者派一分口粮，至于事情，是无论甚么都不拘的。’张大爷道：‘那么或者还有个商量。’卜士仁连连作揖道谢。

“贾冲此时真是福至心灵，看见卜士仁作揖，他也走前一步，请了个安，口称：‘谢叔公大人栽培。’张大爷想了一会道：‘事情呢，是现成有一个在这里，但是我的意思，是要留着给一个人的。’卜士仁连忙道：‘求老弟台栽培了罢。左右老弟台这边衙门大，机会多，再拣好的栽培那一位罢。’说时，贾冲又是一个安。张大爷道：‘但不知你们可嫌委屈？’卜士仁道：‘岂有此理！你老弟台肯栽培，那是求之不得的，那里有甚委屈的话！’张大爷道：‘可巧昨天晚上，上头撵走了一个小跟班。方才我上去，正是上头和我要人。这个差使，只要当得好，出息也不算坏。现在的世界，随便甚么事，都是事在人为的了。但不知老大哥意下如何。’卜士仁道：‘我当是一件甚么事，老弟台要说委屈。这是面子上的差使，便连我愚兄也求之不得，何况他小孩子，就怕他初出茅庐，不懂规矩，当不来是真的。’张大爷道：‘这个差使没有甚么难当，不过就是跟在身边，伺候茶烟，及一切零碎的事。不过就是一样，一天到晚是走不开的，除了上头到了姨太太房里去睡了，方才走得开一步。'卜士仁道：'这是当差的一定的道理，何须说得。但怕他有多少规矩礼法，都不懂得，还求老弟台教训教训。'张大爷道：'这个他很够的了，但是穿的衣服不对。'低头想了一想道：'我暂时借一身给他穿罢。'贾冲又忙忙过来请安谢了。

"张大爷就叫三小子去取了一身衣服，一双挖花双梁鞋子来，叫他穿上。那身衣服，是一件嫩蓝竹布长衫，二蓝宁绸一字肩的背心。贾冲换上了，又换鞋子。张大爷道：'衣服长短倒对了，鞋子的大小对不对？'贾冲道：'小一点，不要紧的，还穿得上。'穿上了，又向张大爷打了个扦谢过，张大爷笑道：'这身衣服还是我五小儿的，你就穿两天罢。'贾冲又道了谢。卜士仁道：'穿得小心点，不要弄坏了。弄脏了，那时候赔还新的，你叔公还不愿意呢。'张大爷又道：'你的帽子也不对，不要戴罢，左右天气不十分冷。还要重打个辫子。'三小子在旁边听了，连忙叫了剃头的来，和他打了一根油松辫子。张大爷端详一会道：'很过得去了。'

"这时候，已是吃中饭的时候了，便留他祖孙两个便饭。吃饭中间，张大爷又教了贾冲多少说话。又叫他买点好牙粉，把牙齿刷白了。又交代葱蒜是千万吃不得的。卜士仁在旁又插嘴道：'叔公教你的，都是金石良言，务必一一记了，不可有负栽培。'一时饭罢，略为散坐一会，张大爷便领了贾冲上去。贾冲因为鞋子小，走起路来，一扭一捏的，甚为好看。果然总镇李大人一见便合，叫权且留下，试用三天再说。三天过后，李大人便把他用定了，批了一分口粮给他。

"他从此之后，便一心一意的伺候李大人，又十分会巴结，大凡别人做不到的事，他无有做不到的。李大人站起来，把长衣一撩，他已是双手捧了便壶，屈了一膝，把便壶送到李大人胯下。李大人偶然出恭，他便拿了水烟袋，半跪着在跟前装烟。李大人一面才起来，他早已把马子捧到外间去了，连忙回转来，接了手纸，才带马子盖出去。跟着就是捧了热水进来，请李大人洗手。凡此种种，虽然是他叔祖教导有方，也是他福至心灵，官星透露，才得一变而为闻一知十的聪明人。所以不到两个月功夫，他竟做了李大人跟前第一个得意的人，无论坐着睡着，寸步离他不得。又多赏了他一分什长口粮，他越是感激厚恩的了不得。却有一层，他面子上虽在这里当差，心里却是做官之念不肯稍歇，没事的时候和同事的谈天，不出几句话，不是打听捐官的价钱，便是请教做官的规矩。同事的既妒他的专宠，又嫌他的呆气，便相约叫他'贾老爷'。他道：'你们莫笑我，我贾冲未必没有做老爷的时候。'同事的都不理他。

"光阴似箭，不觉在李大人那里伺候了三四个年头，他手下也积了有几个钱了。李大人有个儿子，捐了个同知，从京里引见了回来，向李大人要了若干钱，要到河南到省去。这位少大人是有点放诞不羁的，暗想此次去河南，行李带的多，自己所带两个底下人恐怕靠不住，看见贾冲伺候老人家，一向小心翼翼，若得他在路上招呼，自己可少烦了多少心，不如向老人家处要了他去，岂不是好。主意定了，便向李大人说知此意。李大人起初不允，禁不得少大人再四相求，无奈只得允了。叫了贾冲来说知，并且交代送到河南，马上就赶回来，路上不可耽搁。贾冲得了这个差使，不觉大喜。”正是：

腾身逃出奴才籍，奋力投归仕宦林。

不知贾冲此次跟了小主人出去。有何可喜之处，且待下回再记。

第一百回 巧机缘一旦得功名　乱巴结几番成笑话

“贾冲得了送少大人的差使，不觉心中大喜。也亏他真有机智，一面对着李大人故意做出多少恋恋不舍的样子，一面对于少大人竭力巴结。少大人是家眷尚在湖南原籍，此次是单身到河南禀到。因为一向以为贾冲靠得住，便把一切重要行李，都交代他收拾。他却处处留心，甚么东西装在那一号箱子里，都开了一张横单。他虽不会写字，却叫一个能写的人在旁边，他口中报着，叫那个人写。忙忙的收拾了五天，方才收拾停当。

“这一天长行，少大人到李大人处叩辞。贾冲等少大人行过了礼，也上去叩头辞行。李大人对少大人道：‘你此次带贾冲出去，只把他当一员差官相待，不可当他下人。等他这回回来，我也要派他一个差使的了。’贾冲听了，连忙叩谢。少大人道：‘孩儿的意思就是如此，不消爹爹吩咐。’说罢，便辞别长行。自有一众家人亲兵等，押运行李。贾冲紧随在少大人左右，招呼一切。

“上了轮船，到了上海，便到一家甚么吉升栈住下。那少大人到了上海，自有他一班朋友请吃花酒，吃大菜，看戏，自不必提。那两个带来的家人，也有他的朋友招呼应酬，不时也抽个空，跑到外头玩去。只有贾冲独自一个，守在栈里，看守房间。你道他果然赤心忠良，代主人看行李么？原来他久已存了一个不良之心，在宁波时，故意把某号箱子装的甚么东西，某号箱子装的甚么衣服，都开出帐来，交给主人。主人是个阔佬，拿过来不过略为过目，便把那篇帐夹在靴掖子里去了，那里还一一查点？他却在收拾行李时，每个衣箱里，都腾出两件不写在帐上；这不写在帐上的，又都做了暗号，又私下配好了钥匙。到了此时，他便乘隙一件件的偷出来，放在自己箱子里。他为人又乖巧不过，此时是四月天气，那单的、夹的、纱的，他却丝毫不动，只拣棉的、皮的动手。那棉皮东西，是此时断断查不着的，等到查着时，已经隔了半年多，何况自己又有一篇帐交出去的，箱子里东西，只要和帐上对了，就随便怎样，也疑心不到他了。你道他的心思细不细？深不深？险不险？

“他在栈里做这个手脚，也不是一天做得完的。恰好这天做完了，收拾停当，一个家人名叫李福的，在外回来了，坐下来就叹气。贾冲笑问道：‘那里受了气来了，却跑回来长吁短叹？’李福道：‘没有受气，却遇了一件极不得意的事。’贾冲道：‘在这里不过是个过客罢了，有甚得意不得意的事？’李福道：‘说来我也是事不干己的。我从前伺候过一位卜老爷，叫做卜同群，是福建候补知县，安徽人氏。’贾冲听得一个‘卜’字，便伸长了耳朵去听。李福又道：‘一位少爷，名叫卜子修，随在公馆里。恰好那两年台湾改建行省，刘省三大人放了台湾抚台。少爷本只有一个监生，想弄个官出来当差，便到台湾投效，得了两个奖札。后来卜老爷死了，少爷扶柩回籍安葬。起复后，便再到福建，希图当个差使。谁知局面大变了，在那里一住十年，穷到吃尽当光。此刻老太太病重了，打电报叫他回去送终，他到得上海来，就盘缠断绝了。此刻拿了一张监照，两个奖札，在这里兜卖。’贾冲道：‘是奖的甚么功名？要卖多少钱呢？’李福道：‘头一个奖，是不论双单月，选用从九；第二个是免选本班，以县丞归部尽先选用。都是台湾改省，开垦案内保的，只要卖二百块钱。听说此刻单是一个三班县丞，捐起来，最便宜也要三百多两呢，还是会想法子的人去办，不然还办不来。此刻只要卖二百块，东西是便宜的。’贾冲道：‘只要是真的，我倒有个朋友要买。’李福道：‘东西自然是真的，这是我们看他弄来的东西，怎么会假？但不知这朋友可在上海？’贾冲道：‘是在上海的。你去把东西拿来，等我拿把前路看看，我们也算代人家做了一件方便事情。’李福道：‘如果真有人要，我便马上去拿来。’贾冲道：‘自然是有人要，我骗你做甚么！’李福道：‘那么我去拿来。’说罢，匆匆去了。

“原来贾冲在定海镇衙门混了几年，他是一心要想做官的，遇了人便打听，又随时在公事上留心。他虽然不认得字，但是何处该用朱笔，何处该用墨笔，咨、移、呈、札，各种款式，他都能一望而知的了。并且一切官场的毛病，甚么冒名顶替、假札假凭等事，是尤为查察得烂熟胸中。此刻恰好碰了一个姓卜的奖札，如何不心动？因叫李福去取来看。不一会，李福取了来。他接过仔细察看了一遍，虽然不识字，然而公事的款式，处处不错。便说道：'待我拿去给朋友看看。但不知二百块的价钱，可能让点？'李福道：'果然有人要了再说罢。'

"贾冲便拿了这东西，到外面去混跑了一回。心中暗暗打算：'这东西倒像真的，可惜没有一个内行人好去请教。但是据李福说，看着他弄来的，料来假不到那里。'一个人荡来荡去，没个着落，只得到占卦摊上去占个卦，以定吉凶。那占卦的演成卦像，问占甚么事。贾冲道：'求名。'占卦的道：'求名卦，财旺生官，近日已经有了机缘，可惜还有一点点小阻碍。过了某日，日干冲动官爻，当有好消息。'贾冲道：'我只问这个功名是真的是假的。'占卦的道：'官爻持世，真而又真，可惜未曾发动。过了某日，子水子孙，冲动巳火官鬼，况且财爻得助，又去生官，那就恭喜，从此一帆顺风了。'贾冲听了，付过卦资，心中倒有几分信他，因他说的甚么财旺生官，自己本要拿钱去买这东西，这句已经应了；又说甚么目下有点阻碍，这明明是我信不过他的真假，做了阻碍了。又回头一想，在衙门里曾听见人说，拿了假官照出来当差，只要不求保举，是一辈子也闹不穿的，但不知奖札会闹穿不会。忽又决意道：'管他真的假的，我只要透便宜的还他价，他若是肯的，就是在外头当不得差，拿回乡下去吓唬乡下人，也是好的。'

"定了主意，便回到栈去。只见仍是李福一个人在那里，便把东西交还他道：'前路怕东西靠不住，不肯还价。'李福着急道：'这明明是我的旧日小主人在台湾当差得来的，那时候还有上谕登过《申报》，我们还戴上大帽子和老主人叩喜的，怎么说靠不住！'贾冲道：'就是真的，前路也出不起这个价。他说若是十来块洋钱，不妨谈谈。'李福道：'那是上天要价，下地还钱，我不怪他。若说是个假的，他买了这东西，我肯跟他到部里投供去，如果部里说是假的，那就请部里办我！'贾冲听了这话，心中又一动，暗想看他这着急样子，确是像真的。因说道：'你且去问问他价钱如何再说。'李福叹道：'人到了背时的时候，还有甚说得！'说罢，自去了。过了一会，又回来说道：'前路因为老太太有病急于回去，说至少要一百块，少了他就不卖了。'贾冲又还他二十块，叫他去问，李福不肯；贾冲又还到三十，李福方才肯去。如此往返磋商，到底五十块洋钱成的交。

"少大人应酬过几天，便要到外面买东西，甚么孝敬上司的，送同寅的，自己公馆用的，无非是洋货。他们阔少到省，局面自然又是一样。凡买这些东西，总是带了贾冲去，或者由贾冲到店里，叫人送来看。买完了洋货，又买绸缎。这两宗大买卖，又调剂贾冲赚了不少。贾冲心中一想：'我买了那奖札，是要谋出身的，此刻除了李福，没有人知道。万一我将来出身，这名字传到河南去，叫他说穿了，总有许多不便，不如设法先除了他。恰好这几天李福在外面打野鸡，身上弄了些毒疮，行走不便。那野鸡妓女，又到栈里来看他。贾冲便乘势对少大人说：‘李福这个人，很有点不正经，恐怕靠不住。就在栈里这几天，他已经闹的一身毒，还弄些甚么婆娘，三天五天到栈里来。照这个样子，带他到河南去，恐怕于少大人官声有碍。此刻不过出门在客中，他尚且如此；跟少大人到了河南，少大人得了好差使，他还了得么！在外面欢喜玩笑的人，又没本事赚钱，少不免偷拐抢骗，乱背亏空，闹出事情来，却是某公馆的家人，虽然与主人不相干，却何苦被外头多这么一句话呢。何况这种人，保不住他不借着主人势子，在外头招摇撞骗。请少大人的示，怎样儆戒儆戒他才好，不然，带到河南去，倒是一个累。’他天天拿这些话对少大人说，少大人看看李福，果然满面病容，走起路来，是有点不便当的样子，便算给工钱，把他开发了，另外托朋友荐过一个人来。

“又过了几天，少大人玩够了，要动身了，贾冲忽然病起来，一天到晚，哼声不绝，一连三天，不茶不饭。请医生来给他看过，吃了药下去，依然如此。少大人急了，亲到他榻前，问他怎样了，可能走得动。他爬在枕上叩头道：‘是小的没福气跟随少大人，所以无端生起病来。望少大人上紧动身，不要误了正事。小的在这里将养好了，就兼程赶上去伺候。’少大人道：‘我想等你病好了，一起动身呢。’贾冲道：‘少大人的前程要紧，不要为了小的耽误了。小的的病，自己知道早晚是不会好的。’少大人无奈，只得带了两个家人，动身到镇江，取道清江浦，往河南去了。

“这边少大人动了身，那边贾冲马上就好了。另外搬过一家客栈住下，不叫贾冲，就依着奖札的名字叫了卜子修，结交起朋友来。托了一家捐局，代他办事，就把这奖札寄到京里，托人代他在部里改了籍贯，办了验看，指省江苏。部凭到日，他便往苏州禀到，分在上海道差遣。他那上衙门是天天不脱空的，又禀承了他叔祖老大人的教训，见了上司，那一种巴结的劲儿，简直形容他不出来，所以他分道不久，就得了个高昌庙巡防局的差使。

“高昌庙本是一个乡僻地方，从前没有甚么巡防局的。因为同治初年，湘乡曾中堂、合肥李中堂，奏准朝廷，在那边设了个江南机器制造总局，那局子一年年的扩充起来，那委员、司事便一年多似一年，至于工匠、小工之类，更不消说了，所以把局前一片荒野之地，慢慢的成了一个聚落，有了两条大路，居然是个镇市了，所以就设了一个巡防局。卜子修是初出茅庐的人，得了那个差使，犹如抓了印把子一般，倒也凡事必躬必亲。他自己坐在轿子里，看见路上的东洋车子拦路停着，他便喝叫停下轿子，自己拿了扶手板跑出来，对那些车夫乱打，吓得那些车夫四散奔逃，他嘴里还是混帐王八蛋、娘摩洗乱炮的乱骂。

“制造局里的总办、提调都是些道府班，他又多一班上司伺候了。新年里头，他忽然到总办那里禀见。总办不知他有甚公事，便叫请他进来。见过之后，就有他的家人，拿了许多鱼灯、荷花灯、兔子灯之类上来，还有一个手版，他便站起来，垂手禀道：‘这是卑职孝敬小少爷玩的，求大人赏收。’总办见了，又是可笑，又是可恼，说道：‘小孩子玩的东西，何必老兄费心！’卜子修道：‘这是卑职的一点穷孝心，求大人赏收了。’又对总办的家人道：‘费心代我拿了上去，这手版说我替小少爷请安。’总办倒也拿他无可如何。从此外面便传为笑柄。

“那年恰好碰了中东之役，制造局是个军火重地，格外戒严。每天晚上，各厂的委员、司事都轮班查夜，就是总办、提调也每夜轮流着到处稽查；到半夜时，都在公务厅会齐一次，叫做‘会哨’。这卜子修虽是局外的人，到了会哨时候，他一定穿了行装，带了两名巡勇去献殷勤。常时还带着些点心，去孝敬总办，请各委员、司事。有一天晚上，他叫人抬了一口行灶，放在公务厅天井里，做起汤圆来。总办来了，看见了，问是做甚么的。家人回说是巡防局卜老爷做汤圆的。总办道：‘算了！东洋人这场仗打下来，如果中国打了胜仗，讲起和来，开兵费赔款的帐，还要把卜老爷的点心帐开上一笔呢。’不提防卜子修已在旁边站着班，听了这句话，走前一步，请了个安道：‘谢大人栽培。’总办见了，又是好气，又是好笑，却又不好拿他怎样，只有对着别人，微微的冷笑一声。此时会哨的人都已齐集，大家不过谈些日来军事新闻，只有卜子修赶出赶进，催做汤圆。众人见他那副神气，都在肚子里暗笑，卜子修只不觉着。催得汤圆熟时，一碗一碗的盛在那里，未曾拿上去，子修自已亲来一看，见是每碗四个，便拿起汤匙来，在别个碗上取了两个，凑在一个碗里，过细数一数，是六个无疑了，便亲自双手捧了，送至总办跟前，双手一献至额道：‘这是卑职孝敬大人的禄位高升！’总办倒也拿他无可如何，笑说道：‘老兄太忙了！破了钞不算数，还要那么忙，这是叫我们下回不敢再查夜了。’总办说话时，他还垂着手，挺着腰，洗耳恭听；等总办说完了，他便接连答应‘是，是，是’。旁边的人都几乎笑起来，他总是不觉着。又去取一碗，添足了九个，亲自捧了，又拿了一个手板，走到总办的家人跟前道：‘费心费心，代我拿上去，孝敬老太太，说是卑职卜子修孝敬老太太的，久长富贵。这个手板，费心代回一回，是卑职卜子修恭请老太太晚安。’总办道：‘算了罢，不要覙琐了，老太太早已睡了。’卜子修道：‘这是卑职的一点孝心，老太太虽然睡了，也一定欢喜的。’总办无可如何，只得由他去闹。诸如此类的笑话，也不知闹了多少。

"最可笑的，是有一回一个甚么大员路过上海，本地地方官自然照例办差。等到那位大员驾到之日，自然阖城印委各员，都到码头恭迓。那卜子修打听得大员坐的是招商局船，泊在金利源码头，便坐了轿子去迎迓。偏偏那轿子走得慢，看见那制造局总办、提调，以及各厂的红委员，凡够得上去接的，一个个都坐了马车，超越在轿子前头，如飞的去了。那总办、提调，都是一个人一辆马车，其馀各委员，也有两个人一辆的，也有三个人一辆的，最寒尘的是四个人一辆。卜子修心中无限懊悔，悔不和别人打了伙，雇个马车，那就快得多了。一面想，一面骂轿班走得慢：'你们吃老爷的饭，都吃到那里去了！腿也跑不动了！'一面骂，一面在轿子里跺脚，跺得轿班的肩膀生疼，越发走不动了。他更是恨的了不得，骂道：'等一会回到局子里，叫你们对付我的板子！'嘴里骂着，心中生怕到得迟了，那边已经上了岸，那就没意思了。又想道：'怎样能再遇见一个熟人，是坐马车的，那就好了，我就不管三七二十一，喊住了他，附坐了上去了。'

"思想之间，轿子将近西门，忽然看见一辆轿子马车，从轿后超越到轿前去。卜子修定睛从那轿车后面的玻璃看进去，内中只坐了一人，便大呼小叫起来道：'马车停一停！马车停一停！'前头那马车夫听见了，回头一看，是卜老爷坐在轿子里，招手叫停车，也不知他有甚么要紧公事，姑且把马缰勒住，看他作何举动。卜子修见马车停住了，便喝叫停轿，自己走了下来，交代轿班，赶紧到码头去伺候，'到迟了，误了我的差使，小心你们的狗腿！'说罢，三步两步，跑到那马车跟前，伸手把机关一拧，用力一拉，开了门，一脚跨了上去。抬头一看，只把他急个半死！你道车子上是谁？正是卜子修的顶头上司，钦命二品衔、江南分巡苏松太兵备道。卜子修这一吓，竟是魂不附体。那马夫看见他一脚上了车，便放开缰绳，那马如飞而去了。只有卜子修此时，脸红过耳，连颈脖子都红了。还有一半身子在车子外面，跨又跨不进去，退又退不出来，弯着身子，站又站不直，急的又开口不得。道台见了这个情形，又可笑，又可恼，便冷笑道：'你坐下罢。'卜子修如奉恩诏一般，才敢把第二条腿拿了进来，顺手关上车门。谁知身上佩带的槟榔荷包上一颗料珠儿，夹在门缝里，那门便关不上，只好把一只手拉着门。这一边呢，又不敢和道台平坐；若要斜签着身子呢，一条腿又要压到道台膝盖上，闹得他左不是右不是。他平日见了上司是最会说话的，这回却急得无话可说。"正是：

大人莫漫嫌唐突，卑职专诚附骥来。

未知卜子修到底怎样下场，且待下回再记。

第一百一回
王医生淋漓谈父子　梁顶粪恩爱割夫妻

"幸喜马车走得快，不多几时，便到了金利源码头了。卜子修连忙先下了车，垂手站着，等道台下车时，他还回道：'是大人叫卑职坐的。'道台看了他一眼，只得罢了。后来他在巡防局里没有事办，便常常与些东洋车夫为难，又每每误把制造局委员、司事的包车夫拿了去，因此大家都厌恶了他，有起事情来，偏偏和他作对。他自己也觉得乏味了，便托人和道台说，把他调到城里东局去，一直当差到此刻，也算当得长远的了。这个便是卜子修的来历。"

且慢！从九十七回的下半回起叙这件事，是我说给金子安他们听的，直到此处一百一回的上半回，方才煞尾。且莫问有几句说话，就是数数字数，也一万五六千了。一个人那里有那么长的气？又那个有那么长的功夫去听呢？不知非也，我这两段故事，是分了三四天和子安们说的，不过当中说说停住了，那些节目，我懒得叙上，好等这件事成个片段罢了。这三四天功夫，早又有了别的事了。

原来这两天苟才又病了，去请端甫，端甫推辞不去。苟才便写个条子给继之，请继之问他是何缘故。继之便去找着端甫，问道："听说苟观察来请端翁，端翁已经推掉了？"端甫道："不错，推掉了。"继之道："端翁，你这个就太古板了。他这个又不是不起之症，你又何必因一时的疑心，就辞了人家呢？"端甫道："不起之症，我还可以直说。他公馆里住着一个要他命的人，叫我这做医生的，如何好过问！我在上海差不多二十年了，虽然没甚大名气，却也没有庸医杀人的名声，我何苦叫他栽我一下！虽然是非曲直，自有公论，但是现在的世人，总是人云亦云的居多，况且他家里人既然有心弄死他，等如愿以偿之后，贼人心虚，怕人议论，岂有不尽力推在医生身上之理？此刻只要苟观察离了他公馆，或者住在宝号，或者径到我这里住下，二十天、半个月光景，我可以包治好了。要是他在公馆里请我，我一定不去的。"继之听了，倒也没得好说，只得辞了出来，便去找苟才。

其实苟才没甚大病，不过仍是怔忡气喘罢了。继之见面之下，只得说端甫这个人，是有点脾气的，偶然遇了有甚不如意的事，莫说请出门，就是到他那里门诊，他也不肯诊的，说是心绪不宁，恐怕诊乱了脉，误了人家的事。苟才道："这个倒好，这种医生才难得呢。等他心绪好了再请他。"说话时，苟才儿子龙光走进来，和继之请过安，便对苟才道："前天那个人又来了，在那屋里等着，家人们都不敢来回。"苟才道："你在这里陪着吴老伯。"又对继之道："继翁请宽坐，我去去就来。"说罢，自出去了。

继之不免和龙光问长问短，又问公馆里有几位老夫子及令亲。龙光道："从前人多，现在只有帐房先生丁老伯、书启老夫子王老伯。至于舍亲等人，早年就都各回旗去了。此刻没有甚么。"继之忽然心中一动道："我何妨设一个法，试探试探他看呢？"因问道："尊大人的病，除了咳喘怔忡，还有甚么病？近来请那一位先生？"龙光道："一向是请的老伯所荐的王端甫先生。这两天请他，不知怎的，王先生不肯来了。昨天今天都是请的朱博如先生。"继之道："是那一位荐的？"龙光道："没有人荐的，不过在报上看见告白，请来的罢了。老伯有甚朋友高明的，务求再荐一两个人，好去请教请教，也等家父早日安痊。"继之又想了一想道："尊大人这个病是不要紧的，不过千万不要吃错了东西。据我听见的，这个咳喘怔忡之症，最忌的是鲍鱼。"龙光道："甚么鲍鱼？"继之道："就是海味铺里卖的鲍鱼，还有洋货铺子里卖那个东洋货，是装了罐子的。这东西吃了，要病势日深的。"刚说完了话，苟才已来了。龙光站起来，俄延了一会，就去了。

继之和苟才略谈了一会，也就辞回号里，对我们众人谈起朱博如来。管德泉道："朱博如，这个名字熟得很，是在那里见过的。"金子安道："就是甚么兼精辰州符，失物圆光的那个，天天在报上上告白的，还有谁！"德泉道："哦！不错了。然而苟观察何以请起这种医生来？"继之道："他化了钱，自然是爱请谁请谁，谁还管得了他！我不过是疑心端甫那句说话。他家里说共一个儿子，一个帐房，一个书启，是那个要弄死他？这件事要做，只有儿子做。说起愤世嫉俗的话来，自然处处都有枭獍；但是平心而论，又何必人人都是枭獍呢？何况龙光那孩子，心里我不得而知，看他外貌，不像那样人。我今天已下了一个探听的种子，再过几天，就可以探听出来了。"我道："怎么探听有种子的？"继之道："你且不要问，你记着，下一个礼拜，提我请客。"我答应了。

光阴似箭，转瞬又过了一礼拜了。继之便叫我写请客帖子，请的苟才是正客，其次便是王端甫，馀下就是自己几个人。并且就请在自己号里，并不上馆子。下午，端甫先来，问起："请客是甚意思？可是又要我和苟观察诊脉？"继之道："并不，我并且代你辩得甚好的。你如果不愿意，只说自己这两天心绪不宁，向来心绪不宁，不肯替人诊脉的就是了。"不多一会，苟才也来了。大家列坐谈天。苟才又央及端甫诊脉。端甫道："诊脉是可以，方子可不敢开，因为近来心绪不宁，恐怕开出来方子不对。"苟才道："不开方不要紧，只要赐教脉像如何？”端甫道：“这个可以。”苟才便坐了过来，端甫伸出三指，在苟才两手上诊了一会道：“脉像都和前头差不多，不过两尺沉迟一点，这是年老人多半如此，不要紧的。”苟才道：“不知应该吃点甚么药？”端甫道：“这个，实在因为心绪不安，不敢乱说。”苟才也就罢了。

一会儿，席面摆好了，继之起身把盏让坐。酒过三巡，上过鱼翅之后，便上一碗清燉鲍鱼。继之道：“这是我这个厨子拿手的一样精品。”说罢，亲自一一敬上两片。苟才道：“可惜这东西，我这两天吃的腻了。”继之听了，颜色一变，把筷子往桌上一搁。苟才不曾觉着。我虽觉着了，因为继之此时，尚没有把对龙光说的话告诉我，所以也莫名其妙，因问苟才道：“想来是顿顿吃这个？”苟才道：“正是。因为那医生说是要多吃鲍鱼才易得好，所以他们就顿顿给我这个吃。”端甫道：“据《食物本草》，这东西是滋阴的，与怔忡不寐甚么相干？这又奇了！”

继之问苟才道：“公子今年贵庚多少了？”苟才道：“二十二岁了。”继之道：“年纪也不小了，何不早点代他弄个功名，叫他到外头历练历练呢？”苟才道：“我也有这个意思，并且他已经有个同知在身上。等过了年，打算叫他进京办个引见，好出去当差。”继之道：“这又不是拣日子的事情，何必一定要明年呢？”苟才笑道：“年里头也没有甚么日子了。”端甫是个极聪明、极机警的人，听了继之的话，早已有点会意，便笑着接口道：“我们年纪大的人，最要有自知之明。大凡他们年轻的少爷奶奶，看见我们老人家，是第一件讨厌之物。你看他脸上十分恭顺，处处还你规矩；他那心里头，不知要骂多少老不死、老杀才呢！”说得合席人都笑了。端甫又道：“我这个是在家庭当中阅历有得之言，并不是说笑话。所以我五个小儿，没有一个在身边，他们经商的经商，处馆的处馆，虽是娶了儿媳，我却叫他们连媳妇儿带了去。我一个人在上海，逍遥自在，何等快活！他们或者一年来看我一两趟，见了面，那种亲热、要好、孝顺的劲儿，说也说不出来。平心而论，那倒是他们的真天性了。何以见得呢？大约父子之间，自然有一分父子的天性。你把他隔开了，他便有点挂念，越隔得远，越隔得久，越是挂念的利害。一旦忽然相见，那天性不知不觉的自然流露出来。若是终年在一起的，我今天恼他做错了一件甚么事，他明天又怪我骂了他那一项，久而久之，反为把那天性汩没了。至于他们做弟兄的，尤其要把他远远的隔开，他那友于之请才笃。若是住在一起，总不免那争执口角的事情，一有了这个事情，总要闹到兄弟不和完结。这还是父母穷的话。若是父母有钱的，更是免不了争家财、争田舍等事。若是个独子呢，他又恼着老子在前，不能由得他挥霍，他还要恨他老子不早死呢！”说着，又专对苟才说道：“这是兄弟泛论的话，观察不要多心。”

苟才道：“议论得高明得很，我又多心甚么。兄弟一定遵两位的教，过了年，就叫小儿办引见去。”继之道：“端翁这一番高论，为中人以下说法，是好极了！”端甫道：“若说为中人以下说法，那就现在天下算得没有中人以上的人。别的事情我没有阅历，这家庭的阅历是见得不少了。大约古圣贤所说的话，是不错的。孟夫子说是：‘父子之间不责善。’‘责善，贼恩之大者。’此刻的人却昧了这个道理，专门责善于其子。这一着呢，还不必怪他，他期望心切，自然不免出于责善一类。最奇的，他一面责善，一面不知教育，你想，父子之间，还有相得的么？还有一种人，自己做下了多少男盗女娼的事，却责成儿子做仁义道德，那才难过呢！’谈谈说说，不觉各人都有了点酒意，于是吃过稀饭散坐。苟才因是有病的人，先辞去了。

继之才和端甫说起，前两天见了龙光，故意说不可吃鲍鱼的话，今日苟才便说吃得腻了，看来这件事竟是他儿子所为。端甫拍手道：“是不是呢，我断没有冤枉别人的道理。但是已经访得如此确实，方才为甚不和他直说，还是那么吞吞吐吐的？你看苟才，他应酬上很像精明，但是于这些上头，我看也平常得很，不见得他会得过意来。”继之道：“直说了，恐怕有伤他父子之情呢。”端甫跳起来道：“罢了，罢了！不直说出来，恐怕父子之情伤得更甚呢！”继之猛然省悟道：“不错，不错。我明天就去找他，把他请出来，明告诉他这个底细罢。”端甫道：“这才是个道理。”又谈了一会，端甫也辞去了。一宿无话。

次日，继之便专诚去找苟才。谁知他的家人回道：“老爷昨天赴宴回来，身子不大爽快，此刻还没起来。”继之只得罢了。过一天再去，又说是这两天厌烦得很，不会客，继之也只得罢休。谁知自此以后，一连几次，都是如此。继之十分疑心，便说：“你们老爷不会客，少爷是可以会客的，你和我通报通报。”那家人进去了一会，出来说请。继之进去，见了龙光，先问起：“尊大人的病，为甚连客都不会了？不知近日病情如何？”龙光道：“其实没甚么，不过医生说务要静养，不可多谈天，以致费气劳神，所以小侄便劝家父不必会客。五庶母留在房里，早晚伏侍。方才睡着了，失迎老伯大驾！”继之听说，也不能怎样，便辞了回来。过一天，又写个条子去约苟才出来谈谈，讵接了回条，又是推辞。继之虽是疑心，却也无可如何。

光阴如驶，早又过了新年。到了正月底边，忽然接了一张报丧条子，是苟才死了。大家都不觉吃了一惊。继之和他略有点交情，不免前去送殡，顺便要访问他那致死之由，谁知一点也访不出来。倒是龙光哭丧着脸，向继之叩头，说上海并无亲戚朋友，此刻出了大事，务求老伯帮忙。继之只得应允。

到了春分左右，北河开了冻，这边号里接到京里的信，叫这边派人去结算去年帐目。我便附了轮船，取道天津。此时张家湾、河西务两处所设的分号，都已收了，归并到天津分号里。天津管事的是吴益臣，就是吴亮臣的兄弟。我在天津盘桓了两日，打听得文杏农已不在天津了，就雇车到京里去。此时京里分号，已将李在兹辞了，由吴亮臣一个人管事。我算了两天帐目，没甚大进出，不过核对了几条出来，叫亮臣再算。

我没了事，就不免到琉璃厂等处逛逛。顺便到山会邑馆问问王伯述踪迹，原来应畅怀倒在那里，伯述是有事回山东去了。只见一个年轻貌美的少年，在畅怀那里坐着，畅怀和我介绍，代通姓名。原来这个人是旗籍，名叫喜润，号叫雨亭，是个内阁中书。这一天拿了一个小说回目，到应畅怀这边来，要打听一件时事，凑上对一句。原来京城里风气，最欢喜诌些对子及小说回目等，异常工整，诌了出来，便一时传诵，以为得意。但是诌的人，全是翰林院里的太史公。这位喜雨亭中书有点不服气，说道："我不信只有翰林院里有人才，我们都彀他不上。"因得了一句，便硬要对一句，却苦于没有可对的事情。我便请教是一句甚么。畅怀道："你要知道这一句，却要先知道这桩事情的底细才有味。"我道："那就费心你谈谈。"

畅怀道："有一位先生，姓温，号叫月江。孟夫子说的：'人之患在好为人师。'这位温月江先生，却是最喜的是为人师，凡有来拜门的，他无有不笑纳，并且视贽礼之多少，为情谊之厚薄。生平最恼的是洋货，他非但自己不用，就是看见别人用了洋货，也要发议论的。有一天，他又收了一个门生，预先托人送过贽礼，然后谒见。那位门生去见他时，穿了一件天青呢马褂，他便发话了，说甚么：'孟子说的：吾闻用夏变夷者，未闻变于夷者也。若是服夷之服，简直是变于夷了。老弟的人品学问，我久有所闻，是很纯正的，但是这件马褂，不应该穿。我们不相识呢，那是彼此无从切磋起；今日既然忝在同学，我就不得不说了。'那门生道：'门生这件马褂，还是门生祖父遗下来的。门生家寒，有了两个钱，买书都不够，那里来得及置衣服。像这个马褂，门生一向都不敢穿的，因为系祖父遗物，恐怕穿坏了，无以对先人；今天因为拜见老师，礼当恭敬的，才敢请出来用一用。'温月江听了，倒肃然起敬起来，说道：'难得老弟这一点追远之诚，一直不泯，真是可敬！我倒失言了。'那门生道：'门生要告禀老师一句话，不知怕失言不怕？'温月江道：'请教是甚么话？但是道德之言，我们尽谈。'那门生道：'门生前天托人送进来的贽礼一百元，是洋货！'温月江听了，脸红过耳，张着口半天，才说道：'这……这……这……这……这，可……可……可……可……可不是吗！我……我……我马上就叫人拿去换了银子来了。'

"自从那回之后，人家都说他是个臭货。但是他又高自位置，目空一切，自以为他的学问，谁都及不了他。人家因为他又高又臭，便上他一个徽号，叫他做梁顶粪，取最高不过屋梁之顶，最臭不过是粪之义。那年温月江来京会试，他自以为这一次礼闱一定要中、要点的，所以进京时就带了家眷同来。来到京里，没有下店，也不住会馆，住在一个朋友家里。可巧那朋友家里，已经先住了一个人，姓武，号叫香楼，却是一位太史公。温月江因为武香楼是个翰林，便结交起来。等到临会场那两天，温月江因为这朋友家在城外，进场不便，因此另外租了考寓，独自一人住到城里去。这本来是极平常的事情，谁知他出场之后，忽然出了一个极奇怪的变故。”正是：

白战不曾持寸铁，青巾从此晋头衔。

未知出了甚么变故，且待下回再记。

第一百二回
温月江义让夫人　裘致禄孽遗妇子

“温月江出场之后，回到朋友家里，入到自己老婆房间，自以为这回三场得意，一定可以望中的，正打算拿头场首艺念给老婆听听，以自鸣其得意。谁知一脚才跨进房门口，耳边已听得一声‘哇’！温月江吃了一惊，连忙站住了。抬头一看，只见他夫人站在当路，喝道：‘你是谁？走到我这里来！’月江讶道：‘甚么事？甚么话？’他夫人道：‘吓！这是那里来的？敢是一个疯子？丫头们都到那里去了？还不给我打出去！’说声未了，早跑出四五个丫头，手里都拿着门闩棒棰，打将出来。温月江只得抱头鼠窜而逃，自去书房歇下。

这书房本是武香楼下榻所在，与上房虽然隔着一个院子，却与他夫人卧室遥遥相对。温月江坐在书桌前面，脸对窗户，从窗户望过去，便是自己夫人的卧室，不觉定着眼睛，出了神，忽然看见武香楼从自己夫人卧室里出来，向外便走。温月江直跳起来，跑到院子外面，把武香楼一把捉住。吓得香楼魂不附体，登时脸色泛青，心里突突兀兀的跳个不住，身子都抖起来。温月江把他一把拖到书房里，捺他坐下，然后在考篮里取出一个护书，在护书里取出一迭场稿来道：‘请教请教看，还可以有望么？’武香楼这才把心放下。定一定神，勉强把他头场文稿看了一遍，不住的击节赞赏道：‘气量宏大，允称元作，这回一定恭喜的了！’月江不觉洋洋得意，又强香楼看了二、三场的稿。香楼此时，心已大放，便乐得同他敷衍，无非是读一篇，赞一篇，读一句，赞一句。及至三场的稿都看完了，月江呵呵大笑道：‘兄弟此时也没有甚么望头，只望在阁下跟前称得一声老前辈就够了！’香楼道：‘不敢当，不敢当！这回一定是恭喜的！’

“从此以后，倒就相安了，不过温、武两个，易地而处罢了。这一科温月江果然中了，连着点了。谁知他偏不争气，才点了翰林，便上了一个甚么折子，激得万岁爷龙颜大怒，把他的翰林革了，他才死心塌地回家乡去。近来听说他又进京来了，不知钻甚么路子，希图开复。人家触动了前事，便诌了一句小说回目，是‘温月江甘心戴绿帽’。这位喜雨翁要对上一句，却对了两天，没有对上。”我道：“这个难题，必要又有个那么一回实事，才诌得上呢。若是单对字面，却是容易的，不过温对凉，月对星，江对海之类就得了。”喜雨亭道：“无奈没有这件实事，总是难的。”

当下我见伯述不在，谈了几句就走了。回到号里，只见一个人在那里和亮臣说话，不住的嗳声叹气，满脸的愁眉苦目，谈了良久才去。亮臣便对我说道：“所谓‘货悖而入者亦悖而出’，这句话真是一点不错。”我问是甚么事。亮臣道：“方才这个人，是前任福建侯官县知县裘致禄的妾舅。裘致禄他在福建日子甚久，仗着点官势，无恶不作，历署过好几任繁缺，越弄越红。后来补了缺，调了侯官首县，所刮得的地皮，也不知他多少。后来被新调来的一位闽浙总督，查着他历年的多少劣迹，把他先行撤任，着实参了他一本，请旨革职，归案讯办。这位裘致禄信息灵通，得了风声，便逃走到租界地方去。等到电旨到日，要捉他时，他已是走的无影无踪了。后来访着他在租界，便动了公事，向外国领事要人。他又花言巧语，对外国人说他自己并没有犯事，不过要改革政治，这位总督不喜欢他，所以冤枉参了他的。外国人向来有这么个规矩，凡是犯了国事的，叫做国事犯，别国人有保护之例。据他说所犯的是改革政治，就是国事犯，所以领事就不肯交人。闽浙总督急的了不得，派了委员去辩论，派了一起，又是一起，足足耽误了半年多，好容易才把他要了回来。自然是恼得火上加油，把他重重的定了罪案，查抄家产，发极边充军。当时就把他省城寓所查抄了，又动了电报，咨行他原籍，也把家产抄没了，还要提案问他寄顿之处。裘致禄便供家产尽绝了，然后起解充军。

“这裘致禄有个儿子，名叫豹英，因为家产被抄，无可过活，等他老子起解之后，便悄悄向各处寄顿的人家去商量，取回应用。谁知各人不约而同的，一齐抵赖个干干净净。你道如何抵赖得来？原来裘致禄得了风声时，便将各种家财，分向各相好朋友处寄顿，一一要了收条，藏在身边。因为儿子豹英一向挥霍无度，不敢交给他，他自己逃到租界时，便带了去。等到一边外国人把他交还中国时，他又把那收条，托付他一个朋友，代为收贮。其时他还仗着上下打点，以为顶多定我一个革职查抄罢了。万不料这一次总督大人动了真怒，钱神技穷，竟把他发配极边。他当红的时候，是傲睨一切的，多少同寅，没有一个在他眼里的。因此同寅当中，也没有一个不恨他入骨。此次他犯了事，凡经手办这个案的人，没有一个不拿他当死囚看待的。有时他儿子到监里去看他时，前后左右看守的人，寸步不离，没有一个不是虎视眈眈的。父子两个，要通一句私话都不能够，要传递一封信，更是无从下手。直到他发配登程的那天，豹英去送他，才觑了个便，把几家寄顿的人家说个大略，还不曾说得周全，便被那解差叱喝开了，又忘记了说寄放收条的那个朋友。豹英呢，也是心忙意乱，听了十句倒忘了四五句，所以闹得不清不楚，便分手去了。

“代他存放收条的那个朋友，本是福建著名的一个大光棍，姓单，名叫占光。当日得了收条，点一点数，一共是十三张，每张上都开列着所寄的东西，也有田产房契的，也有银行存据的，也有金珠宝贝的，也有衣服箱笼的，也有字画古董的，估了估价，大约总在七八十万光景。单占光暗想：这厮原来在福建刮的地皮有这许多，此刻算算已有七八十万，还有未曾拿出来的，与及汇回原籍的呢，还许他另有别处寄顿的呢。此刻单占光已经有意要想他法子的了。

“等到裘致禄定了充军罪案，见了明文，他便带了收条，径到福州省城，到那十三家出立收条人家，挨家去拜望，只说是裘致禄所托，要取回寄顿各件，又拿出收条来照过，大家自然没有不应允的道理。他却是只有这么一句话，说过之后，却不来取。等十三家人家挨次见齐之后，裘致禄的案一天紧似一天，那单占光又拿了收条挨家去取，却都只取回一半，譬如寄顿十万的，他只收回五万，在收条上注了某月某日收回某物字样，底下注了裘致禄名字。然后发出帖子去请客，单请这十三家人。

“等都到齐了，坐了席，酒过三巡，单占光举起酒杯，敬各人都干了一钟，道：‘列位可知道，裘致禄一案，已是无可挽回的了。当日他跑到租界，兄弟也曾经助他一臂之力，无如他老先生运气不对，以至于有今日之事。想来各位都与他相好，一定是代他扼腕的。’众人听了，莫不齐声叹息。单占光又道：‘兄弟今天又听了一个不好的消息，不知诸位可曾知道？’各人齐说：‘弟等不曾听得有甚消息。’占光道：‘兄弟也知道列位未必有那么信息灵通，所以特请了列位来，商量一个进退。’众人又齐说：‘愿闻大教。’占光道：‘兄弟这两天，代他经手取了些寄顿东西出来，原打算向上下各处打点打点，要翻案的。不料他老先生不慎，等我取了东西，将收条交还他时，却被禁卒看见了，一齐收了去，说是要拿去回上头。我想倘使被他回了上头，是连各位都有不是的，一经吊审起来，各位都是窝家，就是兄弟这两天代他向各位处取了些东西，也要担个不是，所以请了各位来商量个办法。’众人听了，面面相觑，不知所对。占光又催着道：‘我们此刻，统共一十四个人，真正同舟共命，务求大家想个法子，脱了干系才好。’众人歇了半天无话。占光又再三相促。众人道：‘弟等实无善策，还求阁下代设个法儿，非但阁下自脱干系，就是我等众人，也是十分感激的。’

“占光道：‘法子呢，是还有一个。幸而那禁卒头儿，兄弟和他认得，一向都还可以说话。为今之计，只有化上两文，把那收条取了回来，是个最高之法。’众人道：‘如此最好。但不知要化多少？’占光道：‘少呢，我也不能向前途说；多呢，我也不能对众位说。大约你们各位，多则一万一个人，少则八千一个人，是要出的。’众人一听大惊道：‘我们那里来这些钱化？’占光把脸一沉，默默不语。慢慢的说道：‘兄弟是洋商所用的人，万一有甚么事牵涉到我，只要洋东一出面，就万事都消了。兄弟不过为的是众位，或在官的，或在幕的，一旦牵涉起来，未免不大好看，所以多此一举罢了。各位既然不原谅我兄弟这个苦衷，兄弟也不多管闲事了。’说着，连连冷笑。

“内中有一个便道：‘承阁下一番美意，弟等并不是不愿早了此事，实系因为代姓裘的寄存这些东西，并无丝毫好处，却无辜被累，凭空要化去一万、八千，未免太不值得，所以在这里踌躇罢了。’占光呵呵大笑道：‘亏你们，亏你们！还当我是坏人，要你们掏腰呢。化了一万、八千，把收条取回来，一个火烧掉了，他来要东西，凭据呢？请教你们各位，是得了便宜？是失了便宜？至于我兄弟，为自己脱干系起见，绝不与诸位计较。办妥这件事之后，酬谢我呢，我也不却；不酬谢我呢，我也不怪，听凭各位就是了。’众人听了，恍然大悟道：‘如此我等悉听占翁分付办理就是了。’占光道：‘办，我只管去办。至于各出多少使费，那是要各位自愿的，兄弟不便强派。’众人听了，又互相商议，有出一万的，有出八千的，有出五六千的，统共凑起来，也有十一万五千了。占光摇头道：‘这点恐怕不够。白费唇舌不要紧，兄弟是在洋东处告了假出来，不能多耽搁的，怕的是耽搁时候。’众人见他这么说，便又商量商量，凑够了十二万银子给他，约定日子过付。他等银子收到了，又请了一天客，把十三张收条取了出来，一一交代清楚，众人便把收条烧了。所以等到豹英去取时，众人乐得赖个干干净净。

“豹英至此，真是走头无路。忽然想起他父亲有一房姨太太，寄住在泉州。那姨太太还生有一个小兄弟，今年也有八岁了。那里须有点财产，不免前去分点来用用。想罢，便径到泉州来，寻着那位姨娘，说明来意。那姨娘道：‘阿弥陀佛！我这里个个月靠的是老爷寄来十两银子过活，此刻有大半年没寄来了，我娘儿两个正愁着没处过活，要投奔大少爷呢。’说着，便抽抽咽咽起来。豹英不觉楞住了。但既来之，则安之，姑且住下再说。姨娘倒也不能撵他，只得由他住下。豹英终日觑琐，总说老人家有多少钱寄顿在这里，姨娘如果不拿出来，我只得到晋江县去告了。姨娘急了，便悄悄的请了自己兄弟来商量，不如把家财各项，暂时寄顿到干妈那里去。

“原来这位姨娘，是裘致禄从前署理晋江县的时候所置。及至卸任时，因为家中太太泼恶不过，不敢带回去，便另外置了一所房里，给他居住。又恐怕没有照应，因在任时，有一个在籍翰林杨尧蒿太史，十分交好。这杨尧蒿，本名叫杨尧嵩，因为应童子试时屡试不售，大家都说他名字不利。他有一回小试，就故意把嵩字写成‘蒿’字，果然就此进了学，联捷上去。因为点到翰林那年，已经四十多岁了，就不肯到京供职，只回到家乡，靠着这太史公的头衔，包揽几件词讼，结识两个官府，也就把日子过去了。裘致禄在任时，和他十分相得。交卸之后，这位姨娘，已经有了六个月身孕，因为叫他独住在泉州，放心不下，所以和杨太史商量，把这个姨娘拜在杨太史的姨太太膝下做干女儿。过了三四个月，姨娘便生下个孩子。此时致禄早已晋省去了。这边往来得十分热闹，杨太史又给信与致禄，和他道喜。致禄得了信，又到泉州走了一次，见母子相安，又重新拜托了杨太史照应。所以一向干爹、干妈、干女儿，叫的十分亲热。此时豹英来了，开口告官，闭口告官，姨娘没了主意，便悄悄叫了自己兄弟来，和他商量，不如把紧要东西，先寄顿在干娘那里，就是他告起来，官府来抄，也没得给他抄去。定了主意，便把那房产田契，以及金珠首饰，值钱的东西，放在一个水桶里，上面放了两件旧布衣服，叫一个心腹老妈子，装做到外头洗衣服的样子，堂哉皇哉，拿出了大门，姨娘的兄弟早在外头接应着，跟着那老妈子，看着他进了杨太史的大门，方才走开。

“如此一连三天，把贵重东西都运了出去，连姨娘日常所用的金押发簪子，都除了下来拿去，自己换上一支包金的。恰好豹英这天吃醉了酒，和姨娘大闹。闹到不堪，便仗着点酒意，自然翻箱倒箧起来。搜了半天，除了两件细毛衣服之外，竟没有一样值钱东西。豹英至此，也自索然无味，只得把几件父亲所用的衣服，及姨娘几件细毛衣服要了，动身回省。

“这边姨娘等大少爷去了，便亲带了那老妈子去见干妈，仍旧十分亲热。及至问起东西时，杨姨太太不胜惊讶，说是不曾见来。姨娘也大惊，指着老妈子道：‘是我叫他送来的，一共送了三次，难道他交给干爹了？’连忙请了杨太史来问。杨尧蒿道：‘我没看见啊。是几时拿来的？’姨娘道：‘是放在一个水桶里拿来的。杨姨太太笑道：‘这便有了。’连忙叫人在后房取出三个水桶来。姨娘一看，果然是自己家中之物，几件破旧衣服还在那里。连忙把衣服拿开一看，里面是空空洞洞的，那里有甚么东西？姨娘不觉目定口呆。老妈子便插嘴道：‘是我第一天送来这个桶，里面两个拜匣，我都亲手拿出来交给姨太太的。我还要带了水桶回去，姨太太说是不必拿去了，你出来时候，那衣服堆在桶口，此刻回去却瘪在桶底，叫人见了反要起疑心，我才把桶丢在这里。第二天送来是一个大手巾包，也是我亲手交给姨太太的。姨太太还说："有甚要紧东西，赶紧拿来，如果被你家大少爷看见了，就不是你家姨娘的东西了。"第三天送来是两个福州漆盒，因为那盒子没有锁，还用手巾包着，也是我亲手点交姨太太的。怎么好赖得掉！’杨太史道：‘住了！这拜匣、手巾包、盒子里，都是些甚么东西？你且说说。’姨娘道：‘一个拜匣里，全是房契田契，其馀都是些金珠首饰。’杨太史道：‘吓！你把房契田契，金珠首饰，都交给我了！好好你家的东西，为甚么要交给我呢？’姨娘道：‘因为我家大少爷要来霸占，所以才寄到干爹这里的。’杨太史道：‘那些东西，一股脑儿值多少钱呢？’姨娘道：‘那房产是我们老爷说过的，置了五万银子。那首饰是陆续买来的，一时也算不出来，大约也总在五六万光景。’杨太史道：‘你把十多万银子的东西交给我，就不要我一张收条，你就那么放心我！你就那么糊涂！哼，我看你也不是甚么糊涂人！你不要想在这里撒赖！’姨娘急的哭起来，又说老妈子干没了。老妈子急的跪在地下，对天叩响头，赌咒，把头都碰破了，流出血来。杨太史索性大骂起来，叫撵。

"姨娘只得哭了回去，和兄弟商量，只有告官一法。你想一个被参谪戍知县的眷属，和一个现成活着的太史公打官司，那里会打得赢？因此县里、府里、道里、司里，一直告到总督，都不得直。此刻跑到京里来，要到都察院里去告。方才那个人，便是那姨娘的兄弟，裘致禄的妾舅了。莫说告到都察院，只怕等皇帝出来叩阍，都不得直呢！"正是：

莫怪人情多鬼蜮，须知木腐始虫生。

不知这回到都察院去控告，得直与否，且待下回再记。

第一百三回

亲尝汤药媚倒老爷　婢学夫人难为媳妇

我这回进京，才是第二次。京里没甚朋友。符弥轩已经丁了承重忧，出京去了。北院同居的车文琴，已经外放了，北院里换了一家旗人住着，我也不曾去拜望。只有钱铺子里的恽洞仙，是有往来的，时常到号里来谈谈。但是我看他的形迹，并不是要到我号里来的，总是先到北院里去，坐个半天，才到我这边略谈一谈，不然，就是北院里的人不在家，他便到我这边来坐个半天，等那边的人回来，他就到那边去了。

我见得多次，偶然问起他，洞仙把一个大拇指头竖起来道："他么？是当今第一个的红人儿！"我听了这个话，不懂起来，近日京师奔竞之风，是明目张胆，冠冕堂皇做的，他既是当今第一红人，何以大有"门庭冷落车马稀"的景像呢？因问道："他是做甚么的？是那一行的红人儿？门外头宅子条儿也不贴一个？"洞仙道："他是个内务府郎中，是里头大叔的红人。差不多的人，到了里头去，是没有坐位的；他老人家进去了，是有个一定的坐位，这就可想了。"我道："永远不见他上衙门拜客，也没有人拜他，那里像个红人？"洞仙道："你佇不大到京里来，怨不得你佇不知道。这红人儿里头，有明的，有暗的；像他那是暗的。"我道："他叫个甚名字？说他红，他究竟红些甚么？你告诉告诉我，等我也好巴结巴结他。"洞仙道："巴结上他倒也不错，像我兄弟一家大小十多口人吃饭，仰仗他的地方也不少呢。"我笑道："那么我更要急于请教了。"

洞仙也笑道："他官名叫多福，号叫贡三，是里头经手的事，他都办得到，而且比别人便宜。每年他的买卖，也不在少处。这两年元二爷住开了，买卖也少了许多。"我道："怎么又闹出个元二爷来了？"洞仙道："这位多老爷有两个儿子，大的叫吉祥，我们都叫他做祥大爷，是个傻子；第二个叫吉元，我们都叫他做元二爷，捐了个主事，在户部里当差。他父子两个，向来是连手，多老爷在暗里招呼，元二爷在明里招徕生意。"我道："那么为甚么又要住开了呢？"洞仙道："这个一言难尽了。多老爷年纪大了，断了弦之后，一向没有续娶。先是给傻子祥大爷娶了一房媳妇，不到两年，就难产死了。多老爷也没给他续娶，只由他买了一个姨娘就算了。却和元二爷娶了亲。亲家那边是很体面的，一副妆奁，十分丰厚，还有两个陪嫁丫头，大的十五岁，小的才十二岁。过了两三年，那大丫头有了十七八岁了，就嫁了出去。只有这个小的，生得脸蛋儿很俊，人又机灵，元二爷很欢喜他，一直把他养到十九岁还没嫁。元二爷常常和他说笑鬼混，那位元二奶奶看在眼里，恼在心里。到底是大家姑娘出身，懂得规矩礼法，虽是一大坛子的山西老醋，搁在心上，却不肯泼撒出来，只有心中暗暗打算，觑个便，要早早的嫁了他。后来越看越不对了，那丫头眉目之间，有点不对了，行动举止，也和从前两样了，心中越加焦急。那丫头也明知二奶奶吃他的醋，不免怀恨在心。

"恰好多老爷得了个脾泄的病，做儿媳妇的，别的都好伺候，惟有这搀扶便溺，替换小衣，是办不到的，就是雇来的老妈子，也不肯干这个。元二奶奶一想：‘不如拨了这丫头去伺候公公，等伺候得病人好了，他两个也就相处惯了，希冀公公把他收了房做个姨娘，就免了二爷的事了。’打定了主意，便把丫头叫了来，叫他去伺候老爷。这丫头是一个绝顶机警的人，一听了这话，心中早已明白，便有了主意，唯唯答应了，即刻过去伺候老爷。多老爷正苦没人伺候，起卧都觉得不便，忽然蒙媳妇派了这个丫头来伺候，心中自是欢喜。况且这丫头又善解人意，嘴唇动一动，便知道要茶；眼睛抬一抬，便知道要烟。无论是茶是药，一定自己尝过，才给老爷吃。起头的两天，还有点缩手缩脚的；过得两天惯了，更是伺候得周到。老爷要上马子，他抱着腰；老爷躺下来，他捶着背。并且他自从过来之后，便把自己铺盖搬到老爷房里去，到了晚上，就把铺盖开在老爷炕前地下假寐。那炕前又是夜壶，又是马子，又是痰盂，他并不厌烦。半夜里老爷要小解了，他怕老爷着了凉，拿了夜壶，递到被窝里，伏侍小解。那夜壶是瓷的，老爷大腿碰着了，哼了一声，说冰凉的。丫头等小解完后，便把夜壶舀干净，拿来炕在自己被窝里，等到老爷再要用时，已是炕得暖暖儿的了。及至次日，请了大夫来，凡老爷夜来起来几次，小解大解几次，是甚么颜色，稀的稠的，几点钟醒，几点钟睡，有吃东西没有，只有他说得清清楚楚。所以那大夫用药，就格外有了分寸。有时晚上老爷要喝参汤，坐起来呢，怕冷，转动又不便当，他便问准了老爷，用茶漱过口，刷过牙，刮过舌头，把参汤呷到嘴里，伏下身子，一口一口的慢慢哺给老爷吃。有时老爷来不及上马子，弄脏了裤子，他却早就预备好了的。你说他怎么预备来？他预先拿一条干净裤子，贴肉横束在自己身上，等到要换时，他伸手到被窝里，拭擦干净了，才解下来，替老爷换上，又是一条暖暖儿的裤子了。这一条才换上，他又束上一条预备了。

“如此伺候了两个多月，把老爷伺候好了。虽然起了炕，却是片时片刻，也少他不得了。便和他说道：‘我儿，辛苦你了！怎样补报你才好！’他这两个多月里头，已经把老爷巴结得甜蜜儿一般，由得老爷抚摩玩弄，无所不至的了。听了老爷这话，便道：‘奴才伺候主子是应该的，说甚么补报！’老爷道：‘我此刻倒是一刻也离不了你了。’丫头道：‘那么奴才就伏侍老爷一辈子！’老爷道：‘这不是误了你的终身？你今年几岁了？’丫头道：‘做奴才的，还说甚么终身！奴才今年十九岁，不多几天就过年，过了年，就二十岁了，半辈子都过完了；还有那半辈子，不还是奴才就结了吗！’老爷道：‘不是这样说。我想把你收了房，做了我的人，你说好么？’丫头听了这句话，却低头不语。老爷道：‘你可是嫌我老了？’丫头道：‘奴才怎敢嫌老爷！’老爷道：‘那么你为甚么不答应？’丫头仍是低头不语。问了四五遍，都是如此。老爷急了，握着他两只手，一定要他说出个道理来。丫头道：‘奴才不敢说。’老爷道：‘我这条老命是你救回来的，你有话管说就是了，那怕说错了，我不怪你。’丫头道：‘老爷、少爷的恩典，如果打发奴才出去，那怕嫁的还是奴才，甚至于嫁个化子，奴才是要一夫一妻做大的，不愿意当姨娘。如果要奴才当姨娘，不如还是当奴才的好。’老爷道：‘这还不容易！我收了你之后，慢慢的把你扶正了就是。’丫头道：‘那还是要当几天姨娘。’老爷道：‘那我就简直把你当太太，拜堂成礼如何？’丫头道：‘老爷这句话，可是从心上说出来的？’老爷道：‘有甚不是！’丫头‘咕咚’一声，跪下来叩头道：‘谢过老爷天高地厚的恩典！’老爷道：‘我和你已经做了夫妻，为甚还行这个礼？’丫头道：‘一天没有拜堂，一天还是奴才。等拜过了堂，才算夫妻呢。还有一层：老爷便这般抬举，还怕大爷、二爷，他们不服呢？’老爷道：‘有我担了头，怕谁不服！’

“丫头此时也不和老爷客气了，挨肩坐下，手握手的细细商量。丫头说道：‘虽说是老爷担了头，没谁敢不服，但是事前必要机密，不可先说出来。如果先说出来，总不免有许多阻挡的说话。不如先不说出来，到了当天才发作，一会儿生米便成了熟饭，叫他们不服也来不及。至于老爷续娶，礼当要惊动亲友，摆酒请客的，我看这个不如也等当天一早出帖子，不过多用几个家人分头送送罢了。’此时老爷低着头听分付，丫头说一句，老爷就答应一个‘是’字，犹如下属对上司一般。等分付完了，自然一切照办。

“好丫头！真有本事，有能耐！一切都和老爷商量好了，他却是不动声色，照常一般。有时伺候好了老爷，还要到元二奶奶那边去敷衍一会。这件事竟是除了他两个之外，没有第三个人知道的。家人们虽然承命去刻帖子，却也不知道娶的是那一门亲。就是那帖子签子都写好了，只有日子是空着，等临时填写的，更不知道是那一天。老爷又吩咐过不准叫大爷、二爷知道的，更是无从打听，只有照办就是了。直到了办事的头一天下午，老爷方才分付出来，叫把帖子填了明天日子，明日清早派人分头散去。又分付明天清早传傧相，传喜娘，传乐工，预备灯彩。这一下子，合宅上下人等都忙了，却一向不见行聘，不知女家是甚么人。祥大爷是傻的，不必说他。元二爷便觉着这件事情古怪，想道：‘这两三个月都是丫头在老爷那边伺候，叫他来问，一定知道。’想罢，便叫老妈子去把丫头叫来，问道：‘老爷明天续弦，娶的是那一家的姑娘？怎么我们一点不晓得？你天天在那边伺候，总该知道。’丫头道：‘奴才也不知道，也是方才叫预备一切，才知道有这回事。’二爷道：‘那边要铺设新房了，老爷的病也好了许久了，你的铺盖也好搬回这边来了。’丫头道：‘是，奴才就去回了老爷搬过来。’说着，去了。过了一会，又空身跑了过来道：'老爷说要奴才伺候新太太，等伺候过了三朝，才叫奴才搬过来呢。'说罢，又去了。元二爷满腹疑心，又暗笑老头子办事糊涂，却还猜不出个就里。

"到了明天早起，元二爷夫妻两个方才起来，只见傻大爷的姨娘跑了来，嘴里不住的称奇道怪道：'二爷、二奶奶，可知道老爷今天娶的是那一个姑娘？'二爷见他疯疯傻傻的，不大理会他。二奶奶问道：'这么大惊小怪的做甚么？不过也是个姑娘罢了，不见得娶个三头六臂的来！'姨娘道：'只怕比三头六臂的还奇怪呢！娶的就是二奶奶的丫头！'二爷、二奶奶听了这话，一齐吃了一惊，问道：'这是那里来的话？'姨娘道：'那里来的话！喜娘都来了，在那里代他穿衣服打扮呢。我也要去穿衣服了，回来怕有女客来呢。'说着，自去了。这边夫妻两个，如同呆了一般，想不出个甚么道理来。歇了一会，二爷冷笑道：'吃醋咧，怕我怎样咧，叫他去伺候老人家咧！当主子使唤奴才不好，倒要做媳妇去伺候婆婆！你看罢咧，日后的戏有得唱呢！'一面说，梳洗过了，换上衣服，上衙门去了。可怜二奶奶是个没爪子的螃蟹，走不动，只好穿上大衣，先到公公那边叩喜。此时也有得帖子早的来道喜了。

"一会儿，吉时已到，喜娘扶出新太太，傧相赞礼拜堂。因为办事匆促，一切礼节都从简略，所有拜天地、拜花烛、庙见、交拜，都并在一时做了。过后便是和众人见礼。傻大爷首先一个走上前去，行了一跪三叩首的礼。老爷自是兀然不动，便连新太太，也直受之而不辞。傻大爷行过礼之后，家人们便一迭连声叫二爷。有人回说：'二爷今天一早奉了堂谕，传上衙门去了。'老爷已是不喜欢。二奶奶没奈何，只得上前行礼，可恼这丫头居然兀立不动。一时大众行过礼之后，便有许多贺客，纷纷来贺，热闹了一天。二爷是从这天上衙门之后，一连三天不曾回家。只苦了二奶奶，要还他做媳妇的规矩，天天要去请早安，请午安，请晚安。到了请安时，碰了新太太高兴的时候，鼻子里哼一声；不高兴的时候，正眼也不看一看。二奶奶这个冤枉，真是无处可伸。倒是傻大爷的姨娘上去请安，有说有笑。

"二爷直到了第四天才回家，上去见过老爷请过安，便要走。老爷喝叫站着，二爷只得站着。老爷歇了好一会，才说道：'你这一向当的好红差使！大清早起就是堂官传了，一传传了三四天，连老子娘都不在眼睛里了！'二爷道：'儿子的娘早死了，儿子丁过内艰来。'老爷把桌子一拍道：'吓！好利嘴！谁家的继母不是娘！'二爷道：'老爷在外头娶一百个，儿子认一百个娘；娶一千个，儿子认一千个娘。这是儿媳妇房里的丫头，儿子不能认他做娘！'老爷正待发作，忽听得新太太在房里道：'甚么丫头不丫头！我用心替你把老子伺候好了，就娘也不过如此！'老爷道：

‘可不是！我病在炕上，谁看我一看来？得他伺候的我好了，大家打伙儿倒翻了脸了。你出来！看他认娘不认！’新太太巴不得一声走了出来，二爷早一翻身向外跑了。老爷气得叫‘抓住了他！抓住了他’！二爷早一溜烟跑到门外，跳上车子去了。这里面一个是老爷气的暴跳如雷，大叫：‘反了反了’！一个是新太太撒娇撒痴，哭着说：‘二爷有意丢我的脸，你也不和我做主。你既然做不了主，就不要娶我！’哭闹个不了。

“二奶奶知道是二爷闯了祸，连忙过来赔罪，向公公跪下请息怒。老爷气得把胡子一根根都竖了起来。新太太还在那里哭着。良久，老爷才说道：‘你别跪我！你和你婆婆说去！’二奶奶站了起来，千委屈，万委屈，对着自己赔嫁的丫头跪下。新太太撅着嘴，把身子一扭，端坐着不动。二奶奶千不是，万不是，赔了多少不是。足足跪了有半个钟头，新太太才冷笑道：‘起去罢，少奶奶！不要折了我这当奴才的！’二奶奶方才站了起来，依然伺候了一会，方才退归自己房里。越想越气，越气越苦，便悄悄的关上房门，取一根带子，自己吊了起来。

“老妈子们有事要到房里去，推推房门不开，听了听寂无声息，把纸窗儿戳破一个洞，往里一瞧，吓得魂不附体，大声喊救起来。惊动了阖家人等，前来把房门撞开了。两个粗使老妈子，便端了凳子垫了脚，解将下来，已经是笔直挺硬的了，舌头吐出了半段，眼睛睁得滚圆。傻大爷的姨娘一看道：‘这是不中用的了！’头一个先哭起来。便有家人们，一面去找二爷，一面往二奶奶娘家报信去了。这里幸得一个解事的老妈子道：‘你们快别哭别乱！快来抱着二奶奶，此刻是不能放他躺下的！’便有人来抱住。那老妈子便端一张凳子来，自己坐下，才把二奶奶抱过来道：‘你们扳他的腿，扳的弯过来，好叫他坐下。’于是就有人去扳弯了。这老妈子把自己的波罗盖儿堵住了二奶奶的谷道，一只手便把头发提起，叫人轻轻的代他揉颈脖子，捻喉管，又叫人拈他肩膀，又叫拿管子来吹他两个耳朵。众人手忙脚乱的，搓揉了半天，觉得那舌头慢慢的缩了进去。那老妈子又叫拿个雄鸡来，要鸡冠血灌点到嘴里，这才慢慢的觉着鼻孔里有点气了。

“正在忙着，二爷回来了。可巧亲家老爷、亲家太太，也一齐进门。二爷嚷着‘怎样了’。亲家太太一跨进来就哭了。那老妈子忙叫：‘别哭，别哭！二爷快别嚷！快来和他度一口气罢！’二爷赶忙过来度气，用尽平生之力，度了两口，只听得二奶奶‘哼’的一声哼了出来。那老妈子道：‘阿弥陀佛！这算有了命了。快点扶他躺下罢。只能灌点开水，姜汤是用不得的。’那亲家太太看见女儿有了命，便叫过一个老妈子来，问那上吊的缘由，不觉心头火起。此时亲家老爷也听明白了，站起来便去找老爷，见了面，就是一把辫子。”正是：

好事谁知成恶事，亲家从此变冤家。

不知亲家老爷这一把辫子，要拖老爷到那里去，且待下回再记。

第一百四回 良夫人毒打亲家母 承舅爷巧赚朱博如

“你道那亲家老爷是谁？原来是内务府掌印郎中良果，号叫伯因，是内务府里头一个红人。当着这边多老爷散帖子那天，元二爷不是推说上衙门，大早就出去了么？原来他并不曾上衙门，是到丈人家去，把这件事情告诉了丈人丈母。所以这天良伯因虽然接了帖子，却并不送礼，也不道喜，只当没有这件事，打算将来说起来，只说没有接着帖子就是了。他那心中，无非是厌恶多老爷把丫头抬举的太过分了，却万万料不到有今天的事。今天忽然见女婿又来了，诉说老人家如此如此，良伯因夫妻两个正在叹息，说多老爷年纪大了，做事颠倒了。忽然又见多宅家人来说：‘二奶奶上了吊了！’这一吓非同小可，连忙套了车，带了男女仆人，喝了马夫，重重的加上两鞭，和元二爷一同赶了来。一心以为女儿已经死了，所以到门便奔向二奶奶那边院子里去。看见众人正在那里救治，说可望救得回来的，鼻子里已经有点气了，夫妻两个权且坐下。等二奶奶一声哼了出来，知道没事的了。良夫人又把今天新太太如何动气，二奶奶如何下跪赔罪的话，问了出来。良伯因站起来，便往多老爷那边院子里去。

“多老爷正在那里骂人呢，说甚么：‘妇人女子，动不动就拿死来吓唬人！你们不要救他，由他死了，看可要我公公抵命！’说声未了，良老爷飞跑过来，一把辫子拖了就走道：‘不必说抵命不抵命，咱们都是内务府的人，官司也不必打到别处去，咱们同去见堂官，评评这个理看！’多老爷陡然吃了一惊道：‘亲……亲……亲家！有话好……好的说！’良老爷道：‘说甚么！咱们回堂去，左右不叫你公公抵命的。’多老爷道：‘回甚么堂？你撒了手好说话啊！’良老爷道：‘世界已经反了，还说甚么话！我也不怕你跑了，有话你说！’说着，把手一撒，顺势向前一推，多老爷跌了两步，几乎立脚不住。良老爷拣了一把椅子坐下道：‘有话你说！’此时家人仆妇，纷纷的站了一院子看新闻。三三两两传说，幸得二奶奶救过来了，不然，还不知怎样呢！这句话被多老爷听见了，便对良老爷说道：‘你的女儿死了没有啊？就值得这么的大惊小怪！’良老爷道：‘你是要人死了才心安呢！我也不说甚么，只要你和我回堂去，问问这纵奴凌主，是那一国的国法？那一家的家法？'正说话时，只见家人来报，说亲家太太来了。多老爷吃了一惊，暗想一个男的已经闹不了，又来一个女的，如何是好！想犹未了，只见良夫人带了自己所用的老妈子，咯嘣咯嘣的跑了过来，见了多老爷，也不打招呼，直奔到房里去。

“房里的新太太正在那里打主意呢。他起头听见说二奶奶上吊，心里还不知害怕，以为这是他自己要死的，又不是我逼死他，就死了有甚么相干。正这么想着，家人又说亲家老爷、亲家太太都来了。新太太听了这话，倒吃了一惊，暗想：这是个主子，他回来拿起主子的腔来，我就怎样呢？回头一想：他到了这里须是个客，我迎出去，自己先做了主人，和他行宾主礼，叫他亲家母，他自然也得叫我亲家母，总不能拿我怎样。心中正自打定了主意，却遇了良老爷过来，要拉多老爷到内务府里去，声势汹汹，不觉又替多老爷担忧，呆呆的侧耳细听，倒把自己的心事搁过一边。不提防良夫人突如其来，一直走到身边，伸出手来，左右开弓的，劈劈拍拍，早打了七八个嘴巴。新太太不及提防，早被打得耳鸣眼花。良夫人喝叫带来的老妈子道：'王妈！抓了他过去，我问他！'王妈便去搀新太太的膀子。良夫人把桌子一拍道：'抓啊！你还和他客气！'原来这王妈是良宅的老仆妇，这位新太太当小丫头时，也曾被王妈教训过的，此刻听得夫人一喝，便也不客气，顺手把新太太的簪子一拔，一把头发抓在手里。新太太连忙挣扎，拿手来挡，早被王妈劈脸一个巴掌，骂道：'不知死活的蹄子！你当我抓你，这是太太抓你呢！'王妈的手重，这一下，只把新太太打得眼中火光迸裂，耳中轰的一声，犹如在耳边放了一门大炮一般。良夫人喝叫抓了过去。王妈提了头发，横拖竖曳的先走，良夫人跟在后头便去。多老爷看见了道：'这是甚么样子！这是甚么样子！'嘴里只管说，却又无可如何，由得良夫人押了过去。

“到得二奶奶院里，良夫人喝叫把他衣服剥了，王妈便去动手。新太太还要挣扎，那里禁得二奶奶所用的老妈子，为了今天的事，一个个都把他恨入骨髓，一哄上前，这个捉手，那个捉脚，一霎时把他的一件金银嵌的大袄剥下，一件细狐小袄也剥了下来。良夫人又喝叫把棉裤也剥了。才叫把他绑了，喝叫带来的家人包旺：'替我用劲儿打！今天要打死了他才歇！'这包旺又是良宅的老家人，他本在老太爷手下当书僮出身，一直没有换过主子，为人极其忠心。今天听见姑爷来说，那丫头怎生巴结上多老爷，怎生做了太太，怎生欺负姑娘，他便嚷着磨腰刀：'我要杀那浪蹄子去！'后来良老爷带他到这边来，他一到，便想打到上房里，寻丫头厮打，无奈规矩所在，只得隐忍不言。今听得太太吩咐打，正中下怀，连忙答应一声'喏'，便跑到门外，问马夫要了马鞭子来，对准丫头身上，用尽平生之力，一下一下抽将下去，抽得那丫头杀猪般乱喊，满地打滚。包旺不住手的一口气抽了六七十，把皮也抽破了，那血迹透到小衣外面来。新太太这才不敢撒泼了，膝行到良夫人跟前跪着道：'太太饶了奴才的狗命罢！奴才再也不敢了！情愿仍旧到这边来，伏侍二奶奶！'良夫人劈脸又是一个嘴巴道：'谁是你二奶奶！你是谁家的奴才！你到了这没起倒的人家来，就学了这没起倒的称呼！我一向倒是吗吗糊糊的过了，你们越闹越不成话了！奴才跨到主子头上去了！谁是你的二奶奶？你说！'说着，又是两个嘴巴。新太太忙道：'是奴才糊涂！奴才情愿仍旧伺候姑奶奶了！'良夫人叫包旺道：'把他拉到姑娘屋里再抽，给姑娘下气去。'

"新太太听说，也不等人拉，连忙站起来跑到二奶奶屋里。二奶奶正靠着炕枕上哭呢。新太太咕咚一下跪下来，可怜他双手是反绑了的，不能爬下叩头，只得弯下腰，把头向地下咯嘣咯嘣的乱碰，说道：'姑奶奶啊！开恩罢！今天奴才的狗命，就在姑奶奶的身上了！再抽几下，奴才就活不成了！'说犹未了，包旺已经没头没脑的抽了下来，嘴里说道：'不是天地祖宗保佑，我姑奶奶的性命，就送在你这贱人手里！今儿就是太太、姑奶奶饶你，我也不饶你！活活的抽死你，我和你到阎王爷那里打官司去！'一面说，一面着力的乱抽，把新太太脸上也七纵八横的，抽了好几条血路。包旺正抽得着力时，忽然外面来了两三个老妈子，把包旺的手拉住道：'包二爷，且住手，这边的舅太太来了。'包旺只得住了手出来，对良夫人道：'太太今天如果饶了这贱人，天下从此没有王法了！就是太太、姑奶奶饶了他，奴才也要一头撞死了，到阎王爷那里告他，要他的命的！'良夫人道：'你下去歇歇罢，我总要惩治他的。'

"原来元二爷陪了丈人、丈母到家，救得二奶奶活了，不免温存了几句。二奶奶此时虽然未能说话，也知道点点头了。元二爷便到多老爷院子里去，悄悄打听，只听得良老爷口口声声要多老爷去见堂官，这边良夫人又口口声声要打死那丫头。想来这件事情，是自己父亲理短，牵涉着自己老婆，又不好上去劝。哥哥呢，又是个傻子。今天这件事，没有人解劝，一定不能下场的。踌躇了一会，便撇下了二奶奶，出门坐上车子，赶忙到舅老爷家去，如此这般说了一遍，要求娘舅、舅母同去解围。舅老爷先是恼着妹夫糊涂不肯去，禁不得元二爷再三央求，又叩头请安的说道：'务望娘舅不看僧面看佛面，只算看我母亲的面罢。'舅老爷才答应了，叫套车。元二爷恐怕耽搁时候，把自己的车让娘舅、舅母坐了，自己骑了匹牲口，跟着来家。亏得这一来，由舅老爷、舅太太两面解劝，方才把良老爷夫妻劝好了，坐了车子回去。元二爷从此也就另外赁了宅子，把二奶奶搬开了。向来的生意，多半是元二爷拉拢来的；自从闹过这件事之后，元二爷就不去拉拢了，生意就少了许多。”

我笑道：“原来北院里住的是个老糊涂。但不知那丫头后来怎样发落？”洞仙道：“此刻不还是当他的太太。”我道：“他儿子、媳妇虽说是搬开了，然而总不能永不上门，以后怎样见面呢？”洞仙道：“这个就没有去考求了。”说着，北院里有人来请他，洞仙自去了。

我在京又耽搁了几天，接了上海的信，说继之就要往长江一带去了，叫我早回上海。我看看京里没事，就料理动身，到天津住了两天，附轮船回上海。在轮船上却遇见了符弥轩。我看他穿的还是通身绸绉，不过帽结是个蓝的。暗想：“京里人家都说他丁了承重忧出京的，他这个装扮，那里是个丁忧的样子？”又不便问他，不过在船上没有伴，和他七拉八扯的谈天罢了。船到了上海，他殷殷问了我的住处，方才分手。我自回到号里，知道继之前天已经动身了，先到杭州，由杭州到苏州，由苏州到镇江，这么走的。

歇息了一天，到明天忽然外面送了一封信来，拆开一看，却是符弥轩请我即晚吃花酒的。到了晚上，我姑且去一趟。座中几个人都是浮头滑脑的，没有甚么事可记。所最奇的，是内中有一个是苟才的儿子龙光。我屈指一算，苟才死了好像还不到百日，龙光身上穿的是枣红摹本银鼠袍，泥金宁绸银鼠马褂，心中暗暗称奇。席散回去，和管德泉说起看见龙光并不穿孝，屈指计来，还不满百日，怎么荒唐到如此的话。德泉道：“你的日子也过糊涂了。苟才是正月廿五死的，二月三十的五七开吊，继之还去吊的；初七继之动身，今天才三月初十，离末七还有三四天呢，你怎便说到百日了？”我听了倒也一呆。德泉又道：“继之还留下一封长信，叫我给你，说是苟才致死的详细来历，都在上头，叫我交给你，等你好做笔记材料。是我忘了，不曾给你。”我听了，便连忙要了来，拿到自己房里，挑灯细读。

原来龙光的老婆，是南京驻防旗人，老子是个安徽候补府经历。因为当日苟才把寡媳送与上司，以谋差缺，人人共知，声名洋溢，相当的人家，都不肯和他对亲，才定了这头亲事。谁知这位姑娘有一个隐疾，是害狐臭的，所以龙光与他不甚相得，虽不曾反目，却是恩义极淡的。倒是一个妻舅，名叫承辉的，龙光与他十分相得，把他留在公馆里，另外替他打扫一间书房。郎舅两个终日在一处厮闹，常常不回卧室歇息，就在书房抵足。龙光因为不喜欢这个老婆，便想纳妾。却也奇怪，他的老婆听说他要纳妾，非但并不阻挡，并且竭力怂恿。也不知他是生性不妒呢，还是自惭形秽，或是别有会心，那就不得而知了。龙光自是欢喜。然而自己手上没钱，只得和老子商量。苟才却不答应，说道：‘年纪轻轻的，不知道学好，只在这些上头留心。你此刻有了甚么本事？养活得起多少人？不能瞒你们的，我也是五十岁开外才纳妾的。”一席话，教训得龙光闭口无言。退回书房，喃喃呐呐的，不知说些甚么东西。承辉看见，便问何事。龙光一一说知。承辉道：“这个叫做‘只许州官放火，不许百姓点灯’，向来如此的。你看太亲翁那么一把年纪，有了五个姨娘还不够，前一回还讨个六姨；姊夫要讨一个，就是那许多说话。这个大约老头子的通脾气，也不是太亲翁一个人如此。”龙光道：“他说他五十岁开外才讨小的，我记得小时候，他在南京讨了个钓鱼巷的货，住在外头，后来给先母知道了，找得去打了个不亦乐乎，后来不知怎样打发的，这些事他就不提一提呢。”承辉道：“总而言之，是自己当家，万事都可以做得了主；若是自己不能当家，莫说五十岁开外，只怕六十、七十开外，都没用呢。”说得龙光默然。

两个年轻小子，天天在一起，没有一个老成人在旁边，他两个便无话不谈，真所谓言不及义，那里有好事情串出来？承辉这小子，虽是读书不成，文不能文，武不能武，若要他设些不三不四的诡计，他却又十分能干，就和龙光两个，干了些没天理的事情出来。龙光时时躲在六姨屋里，承辉却和五姨最知己，四个人商量天长地久之计。承辉便想出一个无毒不丈夫的法子来。恰好遇了苟才把全眷搬到上海来就医，龙光依旧把承辉带了来，却不叫苟才知道。到了上海，租的洋房地方有限，不比在安庆公馆里面，七八个院子，随处都可以藏得下一个人，龙光只得将自己卧室隔作两间，把后半间给舅爷居住。虽然暂时安身，却还总嫌不便，何况地方促迫，到处都是謦欬相闻的，因此逼得承辉毒谋愈急。

起先端甫去看病时，承辉便天天装了病，到端甫那里门诊，病情说得和苟才一模一样，却不问吃甚么可以痊愈，只问忌吃甚么。在他与龙光商量的本意，是要和医生串通，要下两样反对的药，好叫病人速死。因看见端甫道貌岸然，不敢造次，所以只打听忌吃甚么，预备打听明白，好拿忌吃的东西给苟才吃，好送他的老命。谁知问了多天，都问不着。偏偏那天又在公馆里被端甫遇见，做贼心虚，从此就不敢再到端甫处捣鬼了。过了两天，家人去请端甫，端甫忽然辞了不来。承辉、龙光两个心中暗喜，以为医生都辞了，这病是不起的了。谁知苟才按着端甫的旧方调理起来，日见痊愈。承辉心急了，又悄悄的和五姨商量，凡饮食起居里头，都出点花样，年老人禁得几许食积，禁得几次劳顿，所以不久那旧病又发了。

原来苟才煞是作怪，他自到上海以来，所宠幸的就是五姨一个，日夜都在五姨屋里，所以承辉愈加难过。在五姨也是一心只向承辉的，看见苟才的鬏鬏胡子，十分讨厌，所以听得承辉交代，便依计而行，苟才果然又病了。承辉又打听得有一个医生叫朱博如，他的招牌是“专医男妇老幼大小方脉”，又是专精伤寒，咽喉、痘疹诸科，包医杨梅结毒，兼精辰州神符治病、失物圆光，是江湖上一个人物，在马路上租了一间门面，兼卖点草头药的。便怂恿龙光请朱博如来看。龙光告知苟才。苟才因为请端甫不动，也不知上海那个医生好，只得就请了他。那承辉却又照样到朱博如那里门诊，也是说的病情和苟才一模一样，问他忌吃甚么。朱博如是个江湖子弟，一连三天，早已看出神情，却还不说出来。这天继之去看苟才的病，故意对龙光说忌吃鲍鱼，龙光便连忙告诉了承辉，承辉告诉五姨。五姨交代厨子："有人说老爷这个病，要多吃鲍鱼才好。"从此便煎的是鲍鱼，燉的是鲍鱼，汤也是鲍鱼，脍也是鲍鱼，把苟才吃腻了。继之的请客，也是要试探他有吃鲍鱼没有。可惜试了出来，当席未曾说破他，就误了苟才一命。

原来继之请客那天，正是承辉、龙光、朱博如定计的那天。承辉一连到博如处去了几天，朱博如看出神情，便用言语试探，彼此渐说渐近，不多几天，便说合了龙。这一天便约定在四马路青莲阁烟间里，会齐商量办法。龙光、承辉到时，朱博如早已到了，还有三四个不三不四的人，同在一起。博如见了他两个，便撇了那几个人，迎前招呼，另外开了一只灯。博如先道："你两位的意思，是要怎样办法？"承辉道："我们明人不必细说，只要问你先生办得到办不到，要多少酬谢便了。"博如道："这件事要办，是人人办得到的，不过就是看办得干净不干净罢了。若要办得不干净的，也无须来与我商量，就是潘金莲对付武大郎一般就得了。我所包的就是一个干净，随便他叫神仙来验，也验不出一个痕迹。不过不是一两天的事情，总要个把月才妥当。"龙光道："你要多少酬谢呢？"博如道："这件事不小，弄起来是人命关天的，老实说，少了我不干，起码要送二万银子！"龙光不觉把舌头吐了出来。承辉默然无语，忽然站起来，拉龙光到阑杆边上，唧唧哝哝的好一会，又用手指在栏杆上再三画给龙光看。龙光大喜道："如此，一听尊命便了。"承辉便过来和朱博如再三磋商，说定了一万两银子。承辉道："这件事，要请你先说出法子来呢，你不信我；要我先付银呢，我不信你。怎生商量一个善法呢？"博如听了，也呆着脸，一筹莫展。承辉道："这样罢，我们立个笔据罢。不过这个笔据，若是真写出这件事来，我们龙二爷是万万不肯的；若是不明写出来，只有写借据之一法。若是就这么糊里糊涂写了一万银子借据，知道你的法子灵不灵呢？借据落了你手，你就不管灵不灵，也可以拿了这凭据来要钱的。这张票子，倒底应该怎样写法呢？若是想不出个写法来，这个交易只好作为罢休。"正是：

舌底有花翻妙谛，胸中定策赚医生。

未知到底想出甚么法子来，且待下回再记。

第一百五回
巧心计暗地运机谋　真脓包当场写伏辩

朱博如听得承辉说出来的话，句句在理上，不觉回答不出来。并且已经说妥的一万银子好处，此刻十有九成的时候，忽然被这难题目难住，看着就要撒决了。但是看承辉的神情，又好像胸有成竹一般。回心一想："我几十年的老江湖，难道不及他一个小孩子，这里头一定有个奥妙，不过我一时想不起来罢了。"想到这里，拿着烟枪在那里出神。

承辉却拉了龙光出去，到茶堂外面，看各野鸡妓女，逗着谈笑。良久，才到烟榻前去，问博如道："先生可想出个法子来了？"博如道："想不出来。如果阁下有妙法，请赐教了罢。"承辉道："法子便有一个，但是我也不肯轻易说出。"博如道："如果实在有个妙法，其馀都好商量。"承辉道："老实说了罢，你这一万银子肯和我对分了，我便教你这个法子。"博如道："那里的话！我也担一个极大干系的，你怎么就要分我一半？"承辉道："也罢，你不肯分，我也不能强你。时候不早了，我们明日会罢。"博如着急道："好歹商量妥了去，忙甚么呢。"龙光道："一万两我是答应了，此刻是你两个的事情，你们商量罢，我先走了。"博如道："索性三面言明了，就好动手办事了。"承辉道："这是你自己不肯通融，与我们甚么相干？"博如道："你要分我一半，未免太狠。这样罢，我打八折收数，归你二成罢。"承辉不答应。后来再三磋商，言定了博如七折收数，以三成归承辉，两面都允了。承辉又要先订合同。博如道："我这里正合同都不曾定，这个忙甚么！"承辉道："不行！万一我这法子说了出来，你不认帐，我又拿你怎样呢？"博如只得由他。承辉在身边取出纸笔来，一挥而就，写成一式两纸，叫博如签字。博如一看，只见写的是：

> 兹由承某介绍朱某，代龙某办一要事。此事办成之后，无论龙某以若干金酬谢朱某，朱某情愿照七折收数，其馀三成，作为承某中费。两面订明，各无异言。立此一式两纸，各执一纸为据。

朱博如看了道："怎么不写上数目？"承辉道："数目是不能写的。我们龙二爷出手阔绰，或者临时他高兴，多拿一千、八百出来，请你吃茶吃酒，那个我也要照分的。如果此时写实了一万，一万之外我可不能分你丝毫了。这个我不干。"博如听了，暗暗欢喜，便签了字，承辉也签了字，各取一纸，放在身边。

博如就催着问："是何妙法？"承辉道："这件事难得很呢！我拿你三成谢金，实在还嫌少。你想罢，若不明写出来，不成个凭据；若明写了，说是某人托某人设法致死其父，事成酬银若干，万一闹穿了，非但出笔据的人要凌迟，只怕代设法的人也不免要杀头呢！这个非但他不敢写，写了，你也不敢要。"博如道："这个我知道。"承辉道："若是不明写，却写些甚么？总不能另外诌一桩事情出来。若说是凭空写个欠据，万一你的法子不灵呢，欠据落在你手里，你随意可以来讨的，叫龙二爷拿甚么法子对付你？数目又不在少处，整万呢！"博如道："这个我都知道，你说你的法子罢。"承辉道："时候不早了，这里人多，不是谈机密地方，你赶紧吃完了烟，另外找个地方去说罢。"博如只得匆匆吸完了烟，叫堂倌来收灯，给过烟钱。博如又走过去，和那几个不三不四的人说了几句话，方才一同走出。

龙光约了到雅叙园，拣一个房间坐下，点了菜。博如又急于请教。承辉坐近一步，先问道："据你看起来，那老头子到底几时才可以死得？"博如道："弄起来看，至迟明年二月里，总可以成功了。"承辉又坐近一步，拿自己的嘴对了博如的耳朵道："此刻叫龙二爷写一张借据给你，日子就写明年二月某日，日子上空着，由得你临时填上。那借据可是写的：

> 立借券某人，今因猝遭父丧大故，汇款未到，暂向某人借到银壹万两。汇款一到，立即清还。蒙念相好，不计利息。棘人某某亲笔。

等到明年二月，老头子死了，你就可以拿这个借据向他要钱了。"博如侧着头一想道："万一不死呢？"承辉道："就是为的是这个。如果老头子不死，他又何尝有甚父丧大故，向人借钱？又何故好好的自称棘人？这还不是一张废纸么？当真老头子死了，他可是为了父丧大故借用的，又有蒙念相好，不计利息的一层交情在里面，他好欠你分毫吗？"朱博如不觉恍然大悟道："妙计！妙计！真是鬼神不测之机也！"于是就叫龙光照写。龙光拿起笔来，犹如捧了铁棒一般，半天才照写好了，却嫌"萬"字的笔画太多，只写了个方字缺一点的"万"字。朱博如看过了，十分珍重的藏在身边。

恰好跑堂的送上酒菜，龙光让坐，斟过一巡酒，然后承辉请教博如法子。博如道："要办这件事，第一要紧不要叫他见人，恐怕有人见愈调理病愈深，要疑心起来。明日再请我，等我把这个话先说上去，只说第一要安心静养，不可见人，不可劳动，不可多说话费气，包管他相信了。你们自己再做些手脚。我天天开的药方，你们只管撮了来煎，却不可给他吃。"龙光道："这又是何意？"博如道："这不过是掩人耳目，就是别人看了方子，也是药对脉案的。但是服了对案的药，如何得他死？所以掩了人耳目之后，就不要给他吃了。”我每天另外给你们两个方子，分两家药店去撮，回来和在一起给他吃。”龙光又道：“何必分两家撮呢？”博如道：“两个方子是寒热绝不相对的，恐怕药店里疑心。”承辉道：“这也是小心点的好。”博如又附耳教了这甚么法子，方才畅饮而散。

从次日起，他们便如法泡制起来，无非是寒热兼施，攻补并进，拿着苟才的脏腑，做他药石的战场。上了年纪的人，如何禁受得起！从年前十二月，捱到新年正月底边，那药石在脏腑里面，一边要坚壁清野，一边要架云梯、施火炮，那战场受不住这等蹂躏，登时城崩池溃，四郊延蔓起来，就此呜呼哀哉了。

三天成殓之后，龙光就自己当家。正是“一朝权在手，便把令来行”，陆续把些姨娘先打发出去，有给他一百的，有给他八十的，任他自去择人而事。大、二、三、四，四个姨娘，都不等满七，就陆续的打发了。后来这班人无非落在四马路，也不必说他了。只有打发到五姨，却预先叫承辉在外面租定房子，然后打发五姨出去，面子上是和众人一般，暗底子不知给了承辉多少。只有六姨留着。又把家中所用男女仆人等，陆续开除了，另换新人；开过吊之后，便连书启、帐房两个都换了。这是他为了六姨，要掩人耳目的意思。

朱博如知道苟才已死，把那借据填了二月初一的日子，初二便去要钱。承辉道：“你这个人真是性急！你要钱也要有个时候，等这边开过吊，才像个样子。照你这样做法，难道这里穷在一天，初一急急要和你借，初二就有得还你了？天下那有这种情理！”一席话说得朱博如闭口无言，只得别去。直捱到开吊那天，他还买了点香烛纱元，亲来吊奠。承辉看见了大喜，把他大书特书记在礼簿上面。

又过了三天，认真捱不住了。恰好这天龙光把书启、帐房辞去，承辉做了帐房，一切上下人等，都是自己牙爪，是恣无忌惮的了。承辉见博如来了，笑吟吟的请他坐下，说道：“先生今天是来取那笔款子的？”博如道：“是。”承辉道：“请把笔据取出来，”博如忙在身边取出，双手递与承辉。承辉接过看了一看道：“请坐请坐。我拿给先生。”博如此时真是心痒难抓，眼看着立时三刻，就是七千两银子到手了。忙向旁边一张椅子上坐下。承辉拿了借据，放在帐桌上，提起笔来，点了两点，随手拿了一张七十两银子的庄票，交给博如道：“一向费心得很！”博如吃了一惊道：“这、这、这是怎么说？”承辉道：“那三成归了兄弟，也是早立了字据的。”博如道：“不错，我只收七折，但是何以变做七十两呢？”承辉笑道：“难道先生眼睛不便，连这票据上的字，都没有看出来？”博如连忙到案头一看，原来所写的那一万的“万”字，被他在一撇一钩的当中，加了两点，变成个

"百"字了。博如这一怒非同小可，一手便把那借据抢在手里。承辉笑道："先生恼甚么！既然不肯还我票据，就请仍把庄票留下。"博如气昏了，便把庄票摔在地下要走。承辉含笑拦住道："先生恼甚么？到那里去？茶还没喝呢。来啊！舀茶来啊！客来了茶都不舀了，你们这班奴才，是干吗的是啊！"一面说，一面重复让坐，又道："先生还拿了这票子到那里去呢？"博如怒道："我只拿出去请大众评评这道理，可是'万'字可以改'百'字的！"承辉道："'萬'字本不能改'百'字啊，这句话怎讲？"博如道："我不和你说，你们当初故意写个小写的'万'字，有意赖我！"承辉笑道："这句话先生你说错了。数目大事，你再看看，那票子上'一'字尚且写个'壹'字，岂有'万'字倒小写起来之理？只怕说出去，人家也不相信。"博如道："我不管，我就拿了这票子到上海县去告，告你们涂改数目，明明借我的一万银子，硬改作一百。这个改的样子明明在那里，是瞒不过的。"

说话时家人送上茶来。承辉接过，双手递了一碗茶。说道："好，好！这个怪不得先生要告，整万银子的数目变了个一百，在我也是要告的。但不知先生凭甚么作证？"博如道："你就是个证人，见了官，我不怕你再赖！"承辉道："是，是，我绝不敢赖。但是恐怕上海县问起来，他不问你先生，只问我。问道：苟大人是两省的候补道，当过多少差使。署过首道，署过藩台；上海道台，是苟大人的旧同寅，就是本县，从前也伺候过苟大人来。后来到了安徽，当了多少差使，谁不知道苟大人是有钱的。一旦不幸身故了，何至于就要和人家借钱办丧事？就说是一时汇款没到，凑手不及，本县这里啊，道台那里啊，还有多少阔朋友，那里不挪动一万、八千，却要和这么个卖草头药的江湖医生去借钱？苟大人是署过藩台的，差不多的人，那里彀得上和他拉交情？这个甚么朱博如，他彀得上和苟大人的少爷说相好不计利息的话吗？他们究竟有甚么交情？你讲！'这么一篇话问下来，应该怎样回答，还请先生代我打算打算，预先串好了供，免得临时慌张。"朱博如听了，默默无言。

良久，承辉又道："先生，这官司你是做原告，上海县他也不能不问你话的。譬如他问：'你不过是个江湖医生，你从那里和苟大人父子拉上的交情，可以整万银子不计利息的借给他？你这个人，倒很慷慨，本县很敬重你。但不知你借给他的一万银子，是那里来的？在那里赚着的？交给龙光的时候，还是钞票？还是元宝？还是洋钱？还是那家银行的票子？还是那家钱庄的票子？'这么一问，先生你又拿甚么话回答，也得要预先打算打算，免得临时慌张。"朱博如本来是气昂昂，雄赳赳的，到了此时，不觉慢慢的把头低下去，一言不发。

承辉又道："大凡打到官司，你说得不清楚，官也要和你查清楚的，况且整万银子的出进，岂有不查之理？他先把你宝号的帐簿吊去一查，有付这边一万银子的帐没有；再把这里的帐簿吊去一查，看有收到你一万银子的帐没有。你的帐簿呢，我不敢知道；我们这边帐簿，是的确没有这一笔。没有这笔倒也罢了，反查出了某天请某医生医金若干，某天请某医生医金若干。官又问了，说：'你们既然属在相好，整万银子都可以不计利息的，何以请你诊病，又要天天出医金呢？相好交情在那里？'并且查到礼簿上，你先生的隆尊是'素烛一斤，纱元四匣'，与不计利息的交情，差到那里去了！再拿这个一问，先生你又怎么说呢，这个似乎也要预备预备。"说罢，仍旧坐在帐桌上去，取过算盘帐簿，剔剔挞挞算他的帐去了。

一会儿就有许多人来领钱的，来回事的，络绎不绝。一个家人拿了票子来，说是绸庄上来领寿衣价的，共是七十一两五钱六分银子。承辉呆了一呆道："那里来这覼琐帐，甚么几钱几分的！"想了一会道："这么罢，这一张七十两的票子，是朱先生退下来不要的，叫他先拿去罢。那个零头并在下回算，总有他们便宜。"那家人拿了去。朱博如坐在那里听着，好不难过，站起来急到帐桌旁边，要和承辉说话。承辉又是笑吟吟的道："先生请坐。我这会忙，没功夫招呼你，要茶啊，烟啊，只管叫他们，不要客气。来啊！招呼客的茶烟！'说着，又去办他的事了。一会儿，又跑了一个家人来，对承辉说道："二爷请。"承辉便把帐簿往帐箱里一放，拍挞一声锁上了，便上去。博如连忙站起来要说话。承辉道："先生且请坐，我马上就来。"

博如再要说话时，承辉已去的远了，无奈只得坐着等。心中暗想："这件事上当上的不小，而且这口气咽不下去。看承辉这厮，今天神情大为两样，面子上虽是笑口吟吟的，那神气当中，却纯乎是挖苦我的样子。我想这件事，一不做，二不休，纵使不能告他欠项，他药死父亲可是真的，我就拿这个去告他。我虽然同谋，自首了总可以减等，我拚了一个'充军'的罪，博他一个'凌迟'，总博得过。"心里颠来倒去，只是这么想，那承辉可是一去不来了。

看看等到红日沉西，天色要黑下来了，才听得承辉一路嚷着说："怎么还不点灯啊？你们都是干吗的？一大伙儿都是木头，拨一拨动一动！"一面嚷着，走到帐房里，见了博如，又道："嗳呀！你看我忙昏了，怎么把朱先生搁在这里！"连连拱手道："对不住，对不住！不知先生主意打定了没有？如果先生有甚么意思，我们都好商量。"博如道："总求阁下想个法儿，替我转个圜，不要叫我太吃亏了。"承辉道："在先生的意思，怎样办法呢？"博如道："好好的一万，凭空改了个一百，未免太下不去！"承辉道："你先生还是那么说，我就没了法子了。"博如道："这件事，如果一定闹穿了，只怕大家也不大好看。”承辉道：“甚么不好看呢？”博如道：“你们请我做甚么来的呢？”承辉正色道：“下帖子，下片子，请了大夫来，自然为的是治病。”

正说话间，忽然龙光走了进来，一见了博如，便回身向外叫道：“来啊！”外面答应一声，来了个家人。龙光道：“赶紧出去，在马路上叫一个巡捕来，把这王八蛋先抓到巡捕房里去！”那家人答应去了。博如吃了一大惊道：“二爷，这是那一门？”龙光不理他，又叫：“王二啊！”便有一个人进来。龙光道：“你懂两句外国话不是？”王二道：“是，家人略懂得几句。”龙光又叫：“来啊！”又走了一个人进来。龙光道：“到我屋里去，把那一迭药方子拿来。”那人去了，龙光方才坐下。博如又道：“二爷，你这个到底是那一门？”龙光也不理他。此时承辉已经溜出去了。一会儿，那个人拿了一迭药方来。龙光接在手里，指给王二说道：“这个都是前天上海县官医看过了的。你看那，这一张是石膏、羚羊、犀角，这一张是附子、肉桂、炮姜，一张一张都是你不对我，我不对你的。上海县方大老爷前天当面说过，叫把这王八蛋扭交捕房，解新衙门，送县办他。你可拿好着，这方子上都盖有他的姓名图书，是个真凭实据。回来巡捕来了，你跟着到巡捕房里去，说明这个缘故，请他明天解新衙门。巡捕房要这方子做凭据的，就交给他；若不要的，带回来明日呈堂。”王二一一答应了。龙光又问：“舅爷呢？”家人们便一迭连声请舅爷，承辉便走了进来。龙光道：“那天上海县方大老爷说这个话的时候，新衙门程大老爷也在这里听着的，你随便写个信给他，请他送县。我现在热丧里头，不便出面，信上就用某公馆具名就是了。”承辉一一答应。只见那去叫巡捕的家人来说：“此刻是巡捕交班的时候，街上没有巡捕。”龙光道：“你到门口站着，有了就叫进来，不问是红头白脸的。”那家人答应出去了。龙光又指着博如对王二道：“他就交给你，不要放跑了！”说着佯长而去。

博如此时真是急得手足无措，走又走不了，站着不是，坐着不是，心里头就如腊月里喝了凉水一样，瑟瑟的乱抖。无奈何走近一步，向承辉深深一揖道：“这是那一门的话？求大爷替我转个圜罢！”承辉仰着脸冷笑道：“闹穿了不过大家不好看，有甚要紧！”博如又道：“大爷，我再不敢胡说了！求你行个方便罢！”承辉道：“你就认个‘庸医杀人’，也不过是个‘杖罪’，好像还有‘罚锾赎罪’的例，化几两银子就是了，不要紧的。”说着，站起来要走。吓得博如连忙扯住跪下道：“大爷，你救救我罢！这一到官司啊，这上海我就不能再住了。”一面说，一面取出那借据来，递给承辉道：“这个我也不敢要了。”承辉道：“还有一张甚么七折三成的呢？”博如也一并取了出来，交给承辉。承辉接过道：“你可再胡闹了？”

博如道："再也不敢了！"承辉道："你可肯写下一张伏辩来，我替你想法子。"博如道："写，写，写！大爷要怎样写，就怎样写。"正是：

未得羊肉吃，惹得一身臊。

未知这张伏辩如何写法，且待下回再记。

第一百六回
符弥轩调虎离山　金秀英迁莺出谷

朱博如当下被承辉布置的机谋所窘，看着龙光又是赫赫官威，自己又是个外路人，带了老婆、儿子来上海，所有吃饭穿衣，都靠着自己及那草头药店赚来的，此刻听说要捉他到巡捕房里去，解新衙门，送上海县，如何不急？只急得他上天无路，入地无门，便由得承辉说甚么是甚么。承辉便起了个伏辩稿子来，要他照写。无非是："具伏辩人某某，不合妄到某公馆无理取闹，被公馆主人饬仆送捕。幸经某人代为求情，从宽释出。自知理屈，谨具伏辩，从此不敢再到某公馆滋闹，并不敢在外造言生事。如有前项情事，一经察出，任凭送官究治"云云。博如一一照写了，承辉方才放他出去。他们办了这件事之后，自以为神不知鬼不觉的了。

谁知他打发出来的几个姨娘，与及开除的男女仆人，不免在外头说起，更有那朱博如，虽说是写了伏辩，不得在外造言生事，那禁得他一万银子变了七千，七千又变了七十，七十再一变，是个分文无着，还要写伏辩，那股怨气如何消得了，总不免在外头逢人伸诉。旁边人听了这边的，又听了那边的，四面印证起来，便知得个清清楚楚。古语说的"若要人不知，除非己莫为"，果然说得不错。我仔仔细细把继之那封信看了一遍，把这件事的来历透底知道了，方才安歇。

此次到了上海之后，就住了两年多。这两年多，凡长江、苏、杭各处，都是继之去查检，因为德泉年纪大了，要我在上海帮忙之故。我因为在上海住下，便得看见龙光和符弥轩两个演出一场怪剧。

原来符弥轩在京里头，久耳苟才的大名，知道他创办银元局，发财不少。恰遇了他祖父死了，他是个承重孙，照例要报丁忧。但是丁忧之后，有甚事业可做呢？想来想去，便想着了苟才。恰好那年的九省钦差，到安庆查办事件，得了苟才六十万银子的那位先生，是符弥轩的座主，那一年安庆查案之后，苟才也拜在那位先生的门下，论起来是个同门，因此弥轩求了那位先生一封信给苟才，便带了家眷，扶了灵柩出京。到得天津，便找了一处义地，把他祖父的棺材厝了。又找了一处房子，安顿下家眷。在侯家后又胡混了两个多月，方才自己一个人转身到上海。一到了，安顿下行李，即刻去找苟才。谁知苟才已经死了，见着了龙光。弥轩一看龙光这个人，举止浮躁，便存了一个心，假意说是从前和苟才认得，又把求来那封信交给龙光。他们旗人是最讲究交情礼节的，龙光一听见说是父亲的同门相好，便改称老伯。弥轩谦不敢当。谈了半天，弥轩似有行意。龙光道："老伯尊寓在那里？恕小侄在热丧里，不便回候。"弥轩道："这个阁下太迂了！我并不是要阁下回候，但是住在上海，大可以从权。你看兄弟也是丁着承重忧，何尝穿甚么素。虽然，也要看处的是甚么地位。如果还在读书的时候，或是住在家乡，那就不宜过于脱略；如果是在场上应酬的人，自己又是个创事业的材料，那就大可以不必守这些礼节了。况且我看阁下是个有作有为的人才，随时都应该在外头碰碰机会，而且又在上海，岂可以过于拘谨，叫人家笑话。我明天就请阁下吃饭，一定要赏光的。"说着，便辞了去。又去找了几个朋友，就有人请他吃饭。上海的事情，上到馆子，总少不免叫局，弥轩因为离了上海多年，今番初到，没有熟人，就托朋友荐了一个。当席就约了明天吃花酒。

到了次日，他再去访龙光，面订他晚上之局。龙光道："老伯跟前，小侄怎敢放恣！"弥轩道："你这个太客气！其实当日我见尊大人时，因尊大人齿德俱尊，我是称做老伯的。此刻我们拉个交情，拜个把罢。晚上一局，请你把帖子带到席上，我们即席换帖。"龙光道："这个如何使得！"弥轩道："如果说使不得，那就是你见外了。"龙光见弥轩如此亲热，便也欣然应允。弥轩又谆嘱晚上不必穿素衣，"须知花柳场中，就是炎凉世界，你穿了布衣服去，他们不懂甚么道理，要看不起你的。我们既然换到帖，总不给你当上的。"龙光本是个无知纨绔，被弥轩一次两次的说了，就居然剃了丧发，换上绸衣，当夜便去赴席。从此两个人便结交起来。

龙光本来是个混蛋，加以结识了弥轩，更加昏天黑地起来，不到百日孝满，便接连娶了两个妓女回去，化钱犹如泼水一般。弥轩屡次要想龙光的法子，因看见承辉在那里管着帐，承辉这个人，甚是精明强干，而且一心为顾亲戚，每每龙光要化些冤枉钱，都是被他止住，因此弥轩不敢下手。暗想总要设法把他调开了，方才妥当。看苟才死的百日将满，龙光偶然说起，嫌这个同知太小，打算过个道班。弥轩便乘机竭力怂恿，又说："徒然过个道班，仍是无用，必要到京里去设法走路子，最少也要弄个内记名，不然就弄个特旨班才好。"龙光道："这样又要到京里跑一趟。"弥轩道："你不要嫌到京里跑一趟辛苦，只怕老弟就去跑一趟，受了辛苦，还是无用。"龙光道："何以故呢？"弥轩道："不是我说句放恣的话，老弟太老实了！过班上兑，那是没有甚么大出进的。要说到走路子的话，一碰就要上当，白冤了钱，影儿也没一个。就是路子走的不差，会走的和不会走的，化钱差得远呢。”龙光道：“既然如此，也只好说说罢了。”弥轩道：“那又不然。只要老弟自己不去，打发一个能办事的人替你去就得了。”龙光道：“别样都可以做得，难道引见也可以叫人代的么？”弥轩笑道：“你真是少见多怪！便是我，就替人家代过引见的了。”龙光欢喜道：“既如此，我便找个人代我走一趟。”弥轩道：“这个人必要精明强干，又要靠得住的才行。”龙光道：“我就叫我的舅爷去，还怕靠不住么！”弥轩暗喜道：“这是好极的了！”龙光性急，即日就和承辉商量，要办这件事。承辉自然无不答应，便向往来的钱庄上，托人荐了一个人来做公馆帐房，承辉便到京里去了。

弥轩见调虎离山之计已行，便向龙光动手，说道：“令舅进京走路子，将来一定是恭喜的。然而据我看来，还有一件事要办的。”龙光问是甚么事。弥轩道：“无论是记名，是特旨，外面的体面是有了，所差的就是一个名气。老弟才二十多岁的一个人，如果不先弄个名气在外头，将来上司见了，难保不拿你当纨绔相待。”龙光道：“名气有甚么法子可以弄出来的？”弥轩道：“法子是有的，不过要化几文，然而倒是个名利兼收的事情。”龙光忙问：“是怎么个办法？要化多少钱？”弥轩道：“现在大家都在那里讲时务。依我看，不如开个书局，专聘了人来，一面著时务书，一面翻译西书。等著好了，译好了，我们就拿来拣选一遍，拣顶好的出了老弟的名，只当老弟自己著的译的，那平常的就仍用他本人名字，一齐印起来发卖。如此一来，老弟的名气也出去了，书局还可以赚钱，岂不是名利兼收么？等到老弟到省时，多带几部自己出名的书去，送上司，送同寅，那时候谁敢不佩服你呢！博了个熟识时务，学贯中西的名气，怕不久还要得明保密保呢。”龙光道：“著的书还可以充得，我又没有读过外国书，怎样好充起翻译来呢？”弥轩道：“这个容易，只要添上一个人名字，说某人口译，你自己充了笔述，不就完了么。”龙光大喜，便托弥轩开办。

弥轩和龙光订定了合同，便租起五楼五底的房子来。乱七八糟，请了十多个人，翻译的，著撰的。一面向日本人家定机器，定铅字。各人都开支薪水。他认真给人家几个钱一月，不得而知；他开在帐上，总是三百一月，五百一月的，闹上七八千银子一月开销。他自己又三千一次，二千一次的，向龙光借用。龙光是糊里糊涂的，由他混去。这一混足足从四五月里混到年底下，还没有印出一页书来，龙光也还莫名其妙。

却遇了一个当翻译的，因为过年等用，向弥轩借几十块钱过年。弥轩道：“一局子差不多有二十人，过年又是人人都要过的，一个借开了头，便个个都要借了。”因此没有借给他。弥轩开这书局，是专做毛病的，差不多人人都知道，只有龙光一个是糊涂虫。那个借钱不遂的翻译先生，挟了这个嫌，便把弥轩作弊的事情，写了一封匿名信给龙光。后来越到年底，人家等用的越急，一个个向他借钱，他却是一个不应酬，因此大家都同声怨他。那翻译先生就把写信通知东家的一节，告诉了两个人，于是便有人学样起来。龙光接二连三的接了几封信，也有点疑心，便和帐房先生商量。帐房先生道："做书生意，我本是外行。但是做了大半年，没有印出一部书来，本是一件可疑的事。为今之计，只有先去查一查帐目，看他一共用了多少钱，统共译了著了多少书，要合到多少钱一部，再问他为甚还不印出来的道理，看是怎样的再说。"龙光暗想："这件事最好是承辉在这里，就办得爽快，无奈他又到京里去了。虽然他有信来过，说过班一事，已经办妥，但是走路子一事，还要等机会，正不知他几时才回上海。此刻无可奈何，只得就叫这个帐房先生去查的了。"想罢，就将此意说出来。帐房先生道："查帐是可以查的，但是那所译所著的书，精粗美恶，我可不知道。"龙光道："好歹你不知，多少总看得见的，你就去查个多少罢了。"帐房先生奉命而行。

次日一早，便去查帐。弥轩问知来意，把脸色一变道："这个局子是东家交给我办的，就应得要相信我。要查帐，应得东家自已来查。这个办书的事情，不是外行人知道的。并且文章价值，有甚一定，古人一字千金尚且肯出。你回去说，我这里的帐是查不得的，等我会了他面再说。"帐房先生碰了一鼻子灰，只得回去告诉龙光。龙光十分疑讶，且等见面之后再说。

当天晚上，弥轩便请龙光吃花酒。龙光以为弥轩见面之后，必有一番说话，谁知他却是一字不提，犹如无事一般。龙光甚是疑心，自已又不好意思先问。席散之后，回去和帐房先生说起。帐房先生道："他不服查帐，非但是有弊病，一定是存心不良的了。此刻已到年下，且等过了年，想个法子收回自办罢。"龙光也只好如此。

光阴荏苒，又过了新年，龙光又和帐房先生商量这件事。帐房先生道："去年要查一查他的帐尚且不肯，此刻要收他回来，更不容易了。此刻的世界，只有外国人最凶，人家怕的也是外国人。不如弄个外国人去收他回来，谅他见了外国人，也只得软下来了。"龙光道："那里去弄个外国人呢？"帐房先生道："外国人是有的，只要主意打定了，就好去弄。"龙光道："就是这个主意罢。叫他再办下去，不知怎样了局呢！"帐房先生便去找了一个外国人来，带了翻译，来见龙光。龙光说知要他收回书局的话，由翻译告诉了外国人。又两面传递说话，言明收回这家书局之后，就归外国人管事，以一年为期，每月薪水五百两。外国人又叫龙光写一张字据，好向弥轩收取，龙光便写了，递给外国人。

外国人拿了字据，兴兴头头去见弥轩，说明来意。弥轩道："我在这里办得好好的，为甚又叫你来接办？”外国人道：“我不知道。龙大人叫我来办，是有凭据给我的。”说罢，取出字据来给弥轩看。弥轩道：“龙大人虽然有凭据叫你接办，却没有凭据叫我退办，我不能承认你那张凭据。”外国人道：“东家的凭据，你那里有权可以不承认？”弥轩道：“我自然有权。我和龙大人订定了合同，办这个书局，合同上面没有载定限期，这个书局我自然可以永远办下去。就是龙大人不要我办了，也要预先知照我，等我清理一切帐目，然后约了日子，注销了合同，你才可以拿了凭据来接收啊。”外国人说他不过，只得去回复龙光。龙光吃了一惊，去对帐房先生说。帐房先生吐出了舌头道：“这个人连外国人都不怕，还了得！”再和他商量时，他也没了法子了。

过了三天，那外国人开了一篇帐来，和龙光要六千银子，说是讲定在前，承办一年，每月薪水五百，一年合了六千，此刻是你不要我办，并不是我不替你办，这一年薪水是要给我的。龙光没奈何，只得给了他。暗想：“若是承舅爷在这里，断不至于叫我面面吃亏，此刻不如打个电报，请他先回来罢。”定了主意，便打个电报给承辉，叫他不要等开河，走秦皇岛先回来。

这边的符弥轩，自从那外国人来过之后，便处处回避，不与龙光相见，却拿他的钱，格外撒泼的支用起来，又天天去和他的相好鬼混。他的相好妓女，名叫金秀英，年纪已在二十岁外了，身边挣了有万把银子金珠首饰，然而所背的债差不多也有万把。原来上海的妓女，外面看着虽似阔绰，其实他穿的戴的，十个有九个是租来的，而且没有一个不背债。这些债，都是向那些龟奴、鳖爪，大姐、娘姨等处借来的，每月总是二三分利息。龟奴等辈借了债给他，就跟着伺候他，其名叫做“带挡”。这种风气，就同官场一般，越是背得债多的，越是红人，那些带挡的，就如官场的带肚子师爷一般。这金秀英也是上海一个红妓女，所以他手边虽置了万把银子首饰，不至于去租来用，然而所欠的债也足抵此数。符弥轩是一个小白脸。从来姐儿爱俏，弥轩也垂涎他的首饰，便一个要娶，一个要嫁起来。这句话也并非一日了，但是果然要娶他，先要代他还了那笔债，弥轩又不肯出这一笔钱，只有天天下功夫去媚秀英，甜言蜜语去骗他，骗得秀英千依百顺。两个人样样商量妥当，只待时机一到，即刻举行的了。

可巧他们商量妥当，承辉也从京里回来。龙光便和他说知弥轩办书局的事情，不服查帐，不怕外国人，一一都告诉了。承辉又一一盘问了一遍道：“你此刻是打算追回所用的呢？还是不要他办算了呢？”龙光道：“算了罢！他已经用了的，怎么还追得回来！能够不要他办，我就如愿了。”承辉道：“这又何难，怎么这点主意都没有？你只要到各钱庄去知照一声，凡是

书局里的折子，一律停止付款，他还办甚么！”龙光恍然大悟，即刻依计而行。弥轩见忽然各庄都支钱不动，一打听，是承辉回来了，想道：“这家伙来了，事情就不好办了。”连忙将自己箱笼铺盖搬到客栈里去，住了两天。

这天打听得天津开了河，泰顺轮船今天晚上开头帮，广大轮船同时开广东。弥轩便写了两张泰顺官舱船票，叫底下人押了行李上泰顺船，却到金秀英家，说是附广大轮船到广东去，开销了一切酒局的帐。金秀英自然依依不舍，就是房里众人，因为他三天碰和，两天吃酒的，也都有些舍不得他走之意。这一天的晚饭，是在秀英家里吃的。吃过晚饭，又俄延到了十二点多钟，方才起身。秀英便要亲到船上送行，于是叫了一辆马车同去，房里一个老妈子也跟着同行。三个人一辆车，直到了金利源码头，走上了泰顺轮船，寻到官舱，底下人已开好行李在那里伺候。弥轩到房里坐下，秀英和他手搀手的平排坐着喁喁私语。那老妈子屡次催秀英回去，秀英道：“忙甚么！开船还早呢。”直到两点钟时，船上茶房到各舱里喊道：“送客的上岸啊！开船啊！”那老妈子还不省得，直等喊过两次之后，外边隐隐听得抽跳的声音，秀英方才正色说出两句话来，只把老妈吓得尿屁直流！正是：

报道一声去也，情郎思妇天津。

未知金秀英说出甚么话来，且待下回再记。

第一百七回
觑天良不关疏戚　蓦地里忽遇强梁

当时船将开行，船上茶房到各舱去分头招呼，喊道：“送客的上坡啊！开船咧！”如此已两三遍，船上汽筒又“呜呜”的响了两声。那老妈子再三催促登岸，金秀英直到此时方才正色道：“你赶紧走罢！此刻老实对你说，我是跟符老爷到广东的了。你回去对他们说，一切都等我回来，自有料理。”老妈子大惊道：“这个如何使得！”秀英道：“事到其间，使得也要使得，使不得也要使得的了。你再不走，船开了，你又没有铺盖，又没有盘缠，外国人拿你吊起来我可不管！无论你走不走，你快到外头去罢，这里官舱不是你坐的地方！”说时，外面人声嘈杂，已经抽跳了。那老妈子连爬带跌的跑了出去，急忙忙登岸，回到妓院里去，告诉了龟奴等众，未免惊得魂飞魄散。当时夜色已深，无可设法，惟有大众互相埋怨罢了。这一夜，害得他们又急又气又恨，一夜没睡。

到得天亮，便各人出去设法，也有求神的，也有问卜的。那最有主意的，是去找了个老成的嫖客，请他到妓院里来，问他有甚法子可想。那嫖客问了备细，大家都说是坐了广大轮船到广东去的。就是昨天跟去的老妈子，也说是到广大船去的。又是晚上，又是不识字的人，他如何闹得清楚。就是那嫖客，任是十分精明，也断断料不到再有他故，所以就代他们出了个法子，作为拐案，到巡捕房里去告，巡捕房问了备细，便发了一个电报到香港去，叫截拿他两个人。谁知那一对狗男女，却是到天津去的。只这个便是高谈理学的符弥轩所作所为的事了。

唉！他人的事，且不必说他，且记我自己的事罢。我记以后这段事时，心中十分难过。因为这一件事，是我平生第一件失意的事，所以提起笔来，心中先就难过。你道是甚么事？原来是接了文述农的一封信，是从山东沂州府蒙阴县发来的，看一看日子，却是一个多月以前发的了。文述农何以又在蒙阴起来呢？原来蔡侣笙自弄了个知县到山东之后，宪眷极隆，历署了几任繁缺，述农一向跟着他做帐房的。侣笙这个人，他穷到摆测字摊时，还是一介不取的，他做起官来，也就可想了，所以虽然署过几个缺，仍是两袖清风。前两年补了蒙阴县，所以述农的信，是从蒙阴发来的。当下我看见故人书至，自然欢喜，连忙拆开一看，原来不是说的好事，说是："久知令叔听鼓山左，弟自抵鲁之后，亟谋一面，终不可得。后闻已补沂水县汶河司巡检，至今已近十年，以路远未及趋谒。前年蔡侣翁补蒙阴，弟仍为司帐席。沂水于此为邻县，汶水距此不过百里，到任后曾专车往谒，得见颜色，髯髯苍然矣！谈及阁下，令叔亦以未得一见为憾。今年七月间，该处疠疫盛行，令叔令婶，相继去世。遗孤二人，才七八岁。闻身后异常清苦。此间为乡僻之地，往来殊多不便，弟至昨日始得信。阁下应如何处置之处，敬希裁夺。专此通知"云云。

我得了这信，十分疑惑。十多年前，就听说我叔父有两个儿子了，何以到此时仍是两个，又只得七八岁呢？我和叔父虽然生平未尝见过一面，但是两个兄弟，同是祖父一脉，我断不能不招呼的，只得到山东走一趟，带他回来。又想这件事我应该要请命伯父的。想罢，便起了个电稿，发到宜昌去。等了三天，没有回电。我没有法子，又发一个电报去，并且代付了二十个字的回电费。电报去后，恰好继之从杭州回来，我便告知底细。继之道："论理，这件事你也不必等令伯的回电，你就自己去办就是了。不过令叔是在七月里过的，此刻已是十月了，你再赶早些去也来不及，就是再耽搁点，也不过如此的了。我在杭州，这几天只管心惊肉跳，当是有甚么事，原来你得了这个信。"我道："到沂水去这条路，还不知怎样走呢。还是从烟台走？还是怎样？"继之道："不，不。山东沂州是和这边徐州交界，大约走王家营去不远；要走烟台，那是要走到登州了。”管德泉道：“要是走王家营，我清江浦有个相熟朋友，可以托他招呼。”我道：“好极了！等我动身时，请你写一封信。”

闲话少提。转眼之间，又是三日，宜昌仍无回电，我不觉心焦之极，打算再发电报。继之道：“不必了。或者令伯不在宜昌，到那里去了，你索性再等几天罢。”我只得再等。又过了十多天，才接着我伯父的一封厚信。连忙拆开一看，只见鸡蛋大的字，写了四张三十二行的长信纸，说的是：“自从汝祖父过后，我兄弟三人，久已分炊，东西南北，各自投奔，祸福自当，隆替无涉。汝叔父逝世，我不暇过问，汝欲如何便如何。据我之见，以不必多事为妙”云云。我见了这封信，方悔白等了半个多月。即刻料理动身，问管德泉要了信，当夜上了轮船到镇江。在镇江耽搁一夜，次日一早上了小火轮，到清江浦去。

到了清江，便叫人挑行李到仁大船行，找着一个人，姓刘，号叫次臣，是这仁大行的东家，管德泉的朋友。我拿出德泉的信给他，他看了，一面招呼请坐、喝茶，一面拿一封电报给我道：“这封电报，想是给阁下的。”我接来一看，不觉吃了一惊，我才到这里，何以倒先有电报来呢？封面是镇江发的。连忙抽出来一看，只见“仁大刘次臣转某人”几个字，已经译了出来，还有几个未译的字。连忙借了《电报新编》，译出来一看，是“接沪电，继之丁忧返里”几个字，我又不觉添一层烦闷。怎么接二连三都是些不如意的事？电报上虽不曾说甚么，但是内中不过是叫我早日返沪的意思。我已经到了这里，断无折回之理，只有早日前去，早日回来罢了。当下由刘次臣招呼一切，又告诉我到王家营如何雇车上路之法，我一一领略。

次日，便渡过黄河，到了王家营，雇车长行。走了四天半，才到了汶河，原来地名叫做汶河桥。这回路过宿迁，说是楚项王及伍子胥的故里；过郯城，说有一座孔子问官祠；又过沂水，说是二疏故里、诸葛孔明故里，都有石碑可证。许多古迹，我也无心去访了。到了汶河桥之后，找一家店住下，要打听前任巡检太爷家眷的下落，那真是大海捞针一般，问了半天，没有人知道的。后来我想起一法，叫了店家来，问：“你们可有认得巡检衙门里人的没有？”店家回说“没有”。我道：“不管你们认得不认得，你可替我找一个来，不问他是衙门里的甚么人，只要找出一个来，我有得赏你们。”店家听说有得赏，便答应着去了。

过了半天，带了一个弓兵来，年纪已有五十多岁。我便先告诉了我的来历，并来此的意思。弓兵便叫一声“少爷”，请了个安，一旁站着。我便问他：“前任太爷的家眷，住在那里，你可知道？”弓兵回说：“在这里往西去七十里赤屯庄上。”我道：“怎么住到那里呢？两个少爷有几岁了？”

弓兵道：“大少爷八岁，小少爷只有六岁。”我道：“你只说为甚住到赤屯庄去？”弓兵道：“前任老爷听说断过好几回弦，娶过好几位太太了，都是不得到老。少爷也生过好几位了，听说最大的大少爷，如果在着，差不多要三十岁了，可惜都养不住。那年到这边的任，可巧又是太太过了。就叫人做媒，把赤屯马家的闺女儿娶来，养下两个少爷。今年三月里，太太害春瘟过了。老爷打那么也得了病，一直没好过，到七月里头就过了。”我道：“躺下来之后，谁在这里办后事呢？”弓兵道：“亏得舅老爷刚刚在这里。”我道：“那个舅老爷？”弓兵道：“就是现在少爷的娘舅，马太太的哥哥，叫做马茂林。”我道：“后事是怎样办的？”弓兵道：“不过买了棺木来，把老爷平日穿的一套大衣服装裹了去，就把两个少爷，带到赤屯去了。”我道：“棺木此刻在那里呢？”弓兵道：“在就近的一块义地上邱着。”我道：“远吗？”弓兵道：“不远，不过二三里地。”我道：“你有公事吗？可能带我去看看？”弓兵道：“没事。”我就叫他带路先走。

我沿途买了些纸钱香烛之类，一路同去，果然不远就到了。弓兵指给我道：“这是老爷的，这是太太的。”我叫他代我点了香烛，叩了三个头，化过纸钱。生平虽然没有见过一面，然而想到骨肉至亲，不过各为谋食起见，便闹到彼此天涯沦落，各不相顾，今日到此，已隔着一块木头，不觉流下泪来。细细察看，那棺木却是不及一寸厚的薄板。我不禁道：“照这样，怎么盘运呢？”弓兵道：“如果要盘运，是要加外椁的了。要用起外椁来，还得要上沂州府去买呢。”

徘徊了一会，回到店里。弓兵道：“少爷可要到赤屯去？”我道：“去是要去的，不知一天可以赶个来回不？”弓兵道：“七十多里地呢！要是夏天还可以，此刻冬月里，怕赶不上来回。少爷明日动身，后天回来罢。弓兵也去请个假，陪少爷走一趟。”我道：“你是有公事的人，怎好劳动你？”弓兵道：“那里的话！弓兵伺候了老爷十年多，老爷平日待我们十分恩厚，不过缺苦官穷，有心要调剂我们，也力不从心罢了。我们难道就不念一点恩义的么？少爷到那边，他们一个个都认不得少爷，知道他们肯放两个小的跟少爷走不呢？多弓兵一个去了，也帮着说说。”我道：“如此，我感激你得很！等去了回来，我一起谢你。”弓兵道：“少爷说了这句话，已经要折死我了！”说着，便辞了去。一宿无话。

次日一早，那弓兵便来了。我带的行李，只有一个衣箱，一个马包。因为此去只有两天，便不带衣箱，寄在店里，只把在清江浦换来的百把两碎纹银，在箱子里取出来，放在马包里，重新把衣箱锁好，交代店家，便上车去了。此去只有两天的事，我何必拿百把两银子放在身边呢？因为取出银包时，许多人在旁边，我怕露了人眼不便，因此就整包的带着走了。我上了车，弓兵跨了车檐，行了半天，在路上打了个尖，下午两点钟光景就到了。是一所七零八落的村庄。

那弓兵从前是来过的，认得门口，离着还有一箭多地，他便跳了下来，一叠连声的叫了进去，说甚么“大少爷来了啊！你们快出来认亲啊”！只他这一喊，便惊动了多少人出来观看。我下了车，都被乡里的人围住了，不能走动。那弓兵在人丛中伸手来拉了我的手，才得走到门口。弓兵随即在车上取了马包，一同进去。弓兵指着一个人对我道：“这是舅老爷。”我看那人时，穿了一件破旧茧绸面的老羊皮袍，腰上束了一根腰里硬，脚上穿了一双露出七八处棉花的棉鞋；虽在冬月里，却还光着脑袋，没带帽子。我要对他行礼时，他却只管说：“请坐啊，请坐啊！地方小，委屈得很啊！”看那样子是不懂行礼的，我也只好糊里糊涂敷衍过了。忽然外面来了一个女人，穿一件旧到泛白的青莲色茧绸老羊皮袄，穿一条旧到泛黄的绿布紫腿棉裤，梳一个老式长头，手里拿了一根四尺来长的旱烟袋。弓兵指给我道：“这是舅太太。”我也就随便招呼一声。舅太太道：“这是侄少爷啊，往常我们听姑老爷说得多了，今日才见着。为甚不到屋里坐啊？”于是马茂林让到房里。

只见那房里占了大半间是个土炕，土炕上放了一张矮脚儿，几那边一团东西，在那里蠕蠕欲动。弓兵道：“请炕上坐罢，这边就是这样的了。那边坐的，是他们老老老。”我心中又是一疑：“北边人称呼外祖母多有叫老老的，何以忽然弄出个‘老老老’来？实在奇怪！”我这边才坐下，那边又说老老来了，就见一个老婆子，一只手拉了个小孩子同来。我此刻是神魂无主的，也不知是谁打谁，惟有点头招呼而已。弓兵见了小孩子，便拉到我身边道：“叫大哥啊！请安啊！”那孩子便对我请了个安，叫一声“大哥”。我一手拉着道：“这是大的吗？”弓兵道：“是。”我问道：“你叫甚么名字？”孩子道：“我叫祥哥儿。”我道：“你兄弟呢？”舅太太接口道：“今天大姨妈叫他去吃大米粥去的，已经叫人叫去了。小的叫魁哥儿，比大的长得还好呢。”说着话时，外面魁哥儿来了，两手捧着一个吃不完的棒子馒头，一进来便在他老老身边一靠，张开两个小圆眼睛看着我。弓兵道：“小少爷！来，来，来！这是你大哥，怎么不请安啊？”说着，伸手去搀他，他只管躲着不肯过来。老老道：“快给大哥请安去！不然，要打了！”魁哥儿才慢腾腾的走近两步，合着手，把腰弯了一弯，嘴里说得一个“安”字，这想是夙昔所教的了。我弯下腰去，拉了过来，一把抱在膝上，这只手又把祥哥儿拉着，问道：“你两个的爸爸呢？好苦的孩子啊！”说着，不觉流下泪来。这眼泪煞是作怪，这一流开了头，便止不住了。两个孩子见我哭了，也就哗然大啼。登时惹得满屋子的人一齐大哭，连那弓兵都在那里擦眼泪。哭够多时，还是那弓兵把家人劝住了，又提头代我说起要带两个孩子回去的话。马茂林没甚说得，只有那老老和舅太太不肯，后来说得舅太太也肯了，老老依然不肯。

追冬日子短得很，天气已经快断黑了。舅太太又去张罗晚饭，炒了几个鸡蛋，烙了几张饼，大家围着糊里糊涂吃了，就算一顿。这是北路风气如此，不必提他。这一夜，我带着两个兄弟，问长问短，无非是哭一场，笑一场。

到了次日一早，我便要带了孩子动身，那老老又一定不肯。说长说短，说到中午时候，他们又拿出面饭来吃，好容易说得老老肯了。此时已是挤满一屋子人，都是邻居来看热闹的。我见马家实在穷得可怜，因在马包里，取出那包碎纹银来，也不知那一块是轻的是重的，生平未曾用过戥子，只拣了一块最大的递给茂林道："请你代我买点东西，请老老他们吃罢。"茂林收了道谢。我把银子包好，依然塞在马包里。舅太太又递给我一个小包裹，说是小孩子衣服，我接了过来，也塞在马包里，车夫提着出去。我抱了魁哥儿，弓兵抱了祥哥儿，辞别众人，一同上车。两个小孩子哭个不了，他的老老在那里倚门痛哭，我也禁不住落泪。那舅太太更是"儿啊肉啊"的哭喊，便连赶车的眼圈儿也红了。那哭声震天的光景，犹如送丧一般。外面看的人挤满了，把一条大路紧紧的塞住，车子不能前进。赶车的拉着牲口慢慢的走，一面嘴里喊着"让，让，让，让啊，让啊！"才慢慢的走得动。路旁看的人，也居然有落泪的。走过半里多路，方才渐渐人少了。

我在车上盘问祥哥儿，才知道那老老老是他老老的娘，今年一百零四岁，只会吃，不会动的了。在车上谈谈说说，不觉日已沉西。今天这两匹牲口煞是作怪，只管走不动，看看天色黑下来了，问问程途，说还有二十多里呢。忽然前面树林子里，一声啸响，赶车的失声道："罢了！"弓兵连忙抱过魁哥儿，跳下车去道："少爷下来罢，好汉来了。"我虽未曾走过北路，然而"响马"两个字是知道的，但不知对付他的法子。看见弓兵下了车，我也只得抱了祥哥儿下来。赶车的仍旧赶着牲口向前走。走不到一箭之地，那边便来了五六个彪形汉子，手执着明晃晃的对子大刀；奔到车前，把刀向车子里一搅，伸手把马包一提，提了出来便要走。此时那弓兵和赶车的都站在路旁，行所无事，任其所为。我见他要走了，因向前说道："好汉，且慢着。东西你只管拿去。内中有一个小包裹，是这两个小孩子的衣服，你拿去也没用，请你把他留了，免得两个孩子受冷，便是好汉们的阴德了。"那强盗果然就地打开了马包，把那小包裹提了出来，又打开看了一看，才提起马包，大踏步向树林子里去了。

我们仍旧上车前行。那弓兵和那赶车的说起："这一伙人是从赤屯跟了来的，大约是瞥见那包银子之故。"赶车的道："我和你懂得规矩的。我很怕这位老客，他是南边来的，不懂事，闹出乱子来。”我道：“闹甚么乱子呢？”弓兵道：“这一路的好汉，只要东西，不伤人。若是和他争论抢夺，他便是一刀一个！”我道：“那么我问他讨还小孩子衣服，他又不怎样呢？”赶车的道：“是啊，从来没听见过遇了好汉，可以讨得情的。”一路说着，加上几鞭，直到定更时分，方才赶回汶水桥。正是：

只为穷途怜幼稚，致教强盗发慈悲。

未知到了汶水桥之后，又有何事，且待下回再记。

第一百八回
负屈含冤贤令尹结果　风流云散怪现状收场

我们赶回汶水桥，仍旧落了那个店。我仔细一想，银子是分文没有了，便是铺盖也没了。取过那衣箱来翻一翻，无非几件衣服。计算回南去还有几天，这大冷的天气，怎样得过？翻到箱底，却翻着了四块新板洋钱，不知是几时，我爱他好玩，把他收起来的。此时交代店家弄饭。那弓兵还在一旁。一会儿，店家送上些甚么片儿汤、烙饼等东西，我就让那弓兵在一起吃过了。我拿着洋钱问他，这里用这个不用。弓兵道：“大行店还可以将就，只怕吃亏不少。”我道：“这一趟，我带的银子一起都没了，辛苦你一趟，没得好谢你，送你一个玩玩罢。”弓兵不肯要。我再四强他，说这里又不用这个的，你拿去也不能使用，不过给你玩玩罢了，他才收下。

我又问他这里到蒙阴有多少路。弓兵道：“只有一天路，不过是要赶早。少爷可是要到那边去？”我道：“你看我钱也没了，铺盖也没了，叫我怎样回南边去？蒙阴县蔡大老爷是我的朋友，我赶去要和他借几两银子才得了啊。”弓兵道：“蔡大老爷么？那是一位真正青天佛菩萨的老爷！少爷你和他是朋友吗？那找他一定好的。”我道：“他是邻县的县大老爷，你们怎么知道他好呢？”弓兵道：“今年上半年，这里沂州一带起蝗虫，把大麦小麦吃个干净，各县的县官非但不理，还要征收上忙钱粮呢。只有蔡大老爷垫出款子，到镇江去贩了米粮到蒙阴散赈。非但蒙阴百姓忘了是个荒年，就是我们邻县的百姓赶去领赈的，也几十万人，蔡大老爷也一律的散放，直到六月里方才散完。这一下子，只怕救活了几百万人。这不是青天佛菩萨么！少爷你明天就赶着去罢。”说着，他辞去了。我便在箱子里翻出两件衣服，代做被窝，打发两个兄弟睡了，我只和衣躺了一会。

次日一早，便动身到蒙阴去。这里的客店钱，就拿两块洋钱出来，由得他七折八扣的勉强用了。催动牲口，向蒙阴进发。偏偏这天又下起大雪来，直赶到断黑，才到蒙阴，已经来不及进城了，就在城外草草住了一夜。

次日赶早，仍旧坐车进城。进城走了一段路，忽然遇了一大堆人，把车子挤住，不得过去。原来这里正是县前大街的一个十字街口，此时头上还是纷纷大雪，那些人并不避雪，都挤在那里。我便下车，分开众人，过去一看，只见沿街铺户，都排了香案，供了香花灯烛，一盂清水，一面铜镜。几十个年老的人，穿了破缺不全的衣帽，手执一炷香，都站在那里，涕泪交流。我心中十分疑惑，今天来了，又遇了甚么把戏。

正在怀疑之间，忽然见那一班老者都纷纷在雪地上跪下，嘴里纷纷的嚷着，不知他嚷些甚么，人多声杂，听不出来，只仿佛听得一句“青天大老爷”罢了。回头看时，只见一个人，穿了玄青大褂，头上戴了没顶的大帽子，一面走过来，一面跺脚道：“起来啊！这是朝廷钦命的，你们怎么拦得住？”我定睛细看时，这个人正是蔡侣笙！面目苍老了许多，嘴上留了胡子，颜色亦十分憔悴。我不禁走近一步道：“侣翁，这是甚么事？”侣笙向我仔细一看，拱手道：“久违了。大驾几时到的？我此刻一言难尽！述农还在衙门里，请和述农谈罢。”说着，就有两个白胡子的老人，过来跪下说：“青天大老爷啊！你这是去不得的那！”侣笙跺脚道：“你们都起来说话。我是个好官啊，皇上的天恩，我是保管没事的；我要不是个好官呢，皇上有了天恩，天地也不容我。你们替我急的是那一门啊！”一面说，一面搀起两个老人，又向我拱手道：“再会罢，恕我打发这班百姓都打发不了呢。”说着，往前行去。有两个老百姓，撑着雨伞，跟在后头，代他挡雪；又有一顶小轿，跟在后头，缓缓的往前去了。后头围随的人，也不知多少，一般的都是手执了香，涕泪交流的，一会儿都渐渐跟随过去了。我暗想：“侣笙这个人真了不得！闹到百姓如此爱戴，真是不愧为民父母了。”

一面过来招呼了车子，放到县署前，我投了片子进去，专拜前任帐房文师爷。述农亲自迎出外面来，我便带了两弟进去，教他叩见。不及多说闲话，只述明了来意。述农道：“几两银子，事情还容易。不过你今天总不能动身的了，且在这里住一宿，明日早起动身罢。”我又谈起遇见侣笙如此如此。述农道：“所以天下事是说不定的。我本打算十天半月之后，这里的交代办清楚了，还要到上海，和你或继之商量借钱，谁料你倒先遇了强盗！”我道：“大约是为侣笙的事？”述农道：“可不是！四月里各属闹了蝗虫，十分利害，侣笙便动了常平仓的款子，先行振济，后来又在别的公款项下，挪用了点。统共不过化到五万银子，这一带地方，便处治得安然无事。谁知各邻县同是被灾的，却又匿灾不报，闹得上头疑心起来，说是蝗虫是往来无定的，何以独在蒙阴？就派了查灾委员下来查勘。也不知他们是怎样查的，都报了无灾。上面便说这边捏报灾情，擅动公款，勒令缴还。侣笙闹了个典尽卖绝，连他夫人的首饰都变了，连我历年积蓄的都借了去，我几件衣服也当了，七拼八凑，还欠着八千多银子。上面便参了出来，奉旨革职严追。上头一面委人来署理，一面委员来守提。你想这件事冤枉不冤枉！”我道：“好在只差八千两，总好商量的。倒是我此刻几两银子，求你设个法！”述农道：“你急甚么！我顶多不过十天八天，算清了交代，也到上海去代侣笙张罗，你何妨在这里等几天呢？”我道：“我这车子是从王家营雇的长车，回去早一天，少算一天价，何苦在这里耽搁呢。况且继之丁忧回去了。”述农惊道：“几时的事？”我道：“我动身到了清江浦，才接到电报的。电报简略，虽没有说甚么，然而总是嘱我早回的意思。”述农道：“虽然如此，今天是万来不及的了。”我道：“一天半天，是没有法子的。”述农事忙，我便引过两个孩子，逗着玩笑，让述农办事。

捱过了一天，述农借给我两分铺盖，二十两银子，我便坐了原车，仍旧先回汶水桥。此时缺少盘费，灵柩是万来不及盘运的了，备了香楮，带了两个兄弟，去叩别了，然后长行。到了王家营，开发了车价，渡过黄河，到了清江浦，入到仁大船行。刘次臣招呼到里面坐下，请出一个人来和我相见。我抬头一看，不觉吃了一大惊，原来不是别人，是金子安。我道：“子翁为甚到这里来？”子安道：“一言难尽！我们到屋里说话罢。”我就跟了他到房里去。

子安道：“我们的生意已经倒了！”我吃惊道：“怎样倒的？”子安道：“继之接了丁忧电报，我们一面发电给你，一面写信给各分号。东家丁了忧，通个信给伙计，这也是常事。信里面不免提及你到山东，大约是这句话提坏了，他们知道两个做主的都走开了，汉口的吴作猷头一个倒下来，他自己还卷逃了五万多。恰好有万把银子药材装到下江来的，行家知道了，便发电到沿江各埠，要扣这一笔货，这一下子，可全局都被牵动了。那天晚上，一口气接了十八个电报，把德泉这老头子当场急病了。我没了法子，只得发电到北京、天津，叫停止交易。苏、杭是已经跟着倒下来的了。当夜便把号里的小伙计叫来，有存项的都还了他，工钱都算清楚了，还另外给了他们一个月工钱，他们悄悄的搬了铺盖去，次日就不开门了。管德泉吓得家里也不敢回去，住在王端甫那里。我也暂时搬在文述农家里。”我道：“述农不在家啊。”子安道：“杏农在家里。”我道：“此刻大局怎样了？”子安道：“还不知道。大约连各处算起来，不下百来万。此刻大家都把你告出去了，却没有继之名字。”我道：“本来当日各处都是用我的名字，这不能怪人家。但是这件事怎了呢？”子安道：“我已有电给继之，大约能设法弄个三十来万，讲个折头，也就了结了。我恐怕你贸贸然到了上海，被他们扣住，那就糟糕了！好歹我们留个身子在外头好办事，所以我到这里来迎住你。”我听得倒了生意，倒还不怎样，但是难以善后，因此坐着呆想主意。

子安道：“这是公事谈完了，还有你的私事呢。”说罢，在身边取出一封电报给我，我一看，封面是写着宜昌发的。我暗想何以先有信给我，再发电呢？及至抽出来一看，却是已经译好的：“子仁故，速来”五个字。不觉又大吃一惊道：“这是几时到的？”子安道：“同是倒闭那天到的，连今日有七天了。”我道：“这样我还到宜昌去一趟，家伯又没有儿子，他的后事，不知怎样呢。子翁你可有钱带来？”子安道：“你要用多少？”我便把遇的强盗一节，告诉了他，又道：“只要有了几十元，够宜昌的来回盘费就得了。”子安道：“我还有五十元，你先拿去用罢。”我道：“那么两个小孩子，托你代我先带到上海去。”子安道：“这是可以的。但是你到了上海，千万不要多露脸，一直到述农家里才好。”我答应了。当下又商量了些善后之法。

次日一早，坐了小火轮到镇江去。恰好上下水船都未到，大家便都上了趸船，子安等下水到上海，我等上水到汉口去。到了汉口，只得找个客栈住下。等了三天，才有宜昌船。船到宜昌之后，我便叫人挑了行李进城，到伯父公馆里去。入得门来，我便径奔后堂，在灵前跪拜举哀。续弦的伯母从房里出来，也哭了一阵。我止哀后，叩见伯母，无非是问问几时得信的，几时动身的，我问问伯父是甚么病，怎样过的。讲过几句之后，我便退到外面。

到花厅里，只是坐着两个人。一个老者，须发苍然。一个是生就的一张小白脸，年纪不过四十上下，嘴上留下漆黑的两撇胡子，眉下生就一双小圆眼睛，极似猫儿头鹰的眼，猝然问我道：“你带了多少钱来了？”我愕然道：“没有带钱来。”他道：“那么你来做甚么？”我拂然道：“这句话奇了！是这里打了电报叫我来的啊。”他道：“奇了！谁打的电报？”说着，往里去了。我才请教那老者贵姓。原来他姓李，号良新，是这里一个电报生的老太爷，因为伯父过了，请他来陪伴的。他又告诉我，方才那个人，姓丁，叫寄篯，南京人，是这位陈氏伯母的内亲，排行第十五，人家都尊他做十五叔。自从我伯父死后，他便在这里帮忙，天天到一两次。

我两个才谈了几句，那个甚么丁寄篯又出来了，伯母也跟在后头，大家坐定。寄篯说道：“我们一向当令伯是有钱多的，谁知他躺了下来，只剩得三十吊大钱，算一算他的亏空，倒是一千多吊。这件事怎样办法，还得请教。”我冷笑一声，对良新道：“我就是这几天里，才倒了一百多万，从江汉关道起，以至九江道、芜湖道、常镇道、上海道，以及苏州、杭州，都有我的告案。这千把吊钱，我是看得稀松，既然伯父死了，我来承当，叫他们就把我告上一状就是了。如果伯母怕我倒了百多万的人拖累着，我马上滚蛋也使得！”我说这话时，眼睛却是看着丁寄簔。伯母道：“这不是使气的事，不过和少爷商量办法罢了。”我道：“侄儿并不是使气，所说的都是真事。不然啊，我自己的都打发不开，不过接了这里电报，当日先伯母过的时候，我又兼祧过的，所以不得不来一趟。”

伯母道：“你伯父临终的交代，说是要在你叔叔的两个儿子里头，择继一个呢。”丁寄簔道：“照例有一房有两个儿子的，就没有要单丁那房兼祧规矩。”我道：“老实说一句，我老人家躺下来的时候，剩下万把银子，我钱毛儿也没捞着一根，也过到今天了。兼祧不兼祧，我并不争。不过要择继叔父的儿子，那可不能！”丁寄簔变色道：“这是他老人家的遗言，怎好不依？”我道：“伯父遗言我没听见，可是伯父先有一个遗嘱给我的。”说罢时，便打开行李，在护书里取出伯父给我的那封信，递给李良新道：“老伯，你请先看。”良新拿在手里看，丁寄簔也过去看，又念给伯母听。我等他们看完了，我一面收回那信，一面说道：“照这封信的说话，伯父是不会要那两个侄儿的。要是那两个孩子还在山东呢，我也不敢管那些闲事；此刻两个孩子，经我千辛万苦带回来了，倘使承继了伯父，叫我将来死了之后见了叔叔，叔叔问我，你既然得了伯父那封信，为甚还把我的儿子过继他，叫我拿甚么话回答叔叔！”

丁寄簔听了，看看伯母，伯母也看丁寄簔。寄簔道：“那两位令弟，是在那里找回来的？”我便将如何得信，如何两次发电给伯父，如何得伯父的信，如何动身，如何找着那弓兵，那弓兵如何念旧，如何带我到赤屯，如何相见，如何带来，如何遇强盗，如何到蒙阴借债，如何在清江浦得这里电报，一一说了。又对伯母说道：“侄儿斗胆说一句话：我从十几岁上，拿了一双白手空拳出来，和吴继之两个混，我们两个向没分家，挣到了一百多万，大约少说点，侄儿也分得着四五十万的了。此刻并且倒了，市面也算见过了。那个王八蛋崽子，才想着靠了兼祧的名目，图谋家当！既然十五叔这么疑心，我就搬到客栈里住去。”寄簔道：“啊，啊，啊！这是你们的家事，怎么派到我疑心起来？”伯母道：“这不是疑心，不过因为你伯父亏空太大了，大家商量个办法。”我道：“商量有商量的话。我见了伯父，还我伯父的规矩，这是我们的家法。他姓差了一点的，配吗！”寄簔站起来对伯母道：“我还有点事，先去去再来。”说罢，去了。我对伯母道：“这是个甚么混帐东西！我一来了，他劈头就问我道：‘你来做甚么？’我又不认得他，真是岂有此理！他要不来，来了，我还要好好的当面损他呢！”伯母道：“十五叔向来心直口快，每每就是这个上头讨嫌。”又说了几句话，便进去了。我便要叫人把行李搬到客栈里去，倒是良新苦苦把我留住。

坐了一会，忽听得外面有女子声音，良新向外一张，对我道："寄筐的老婆来了。"我也并不在意。到了晚上，我在花厅对过书房里开了铺盖，便写了几封信，分寄继之、子安、述农等，又起了一个讣帖稿子，方才睡下。无奈翻来覆去，总睡不着。到得半夜时，似乎房门外有人走动，我悄悄起来一张，只见几个人，在那里悄悄的抬了几个大皮箱往外去，约莫有七八个。我心中暗暗好笑，我又不是山东路上强盗，这是何苦。

到了明日，我便把讣帖稿子发出去叫刻。查了有几处是上司，应该用写本的，便写了。不多几日，写的写好了，刻的印好了，我就请良新把伯父的朋友，一一记了出来，开个横单，一一照写了签子。也不和伯母商量，填了开吊日子，发出去。所有送奠礼来的，就烦良新经手记帐。到了受吊之日，应该用甚么的，都拜托良新在人家送来的奠分钱上开支。我只穿了期亲的服制，在旁边回礼。那丁寄筐被我那天说了之后，一直没有来过，直到开吊那天才来，行过了礼就走了。

忙了一天，到了晚上，我便把铺盖拿到上房，对着伯母打起来；又把箱子拿进去开了，把东西一一检出来，请伯母看过道："侄儿这几件东西来，还是这几件东西去，并不曾多拿一丝一缕。侄儿就此去了。"伯母呆呆的看着，一言不发。我在灵前叩了三个头，起来便叫人挑了行李出城。

偏偏今天没有船，就在客栈住了两夜，方才附船到汉口。到了汉口，便过到下水船去。一直到了上海，叫人挑了行李进城。走到也是园滨文述农门首，抬头一看，只见断壁颓垣，荒凉满目，看那光景是被火烧的。那烧不尽的一根柱子上，贴了一张红纸，写着"文宅暂迁运粮河滨"八个字。

好得运粮河滨离此不远，便叫挑夫挑了过去，找着了地方挑了进去。只见述农敝衣破冠的迎了出来。彼此一见，也不解何故，便放声大哭起来。我才开发了挑夫，问起房子是怎样的。述农道："不必说起！我在蒙阴算清了交代，便赶回上海，才知道你们生意倒了，只得回家替侣笙设法。本打算把房子典去，再卖几亩田，虽然不够，姑且带到山东，在他同乡、同寅处再商量设法。看见你两位令弟，方代你庆慰。谁知过得两天，厨下不戒于火，延烧起来，烧个罄尽，连田上的方单都烧掉了。不补了出来，卖不出去；要补起来呢，此刻又设了个甚么'升科局'，补起来，那费用比买的价还大。幸而只烧我自己一家，并未延及邻居。此刻这里是暂借舍亲的房屋住着。"我道："令弟杏农呢？"述农道："他又到天津谋事去了。"我道："子安呢？"述农道："这里房子少，住不下，他到他亲戚家去了。"我道："我两个舍弟呢？"述农道："在里面。这两天和内人混得很熟了。"说着，便亲自进去，带了出来见我。彼此又太息一番。述农道："这边的讼事消息，一天紧似一天，日间有船，你不如早点回去商议个善后之法罢。"

我到了此时，除回去之外，也是束手无策，便依了述农的话。又念我自从出门应世以来，一切奇奇怪怪的事，都写了笔记，这部笔记足足盘弄了二十年了。今日回家乡去，不知何日再出来，不如把他留下给述农，觅一个喜事朋友，代我传扬出去，也不枉了这二十年的功夫。因取出那个日记来，自己题了个签是"二十年目睹之怪现状"，又注了个"九死一生笔记"，交给述农，告知此意。述农一口答应了。我便带了两个小兄弟，附轮船回家乡去了。

看官！须知第一回楔子上说的，那在城门口插标卖书的，就是文述农了。死里逃生得了这部笔记，交付了横滨新小说社。后来《新小说》停版，又转托了上海广智书局，陆续印了出来。到此便是全书告终了。正是：

悲欢离合廿年事，隆替兴亡一梦中。

图书在版编目（CIP）数据

二十年目睹之怪现状：全2册 / (清) 吴趼人著. --
哈尔滨：黑龙江美术出版社, 2012.10
（中国古典文学名著丛书）
ISBN 978-7-5318-3637-7

Ⅰ. ①二… Ⅱ. ①吴… Ⅲ. ①章回小说—中国—清代
Ⅳ. ①I242.4

中国版本图书馆CIP数据核字(2012)第191748号

二十年目睹之怪现状

作　　者　吴趼人
责任编辑　陈颖杰　郭建廷
出版发行　黑龙江美术出版社
地　　址　哈尔滨市道里区安定街225号
邮政编码　150016
发行电话　（0451）84270514
网　　址　www.hljmscbs.com
经　　销　全国新华书店
印　　刷　哈尔滨市石桥印务有限公司
开　　本　720×1020　1/16
印　　张　35
字　　数　633千字
版　　次　2012年11月第1版
印　　次　2012年11月第1次印刷
书　　号　ISBN 978-7-5318-3637-7
定　　价　155.00元（上　下）

官场现形记

下

中国古典文学名著丛书

李宝嘉 著

黑龙江出版集团
黑龙江美术出版社

第三十一回
改营规观察上条陈　说洋话哨官遭殴打

话说冒得官回家之后，嘱付太太把女儿扎扮停当，又收拾了一间房屋，将家中上下人等统通交代清楚。他自己一路出来，先送信给统领的小戈什，托他务必将此事拉拢成功，感德匪浅。自己却躲在一个朋友家去过夜。

却说统领向例：每天这顿晚饭是从不在家吃的，托名在外面应酬，其实是天天在秦淮河里鬼混。这天到了下午，仍旧坐轿出门，先在船上打牌，又到钓鱼巷里吃酒。约摸应酬到十一点多钟，毕竟心上有事，便先吩咐打轿回去。小戈什的心上明白，预先叮嘱轿夫，叫他把轿子一直抬到冒得官的公馆跟前，打门进去。羊统领假充酒醉，跟了进来。此时冒家上下都是串通好的，当把他一领领到小姐房中，众人一哄而出。统领等房中无人，才上前同小姐勾搭。听说这一夜总共问了冒小姐不少的话，冒小姐只是不答，赛同哑子一样。羊统领以为他是害羞，所以并不在意。

良宵易过，便是天明。羊统领正在好睡的时候，忽听得大门外有人敲门，打的震天价响。随后接着有人出来开门。这进来的人分明是个男人声气。羊统领虽然是个偷花的老手，到了此时，不禁心中害怕起来，生恐是小戈什误听人言，以致落了他们的圈套。连忙一骨碌从床上爬起，察看动静；听了听，只听得房间外面有人低低的说话。于是羊统领格外疑心，正想穿起长衣，轻轻拔去门闩，拿在手中，预备当作兵器，可以夺门而出。说时迟，那时快，羊统领在里面各事停当，走到门前，又侧着耳朵听了一听，谁知反无动静；于是心上更为惊疑不定。想要开门，一时又不敢去开，只得呆呆站立在门内，约摸站了有两刻钟之久。冒小姐业亦披衣下床。此时冒小姐棠睡初醒，花容愈媚。羊统领越看越爱，不禁看出了神，忘其所以，轻轻说得一句道："天还早得很，为甚么不再睡一会儿？"冒小姐亦不理他。却不料这一问早被门外一个人听见，用手指头轻轻把门叩了两下，亦说道："天还早得很，统领为甚么不再睡一会儿？"羊统领一听门外有男人说话，这一吓非同小可！但是说话的声音很熟，一时想不起是谁，怔在那里半天喘不出气来。还是冒小姐爽快，连忙迈步近门前，伸手将两扇门豁琅一声拉了开来，说了声"有话让你们当面讲"。羊统领起初还当是小姐过来拉他的，却不料有此一番举动。房门开处，朝外一望，只见一个男人直僵僵的朝着房门跪着不动；那人低着头，亦看不出面貌。羊统领满腹狐疑，更是摸不着头脑。正在两难的时候，幸亏门外跪的人先开口道："沐恩在这里伺候老帅。难得老帅赏脸，沐恩感恩匪浅！"说完这两句，抬起头来听统领吩咐话。羊统领仔细一看，认得他是冒得官，直弄得毫无主意。只听得冒得官又说道："丫头还不过来帮着我求求统领！"一言未了，他女儿亦跪下了。

羊统领至此方才恍然大悟。见他们跪着不起，知道没有歹意，急忙的一手去拉冒得官，一手去拉小姐，嘴里说道："你们这番好意我都晓得。此刻我要回去，彼此心照就是了。"冒得官起来之后，又请一个安，说道："全仗老帅栽培！"其时脸水早点心都已齐备。羊统领只揩了一把脸，立刻要走。冒得官父女两个拉着，抵死不放，定要统领吃过点心再去。羊统领无奈，只得每样夹了一点吃了方才走的。冒得官又赶出门外，站过出班，方才进来。

自此以后，羊统领便天天到他家走动。又过了两日，却把冒得官传了去问过仔细，见了制台，替他竭力的洗刷。制台一心修道还来不及，那里有工夫管这闲事，便也不去追问。统领回来，便借了一桩事，把朱得贵的差使撤掉还不算，又要斥革他的功名，办他的递解。朱得贵急了，到处托人替他求情。冒得官便挺身而出，说："我去替你求情。"见了统领鬼混了一阵，统领非但不革他的功名，并且还赏他一封信，叫他到四川良大人标下去当差。一个好人全做在冒得官身上。这朱得贵非但不恨他，而且还感激他：这便是狡猾人的作用。

话分两头。且说羊统领在江南久了，认识的人亦就渐渐的多了。而且他南京有卖买，上海有卖买，都是同人家合股开的。便有他现在南京一爿字号里做挡手的一个人，其人姓田，号子密，是徽州人。生的又矮又胖，但是头发不多，只拖了一根极细极短的辫子；因此众人就送他一个表号叫"田小辫子"。这田小辫子做了十几年的挡手，手里着实有钱。近来忽然官兴发作，羊统领便劝他道："如要做官，捐个同、通到江南来，有我的面子，无论那个道台跟前托托，差使是一定有的。"无奈田小辫子在南京住久了，磕来碰去的官，道台居多；他便有心爬高，官小了不要做，一定要捐道台。他自己拿钱捐官，朋友是不好止住他的，只好听其所为。等到上兑之后，便把店中之事料理清楚，又替东家找了一个人接手，他便起身进京引见。

他东家往来的人都是官场，他在官场登久了，而且一心一意又酷慕的是官，官场的规矩应该是在行的了；谁知大谬不然。不要说别的，单说他进京引见的时候，有人请他上馆子吃饭，他到的晚了，大伙儿已入了座，还有叫的条子亦在那里；他进门之后，见了人就作揖，见了相公亦是作揖。后来人家问他："怎么你见了相公要如此恭敬？"他说："我看见他们穿着靴子，我想起我在南京的时候，那些局子里当差的老爷们都是天天穿着靴子的；我见了他们，疑心他们是部里的司官老爷才从衙门里下来。他们做京官的是不好得罪的。横竖‘礼多人不怪’，多作两个揖算得甚么！”自己做错了事，人家说说他，他还不服。诸如此类的笑话，也不知闹出多少。

等他到省之后，齐巧这江南的藩司、粮道、盐道统通换了新人，他一个也不认得。这天大早，头一个上制台衙门，到了司、道官厅上。人家是晓得制台脾气的，总要打过九点钟才上衙门。他一进官厅，就在炕上头一位坐下。后来等等大家不来，他便不耐烦，独自一人坐在炕上打盹，穿着簇新的蟒袍补褂，身子一歪就睡着了。睡了一会，各位候补道也有有差使的，也有没有差使的，霎时间络络续续来了五六十位。号房看见别位大人来到，方才把他推醒。他一只手揉眼睛，却拿一只手满身的乱抓，说是炕上有臭虫，把他咬着了。说话间定睛一看，一见来了许多人，把他吓了一跳。幸亏全是候补道，其中也有认得的，也有不认得的。连忙下炕，一一招呼。招呼之后，正待归坐，却见一个人走了进来，也是红顶花翎，朝珠补褂。他却不认得这人是谁，见了面，一揖之后，忙问：“贵姓？”那人说：“姓齐。”接下来又问：“台甫？”旁边走上来一位候补道，是羊统领的熟人，曾经托过他招呼田小辫子的；这位候补道忙把田小辫子一拉，说了声“这是方伯”。田小辫子连忙应声道：“原来是方翁先生，失敬失敬！”藩台也不理他，径自坐下。

这个挡口，外面又进来一个人，大家都认得是两淮运使，新从扬州上省禀见的。众人见了，一齐都招呼过。独有田小辫子又顶住问“贵姓、台甫”，运司说了。接着又问“贵班”，运司亦看出他是外行，便回了声“兄弟是两淮运司”。谁知田小辫子不听则已，及至听了“运司”二字，那副又惊又喜的情形，真正描画不出。陡然把大拇指头一伸，说道：“啊哟！还了得！财神爷来了！”大众听了他的话都为诧异，就是那位运司亦愣住了。只听得田小辫子说道：“你们想想看：两淮运司的缺有名的是‘一个钟头进来一个元宝’。一个元宝五十两；一天一夜二十四个钟头，就是二十四个元宝，二十四个元宝就是一千二百两。十天一万二千两；一个月三十天，便是三万六千两；十个月三十六万，再加两个月七万二，一共是四十三万二。——啊唷唷！还了得！这么一个缺，只要给我做上一年就尽够了！”他正说得高兴，忽然旁边有他一个同寅插嘴道：“有如此的好缺，怎么给人家做人家还不肯要呢？”众人忙问：“给谁谁不要？”那人说道：“就是那个唐甚么先生，不是有旨意放他这个缺，他一定要辞不做吗？”又一个人说道：“唐某人呢，本来是个大名士。做名士的人不免就把银钱看轻些，任你是甚么好缺也都不在他心上。而且现在的这个运司缺亦比前差了许多。”田小辫子道：“任他缺分如何坏，做官的利息总比做生意的好。”众人见他说的穷形尽致，也不理他。

停了一刻，约摸已有十点打过，制台在老祖前应做的功课一一停当，方才出外见客。头一班司、道进见。田小辫子是初次禀到的人，于是随着一同进去，见了制台。一切礼节全是隔夜操练好的，居然还没有大错；不过一件毛病不好，是爱抢说话，无论制台问到他不问到他，他都要抢着说。幸亏这位制台是位好好先生，倒也并不动气。见过一面之后，第二天藩司上院就说他的坏话，说他是生意人出身，官场上的规矩都不懂得。制台道：“还好，尚不失他的本色。这种人倒是老实人，是不会说假话的。而且他在南京年代多了，有些外头的事情我们不晓得，倒好问问他。究竟他还没有沾染官场习气，谅来不敢蒙蔽我们。”藩台见制台如此，亦没有别的说话。等到公事回完，只好退了下来。

第三天又一同上院。凑巧同见的有营务处上的一位道台。制台朝着这位道台道：“现在营制太不讲究。就以羊某人所带的几营而论：有一营一半是德国操，一半是英国操；又一营全是德国操，忽然当中又搀了些长苗子。这长苗子是我们中国原有的，如今搀在这德国操内，中又不中，外又不外，倒成了一个中外合璧。我兄弟年纪大了，有些事情怕心烦，总要诸位费心帮帮忙。羊某人也是马马糊糊的，你们总得说说他才好。还有此一件习气最不好：我每逢出门，看见街上有些兵都把洋枪倒掮在肩膀上，那一头也有拴一把雨伞的，也有挂一双钉鞋的，真正难看！”制台说到这里，那个营务处道台还没有答腔，田小辫子抢着说道：“不瞒大帅说：职道在敝居停羊某人营里看得多了，德国操的洋枪都是倒掮的。大帅倒不必怪他。”制台听了，也不去理他，只同那个营务处上的道台说话。一会又说道：“新近有个大挑知县上了一个条陈，其中有些话都是窒碍难行，毕竟书生之见，全是纸上谈兵。这些营务事情，如非亲身阅历，决不能言之中肯。”田小辫子又插嘴道：“职道跟敝居停羊某人相处久了，有年职道同敝居停谈起这件事，职道拟过几条条陈，很蒙敝居停说好。明天倒要抄出来送给大帅瞧瞧。”制台道：“你有甚么见解，尽管写出来。”田小辫子又答应了“是”。等到院上下来，便把从前在店里专管写信的一位朋友请了来，同他商议。他自己拿嘴说，那个朋友拿笔写。写了又写，改了又改，足足弄了十六个钟头，好容易写了一个手折；其中又打了几个补钉。

到了次日上院，齐巧这日制台感冒，止辕不见客。田小辫子扑了一个空，心中甚是怏怏，便同巡捕官说道：“我是来递条陈的，与别位司、道不同。老帅既不出来见客，可以带我到签押房里独见的。”巡捕官道：“老帅今天连老祖跟前的功课都没有做，此刻刚正吃过药，蒙着两条棉被在那里出汗。早有过吩咐，统通不见，请大人明天再过来罢。”田小辫子无奈，只得闷闷而回。谁知制台一连病了五天，就一连止了三天辕门。田小辫子要见不能见，真把他急得要死。

到了第六天，制台的病稍为好些。因为江南地方大，事情多，不好不出来理事，于是由两三个跟班的架着，勉强出来会客。田小辫子跟了一班司、道进见。自然是藩台同着盐、粮二道说话，问：“老帅今天可大安了？”制台道：“病是好了，不过觉着没有气力。到了我这样的年纪，算算不大，怎么一病之后，竟其如此无用？”别人尚未开口，田小辫子先抢着说道：“老帅白天忙，晚上忙，早晨有早晨的公事，夜里有夜里的公事；人有多少精神，禁得起如此的磨呢！老帅总要保养保养才好！”他说的原是真话。不料这位制台上房里一共有十一个姨太太，听了他话，一时误会了意，沉吟了半天，忽然说道：“老兄的话很不错。但是兄弟姬妾虽多，这两年因为常常在老祖跟前当差，一直是斋戒的，怎么还会生病？”田小辫子连忙接口道：“职道说的公事是老帅天天办的公事，并不是……”说到这里，也咽住了。制台见他说话莽撞，心上好不自在，半天不响。正想端茶送客，忽然田小辫子站起来，从袖筒管里掏出一个手折，双手奉上制台，说道：“这是上回老帅吩咐拟的条陈，职道已经写好了五六天了，带来请老帅过目。”

制台说了半天的话，早已力倦神疲，恨不得他们即刻出去，好到上房歇息。偏偏田小辫子要他看条陈。他要待不看，无奈他是好好先生做惯的，一时又放不下脸。只好打起精神，把手折接了过来，挣扎着大略看了一遍；两手拿着手折，禁不住瑟瑟的乱抖。藩台怕他劳神，便说：“大帅新病之后，不可劳神，条陈上的事情过天再斟酌罢。”谁知田小辫子拉了藩台袖子一把，道：“兄弟这个条陈，是大帅五六天前头吩咐的。”一面说，一面又跑到制台面前，拿手指着条陈，说道：“大帅，条陈不多，只有四条。大帅请看这第一条。”此时制台正被他弄得头昏眼花，又见他自己离位指点，毫无官体；本来就要端茶送客的，如今见他这个样子，倒要看看他的条陈如何再讲。但是头里发晕，虽然带了眼镜，也是看不清楚，便道：“你说给我听罢。”

田小辫子一听大喜，忙把手折接了过来，双手高捧，站在地当中，高声朗诵。未曾念满三行，已经念了好些破句：原来替他做手折的人，其中略为掉了几句文，所以田小辫子念不断句。制台听了不懂，便问大众：“诸公懂他的话不懂？”各位司、道都不言语。制台道：“你老实讲给我听罢，不要念了。”田小辫子便解说道：“职道的第一条条陈是出兵打仗，所有的队伍都不准他们吃饱。”制台道：“还是要克扣军饷不是？俗语说的好，‘皇帝不差饿兵’，怎么叫他们饿着肚皮打仗呢？”田小辫子道：“大帅不知道，这里头有个比方：职道家里养了个猫，每天只给他一顿饭吃，到了晚上就不给他吃了，等他饿着肚皮。他要找食吃，就得捉耗子。倘或那天晚上给他东西吃了，他吃饱了肚皮就去睡觉，便不肯出力了。现在拿猫比我们的兵，拿耗子比外国人。要我们的兵去打外国，断断乎不可给他吃得个全饱，只好叫他吃个半饱。等到走了一截的路，他们饿了，自然要拚命赶到外国人营盘里抢东西吃。抢东西事小，那外国人的队伍，可被我们就吵乱了。”制台道：“不错，不错。外国人想是死的，随你到他营盘里抢东西吃。他们的炮火那里去了？我看倒是一个兵不养，等到有起事来，备角文书给阎王爷，请他把‘枉死城’里的饿鬼放出来打仗，岂不更为省事？”说完，哈哈一笑。田小辫子虽然听不出制台是奚落他的话，但见制台的笑，料想其中必有缘故；于是脸上一红，说道：“这个道理，是职道想了好几天悟出来的。”

制台听他说的话开味，便也不觉劳乏，反催他说道：“第一条我已懂得了。你说第二条。”田小辫子见制台要听他条陈，更把他喜的了不得，连忙说道：“前头第一条讲的是陆师。这第二条讲的是炮台。现在我们江南顶吃重的是江防，要紧口子上都有炮台。这炮台上的大炮是专门打江里的船的。职道有一个好法子：是教这炮台的兵天天拿了大千里镜把这江里的路看清。譬如外国人的船是朝着西面来的，我们就架上大炮朝着东面打去；倘若是朝着东面来的，我们就朝着西面打去。这叫做‘迎头痛剿’，万无一失。至于或南或北，都是如此。”制台道：“炮台上的炮不打江里的敌船打那一个？难道拔转来打自己的人不成？至于炮台上的人，原该应懂得点测量的；等到看见了敌船，东西南北，对准水线，亦要算准时刻，约摸船还未到的前头一秒钟或两秒钟、三秒钟，就得把炮放出。等到炮子到那里，却好船亦走到那里，刚刚碰上，自然是百发百中，万无一失。天下那里有但辨方向，不论远近，向海阔天空的地方乱开炮的道理？况且放一个炮要多少钱，你也仔细算算没有？”田小辫子见制台正言厉色的驳他，又当着各位司、道面上，一时脸上落不下，只好强辩道：“职道所说的‘迎头痛剿’，原说的是对准了船头才好开炮。”制台道：“等到船头对准炮门已来不及了；等到炮子到跟前，那船早已走过，岂不又是落了空？总之：不懂得情形还是不要假充内行的好！”田小辫子被制台驳的无话可说，于是脸上红一阵，白一阵，一声也不敢响。

此时制台同他驳了半天，虚火上来，也有了精神了，索性叫他再把后头两条逐一解说出来。田小辫子只得又吞吞吐吐的说道：“第三条是为整顿营规起见，怕的是临阵退缩，私自逃走，或者在外头闹乱子闯祸。照职道这个法子，就不怕他们了。”制台道：“有甚么高明法子？倒要请教请教。”田小辫子道：“职道也不过如此想，可行不可行，还求大帅的示下。”制台道："快讲！不要说这些费话了！"田小辫子道："凡是我们的兵，一概叫他们剃去一条眉毛。职道想这眉毛最是无用之物，剃了也不疼的。每个人只有一条眉毛，无论他走到那里，都容易辨认。倘若是逃走以及闹了乱子，随时拿到就可正法，是断乎不会冤枉的。"制台道："从前汉朝有个'赤眉贼'，如今本朝倒有了'无眉兵'了，真正奇闻！你快一齐说了罢！"田小辫子只得又说道："这第四条是每逢出兵打仗的时候，或是出去打盐枭，拿强盗，所有我们的兵，一齐画了花脸出去。"制台道："画了花脸，可是去唱戏？"田小辫子道："兵的脸上画的花花绿绿的，好叫强盗看着害怕。他们老远的瞧着，一定当是天神天将来了，不要说是打强盗，就是去打外国人，外国人从来没有见过，见了也是害怕的。"制台道："你的法子很好，倒又是一个义和团了！"田小辫子把脸一红道："职道虽然没有见过义和团，常常听北边下来的朋友谈起团里的打扮，有些都学黄天霸的模样。职道现在乃是又换一个样儿，是照着戏台上打英雄的那些花脸去画，无论甚么人见了都要害怕的。"

田小辫子只图自己说得高兴，不提防制台听了他的条陈，竟其大动肝火，顿时唾了一口道："呸！这样放屁的话，也要当作条陈来上！你们诸公听听，传出去岂非笑谈！江南的道台都是如此，将来候补的一定还要多哩！"田小辫子还当制台有心说笑话，同他呕着玩耍，便亦笑嘻嘻的凑趣说道："江南本来有个口号，是：'婊子多，驴子多，候补道多。'"制台不等他说完，便接口道："像你这样的候补道，本来只好比比驴子！婊子！再稍微上等点的人，你就比不上！"其时藩台等人见制台说话说的长远了，恐怕他累着又要犯毛病，上了年纪的人是经不起的。况且这位制台是忠厚惯的，今忽一旦动了真火；田小辫子又是个市井无赖，不晓得甚么轻重的，生恐他两个人把话说抢，将来不好收场。于是不等端茶碗，便一齐站立告辞。制台一面送他们，还一面数说田小辫子。此时田小辫要强辨也不敢强辨了，于是跟着大众一块儿出去。

走到外面，将要上轿，便有他的相好埋怨他这个条陈今天是不应该上的；劝他的人，就是他的同寅赵元常。他便拉了赵元常袖子，自己分辨道："我那里有工夫上这捞什子！这原来是大帅他自己问我要的。他问我要，我怎么好说不给他？而且条陈上不上在我，用不用由他；他也犯不着生这么大气，拿人不当人！人家的官小虽小，到底也是个道台，银子一万多两呢！"赵元常见他的为人呆头呆脑，说的话不伦不类，又想到制台刚才待他的情形，恐怕事情不妙。赵元常本是羊统领的知交，田小辫子到省，羊统领曾托过他，说："田小辫子是个生意人，一切规矩都不懂得，总得你老哥随时指点指点他才好。"所以这赵元常才肯埋怨他，劝他不要多讲话。后来他不服赵元常的话，赵元常也生气，便趁空回了羊统领，说："田某人太不懂事，总得统领自己把他叫来开导开导才好。"羊统领本来同他很关切的，当时一口应允，说："等我马上关照他。"

齐巧这日阴天很有雨意；羊统领没有事情做，便叫差官拿了片子把一向同在一起的几个道台，甚么孙大胡子、余荩臣、藩金士、糖葫芦、乌额拉布、田小辫子一共六位，又面约了赵元常，通统宾主八位，同到钓鱼巷大乔家打牌吃酒。赵元常因另有事情，说明白去去再来。羊统领却自己坐了轿子先去吃烟。这大乔同羊统领也有三年多的交情了，见面之后，另有副肉麻情形，难描难画。一霎时亲热完了，所请的七位大人也陆续来了。当下先打牌，后吃酒。却不料那田小辫子田大人新叫的一个姑娘，名字叫翠喜，是乌额拉布乌大人的旧交。乌额拉布同田小辫子今天是第一次相会，看见田小辫子同翠喜要好，心上着实吃醋。起初田小辫子还不觉得，后来乌大人的脸色渐渐的紫里发青，青里变白。他是旗下人，又是阔少出身，是有点脾气的。手里打的是麻雀牌，心上想的却是他二人。这一副牌齐巧是他做庄，一个不留神，发出一个中风，底家拍了下来。上家跟手发了一张白板，对面也拍出。其时田小辫子正坐对面，翠喜歪在他怀里替他发牌；一会劝田小辫子发这张牌，一会又说发那张牌。田小辫子听他说话，发出来一张八万，底家一摊就出。仔细看时，原来是北风暗克，二三四万一搭，三张七万，一张八万等张。如今翠喜发出八万，底家数了数：中风四副，北风暗克八副，三张七万四副，八万吊头不算，连着和下来十副头，已有二十六副；一翻五十二，两翻一百零四，万字一色，三翻二百零八。乌额拉布做庄，打的是五百块洋钱一底的么二架，庄家单输这一副牌已经二百多块。乌额拉布输倒输得起；只因这张牌是翠喜发的，再加以醋意，不由得"怒从心上起，恶向胆边生"，顿时拿牌往前一推，涨红了脸，说道："我们打牌四个人，如今倒多出一个人来了！看了两家的牌，发给人家和，原来你们是串通好了来做我一个的！"翠喜忙分辨道："我又不晓得下家等的是八万。你庄家固然要输，田大人也要陪着你输。"乌额拉布道："自然要输！你可晓得你们田大人不是庄，输的总要比我少些？"翠喜道："一个老爷不是做一个姑娘，一个姑娘不是做一个老爷，甚么我的田大人！你们诸位大人听听，这话好笑不好笑！"

田小辫子看见乌额拉布同翠喜倒蛋，心上已经不愿意。他本是个"草包"，毫无知识的人，听了翠喜的话，便也发话道："'中正街的驴子，谁有钱谁骑！'乌大人，你不要这个样子！"乌额拉布见田小辫子说出这样的话来，便也恼羞成怒，伸手拿田小辫子兜胸一把，那一只手就想去拉他的辫子。幸亏糖葫芦眼睛快，说道："别的好拉，他的辫子是拉不得的！共总只

剩了这两根毛，拉了去就要当和尚了！”乌额拉布果然放手。说时迟，那时快，田小辫子也拉住乌额拉布的领口不放。只听得田小辫子骂乌额拉布“乌龟”；乌额拉布亦骂田小辫子“田鸡”。田小辫子说：“我做田鸡总比你当乌龟的好些！”当下你一句，我一句，两人对骂的话，记也记不清。这日打牌的人共是两桌；大众见他二人扭在一处，只得一齐住手，过来相劝。其时外边正下倾盆大雨，天井里雨声哗喇哗喇，闹的说话都听不清楚。大家劝了半天，无奈他二人总是揪着不放。乌额拉布脸上又被田小辫子拿手指甲挖破了好两处，虽然没有出血，早已一条条都发了红了。羊统领虽然是武官，无奈平时酒色过度，气力是一点没有的，上前拉了半天，丝毫拉不动二人。又想：“倘或被他二人一个不留神，误碰一下子，恐怕吃不住。”便自己度德量力，退了下来。后来好容易被孙大胡子、赵元常一干人将他俩劝住的。乌额拉布坐定之后，方觉得脸上火辣辣的发疼；及至立起走到穿衣镜跟前一看，才晓得被田小辫子挖伤了好几处，明天上不得衙门，见不得客。心上格外生气。一面告诉别人，一面立起身来想找田小辫子报复。其时田小辫子已被赵元常等拖到别的屋里去坐。乌额拉布见找他不到，于是又跺着脚骂个不了。羊统领道：“乌大哥脸上的伤，可惜是田小辫子挖的；倘或换在相好身上，是相好拿他弄到这个样儿，乌大哥非但不骂他，而且还要得意呢。”说的大家嗤的一笑。

其时天已不早。外面雨势虽小了些，依旧淅淅沥沥下个不了。羊统领便吩咐摆席。正要叫人去请田、赵二位大人，只见赵元常独自一个进来，说田小辫子不肯吃酒，一个人溜回去了。羊统领只好随他。于是大家入座，商议着明天上院，叫人替乌额拉布请了三天感冒假，好在钓鱼巷养伤。

席面上正说着话，忽见外面走进四五个人来。为首的浑身拖泥带水，用一块白手巾扎着头，手巾上还有许多鲜血。走进门来，一见统领，便拍托一声，双膝跪地，口称：“军门救标下的命！”羊统领一见之下，不觉大惊失色，心上想：“刚才他们打架的时候，并不见有他在内；怎么他的头会打破？”正在疑疑惑惑，又听那个人说道：“标下伺候军门这多少年，从来没有误过差事；就是误了差事，军门要责罚标下，或打或骂，标下都是愿意的。如今凭空里添了个外国上司，靠着洋势，他都打起人来，这还了得！标下是天朝人，虽说都司不值钱，也是皇上家的官，怎么好被鬼子打！标下今年活到毛六十岁的人了，以后这个脸往那里摆！总得求求军门替标下作主！”说罢，又碰了几个头，跪着不起来。羊统领还不明白他的说话，便问：“你到底是做甚么的？你说在我这里当差，怎么我不认得你？你好好一个人，怎么会叫外国人打？总是你自己不好，得罪了他了。”那人道：“标下在新军左营当了十八年的差。军门有时出门或者回来，标下跟着本营的营官接差送差，军门的面貌早已看熟的了；平时没有事，标下又彀不上常到军门跟前伺候你老人家，军门那里会认得标下呢？至于外国人那里，标下算得忍耐的了。他说外国话，标下也学着说外国话对答他，并没有说错甚么，他抢过马棒就是一顿。现在头上已打破了两个大窟窿，淌了半碗的血。军门不替标下作主，标下拚着这条老命不要，一定同那鬼子拼一拼！”

其时台面上的人算孙大胡子公事顶明白，听了那人的话，没头没脑，心上气闷得很，急忙插嘴问道：“你到底是谁？叫个甚么名字？怎么会同外国人在一块儿？说明白了好叫你军门大人替你作主。”羊统领到此，亦被孙大胡子一言提醒，帮着催他快说。又见那个人回道：“标下叫龙占元，是两江尽先补用都司，现在新军左营当哨官。五天头里，标下奉了营官的差遣，同了本营的翻译到下关迎接本营的洋教习。那知一等等了五天，连个影子都没有。偏偏今天下大雨，标下以为下雨那外国人总不会来的了；正因等的不耐烦，就跑到一个朋友家去躲雨。那晓得正是下大雨的时候，轮船正拢码头。标下听见轮船上放气，赶紧跑到趸船上去看；只见外国人站在那里生气，说天下雨把他行李弄潮了。诸位大人想想看，是天下雨湿了他的行李，又不是人家弄潮他的。标下因为他是外国人，制台大人尚且另眼看待，标下算得甚么东西。当时就赶紧上前周旋他。他一连问了几句话，标下又赶紧的答应他。不料标下周旋他倒周旋坏了。他咭唎呱啦说的是些甚么话，标下还一句不懂；他已经动了气，拿起腿来朝着标下就是两脚。标下说：‘有话好说，你犯不着踢人。’他也不听见，顺手就把标下手里的马棒抢了过去，一连拿标下打了十几下子，以致把头打破。标下说的句句真言。诸位大人不相信，现今翻译同了标下同来，他就是个见证。”

说到这里，跟他来的人当中，便有一个衣服穿的略为齐全的，走上来朝着羊统领打了一个千，自称他是营里的翻译：“一向少来替军门请安。今天是被龙占元龙都司拉了来替他做见证的。”羊统领见他打千，也只把身子略欠了一欠，仍旧坐下，问他道：“怎么好端端的会叫洋教习打他？洋教习说些甚么？他是怎么回答的？”那翻译便凑前一步，道：“回统领的话，龙都司实实在在被洋人打的可不轻，头都打破。他说的话，一字儿不假。至于他为了甚么捱打，却要怪他自己不会说话。”羊统领道：“是啊，外国人断乎不会凭空打他的，总是他自己不好。”此时龙占元跪在地下，听见翻译说他不是，统领怪他不好，直把他气的脸红筋胀，昂着头，噘着嘴，一个人赌咒。

羊统领也不理他，便催翻译快说。翻译回道：“千不是，万不是，总是老天爷今天下雨的不是。如果不下雨，洋人的行李不会弄潮，就没有这场事了。偏偏轮船拢码头，偏偏下大雨。那洋人的行李从轮船上搬到趸船上，虽然一跨就过；搬行李的人又没有拿伞，不免弄潮了些。洋人的脾气亦实在难说话，到了趸船上，就跳着脚骂人。等他骂过一会子，没有人在他跟前，他也只好罢手。齐巧龙都司要去讨好，上去同他拉手，周旋他。那洋人的脾气是越扶越醉的。不理他倒也罢了；理了他，他倒跳上架子了。龙都司同他拉手，他不同他拉，却把他的手一推，瞪着眼睛打着外国话问他。你不会外国话，不理他也就罢了。偏偏这位龙总爷又要充内行，不晓得从那里学会的，别的话一句不会说；单单会说'亦司'一句。洋人打着外国话问他：'你可是来接我的不是？'龙都司接了一声'亦司'。洋人又问：'既然派你来接我，为甚么不早来？你可是偷懒不来？'龙都司又答应了一声'亦司'。洋人听了他'亦司亦司'，心上愈觉不高兴。又问他道：“你不来接我，如今天下雨，你可是有心要弄坏我的行李不是？'这时候，我们懂得外国话，都在旁边替他发急。谁知他不慌不忙又答应了一声'亦司'。洋人可就不答应了。他手里本来有根棍子的，举起棍子兜头就打，谁知用力过猛，棍子一碰就断。彼时洋人气不过，一面嘴里骂他，一面就伸手把他手里的马棒夺了过来，没头没脸就是一顿。等到头已打破，他嘴里还在那里'亦司亦司'。真正把我们旁边人气昏了！后来好容易把洋人劝开。等到雨下小些，叫了马车，连人连行李一齐替他送回家去。我们这里大家都怪龙都司说：'你同洋人说话，怎么只管说“亦司亦司”一句？'如今为这'亦司'上可就吃了苦了。我们说话，他还不服，说：'我们官场上向来是上头吩咐话，我们做下属的人总得“是是是”，“着着着”；如今我拿待上司的规矩待他，他还心上不高兴，伸出手来打人，真正是岂有此理！'现在洋人已经回家去了。龙都司因为捱了洋人的打，而且头亦打伤，心上不甘，特地奔到军门公馆里喊冤。到了公馆里，晓得军门在这里，所以又赶了来的。”

羊统领听完了一席话，不禁紧锁双眉，把头摇了两摇，说道：“我就晓得你们这些人不安本分，专门替我惹乱子！好端端的，外国人那里，你又去得罪他做甚么？”龙占元道：“标下怎敢得罪外国人。他打标下却是打得不在理。”羊统领道：“你要怎样？”龙占元道：“求大人伸冤。”羊统领尚未答言，毕竟孙大胡子老奸巨猾，忙替羊统领出主意道：“人已经被外国人打了，你有甚么法子想，你去替他伸冤？终究是我们自己人不好。他不去躲雨，轮船一到，他就把外国人接了下来，自然没得话说。如今是他自己误了公事，反说外国人不讲情理，这场官司就怕打到制台跟前，非但打不赢，而且还要弄出交涉重案。我们现在是'今朝有酒今朝醉'，'做一天和尚撞一天钟'。人已打了，外国人不来问你的信，总算有你的脸了。如今反要生出是非来，我看很可不必！”一席话提醒了羊统领，立刻把脸一沉，朝着龙占元发落道：“本营营官派你去接洋教习，没有叫你去躲雨；你偷着去躲雨，以致外国人的行李没人照应，自然要弄潮的了。这要怪你自己不好，外国人打你是应该的。以后当差使都这样的误事还了得！”一面说，一面回头吩咐同来的翻译，叫他回去同营官说：“叫他另外派人。这龙哨官，我非但撤去他的差使，而且还要重办，以为妄言生事者戒！”翻译听了羊统领的吩咐，只好答应着。可把龙占元急死了，跪在地下磕头如捣蒜，口称：“军门开恩！标下以后不敢生事了，如今也不求伸冤了。”羊统领道：“你们众位请听，他到如今还说他自己冤枉。‘不到黄河心不死’，我一定不能饶他！明天我还要把外国人请了来，叫他看我发落！”龙占元一听不妙，又连忙磕头，连忙改口，又求“诸位大人可怜标下，替标下好言一声罢！”羊统领又问他：“冤枉不冤枉？”龙占元回称：“不冤枉。”又问：“该打不该打？”回称：“实在该打。”羊统领见他自己认了不是，还不肯放他，叫同来的翻译把他带回去，交代给营官：“倘或三天之内，外国人不来说话便罢；倘有一言半语，我是问他要人的！”龙占元至此方才无话可辨，又磕了一个头起来，含着眼泪，抱头而去。

欲知后事如何，且听下回分解。

第三十二回 写保折筵前亲起草 谋厘局枕畔代求差

却说羊统领虽然喝退了龙占元，只因他凭空多事，得罪了洋教习，深怕洋教习前来理论，因此心上很不自在。又加以田小辫子同乌额拉布两个人吃醋打架，弄得合席大众，兴致索然。于是无精打彩，草草吃完，各自回去。

第二天羊统领特地把田小辫子请来，先埋怨他不该到制台面前上条陈，弄得制台不高兴；又怪他不该同乌某人翻脸：“过天我替你俩和和事；不然，天天同在一个官厅子上，彼此见面不说话，算个甚么呢！”田小辫子毕竟是做过他的伙计，吃过他的饭的，听了他的话，心上虽然不服，嘴里不便说甚么，只好答应着。又过了两天，羊统领见洋教习不来找他说甚么，于是才把心上一块石头放下。后来龙占元是本营营官又上来回过羊统领，求统领免其看管，并且不要撤他差使。当时又被羊统领着实说了他许多不好，看他本营营官面上，暂免撤差，只记大过三次，以儆将来。龙占元又亲自上来叩谢。羊统领吩咐他道：“现在的英文学堂满街都是，你既然有志学洋话，为甚么不去拜一个先生，好好的学上两年？一个月只消化上一两块洋钱的束脩，等到洋话学好了，你也好去充当翻译；再不然，到上海洋行里做个‘康白度’，一年赚上几千银子，可比在我这里当哨官强得多哩。要照现在的样子，只学得一言半语，不零不落，反招人家的笑话，这是何苦来呢！”龙占元道：“回军门的话：标下从前总共读有三个月的洋书。通学堂里只有标下天分高强，一本‘泼辣买’，只剩得八页没有读。后来有了生意就不读了。过了两年，如今只有‘亦司’这一句话没有忘记，满打算借此应酬应酬外国人，不提防倒捱了一顿打。这一下子可把标下打苦了！到如今头上还没有好。以后标下再不敢说洋话了。倘若再学会两句，标下有几个脑袋，又是马棒，又是拳头，这不是性命相关吗！”羊统领听了，点点头道：“不会也罢了。完完全全做个中国人，总比那些做汉奸的好。”龙占元于是又答应了几声“是”，然后退了出来。

这里羊统领便想仍到钓鱼巷相好家摆一台酒，以便好替乌、田两个人和事。两天头里写了知单，叫差官分头去请。所请的无非仍旧是前天打牌吃酒的几个，其中却添了两位：一位是赵大人，号尧庄，乃广西人氏；说是制台衙门的幕府。还有人说：制台凡遇到做折子奏皇上，都得同他商量；制台自己不起稿，都是他代笔。合省的官员，文自藩司以下，武自提、镇以下，都愿意同他拉拢。然而他面子上极其不肯同人家来往，坐在那里总不肯同人说话；不晓得是架子大呢，亦不晓得是关防严密的缘故，望上去很像有脾气似的。他的官虽是知府，只有道台以上的官请他吃饭，他或者还肯赏光。——就是道台，亦得要当红差使的；倘或是黑道台以及他同寅以下的官，都不在他心上。人家同他说话，他只是仰着头，脸朝天，眼睛望着别处。别人问三句，回答一句；有时候还冷笑笑，一声儿也不言语：因此大众都称他为“赵大架子”。这回羊统领请他，他晓得羊统领上头的声光极好，而且广有钱财，爱交朋友，所以请帖送去，答应肯来。又一个姓胡，号筱峰，行二，也是捐的道台班子。有人说他父亲曾经当过“长毛”，后来投降的，官亦做到镇台。胡筱峰一直在老人家手里当少爷。脾气亦并非不好；不过他的为人：一天到晚，坐亦不是，站亦不是。人家要静，他偏要动。说起话来，没头没脑。到人家顶住问他，他又说到别处去了。知道他底细的人，都叫他“小长毛”。后来人家同他相处久了，摸着他的脾气，又送他一个表号，叫他为“胡二捣乱”。

且说胡二捣乱这天因为羊统领请他在钓鱼巷吃花酒，直把他乐的了不得。头天晚上就叫管家开箱子把衣服拿好。其时是四月天气，因为气节早，已经很热，拿出来的衣服是春纱长衫、单纱马褂。当天晚上忽下了两点雨，清晨起来，微微觉得有点凉飕飕的，他又叫管家替他拿夹纱袍子，夹纱马褂。扎扮停当，专等羊统领来催请。羊统领请的是晚饭，他忘记看帖子，以为请的是早饭，所以一早就把衣服穿好了。等了一回，不见来催，又把他急的了不得，动问管家："羊统领请客可是今天不是？不要你们记错了！"管家回："不错，是今天。"隔夜虽然下了几点雨，第二天仍旧很好的太阳。胡二捣乱在公馆里前院后院，前厅后厅跑了十几趟，一来心上烦燥，二来天气毕竟热，跑得他头上出汗，夹纱袍子，夹纱马褂穿不住了，于是又穿了件熟罗长衫，单纱马褂，里面又穿了件夹纱背心。此时已有晌午，还不见羊统领来催。又问管家："到底是甚么时候？"当中有一个记得的，回了声："请的是晚饭。"胡二捣乱骂了声："王八蛋！为甚么不早说！"于是仍在自己家里吃中饭。

好容易捱到三点半钟，到这时候，熟罗长衫也有些不合景了，只得仍旧换了春纱长衫，单纱马褂。刚要出门，忽然又想起一件事来，于是仍旧回转上房，在抽屉里翻了半天，翻出一个鼻烟壶来，说道："街上驴马粪把人熏的实在难受，有了这个就不怕了。"等到坐上轿子，谁知鼻烟壶是空的，又叫管家回去拿烟。管家拿不到，好容易自己下轿方才找到。走到半路上，又想起未曾带扇子，不及回家去取，幸亏街上有个扇子铺，就下轿买了一把。一回又想到早晚天气是凉的，晚上回去要添衣服，于是又吩咐管家回家去把小夹袄拿了来，预备晚上好穿。如此者往返耽搁，及至到钓鱼巷已经有五点多钟了。幸亏止到得一个主人，其余之客一个未到。胡二捣乱到处捣乱，人家同他没有甚么谈头的。同羊统领见面之后，略为寒暄了两句，便也无话可说。羊统领自去躺下吃烟。胡二捣乱便趁空找着姑娘捣乱，也不顾羊统领吃醋，只是捣乱他的。捣乱了半天，恨的那些姑娘们都骂他为"断命胡二"。胡二捣乱只得嘻着嘴笑。后来端上点心来，请他吃点心，方才住手。

又歇了一回，请的客人络络续续的来了。羊统领见田小辫子、乌额拉布二人到了，便拉了他俩的手，说了许多的话；又给他二人一家作了两个揖，说："你二位千万不要闹了。大家都是好朋友，独有你二位见面不说话，好像有心病似的，叫人家瞧着算甚么呢！"其时田小辫子颇有愿和之意，无奈乌额拉布因为脸上挖的伤还没有好，一定不肯讲和。禁不起羊统领再三朝着他打拱作揖，后来又请了一个安，旁观那些客人亦帮着着实说，乌额拉布方才气平。大家都派田小辫子不是。羊统领叫他替乌大人送了一碗茶；两个人又彼此作了一个揖，各道歉意，方才了事。

其时已有七点半钟了，羊统领数了数所请的人都已到齐，只有制台幕府赵尧庄赵大架子没有到。后来想叫差官去请，又怕他正陪着制台说话，恐有不便，只好静等。谁知一直等到九点钟才见他来。他是制台衙门里的阔幕，人人都要巴结他的。大概的人，他不过略为把手拱了一拱，便一手拉了余荩臣到烟铺上说话，连主人都不在眼睛里。后来摆好席面，主人就来让坐，他方同主人谦了一谦。主人手执酒壶，又等了好半天，一直等他把话讲完，方才起身入座。主人连忙敬他第一位。他又让了一句道："还有别位没有？"余荩臣道："这里并没有第二个人僭你尧翁的。"赵大架子也不答言，昂然据首座而坐。其余的人亦就依次入座。通台面上只有余荩臣当的差使顶阔，而且钱亦很多。新近制台又委了他学堂总办，常常提起某人很能办事。余荩臣便趁这个机会托人关说，求大帅赏他一个明保，送部引见。制台虽然应允，但是折子尚未上去。余荩臣又打听得制台凡有折奏，都是这赵大架子拿权，因此余荩臣就极意的拉拢他。赵大架子的架子虽大，等到见了钱，架子亦就会小的。当初也不晓得余荩臣私底下馈送他若干，弄得这赵大架子竟同余荩臣非常知己。这时候到了台面上，赵大架子还只是同余荩臣扳谈，下来再同主人对答两句；余下的人，他既不屑理人，人家亦不敢仰攀他同他说话。在钓鱼巷吃酒是要叫局的，赵大架子恐怕有碍关防，一定不肯破例，主人只得随他。其他宾主每人只叫得一个，亦为着赵大架子在座，怕他说话的缘故。因此这一席酒人虽不少，颇觉冷清得很。

赵大架子吃了两样菜，仍旧离座躺在炕上吃烟。余荩臣是同他有密切关系的，便亦离座相陪。后来主人让他归位吃菜，他始终未再入席。摇摇头，对余荩臣说："这般人兄弟同他们谈不来的。"余荩臣得了这个风声，便偷偷的关照过主人，叫他们只管吃，不要等了。赵大架子吃烟，自己不会装。余荩臣虽然不吃烟，打烟倒是在行的；当下幸亏他替赵大架子连打了十几口，吃得满屋之中烟雾腾腾。霎时菜已上齐，主人又过来请吃稀饭。赵大架子又摇头，说："心上怪腻的慌，不能吃了。"余荩臣也陪着不吃。主人深抱不安。席散之后，又走过来道歉。又说："另外替赵大人、余大人留了饭。"赵大架子回称："谢谢。"说完这句，立起身来想要穿了马褂就走。余荩臣晓得他不愿久留，便让他同到自己相好王小五子那里去坐，赵大架子点头应允。

两人一同出门。其时主人早已穿好了马褂，候着送了。一时别过主人，同到王小五子屋里。王小五子接着，自然另有一副场面。余荩臣立刻脱去马褂，横了下来，又赶着替赵大架子打烟。王小五子赶过来替他代打，余荩臣还不要。一连等赵大架子又抽过七八口，渐渐的有了精神，两手抱着水烟袋，坐在炕沿上想要吃烟；余荩臣忙叫王小五子过来替他装烟。此时余荩臣一见房内无人，便把身子凑前一步，想要同赵大架子说话。赵大架子忽然先问道："荩翁，托你安置的两个人，怎么样了？"余荩臣道："兄弟早同藩台说过，一有调动，就委他两人前去。"赵大架子道："还要等几个月？"余荩臣道："现在正在这里替他俩对付着看。有两处就在这几天里头期满，不过几天就要委他们的，那里用着几个月。你老先生委的事，岂有尽着耽搁的道理！”余荩臣这时候本来想请赵大架子过来商量自己事情的，不料赵大架子同他说安置人的话，自己的事倒弄得一时不好开口；只得权时隐忍着，仍旧竭力的敷衍。又叫王小五子备了稀饭，留赵大架子吃。赵大架子推头有公事，还要到衙门里去，余荩臣不好挽留，自己的事始终未曾能够向他开口。临到出来上轿，便邀他明天晚上到这里吃晚饭。赵大架子道：“看罢咧；如果没有公事，准来。”

赵大架子去后，余荩臣当夜便住在王小五子家。王小五子见余荩臣很巴结赵大架子，就问赵大架子的履历。余荩臣便告诉他说：“赵大人是制台衙门的师爷，见了制台是并起并坐的。通南京城里没有再阔过他的。”王小五子便问：“余大人，你当的甚么差使？一年有多少钱进款？”余荩臣便说自己“当的是通省牙厘局总办。所有那些外府州、县，大小镇、市上的厘局，都是归我管的。这些局里的委员老爷，我要用就用，我不要用就换掉，他们不敢不依我的。”王小五子道：“他们那些官都归你管，你的官有多们大？”余荩巨道：“我的官是道台，所以才能彀当这牙厘局总办。”王小五子鼻子里嗤的一笑，道：“道台是甚么东西，就这么阔！”说到这里，又自言自语道：“天，原来如此！”忽然又问道：“余大人，我问你：我听说现在的官拿钱都好买得来的，你这个官从前化过几个钱？”余荩臣起初听他骂道台“甚么东西”，心上老大不高兴；后来又见他问自己的官从前化过几个钱，便正言厉色道：“我是正途两榜出身，是用不着化钱的。化钱的另是一起人，名字叫‘捐班’。我们是瞧他不起的。”王小五子道：“余大人，官好捐，你们的差事想亦是捐来的了？”余荩臣道：“呀呀呼！差事那里好捐！私下化了钱买差使的固然亦有；然而我得这个差使是本事换来的，一个钱没有化。就是人家在我手里当差使，我也是一文不要的，那是再要公正没有。”王小五子道：“照此说来，你余大人是一个钱不要的了？”余荩臣道：“这个自然。”

王小五子道：“我倒想起一件事来了：前个月里，有天春大人请你吃酒，我看见他当面送给你一张银票，说是六千两银子。春大人还再三的替你请安，求你把个甚么厘局给他。不是你接了他的银票，满口答应他的吗？不到十天，果然有人说起春大人升了厘局总办，上任去了。”余荩臣见王小五子揭出他的短处，只得支吾其词道：“他的差使本来要委的了。银子是他该我的，如今他还我，并不是化了钱买差使的。这种话你以后少说。”

王小五子道：“照这样说起来，没有银子的人也可以得差使了？”余荩臣道：“怎么不得。老实对你说，只要上头有照应，或者有人嘱托，看朋友面上，亦总要委他差使的。”王小五子道：“原来派差使也要看交情的。余大人，咱俩的交情怎么样？我要荐个人给你，你得好好的派他一桩事情。”余荩臣当他说笑话，并不在意，只答应了一声道：“这个自然。你荐给我的人，我总拿头一分的好差使给他。”王小五子嘿嘿无语的歇了半晌，起身收拾安寝。

一宵易过，又是天明。到了次日，余荩臣惦记着自己的事情，上院下来，随又写信给赵大架子，约他今天晚上同到王小五子家吃酒。赵大架子回说：“公事忙，不得脱身；等到事完出衙门，八点钟在自己相好贵宝那里吃晚饭，可以面谈一切。”余荩臣只得遵命。才打七点钟，便饿着肚皮先赶到贵宝房间里伺候。一等等到九点钟，赵大架子才从衙门里出来，余荩臣接着，赛如捧凤凰似的把他迎了进来。一进门先抽烟。堂子里晓得他的脾气的，早已替他预备下打好的烟二十来口，一齐都打在烟扦子上，赛如排枪一样，一排排的都放在烟盘里。只等赵大架子一到，便有三四根枪，两三个人替他轮流上烟对火门。此时赵大架子来不及同余荩臣说话，只见他躺在炕上，呼呼的拚性命的只管抽个不了；有时贵宝来不及，余荩臣还帮着替他对火，足足抽了一点钟。其时已有十点钟了，赵大架子要吃饭。饭菜是早已预备下的。当下只有他同余荩臣两个人对面吃。贵宝打横，伺候上菜添饭。赵大架子叫他同吃，他不肯吃。赵大架子还生气，说道：“陪我吃顿饭有甚么要紧的，就这样的不好意思起来？你们当窑姐的人，只怕不好意思的事情尽多着哩！”说罢，便把面孔板起，做出一副生气的样子。余荩臣搭讪着替他们解和。

等到把饭吃完，赵大架子一面漱口，余荩臣又顺手点了一根纸吹给他。慢慢的谈了几句公事，然后趁势问他：“这两天大帅背后于兄弟有甚么话说？”赵大架子道：“不是荩翁提起，兄弟早在这里打算主意了。无奈兄弟公事实在忙，一天到晚，竟其没有动笔的时候。”余荩臣忙问：“甚么事一定要尧翁亲自动笔？”赵大架子道：“就是荩翁得明保的那句话了。”余荩臣一听“明保”二字，正是他心上最为关切之事，不禁眉飞色舞；仔细一想，又怕赵大架子拿他看轻，立刻又做出一副谨慎小心的样子，柔声下气的说道：“这都是大帅的恩典，尧翁的栽培！”赵大架子道：“岂敢！不过制军既有这个意思，我们做朋友的人，那里不替朋友帮句忙。说也好笑：前几天是兄弟催制军；这两天反了过来，倒是他催兄弟。”余荩臣道：“催甚么？”赵大架子道：“起先是制军虽然有了保举荩翁的意思，一直没有定规。是兄弟天天追着他问，同他说道：‘像余某人这样人，真要算是江南第一个出色人员；大帅既有恩典给他，折子可以早些进去，将来朝廷或者有甚么恩典，也好叫他及早自效。’制军听了兄弟的话，果然答应了，就立逼着兄弟替他起稿子。这两天兄弟一来因为事情忙，没有工夫动笔；二来，怎么保举法子，下个甚么考语，也得商量商量。”

余荩臣道：“正为这件事，兄弟要过来求教。承尧翁的吹嘘，又承尧翁替兄弟上劲，真正感激得很！但是还望你尧翁成全到底，考语下得体面些，那就是感之不尽！”说罢，特地离位，深深一揖，又说得一句道：“全仗大力！”赵大架子两手捧着水烟袋，赶忙拱手还礼，却一面说道：“自家兄弟，说那里话来！今天既是荩翁提起，我们都是自己人，荩翁爱怎么说就怎么说，兄弟无不遵办。照样写了上去，制军看了，也不好挑剔甚么。”余荩臣道：“这是尧翁的格外成全，兄弟何敢妄参末议。而且又是自己的事，天下断无自称自赞的道理，只得仍请尧翁先生主裁。”赵大架子听了他这一路恭维，心上着实高兴。原想立刻就替他起稿，可以卖弄他的权力；无奈吃过了饭没有过瘾，霎时烟瘾上来，坐立不安，十分难过。便道：“你我不是外人，你来，我念你写；写了出来，彼此商议。”其时余荩臣还不肯写。后来又被赵大架子再三的相催，说：“你我自家人，有甚么怕人的。不是说句大话，现在南京城里，除了你我，余人都不在咱眼里！我念你写，这不同我写的一样吗？”

其实是余荩臣心上巴不得这个折子自己竭力的恭维自己；今见赵大架子一再让他自己写，遂也不便过于推辞，便向贵宝要了一副笔砚一张纸，让赵大架子炕上吃烟，他却自己坐在桌子边起稿。嫌挂的保险灯不亮，又叫人特地点了一支洋烛。贵宝晓得他要写字，忙着来替他磨墨。余荩臣不要，叫他到炕上替赵大架子装烟。贵宝去后，余荩臣便提笔在手，拿眼瞧着赵大架子，看他说甚么，好依着他写。足足等了七八袋大烟的时候，约摸赵大架子烟瘾已过得一半，随见赵大架子一骨碌从炕上爬起，却先歪着身子，提起茶壶，就着茶壶嘴抽了两口，方才坐起来说道：“兄弟的意思，折子上没有多少话说，还是夹片罢。”余荩臣道：“似乎折子郑重些，叫上头看得起些。”赵大架子道：“这倒不在乎。横竖保了上去，上头没有不准的，总还你一个‘着照所请’。依兄弟看来，其实是一样的。”余荩臣见他如此说，也不敢过于计较，只得跟着他说道：“既然如此，就是夹片亦好。”赵大架子见余荩臣擎笔在手只是不写，便道：“你写啊。”余荩臣道：“等尧翁念了好写。”赵大架子笑道：“荩翁的大才，还有甚么不晓得的。你别同我客气，你尽管写罢，写出来一定合式的。我要过瘾，你费点心罢。”说完，仍旧躺下，呼呼抽他的烟去了。

余荩臣至此，面子上只得勉强着自己起稿，心上却是十二分高兴，嘴里却不住的说道：“姑且等兄弟拟了出来再呈政。”此时赵大架子只顾抽烟，一声不响。幸喜余荩臣是正途出身，又在江南历练了这几多年，公事文理也还办得来。于是提笔在手，想了想，一口气便写了好几行。后来填到自己的考语，心上想：“还是空着十六个字的地步等赵某人去填。”既而一想：“又怕赵某人填的字眼不能如意，不如自己写好了同他去斟酌。他同我这样交情，谅来不致改我的。”主意打定，又斟酌了半天，结结实实自己下了十六个字的考语；后头带着叙他办厘金、办学堂如何成效，说得天花乱坠，又足足的写了几行。一霎写完，便自己离位，拿着底子踱到烟炕前请赵大架子过目。赵大架子接在手中，就在烟灯上看了一回，一声不言语，又心上盘算了一回。余荩臣忍耐不住，急忙问他道：“尧翁看了，还好用不好用？兄弟于这上头不在行，总求尧翁的指教！”赵大架子道：“格式倒还不错，就是考语还得……”余荩臣不等他说完，接嘴问道：“考语怎么样？”赵大架子道：“若照尧翁的大才，这几句考语着实当之无愧。不过写到折子上，语气似乎总还要软些，叫上头看着也受用。如果说的过于好了，一来不像上司考核下属的口气，二来也不像折子上的话头。兄弟妄谈，荩翁高见以为何如？”说罢，仍把底稿递在余荩臣手里。

余荩臣一听他话，不禁面孔涨得绯红，半天说不出话来。楞了一回，仍旧踅到桌子跟前坐下，提起笔来想改。谁知改来改去，不是怕赵大架子说话，就是自己嫌不好，捱了半天，仍旧未曾改定。只得老着脸皮朝赵大架子说道：“这个考语还是请你尧翁代拟了罢。‘不是撑船手，休来弄竹竿’，兄弟实实在在有点来不得了。”赵大架子道：“我们知己之说：这考语虽只有几个字，轻了也不好，重了也不好。我兄弟拟了出来，还得送制军阅过。一向制军却没有改过兄弟的笔墨；如今倘若未能弄好，被他改上一两句，兄弟却坍台不下。所以要替你荩翁斟酌尽善，就是这个缘故。荩翁自己人，我兄弟不妨直说。”余荩臣听了愈为感激。当下便亲自蘸饱了笔，送到炕床边，请赵大架子动手。赵大架子道：“这个兄弟也得思量思量看。”于是亦不接他的笔，仍把身体横了下来，一声不言语，一口气又吃了五六口烟。吃完了烟，趿着鞋皮，走下炕来，把原稿略为改换了几句，却把十六个字考语统通换掉。余荩臣看了，似乎觉得还不能满意；但是恐怕赵大架子动气，只得连称“好极好极”。

赵大架子改好之后，便往衣裳袋中一塞。因为堂子里的烟吃的不爽快，要回到公馆里过瘾。余荩臣只得穿了马褂，陪着一同出门。临时上轿，余荩臣又打了一拱，说了许多感激的话。又道：“大帅前深荷一力成全，明天过来叩谢。”说完，两人分手。

余荩臣仍往王小五子家而来。其时已有夜半十二点钟。余荩臣尚未走进王小五子家的大门，黑影里望见有个人先从他家里出来。灯光之下，虽不十分明白，然而神气还看得出，很像是个熟人似的。后来彼此又擦肩而过。这人没有看见余荩臣，余荩臣却看清这人，原来是认得的。但是官职比他差了几级，大人卑职，名分攸关。余荩臣怕他看出，不好意思，连忙拿头别了过去。等到这人去远，方一步步踱进了大门，霎时走到王小五子房中。他俩本是老相好，又兼余荩臣明保到手，心上便也十分高兴，见面之后，说不尽那副肉麻的情形，两个人鬼混了一阵。

王小五子忽然想起昨夜的话来，连忙说道："余大人，我托你一桩事情，你可得答应我！"余荩臣道："好答应的我自然答应。"王小五子道："你别同我调脾。好答应也要你答应，不好答应也要你答应；你先答应了我才说。"余荩臣道："到底甚么事要我答应？"王小五子道："不是你昨儿说的，在你手下当差的人统通不用钱买，只要上头有面子，或者是朋友相好的交情荐来的都可以派得。这个话可有没有？"余荩臣道："自然派差使一个钱不要。但是面子也得看甚么面子，就是相好也要看甚么相好，不能执一而论的。"王小五子道："我不同你说这些。你但看咱俩的交情怎么样？"余荩臣道："用不着提到咱俩的交情。难道你有甚么人荐给我不成？咱俩交情虽厚，你要荐人我却不收。"王小五子见他说不收，登时把脸一沉，拿头睡在余荩臣的怀里，却拿两只粉嫩雪白的手抱住余荩臣的黑油津津的胖脸，撒娇撒痴的说道："你不答应我，我定见不成功！"此时余荩臣穿了一件簇新的外国缎夹袍子，被王小五子拿头在他怀里腻了两腻，登时绉了一大片。余荩臣向来是吝啬惯的，见了肉痛，为的是相好面上，有些说不出口，只好往肚皮里咽。两个人揪了半天，毕竟余荩臣可惜那件衣服，连连说道："有话起来说，……不要这个样子。被别人看了要笑话的。"王小五子又把脸一板道："谁不晓得我是余大人的相好？将来我还要嫁你哩！我嫁了你，我便是厘金局总办的太太，谁敢不巴结我，谁敢来笑我！"余荩臣又只得顺着他说道："不错，你嫁了我，你就是我的太太。我有了你这位好太太，从此以后，钓鱼巷也不来了。"王小五子又把眼一眇，道："这些话谁相信你！谁不晓得余大人的相好多！这些话快别同我客气！倒是我托你的事情怎么样？"

说话间，余荩臣接连打了几个呵欠，伸手摸出夹金表来一看，短针已过一点，长针却指在六点钟上。余荩臣道："啊唷！不早了！我们快睡了，明天还要早起上院哩。"一面说，一面自己宽去衣服，躺在床上去了。王小五子道："你不答应，我不许你睡觉。"于是也不及卸装，赶到床上同他缠个不了。余荩臣被他闹急了，便道："你先把人头说给我，等我好替你对付着看。"王小五子见他已有允意，便不同他吵了，和衣歪着，拿头靠在枕头上，低声说道："我说的不是别人，你们同在一处做官，还有甚么不认得的。"余荩臣道："到底是谁？"王小五子道："就是候补同知黄大老爷，他托我的。"余荩臣道："姓黄的天底下多得很。没头没脑，叫我去找那一个？”王小五子道：“真个我记性不好，他有个条子在这里。”说着，便伸手从衣服小襟袋里把个名条摸了出来；跟手又叫房间里奶奶点了一支洋烛。余荩臣睡眼朦胧的拿起名条靠近烛光一看，只见上面写的是“知府用、试用同知黄在新，叩求宪恩赏委厘捐差事”两行小字。余荩臣不看则已，看了之时，不觉心上毕拍一跳，半天不言语。王小五子忙问：“看清楚了没有？这人可是认得的？”余荩臣还不响。又停了一大会，方问得一句道：“这人是几时来嫖你起的？这条子可是方才给你的？”王小五子见问，也不由得脸上一红，楞了半天，回答不出话来。

列位看官：你道此人是谁？原来方才余荩臣在王小五子大门口碰见的那个人就是黄在新。这黄在新虽是江南的官，同余荩臣比起来，一个道台，一个同知，两人官阶不同，不在一个官厅子上，余荩臣如何偏会认识他？只因这黄在新最会钻营，凡在红点的道台，他没有一个不巴结，因此都同他认得。他此时身上虽有几个差使，无奈薪水不多，无济于事。因见余荩臣正当厘金局的老总，便想谋个厘局差事，托了几个人递了几张条子，余荩臣尚未给他下落。他心上着急。幸喜他平日也常到钓鱼巷走走，与余荩臣有同靴之谊。王小五子见他脸蛋儿长得标致，便同他十分要好，余荩臣反退后一步。黄在新在王小五子家走动，余荩臣却一字儿不知；余荩臣在王小五子家玩耍，黄在新却尽知底里。即此一端，已可见王小五子待他二人的厚薄。

此时余荩臣看了名条，想起刚才齐巧碰见他在这里出去，不免心上一动。又接着问王小五子的话，王小五子又对答不出，自然格外疑心。疑心过重，便是吃醋的根苗。此时余荩臣看了王小五子的情形，心上早已懂得八九。接连哼哼冷笑两声，说道：“他的条子没有人替他递了，居然会想着了你，托你替他求差使！他这人真会钻！倒是你俩是几时认识起来的，你却同他如此关切？”王小五子见余荩臣生了疑心，毕竟他自己贼人胆虚，亦不敢撒娇撒痴，立刻拿两只手扳着余荩巨的脑袋，同他脸对脸的笑着说道：“这里头有个讲究，你不晓得，等我来告诉你：我是江西人，七岁上就卖在档子班里学唱戏。等到十五岁上才到的南京。这黄大老爷他也是江西人，同我是嫡亲同乡。他是我自己家里的人，有甚么不认得的。我替他求差使，也无非照应同乡的意思，有甚么动疑的。”余荩臣连连摇头，道：“算了罢！你们江西人我也请教过的了，做官的、读书的，于这乡谊上很有限。不信你一个做窑姐的倒比他们做官的、读书的有义气！这话不要来骗我！况且你七岁上就卖在档子班里，东飘西荡，这姓黄的果然是你的同乡，你也不会认得他的。这话越说越不对！倒是你俩有了多少时候的交情？你老实对我说罢。他不同你有交情，你为甚么要替他求差使呢？我晓得我们化了钱，无非做个大冤桶，替人家垫腰！如今竟其公然替恩客说人情求差使！我又不是三岁小孩子，被你们弄着玩！”此时余荩臣越说越气，也不睡觉了，一骨碌从床上坐起，吩咐叫轿夫打轿子，又自己立誓道：“从今以后，再不到这里来了！倘若以后再到这里，你们看我左脚迈到这屋里来，你们拿刀砍我的左脚；右脚迈到这屋里来，你们拿刀砍我的右脚！”一面说，一面卷卷袖子，直把两个袖子卷到手湾子上头；两只眼睛睁的像铜铃似的；又拿两只手去盘辫子。辫子盘好，人家总以为他这个样子一定要打人了；谁知并不打人，却叉着两只臂膊，握紧了两个拳头，坐在床沿上生气。

再说王小五子起先听见余荩臣拿他数落，不禁脸上一阵阵的红上来，心头止不住必必的跳。后来又见他爬起，连忙和着身子去按捺他；无奈气力太小，当不住余荩臣的蛮力，按了半天按他不下，只得随他起来。后来见他盘好辫子，并不打人，方才把心放下。连忙和颜悦色的自己分辨道：“同乡有甚么好假冒的。天生同乡是同乡，我不能拿他当外人看待。至于问我如何认得他，苏州来的洪大人，清江来的陆大人，每逢吃酒都有他在座，慢慢的我就认得了他。怎么没有交情我就不作兴认得他的？”余荩臣也不理他，只是坐在床沿上生气。闹得大了，连着房间里的奶奶都上来劝和。余荩臣只是不言语。一迸迸到五更鸡叫之后，天色微微的有点亮了，余荩臣也不等轿子了，要了长衣裳，扎扮停当，一直径去。王小五子抵死留他不住，只得听其自然。

余荩臣走到街上，尚是冷冷清清的一无所有。此时心上又气又闷，不知不觉忘记了东南西北，又走错了一大段。后来好容易雇了一部东洋车子，才把他拉到公馆。打门进去，一路骂轿夫，骂跟班的，骂老妈，骂丫头：一直骂进了上房。惊动了上下人等，晓得大人在外头住夜回来，于是重新打洗脸水，拿漱口水、茂生肥皂、引见胰子，又叫厨子做点心，真正忙个不了。

齐巧这日是辕期，照例上院。点心未曾吃完，轿子已伺候好。等到走到院上，已有靠九点钟了。余荩臣还是气吁吁的。头一个会见了孙大胡子，便把黄在新托王小五子求差使的话统通告诉他；又说：“黄在新的品行太觉不堪，甚么人不好托，单单会托到婊子，真正笑话！”孙大胡子笑道：“这也难怪他，实在是你荩翁同王小五子的交情非他可比。朋友说的话不及贵相知说的灵，所以黄某人才走的这条路。出来做官为的是赚钱，只要有钱赚，也顾不得这些了。”余荩臣听了孙大胡子奚落他的话，不由的把脸一红，拿话分辨道：“我们逛窑子也不过行云流水罢了，算得甚么交情！”孙大胡子忙接嘴道：“又行云，又流水，还算不得交情？不晓得要弄到甚么分上才算得交情呢？”余荩臣发急道：“人家同你说正经话，你偏拿人来取笑，真正岂有此理！老实对你讲罢：王小五子同黄某人都是江西人，他替他求差使，乃是照应同乡的意思。”孙大胡子道：“一个当妓女的，居然肯照应同乡，贤于士大夫远矣！荩翁，你应该立刻委他一个上等的厘差：一来顾全贵相好的面子，二来也可以愧励愧励那般不顾乡情的士大夫。你们众位听听，我兄弟说的可是不是？”此时官厅子上的人已经来的不少了，天天在一起的几个熟人听了他言，都说“应得如此”。无奈余荩臣决计不答应，一定还要回制台撤去他的差使，拿他参办，以为卑鄙无耻，巧于钻营者戒。当时又被孙大胡子指驳了一句，余荩臣方始顿口无言。

欲知孙大胡子说的何话，且听下回分解。

第三十三回 查帐目奉札谒银行　借名头敛钱开书局

话说孙大胡子听见余荩臣一定要禀揭黄在新托妓谋差的事，一再劝他都不肯听。孙大胡子哼哼冷笑道：“他托妓谋差虽然是他的坏处；然而你做监司大员的人，你不到窑子里去，怎么会晓得他托妓谋差呢？这桩事还怪你不是。”余荩臣被他这一驳，顿时闭口无言。歇了半天，才勉强说道：“我们嫖婊子不过是好玩罢了。他钻营差使竟走婊子的门路，这品行上总说不过去！我就是不到上头去说他坏话，这种人要在我手里得意，叫他一辈子不用想了！”说完，面子上虽把此事丢开，后来又着实到王小五子家发了几回脾气。经王小五子千赔不是，万赔不是；后来又把这话通知了黄在新，吓的黄在新有许多时不敢公然到钓鱼巷王小五子家住夜。余荩臣拿不到破绽，方才罢手。

又过了两月，余荩臣的保折批了回来，所保送部引见，也已奉旨允准。等到奉到饬知，立刻上院叩谢。接着便是同寅前来道喜，下僚纷纷禀贺。余荩臣少不得置办酒席请这班同寅。同寅当中多半都是好玩的，家里请酒不算数，一定要在钓鱼巷摆酒请他们。余荩臣也乐得借花献佛，一来趁他们的心愿，二来又应酬了相好。回回吃酒都推赵大架子为首座，赵大架子便亦居之不疑。接连又是你一台，我一台，替他贺喜。如此者轮流吃过，足足有半个多月光景。

真正是光阴似箭，日月如梭。余荩臣便想请咨入都引见。制台答应，所有他的差事，一齐都委了别人暂行代管，为他不久就要回来的。一连几天，白天忙着料理交代，晚上又有一班相好轮流摆酒替他饯行。有天夜里，正在钓鱼巷吃的有点醉醺醺了，他忽然发议论道：“回想兄弟才到省头一天的光景，再想不到今日是这个样子。我还记得我到省头一天，其时正是黄制军第二次到江南来。我头一天上院，没有传见。其实上司见不见并不是甚么大不了的事；倒是那时候脸上总觉得搁不下去，从官厅子上走出去上轿，赛如对了跟班、轿夫都像没有脸见他们似的。此时得差得缺的心还没有，心上总想：'我连上司都见不着，我还出来做甚么官呢！'到了第二次上院还没有见。因为别人见不着的很多，并不光我一个，那时心上便坦然了许多，见了轿夫、跟班也不难为情了。以至顶到如今，偏偏碰着这位制军是不轻易见客的，他见也好，不见也好，便也漠然无动于中了。我还记得从前没有得事的时候，只指望能够得一个长差使，便已心满意足了。实因江南道台太多，得缺本非易事。谁料后来接二连三的竟其弄了好几个长差使在身上，一天到晚忙个不了。此时不以为乐，反以为苦，屡次三番想辞掉两个，无奈上头一定不放。现在凭空的又得了这个明保，索性不叫我过安安稳稳的日子，拿我送部引见。想是我命里注定的，今年流年犯了'驿马星'，所以要叫我出这一趟远门。"众人道："'能者多劳'，像你荩翁的这样大才，怎么上头肯放你呢。至于这回明保乃是放缺的先声。光当当差使也显不出荩翁大才，所以制军一定要有此一举。从此简在帝心，陈臬开藩，都是意中之事；放个把实缺，小焉者也，算不得甚么。"余荩臣道："承诸位老哥厚爱。放个把缺做做，兄弟也无庸多让。至于将来还有甚么好处，兄弟却不敢妄想。"说罢，那副得意扬扬之色早流露于不自知了。霎时席散。

又过了两天，上院禀辞。刚刚走到院上，齐巧昨日制台接到军机大臣上的字寄，说是一连有三个都老爷奏参江南吏治，大大小小共有二十几个官：甚么孙大胡子、田小辫子、乌额拉布、余荩臣，还有督幕赵大架子、统领羊紫辰等一干人统通在内。其中所参的劣迹，以余荩臣、赵大架子顶利害：说余荩臣总办厘金，非但出卖厘差，并且以剔除中饱为名，私向属员需索陋规。等到属员和盘托出，他又并不将此款归入公家，一律饱其私橐。某人馈送若干，某局缴进若干，那位参他的都老爷查的清清楚楚，折子上都声叙明白。还说他出卖厘差，并不在南京过付；上海有一爿钱庄，内中有他一个把弟挡手，专门替他经手。人家要送他银子，只要送到这爿钱庄上，由他把弟出封信给他，或者打个电报，南京这边马上就把差使委了出来，真正是再要灵验没有。折子上又说他所有赚来的银子，足有五十多万两，很在上海置买了些地皮产业，剩下的一齐存在一爿银行里。至于参赵大架子顶重的头一款，是说他霸持招摇；甚至某月某日，收某人贿赂若干，亦查的明明白白。又说两江总督保举道员余某一折，系赵某及余某在秦淮河妓女贵宝房中拟定折稿。折子后头归结到两江总督身上，说他年老多病，昏瞶糊涂，日惟以扶鸾求仙为事，置吏治民生于不顾。此外孙大胡子、田小辫子、乌额拉布、羊紫辰不过都是带笔。在初入仕途的人见了，难免担惊受怕；至于历练惯的人，却也毫不在意。

闲话休题，言归正传。且说这日余荩臣刚把手本递了上去，制台一见是他，虽说是自己保举的人，究竟事关钦派查办之案，便也不敢回护，忙叫巡捕官传话给他，叫他不必动身，在省候信。巡捕出来说完这句，各自走开，也不说制台请见，也不说制台道乏。余荩臣摸不着头脑，在官厅子上呆了半天。有些不知底里的人还过来敷衍他，问他几时荣行，他也只好含含糊糊的回答。后来坐了一回，看见各位司、道上去，又见各位司、道下来。其时藩台、粮道都已得信，见了制台出来，朝着他都淡淡的，似招呼不招呼的，各自上轿而去。他甚为没趣，也只好搭讪着出来。这时候，他的差使都已交会别人替代，他已无公事可办。院上下来，一直径回公馆；一天未曾出门，却也无人前来拜他。

头天晚上，赵大架子还面约今日下午在贵宝房中摆酒送行，谁知等到天黑还不见来催请。自己却又为了早晨之事，好生委决不下，派了师爷、管家出去打听，独自无精打彩的在家静等。谁知等到起更，一个管家从院上回来禀报说："赵大架子赵大人不知为了甚么事情，行李铺盖统通从院上搬了出来。后来小的又打听到孙大胡子孙大人门口，才晓得京城里有几位都老爷说了闲话，连制台都落了不是，总算仍旧派了制台查办，还算给还他的面子。"余荩臣急忙问道："这位都老爷是谁？但不知有几个人参在里头？孙大人在内不在内？"管家道："听说虽然在内，并不十二分要紧。赵大人参的却很不轻。"余荩臣又急忙说道："我呢？"家人不言语。余荩臣连连摇头，连连跺脚，道："完了！完了！怪不得赵大人他说今儿请我吃饭的，原来他自己遭了事，所以没有来催请。但是我自己被参，为的是那一件，连我自己也不明白，怎么好呢！"一回又想到自己平时所作所为，简直没有一件妥当的，一霎时万虑千愁，坐立不定。

正踌躇间，派出去打听消息的一位师爷也从外面回来了，手里还抄了制台新出的一张谕帖。余荩臣见面就问："打听的事怎么样了？"那位师爷有心在东家面前讨好，不肯直谈；只听他吞吞吐吐的说道："听说京城里有甚么消息，大约在省城候补的统通在内。这一定是都老爷想好处，我们不要理他！观察这样的宪眷，还怕甚么呢。"余荩臣道："不是怕甚么，为的是到底参的是那几件事。——你手里拿的甚么？"那位师爷见问，索性把他所抄的那张谕帖往袖筒管里一藏，说："没有甚么。"余荩臣道："明明白白的看见有张纸写的字，你瞒我做甚么呢？"师爷到此无奈，方把一张谕帖拿了出来。余荩臣取过看时，只见上面写的无非劝戒属员嗣后不准再到秦淮河吃酒住夜，倘若阳奉阴违，定行参办不贷各等语。这张谕帖是写了贴在官厅子上的，如今被这位师爷抄了回来。余荩臣看过后，就往旁边一搁，说道：

"这种东西，那一任制台没有？我也看惯了。他下他的谕帖，我住我的夜，管他妈的事！这也值得遮遮掩掩的！"那师爷被东家抢白了两句，面孔涨得绯红，一声也不言语。余荩臣又问道："我叫你打听的事，有甚么瞒我的？你快老实说罢！"那师爷只是咳嗽了两声，一句话还是没有。余荩臣知道他是无能之辈，便跺着脚，说道："真正是甚么材料！——这从那儿说起！"说完了这句，便背着手一个人在厅上踱来踱去。他不理师爷，师爷亦吓的不敢出气。

搁下余荩臣在家里候信不题。且说制台自接奉廷寄之后，却也不敢怠慢，立刻就派了藩司、粮道两个人，按照所参各款，逐一查办。因为幕友赵大架子被参在内，留住衙门恐怕不便；就叫自己兄弟二大人通信给他，叫他暂时搬出衙门，好遮人耳目。赵大架子无奈，只得依从。所以头天虽在相好贵宝家中定了酒席，并未前去请客。到了第二天，贵宝派了男女班子到石坝街赵大人公馆里请安，听见门上说起，才晓得大人出了岔子，如今在家里养病，生人一概不见。男女班子无奈，只得怅怅而回。

此时省城里面一齐晓得制台委了藩台、粮道查办此案。幸喜都是同寅，彼此大半认识，一个个便想打点人情，希图开脱。其中粮道为人却很爽快，有人来嘱托他，他便同人家说道："制台虽然拿这件事委了兄弟，其实也不过敷衍了帐而已。现在的事情，那一桩那一件，不是上瞒下就是下瞒上？几时见查办参案，有坏掉一大票的？非但兄弟不肯做这个恶人，就是制台也不肯失他自己的面子。——他手下的这些人虽然不好，难道他平时是聋子、瞎子，全无闻见，必要等到都老爷说了话，他才一个个的掀了出来？岂不愈显得他平时毫无觉察吗？不过其中也总得有一两个当灾的人，好遮掩人家耳目。总算都老爷的话并非全假，等他平平气，以后也免得再开口了。兄弟说的句句真言，所以诸公尽管放心罢了。"众人听了他言，俱各把心放下。不料藩台自从奉到委札的那一天起，却是凡有客来，一概挡驾。今天调卷，明天提人，颇觉雷厉风行。大家都不免提心吊胆。然而想起粮道的话，晓得制台将来一定要顾自己的面子，决不会参掉多少人的；不过彼此难为几吊银子，没有甚么大不了事，便亦听其自然。

藩台见人家不来打点，他便有心公事公办，先从余荩臣下手，同制台说："原参余道出卖厘差，银子放在上海。别的虽然没有凭据，然而银子存在银行里是有簿子可查的，只要查明白了簿子上是余荩臣的花户，便一定是他的赃款了。现在是甚么时候！库款如此空虚，他们还要如此作弊，真正没有良心了！司里同余道虽是同寅，然而为大局起见，决计不敢回护的。"制台道："别的还好办，银行是外国人的，恐怕他不由你去查哩。"藩台道："银行虽是外国人开的，然而做的是中国人生意。既然做我们中国人生意，一年到头赚我们中国人的钱也不少了，难道这点交情还没有？我又不向他捐钱，看看帐簿子有甚么不可的。”制台道：“既然老哥说可以，料想没有甚么不可以的。本省的官虽多，能够办事的人究竟很少，还是老哥诸事谙练，这件事情就借重老哥辛苦一趟罢。早些去早些回来，也好早点复奏进去，免得再生枝节。”藩台一想：“话虽如此说，究竟自己做了这几年的官，从来未同外国人打过交道。外国人抠眼睛，高鼻子，虽然见过几个；但是上海地方，听说一共总有十几国的人，我是一省的潘台，到了那里总得一家家的都去拜望拜望。彼此言语不通，这个十几国的翻译倒不好找。一个弄得不得法，被翻译瞒着我做了手脚！”左思右想，总觉不好，只得回复制台道：“司里的公事，承上宣下，一来忙的实在走不脱身；二来司里亦不会说外国话，不认得外国字，将来到了银行里查起外国帐来，一个字不认得，还不是白去。这桩事关系很大，请大人委了别人罢。”制台道：“好在总要带着翻译去的，只要带个明白点的翻译就是了。就是兄弟亦不会说外国话，不认得外国字，怎么也在这里办交涉呢？”藩台被制台顶的无话可说，只得又禀请了一位洋务局里的提调，乃是本省候补知府，姓杨，名达仁；因为他从小在水师学堂里出身，认得鬼子多，而且也会说两句外国应酬话，同了他去，便借他做个靠山。他本任之事，当由制台札委盐道暂行兼理。

藩台无奈，只得回家部署行装。因系钦派案件，不敢耽误，次日有下水轮船，遂即携带随员、幕友径赴上海。一路上，两手很捏着一把汗，深悔自己多嘴，惹出这件事来。次日轮船到了上海，上海县接着迎入公馆。跟手进城去拜上海道。见面之后，叙及要到银行查帐之事。上海道道：“但不知余某人的银子是放在那一爿银行里的？”藩台大惊道：“难道银行还有两家吗？”上海道道：“但只英国就有麦加利、汇丰两爿银行。此外俄国有道胜银行，日本有正金银行，以及何兰国、法兰西统通有银行，共有几十家呢。”藩台听说，楞了半天，又说道：“我们在省里只晓得有汇丰银行汇丰洋票，几年头里，兄弟在上海的时候也曾使过几张，却不晓得有许多的银行。依兄弟想来，只有汇丰同我们中国人来往，余某人的这银子大约是放在汇丰，我们只消到汇丰去查就是了。”上海道道：“外国人银行开在上海的，原是为着做中国人生意来的，那一爿不好存银子；并不光汇丰一家是如此。但是汇丰两个字，人家说起来似乎熟些，或者余某人的银子就放在他家也未可知。方伯就先到他家去查查也无妨。”藩台听说称“是”。于是端茶告辞。

回到公馆，过了一夜。第二天一早，就想到汇丰家去查帐。起身梳洗之后，便吩咐套马车。穿好行装，带了翻译，两个人同上了马车，一直往黄浦滩而来。未曾上车的时候，车夫就问：“到那里去？”藩台说：“汇丰银行。”马夫说：“今天礼拜，银行是不开门的。”那翻译因是省里带来的，在内地久了，也忘记礼拜不礼拜。被马夫一句话提醒，他亦恍然道：“不错，礼拜日外国人是不办公事的，去了也是白去。不如大人到别处拜客，明天一早再去不迟。”藩台道：“管他妈的礼拜不礼拜！我到他门口飞张片子，我总算到过的了。就是他不办公事，料想客人总好见的。我昨天就到此地，今天还不去拜他，被外国人瞧着也不好。况且我今天见了他，先把大概情形告诉了他，明天再去查帐也就容易些。”翻译道：“礼拜关门，连客也是不见的，不如明儿一块去的好。”藩台道：“你们这些人，多走一步路都是怕的！横竖坐马车，又不要你跑了去，多走一趟也不难！”翻译也不敢说别的，只好跟了他走。

一霎时走到汇丰银行门口，果见两扇大门紧紧闭着。投帖的人叫唤了半天，亦没有一个人答应。投帖的无奈，只得走到马车跟前，据实回复。藩台道：“既然没有人，留张片子就是了。”投帖的又跑回去，拿张片子塞了半天亦没有塞进，只好蘸了点唾沫，拿片子贴在门上走的。藩台自己觉着无趣，又怕翻译笑他，说他不懂外国规矩；同到公馆，坐定之后，便对手下的人说道：“外国人礼拜不办事、不会客，我有甚么不晓得的。不过上头委了我这件事，照例文章总得做到。将来有帐查得到，固然是有面子；即使查不到，我们这里到底来过两趟，总算是尽心的了。”他如此说，手下的人只好连连答应称“是”。

到了第二天，便是礼拜一，银行里开了门。他老人家仍旧坐了马车赶去。未曾到银行门口，投帖的已经老早的拿着名片想由前门闯进去，上了台阶，就挺着嗓子喊“接帖”。幸亏没有被外国人碰见，撞见一个细崽，连忙挥手叫他出去，又指引他叫他走后门到后头去。等到投帖的下了台阶，藩台也下了马车了。投帖的上前禀明原由。藩台心上很不高兴，自想：“我是客，我来拜他，怎么叫我走后门？”原来这汇丰银行做中国人的卖买，甚么取洋钱，兑汇票，帐房、柜台统通都设在后面；所以那细崽指引他到后边去。

当下藩台无奈，只得跟了投帖的号房走到后面。大众见他戴着大红顶子，都以为诧异：说他倘然是来兑银子的，用不着穿衣帽；如果是拜买办的，很可以穿便衣，也用不着如此恭敬。其时柜台上收付洋钱，查对支票，正在忙个不了，也没有去招呼他。号房拿了名片，叫唤了几声“接帖”，没有人理他；便拉住一个人，问：“外国人在那间屋里住？”那人道：“我是来支洋钱的，我不晓得。你去问他们柜上罢。”号房无奈，站在柜台边望了一望，都是忙忙碌碌的，不好插嘴。急的藩台骂：“没中用的王八蛋！连帖子都不会投，还当甚么号房！”号房急了，随检了柜台上一个鼻架铜丝眼镜的小伙子先生，问他："外国人在那里？我们大人要拜他。"小伙子先生望了他一眼，并不理他，仍旧低下头，手摸算盘，跌跌挞挞算他的帐去了。号房没法，只得又检了一个嘴上两撇鼠须的老头子先生，照前问了一句。毕竟老头子先生古道可风，回问了声："你们是那里来的？要找外国人做甚么？"号房还没有回答他来的是藩台大人，那老头子先生手里早拿了一管笔，一叠支票，一张张的往簿子上自己去誊清，再问他话也听不见了。号房急得要死，藩台瞧着生气。

正在走头无路的时候，忽见里面走出一个中国人来，也不晓得是行里的甚么人。藩台便亲自上前向他询问，自称是江南藩司，奉了制台大人的差使，要找外国人说一句话，看一笔帐。那人听说他是藩台，便把两只眼拿他上下估量了一番，回报了一声："外国人忙着，在楼上；你要找他，他也没工夫会你的。"此时翻译跟在后头，便说："不看洋人，先会会你们买办先生也好。"那人道："买办也忙着哩。你有甚么事情？"藩台道："有个姓余的道台在你们贵行里存了一笔银子，我要查查看到底是有没有。"那人道："我们这里没有甚么姓余的道台，不晓得。我要到街上有事情去，你问别人罢。"扬长的竟出后门去了。

其时来支洋钱取银子的人越聚越多。看洋钱的叮呤当啷，都灌到藩台耳朵里去。洋钱都用大筐箩盛着，豁琅一掼，不晓得几千几万似的。整包的钞票，一叠一叠的数给人看，花花绿绿，都耀到藩台眼睛里去。此时藩台心上着实羡慕，想："我官居藩司，综理一省财政，也算得有钱了，然而总不敌人家的多。"正想着，忽听翻译说道："啊唷，已经十二点半钟了！"藩台道："十二点半钟便怎样？"翻译道："一到十二点半，他们就要走了。"藩台道："很好，我们就在这里候他。他总得出来的；等他们出来的时候，我们赶上去问他们一声，不就结了吗。"正说着，只见许多人一哄而出，纷纷都向后门出去，也不分出那个是买办，那个是帐房，那个是跑街，那个是跑楼。一干人出去之后，却并不见一个外国人。你道为何？原来外国人都是从前门走的，所以藩台等了半天还是白等。直等到大众去净之后，静悄悄的雅雀无声。翻译明知就里，也不敢说别的，只好说："请大人暂回公馆吃饭。过天托人找到他的买办，问他一声，或者就托他代查。大人犯不着亵尊，自己一趟趟往这里来。"藩台看此情形，也觉无味，只得搭讪着说道："我同余某人并不是冤家，一定要来查他的帐。不过我不来两趟，上头总说我不肯尽心。如今外国人不见我，这事便不与我相干，我回省也有得交代了。至于买办那里，你们明天顺便去问一声也好。我们的事情，凡是力量可以做到的，无不样样做到。他不理你，那却无法了。至于当差使，也说不到'亵尊'二字。外国人瞧不起我们中国的官，也不自今日为始了。这件事我碰着了，倒还是心平气和的。”说罢，拉起衣裳一直出来上马车赶回公馆。

翻译当天果去托人找着了买办，提起前情。买办道：“不要说难查；就是容易查，他有银子尽着他存，他爱存那里就那里，总不能当他是赃款办。幸而你们大人没有来见外国人；倘若见了外国人，被外国人说笑上两句，那却难为情呢！”翻译听了无话，回来回了藩台。于是藩台才打断了查帐的念头，只想拿话搪塞制台。不敢说洋人不见，他造了一篇谣言，说问过洋人，簿子上没有余某人的花户，所以无从查起。一面先行电禀，一面预备自行回省。

这日正想夜里趁招商局轮船动身。早晨还在栈房里默默自想：“深悔自己多事，凭空的要捉人家的错处。如今人家错处捉不着，自己倒弄了一场没趣。”越想越没味。正在出神的时候，忽然门上传进一个手本，又拎着好几部书，又有一个黄纸簿子，上面题着“万善同归”四个大字。藩台见了诧异。忙取手本看时，只见上面写着“总办上海善书局候选知县王慕善”。又看那几部书：一部是《太上感应篇详解》，一部是《圣谕广训图释》，一部是《阴骘文制艺》，一部是《戒淫宝鉴》，一部是《雷祖劝孝真言》。藩台看了，心上寻思道：“原来都是些善书。刻善书固是好事；但他忽然要来找我，却为何事？”心上正想回复不见。那个拿手本的二爷说道：“这位王老爷据他自己说起，真正是个好人。自从他开了这个书局之后，所有的淫书已经被他搜寻着七百八十三种，现在一齐存在局中，预备大人调查。有些书外头都没有板子，只有他那里一部。他随身带个手折，都开的明明白白，预备当面呈上来的。”藩台一听这话，心上便想：“姑且叫他进来问问再说。我生平淫书亦算看得多了，那里会有七百八十几种？他既然有，姑且调来看看。等到看过，再出示禁止不迟。”主意打定，便吩咐了一声：“请”。

少停王慕善进来，磕头请安，自不必说。归坐之后，藩台先问他：“这个局子是几时开的？一共刻了多少书？”王慕善道：“回大人的话，从卑职曾祖手里以至传到如今，一直以行善为念。到卑职父亲晚年，就想创个‘善书会’；苦于力量不足，没有办得起来。卑职仰承先志，现在虽然粗具规模，然而经费总还不够，所刻的书亦有限得很，刚才呈上来的几部都是的。卑职此来，一来想求大人提倡提倡；二来还有一篇淫书目录，等大人寓目之后，求大人赏张告示，严行禁止，免得扰乱人心。”一面说，一面又站起来把呈上来的书检出二部，指着说道：“凡事以尊主为本，所以卑职特地注了这部《圣谕广训图释》，是专门预备将来进呈用的。这一部《太上感应篇详解》，是卑职仰体制台大人的意思做的。听说制台大人极信奉的是道教，这《太上感应篇》便是道教老祖李老子先生亲手著的救世真言，卑职足足费了三年零六个月工夫，方才解释得完。意思想要再求大人赏张告示，禁止书贾翻刻，只准卑局一家专利；如此卑局方能持久，以后有甚么善书，便可多刻几部。就是大人有甚么著作，卑局亦可效劳。”

藩台道：“能够多刻几部原是极好的事；不过专利一层，我们做大宪的人，只能禁人为非，那能禁人向善。至于提倡一节，亦是我们应尽之责。甚么《圣谕广训图释》、《太上感应篇详解》，你明天可送几百部来，等我下个公事，派给各府、州、县去看。”王慕善道：“卑局里的书能得大人如此提倡，将来一定可以畅销。卑职回去，就在每部书的面上加上‘奉宪鉴定’四个大字。明天每样先缴进两百部来。”藩台道：“很好。”王慕善道：“请大人的示：这笔书价，卑职还是具个领字由大人这里来领呢？还是等到大人回省之后再到大人库上来领呢？”藩台初意，以为他这些善书虽然卖钱，至于这一二百部一定是捐送给各府、州、县看的。今见他论到书价，心上便有点不高兴。楞了半天，说道：“即然想要劝人为善，最好把这些书捐送与人家；如果要人家拿钱，恐怕来买的就少了。”王慕善不禁一惊道：“回大人的话：三部、五部，卑职还捐送得起；再多，不要说是卑职捐不起，就是卑局里也难支持得住！”

藩台道：“这开书局的经费是那里来的？”王慕善道：“都是捐得来的。”说着，又把那本“万善同归”的簿子翻了出来，查给藩台瞧。一头指着，一头说道：“这是某军门捐洋银五十两，这是某中丞捐洋五十元，这是某方伯捐银三十两，这是某太守捐洋四十元。”随后又特地翻出一条指给藩台看，道：“只是家兄王子密部郎，就是现在做小军机的，他也帮过二十四两。”藩台道：“原来老兄是子翁的令弟！兄弟同令兄很要好；兄弟去年陛见进京，我们两个很说得来。但是这些钱都是众人捐凑的，更不应该拿他卖钱。兄弟既同令兄相好，将来回省之后，替老兄想个法子，弄一笔永远经费。外府州、县有肯为善的，也等他们捐两个。”王慕善听了，特地离位请了一个安，又说了声“谢大人栽培”。藩台道：“这书同簿子你先带回去。我这里有甚么捐款随手就送来给你，不消得写簿子的。”王慕善于是感激涕零而去。

藩台送客回来，对着同来的幕友相公说道：“现在的时势，拿着王法吓唬人叫人做好人还没人听你的话；如今忽然拿着善书去劝化人，你送给他瞧他还不要瞧，还要叫人家拿钱，岂非是做梦！说句老实话，这些书我就不要瞧。倒是把他那七百多种淫书调来看看，一定有些新鲜东西在内。”藩台说到这里，便有个幕友插嘴道：“方伯既然晓得他这些书没用，为甚么还劝他捐给人家看呢？”藩台道：“劝人为善，一来名气好听；二来他是小军机王子密的令弟，把他敷衍过去就完了。我那里有这许多工夫去替他派书，替他敛钱呢。”众人听了，方才明白。到得晚上，便即搭了轮船回省销差。

奉憲設立善書総局
閑人勿入

次日，王慕善还痴心妄想，当他未走，把善书装了两板箱，叫人抬着，自己跟着送到行辕里来。到门一问，才晓得藩台大人昨儿夜里已经离了上海。王慕善至此，还不觉得藩台昨儿同他说的一番话是敷衍他的，还疑心有了甚么要紧公事，急于回省。仍旧把书箱抬了回来，同人商量，把书箱交轮船寄上去。自己又另外打了一个禀帖，随着书箱同寄南京。

藩台回省查的参案，预先请过制台的示，无非是"事出有因，查无实据"，大概的洗刷一个干干净净；再把官小的坏上一两个，甚么羊紫辰、孙大胡子、赵大架子一干人统通无事。禀复上去，制台据详奏了出去。凡是被参的人，又私底下托人到京里打点，省得都老爷再说别的闲话。一天大事，竟如此瓦解冰销。这是中国官场办事一向大头小尾惯的，并不是做书的人先详后略，有始无终也。

闲话慢表。且说王慕善自经藩宪一番奖励，他果然于次日刻了一块戳记，凡他所刻的善书，每部之上都加了"奉宪鉴定"四个大字。又特地上了几家新闻纸的告白。又把自己书局门口原有的招牌重新写过，是"奉宪设立善书总局"。招牌之旁添了两扇虎头牌，写的是"书局重地，闲人免入"。一面又挂着一条军棍。据他自己说："现在我这爿书局既然改了由官经办，我应得按照总办体制；伙计们就是司事。"又吩咐手下的人："以后都得称我为总办。"看了日子，开局悬挂招牌。预先由帐房在九华楼定了几桌酒，发了一张知单。凡认识的官绅两途，请了好几十位。单子上也有写"知"字的，也有写"代知"的，还有写"谢谢"的。有些不晓得他的根底的，还当他的确是小军机王某人的令弟，同藩台有多大的交情，一齐凑了分子来送礼。吉期既到，书局门前悬灯结彩；堂屋正中桌围椅披，铺设一新；又点了一对大蜡烛。王慕善穿了行装，挂着一副忠孝带，先在堂中关圣帝君神像面前拈香行礼。磕头起来，手下的司事又一齐向他叩头贺喜。然后人来客往，足足闹了半日。

王慕善生怕正经官绅来的不多，扫他的面子，预先托了人走了门路，处处说好。居然到了那日，大老绅衿也到得两位。王慕善便殷殷勤勤留住吃饭。当下居中一席，宾主六位，王慕善自己奉陪。五个客人统通都是道台：第一位姓宋，号子仁，广东人氏。官居分省试用道。乃是这里有名的绅董，常常要同上海道见面的。第二位姓申，号义甫，苏州人氏。乃是一爿善局里的总董。自从他爷爷手里创办善举，无论那一省有甚么赈捐，都是他家起头。有名的申大善人，没有一个不晓的。到这申义甫手里，也着实有几文了。申义甫每办一次赈捐，连捐带保，不到五六年，居然由知县也升到道台，指省浙江。因为近年光景甚好，过的日子很舒服，也就不去到省了。第三位新从京里引见出来，路过上海，尚未到省的一位湖南试用道，姓朱，号礼斋，山西人氏。王慕善因为他也是观察，借他来装场面的。偏偏这位朱礼斋最欢喜摆自己的观察架子，有人问他“贵姓、台甫”他对答之后，一定要赘上一句“兄弟是湖南候补道”。无论湖南人员，别省人员，也不论候选、候补，只要官比他小的，见了他面，无论在张园里，或者戏馆里，番菜馆里，尊他一声“大人”，他马上就替人家惠茶东，惠戏价，惠酒帐。上海有爿票号，都说有他的本钱在内。手笔亦着实开阔：有人拿了手本到他公馆里请安，同他叙大人、卑职，他一定请见；倘或告帮，少则十块、八块，多则三十、二十，亦常常的给人家。王慕善晓得他这个脾气，便有心交结他，无论那里碰着，老远的就是一个安，高高朗朗叫一声“大人”。请起安来，眼睛望着鼻子，低下了头，拿两只手往屁股后头一瘪。倘或朱观察问长问短，他满嘴的“是是是，者者者”。因此朱观察很赏识他，肯同他来往。第四位是一位江西候补道，姓蔡，号智阉，乃浙江人氏。是聪明刁刻一路的人。曾经代理过三个月盐道。自以为拿过印把子的人，觉得比众不同，眼眶子里只有督、抚、藩、臬，别人都不在他心上了。因与王慕善稍微沾点亲戚，王慕善特地央他来陪客。他初意想要不来的，后来听说宋子仁、申义甫一干人统通在彼，晓得场面还好，所以赶得来的。还有一位姓翁，号信人，山东人氏。身上只捐了一个候选道，在上海做做生意。不知如何被王慕善请得来的，便把他屈坐了第五位。幸亏他为人颟颟顸顸，于这些上头倒也并不在意。

当下坐定之后，王慕善先开口问宋子仁、申义甫二位道：“宋老伯，申老伯，这两天的公事一定忙得很？”宋子仁皱着眉头，说道：“不要说别的，单是两江制台、苏州抚台托查的事件就有七八桩在身上。还有上海道托我出来调处的事情，还有地方官办不了的事情，亦一齐来找我。真是天天吃了人参，精神亦来不及！刚刚上海道还在兄弟那边。上海道前脚走，上海县跟着又来。并不是欺他官小，对不住他，只好挡驾；见面之后，有得同你缠，只怕到此刻还不得来。义翁，你这两天接到山东的电报没有？黄河怎么样了？”申义甫立刻摆出一副忧国忧民的面孔，道：“利津口子还没合龙，齐河的大堤又冲开了。山东抚台昨儿一天共总有九个电报给兄弟，托兄弟立刻替他汇十万银子去。子翁，现在市面银根如此之紧，一时那里提得到许多！后来又来一个电报，说叫二小儿到工上去当差，年终合龙，两个过班可得道员。因此面情难却，汇了五万银子给他。二小儿亦就这两天动身前去。子翁可有甚么信带？”宋子仁道：“恭喜，恭喜！二世兄不日也同义翁一样，真正是凤毛济美！兄弟有甚么信，回来写好再送过来。”

正谈论间，代理过江西盐道的蔡智庵因与朱礼斋、翁信人扳谈，彼此问起“贵姓、台甫”。朱礼斋回答之后，又从靴页子里掏出一张《申报》，上面刻着分发人员名单，便指着一行说道："上月引见分发的这湖南道朱仪孙就是兄弟。"蔡智庵自以为曾经拿过印把子的人，自然目空一切。谁知翁信人也只是不理他。只有王慕善替他乱吹说："这位朱大人，学问经济，名重一时。这回晋京引见，上头圣眷极好，不日就要放缺的。"蔡智庵不等他说完，急于替自己表扬道："现在皇上很留心吏治，所以我们敝省抚宪陆大中丞委派兄弟代理盐道的折子上头特地还加了四个字的考语。诸位要晓得，代理的时候虽短，有得代理就会署事；有得署事就会补缺。同是一样候补道，尽有候补了几十年，一回印把子拿不到的多着哩。"王慕善听了，不胜倾倒。这时候，朱礼斋已经问过翁信人的"贵班"，翁信人说是"候选道"。蔡智庵道："信翁要做事情，何不分发到省？不要说补缺，就是像兄弟代理过一次，到底多了一副官衔牌，说起来名气也好听些。"翁信人道："我不过在这里做做生意，本来算不得甚么；不过常常要同你们诸位在一块儿，所以不得不捐个道台装装场面。我这道台，名字叫做'上场道台'：见了你们诸位道台在这里，我也是道台；如果见起生意人来，我还做我的一品大百姓。"翁信人一面说，一面端起酒杯来一连喝了五大钟，也微微的有了点酒意。蔡智庵被他说的顿口无言，朱礼斋也做声不得。

申义甫大善士便提起："刷印善书一节，直是关系人心风俗的一件事情。明天小儿到北边，可以叫他带几十部去，顺便送送人，也算得一桩善举。"王慕善道："小侄这爿书局所出的书，有诸位老伯、诸位宪台提倡，不愁没有销路。但是吃本利害；小侄自己一个钱的薪水不支；以及天天到局里办公事，甚么马车钱，包车夫，还有吃的香烟、茶叶，都是小侄自己贴的。真正是涓滴归公，一丝一毫不敢乱用。如此谨慎，每月还要垫得五六百块。甚么朋友薪水，刻板刷印的工钱，以及纸张等类，没有一项少得来的。上回南京藩台到这里，小侄前去叩见，顾他老人家美意，允许各项善书每种要一千部，札派各府、州、县代为分销。将来这笔书价，就在他们养廉银子里扣回，却是再好没有。不过目下要垫本印书，至少非四五千金不办；所以小侄要求诸位老伯、诸位宪台替小侄想个法儿，支持过去。将来少则三月，多则五月，各府、州、县书价领到之后，一定本利同归。小侄是决不食言的。"

当下各位道台听了他的话，你望望我，我望望你，一句话也没有。到底朱礼斋慷慨，首先创议，助银五百两。王慕善立刻请安，"谢大人提倡"。跟手宋子仁说了声："兄弟只好勉竭棉力，捐一百银子，附附骥的了。"蔡智庵是向来吝啬的，不肯自己拿钱，却替王慕善出主意，说道："这件事情，我们尽力帮一千，帮八百，在我们已经出了一身大汗；然而缺少还多，于是仍属无济。兄弟有个愚见，不知申义翁以为如何？"申大善士忙要请教。蔡智庵道："所有各省赈捐银子都在义翁手里，无非是存在庄上生息。现在兄弟做个中人，求义翁拨借王大哥五千，利钱或照庄拆，就是多点也不妨。将来书价领到，本利双还。一则成全了善举，二来义翁又可多收几个利钱，岂不公私两便？"宋子仁也帮着劝说，连称："智翁所言极是……"王慕善听得心花都开。只见申大善士连连摇头道："使不得！使不得！这笔赈捐银子，自从先曾祖存到如今，已有八十多年，是从来没有人提过。如今五千金虽然为数不多，王大哥非荒唐之人，兄弟亦没有甚么不放心。但是此例一开，人人都好来借。借的多了，都像王大哥这样谨慎的人是不打紧；设有差池，这笔款子谁来归还？所以兄弟这个不能出借的苦衷，还求诸公原谅！"

正说话间，忽见外面来了一个人，急匆匆走到申义甫耳朵旁边说了两句话。登时申大善士面孔失色。大家正要问信，又见走进两个堂子里的娘姨、大姐直至筵前，朝着王慕善说道："恭喜耐王大少！倪先生，倪先生也来哉。"一句话，又把个王慕善弄得置身无地。

欲知后事如何，且听下回分解。

第三十四回
办义赈善人是富　盗虚声廉吏难为

话说王慕善这日正在局里请客吃酒，忽然走进来两个堂子里的娘姨、大姐，笑嘻嘻的朝着他说："我们先生就来。"王慕善一看，来的不是别人，正是他相好西荟芳花媛媛的一个大姐，名叫阿金；一个娘姨，名唤阿巧的。

便是前个月里过节，王慕善短欠这花媛媛十二台酒钱，九十六个局钱，节边正因转运不灵，没有送去。花媛媛的母亲平时因见这位王大少来往的很有几个大人老爷，谅非安心漂帐的人，一时掉头不转，也是有的；因此并未叫娘姨、大姐上门来讨，以为过节之后，只要王大少仍旧前来照应，这钱终究要还的。谁料自从节前顶到如今，王大少一趟未曾光降。到局里问问，总说在家里；到公馆里问问，又说在局里：打定主意，总不叫你见面。后来又听他同走的朋友讲起，说王某人节后又做了百花底的周宝宝，两人十分要好，不到一月，已经吃过三个双台，碰过八场和。花媛媛的娘心上恨极了，几次三番的要去候他，总被他预先得信，不是从后门逃走便是赖在周宝宝房间迸住不出来。因此，花媛媛的娘一连候了几日未曾候到，只得天天仍旧到书局里来跑。

后来碰到过一次，花媛媛的娘本来要同他拼命的，禁不起他花言巧语，下气柔声，一味的软缠，央告花媛媛的娘道："姆妈不要动气。实因前帐未付，没脸登门，并非不放在心上。"又道："姆妈，我的事情你是晓得的。目下我这爿书局，新马路宋子仁宋大人，铁马路做善举的申义甫申大人，都肯帮我银子，把局面着实还要撑大。目下他们几位都已答应，但是银子还未到手；等到他们把钱一送来，头一注就先拿来还你。非但酒钱、菜钱两三百块算不得甚么，并且我从前许过媛媛送他一副金钏臂，如今也要了此心愿。请你今天先回去，我少则十天，多则半月，一定不会误你事的。"花媛媛的娘道："大少，人心是肉做的！你春天来做我们媛媛的时候，还是个小先生；如今……"王慕善不等他说完，便道："你不要说了，我有甚么不晓得的。将来银子下来的多，我还要讨媛媛做姨太太哩。你就是我的丈母娘。我讨了媛媛，接你丈母娘一块同住。"花媛媛的娘道："大少，你只要把局钱、菜钱算还给我就够了！别的好处我亦不敢想了！"王慕善道："事情将来定规要如此办，你放心罢了。"花媛媛的娘只得权时隐忍而去，连他跳槽的事亦未揭穿。

谁知过了半个多月，仍无消息。花媛媛的娘一连又叫人来过两三趟，无奈总不见面。他这爿书局乃开在靶子路北面，来一趟非轻容易。花媛媛的娘急了，乃买通王慕善的车夫。车夫便告诉他："几时几日开局，我们东家一定在这里的，你们尽管来就是了。"花媛媛的娘记在肚里。谁知到了开局的那一天，王慕善早已防备，预先托了宋子仁替他到营里借了四名亲兵，穿着号褂子站在局门口，弹压闲人；又请巡捕房派了两个华捕，帮同禁阻，一切闲杂人等毋许擅入。

却说花媛媛的娘这日有事在心，一早便唤女儿起身。收拾停当，已有十一点半钟；及至走到，不差亦有半点钟了。只见人来客往，马车包车，着实不少。花媛媛母女两个晓得此时不便，又在外面茶馆里等了点半钟，看看来的人已去大半，方同了阿金、阿巧走至门前。亲兵、巡捕拦阻不准进去。媛媛母女二人面孔究竟还嫩，禁不起呼喝，便退了出来。毕竟阿巧心机灵巧，便道："既到此间，那有不见之理！"便让媛媛母女仍到茶馆里去坐，他就拉了阿金硬闯进去。巡捕喝问何人。阿巧便说是王老爷自己公馆的人。巡捕不便阻拦，任其扬长进去。

王慕善一见，果然大吃一惊。台面上正是一班贵客，倘若闹穿，诸多不便。急能生巧，便道："你们来得极好。我家大老爷本来有封信在这里，我因为有事，所以还没送来。如此，就托你二人带了去，省得我走一趟。"说罢，趁着到房取信为由，把阿金、阿巧一直领到帐房。先埋怨他不该当着大众坍我的台，又说："上下不过几天，怎的就急到这步田地？"阿巧道：

“事情并不与我相干。他娘儿两个一定要来，同在茶馆里；大少，你自己同他去说罢。”王慕善绉绉眉头，道：“我正在这里有事，他们偏偏要来同我胡缠！”阿巧道：“这是你自己不好，说话不当话，也怪不得别人。洋钱一时来不及，多少给他们几个，陆陆续续的开销点，他们也不来找你了。”王慕善晓得今天的事非钱不能了结，硬硬头皮，从帐房柜子里取出昨儿新借来的一封洋钱，数了数，除用之外，只剩得六十多块了。于是把零头留下，先拿五十块钱给媛媛。又拿十块给阿金、阿巧平分，求他二人快快劝他母女回去，有话过天再说。阿巧、阿金见钱眼开，乐得做好人，拿着洋钱，倒反千恩万谢而去。

王慕善见他二人走出大门，方把一块石头放下。重新赶到客堂入席，连说：“对不住！……”又道：“刚才来的两个人，说也好笑：他先生就是普庆里的洪如意。还是家兄去年路过上海的时候照应过他几十个局，碰过几场和，吃过两台酒。等到家兄进京之后，他俩常常通信，还带过东西，都是小侄替他们传递。”宋子仁道：“令兄大人真要算个风流才子了！洪如意是由苏州来的，一切气派到底两样。”当下你一句，我一句，竟把花媛媛一段故事，丝毫未曾揭穿。王慕善于是把心放下。举箸让菜，忽然才觉得不见了上面第二位申大善士；忙问众人：“申老伯那里去了？”宋子仁对他说：“申义翁听说为着庄上存的一笔款子，也不晓得怎样，管家来送了个信给他，他就急忙忙的去了。不及关照你，托我们关照你。一打岔就忘记了。”王慕善听了，甚为气闷。只因蔡智庵有劝他代借五千银子的一句话，虽未答应，在王慕善却不能不痴心妄想。当下席散，众人告辞。

次日朱礼斋果然送到五百银子。王慕善千恩万谢，自不必说。但是上节过节拖欠太多，五百银子换了六百几十块钱，还还局帐，还还店帐；大老官有了钱，腰把子就硬起来了，不免又要多摆几个双台以及吃大菜，叉麻雀，坐马车，看戏，制行头，都是跟着来的：不到十天，五百雪花银早花得干干净净。等到钱化完了，又想到：“宋子仁还答应过我一百银子，不免向他要来应用。”偏偏碰着这位老先生极其罗苏，又是极其小心，见面之后，问长问短；问：“局里一个月有多少开销？现在已刻了多少书？每年可趁几个钱？”王慕善于是随嘴乱编，只求搪塞过去，好拿他的银子。后来宋子仁又说了许多勉励他的话，然后拿出来一张月底的期票。王慕善钱既到手，如获至宝，便也不肯久坐，随意敷衍了几句，一溜烟辞了出来。回到局里，一看是张期票，远水救不得近火，于欢喜之中不免稍为失望。踌躇了半天，只得托本局帐房朋友，化了几块洋钱，到小钱庄上去贴现；贴了回来，又被帐房扣下五十多块，说是工匠薪工，厨房伙食，再不付，人家都要散工了。王慕善因到手只有八十来块钱，急的朝着帐房跺脚；心上虽不愿意，而又奈何他不得。八十来块钱禁不得大用，不到三天又完了。

没得钱用，只得另觅别法；又想："钱少了，实在不彀挥霍。现在不如去找蔡智庵；前天承他美意，肯替我向申义甫设法。"主意打定，便去找蔡智庵。蔡智庵听出前天申义甫的口气，晓得他一定不肯挪借，恐怕自己去说不成功，要坍台的，便道："这话须得你老哥自己去找他，我们旁边人只能敲敲边鼓。他同老哥交情厚，自然会替老哥想法子的。"王慕善不知他用意，便道："卑职遵大人的示。且等卑职去过之后，看是如何说法，再来禀复大人，求大人替卑职想个法儿。"蔡智庵道："就是如此。"王慕善从蔡智庵那里出来，果然去找申大善士。进门之后，托门上人通报。门上人说："我们大人正接着山西电报，听说山西今年闹荒年，抚台有电报来托这里汇银子去；正请了阎二老爷来，在厅上商量呢。你老还是此刻见，还是停刻见？"王慕善一想："我这趟来的真不凑巧！偏偏来找他，偏偏碰着他有事。但既来到此间，断无不见佛面之理。"便道："不管是谁，你替我回就是了。"

门上人递上名片。申义甫一见是他，肚皮里就有点不愿意，心上想道："那天蔡某人一开口就劝我借给他五千银子，好容易被我借端逃走。他今日又缠上门来，真正讨厌！"欲待不见，不料王慕善已到廊檐底下等请了。申大善士无法，只得叫"请"。见面之后，寒暄过去，申义甫不等他说话，先问他道："你晓得了没有？"王慕善回称不知；又问："老伯有甚么事情？"申义甫道："山西荒年，草根树皮没得吃了，现在吃人肉。抚台有电报来托我替他捐一百万银子的款，立等散放。老兄，你是晓得我的光景的，不要说是一百、八十万，就是十万、八万，三千、五千，我也得一个个的在人头上捐下来，那里有这笔闲款来垫哩。"王慕善道："'救人一命，胜造七级浮屠'。老伯做的是好事，如果有钱垫，自然早解去一天可以把人早救活一天。"申义甫道："呀呀乎！兄弟若不是办的顶真，都像这样东挪西借起来，那里还能撑得起这个局面。"阎二先生也帮着申义甫，说申大先生如何勤恳，如何为难，"现在赈捐已成强弩之末，那里能像从前来的容易"。滔滔汩汩，说个不了。

王慕善到此，方请教他姓字。申义甫道："你连阎二先生阎大善人还不认得？也难为你这个老上海了！他姓阎，他的号叫阎佐之，新近由知州保举了直隶州。已经三次奉旨嘉奖，有两回上谕高头，兄弟名字底下一个总是他。"阎二先生听了，满面孔义形于色。便亦请教王慕善的名号，王慕善说了。申义甫道："这位王大哥，就是我同你说过开办善书局的那一位。"阎二先生道："我们中国人认得字的有限，要做善事，靠着善书教化人终究事倍功半。倘若拿善书送给人家，人家不看，这书岂不白丢？依兄弟愚见：总不如实事求是，做些眼前功德，到底实在些。申大先生以为何如？”申义甫未及开口，王慕善道：“兄弟力量不足，所以只好刻刻书，劝化劝化人。如果本钱大，力量足，像申老伯做的这些事我都要做的。”阎二先生冷笑道：“做善事要本钱，任凭你一辈子都做不成！兄弟资格浅，说不着。即以我们这申大先生而论：当初他家太太老伯手里，何尝有钱。他家太太老伯起初处个小馆，一年不过十来吊钱。后来本乡里因他年高望重，就推他做了一位乡董。他老人家从此到处募捐，广行善事。俗语说：‘和尚吃八方。’他家太太老伯连着师姑庵里的钱都会募了来做好事，也总算神通广大了。他家太太老伯不在的时候，已经积聚下几百吊钱。到他太老伯，以至他老伯手里，齐巧那两年山东、河南接连决口，京、津一带，赤地千里。地方上晓得他家肯做善事，就把他推戴起来，凡有赈捐，一概由他家经手。所以等到他家老伯去世，庄上的银子已经存了好几十万了。申老伯去世的前头几年，记得那时候我只有十三岁。有天到申府上替申老伯请安，申老伯拉着我的手，说道：‘你们小孩子家，第一总要做好人；做了好人，终究有返本的。你想，我公公手里是甚么光景？连顿粗茶淡饭也吃不饱。自从做了善事，到我手里，如今房子也有了，田地也有了，官也有了，家里老婆孩子也有了，伺候的人也有了。那一桩不是做善事来的？“皇天不负苦心人”，这句话是一点不错的。’后来申老伯去世，就传到我们这位申大先生手里。申大先生更与众不同，非但场面比前头来的大，如今他老人家的顶子已经亮蓝，指日就要红了。你不听见说他们世兄即日也要保道台？真正是凤毛济美，可钦，可敬！”

王慕善听了，不胜艳羡。随向阎二先生说道：“你佐翁先生虽然不及申老伯，照此下去，发财亦是意中之事。”阎二先生道：“说那里话！我那里比得上他！《大学》上说的‘心诚求之，虽不中，不远矣’。我现在正在这里求着哩。”申义甫道：“不用你求，山西这一趟，你亦跑不掉。现在算来算去，与其我们捐了银子汇上去叫他们去做现成好人，何如我们自己去，也乐得叫他们地方上供应供应。我们吃辛吃苦，卖了许多面子，捐了许多银子，还不应该好好的巴结巴结我们吗。而且还可以多带几个人去，将来义赈出力，保案当中也乐得多提拔几个人。”阎二先生一迭连声的答应“是……”；又问：“大约几时可以动身？”申义甫道：“至少亦得十来天。现在顶要紧的是刻捐册；刻好了，好托报馆里替我们一家家去分送。稿子我这里已经拟好了一张，你看看，还有要改的地方没有？”阎二先生大约看了一遍，说道：“好是好，但是还少了八个字。”申义甫忙问：“那八个字？”阎二先生道：“‘经手私肥，雷殛火焚’这八个字好少的吗？你若是不把这八个字刻上去，人家一定不相信。”申义甫道：“是极，是极！这是我一时忘记，这八个字本来是不能少的。”

其时王慕善亦站起来帮着看了捐册底稿一遍，愣在旁边，一声不敢言语。后来听了他二人攀谈，方晓得其中还有这许多讲究。随后申、阎二人又议论到名字。申义甫道：“兄弟是劝捐世家，居中头一个，兄弟也不消客气的了。其余的你斟酌去罢。”王慕善至此忽然动了附骥的念头，便朝着申义甫说道：“申老伯，小侄虽是材力浅薄，这劝捐的事，自分还办得来。可否这捐册后头附上小侄一个名字？一来等小侄附骥，叫人家瞧着小侄得与诸大善士在一块儿办事，也是莫大的荣幸；再则小侄也可以借此历练历练。小侄情愿报效，捐来的钱，涓滴归公，一个字薪水也不敢领。”申义甫听了他话，同阎二先生两个你看看我，我看看你。歇了半天，申义甫未及开言，阎二先生先发话道：“备个名字在里头，这件事倒不容易。你不要以为安个名字上去是小事；一个名字虽然只有三个字，一个字要有几百万银子的沉重。你自问你有这个肩膀担得起这个沉重不能？”王慕善道：“既然如此，我去找宋子仁宋老伯做个保人，可好不好？”申义甫一想：“他这来是为借钱来的；现在借钱的话说不出口，倒想帮着劝捐，只求附个名字，我不好不答应他。而且他所来往的都是几个观察，看上去场面还不错，乐得送个人情答应了他。”便道：“并不是兄弟不相信吾兄，一定要吾兄找保人；实因事情关系者大，并不是兄弟一人之事，兄弟也作不得主。有个保人，人家就不会批评到兄弟了。”王慕善道：“这个小侄都知道。”申甫义又道：“吾兄现在做了我们自己一家人了，但愿吾兄从此一帆风顺，升官发财，各式事情都在此中生发，真正是名利双收，再好没有。从前人说：‘为善最乐’，兄弟是过来人，难道还骗你吗？”王慕善听了，自然高兴。

阎二先生道：“现在捐册还没有刻，再一笔笔的捐起来，至快也要二十天才得动身。今年十月里乃是家慈的七十晋九的生日。上次广西赈捐请奖案内已经替他老人家请了二品封典。前月家表兄进京，顺便把诰命轴子领到。兄弟打算看个日子，借张园替他老人家热闹一天。十月里兄弟要出去放赈，不能在家里，也就借此预祝，以尽人子之心。大先生以为何如？”申义甫道：“是极，是极！显亲扬名，本该如此。佐兄不是这两年办赈，那里能够有此一番作为。如有知单公启，兄弟一定预名。”阎二先生道：“本要借重。”又闲谈了一回，彼此别去。

自从这天起，申义甫便拿红纸另写了一张“劝捐山西急赈总局”的条子贴在门口。王慕善便不时的到他家里鬼混。过了三天，捐册石印好了，下一排末了一个果然刻着王慕善的名字。王慕善看了，心上着实得意。所有捐册，除送报馆代为随报分送外，但止王慕善一个人身上就揣了五六百张。每到一处，开口三句话不离本行，立刻从怀里掏出捐册来送给人看，又指着末一个名字，说道："这就是兄弟，现在也在这里头帮忙。诸公如要赈济，不妨交给兄弟，同送到局里都是一样的。再者，兄弟是初进去，等兄弟名下多捐几个，也替兄弟撑撑面子。"人家见他说得如此恳切，有些抹不下脸的，不免都得应酬他几块；然而大注捐款一注没有。捐了三天，捐册送掉三百多份，只捐得一百八十几块洋钱，都是些零星碎户。王慕善便有些懒惰起来。及至回到局里一问，才晓得申大先生三天不出门，坐在家里已经捐了人家十几万了。王慕善才晓得这劝捐一事，竟同做官一样，非有资格不可。

正是有话便长，无话便短。过了几天，便是阎二先生替他老太太预祝的日子。到了几天头里，先把张园大洋房定下，隔夜带了家人前去铺设一新；又定了一班髦儿戏；发了一张知单，总共请了三百多客，都是上海有名的大人先生。到了次日，阎二先生一早起来，穿了袍褂，坐了马车，赶到张园。又把自己妾生的一个儿子带了来；这个儿子才有九岁，也扎扮着，穿着小袍套小靴帽，戴着五品顶子。说今天来的客多，好叫他帮着回拜。此外帐房家人，一共去了十来个。

阎二先生是七点钟到的张园。八点钟头一位客到，乃是这里有名的一位道台，叫做"磕头道台"。这人年纪也有四十来岁了。据他自己说，他这个道台也捐了二十来年了，指省湖北，一直没有当过差使。公馆住在上海。专候人家有喜庆等事，他便穿着衣帽前来摆阔；无论这家同他有无来往，只要是场面上的人，被他晓得了，到了这一天，一定是他头一个戴着大红顶子前来磕头的。后来大家看熟了，就送他这么一个美号，叫做"磕头道台"。人家见磕头道台无处不磕头，就有些不认得的人，偶遇家中有事，亦就发付帖子给他，等他来磕头。这位磕头道台吃量又好，每到一个人家，总要等到开过席吃过中饭才走；有时候并且连晚饭都吃了去。人家有事，人来客往，总得有人陪客。别位大人先生，就是发帖子请他光陪，来虽来，不过同点卯应名一般，一来就走，而且还有拿架子不来的。独有这位磕头道台，他一到之后，马上就替你陪客送客，一直忙碌到走，不消主人费心的。因此各家有事都要请他。

且说这天磕头道台到了大洋房里，拜过寿堂，见过主人，让坐奉茶。此时为时尚早，大洋房内空落落的一个客没有。主人阎二先生因这位磕头道台没有甚么谈头，便把儿子唤过来，叫他替老伯请安。磕头道台一见，先问几岁，读甚么书。阎二先生一一回答过。磕头道台又见他戴着顶子，便问："世兄贵班？"阎二先生道："还是前年四川水灾赈捐案内买的捐票，捐的一个同知职衔。小孩子年纪小，等他大些再替他弄实官。"磕头道台道："现在捐票甚么折头？兄弟想请一个三代一品封典。"阎二先生道："有有有。某翁是自己人，我老实说，若是别人，就是出了钱我也不同他讲的。某翁要办这件事，姑且再等一两个月。这回山西义赈，极少要捐七八十万。有些捐整千整万的人，他们各人会替自己请奖，或者移奖子弟，我们想不到他的好处；就是请奖之外，有点盈余，也为数有限。其次，当铺钱业虽然由各府各县传谕各帮首董勒令派捐，将来他们这些捐票仍旧要出卖与人，希冀捞回两个。这种捐票都跟着大行大市走的，我们也占不到便宜。要拾便宜倒在零碎捐款上头：人家捐了一百、八十，十块、八块，谁还想甚么好处。然而积少成多，这便是经手人的沾光。譬如有一百万银子的捐款，照例请奖，人所共知的也不过十万、二十万；其余的都要等到凑齐整数。将要奏报出去的时候，那一省的事就由那一省的督、抚同我们商量好了，定个折扣卖给人家，仍旧可以请奖。人家乐得便宜，谁不来买。而且这笔卖买多半还是我们经手。"

磕头道台道："如此一来，就是打个六折、七折卖给人家，岂不是一百万银子的捐款又多出六七十万吗？倒可以救人不少！"阎二先生道："你这人好呆！再拿这银子去赈济，我们一年辛苦到头，为的甚么。果然如此，我为甚么不叫你买捐票，倒叫你等两天呢？叫你等两天就有便宜给你。——不过这里头也不是我兄弟一人之事。现在山西急等赈济，靠你观察的面子，只要能够经手募捐万把银子，于照例请奖之外，兄弟并且可以在别人名下想个法子再送你一个保举；不要说是一个三代一品封典，别的官还可以得好几个哩。"磕头道台听了，着实心动。不过要他募捐一万银子，尚待踌躇。

正谈论间，客人也陆陆续续的来了，于是打住话头。后来客人渐渐的多了，主人便吩咐开席。磕头道台抢着代做主人，让人喝酒。自从冷荤盘子吃起，以至吃到后四道，一直没有住嘴。末了上了一碗红烧蹄子，他先让众人吃。众人都说："谢谢，实在吃不下了。"他见众人不吃，便拿筷子横着一卷，一张蹄子的皮统通被他卷来，放在饭碗上。只见他拿筷子把蹄子一块一块夹碎，有一寸见方大小，和在饭里，不上一刻工夫，狼吞虎咽，居然吃个精光。依他肚皮，还没有吃饱；因见众人都停了筷子，他亦只好罢休。这桌席散，齐巧有后来的客，多开一席。他又抢着代东，吃过第二顿方才吃饱。抹过脸，又着实替主人张罗了一回；看了一回堂戏。后来见客人都已散完，他才走的。

且说阎二先生等老太太生日做过，停了一日，出门谢过客，便预备起身。他说出去放赈是穿不得皮袍子的，山西天冷，叫家里人替他做了一身丝棉袄裤穿在里头，将来外面就是罩件破棉袍子也很够了。因为要做大善士，面子上不能不装做十二分俭朴。银子可以由汇兑庄汇去，棉袄棉裤不能不自己带去，好在沿途都有地方官派人照料。大善士是前去救人的，皇上还要另眼看待，不要说是一个小小州县。一个不好，只要大善士一封信给抚台，立刻拿他撤任，就是参官亦容易。因此上，谁敢不来巴结他！诸事停当，便带了师爷、二爷一块儿上了火轮船，取道京、津，径往山西。在路行走非止一日，他到那里，沿途都打电报给山西抚台；好在大善士打电报是不花钱的。

有天到了山西境界。山西抚台预先有滚单下来给沿途州、县，说是南方大善士阎某人带了银子，还有棉袄棉裤前来赈济，是救我们山西百姓来的，我们地方上不好不尽地主之谊，一路之上都要好好派人招呼。那些州、县接到本省上司公事，有甚么不尽心的，打尖住宿，一齐都预备公馆。有些还张灯结彩，地方官自己出来迎接。大善士到店之后，还送鱼翅酒席。阎二先生要做出清正的样子，一到店忙叫店家把灯彩一齐撤去；人家送来的酒席，一概不收。问店里伙计要一碗开水，把带来的馍馍泡上两个，吃了充饥；同人家说："我们有干粮吃，还算过的天堂日子。将来走到太原那边，赤地千里，寸谷不收，草根树皮都没得吃，饿得吃人肉，那日子才不是人过的哩！"说到这里，恨不得就哭出来，说道："我想到那些遭难人的苦楚，我连干粮都吃不下了！"人家看了他这个样子，都拿他十分敬重，齐说："这才真正是好人哩！"这个风声一出，下站办差的便不敢替他张灯结彩送酒席了。谁知他见人家办差草率，便道人家有心怠慢他，说："我费了千辛万苦，带了银子来到你们山西地方放赈，原来替你们地方上救百姓的，怎么连点供应都没有？吃的东西亦不预备？还是瞧不起我们拿我们不当人呢？还是多嫌我们不要我们来放赈？既然多嫌我们不要我们来放赈，我立刻写封信给抚台，等我们回去就是了。"地方官一见大善士生了气，那还了得！早吓得屁滚尿流。自己当面求情求不下，又托了绅士出来挽留，才算答应的。等到地方官赶把酒席做好送来，他又说不要了，又道："我不是争他这点东西，为的是场面上下不去。况且我们办善举的人，自有干粮充饥，是从来不受人家酒席的。"决计不收，一定叫来人抬回去。地方官拿他无可如何，只得忍气吞声而止。有些州、县还有意巴结大善士，连大善士的师爷、二爷都得好处，托他在大善士跟前吹嘘，将来大善士到省，好在抚、藩跟前替他说好话，调好缺：因此，这一路上，大善士甚有威风。

一日到了太原地界。这太原一府正是被灾顶重的地方。大善士见机，晓得善门难开；倘若再像从前耀武扬威，被乡下那些人瞧见，一拥而前，那时节，连他的肉都被人家吃掉还不够。于是吩咐手下人，分做三四起，一齐扮做逃荒的样子，都不坐车，走了十几里。等到进了城，见了本城地方官，然后再声张起来，说是南边阎大善士到了。抚台得了信，不等他来拜，先自己去拜他，说了多少仰慕感激的话，一口一声"阎老先生"，又面谕首府、县好生款待，好生招呼。阎二先生的官阶虽然只有个知州，然而这一回乃是赈济而来，便摆出他大善士的架子，连抚台亦不放在眼里，竟称抚台为某翁，自己称兄弟。齐巧这位抚台乃是最讲究这些过节的，现在为着要银子赈济，不能不仰仗于他，虽然奈何他不得，心上却实在不高兴，面子上依旧竭力敷衍。阎二先生头天到得太原，第二天就派了手下司事等众带了钱米，分往各处，稽查户口，核实散放；自己也穿了极破的衣服跟在里头做事。

列位要晓得：这些做大善士的人，一年到头，捐了人家多少银钱，自己吃辛吃苦，毕竟那被灾户口也着实沾光；若无此辈更不知要死掉多少人，有了此辈到底救活性命不少。此乃做书人持平之论；若是一概抹杀，便不成为恕道了。但是办捐的人能够清白乃心，实事求是，不于此中想好处的虽然也有；至于像这回书上所说的各节，却亦不能全免。既然有了这种人这等事，做书的人拿他描画出来，也不算得刻薄了。

闲话少叙。且说阎二先生在太原足足放了两个多月的赈，又办了些善后事宜，功德做了不少，银子却也用去不少。不但山西百姓颂声载道，就是山西官员，从巡抚以下，也没有一个不感激他的。他到此更觉扬扬得意，目中无人。又他生平为人度量极小，天底下人，除他之外，没有一个好的。回省之后，见了抚台，便把他放赈所到的地方那些府、厅、州、县，某人如何不好，某人如何不好，一半公怨，一半私仇，竟说的没有一个好人。抚台听了，当时亦着实生气，吩咐藩台把情节较重的撤参了几个。毕竟他的架子太大了，不满意于人的地方很多。起先是他到抚台面前说人不好，后来渐渐的有人到抚台面前说他不好。人众我寡，一张嘴如何说得过众人。抚台想起他的前情，见了人那副傲慢样子，心上很不舒服他。因此便将计就计，上了一个折子，上叙“山西吏治，早已坏到极处。现当大旱之后，户口凋残，元气一时难以骤复；非得关心民瘼之员，竭力抚循，不足以资补救。兹查有南中义绅、分省补用知州阎某人，此次由上海捐集巨款，来晋赈济，急公好义，已堪嘉尚。自到太原后，臣屡次接见，见其才识宏通，性情朴实；每至一处放赈，往往恶衣菲食，与厮养同甘苦，奔驰于炎天烈日之中，实属坚忍耐劳，难能可贵。及试以他事，尤复刚毅果敢，不避嫌怨，实为当今不可多得之员。伏乞俯念晋省需才，允留该员在晋差遣委用之处，出自逾格鸿慈”各等语。

折子上去，朝廷自然没有不答应的。有天批折回来，抚台也不声张，袖了折子前去拜他。见面之后，又着实拿他抬举，慢慢露出借重之意。阎二先生听了，只当是抚台敷衍他的话，不免拿腔做势，添了许多自抬身价的话，说甚么“现在山东、直隶都等着我去放赈，我顾了你们便顾不了别处。现在除非有上谕留我在贵省帮忙，那是无可如何之事。除此以外，无论是谁都留我不住。”抚台到此方微微的一笑，从袖筒管里取出批折，送到他的面前。此时也不称他为阎老先生，但说得一句道：“现在有上谕在此，老兄请看。”阎二先生一听大惊，赶忙接在手中看时，只见前是山西抚台的折子保举他，留他在山西的一派话；后面一行奉旨，是“阎某人着交某人差遣委用”十几个字。阎二先生看到这里，一时又惊又喜，两手拿着折子放不下来。惊的是：他在我面前，从未提过一声，凭空的一个折子竟其把我留下。喜的是：我本是一个没有省分的人，现在忽然归了特旨班，即日就可补缺。因此心上忐忑不定。但是既经留在山西，同抚台便是堂属体制，不能再照前番称呼。一旦要我恭顺起来，并非心有不甘，实在面子上一时放不下去。前日是并起并坐，今日是“大人、卑职”，未免叫不出口，难以为情。仔细思量，踌躇不决。既而一想：“他既然能够晓得我的好处，保举我，他便是我的知己。古人云：‘感恩知己。’我既感他的恩，就是叫声大人，有何不可。”主意打定，于是放下折子，慌忙离座，恭恭敬敬朝抚台磕了个头。磕头之后，接着请了一个安，说了声“卑职蒙大人提拔，谢大人栽培。卑职情愿伺候大人，替大人效力”。抚台仍旧照前同他客气：每逢禀见，无不立请；见了面总是灌米汤。有些实缺道、府都赶他不上。他说一是一，说二是二，抚台从没道过一个“不”字，因而官场上有些黑点的反去趋奉他，巴结他。他起初同人家还客气，到得后来，也就“居之不疑”了。

又过了些时，他带来的银钱已渐渐放完，因为要在抚台面前讨好，又打电报到上海汇了十几万来。起先银子都归他一人经手，除掉放赈之外，并无别用。自从改归山西差遣之后，上海二批汇来的钱，抚台渐渐也要干预；有时并借办理善后为名，向他支付。他碍于抚台情面，不敢不付。十几万银子，经不得几回也就完了。银子用完再打电报到上海；人家晓得他已经做了山西的官，而且银子已用掉不少，大约可以无须再行接济，以后的钱便来得不像前头容易了。

他此时正在热头上，为了一件甚么事到抚台面前说首府不好。抚台马上把首府撤任，就同藩台商量，派阎某人署理。藩台说：“阎某人乃是知州班次，署理知府，未免衔缺不甚相当。”抚台把脸一板，道：“现在是甚么时候，还拘甚么资格吗？我从前保举他，留他在山西，就想要重用他的。现在朝廷尚且破格用人，你我岂可拘守成例！”藩台被抚台驳得无话可说，只得诺诺称“是”。回到衙门里，立刻挂牌；然而为他碰了抚台一个钉子，心上总不高兴。第二天阎二先生上去谢委，独独藩台没有见他。

抚台又立逼催他接印。恰巧前任这几个月碰着天旱，一无进款，赔的也苦极了，也乐得早交卸一天早轻快一天。阎二先生择定第三天接印。他老先生向来是俭朴惯的，上任的那一天，坐了一乘破轿子，名为四轿，其实只有两个轿夫，一把红伞，一面锣，喝道的亦止有一个。问问那些人那里去，回称：“都饿跑了。”阎二先生不便挑剔。等到拜过印，升堂点卯，六房书吏只有三个人，差役亦只有五六个。点卯应名都是一个人轮流上来好几趟。及至看他们穿的衣裳，都同叫化子一样。阎二先生手里早捏着一把汗，晓得荒年没有收成，这个缺万无生发；只得将机就计，做个清官，还好蒙骗上司的耳目。等到接印之后，一连十几日，下属应送的到任规，一处没有；而且弄得是政简刑清，案无留牍，连下属申详的案件，半个月来，亦是一桩没有。——并不是德化感人，实因太原一府的百姓都已死净逃光，所以接印以来，竟无一事可做。

他这时仍旧总办放赈事务。看看秋尽冬来，北方天气寒冷，未交十月，已下得一场大雪。上海一连去了几个电报，不见有银子汇来，心中正在愁闷。一日端坐衙中，忽然接到抚台一个札子，拆阅之下，这一急非同小可！

要知所为何事，且听下回分解。

第三十五回
捐巨赀纨袴得高官　吝小费貂珰发妙谑

话说阎二先生自从代理太原府以来，每日上院禀见抚台，以及抚台同他公事往来，外面甚是谦恭；虽然缺分苦些，幸而碰着这种上司，倒也相处甚安，怡然自得。不料一日正坐衙中，忽然院上发来一角公事；拆阅之下，乃是抚台下给他的札子。前面叙说他集款放赈如何得力；接着又说“现在已交冬令，不能布种；若待交春，又得好几个月光景。这几个月当中，百姓不能餐风饮雪，非再得巨款接济，何以延此残生？该员声望素孚，官绅信服。为此特札该员迅速多集款项，源源接济；幸勿始勤终惰，有负委任”各等语。

阎二先生接到札子，踌躇了半夜。次日上院，又要顾自己面子，不敢说上海不能接济的话；只说已经打了电报去催，大约不久就有回信的。抚台听了，无甚说得。过了三日，又下一个札子催他。他弄急了，便和一个同来放赈的朋友——现在他衙门里做帐房的一位何师爷——商量。何师爷广有韬略，料事如神，想了一想，说道：“抚台一回回的札子，只怕为的自己，不是为的百姓罢！”阎二先生道：“何以见得？”何师爷道：“现在太原府的百姓都已完了。到了春天，雨水调匀，所有的田地，自然有人回来耕种。目下逃的逃，死的死，往往走出十里、八里，一点人烟都没有，那里还要这许多银子去赈济。所以晚生想来，一定是抚台自己想好处。他总觉着你太尊上海地方面子大，扯得动，一个电报去，自然有几十万汇下来。那里晓得今非昔比，呼应不灵！”阎二先生道：“如今上了他的圈套，要脱亦脱不掉。你有甚么好法子呢？”

何师爷此时虽然挂名管帐，其实自从东家接任到今，一个进帐没有。而且这位东家又极其啬刻，每日零用，连合衙门上下吃饭，不到一吊钱。就是要赚他两个，亦为数有限。这个帐他正管得不耐烦。如今听了东家的话，他便将计就计，想好了一条计策，说道：“太尊明日上院，只消求抚台给晚生一个札子。晚生拚着辛苦，替太尊回上海去走一趟。”阎二先生道：“札子上怎么说法？”何师爷道：“劝捐。”阎二先生道：“目下捐务已成强弩之末，况且上海有申大先生一帮在那里，你人微言轻，怎么会做过他们？”何师爷听了，笑道：“劝捐是假，报效是真。”阎二先生听到“报效”二字，便晓得其中另有文章，连问：“报效如何办法……？”何师爷道：“若照部定章程，开个捐局专替山西办捐，人家有了银子，不论那里都好上兑，何必定要跑到你们局里。此我所以不说劝捐，而说劝人报效：因为劝捐是呆的，报效是活的。我只要抚台上一个折子，先说本省灾区甚广，需款甚繁，倘有报捐在一万两以上者，准其专折奏请奖励。”阎二先生道：“能捐一万银子的有几个呢？”何师爷道：“晚生的话还没有说完。捐不捐在他，出奏的权柄在我。能捐一万银子的固然不多，只要他能够捐上六七千，我们同抚台说明，算他一万，给他一个便宜，人家谁不赶着来呢。合起捐官的钱来，所多有限，将来一奉旨就是特旨班，人家又何乐而不为呢。这笔款子叫名是山西赈济，赈济多少，有甚凭据？尽着抚台的便，随他爱怎么报销就怎么报销。如此办法，抚台有了好处，一定没别的说话。你太尊就是要调好缺，过府班，都是容易之事。他还肯再叫你在这太原府喝西风吗？”

一席话说得阎二先生不觉恍然大悟，连连点头，连称“你话不错……”。又道：“话虽如此说，明天我就上去照你的话回抚台，这个札子一定是一要就到。但是你一无官职，他下札子给你，称呼你甚么呢？”何师爷道：“太尊办了这几十万银子的捐款，还怕替晚生对付不出一个官来？起码至少一个同知总要叨光的了。”阎二先生笑了一笑，心上也明白：“将来一个官总得应酬他的。准其明日等把话同抚台说好，随后填张实收给他就是了。”

商量已定，次日上院，便把劝人报效的法子告诉了抚台。又道：“我们山西没有外销的款子，所以有些事情绌于经费，都不能办。现在开了这个大门，以后尽多尽用，部里头还能够再来挑剔我们吗？”抚台听了，果然甚喜，便问：“这件事仍旧要到上海去办，那里有钱的主儿多，款子好集；但是派谁去呢？”阎二先生便把何师爷保举上去；又说：“这何某就是在上海帮着卑府办捐，后来又同到此地放赈的。此人人头极熟，而且很靠得住。委他劝办一定可以得力。”抚台道：“你老哥想出来的法子就不错，保举的人亦是万无一失的。”说着，便叫人请了奏折师爷来，同他说知底细。一面拜折进京，一面就下公事给何师爷，委他到上海劝办。次日何师爷上辕谢委，一张嘴犹如蜜糖一般，说得抚台竟拿他十二分器重。

阎二先生又趁空求调好缺。抚台说：“我亦晓得你苦久了，要紧替你对付一个好缺，补补你前头的辛苦。你由知州保直隶州的部文已到。这回赈济案内，我同藩台说，单保一个‘过班’尚不足以酬劳；所以于‘免补’之外，又加一个‘俟补知府后，以道员用’。兄弟老实说：这山西太原府一府的百姓不全亏了你一个人，还有谁来救他们的命呢？就是再多给你点好处也不为过。”阎二先生听了，谢了又谢。不久抚台果然同藩台说了，另外委了他一个美缺。不在话下。

且说这位何师爷名顺，号孝先，乃是绍兴人氏。自从奉了委札，便也不肯耽搁，过了两日，遂即上院禀辞。又蒙抚台发下来二百银子的盘费；又有在省的上司、同寅托他到上海办洋货买东西的钱，倒也有二三百两：一共约有五百银子光景。他便留起二百两当盘缠，拿那三百两换了现钱带着。走到路上，遇见那些被灾的人鬻儿卖女的，他男的不要，专买女的；坏的不要，单检好的。那些人都饿昏了，只要还价就肯卖人。人家讨价，譬如十岁的人只要十吊，五岁的只要五吊。他还价，每一岁只肯出五百小钱。人家想钱用，没得法子，只好卖给他。于是被他这一买，不到三天，竟其买到五十多个女孩子。他一路之上为这五十多个女孩子倒也花得盘费不少。到了上海，检了几个年纪大些，面孔长得标致些的留下，预备将来自己收用。其余的或是卖给亲戚，或是卖给朋友，总收人家好几倍钱。末后又剩下二十多个没有人要。幸亏他上海人头熟，找到一个熟识的媒婆，统通交代了他，贩了出去，大大的卖了一笔钱。后来这些女孩子也晓得被媒婆子一齐卖到一个何等所在。做书的人既非目睹，说说亦是罪过，也就付诸不论不议之列了。

且说何师爷回到上海，便自己另外赁了一座公馆，挂起“奉旨设立报效山西赈捐总局”的牌子。未到上海的前头，已吩咐手下人等不准再称何师爷，须改口称老爷。靠着山西巡抚的虚火，天天拜客，竭力同人家拉拢。有人请酒，一概亲到。如此者应酬了一个月下来，居然有些人上他的吊，报效一万银子的有三个，八千银子的有四个，六千银子的有十来个。一面上兑，一面就打电报给山西抚台，替人家专折奏请奖励。真正是信实通商，财源茂盛。等到三个月下来，居然捐到三十多万银子，他一齐作为六七千报销上去；下余的都是他自己所赚。山西抚台得了他这笔银子，究竟拿去做了甚么用度？曾否有一文好处到百姓没有？无人查考，不得而知。

单说何孝先自办此事以来，居然别开生路，与申大善士一帮旗鼓相当，彼此各不相下。毕竟他是山西抚台奏派的，却也拿他无可如何。又过了些时，何孝先私自打电报托山西抚台于赈捐案内两个保举，从同知上一直保到道台，又加了二品顶戴。从此摇摇摆摆，每逢官场有事，他竟充作大人大物了。偶然人家请他吃饭，帖子写错，或称他为“何老爷”、“何大老爷”，他一定不到。只要称他“大人”，那是顶高兴没有。从此以后，羡慕他的人更多，不是亲也是亲，不是友也是友，都愿意同他往来。就有他一个表弟，是从前瞧不起他的，如今见他已做了道台，居然他表弟到上海也就来拜他了。

他表弟姓唐，行二，湖州人，是他姑夫的儿子。他姑夫做过两任镇台，一任提台，手中广有钱财。他表弟当少爷出身，十八岁上由荫生连捐带保，虽然有个知府前程，一直却跟在老子任所，并没有出去做官。因他自小有个脾气，最欢喜吃鸦片烟，十二岁就上了瘾，一天要吃八九钱。人家都说吃烟的人心是静的，谁知他竟其大谬不然：往往问人家一句话，人家才回答得一半，他已经说到别处去了。他有年夏天穿了衣帽出门拜客，竟其忘记穿衬衫；同主人说说话，不知不觉会把茶碗打翻。诸如此类，不一而足。一天到晚，少说总得闹上两个乱子；因此大众送他一个美号，叫他做“唐二乱子”。

且说这唐二乱子二十一岁上丁父忧，三年服满，又在家里享了一年福。这年二十四，忽然想到上海去逛逛，预备化上一二万玩一下子，还想顺便在堂子里讨两个姨太太。到了上海，虽然同乡甚多，但因他一直是在外头随任，平时同这般同乡并没有甚么来往，所以彼此不大接洽。恰巧他表兄何孝先新过道班，总办山西捐输，场面很大，唐二乱子于是找到了他。当天何孝先就请他吃大菜，替他接风；跟手下来，又请他吃花酒，荐相好给他。唐二乱子毕竟无所不乱，席上朋友叫的局，他见一个爱一个，没有一个不转局。后来又把老表兄何孝先素来有交情的一个大先生，——名字叫甄宝玉的——转了过去。何孝先心上虽不愿意，但念他同乱人一般，无理可讲，只好随他。好在他烟瘾过深，也不能再作别事，乐得听其所为，彼此不露痕迹。

唐二乱子又好买东西：不要说别的，但是香水，一买就是一百瓶；雪茄烟，一买就是二百匣；别的东西，以此类推，也可想而知了。一连乱了十几日。何孝先见他用的银子像水淌一般，趁空便兜揽他报效之事。他问报效是何规矩，何孝先一一告诉了他。因为他是有钱的人，冤桶是做惯的，乐得用他两个，于是把打折扣上兑的话藏起不说，反说：“正项是一万；正项之外，再送三千给抚台，包你一个‘特旨道’一定到手。你是大员之后，将来引见的时候，只得山西抚台折子上多加上两句，还怕没有另外恩典给你。有此一条路，就是要放缺也很容易的。”一席话说得唐二乱子心痒难抓，跃跃欲试。但是带来的银子，看看所剩无几，办不了这桩正经。忙同何孝先商量，要派人回家去汇银子。何孝先是晓得他底细的，便说："一万几千银子，有你老表弟声光，那里借不出，何必一定要家里汇了来？"唐二乱子道："本来我亦等用钱，索性派人回去多弄几文出来。"

何孝先生怕过了几天有人打岔，事情不成功；况且上海办捐的人，钻头觅缝，无孔不入，设或耽搁下来，被人家弄了去，岂不是悔之不及。盘算了一会，道："老表，你如果要办这件事，是耽误不得的。我昨天还接到山西抚台衙门里的信，恐怕这个局子早晚要撤，这种机会求亦求不到，失掉可惜！依我的意思：这万多银子，我来替你担，你不过出两个利钱，一个月、两个月还我不妨。你果然如此办，马上我就回局子，一面填给你收条，一面打电报知会山西。这事情办的很快，不到一个月就好奉旨的。一奉旨你就是'特旨道'。赶着下个月进京，万寿庆典还赶得上。趁这挡口，我替你山西弄个差使。这里头事在人为，两三个月，只怕已经放了实缺也论不定。"一席话说得唐二乱子高兴非常，连说："准其托老表兄代借银子。……利钱照算，票子我写。"何孝先见卖买做成，乐得拿他拍马屁，今天看戏，明天吃酒。每到一处，先替他向人报名，说这位就是唐观察；有些扯顺风旗的，亦就一口一声的观察。唐二乱子更觉乐不可支。何孝先便劝他道："老弟，你即日就要出去做官了。像你天天吃烟，总得睡到天黑才起来。倘若放实缺到外边呢，自由自便，倒也无甚要紧；但是初到省总得赶早上几天衙门。而且你要预先进京谋干谋干，京里那些大老，那一个不是三更多天就起来上朝的。老弟，别的事，我不劝你，这个起早，我总得劝你历练历练才好。"唐二乱子道："要说起早，我不能；要说磨晚，等到太阳出了再睡，我却办得到。我倘若到京城，拚着夜夜不睡，赶大早见他们就是了。"何孝先道："他们朝上下来还要上衙门办公事，等到回私宅见客总要顶到吃过中饭。你早去了，他们也不得见的。就是你到省之后，总算夜夜不睡，顶到天亮上院；难道见过抚台，别的客就一个不拜？人家来拜你，亦难道一概挡驾？倘若上头委件事情叫你立刻去办，你难道亦要等到回来睡醒了再去办？只怕有点不能罢。"唐二乱子想了一想道："老表兄，你说的话不错。我就明天起，遵你教，学着起早何如？"当时无话。

是夜唐二乱子果然早睡。临睡的时候又吩咐管家："明天起早喊我。"管家答应着。无奈他睡惯晚的人，早睡了睡不着，在床上翻来覆去，鸡叫了好几遍，两只眼一直睁到天亮。看看窗户角上有点太阳光射了下来，恰恰才有点朦胧，不提防管家来喊他了；一连叫了三声，把他唤醒。心上老大不自在，想要骂人，忽然想起"今天原是我要起早，叫他们喊我的"；于是隐忍不言，揉揉眼睛爬了起来。当下管家忙着打洗脸水，买早点心。众管家晓得少爷今天是起早，恐怕熬不住，只好拿鸦片来提精神：于是两个管家，一递

何公館

一个装烟，足足吃了三十六口。刚坐起来，却又打了两个呵欠。正想再横下去睡睡，却好何孝先来了。一见他起早，不禁手舞足蹈，连连夸奖他有志气："能够如此奋发有为，将来甚么事不好做呢！"唐二乱子一笑不答。何孝先便说："你不是要买翡翠翎管吗？我替你找了好两天，如今好容易才找到一个，真正是满绿。你不相信，拿一大碗水来，把翎管放在里头，连一大碗水都是碧绿的。"唐二乱子道："要多少价钱？"何孝先晓得他大老官脾气，早同那卖翎管的掮客串通好的，叫他把价钱多报些。当时听见唐二乱子问价，便回称"三千块"。谁知唐二乱子听了，鼻子里嗤的一笑，道："三千块买得出甚么好东西！快快拿回去！看亦不要看！"那个卖翎管的掮客听他说了这两句，气的头也不回，提了东西，一掀帘子竟去了。

唐二乱子道："我想我这趟进京，齐巧赶上万寿，总得进几样贡才好。你替我想，这趟贡要预备多少银子？"何孝先道："少了拿不出手，我想总得两三万银子。你看够不够？"唐二乱子又嗤的一笑，道："两三万银子够甚么！至少也得十来万。"何孝先道："你正项要用十来万，你还预备多少去配他？你一个候补道，不走门子帮衬帮衬，你这东西谁替你孝敬上去呢？"唐二乱子道："自己端进去。"何孝先道："说得好容易！不经老公的手，他们肯叫你把东西送到佛爷面前吗？要他们经手，就得好好的一笔钱。你东西值十万，一切费用只怕连十万还不够！"唐二乱子道："我们是世家子弟，都要塞起狗洞来还了得！"何孝先道："你不信，你试试看。"唐二乱子道："这些闲话少说，这种钱我终究是不出的。如今且说办几样甚么贡。"何孝先先想了一桩是电气车。唐二乱子虽乱，此时忽福至心灵，连说："用不得！……这个车在此地大马路我碰见过几次。大马路如此宽的街，我还嫌他走的太快，怕他闹乱子；若是宫里，那里容得这家伙。不妥！不妥！"何孝先又说电气灯，唐二乱子又嫌不新鲜。后来又说了几样，都不中意。还是他自己点对，想出四样东西，是：一个玛瑙瓶，一座翡翠假山，四粒大金刚钻，一串珍珠朝珠。好容易把东西配齐，忙着装潢停当。

看看又耽搁了半个月，唐二乱子要紧进京。齐巧山西电报亦来，说是已经保了出去。得电之后，自然欢喜。过了一天，又接到家信，由家里托票号又汇来十多万银子。取到之后，算还何孝先的垫款，还了制办贡货的价钱，然后写了招商局丰顺轮船大餐间的票子，预备进京。

在路非止一日，已到北京。唐二乱子是自小娇生惯养，以至成人，今番受了轮船火车上下劳顿，早害得他叫苦连天。预先托人在顺治门外南半截胡同赁了一所房子，搬了进去，就一连睡了三天。又叫人请大夫替他看脉。大夫把了脉出来，同管家说："你们大人不过路上受了点辛苦，没有甚么大毛病，将息两天就好的。"管家连忙摇手，道："先生，你万万不可如此说！

你要说他没病，你二遭就没有生意了。你一定要说他有病，而且说病的很利害。开的药味要多，价钱要大，顶好每剂药里都要有人参；他瞧了才欢喜，说你的本事不错，明日仍旧请你。”大夫道：“人参是补货，无论甚么病可以吃的吗？”管家道：“大老官吃药，不过呷上一口就吐掉的。本来没有甚么病，横竖药又吃不到肚皮里去，莫说是人参，就是再开上些别的亦不妨。我们已同对过药铺里说明，方子上有人参，叫他不论甚么放上些，价钱尽管开大，赚了钱一家一半。先生，你若是要生意好，要我们敝上天天来请你，你医金不妨多要些，三十两、二十两，尽管开口；要的少了，他还瞧不起你。这个钱我们亦是一家一半。先生，我们讲的是真话，并不是玩话。他是有钱的人，不赚他的赚谁的。”那个医生唯唯遵教而去。到了次日，唐二乱子果然又派人来请。那医生便同来人说：“贵上的症候很不轻；而且不好耽误日子，一天最好要看三趟。”又说：“我为着要替你们贵上看病，把别的主顾生意一齐回掉，专看你一家，总得二十四块钱一趟，再加四元六角挂号钱。”唐二乱子一一遵命。等到开出方子来，动不动人参五钱、珠粉二钱，一贴药总在好几十块。唐二乱子吃过之后，连称：“大夫有本事！……果然病已好了许多！”又过了几天，方才出门拜客。

此番来京，为的是万寿进贡，于是见人就打听进贡的规矩。也不管席面上戏馆里有人没人，一味信口胡吹；又道：“我这分贡要值到十万银子，至少赏个三品京堂侍郎衔，才算化的不冤枉。”人家听了他，都说他是个痴子，这些话岂可在稠人广众地方说的。他并不以为意。

他有个内兄，姓查，号珊丹，大家叫顺了嘴，都叫他为“查三蛋”。这查三蛋现在居官刑部额外主事，在京城前后混了二十多年。幸亏他人头还熟，专门替人家拉拉皮条，经手经手事情，居然手里着实好过。如今听见妹夫来京，晓得妹夫是个阔少出身，手笔着实不小，早存心要弄他几个；便借至亲为名，天天跑到唐二乱子寓处替他办这样，弄那样，着实关切。不料唐二乱子是大爷脾气，只好人家巴结他，他却不会敷衍别人的。查三蛋见妹夫同他不甚亲热，便疑心妹夫瞧他不起，心上老大不自在；因此心上愈加想要算计他一下子。唐二乱子是肚皮里存不下一句话的，把进贡的事天天朝着大众说。查三蛋立刻拉在身上，说：“我里头极熟，宫门费一切等事，等我找个人进去替你讲，十万银子的贡，大约化上三万银子的使费也就彀了。”无奈唐二乱子另有一个偏见，别的钱都肯化，单单这个“宫门费”不肯化，说：“我有银子宁可报效皇上。他们是甚么东西，要我巴结他！我做皇上家的官，是天子奴才；他们伺候皇上，难道不是奴才？我为甚么要送钱给他用？我有三万银子，我大八成的道台都可捐得了。我为甚么拿钱塞狗洞！”查三蛋道：“‘阎王好见，小鬼难当’。他们这些人赛如就是些小鬼，你同他们缠些甚么？见上司还要门包，难道见皇上就不要门包吗？这宫门费就同门包一样，从敬事房起，里里外外有四十八处，一千多人分这笔钱，怎么好少他们的呢？”唐二乱子一听内兄要他化钱，心上愈加不高兴，闭着眼睛，摇头不语。其实查三蛋说的都是真话，就是劝他出三万两，也恰在分际，所谓‘不即不离’。无奈唐二乱子因为舅爷是穷京官，本来就瞧他不起的；如今见他想要经手，越发生了疑心，所以彼此更不投机。查三蛋一见妹夫有疑他的心思，就是要掏良心也不肯掏了。

此时趋奉唐二乱子的人真不少，大家一见查三蛋话不投机，就有个想讨好的私下同唐二乱子说：“我认得军机上某王爷，大约只消化得一万银子，这分贡礼就托王爷替我们带了进去。有王爷的面子，还怕上头不收？王爷又在军机上，这事情由他经手，将来上头有甚么恩典，少不得仍在王爷手里经过；他得了你一万银子，一定是替你尽心的。不要说京堂，论不定上头只肯给你一个京堂，王爷替你求求，变个侍郎，亦未可知。”唐二乱子信以为真，从此便不理他内兄，把这事全托了那个人。那个人又天天来候信，催着付银子，又道：“早进去一天，观察就早高升一天。”唐二乱子果然把一万银子给了他。谁知那人钱已到手，一连三日没有回复。

唐二乱子急了。幸亏他是直性子的人，等到没得主意的时候，仍旧请了舅爷来商量。查三蛋见妹夫又请教到他，便乃扬扬得意的说道：“你这人本来好糊涂！我们至亲，岂肯叫你上当。你不相信，偏要听人家的瞎话，拿我们不当人。如今怎么样？一万银子那里去了？事情到底办成没有？”唐二乱子道：“这些话不用说了。都是我不好，误听人言。丢掉一万银子算不了甚么！”查三蛋道：“我叫你只出三万银子的宫门费，你嫌多；如今又贴上一万，倒说算不得甚么。真正不晓得你们打的是甚么算盘！”唐二乱子一声不响，闷在那里吃烟。查三蛋又道：“京城里这种人——撞木钟的人很多，一个不留心就上了当去。等到骗了你的银子，你要找他，也就没有地方去找他了。我且请教你：那个人到底叫个甚么名字？你怎么会认得他的？”唐二乱子道：“那人没有姓，名字叫文明，是个在旗的。还是那天在志美斋席面上认得的。他说他是内务府的司员，现住城里石附马大街。我想他既是内务府的官，一定里头的信息灵通的，所以就托他去办。谁知遭了他的骗！真正意想不到之事！”查三蛋道：“越发荒谬！他既是内务府的人员，不在里头走门路，倒走到外头来！岂有此理！岂有此理！——也好，不经一事，不长一智。这已过去的事情，也不用谈他了，且商量现在我们怎么办法。”

唐二乱子道：“我已经吃亏一万，现在你再要三万，岂不是总共要化去四万？我总嫌太多。如今我只肯再出两万，连失撇的总共三万，也算依你的数了。”查三蛋道：“一万银子是你自己愿意被人家骗去，与我何干？又不是我用的！这话可笑不可笑！”唐二乱子道：“我不管！我总在这个算盘上算。”查三蛋低头一想：“他的算盘如此打法。我如今按照三七叫他拿钱，并没有叫他多拿分文。无论那里，看他用钱用的很大方，独独于我至亲面上如此计较。而且我办的仍旧是他切己之事。他同我调脾，我也犯不着拿好良心待他。看来他上过一次当还不够，定要叫他再上一次，方能明白。”主意打定，便道：“既然你只肯两万，三成之中，不过少得一成，同前途去商量起来看。只要他们肯收，我又何苦要你多化呢。”唐二乱子听得此言入耳，方才说了声“费心”。

查三蛋退辞出去，便去找到素来同他做连手的一个老公，告诉他有这笔卖买。老公不等他提价钱，先说道：“三爷的事情，又是令亲，我们应得效力。”查三蛋道：“不是这等说。”便附耳如此这般，述了一遍；又道：“我们虽是亲戚，但是他太觉瞧人不起，只肯出一万银子的宫门费。他是有钱的人，不是拿不出，等他多化两个亦不打紧。”老公一听，他们至亲尚且如此，乐得多敲两个。连忙堆下笑来说道：“他是甚么东西！连着亲戚都不认，真正岂有此理！就是三爷不吩咐，咱也要打个抱不平的！我去招呼他，叫他把一万银子先交进来。就说上头统通替他回好，叫他后天十点钟把东西送上来。等他到了这里，咱们自然有法子摆布他。”查三蛋诺诺连声，连忙赶到唐二乱子寓所同他说：“准定二万银子的宫门费，由大总管替我们到上头去回过。叫你今天先把宫门费交代清楚，后天大早再自己押着东西进去。”唐二乱子道：“何如！我说这些人是个无底洞，多给他多要，少给他少要。不是我拦得紧，岂不又白填掉一万。如今二万银子我是情愿出的。”说着，便叫一个带来的朋友，拿着折子到钱庄上划二万银子交给查三蛋，替他料理各事。查三蛋银子到手之后，自己先扣下一半，只拿一半交代了老公。老公会意。

到了第三天，唐二乱子起了一个大早，把贡礼分作两台，叫人抬着。查三蛋在前引路，他自己却坐车跟在后头。由八点钟起身，一直走到九点半钟，约摸走了十来里，走到一个地方。查三蛋下车，说：“这里就是宫门了。闲杂人不准进去。”众人于是一齐歇下。查三蛋挥手，又叫众人退去。唐二乱子亦只得下车等候。等了一回，只见里头走出两个人来，穿着靴帽袍子。查三蛋便招呼唐二乱子，说：“门里出来的就是总管的手下徒弟，所有贡礼交代他俩一样的。”唐二乱子一听是里头的人，连忙走上前去，恭恭敬敬请了一个安，口称：“唐某人现有孝敬老佛爷的一点意思，相烦老爷们代呈上去。”谁料那两个老公见了他，大模大样，一声不响。后来听他说话，便拿眼瞧了他一瞧，说道：“你这人好大胆！佛爷有过上谕，说过今年庆典，不准报效。你又来进甚么贡！你是甚么官？”唐二乱子道：“道台。”

老公道："亏你是个道台，不是个戏台！咱问你：你这官上怎么来的？"唐二乱子道："山西赈捐案内报效，蒙山西抚院保的。"老公道："银子捐来的就是，拉甚么报效！名字倒好听！咱一见你，就晓得你不是羊毛笔换来的！如果是科甲出身，怎么连个字都不认得？佛爷不准报效，有过上谕，通天底下，谁不晓得，单单你不遵旨。今儿若不是看查老爷分上，一定拿你交慎刑司，办你个'胆大钻营，卑鄙无耻'！下去候着罢！"那老公说完了这两句，扬长的走进去。

唐二乱子这一吓，早吓得浑身是汗，连烟瘾都吓回去了。歇了半天，问人道："我这是在那里？"其时抬东西的人早已散去，身旁止有查三蛋一个。查三蛋一见他这个样子，晓得他是吓呆了。立刻就走过来替他把头上的汗擦干，对他说道："当初我就说钱少了，你不听我。可恨这些人，我来同他说，他们连我都骗了。既然二万不够，何不当时就同我说明，却到今天拿我们开心！"此时唐二乱子神志已清，回想刚才老公们的说话不好，又记起末后还叫他"下去候着"的一句话，看来凶多吉少，越发急的话都说不出。只听查三蛋附着他的耳朵说道："老妹丈，今天的事情闹坏了！有我亦不中用！看这样子，若非大大的再破费两个不能下场！"唐二乱子一心只想免祸，多化两个钱是小事，立刻满口应允。查三蛋便留他一人在外看守东西，自己却跑上台阶，走到门里，找着刚才的那个老公。往来奔波，做神做鬼，又添了二万银子。先把贡礼留下做当头。二万银子交来，非但把贡礼赏收，而且还有好处；倘不交二万银子，非但不还东西，而且还要办"胆大钻营"的罪。三面言定，把贡礼交代清楚。唐二乱子方急急的跟了查三蛋出来。这天起得太早，烟瘾没有过足，再加此一吓，又跑了许多路，等到回寓，已经同死人一样了。

以后如何，且听下回分解。

第三十六回
骗中骗又逢鬼魅　强中强巧遇机缘

话说唐二乱子唐观察从宫门进贡回来，受了一肚皮的气，又惊又吓，又急又气。回到寓处，脱去衣裳，先吃鸦片烟过瘾。一面过瘾，一面追想："今日之事，明明是舅爷查三蛋混帐！我想我待他也不算错，拿他当个人，托他办事；不料他竟其如此靠不住！你早说办不来，我不好另托别人？何至于今天坍这一回台呢！”往来盘算，越想越气。然而现在的事情少他不得；明晓得他不好，又不敢拿他怎样发作，只好闷在肚里。过足了瘾，开饭吃饭。老爷一肚皮闷气无处发泄，只好拿着二爷来出气，自从进门之后骂人起，一直骂到吃过饭还未住口。查三蛋见他骂的不耐烦，于是问他：“许人家的二万头怎么样？”唐二乱子道：“有甚么怎么样！不过是我晦气，注着破财就是了！”一面说，一面叫朋友拿折子再到钱庄里打二万银子的票子给查三蛋。临走的时候，却朝着查三蛋深深一揖，道：“老哥，这遭你可照应照应愚妹丈罢！愚妹丈钱虽化得起，也不是偷来的！出的也不算少了！我也不敢想甚么好处，只图个‘财去身安乐’罢！老哥，千万费心！”查三蛋听他的话内中含着有刺，毕竟自己心虚，不禁面上一红一白；想要回敬两句，也就无辞可说了。挣扎了半天，才说得一句道：“我们至亲，我若是拿你弄着玩，还成个人吗。单是他们不答应，也是叫我没有法子！”唐二乱子并不理他。查三蛋同了那个朋友去划银子不题。

约摸过了五个钟头的时候，其时已将天黑，唐二乱子见他没有回报，不免心中又生疑虑，便想派人去找他。正谈论间，只见他从外头兴兴头头的进来，连称“恭喜……”。唐二乱子一听“恭喜”二字，不禁前嫌尽释。忙问：“银子可曾交代？进的贡怎么样了？”查三蛋道：“银子自然交代。贡都进上去了。听说上头佛爷很欢喜，总管又帮着替你说话，已有旨意下来，赏你个四品衔。”唐二乱子道：“甚么四品衔！我自己现现成成的二品顶戴，进了这些东西，至少也赏我个头品顶戴；怎么还是四品衔？难道叫我缩回去戴蓝顶子不成？”查三蛋道：“只个不晓得。但是，恩出自上，大小你总得感激。就是你说的有现成的红顶子，这个不相干。——那是捐来的，这是特旨赏的，到底两样。”唐二乱子道：“道台本是四品，也不在乎又赏这个四品衔！”查三蛋道：“这个何足为奇！怎么有人赏个三品衔，派署巡抚？难道巡抚不比三品衔大些？”终究唐二乱子秉性忠厚，被查三蛋引经据典一驳，便已无话可说；并不晓得凡赏三品衔署理巡抚的都由废员起用一层。他仕路阅历尚浅，这都不必怪他。

且说他自从奉到赏加四品衔的信息，心上一直不高兴。无奈查三蛋只是在傍架弄着，说：“无论大小，总是上头的恩典。到底上起任来，官衔牌多一付。你虽不在乎此，人家却求之不得。无论如何，明天谢恩总要去的；倘若不去，便是看不起皇上。皇上家的事情，一翻脸你就吃不了。还是依着他办的好。”唐二乱子无奈，只得一一遵行。

到了第二日谢恩下来，无精打彩的，也没有拜客，一直回到寓处，心想：“我化了不差十五万银子，只弄到这么一点点好处，真正划算不来！”一个人正低着头乱想，忽见管家拿进一张名片来，说是“有客拜会”。唐二乱子举头看时，只见片子上写着“师林”两个大字，便知又是旗人了。愣了一回，回称：“我不认得这人。他是谁？来拜我做甚么？”管家道：“小的也问过他们爷们。他们爷们说：他老爷是内务府堂郎中的兄弟。晓得上回文明文老爷拿了老爷一万银子，事情没有办妥。如今这一万银子的事情，连堂官都晓得了，交派他老爷的哥哥查办这事。他老爷的哥哥为着事情忙，所以特地派他四老爷来的；因为自己亲兄弟，各式事情靠得住点。”唐二乱子此时正因一注注的银子化的冤枉，心上肉痛，一听这话，心想：“这桩事怎么会被内务府堂官晓得？如果内务府堂官用了我的钱，少不得总有好处到我；倘若没有用，这个钱果然被姓文的吃起，也总有个水落石出。不如请他进来问问再讲。”主意打定，便吩咐一声“请”。

此时六月天气，正是免褂时候。师四老爷下得车来，身上穿了一件米色的亮纱开气袍，竹青衬衫；头上围帽；脚下千层板的靴子；腰里羊脂玉螭虎龙的扣带；四面挂着粘片搭连袋、眼镜套、扇套、表帕、槟榔荷包；大襟里拽着小朝烟袋；还有甚么汉玉件头，叮呤当啷，前前后后都已挂满。进门的时候，手里还摇着团扇；鼻子上架着大圆墨晶眼镜。走到会客厅坐下。等了一回，主人出来。师四老爷慌忙除掉眼镜，把团扇递在管家手中，因系初见，深深一躬。唐二乱子连忙还礼。礼毕归坐，先叙寒暄。

师四老爷为人着实圆到，见了唐二乱子说了无数若干的仰慕话。又说：“兄弟常常听见家兄提起大名，每恨不能一见；今日齐巧有堂派查办的公事，家兄里头事情多，不得闲，所以派了兄弟来的。所查的事情，老哥想已晓得的了？”唐二乱子道：“恰恰晓得。多承诸位大人及令兄大人费心，兄弟实在感激得很！诸位大人及令兄大人跟前，兄弟还没有过来请安，甚是抱歉！”师四老爷道：“自家人，说那里话来！”唐二乱子道：“文某人同四哥是同衙门？”师四老爷道：“兄弟在银库上行走，文某人在外头当些零碎差使，虽同衙门，却不同在一处，不过晓得有他这么一个人罢了。现在是上头堂官晓得了这桩事情。不瞒老哥说：这些事情原是瞒上不瞒下，常常有的。就是家兄及兄弟也常常替人家经手。堂官晓得了这件事很生气，说：‘被他这一闹，岂不拿我们内务府的牌子都闹坏了吗！’马上要撤姓文的差使，还要拿他参办。后来是家兄出了一个主意，说：‘文某人这注钱到手不多几天，大约还可以归原。现在不如暂且不拿他发作，由我们下头吓吓他，骗骗他；等他把原银缴了出来，就求上头给他一个恩典。一来保全他的声名，二来拿银子还了原主，亦可见得我们内务府的牌子到底不错。’堂官听了家兄的话，甚以为然，答应照办。谁知家兄事情虽则拉在身上，无奈一天到晚公事忙不了，那里还有工夫管这些闲帐。一搁搁了三天，难为上头堂官倒惦记着这事，今天又问了下来，所以家兄特地派兄弟过来先问问详细情形，好斟酌一个办法。”唐二乱子道：“多蒙费心！”说着，便把姓文的事情细述一遍。又道：“兄弟并不是舍不得这一万银子，为的是情理上说不过去。”师四老爷道：“是哟，等到回去告诉了家兄，再过来禀复。”于是二人又谈了些别的闲话。唐二乱子着实拿师四老爷恭维；又道：“现在朝廷广开言路，昨儿新下上谕，内务府人员可以保送御史，将业贵府衙门又多一条出路。”师四老爷皱着眉头，说道：“好甚么！外头面子上好看，里头内骨子吃亏。粤海、淮安，江宁织造一齐裁掉，你算算，一年要少进几个钱？做了都老爷，难道就不喝西风？就是再添一千个都老爷，也抵不上两个监督、一个织造的好：这叫做‘明升暗降’。”

唐二乱子又问他住处。师四老爷道：“家兄及兄弟都是一天到晚不回家的时候多。有甚么事情，兄弟过来，千万不敢劳驾。”说完，起身告辞。临时上车，又再三作揖打恭，叫唐二乱子不要回拜。唐二乱子只得答应着。等到师四老爷去后，唐二乱子一人想道：“凭空丢掉一万银子，一点声音也没有听见，真正恨人！却不料这事竟被内务府堂官晓得，看起来这银子倒还有回来的指望。银子小事，堵堵查三蛋的嘴也好。”想罢，怡然自得。因为师四老爷再三叮嘱不要回拜，只好遵命。意思想过天邀他吃饭，以补此情。谁知到了次日一大早，师四老爷改穿了便衣过来，说：“昨日兄弟回去之后，就把详细情形告诉家兄。家兄当时就把姓文的找了来。你晓得这姓文的是谁？”唐二乱子道：“不晓得。”师四老爷道：“他就是福中堂的嫡亲侄少爷。他叔叔现在阔了，未曾入阁，就奉旨抬进了厢白旗。因为他侄儿没出息，不干正经，所以一点不肯照应他，由他一个人去混。他还常常打着他叔叔的旗号，在外头招摇撞骗，弄人家的钱。被福中堂晓得了，打过好几顿，锁在一间空屋里；此番不晓得几时放出来的。我们堂官总看他叔叔分上，常派他个小差使，等他混两个钱使；大一点事情又不敢派他，怕他要闹乱子。如今好，索性又把堂官的旗号打出来了。家兄一想，这件事倘要认真办起来，与受同科，不但姓文的担不起，就是老哥亦落不是的。再说句老实话，福中堂的面上也不好看。平时他老人家虽然恨他侄儿，等到有起事情来，‘折了膀子往里湾’，总是帮自己人的。就是老兄也不犯着因此得罪福中堂。所以家兄一听是他，越发要替两面把这事圆全下来。当时找着他之后，衙门里不便说话，家兄请他上馆子，吃到了一半，才把这事先吐一点风给他。他起初还想赖，后来被家兄点了两句眼，他无话说了，然后自己招认的；自认是一时糊涂，央告家兄替他想法子。家兄看他软了下来，索性吓他一吓，便同他说道：‘你老哥这件事也太荒唐了！原主儿已在都察院拿你告下了，不久就有文书来提你归案的。堂官今儿早上得了这个信，气的了不得，已回过你们老中堂。将来都察院文书来的时候，因为要顾本衙门的声名，不能不拿你公事公办。’谁知这一吓，才把个小哥吓毛了。这小哥儿不管有人没人，在馆子里朝着家兄就跪下了，求着替他想法子。家兄一见大惊，说：‘这是甚么地方！有话请起来说，被人家瞧着算那一回事呢！’家兄叫他起，他不肯起，后来好容易被家兄拉了起来。家兄就问他：‘你这个钱可曾动过没有？’那姓文的回称：‘刚正骗到之后，一直没有敢出手。这两天听听外头风声定些，到昨日才动了九百几十银子。’家兄道：‘好好好。现在你把那未动的九千零几十两银子拿了来。堂官跟前，我替你想法子去，保你无事。’姓文的说：‘总要能够按住姓唐的不告才好。’家兄就说：‘唐观察那里，有我们兄弟俩替你求情，这点面子还有。’”

唐二乱子此时听得一万银子尚有九千多好收回，早已心满意足；便连连的说道：“不要说是还能够收九千多，就是再少些，只要贤昆仲一句话，兄弟无不遵命。……况且贤昆仲替兄弟出了一把力，难道兄弟就不该应拿出两吊银子来道乏吗。”师四老爷道：“咱们自己人，还说甚么道乏！你快别说了，叫人不好意思的。”唐二乱子道：“四哥虽如此说，兄弟总得尽心的。”

师四老爷道：“兄弟的话还没有完。家兄见他肯把九千多银子交出来，便不肯放松一步：当时拿话拢住他；等到吃完了饭，同他同车到他家里，叫他把银子一五一十统通交代了家兄，点过数目不错，然后家兄又到衙门里找到兄弟，叫兄弟先过来送个信。并且叫兄弟代达，说姓文的拿了老哥这边一万银子，已经被敝衙门的两位堂官统通知道。后来是家兄出主意，叫姓文的吐出来，求上头保全他的功名。现在上头已答应。姓文的银子，家兄亦业已到手。却不料已经被他用掉了九百多两，归不得原，上头堂官跟前就不好交代。倘若为着这九百多两银子弄得姓文的坏官：一来他们令叔面子上不好看；二来家兄骗他这个九千多银子出来，原答应他保他无事，现在也不可失信于他。但是银子只有九千零几十两，堂官不好拿来交还吾兄。愚兄弟有钱的时候呢，这几百银子就替姓文的垫了出来，等他光光脸；只要预先同老哥说一声，将来老哥银子到手之后，把那九百多两仍旧算还就是了，连利钱都不要的。大家都是为朋友，有甚么说不明白。无奈愚兄弟应酬大，钱来不够用，都弄得前缺后空。一个堂郎中，一个银库，连着九百多银子都垫不出，说出来人家亦不相信。要不是老哥跟前，彼此知己，兄弟也不好实说。”唐二乱子道：“笑话！贤昆仲如此出力，已经当不起，怎么好再叫贤昆仲贴钱。少掉九百多银子，兄弟情愿自己吃亏，既不要贤昆仲代认，也决计不要文某人吐出来；一则顾全福中堂面子，二则我们那里不拉个朋友。拜求四哥代为禀复贵衙门的几位大人：这九百多两银子就说我姓唐的情愿不要了，务求诸位大人不必追究此事。”

师四老爷连忙分辨道："你老哥不在乎这九百多银子，我们有甚么不晓得。不过姓文的总得把一万银子归原，由他完完全全交到堂官手里，再由堂官完完全全交给老哥，然后大家都有面子；倘若少了一分一厘，姓文的就不能交代上头，上头也不能交还老哥。这是老哥不说甚么，勉强收了，终究于敝衙门声名有碍。现在用了这九百多银子，上头堂官还不晓得是姓文的拉住家兄替他想法子。所以家兄叫小弟过来代达：不看别的，总看他令叔福中堂分上，由老哥这边借给他九百多银子，等他把一万之数凑足，交代上头。好在此款终究是归老哥的。将来老哥一同收了回来，彼此不晌起。如此办法，不但成全了姓文的功名，且顾全了他叔叔福中堂的面子，三则敝衙门也保全声名不少。我们敝衙门人没有一个不感激老哥。至于老哥说甚么道乏，我们敝衙门上下已承老哥保全不少，还敢想甚么好处；就是老哥另有赏赐，家兄及小弟亦决计不敢再领的。"

唐二乱子听了他话，心上盘算了一回，自言自语道："面子上叫我拿九百银子去换九千银子回来，而且连那九百也还我，不过他们借去用一用，此事原无不可。但是我同姓师的才第二回见面，一来人心测摸不定，二来他哥是堂郎中，他自己又管着银库，如此发财的官，连九百多银子都无处拉拢，这个话谁能相信。我已一误再误，目下不能不格外小心。我与其脱空九百多银子，我情愿失撇二千银子：姓文的用掉九百多，总算一千，我不要他还我；九千当中，我情愿再送他昆仲一千道乏。况且这种事情何必定要烦动堂官，莫妙于大家私下了结。"主意打定，便委宛曲折告诉了师四老爷。师四老爷也晓得他九百多银子不肯脱空，然而面子上掉不过来，便道："这也怪不得老哥。兄弟同老哥新交，姓文的九千银子没有拿回来，反叫老哥先拿出九百多两，无论谁不能相信。"唐二乱子亦忙分辨道："并不是不相信四哥，为的是大家简便办法，省得堂官知道。"师四老爷道："这事原是堂上派下来的，怎能够不禀复。这事亦是兄弟荒唐，不该应来同老哥商量，先叫老哥垫银子。现在不说别的，姓文的用掉的九百多不要他还，兄弟回去同家兄商议，无论如何为难，总替他想个法儿凑齐这一万整数，等他在堂官面前交代过排场。堂官跟前既然老哥不愿出面，兄弟同家兄说，将来仍由兄弟把这一万银子的银票送过来。兄弟也不同老哥客气，老哥就预备一张一千银子的银票还了兄弟就是了。兄弟虽沾光几十银子，拏回去到堂官跟前替老哥赏赏人也不能少的。至于道乏，万万不敢。"

唐二乱子见他说得如此，有何不放心之理，立刻满口应承。师四老爷又问："老哥给姓文的一万银子是谁家的票子？"唐二乱子道："是恒利家的票子。"师四老爷道："如此甚好。我们来往的亦是恒利。明天仍到恒利打张一万银子的票子来就是了。"说罢自去。唐二乱子果然也到恒利划了一张一千银子的票子，预备第二天换给师四老爷；另写了一千，说是人家出了这么一把力，总得道乏的。谁知到了次日，左等不来，右等不来。唐二乱子心上急的发躁，想："他说得如此老靠，断无不来之理，莫非出了岔子，又有甚么变卦？"左思右想，反弄得坐立不定。

好容易等到天黑，师四老爷来了。唐二乱子喜得甚么似的，迎了进来，让茶让烟。师四老爷说："本来早好来了，无奈堂官定要见老哥一面，反怪老哥许多不是，都是家兄替你抗下来的。现在也不要你去见了。银子也拿来，这话也不用提了。为了这件事，兄弟今儿一天没有吃饭。"唐二乱子忙说："我们同去吃馆子。"师四老爷道："兄弟还有公事，要紧把东西交代了回去，改日再奉扰罢。"唐二乱子一再挽留，见他不肯，只得罢休。于是师四老爷方在靴页子里掏出一大搭的银票，从几万至几千，一共约有十几张，翻来覆去，才检出一张一万银子的票子；刚要递到唐二乱子手里，又说："昨儿说明白要恒利的票子，这张不是。"于是又收了回去，又在票子当中检了半天，检出一张恒利的一万票子，交代唐二乱子看过无误。唐二乱子见他有许多银票，心想："到底内务府的官儿有钱。他昨天还推头没有钱垫，这话哄谁呢。"师四老爷也觉着，连忙自己遮盖道："这都是上头发下来给工匠的。兄弟若有这些钱，也早发财了，不在这里做官了。"说话之间，唐二乱子也把自己写好的两张一千头的银票拿出来交代师四老爷。师四老爷一看是两张，忙问："这一千做甚么用？"唐二乱子道："令兄大人及四哥公事忙，兄弟连一杯酒都没有奉请，这个折个干罢。"师四老爷把眉头一皱，道："说明白不要，你老哥一定要费事，叫兄弟怎么好意思呢。"唐二乱子道："这算得甚么！以后叨教之处多着哩。"师四老爷道："既然老哥说到这里，兄弟亦不敢自外，兄弟这里谢赏了。"说着，一个安请了下去。请安起来，把银票收在靴页子里，说有要紧公事，匆匆告辞出门而去。临走的时候，唐二乱子又顶住问他的住处，预备过天来拜。师四老爷随嘴说了一个。

自此唐二乱子得意非凡。过天查三蛋来了，唐二乱子又把这话说给他听，面孔上很露出一副得意扬扬之色。查三蛋只是冷笑笑；心上却也诧异，说道："像他这样的昏蛋，居然也会碰着好人，真正奇怪！"谁知过了一天出门拜客，赶到师四老爷所说的地方，问来问去，那里有姓师的住宅。唐二乱子骂车夫无用。等到回来，又差人到内务府去打听堂郎中及银库上，那里有甚么姓师的。唐二乱子这才吓坏了。连忙再取出那张一万头票子，差个朋友到恒利家去照票。柜上人接票在手，仔细端详了一回，又进去对了一回票根，走出来问："你这票子是那里来的？"去人说："是人家还来的。怎样？"柜上人冷笑一声道："这时那里来的假票子！幸亏彼此是熟人，不然，可就要得罪了。如今相烦回去拜上令东，请查查这张票子是那里来的，胆敢冒充小号的票子！查明白了，小号是要办人的！”去人一听这话，吓得面孔失色，连忙回来通知了东家。唐二乱子也急得跺脚，大骂姓师的不是东西，立刻叫人去报了坊官，叫坊官替他办人。自此以后，唐二乱子就躲在家里生气，一连十几天没有出门。查三蛋也晓得了，不过背后拿他说笑了几句，却没有当面说破。

又过了些时，到了引见日期，唐二乱子随班引见。本来指省湖北，奉旨照例发往。齐巧碰着这两日朝廷有事，没有拿他召见。白白赔了十五万银子进贡，不过赏了一个四品衔，余外一点好处没有。这也只好怪自己运气不好，注定破财，须怨不得别人。闲话少叙。且说唐二乱子领凭到省，在路火车轮船非止一日。路过上海，故地重临，少不得有许多旧好新欢，又着实捣乱了十几天，方才搭了长江轮船前往湖北。

单说此时做湖广总督的乃是一位旗人，名字叫做湍多欢。这人内宠极多，原有十个姨太太，湖北有名的叫做“制台衙门十美图”。上年有个属员，因想他一个甚么差使，又特地在上海买了两个绝色女子送他。湍制台一见大喜，立刻赏收；从此便成了十二位姨太太。湖北人又改称他为“十二金钗”，不说“十美图”了。

湍制台未曾添收这两位姨太太的时候，他十位姨太太当中，只有九姨太最得宠。这九姨太太是天津侯家后窑子里出身，生得瘦刮刮长拢面孔，两个水汪汪的眼睛，模样儿倒还长得不错；只是脾气太刁钻了些。天生一张嘴，说出话来甜蜜蜜的，真叫人又喜又爱，听着真正入耳；若是他与这人不对，骂起人来，却是再要尖毒也没有。他巴结只巴结一个老爷，常常在老爷跟着狐狸似的批评这个姨太太不好，那个姨太太不好。起先湍制台总还听他的话，拿那些姨太太打骂出气。然而湍制台虽然糊涂，总有一天明白；而且天天听他絮聒，也觉得讨厌。

有天这九姨太又说大姨太怎么不好，怎么不好。湍制台听得不耐烦，冷笑了一笑，随口说了一句道：“我光听见你说人家不好，到底你比别人是怎样个好法？我总不能把别人一齐赶掉，单留你一个。况且这大姨太是从前伺候过老太爷、老太太的。就是去世的太太也很欢喜他。我看死人面上，他就是有不好，也要担待他三分。你既然多嫌他，你住后进，他住前院，你不去见他就是了。”九姨太因为湍制台一向是同他迁就惯的，忽然今儿帮了别人，这一气非同小可！不等湍制台说完，早把眉毛一竖，眼睛一瞪，拿出十指尖尖的手朝着自己的粉嫩香腮，毕毕拍拍一连打了十几下子；一头打，一头自己骂自己道：“我知道我这话就说错了！我是甚么东西，好比得上人家！人家是伺候过老太爷、老太太的！有功之臣，自然老爷要另眼看待！既然要拿他抬上天去，横竖太太死了，为甚么不拿他就扶了正？我们一齐死了让他！”

湍制台是吃鸦片的，每位姨太太屋里都有烟家伙。九姨太顺手在烟盘里捞起一盒子鸦片往嘴里一送，趁势把身子一歪，就在地下困倒了；困在地下又趁势打了几个滚，两只手在地下乱抓，两只脚却蹬在地板上，绷冬绷冬的响；头上的头发也散了，一头悲翠簪子也蹬成好几段了；嘴里还是哭骂不止。湍制台看了这个样子，又气又恨又发急：气的是九姨太有已无人；恨的是九姨太以死讹诈；急的是九姨太吞了鸦片烟，倘若不救，就要七窍流血死的。事到此间，只得勉强捺定性子，请医生弄了药来，拿他灌救。谁知一连弄了多少药，九姨太只是咬定牙关，不肯往嘴里送。湍制台急得没法，于是又自己赔小心，拿话骗他说：“把大姨太立刻送回北京老家里去，不准他在任上。”以为如此，九姨太总可以不寻死了。岂知仍然还自个不开口。自从头天晚上闹起，一直闹到第二天下午四点钟，看看一周时不差只有三个时辰；过了这三个时辰，便不能救，只好静等下棺材了。

湍制台被他闹的早已精疲力倦。一回想到九姨太脾气不好，不免恨骂两声；一回又想到他俩恩情，不免又私自一人落泪。此时房间里有许多老妈子、丫头围住九姨太等死，他一个人却躺在对过房间床上伤心。正在前思后想，一筹莫展的时候，忽见九姨太的一个贴身大丫头进房有事。这丫头年纪二九，很有几分姿色，女孩儿家到了这等年纪，自然也有了心事。碰着这位湍制台又是个色中饿鬼，无人的时候，见了这丫头常常有些手脚不稳。这丫头晓得老爷爱上了他，也不免动了知已之感；但是惧怕九姨太的利害，不敢如何。口虽不言，偶然眼睛一眇，就传出无限深情，湍制台是何等样人，岂有不领略之理。

且说此时湍制台见他一人进得房来，顿时把痛恨九姨太的心思全移在他一人身上，便招手将他叫近身边，借探问九姨太为名，好同他勾搭。当时说过几句话，湍制台忽然拿嘴朝着对过房间努了两努，说道：“阿弥陀佛！他这人居然也有死的日子！等他一死，我就拿你补他的缺。你愿意不愿意？”说着，就伸手要拉这丫头的手。丫头见是如此，恐防人来看见，连忙拿手一缩，道：“你等着罢！你当他眼前会死？你再等一百年，他亦不会死的！只怕这种烟吃了下去，他的精神格外好些！”湍制台诧异道：“据你说起来，难道他吃的不是鸦片烟？然而明明白白，我见他在烟盘子里拿的。你不要胡说，不是鸦片是甚么？”大丫头道：“我告诉你，你可不许告诉别人。”湍制台一听这话，一骨碌从床上爬起，也不下床，就跪在床沿上发咒道：“你同我说的话，我若是同别人说了，叫我不得好死！”大丫头道：“为了这一点点的事，也不犯着发这大的咒。”

湍制台也未听清，但是一味胡缠，拉着袖子催他快说。大丫头道：“不是三个月头里九姨太闹着有喜，说肚子大了起来，老爷喜的甚么似的，弄了多少药给他吃，还有一罐子的益母膏，叫他天天拿开水冲着吃的？谁知过了两个月，九姨太肚子也瘪了，又说并不是喜，药也不吃了，就把剩下来的半罐子益母膏丢在抽屉里，一直也没有人问信。齐巧前天收拾抽屉，把他拿了出来，不料被九姨太瞧见，夺了过去。昨儿九姨太同大姨太斗了嘴回来，就把个大姨太恨得甚么似的，口说：‘一定要老爷打发了大姨太；倘若老爷不肯，我就同他拚命！’后来又说：‘我的命没这么不值钱！我死了，倒等他享福不成！’一面说，一面就找了个小烟盒子，挑了些益母膏在里头，原是预备同老爷拚命的。九姨太挑这些益母膏的时候，只有我在跟前。他还嘱咐我不准说。所以你老爷发急只是空发急。老实对你说，九姨太是不会死的。”湍制台听了，方才恍然大悟，说：“这贱人如此可恶！原来是装死，讹诈我的！”还要同大丫头说甚么，大丫头已经挣扎脱身子，说声“有事”，去了。湍制台只得眼巴巴望他出去，又生了一回闷气。晓得九姨太是装死，索性不去理他，一个人到外面去了。

这里九姨太见湍制台不来理他，只道老爷见他不肯吃药，无法施救，索性死心塌地避了出去。弄得事情不能收篷，自己懊悔不迭；却不料大丫头有背后一番言语。想来想去，今日之事总无下场。等了半天，老爷仍无音信。看看一周时已到，到时不死，反被人拿住破绽。于是踌躇了半天，只得自己装作恶心，干吊了半天，哇的一口，吐出些白沫。旁边看守他的人都说：“好了！九姨太把烟吐了出来就不妨事了。”当时老妈三五个：一个捶背，一个揉胸，又有一个拿饭汤，又有一个倒开水；闹得七手八脚，烟雾腾天。又听得九姨太哇的一声，把方才吃的饭汤也吐了出来。自己反说道：“我吞了生烟，等我自己死，岂不很好！何必一定要救我回来，做人家的眼中钉，肉中刺！”说着，又呜呜咽咽哭起来了。大众见九姨太回醒转来，立刻着人报信给老爷。老妈子又拿了一把苕帚把他吐的东西扫了出去。谁知吐的全是水，一些烟气都没有。

却说湍制台到前面签押房里坐了一回，不觉神思困倦，歪在床上，朦胧睡去。正在又浓又甜的时候，不提防那个不解事的老婆子，因九姨太回醒过来，前来报信，倏起把湍制台惊醒，根的湍制台把老婆子骂了两句，又说甚么：“我早晓得他不会死的，要你们大惊小怪！”老婆子讨了没趣，只得趔趄着退到后面。

九姨太便从这日起，借病为名，一连十几天不出房门。湍制台亦发脾气，一连十几天止辕，没有见客，却也不到上房。毕竟九姨太自己诈死，贼人心虚，这几天内反比前头安稳了许多。不在话下。单说湍制台自从听了大丫头的话，从此便不把九姨太放在心上，却一心想哄骗这大丫头上手。无奈大丫头惧怕九姨太，不敢造次。湍制台亦恐怕因此家庭之间越发搅得不安，于是亦只得罢手。但是自从九姨太失宠之后，眼前的几位姨太太都不在他心上，不免终日无精打采，闷闷不乐。

合当他色运亨通，这几天止衙门不见客，他为一省之主，一举一动，做属员的都刻刻留心，便有一位候补知县，姓过名翘，打听得制台所以止辕之故，原来为此。这人本是有家，到省虽不多年，却是善于钻营，为此中第一能手。他既得此消息，并不通知别人，亦不合人商量。从汉口到上海只有三天多路，一水可通。他便请了一个月的假，带了一万多银子，面子上说到上海消遣，其实是暗中物色人材。一耍耍了二十来天，并无所遇。看看限期将满，遂打电报叫湖北公馆替他又续了二十天的假。四处托人，才化了八百洋钱从苏州买到一个女人带回上海。过老爷意思说："孝敬上司，至少一对起码。"然而上海堂子里看来看去都不中意。后首有人荐了一局，跟局的是个大姐，名字叫迷齐眼小脚阿毛，面孔虽然生得肥胖，却是眉眼传情，异常流动。过老爷一见大喜，着实在他家报效，同这迷齐眼小脚阿毛订了相知。有天阿毛到过老爷栈房里玩耍，看见了苏州买的女人，阿毛还当是过老爷的家眷。后首说来说去，才说明是替湖北制台讨的姨太太。这话传到阿毛娘的耳朵里，着实羡慕，说："别人家勿晓得阿是前世修来格！"过老爷道："只要你愿意，我就把你们毛官讨了去，也送给制台做姨太太，可好？"阿毛的娘还未开口，过老爷已被阿毛一把拉住辫子，狠狠的打了两下嘴巴，说道："倪是要搭耐轧姘头格，倪勿做啥制台格小老妈！"又过了两天，倒是阿毛的娘做媒，把他外甥女——也是做大姐，名字叫阿土的——说给了过老爷。过老爷看过，甚是对眼。阿毛的娘说道："倪外甥男鱼才好格，不过脚大点。"过老爷也打着强苏白说道："不要紧格。制台是旗人，大脚是看惯格。"就问要多少钱。阿毛的娘说："俚有男人格，现在搭俚男人了断，连一应使费才勒海，一共要耐一千二百块洋钱。"过老爷一口应允。次日人钱两交。又过了几天。过老爷见事办妥，所费不多，甚是欢喜。又化了几千银子制办衣饰，把他二人打扮得焕然一新；又买了些别的礼物。诸事停当，方写了江裕轮船的官舱，径回湖北。

恰巧领凭到省的湖北候补道唐二乱子刚在上海玩够了，也包了这只船的大餐间一同到省。这唐二乱子的管家同过老爷的管家都是山东同乡，彼此谈起各人主人的官阶事业。唐二乱子的管家回来告诉了主人，竟说过大老爷替湖北制台接家眷来的。唐二乱子初入仕途，惟恐礼节不周，也不问青红皂白，立刻叫管家拿了手本，到官舱里替宪太太请安。又说："如果宪太太在官舱里住的不舒服，情愿把大餐间奉让。"过大老爷一看手本，细问自己的管家，才晓得大餐间住的是原来湖北本省的上司，也只得拿了手本过来禀见。彼此会面，唐二乱子估量他一定同制台非亲即故，见面之后，异常客气。又问："宪太太几时到的上海？"过老爷正想靠此虚火，便不同唐二乱子说真话，但说得一声"同来的不是制台大太太，乃是两位姨太太"。唐二乱子道："大太太、姨太太，都是一样的，不妨就请过来住。兄弟是吃烟人，到官舱里倒反便当些。"后来过老爷执定不肯，方始罢休。唐二乱子因过老爷能够替制台接家眷，这个分儿一定不小，所以拿他十分看重。过老爷也因为他是本省道台，将来总有仰仗之处，所以也竭力的还他下属礼制。在路非止一日。一日到了汉口，摆过了江，唐二乱子自去寻觅公馆不题。

且说过老爷带了两个女人先回到自己家中，把他太太住的正屋腾了出来让两位候补姨太太居住。制台跟前文巡捕，有个是他拜把子的，靠他做了内线，又重重的送了一分上海礼物，托他趁空把这话回了制台。这两月湍制台正因身旁没有一个随心的人，心上颇不高兴；一听这话，岂有不乐之理。忙说："多少身价？由我这里还他。"巡捕回道："这是过令竭诚报效的，非但身价不敢领，就是衣服首饰，统通由过令制办齐全，送了进来。"湍制台听了，皱着眉头道："他化的钱不少罢？"巡捕道："两三万银子过令还报效得起。他在大帅手下当差，大帅要栽培他，那里不栽培他！他就再报效些，算得甚么。只要大帅肯赏收，他就快活死了！就请大帅吩咐个吉日好接进来。"湍制台道："看甚么日子！今儿晚上抬进来就是了。"从前湍制台娶第十位姨太太的时候，九姨太正在红头上，寻死觅活，着实闹了一大阵，有半年多没有平复。这回的事情原是他自己不好，湍制台因此也就公然无忌，倏地一添就添了两位。九姨太竟其无可如何，有气瘪在肚里，只好将自己用的丫头、老妈出气。湍制台亦不理他。

过老爷孝敬的这两位姨太太：苏州买的一位，年纪大些，人亦忠厚些，就排行做第十一；阿土排行第十二。阿土年纪小虽小，心眼极多。进得衙门，不得半月，一来是他自己留心，二来也是湍制台枕上的教导，居然一应卖差卖缺，弄银子的机关，就明白了一大半。此时他初到，人家还不拿他放在眼里。除了过老爷之外，他亦并无第二个恩人，因此便一心只想报答这过老爷的好处。此时湍制台感激过老爷送妾之情，已经委他办理文案，又兼了别处两个差使，暂时敷衍，随后出有优差美缺，再行调剂。过老爷倒也安之若素。却不料这第十二姨太太，每到无事的时候，便在这些姊妹当中套问人家："我们做姨太太的，一年到头到底有多少进项？"就有人告诉他，从前只有九姨太有些，脱天漏网的事做的顶多，银子少了不要，至少五百起码，以及几千几万不等。他因此便有心笼络九姨太，好学九姨太的本事。九姨太此时是失宠之人，见了这两位新的，自然生气。等到阿土前来敷衍他，却又把他喜的了不得。毕竟性子爽直，一个不留心，又把自己的生平所作所为，统通告诉了阿土。阿土大喜，趁空就在湍制台面前试演起来。头一个是替过老爷要缺，而且要一个上等好缺。湍制台情面难却，第二天就把话传给了藩台，不到三天，牌已挂出去了。

过老爷自从进来当文案，合衙门上下，不到半个月，统通被他溜熟；又结交了制台一个贴身小二爷做内线，常常到十二姨太跟前通个信。此番得缺，就托小二爷暗地送了十二姨太五千银子的妆敬；小二爷经手在外；言明只要有缺，每年加送若干银子：这便是十二姨太开门第一桩卖买。十二姨太见这宗卖买做得得意，等到过老爷上任去后，又把衙门里的委员以及门政大爷勾通了好几位，只要图得湍制台心上欢喜，言听计从，他们便好从中行事。

此时唐二乱子到省已将一月，照例的文章都已做过。但他是初到省的人员，两眼墨黑，他不认得上司，上司也不认得他。彼此虽然见过一面，不过旅进旅退，上司亦未必就有他在心上。所以凡是初到省的人，要得到一个差使，若非另有脚路，竟比登天还难！还亏他胸无主宰，最爱结交。自从路上认得了过老爷，到省之后，他俩便时常来往。但吃亏头一个月过老爷自己的事情还没有着落，如何能彀替人家说话；好容易熬到十二姨太把过老爷事情弄好，但又是要出赴外任，不能常在省城。等到禀辞的前两天，唐二乱子在寓处备了酒席替他饯行。话到投机，过老爷就把湍制台贴身小二爷这条门路说给了唐二乱子，自己又替他从中凑合。自此唐二乱子有些内线，只要不惜银钱，差使自然唾手可得。况兼这十二姨太精明强干，不上两月，便把全套本领统通学会，无钱不要，无事不为，真要算得一女中豪杰了。

要知所为之事，且听下回分解。

第三十七回
缴宪帖老父托人情　补札稿宠姬打官话

话说湖北湍制台从前曾做过云南臬司；彼时做云南藩司的乃是一个汉人，姓刘，名进吉。他二人气味相投，又为同在一省做官，于是两人就换了帖，拜了把兄弟。后来湍制台官运亨通，从云南臬司任上就升了贵州藩司；又调任江宁藩司，升江苏巡抚；不上两年，又升湖广总督，真正是一帆风顺，再要升得快亦没有了。刘进吉到底吃了汉人的亏，一任云南藩司就做了十一年半，一直没有调动。到了第十二年的下半年，才把他调了湖南藩司，正受湖广总督管辖。官场的规矩：从前把兄弟一朝做了堂属，是要缴帖的。刘藩司陛见进京，路过武昌，就把从前湍制台同他换的那副帖子找了出来，拿了红封套套好，等到上衙门的时候，交代了巡捕官，说是缴还宪帖。

巡捕官拿了进去。湍制台先看手本，晓得是他到了，连忙叫“请”。巡捕官又把缴帖的话回明。湍制台偏要拉交情，便道：“我同刘大人交非泛泛。你去同他说：若论皇上家的公事，我亦不能不公办；至于这副帖子，他一定要还我，我却不敢当。总而言之：我们私底下见面，总还是把兄弟。”巡捕官遵谕，传话出来。刘藩司无奈，只得受了宪帖，跟着手本上去。见面之后，无非先行他的官礼。湍制台异常亲热。刘藩台年纪大，湍制台年纪小，所以湍制台竟其口口声声称刘藩台为大哥，自己称小弟。

刘藩台一直当他是真念交情，便把缴帖的话亦不再提了。在武昌住了五日，湍制台又请他吃过饭。接着禀辞过江，坐了轮船径到上海，又换船到天津，然后搭了火车进京。藩、臬大员照例是要宫门请安的；召见下来，又赴各位军机大臣处禀安。一连在京城应酬了半个月。他乃是一个古板人，从不晓得甚么叫做走门路，所以上头仍旧叫他回任。等到请训后，仍由原道出京。二次路过武昌，湍制台同他还是很要好；留住了几天，方才赴长沙上任。

无奈刘藩台是个上了年纪的人，素来身体生得又高又胖。到任不及三月，有天万寿，跟了抚台拜牌，磕头起来，一个不留心，人家踏住了他的衣角，害得他跌了一个筋斗；谁知这一跌，竟其跌得中了风了，当时就嘴眼歪斜，口吐白沫。抚台一见大惊，立刻就叫人把他抱在轿子里头，送回藩台衙门。他有个大少爷，是捐的湖北候补道，此时正进京引见，不在跟前。衙门里只有两个姨太太，几个小少爷，一个大少奶奶，两个孙女儿。一见他老人家中了风，合衙门上下都惊慌了，立刻打电报给大少爷。大少爷得到电报，幸亏其时引见已完，立刻起身出京，到了武昌也没有禀到就赶回长沙老人家任上来了。此时他父亲刘藩台接连换了七八个医生，前后吃过二十几剂药，居然神志渐清；不过身子虚弱，不能用心。当时就托抚台替他请了一个月的假，以便将养。谁知一月之后，还不能出来办事。他心下思量：“自己已有这么一把年纪，儿子亦经出仕，做了二三十年的官，银子亦有了。古人说得好：‘急流勇退。’我如今很可以回家享福了，何必再在外头吃辛吃苦替儿孙作马牛呢。”主意打定，便上了一个禀帖给抚台，托抚台替他告病。抚台念他是老资格，一切公事都还在行，起先还照例留过他两次；后来见他一定要告退，也只得随他了。折子上去，批了下来，是没有不准的。一面先由巡抚派人署理，以便他好交卸。交卸之后，又在长沙住了些时。常言道：“无官一身轻。”刘藩台此时却有此等光景。

闲话少叙。且说他大少爷号叫刘颐伯，因见老人家病体渐愈，他乃引见到省的人，是有凭限的，连忙先叩别了老太爷，径赴武昌禀到。临走的时候，刘藩台自恃同湍制台有旧，便写了一封书信交给颐伯转呈湍制台，无非是托他照应儿子的意思。自己说明暂住长沙，等到儿子得有差使，即行迎养。当时分派已定，然后颐伯起身。等到到了武昌，见过制台，呈上书信，湍制台问长问短，异常关切。官场上的人最妒忌不过的，因见制台向刘颐伯如此关切，大家齐说："刘某人不久一定就要得差使的。"就是刘颐伯自己亦以为靠着老太爷的交情，大小总有个事情当当，不会久赋闲的。那知一等等了三个月，制台见面总是很要好；提到"差使"二字，却是没得下文。刘颐伯亦托过藩台替他吹嘘过。湍制台说："一来谁不晓得我同他老人家是把兄弟；二来刘道年纪还轻，等他阅历阅历再派他事情，人家就不会说我闲话了。"藩台出来把话传给了刘颐伯，亦无可如何。

又过了些时，长沙来信，说老太爷在长沙住的气闷，要到武昌来走走。刘颐伯只好打发家人去接。谁知老太爷动身的头天晚上，公馆里厨子做菜，掉了个火在柴堆上，就此烧了起来；自上灯时候烧起，一直烧到第二天大天白亮，足足烧了两条街。这刘进吉一世的宦囊全被火神收去，好容易把一家大小救了出来。当火旺的时候，刘进吉一直要往火里跳，说："我这条老命也不要了！"幸亏一个小儿子，两三个管家拿他拉牢的。这火整整烧了一夜，合城文武官员带领兵役整整救了一夜。连抚台都亲自出来看火。当下一众官员打听得前任藩台刘大人被烧，便由首县出来替他设法安置：另外替他赁所房子，暂时住下；衣服伙食都是首县备办的。到底抚台念旧，首先送他一百银子。合城的官一见抚台尚且如此，于是大家凑拢，亦送了有个七八百金。无奈刘进吉是上了岁数的人，禁不起这一吓一急，老毛病又发作了。

起火之后，曾有电报到武昌通知刘颐伯。等到刘颐伯赶到，他老人家早已病得人事不知了；后来好容易找到前头替他看的那个医生，吃了几帖药，方才慢慢的回醒转来。又将养了半个月，渐渐能够起来，便吵着要离开长沙。儿子无奈，只得又凑了盘川，率领家眷，伺候老太爷同到武昌。此时老头子还以为制台湍某人是我的把弟，如今老把兄落了难，他断无坐视之理。一到武昌，就坐了轿子，拄了拐杖，上制台衙门求见。他此时是不做官的人了，自己以为可以脱略形骸，不必再拘官礼，见面之后，满嘴"愚兄老弟"。人家听了甚是亲热，岂知制台心上大不为然。见了面虽然是你兄我弟，留茶留饭；无奈等到出了差使，总轮刘颐伯不着。有天刘进吉急了，见了湍制台，说起儿子的差使。湍制台道："实不相瞒：咱俩把兄弟谁不晓得。世兄到省未及一年，小点事情委了他，对你老哥不起；要说著名的优差，又恐怕傍人说话。这个苦衷，你老哥不体谅我，谁体谅我呢。老哥尽管放心，将来世兄的事情，总在小弟身上就是了。”刘进吉无奈，只好隐忍回家。

后来还是同寅当中向刘颐伯说起，方晓得湍制台的为人最是讲究礼节的。刘进吉第一次到武昌，没有缴回宪帖，心上已经一个不高兴；等到刘颐伯到省，谁知道他的号这个“颐”字，又犯了湍制台祖老太爷的名讳下一个字：因此二事，常觉耿耿于心。湍制台有天同藩台说：“刘某人的号重了我们祖老太爷一个字，兄弟见了面，甚是不好称呼。”湍制台说这句话，原是想要他改号的意思。不料这位藩台是个马马糊糊的，听过之后也就忘记，并没有同刘颐伯讲起。刘颐伯一直不晓得，所以未曾改换。湍制台还道他有心违抗，心上愈觉不高兴。

等到刘颐伯打听了出来，回来告诉了老太爷。老太爷听了，自不免又生了一回暗气。但是为儿子差使起见，又不敢不遵办。不过所有的东西早被长沙一把天火都收了去，甚么值钱的东西都抢不出，那个还顾这副帖子。刘进吉见帖子找不着，心上发急。幸亏刘颐伯明白，晓得湍制台一个字不会写，这帖子一定是文案委员代笔的。“现在只需托个人把他的三代履历抄出来，照样誊上一张；只要是他的三代履历，他好说不收。”刘进吉听了儿子的话，想想没法，只好照办。却巧文案上有位陆老爷，是刘颐伯的同乡，常常到公馆里来的，刘颐伯便托了他。陆老爷道：“容易得很。制军的履历，卑职统通晓得。新近还同荆州将军换了一副帖，也是卑职写的。大人只要把老大人同他换帖的年分记清，不要把年纪写错，那是顶要紧的。”刘颐伯喜之不尽，立刻问过老太爷，把某年换帖的话告诉了陆老爷。陆老爷回去，自己又赔了一付大红全帖，用恭楷写好了，送了过来。刘颐伯受了，送给老太爷过目。老太爷道：“只要三代名字不错就是了，其余的字只怕他还有一半不认得哩。”刘颐伯却又自己改了一个号，叫做期伯，不叫颐伯了。

次日一早，父子二人一同上院，老子缴还宪帖，儿子禀明改号。当由巡捕官进内回明。湍制台接到帖子，笑了一笑，也不说甚么，也不叫请见。巡捕官站了一回，无可说得，只得出来替制台说了一声“道乏”。父子二人怅怅而回。

因为臬台为人还明白些，并且同制台交情还好，到了次日，刘期伯便去见臬台，申明老人家缴帖，并自己改号的意思，顺便托臬台代为吹嘘。臬台满口应允。次日上院，见了湍制台，照话叙了一遍。湍制台笑着说道：“从前他少君不在我手下，他不还我这副帖子倒也罢了；如今既然在我手下当差，被人家说起，我同某人把兄弟，我照应他的儿子，这个名声可担不起！所以他这回来还帖子，我却不同他客气了。至于他们少君的号犯了我们先祖的讳，吾兄是知道的。我们在旗，顶讲究的是这回事。他同兄弟在一省做官，保不住彼此见面，总有个称呼；他如果不改，叫兄弟称他甚么呢？他既然‘过而能改’，兄弟亦就‘既往不咎’了。”臬台接着说：“刘道老太爷年纪大了，一身的病，家累又重得很，自遭‘回禄’之后，家产一无所有。刘道到省亦有好几个月了，总求大帅看他老人家分上，赏他一个好点的差使，等他老太爷也好借此养老。”湍制台道：“这还用说吗，我同他是个甚么交情！你去同他讲，他的儿子就是我的儿子，叫他放心就是了。”臬台下来回复了刘期伯。不在话下。

且说湍制台过了两天，果然传见刘期伯，见面先问：“老人家近来身体可好？”着实关切。后来提到差使一事，湍制台便同他说道：“银元局也是我们湖北数一数二的差使了，卫某人当了两年，也不晓得他是怎么弄的，现在丁忧下来，听说还亏空二万多。今儿早上托了藩台来同我说，想要后任替他弥补。老实说：我同卫某人也没有这个交情，不过看徐中堂面上，所以才委他这个差使。现在你老哥可能答应下来，替他弥补这个亏空不能？”刘期伯一想：“这明明是问我能够替他担亏空，才把这事委我的意思。我想银元局乃是著名的优差，听说弄得好，一年可得二三十万。果然如此，这头二万银子算得甚么，不如且答应了他。等到差使到手，果然有这许多进项，我也不在乎此；倘若进款有限，将来还好指望他调剂一个好点的差使。”主意打定，便回道：“蒙大帅的栽培。卫道的这点亏空，不消大帅费得心，职道自当替他设法弥补。”湍制台道：“你能替他弥补，那就好极了。”刘期伯又请安谢过。等到退出，告诉了老太爷，自然合家欢喜。

谁知过了两天，委札还未下来。刘期伯又托了臬台进去问信。湍制台道：“前天我不过问问他，能否还有这个力量筹画一二万金借给卫某人弥补亏空。他说能彀，足见他光景还好，一时并不等甚么差使。所以这银元局事情，兄弟已经委了胡道胡某人了。”臬台又说：“刘道自己倒不要紧：一来年纪还轻，就是阅历两年再得差使，并不为晚；二则像大帅这样的公正廉明，做属员的人，只要自己谨慎小心，安分守己，还愁将来不得差缺吗。所以这个银元局得与不得，刘道甚为坦然。不过他老太爷年纪太大了，总盼望儿子能够得一个差使，等他老头子看着好放心。司里所以肯来替他求，就是这个意思。”湍制台一听臬台的话，颇为入耳，便道：“既然如此，厘金会办现要委人，不妨就先委了他。等有甚么好点的差使出来，我再替他对付罢。”臬台出来通知刘期伯。刘期伯虽然满肚皮不愿意，也就无可如何。只等奉到札子，第二天照例上院谢委，自去到差不题。

且说湍制台所说委办银元局的胡道，你道何人？他的老底子却是江西的富商。到他老人家手里，已经不及从前，然而还有几十万银子的产业。等到这胡道当了家，生意一年年的失本下来，渐渐的有点支不住。因见做官的

利息尚好，便把产业一概并归别人，自己捐了个道台，来到湖北候补。候补了几年，并没得甚么差使。他又是舒服惯的，平时用度极大，看看只有出，没有进，任你有多大家私，也只有日少一日。后来他自己也急了，便去同朋友们商量。就有同他知己的劝他走门路，送钱给制台用，将本就利，小往大来，那是再要灵验没有。胡道台亦深以为然。当时就托人替他走了一位折奏师爷的门路，先送制台二万两，指名要银元局总办；接差之后再送一万；以后倘若留办，每一年认送二万。另外又送这位折奏师爷八千两，以作酬劳。三面言明，只等过付。

却不料这个档口，正是上文所说的那位过老爷得缺赴任，因为使过唐二乱子的钱，便把湍制台贴身跟班小二爷的这条门路说给了唐二乱子，又替他二人介绍了。这小二爷年纪虽小，只因制台听他说话，权柄却着实来得大。合衙门的人都听他指挥。而且这小二爷专会看风色，各位姨太太都不巴结，单巴结十二姨太。十二姨太正想有这么一个人好做他的连手，故尔他俩竟其串通一气，只瞒湍制台一人。此时省里候补的人，因走小二爷门路得法的，着实不少。唐二乱子到省不久，并不晓得那个差使好，那个差使不好。人家见他朝天捣乱，也没有人肯拿真话告诉他。至于他的为人，外面虽然捣乱，心上并非不知巴结向上。瞧着一班红道台，天天跟着两司上院见制台，见抚台；院上下来便是甚么局甚么局，局里一样有般官小的人，拿他当上司奉承。每逢出门，一样是戈什亲兵，呼么喝六。看了好不眼热。空闲之时，便走来同二爷商量，想要弄个阔点事情当当。此时十二姨太正在招权纳贿的时候，小二爷替他出力，便嘱咐唐二乱子，叫他一共拿出二万五千两，包他银元局一定到手。初起唐二乱子还不晓得银元局有多少进项，听小二爷一说，吓的把舌头一伸，几乎缩不进去。回家之后，又去请教过傍人，果然不错。便一心一意拿出银子托小二爷替他走这条门路。

谁知这边才说停当，那边姓胡的亦恰恰同折奏师爷议妥，只等下委札，付银子了。小二爷一听不妙，一面先把外头压住，叫外头不要送稿，听他的消息。他此时正是气焰熏天，没有人敢违拗的。一面进来同十二姨太打主意，想计策。议论了半天，毕竟十二姨太有才情，便道如此如此，这般这般：“只等今天晚上，老爷进房之后，看我眼色行事。”小二爷会意，答应着自去安排去了。

且说这天湍制台做成了一注卖买，颇觉怡然自得，专候银札两交；于是制台催师爷，师爷催门上，说明天当送稿，次日下札。不料催了几次，一直等到天黑，外头还没送稿。毕竟制台公事多，一天到晚忙个不了，又不能专在这上头用心，横竖银子是现成的，偶然想起，催上一二次也就算了。到了晚上，公事停当，这两个月只有十二姨太顶得宠，湍制台是一天离不开的，是夜仍然到他房中。坐定之后，想起日间之事，还骂门上公事不上紧的办：“吃中饭的时候就叫送稿，顶如今还不送来，真正岂有此理！”一言未了，小二爷忙在门外答应一声道：“怎么还不送来！等小的催去。”说罢，登登登的一气跑出去了。不多一会，果见小二爷带了一个门上进来，呈上公事。湍制台看见，还骂门上，问他：“白天干的甚么事！如今赶晚上才送来！”说罢，就在洋灯底下把稿看了一遍。正要举起笔来填注胡道台的名字，说时迟，那时快，只见十二姨太倏地离坐，赶上前来，一个巴掌把湍制台手中之笔打落在地。湍制台忙问：“怎的？”十二姨太也不答言，但说：“现在甚么时候，那里来的大蚊子！”湍制台方晓得十二姨太打他一下，原来是替他赶蚊子的，于是叫人举火照地替他寻笔。

趁这档口，十二姨太便问：“甚么公事这等要紧？要写甚么，不好等到明天到签押房里去写？”湍制台忙道：“为的是一件要紧事。”十二姨太道：“甚么事？”湍制台道：“你女人家问他做甚么？我为的是公事，说了你也不晓得。”十二姨太道：“我偏要晓得晓得。”湍制台道：“告诉你亦不要紧，为要委一个人差使。”十二姨太道：“甚么差使不好明天委，等不及就在今天这一夜？”湍制台道：“为着有个讲究，所以一定要今天委定。”十二姨太道：“到底甚么差使？你要委那一个？你不告诉我，我不依！”湍制台道：“你这人真正麻烦！我委人差使，也用着你来管我吗？我就告诉你：只为着我们省城里铸洋钱的银元局，前头的总办丁艰，如今要委人接他的手。”十二姨太抢着说道：“你要委那一个？”湍制台道：“我要委一个姓胡的，他是个道台。”十二姨太道：“慢着。我有一个人要委，这人姓唐，也是个道台。这个差使你替我给了姓唐的，不要给姓胡的了！等一回再出了甚么好差使再委姓胡的。你说好不好？”湍制台道：“呀呀乎！派差使也是你们女人可以管得的！你说的姓唐的我知道，这个人是有名的唐二乱子，这等差使派了这样人去当也好了！我定归不答应，你快别闹了！把笔拾起来，等我画稿。连夜还要誊了出来，明儿早上用了印，标过朱，才好发下去，等人家也好早点到差。”

十二姨太见制台不答应他的话，登时柳眉双竖，桃眼圆睁，笔也不寻了，一个老虎势，就望湍制台怀里扑了过来；扑到湍制台怀里，就拿个头往湍制台夹肢窝里直躺下去。湍制台一向是拿他宠惯的，见了这样，想要发作两句，无奈发作不出。只得皱着眉头，说道：“你要委别人，我不愿意，你也不能朝着我这个样子。究竟这个官是我做的，怎么能被你作了主意？”十二姨太道：“我要委姓唐的；你不委，我就不答应！”说着，顺手拿过一只花碗来就往地下顺手一摔，豁琅一声响，早已变为好几爿了。跟手又要再摔别的东西。湍制台道：“我不委姓唐的，这又何苦拿东西来出气？”话犹末了，十二姨太忽伸手到桌子上，把刚才送进来的那张稿，早已嗤的一声，撕成两爿了。湍制台道："这更不成句话了！这是公事，怎么好撕的！"十二姨太也不理他，一味撒娇撒痴，要委姓唐的。他俩的拌嘴吵闹，小二爷都在旁边看的明明白白。等到看见十二姨太把公事撕掉，便朝送公事进来的那个门上努努嘴，说了声"你先出去，明儿快照样再补张进来。"小二爷进来把笔拾起，也就跟手出去。

十二姨太见门上及小二爷都出去，便又换了一副神情，弄得湍制台不晓得拿他怎样才好。一回十二姨太要湍制台把这银元局的事情说给他听；一回又要湍制台拿手把住他的手写字与他看；一回又问唐二乱子的名字怎样写。湍制台道："你要委他差使，怎么连他的名字都不会写？"十二姨太拿眼睛一瞅，道："我会写字，我早抢过来把稿画好，也不用你费心了。"湍制台无奈，只得写给他看。十二姨太又嫌写的不清爽，要写真字，不要带草。说着，便把方才撕破的那件送进来的稿，检了个无字的地方，叫湍制台拿笔写给他看。湍制台一见是张破纸，果然把唐二乱子的名字一笔笔的写了出来。

十二姨太等他写完，便说："晓得了，不用你写了，时候不早，我们睡罢。"湍制台巴不得一声，立刻宽衣上床。十二姨太顺手把撕破的字纸以及湍制台写的字，团作一团，一齐往抽屉里一放；又把洋灯旋暗。湍制台并不留意。等到睡下，两个人又咕唧了一回。歇了半天，湍制台沉沉睡去。十二姨太听了听，房中并无声息，便轻轻的披衣下床，走到桌子边，仍把洋灯旋亮，轻轻从抽屉中取出那团字纸，在灯光底下，仍旧把他弄舒摊了，一张张摊在桌上。好在一张纸分为两爿，浆子现成，是容易补的；便另取了一条纸，从裂缝处在后面用浆子贴好，翻过来一看，仍旧完完全全一张公事。唐某人三个字的名字，又是湍制台自己写的。十二姨太看了，不胜之喜。此时小二爷早在门外伺候好的，从门帘缝里见十二姨太诸事停当，亦轻轻的掀帘进来。十二姨太便将公事交在他的手中，把嘴一努。小二爷会意，立刻蹑手蹑脚，赶忙出去，连夜办事不题。这里十二姨太仍旧宽衣上床。湍制台犹自大梦方酣，睡得如死人一般，毫无知觉。

一宵易过，容易天明。湍制台起身下床。十二姨太装着未醒。湍制台也不叫他，独自一人洗面漱口，吃早点心，自然另有丫环、老妈承值。点心刚吃到一半，忽见外面传进一个手本，就是新委银元局总办唐某人在外候着谢委。湍制台听说，楞了一回，问道："谁来谢委？"外面门上回称："候补道唐某人谢委。"制台诧异道："委的甚么差使？可是抚台委的？何以抚台并没咨会我？"门上回道："就是才委的银元局。"湍制台更为诧异，连点心都不吃了，筷子一放，说道："我并没有委他，是谁委的？"拿手本的门上笑而不答，湍制台更摸不着头路。正相持间，忽见十二姨太一骨碌从床上坐起，一手揉眼睛，一面问道："甚么事？"湍制台道："不是你昨儿晚上要给唐某人银元局吗？一夜一过，他已经来谢委了，你说奇怪不奇怪！"十二姨太把脸一板道："我当作甚么事，原来这个！有甚么稀奇的！"湍制台愈觉不解，说道："你的话我不懂！"十二姨太冷笑道："自家做的事，还有甚么不懂的。你不委他，他怎么敢来冒充？"湍制台道："我何曾委他？"十二姨太道："昨天的稿是谁填的姓唐的名字？"湍制台道："我何曾填姓唐的名字？"十二姨太道："呸！自家做事，竟忘记掉了！不是你写了一个是草字，我不认得，你又赶着写一个真字的给我瞧吗？就是那个！"湍制台道："那不是拉破的纸吗？"十二姨太道："实不相瞒：等你睡着之后，我已经拿他补好了。两点钟补好，三点钟发誊，四点钟用印过朱，顶五点钟已经送到姓唐的公馆里去了。他接到了札子，立刻就来谢委，这人办事看来再至诚没有。——这明明是你自己做的事，怎么好推头不晓得！"

一席话说的湍制台嘴上的胡子一根根的跷了起来，气愤愤的道："你们这些人真正荒唐！真正岂有此理！这些事都好如此胡闹的！这姓唐的也太不安分了！我一定参他，看他还能够在那里当差使！"十二姨太冷笑道："你要参他的官，我看你还自先参自己罢。'只许州官放火，不许百姓点灯'。你卖缺卖差，也卖的不少了，也好分点生意给我们做做。现在'生米已经做成熟饭'，我看你得好休便好休。你一定要参姓唐的，我就头一个不答应。等到弄点事情出来，我们总陪得过你。我劝你还是马马糊糊的过去，大家不响，心上明白。这个差使，你卖给姓胡的拿他几个钱，等到姓唐的到差之后，我叫他再找补你一万银子就是了。"

湍制台听了，气的一个肚皮几乎胀破，坐着一声也不响，独自一个心上思量："倘若发作起来，毕竟姨太太出卖'风云雷雨'，于自己的声名也有碍。何如忍气吞声，等他们做过这一遭儿，以后免得说话，——而且还有一万银子好拿。纵然姓胡的不得银元局，不肯出前天说的那个数目，另外拿个别的差使给他，他至少一半还得送我。两边合拢起来，数目亦差仿不多。罢罢罢，横竖我不吃亏，也就随他们去罢。"想了一回，居然脸上的颜色也就和平了许多。拿手本的门上还站在那里候示。湍制台发怒道："怎么等不及！叫他等一回儿，甚么要紧！也总得等我吃过点心再去会他！"说完了这句，重新举起筷子把点心吃完，方才洗脸换衣服出去会面。

等他转背之后，十二姨太指指他对家人们说道："他自己卖买做惯的，怎么能彀禁得住别人。以后你们有甚么事情，只管来对我说，我自然有法子摆布，也不怕他不依！"家人们亦俱含笑不言。自此这十二姨太胆子越弄越大，湍制台竟非他敌手。这是后话不题。

且说湍制台出去见了唐二乱子，面上气色虽然不好，然而一时实在反不过脸来，只得打官话勉励他几句，然后端茶送客。唐二乱子自去到差不题。这里姓胡的弄了一场空；幸亏预先说明银札两交，所以银子未曾出手。后来见银元局委了唐二乱子，不免去找折奏师爷责其言而无信。折奏师爷有冤没处伸，于是来问东家。此时湍制台又不便说是姨太太所为，只得含糊其词，遮掩过去。后来又被折奏师爷钉不过，始终委了他一个略次一点的差事，也拿到他一万多银子，才把这事过去。

以后还有何事，且听下回分解。

第三十八回 丫姑爷乘龙充快婿 知客僧拉马认干娘

却说湍制台九姨太身边的那个大丫头，自见湍制台属意于他，他便有心惹草粘花，时向湍制台跟前勾搭。后来忽然又见湍制台从外面收了两个姨太太，他便晓得自己无分。嗣后遇见了湍制台总是气的跷着嘴唇，连正眼也不看湍制台一眼，至于当差使更不用说了。湍制台也因自己已经有了十二个妾；又兼这新收的十二姨太法力高强，能把个湍制台压伏的服服帖帖，因此也就打断这个念头。但是每逢见面，触起前情，总觉自己于心有愧。又因这大丫头见了面，一言不发，总是气愤愤的，更是过意不去。因此这湍制台左右为难，便想早点替他配匹一个年轻貌美，有钱有势的丈夫；等他们一夫一妻，安稳度日，借以稍赎前愆。

主意打定，于是先在候补道、府当中，看来看去，不是年纪太大，便是家有正妻，嫁过去一定不能如意；至于同、通、州、县一班，捐纳的流品太杂，科甲班酸气难当：看了多人，亦不中意。湍制台心中因此甚为闷闷。后来为了一件公事，传督标各营将官来辕谕话。内有署理本标右营游击戴世昌一员，却生得面如冠玉，状貌魁梧，看上去不过三十左右。此时湍制台有心替大丫头挑选女婿，等到大众谕话之后，便向他问长问短，着实垂青。幸喜这戴世昌人极聪明，随机应变。当时湍制台看了，甚为合意。等到送客之后，当晚单传中军副将王占城到内衙签押房，细问这戴世昌的细底，有无家眷在此。王占城一一禀知，说：“他是上年八月断弦，目下尚虚中馈。堂上既无二老，膝前子女犹虚。”湍制台一听大喜，就说：“我看这人相貌非凡，将来一定要阔，我很有心要提拔提拔他。”王占城道：“大帅赏识一定不差。倘蒙宪恩栽培，实是戴游击之幸。”湍制台听了，正想托他做媒；忽然想起：“我一个做制台的人，怎么管起丫头们的事来？说出去甚为不雅。”转念一想：“不好说是丫头，须改个称呼，人家便不至于说笑我了。”想了一会，便道：“现在有一事相烦：从前我们大太太去世的前头，曾抚养亲戚家的一个女孩子，认为干女儿；等到我们大太太去世，一直便是我这第九个妾照管。如今刚刚十八岁。自古道：‘男大须婚，女大须嫁。’虽则是我干女儿，因我自己并未生养，所以我待他却同我自己所生的无二。今天我看见戴游击甚是中意，又兼老兄说他断弦之后，还未续娶；如此说来，正是绝好一头亲事。相烦老兄做个媒人；并且同戴游击说，他武官没有钱，不要害怕，将来男女两家的事，都是我一力承当。”

王占城诺诺连声。出去之后，连夜就把戴世昌请了过来，告诉他这番情由，又连称“恭喜”，口称：“吾兄有这种机会，将来前程未可限量。”戴世昌听了，不禁又喜又惊又怕：喜的是本省制台如今要招他做女婿；惊的是我是个当武官的，怎么配得上制台千金！转念一想：“我要同他攀亲，这个亲事阔虽阔，但是要拿多少钱去配他？”因此心中七上八下，楞了半天，除却嘻开嘴笑之外，并无他话。王占城懂得他的意思，又把湍制台的美意，甚么男女两家都归他一人承当的话说了出来。戴世昌听了，止不住感激涕零，连连给王占城请安，请他费心。

王占城不敢怠慢，次日一早，上辕禀复制台。禀明之后，湍制台回转上房，不往别处，一直竟到九姨太房中。此时他老人家久已把九姨太丢在脑后了，今儿忽然见他进来，赛如天上掉下来的宝贝一般。想要前来奉承，一想自己是得过宠的，须要自留身分；如果不去理他，或者此时甚么回心转意，反恐因此冷了他的心。正在左右为难的时候，湍制台早已坐下，说道：“我今儿来找你，不为别的事情，为着我们上房里丫头，年纪大的，留着也要作怪，我想打发掉两个，眼睛跟前也清楚清楚。你跟前的那个大丫头，今年年纪也不小了，也很好打发了；你又不缺甚么人用。所以我特地同你说一声儿。”

九姨太起先听见湍制台要打发他的丫头，心上老大不自在。要说不遵，怕他着恼；如果依他，为甚么检着我欺负？尚在踌躇的时候，只听湍制台又说道：“你的丫头，我是拿他另眼看待的呢。我替他检了一个做官的女婿，又是年轻，又是有钱，亦总算对得住他的了。——但是一件，既然说是配个做官的，怎么好说我们的使女？我想来想去，没有法子，只好说是你的干女儿。你说好不好？”九姨太本来满肚皮不愿意，后来见说是许给一个做官的，方才把气平下；又想：“这丫头果然大了，留在家里，亦是祸害。倘若再被老爷看上了眼，做了甚么十三姨太，更不得了。不如将机就计，拿他出脱也好。”想完，便道：“我当不起他做我的干女儿，就说是你的干女儿罢。”湍制台道：“你我并不分家，你的我的，还不是一样吗。”九姨太道：“既然如此，也得叫他出来替你磕个头。”湍制台道：“这也可不必了。”正说着，九姨太已把大丫头唤了出来，叫他替老爷磕头，还要改称呼。大丫头扭扭捏捏的替湍制台磕了一个头，湍制台还了一个半礼。起来又替九姨太行过礼，九姨太便吩咐一应人等都得改称呼，因他小名唤做宝珠，就称他为宝小姐。

过了两天，湍制台便催着男家赶紧行聘，叫善后局拨了三千银子给戴世昌，以作喜事之用，又委了戴世昌两个差使。此时湍制台因为自己没有女儿，竟把这大丫头当作自己亲生的一样看待，也拨三千银子给九姨太，叫九姨太替他办嫁装。有了钱，样样都是现成的。男家看的是十月初二日的吉期。戴世昌特地又租了一座大公馆。三天头里，请媒人过帖，送衣服首饰，面子上也很下得去。两位媒人：一位中军王占城，一位首府康乃芳。到了这一天，一齐穿着公服到制台衙门里来。湍制台却是自己没有出来奉陪，推说自己有公事，叫侄少爷出来陪的。两个媒人也没有坐大厅，是在西面花厅另外坐的：这倒是湍制台爱惜声名的缘故。

且说到了正日，男府中张灯结彩，异常闹热。虽然有些人也晓得是制台姨太太跟前用的丫环；但是制台外面总说是亡妻的干女儿，大家也不肯同他计较，乐得将错就错，顺势奉承。还有些官员借此缘由前来送礼，湍制台也乐得检礼重的任意收下。这场喜事居然也弄到头两万银子，又做了人家的干丈人，颇为值得。花轿过来，一切繁文都不必说。到了三朝，宝小姐同了新姑爷来回门。内里便是九姨太做主人。九姨太自己不曾生养，平空里有了这个女婿，自然也是欢喜。而且这女婿能言惯道，把个干丈母娘奉承得甚么似的，因此这九姨太更觉乐不可支。

闲话少叙。单说这戴世昌自从做了总督东床，一来自己年纪轻，阅历少，二来有了这个靠山，自不免有些趾高气扬，眼睛内瞧不起同寅。于是这些同寅当中也不免因羡生妒，因妒生忌。更有几个晓得这宝小姐底细的，言语之间，便不免带点讥刺。起初戴世昌还不觉着，后来听得多了，也渐渐的有点诧异，回家便把这话告诉了妻子。宝小姐道：“我的娘是亡过大太太的好姊妹，我才养下来三天，大太太就抱了过来。人家的闲话，有影无形，听他做甚！”话虽如此说，但是面孔上甚不好看。戴世昌便亦丢过。但是一样：宝小姐回到衙内，除了湍制台、九姨太认他为干女儿之外，其他别位姨太太以及侄少爷等还拿他当丫头看待，不过比起别人略有体面。他亦不敢同这些人并起并坐。他有几个旧伙伴见了他拿他取笑：一个个都来让他，请他坐，请他吃茶；一口一声的称他为小姐，把他急的甚么似的。十二位姨太太当中，除掉九姨太，自然算十二姨太嘴顶刻毒，见了人一句不让。自见老爷抬举九姨太的丫头，心上很不舒服。一日听见大众奉承宝小姐，更把他恼了，便对着自己丫头连连冷笑道："甚么小姐！你们只好叫他一声'丫小姐'，将来你们一个个都有分的。"谁知自从十二姨太这一句话，便是一传十，十传百，通衙门都晓得了。有些刻薄的，更指指点点，当着他面拿这话说给他听；把他气的了不得，而又无从发作。后来又把这话传到戴世昌的耳朵里，心上也觉气闷；忽念要靠这假泰山的势力，也只得隐忍不言。

这假泰山果有势力，成亲不到三月，便把他补实游击。除了寻常差使之外，又派了一只兵轮委他管带。人家见他有此脚力，合城文武官员，除掉提、镇、两司之外，没有一个不巴结他的；就有一班候补道也都要仰承他的鼻息。至于内里这位宝小姐，真正是小人得志，弄得个气焰熏天，见了戴世昌，喝去呼来，简直像他的奴才一样。后来人家走戴世昌的门路，戴世昌又转走他妻子的门路，替湍制台拉过两回皮条，一共也有一万六千银子。湍制台受了。自此以后，把柄落在这宝小姐手里，索性撒娇撒痴，更把这干爸爸不放在眼里了。

宝小姐有一样脾气，是欢喜人家称呼他"姑奶奶"，不要人家称他"戴太太"。你道为何？他说称他"戴太太"，不过是戴大人的妻子，没有甚么稀罕；称他"姑奶奶"，方合他制台干小姐的身分。他常常同人家说："不是我说句大话：通湖北一省之中，谁家没有小姐？谁家小姐不出嫁？出了嫁就是姑奶奶。这些姑奶奶当中，那有大过似我的？"他既欢喜奉承，人家也就乐得前来奉承他。有些候补老爷，单走戴世昌的门路不中用，必定又叫自己妻子前来奉承宝小姐。大家是晓得脾气的，见了面，姑奶奶长，姑奶奶短，叫的应天价响。候补老爷当中，该钱的少，这些太太们同他来往，知道他是阔出身，眼睛眶子是大的，东西少了拿不出手，有些都当了当，买礼送他。当中就有一家太太，他老爷姓瞿，号耐庵。据说是个知县班子，当过两年保甲，半年发审，都是苦事情，别的差使却没有当过；心上想调一个好点的，就回家同太太商量，要太太走这条门路。太太拿腔做势，说道："自古道'做官做官'，是要你们老爷自己做的；我们当太太的只晓得跟着老爷享福，别的事是不管的。"禁不住瞿耐庵左作一揖，右打一恭，几乎要下跪。太太道："我要同你讲好了价钱，我们再去办这一回事。"瞿耐庵道："听太太吩咐。"太太道："你得了好事情，一年给我多少钱？"瞿耐庵道："我同你又不分家，我的就是你的，你的就是我的，这又何用说在前头呢？"太太道："不是这样说。等你有了事，我问你要钱比抽你的筋还难，不如预先说明白了好。"瞿耐庵道："太太用钱，我何曾敢说一个'不'字——没有亦是没法的事。"太太道："我不晓得你是个甚么差使，多少我不好说，你自己凭良心罢。"瞿耐庵想了半天，才说得一句"一家一半”。太太不等说完，登时柳眉双竖，杏眼圆睁，喝道：“甚么一家一半！那一半你要留着给谁用？”瞿耐庵连连陪笑道：“留着太太用。……我替你收好着。”太太道：“不用你费心，我自己会收的。”瞿耐庵道：“太太说得是，说得是！”连连屏气敛息，不敢作声。太太又吩咐道：“我替你办事情，我是要化钱的：头一面，一分礼是不能少的；你想要差使，以后还得时时刻刻去点缀点缀。你现在已经穷的甚么似的，那里还有钱给我用。无非苦我这副老脸出去向人家挪借；借不着，自己当当。这笔钱难道就不要还我吗？”瞿耐庵道：“应得还！应得还！既然太太如此说法，以后差使上来的钱，一齐归太太经管，就是我要用钱，也在太太手里来讨。你说可好不好？”太太道：“如此也罢了。”当下商量已定，就想托一个庙里的和尚做了牵线。

此时宝小姐声气广通，交游开阔，省城里除了藩台、粮道两家太太之外，所有的太太一齐同他来往。他们这般女朋友竟比男朋友来得还要热闹；今天东家吃酒，明天西家抹牌；一齐坐着四人大轿，点着官衔灯笼，亲兵随从簇拥着，出出进进，好不威武。就这里头说差使，托人情，在湖北省城里赛如开了一爿大字号一样。宝小姐又爱逛庙宇，所有大大小小的寺院都有他的功德。譬如宝小姐捐一百块洋钱，这庙里的和尚、姑子一定要回送公馆里管家大爷一分，上房里老妈、丫环一分，每一分至少也得十几块洋钱。宝小姐进款虽多，无奈出款也不少。就是宝小姐不愿意多出，手下的那些老妈、丫环们也一定要劝他多出。和尚、姑子还时常到公馆里请安，见了面，拿两手一合，头一低，念一声“阿弥陀佛”，然后再说声“请姑奶奶的安”，跟着下来，就尽性的拿“姑奶奶”奉承。无论有多少的高帽子，宝小姐都戴得上。宝小姐既向这般人混熟了，以后就天天的往寺院里跑，又请那些要好的太太、奶奶们吃素饭。人家见他礼佛拜忏，便认他是持斋行善一流；于是人家要回席请他，也只得把他请在庙里。这个风声传了出去，慢慢地那些会钻门路的人也就一个个的来同和尚、姑子拉拢了。

闲话休叙。且说这武昌省城有名的是一座龙华寺。这龙华寺坐落在宾阳门内，乃是个极大丛林，听说亦有千几百年的香火了。寺里居中一座“大雄宝殿”，供的是释迦牟尼。此外观音殿、罗汉堂、斋堂、客堂、禅堂、僧房，曲曲湾湾，已经不在少处。另外还有精室，专备接待女客。因为龙华寺是武昌名胜所在，所以合城文武官员，空闲时候都走来随喜随喜；就是过往的游客亦都有慕名来的。寺里有方丈，是专门只管清修，不问别事。执事的另外有人。顶阔的是知客，专管应酬客人以及同各衙门来往。督、抚、司、道以下，统通认得。凡是当知客和尚的，第一要面孔生得好，走到人前不至于讨厌；第二要嘴巴会说，见人说人话，见鬼说鬼话，见了官场说官场上的话，见了生意人说生意场中的话，真正要八面圆通，十二分周到，方能当得此任。知客和尚专管知客，不要上殿做佛事。又常常听见人说起：知客应酬老爷们还容易，最难的是应酬太太们。应酬了老爷，老爷当中不肯化钱的居多；应酬了太太，却是大把银子抓给他们用。所以他们趋奉太太竟其比趋奉老爷还要来得起劲。这位太太的老爷是甚么人，同谁家是亲威，跟着伺候的人谁拿权谁不拿权，和尚肚皮里都有详详细细的一本帐，说出来是不会错的。

单说这龙华寺里的知客，法号善哉，是镇江人氏。自少在金山寺出家。生的眉清目秀，一表非凡，而且人亦能言会道。二十三岁上，因往四川朝山回来，路过武昌，就在这龙华寺内挂单，一连住了几日。此时龙华寺当家老和尚正苦少个帮手，见他伶俐聪明，讨人欢喜，遂写一封书信给金山寺里的老和尚，留这善哉和尚在龙华寺里执事。过了几个月，当家老和尚见他着实来得，就升他为知客和尚。不上一年，凡是湖北省里的贵官显宦，豪贾富商，他没有一个不认得，而且还没有一个不同他说得来。他更有一件本事，是这些大人老爷们的太太，尤其没有一个不喜欢到他寺里走动。不说别的布施，单是佛事一项，已经比前头要多出好几倍了。他既有此人缘，也就乐得借此替人家拉拢，人家自然不肯叫他白出力的。

此时这善哉和尚打听得宝小姐是制台干小姐，是湖北第一等阔人，便借捐建水陆功德为名，先送了一分礼物，无非是吃食等类；又送了两副请帖，暂时不说布施，只说是“某日开建道场，请戴大人同姑奶奶前往随喜”。宝小姐是少年性情，听见有好玩的所在，没有不赶着去的。善哉和尚又早同戴府管家联络一气，某日前往，预先送信给他。到了这天，善哉和尚竭力张罗，把寺里寺外陈设一新。男客所在，分上、中、下三等：上等是提、镇、司、道以及督、抚衙门的幕友、官亲；二等是实缺、候补府班以下人员，至首县止，同着些阔商家，甚么洋行买办，钱庄汇票等字号；三等乃是候补州、县，以及佐贰各官，同随常卖买人等。三等地方都另有招呼的人。戴世昌虽是游击，因系制台的干女婿，所以坐了第一等客位。女客所在也分三等，同男客不相上下。善哉和尚却又另外替宝小姐备了一间精室：这精室之中，特地买了一张外国床，一副新被褥，湖色外国纱帐子，鸭毛枕头，说是预备姑奶奶歇中觉的。床面前四张外国椅子，一张小小圆台；圆台上放着一个小小船合，堆着些蜜饯点心之类，极其精致，说是预备姑奶奶随意吃吃的。靠窗一张妆台，脂、粉、镜奁、梳、篦、鏍花水之类，亦都全备，又道是预备姑奶奶或是觉后或是饭后重新梳妆用的。床后头还有马桶一个。宝小姐有了这个好地方，又加以和尚竭力趋奉，比书上说的“先意承志”，做人家儿子的也没有这样孝顺。

宝小姐来的多了，外头的名声也大了，就有些想走门路的钻头觅缝的来巴结善哉和尚。善哉和尚也就此出卖些“风云雷雨”，以显他的声光。这个风声恰巧被瞿耐庵的太太晓得了。这瞿耐庵的太太平时也是极其相信吃斋念佛的，见了出家人，分外有缘，无事便到这龙华寺里来跑，因此同这善哉和尚也极相熟。但是一样：瞿耐庵的太太手里是没有甚么钱的，和尚的眼睛最为势利不过，见了有钱的施主就把他比下来了。这回起建水陆道场，开忏的那一天，宝小姐到场，只吃了一顿饭，就捐了五百两银子。瞿太太也跟来随喜，好容易在家里连当带借，送了十块钱给和尚。和尚那里拿他放在眼里；不过是来者不拒，多多少少，一齐留下罢了。瞿太太虽然竭力拉拢，无奈手笔不大，总觉上不得台盘；此乃境遇使然，无可奈何之事。

恰巧四十九天功德圆满。善哉和尚弄钱本事真大，又把老和尚架弄出来，说是要传戒。预先刻了传单，外府州、县，分头叫人去贴。这个风声一出，那些愿意受戒的善男信女，果然不远千里而来。此番善哉和尚却是大开山门，定了规例：凡来受戒的，每人定要多少钱。要了钱还不算，还要叫这些人吃苦头。一个个都跪在老和尚面前，拿些蕲艾，分为九团或十二团，放在光郎头上，用火点着；烧到后来，靠着头皮，把他油都烫了出去，烧的吱吱的响。这人痛的愁眉苦脸，流泪满面，嘴里头只是念“阿弥陀佛”，“阿弥陀佛”，不敢说一声痛。凡受过戒的都说：“烧到痛的时候，只要念‘阿弥陀佛’，佛菩萨自然会来救你的。就是要痛，也就不痛了。”又说：“凡一个人入了道，七情六欲是不能免的。如今这一烧，可把他烧断，永远不想开荤，亦不想偷女人了。”如是者一个个头上就同骨牌攒了眼的一样，这地方永远不生头发，其名又曰“烧香洞”。凡有香洞和尚，到那里都好挂单，有饭吃，大家都肯布施他；要说是没有香洞，大家都叫他野和尚，可是没有人理的。烧过香洞之后，还要进禅堂。禅堂里的规矩是：坐一炷香，跪一炷香，轮流到九天九夜，一刻不得休歇，亦不准打盹睡觉。九天之后，方算圆满。这九天里头，倘然错了他一点规矩，另外有管他们的人，抗着又粗又长的板子，要在光郎头上敲的。看起来真正苦恼，并不是修行，直截是受罪！

闲话少叙。单说此时的龙华寺受戒的人，只有僧众，并无女人。善哉和尚会出主意，便出来同一班太太们说道：“诸位太太都是前世里修行，所以这一辈子才有这么大的福分；倘若这一辈子里再修行修行，下一辈子还不晓得怎样好哩！”一句话提醒了众人，便问：“怎样修行的好？”善哉和尚道：“阿弥陀佛！若要修行，也没有别的，只要同我们出家人一样，到大和尚跟前受个戒，等大和尚替你们起个法名。以后遇见寺里做甚么功德，量力施布点，这就是修行了。”宝小姐道：“要剃头发不要？”善哉和尚道：“阿弥陀佛！我的姑奶奶，倘若要你们剃头发，岂不同姑子一样？以后这么大的福分叫谁去享呢？小僧说的原是带发修行。只要一心皈依，都是一样的。”宝小姐道：“既然如此，我亦来一分，修修来世也是好的。”又问：“要多少钱？”善哉和尚道：“随缘乐助，亦要看各人的身分，姑奶奶大才斟酌罢了。”于是在座的各家太太听见和尚说“随缘乐助”，大家高兴，就有一大半要受戒的。当时算宝小姐顶阔，送了大和尚三百块洋钱，说是孝敬老师傅的贽敬；又拿出一百块钱来斋僧，说是同众位师兄结结缘的。和尚笑纳之后，大和尚就替他起了一个法号，叫做妙善。其余各位受戒的女太太们，从四元起码，以至几十元为止。瞿太太亦送了十块洋钱，随同受戒。等到事完之后，和尚又备了几桌素斋，请众位受戒的女太太一同到来，以叙同门之礼。

瞿太太是有心巴结宝小姐的，如今借此为由，被他搭上了手，便尔趋前跟后，做出千奇百怪的样子来奉承宝小姐。又时常到宝小姐公馆里去请安；送东送西，更不必说。有天宝小姐在一位姊妹家里吃醉了酒，其日瞿太太也在座。瞿太太一见这样，便过来替他捶背，替他装烟，又亲自搀扶他上轿，一直把宝小姐送回公馆。这一夜瞿太太也没有回家，就在宝小姐公馆里伺候了一夜。第二天宝小姐酒醒，很觉得过意不去。后来彼此熟了，见瞿太太常常如此，也就安之若素了。瞿太太的脾气再要随和没有，连老妈的气都肯受的。有些丫环问他要东西不必说，空着还要拿他说笑取乐。宝小姐见丫环们如此，他也和在里头拿瞿太太来开心。

有天亦是宝小姐醉后，瞿太太过来替他倒了一碗茶，接着又装了几袋水烟。宝小姐醉态可掬的，一手搂着瞿太太的颈项，说道：“我来世修修，修到有你这个女儿，我就开心死了！”瞿太太道：“我是巴而不得做姑奶奶的女儿，只怕彀不上。”宝小姐道：“别的都可以，倒是你是上了岁数的人，我只有这一点点年纪，那有你做我的女儿的道理。”瞿太太道：“姑奶奶说那里话来！常言说得好：‘有志不在年高。’我那一桩赶得上姑奶奶？只要姑奶奶肯收留，我就情愿拜在膝下，常常伺候你老人家。”此时宝小姐已有十分酒意，忘其所以，听了瞿太太的话，并不思量，便冲口而出道：“既然如此，你就替我磕个头，叫我一声‘娘’罢。以后我疼你。”一句话直把个瞿太太乐得要死，果真爬在地下替宝小姐磕了一个头，叫了一声“干娘”。宝小姐趁着酒盖了脸，便答应了一声，见他磕头，动也不动。

当日瞿太太伺候宝小姐睡觉之后，立刻赶回家中。此时他老爷瞿耐庵蒙戴世昌替他吹嘘，已经委了清道局的差使。这天正领了薪水回来，等太太等到半夜不见回家，以为一定是戴公馆留下，今天不转的了。岂知三更过后，忽听打门声急。开出门去一看，不是别人，原来就是太太。太太回家，不说别的，劈口便问：“薪水领到没有？”瞿耐庵道：“恰恰今日领到。因为太太未曾过目，所以不敢动用。”太太道：“好”。登时取了出来，一看整整七十块洋钱。太太便吩咐备燕菜酒席两桌，下余的备办男女衣料四分，再配些别的礼物，一概明天候用。瞿耐庵是惧怕太太，一向奉命如神的，只得诺诺连声，不敢违拗。次日一早，备办停当。太太也早起梳洗。诸事齐备，便抬了酒席礼物，径往戴公馆而来。

这日宝小姐因为昨夜酒醉，人甚困乏，睡到十二点钟方才起身。人报瞿太太到来。只见瞿太太身穿补褂，腰系红裙；他老爷是有花翎的，所以太太头上也插着一支四寸长的小花翎；扭扭捏捏走进宅门，后面两个抬合抬着礼物酒席。宝小姐忘记昨夜醉后之事，见了甚为诧异。见面之后，忙问所以。瞿太太笑而不言。但见他走到客堂，拿圈身椅两把，居中一摆。跟来的人随手把红毡铺下。瞿太太便说："请你们大人。今日是寄女儿特地过来叩见干爹、干娘，是不用回避的了。"此时戴世昌正躲在房中，听了摸不着头脑。宝小姐也觉茫然。倒是旁边的丫头、老妈记着，便把昨夜之事说出。宝小姐道："醉后之言，何足为凭。我那里好收瞿太太做干女儿！真正把我折死了！"刚刚跨出房门，想要推让，瞿太太已拜倒在地了，嘴里还说："既然干爹不出来，朝上拜过亦是一样的。"宝小姐连忙还礼，连说："这是那里说起！……"瞿太太拜过之后，赶忙又把礼物献上，说是两分送给干爹、干娘，两分连着一席酒，是托干娘孝敬与干外公、干外婆的。宝小姐只是谦着不受。瞿太太那里肯依，说："昨夜已蒙干娘收留，倘今天不算，叫我把脸搁在那里去呢？"于是旁边一众丫头、老妈都凑趣说："今天瞿太太来拜干娘，乃是出于一片至诚，太太倒是收了他的好，叫他心上快活。太太只要以后疼他就是了。"此时宝小姐无可如何，只得老老脸皮认了他做干女儿。后来戴世昌也出来见过礼。宝小姐又把丫头、老妈、底下人、厨子，统通叫了上来叩见瞿太太。大家亦改口叫他瞿姑奶奶。当时摆席吃酒。

等到饭后，宝小姐一想，自己总觉过意不去："索性今天把他带进制台衙门，叫他认认干外公、干外婆，也可显显我的手面。"当下便把此意同瞿太太说知。瞿太太有何不愿之理，登时满口答应；又说："于理应得去请安的。"于是宝小姐先打发老妈到制台衙门里去说明白，只说姑奶奶收了一个干女儿，立刻进来叩见老爷同九姨太太；但是且慢说出人头来。老妈去后，宝小姐带着瞿太太也就跟手上轿而去。一霎时到得湍制台衙门，自然是一径到九姨太上房里。此时湍制台听了老妈的话，都晓得宝小姐收了一个干女儿，大家以为总是人家的小姐了。九姨太急忙预备见面礼。正闹着，人报宝小姐回来了。大家立起身看时，都想看看这位小姐长得面貌如何。只见宝小姐走到头里，后面跟了一个脸上起皱纹的老婆婆；再细看看，头发也有几根白了。大家见了诧异，还当是那小姐的娘自己同来的；然而来的只有他俩，并没有第三个。因此大众格外疑心。此时湍制台亦正在房中，从玻璃窗内看见，也觉着奇怪。只听得宝小姐在院子里喊道："干妈，我同个人来给你瞧瞧。"一头说，一头走进上房，吩咐老妈把红毡铺地。宝小姐就拉了瞿太太一把，说道："你就在这里拜见外公、外婆罢。"大众至此方才明白，这同来的老婆婆就是他的干女儿。但是他要收个干女儿，为甚么不收个年轻的，倒收个老太婆？真正叫人不明白。但是他如此一片至诚，九姨太只得出来同他谦了一回，受了他一礼，让他坐下，彼此寒暄了一回。瞿太太又把孝敬的礼物送上，九姨太也送了五十块洋钱的见面钱。然后招呼开席，直吃到二更天，方才尽欢而散。这天湍制台虽未出来相见，但把他孝敬的礼物收下，也要算得赏脸的了。

且说瞿太太这天因为头一天来，不便住下，约摸到了时候，便即起身告辞。九姨太还再三叮咛，叫他空了只管进来，现在是自己一家人，用不着客气的了。此时瞿太太喜的心花都开。相别出来上轿，在轿子里满腹盘算，思量几时再进来；又思量过天还得备席请请干外婆；又想："他们是阔人，眼眶子是大的，请他们不能过于寒俭，须得稍为体面些。"又想："横竖有今天干外婆送我的五十块钱，'羊毛出在羊身上'，就拿来应酬他。彼此要好了，少不得总要替我们老爷弄点事情。只要弄得一个好点差使，就有在里头了。"又想："这条门路全亏了善哉和尚；等到有了钱，须得到他寺里大大的布施些，以补报他这番美意。"正盘算间，不提防轿子落地，说是已经到了自己家的门口了。瞿太太定了一定神，方才从轿子里走出来。还没有出轿门，忽然一个跟班的走上来回道："太太！老爷不好了！今天出出小恭，跌断了一条腿了！"瞿太太听了，不禁大吃一惊。

欲知后事如何，且听下回分解。

第三十九回 省钱财惧内误庸医　瞒消息藏娇感侠友

话说瞿太太从院上回来，在轿子里听说老爷跌断了一条腿，这一惊非同小可！连忙问道："怎么好端端的会把腿跌断了？是甚么时候跌断的？"跟班回道："今儿早上，老爷送过太太上轿之后，也就到了局子里办公事；但是今儿一天总是低着头想心事，没精打彩，没有吃饭就回来的。恰恰进门，提着裤子要去解手。小的正走过，看见摆尿缸的地方原来潮湿，亦不晓得那一位在尿缸旁边掉了一个钱在地下。老爷见了钱，弯着腰要去拾，不想怎样一个不留心就滑倒了；弄得满身是溺还在其次，只听老爷‘啊唷’一声，说是一条腿跌断了。”瞿太太骂道：“混帐东西！地下掉了钱，你们不去拾，要叫老爷去拾！”跟班的道：“小的又没瞧见钱，后来是老爷说了出来才晓得的。”瞿太太道：“跌坏了怎么样？请大夫瞧过没有？”跟班的道：“老爷跌倒之后，只顾啊唷的叫。他老人家的身坯来得又大，小的一个人怎么拉得动他。好容易找了打杂的、厨子、轿夫，才把他老人家连抬带扛的抬进上房床上睡下。齐巧那个会说外国话的胡二老爷有事来拜会，一听说是他老人家跌断了腿，胡二老爷就急了，说道：“我们做官的人全靠着这两条腿办事，又要磕头，又要请安，还要跑路。如今把他跌折了，岂不把吃饭的家伙完了吗！’到底胡二老爷关切，进去看过老爷之后，立刻就出去找了一位外国大夫来瞧了一瞧。”

瞿太太大惊道：“为甚么不请一个伤科看看？那外国大夫岂是我们请得起的？”跟班的道：“老爷亦何尝不是如此说，所以一听见胡二老爷说请外国大夫，可把他老人家急死了，说：‘我这分家私都交给他还不彀！我情愿做个残废罢！’谁知胡二老爷硬作主，自己去把个外国大夫请了来。老爷一定不要看；胡二老爷捉住老爷的腿，一定要看。外国大夫看了一回，便说：‘治虽可治，将来走起路来，不免要一瘸一拐的呢。’胡二老爷道：‘好好好：只要能彀会走路，可以磕得头，请得安，就做个瘸子也不打紧。’外国大夫道：‘倘若只要磕头请安，那是我敢写得包票的。’后来胡二老爷要他包医，他要三十两银子。”瞿太太道：“老爷怎么说？”跟班的道：“老爷急的甚么似的，暗底下拉了胡二老爷好几把，朝着他摇头，说是不要他包医。胡二老爷没法，方才又打了两句外国话，同着外国大夫走的。”瞿太太一听这话，方才把一块石头落地。一面往上房里走，一面又问：“可请个伤科来瞧过没有？”跟班的道：“请是请过一个走方郎中瞧过，亦要甚么十五块钱包医，老爷还嫌多。后来请了一个画辰州符的来到家里画过一道符，一个钱没花，亦没见甚么功效。”太太道：“为甚么不早送个信给我？”跟班的道：“小的赶到戴公馆，说太太到了制台衙门里去了。太太，你想，制台的衙门可是我们进得去的，所以小的也就回来了。”

正说着，太太已到上房，走进里间一看，老爷正睡在床上哼哼哩。太太把帐子枭开，望了一望，问了声“怎么好好的会把腿跌坏了”；又问：“现在痛的怎么样了？那个画符的先生，他可包得你不做残废不能？”老爷正在痛得发晕，一听太太的声息，似乎明白了些，但回答得两句道：“你回来了？今天几乎拿我跌死！”说完了这两句，仍旧哼哼不已。太太就在床沿上坐下，叹了一口气，说道：“我们又不是没有见过钱的人！你要钱用，尽管告诉我，自然有地方弄给你；何犯着为了一个钱跌断一条腿呢！如果一个治不好，当真的不能磕头请安起来，你这一辈子不就完了吗！叫我这一辈子指望甚么呢！”说着，也就呼嗤呼嗤的哭起来了。

瞿耐庵道：“你别哭了。现在既已回来，该应怎么找个大夫给我瞧瞧。”太太道：“外国大夫价钱大，无论如何，我们是请不起的，这个也不用提他了。如今你们赶快把伤科独眼龙王先生请了来，问他要多少钱，我给他。务必今夜里请他来一趟！——就是睡了觉也要来的！”跟班的去了一会，回来说道：“王先生说的：一过晚上十点钟，就是拿八抬轿去抬他也不来的。有话明天早晨再讲罢。”太太道：“这东西混帐！你去同他说，他再不来，我去叫制台衙门里的人押着他来，看他敢不来！”说着，就想坐轿子再回到制台衙门里去。还是瞿耐庵明白，连连摇手，道：“现在是甚么时候了！去不得！去不得！你这一往回，要有多少时候？再等一会天就亮了。一会再去请他，他总要来的，何苦半夜里吵到制台衙门里去。请了来，请封仍旧一个钱不能少的。我多熬一会就是了。”太太一想，他话不错，只得依他。果然不多一刻，天也亮了。又过了一会，太太忙叫人去请独眼龙王先生。家人去了好半天才回来，说道：“先生才起来，正看门诊，总得门诊看完了才得来呢。”瞿耐庵夫妇无法，只得静等。

谁知一等等到下半天四点钟敲过，王先生才来。当时引进上房，先问：“是怎么跌的？”瞿耐庵连忙伸出来给他看。王先生生来只有一只眼，歪着头，斜着眼，看了一会，说是：“骨头跌错了笋了，只要拿他扳过来就是了，没有甚么大不了的事。”瞿太太在帐子后头说道：“既然如此，就请你先生替他扳过来就是了。”王先生道：“如果是别人家，一定要他五十块大洋；你们这里，打个九折罢。”瞿太太把舌头一伸，道：“要的可不少！怎么比外国大夫还贵？”王先生也不答腔。瞿太太又再三同他磋磨。王先生道：“要我治，就得这个价钱；要省钱，可以不必请我。你们要晓得：你们老爷这条腿是值钱的，不比寻常人的腿，不要磕头，不要请安，可以随随便便的。我要替他弄好，三五天就要叫他走路哩。外面有外敷的药，里头有内托的药。我这副药，珍珠八宝，样样都全，但是这副药本就得四十块大洋。倘若只要扳扳好，不消上药，也费我半点钟工夫，至少也得五块洋钱。”瞿太太道：“只要你扳扳好，不敷药，可以不可以？”王先生道：“这也没有甚么不可以，不过好得慢些。跌坏的虽是骨头，那骨头四面的肉就因此血不流通；血不流通，这肉岂不是同死的一样。将来一点点都要烂的；烂过之后，还得上药，然后去腐生新。合算起来，化的钱只有比我多些，还要耽搁日子。你们划算得来，我就依着你做。我原是无可无不可的。”瞿太太一想，四十五块钱总嫌太多，心上思量：“且叫他把骨头的笋头扳进。至于药可以不用他的，昨天我在干外婆屋里看见玻璃橱里摆着多少药瓶，甚么跌打损伤药、生肌散，样样都有，我只要去讨点就是了，只怕还要比他的好些哩。”主意打定，便道：“好些的药我们自己有，只要到制台衙门里去讨来。现在只要你先生替他扳准了就是了。”王先生一听生意不成功，一来是心上不高兴，二来也是他本事有限，当下不问青红皂白，能扳不能扳，便拉住瞿耐庵的腿，看准受伤的地方，用两只手下死力的一扳。只听得床上啊唷的一声，瞿耐庵早已昏晕过去了。

瞿太太正在帐子后头，一听这个声响，知道不妙，立刻三步并做两步，赶到前面，忙问：“怎的？”王先生也不打言。瞿太太枭开帐子一望，只见老爷已经两眼直翻，气息全无，头上汗珠子有黄豆大小。瞿太太一见这个样子，晓得是被王先生扳坏了。又见王先生拿袖子卷了两卷，把条腿夹在夹肢窝里，想用蛮劲再把这条腿扳过来。瞿太太发急道：“先生！你快松手罢！再弄下去，他的腿本来不折的，倒被你一弄弄折了也论不定！如今的人还不知是活是死哩！”一面说，一面又拿老爷掐人中，浑身的揉来揉去。幸亏歇了不多一会，瞿耐庵慢慢的回醒过来，只是“啊唷啊唷”的喊痛。大家一见老爷有了活命，方始放心。

王先生受了瞿太太的埋怨，只好松手，站在一旁，瞪着一只眼睛在那里呆望。好容易瞧着瞿老爷有了活气，他又想上前去用劲。瞿太太连忙摇手道：“你快别来了！你再来来，我们老爷要送在你手里了！叫门房里赶紧替先生打发了马钱，请先生回府罢。”王先生无法，只得跟了跟班的走到门房里，替他发给了四百钱的马钱。王先生不答应，一定要五块洋钱，说：“我是你们请了来的，同你们太太讲明白的，不下药，单要五块洋钱。现在是你们不要我治，并不是我不治。如今要少我的钱可不能。”门房里人道：“你先生的本事太好，所以不请你治！老实同你说，你的本事一个钱不值！现在给你四百钱，已经有你面子了，不走做甚……”王先生一见门房里人骂他，愈加不肯干休，赖在门房里不肯去，说：“你们要坏我的招牌，我是要同你们拚命的！”门房里人道：“这王八羔子不走，真个等做……”一面说，一面就伸出手来打了王先生两拳。王先生气急了，于是躺在地下喊地方救命。闹的大了，上房里都听见了。瞿耐庵睡在床上，说道：“这种人同他闹甚么！给他两个钱，叫他走罢。”瞿太太道：“你有钱你给他，我可是没有这多钱。他肯走就走，不肯走，我去到制台衙门里去一声说，叫首县押着他走！”一面说，一面自己走到外头叫底下人赶他出去。正吵着，齐巧胡二老爷走来看瞿耐庵的病。瞿太太连忙退回上房。胡二老爷便问：“吵的甚么事？”门房里人说了。还是胡二老爷顾大局，走过来好劝歹劝，又在自己搭连袋里摸了一块洋钱给他，才肯走的。王先生临走的时候还说：“今天若不是看你二老爷脸上，我一定同他拚一拚哩！”说完了这一句，方才掸掸衣服，辞别胡二老爷出门。

胡二老爷跟了瞿家跟班的直入内室。瞿太太仍旧躲入床后头。胡二老爷当下便问："大哥的腿怎么样了？可能好些？"瞿耐庵说不动话，只是摇头。胡二老爷是瞿老爷的把兄弟，所以异常关切，便朝着跟班的说道："外国大夫既不请，中国大夫又是如此，现在总得想个法子，找个妥当的人替他看看才好，总不能听其自然。照这样子，几时才会好呢？我也晓得你们老爷光景，彼此至好，这二三十块钱，就是我替他出也不打紧。"刚说到这里，瞿太太一听他肯出钱，便在床背后接腔道："难得二老爷如此关切，一回一回的好意！只要外国大夫保得好，就请二老爷同了他来就是了。"胡二老爷道："这个外国大夫在外国学堂考过，是顶顶有名的，连这个都医不好，还做甚么大夫。而且三十块钱要的亦并不算多。"瞿太太道："既然如此，就拜托费心了。"胡二老爷去不多时，果然同了外国大夫来，言明三十块洋钱包医，签字为凭。当下就由外国大夫替他推拿了半天，也没下甚么药。毕竟外国大夫本事大，当天就好了许多。前后亦只看过三次，居然慢慢的能够行动，亦没有做瘸子。他夫妇二人自然欢喜不尽。不在话下。

单说瞿太太自从拜宝小姐做了干娘之后，只有瞿耐庵腿痛的两天没有去，以后仍是天天去的。制台衙门里亦跟宝小姐去过两次，九姨太亦请过他。虽不算十分亲热，在人家瞧着，已经是十二分大面子了。瞿太太便趁空先托宝小姐替他老爷谋事情，说道："不瞒寄娘说：你女婿自从弄了这个官到省，就背了一身的空子。虽说得过几个差使，无奈省里花费大，所领的薪水连浇裹还不够。现在官场的情形，只要有差使，无论大小，人家有事总要找到你，反不如没有差使的好。现在你女婿就是吃了这个有差使的亏，所以空子越发大了。不怕你老人家笑话，照这样子再当上两年，还要弄得精打光呢。现在只求你老人家疼我；你老人家不疼我，更叫我找谁呢！"一番话说得宝小姐不由不大发慈悲，特地为他到了制台衙门一趟，先把这话告诉了九姨太。九姨太道："你这话很可以自己同你干爹说。"宝小姐道："我托干爹这点事情，不怕他不依；然而总得拜托干娘替我敲敲边鼓，来得快些。"九姨太太应允。

宝小姐立即跑到内签押房逼着湍制台委瞿耐庵一个好缺。湍制台起初不答应，说："他是有差之人，很可敷衍。现在省城里候补的人，熬上十几年见不着一个红点子的都有，叫他不要贪心不足。"宝小姐一见湍制台不答应，登时撒娇撒痴，因见签押房里无人，便一屁股坐在制台身上，一手拉着制台的耳朵，说："干爹！这件事我已经答应了人家，你不答应我，我还有甚么脸出去！"说着，便从怀里掏出手帕子哭起来了。湍制台被他缠不过，只得应允。宝小姐一直等他应允，方才收泪，另外坐下。跟手九姨太亦走进来，又帮着他说了两句“敲边鼓”的话。湍制台自然是无可推却，当面说定，次日见了藩台，就叫他替瞿耐庵对付一个缺，然后宝小姐走的。

原来瞿耐庵老夫妇两个，年纪均在四十七八，一直没有养过儿子。瞿耐庵望子心切，每逢提起没有儿子的话，总是长吁短叹。心上想弄小，只是怕太太，不敢出口。太太也明晓得他的意思，自己不会生养，无奈醋心太重，凡事都可商量，只有娶姨太太这句话一直不肯放松。每见老爷望子心切，他总在一旁宽慰，说甚么“得子迟早有命。命中注定有儿子，早晚总会养的。某家太太五十几岁，一样生产。咱们两口子究竟还没有赶上人家的年纪，要心急做甚么呢。”瞿耐庵被他驳过几次，虽然面子上无可说得，然而心总不死。朋友们都晓得他有惧内的毛病，说起话来，总不免拿他取笑。起先瞿耐庵还要抵赖；后来晓得的人多了，瞿耐庵也就自己承认了。

有天一个朋友请他吃饭，同桌的都是爱嫖的人。有两个创议，说席散之后，要过江到汉口去吃花酒，今天一夜不回来。于是同席的人都答应说去，独有瞿大老爷不响。大家无非又拿他取笑，说他怕太太，恐怕回来要罚跪。此时瞿耐庵已经吃了几杯酒，酒盖着脸，忽然胆子壮了起来，就说了声“我也同去”。众人又问他：“你这话可当真？”瞿耐庵道：“怎么不当真！我也不过让他些，果然怕了他也好了，还做甚么男子汉大丈夫呢！”众人见他如此，都觉稀罕。当天果然同他到汉口去玩了一夜。第二天酒醒，不觉懊悔起来，怕太太生气。回家之后，少不得造谣言，说局子里有公事，又有外头解来的强盗，臬台因为他老手，特地派他审问，足足审了一夜，所以一夜未回。太太信以为真，以为臬台叫他问案乃是有面子的事情，非但不追究他，而且也甚欢喜；不过说了一句：“既然有公事，为甚么不差人送个信回来，省得家里等门？而且夜里天冷，也好差人送件衣服给你。”瞿耐庵一见太太如此体贴，连忙感谢不尽。

过了十天半个月，朋友们见他吃花酒没有事，以后就常常有人请他。起先还辞过几次，后来晓得太太受骗，便尔胆子渐渐的大了起来，也就时常跟着朋友们走动走动了。他虽然是有家小的人，但是积威之下，只有惧怕的心，没有欢乐的心；忽然一天到得窑子里面，打情骂俏，骨软筋酥，真同初世为人一般，其快乐可想而知。这时候汉口有个做窑姐的，名字叫做爱珠，姿色甚是平常，生意也不兴旺。自从那日瞿耐庵破例跟着朋友吃花酒，因为他没有局带，有个朋友就把爱珠荐给与他。爱珠生意本来清淡，好容易弄到这个孤老，岂有不巴结之理。当夜吃完了酒，其时已经不早，爱珠屡次三番要留瞿老爷住在他那里。无奈瞿老爷一来怕有玷官箴，二来怕“河东狮吼”，足足坐了一夜。爱珠也就陪了一夜。到了第二天，过江回省，见了太太，胡造一派谣言，搪塞过去。这便是第一次破戒。这次住虽未住，然而瞿

老爷心上感念爱珠相待之情，已觉得是世界上有一无二了。

后来瞿老爷时常跟着朋友们过江闲逛。人家请他吃酒，爱珠少不得也要敲他吃酒，朋友们也要他复东道。推来推去，无可推却。便有一天，趁太太到戴公馆宝小姐那里请安，午饭之后，跟班的回来说："太太跟着戴太太到了制台衙门里去，留住了吃晚饭，今天恐怕不得回来，叫小的回来拿衣服。"瞿耐庵一听大喜，晓得太太是在戴公馆、制台衙门常常住的，今天决计不回。便趁这个空，偷偷开了箱子，换了一身半新衣服。齐巧这天早上领的薪水尚未交帐，便包了二十块钱溜过江去，到得爱珠那里。一班好顽的朋友是天天在汉口的，自然一招就到。这天瞿老爷居然摆了一台酒，自己坐了主位。爱珠坐在身旁，不时还同他咬耳朵说话。直把个瞿老爷乐得手舞足蹈，比起候补老爷忽蒙挂牌署缺，接任之后第一次升堂理事，其开心也不过如此。这天爱珠又留他。他晓得今天太太是不回家了，便尔一口答应。这一夜，他俩要好，自不必说。爱珠在枕头上诉说他本是好人家女儿，父母因为没有钱用，所以才拿他卖到窑子里来。"谁知竟是个火坑！老鸨的气也受够了！实实在在一天住不下去！你老爷倘若有心救我，就求你救到底！我只要出得此门，就是做丫头亦是情愿的！"说完了这两句，不住的呼嗤呼嗤的哭。瞿耐庵听了伤心，也帮着掉眼泪。后来爱珠再三问他："你老爷的意思到底怎么样？……"瞿耐庵一时也回答不出；一来是爱他，二来又是可怜他，满心满意，想要弄他。但是一样：太太是著名的泼辣货，这事万万商量不通的。倘若瞒着他做了，将来这饥荒一定不少。因此便把念头冷了下来。禁不住爱珠一只手偎住他的脖子，一面又脸对脸的说道："瞿老爷，你好狠心！我如此的求你，你都不肯可怜可怜我！你放心！我来的时候，老鸨只出二百五十块洋钱；你如今泼出再多一半，有了五百块，也尽够使的了。"瞿老爷一听五百块钱，不禁心上又毕拍一跳，思量："我那里弄这五百块洋钱呢！"当时便楞住无语；然而心上又实实舍他不得，只说"等明天商量起来再看"，也没有回绝他。

到了次日，约摸太太尚不会回家，恰巧有位朋友在别的窑子里约他吃酒打牌，因此也没有过江回省。这天爱珠又顶住他问过几次。瞿耐庵也巴不得讨他；但是苦于太太不准，二来亦是款项难筹，一时无从答应。齐巧这天请他吃酒的这位朋友，姓笪，号玄洞，是湖北著名有钱的人。论起他的钱来，也不是自己赚的，是他老人家做武官，打"长毛"，在军营里得来的。这两年他老人家过世了，他自己尚在服中，就出来烂嫖烂赌，无论甚么朋友都肯结交，一齐拉了来吃酒。不过他天生就的另外一种脾气，是：朋友遇有急难，问他借钱，他是一毛不拔的；倘若是在窑子里替婊子赎身，或者在赌台上人家借做赌本，他却整百整千的借给人家，从来没有回头过。因此湖北官、幕两途，凡是好顽的人都肯同他交结。他并且很高兴借着官场势力欺压欺压那些乌龟王八开窑子的。瞿耐庵晓得他这个脾气。齐巧这天正是他请吃酒，不觉打动念头，想好了主意，先走到笪玄洞相好家里，问："笪老爷来了没有？"窑子里人回称："笪老爷刚刚起身，在屋里床上吃大烟呢。"瞿耐庵掀帘进去。笪玄洞立即起身相迎，劈口便问："今儿晚上奉请条子接到了没有？"瞿耐庵忙称："一定过来奉陪。"当下言来语去，扳谈了半天。瞿耐庵思思索索，想要说又不肯直说。楞了好几次，才走到笪玄洞身旁，附耳说了一句道："有件事要同老哥商量。"笪玄洞见他来时，早已一手拿着烟灯坐起来洗耳恭听；听说有事商量，便正颜厉色地问他："有甚么事情？"瞿耐庵又扭扭捏捏的半天，把脸涨的绯红，说道："不为别的，就是爱珠的事情。"笪玄洞道："可是你要娶他？"瞿耐庵道："老哥真真是明鉴万里！怎么一猜就猜着了！"说着，便把爱珠要跟他的话一五一十说了；又说："别的都好商量，单是身价要五百块洋钱这件事顶烦难，一时往那里去凑！所以来同老哥斟酌斟酌。"笪玄洞道："身价倒是小事。你是晓得我的脾气的：无论甚么好朋友，就是亲戚本家，他老子娘死了，没有棺材睡，跪在地下问我借钱告帮，这个钱我是向来不借的；倘然有人家要讨小，或是赌钱输了，这个钱我最肯帮忙的。不过你老嫂子答应不答应？不要将来我们旁边人都弄得没趣！"瞿耐庵又把脸一红道："这个……"笪玄洞道："这个怎么样？"瞿耐庵道："等我再去斟酌斟酌看。"笪玄洞道："斟酌好了，快给我个信。我的钱是现成的。"

瞿耐庵仍回到爱珠屋里，拿两只眼睛瞧着爱珠，一声不响，呆坐了半天。爱珠又问他："事情怎么样？"瞿耐庵看了半天，实在舍不得，一时色胆包天，只说得一句道："依你办就是了，有甚么怎么样！"爱珠便催他立刻叫了老鸨来在当面商量。老鸨来了，瞿耐庵吱吱了半天，脸涨红了，还是说不清楚。幸亏爱珠自已爽爽快快的说了。老鸨先讨他八百，后来磨来磨去，磨到五百五。爱珠问："瞿老爷，怎么样？"瞿老爷道："五百块钱是有的，多了我没处去借。"老鸨道："瞿大老爷大福大量，何在乎这五十块钱！"爱珠也生了气，说："瞿老爷！为了五十块钱，不肯救我吗？"说着就哭。瞿耐庵没有法子，又去找笪玄洞。笪玄洞就一口答应代借五百五十块，又说："娶了过来，你老哥总得另外打公馆。这里洋街上西头有我一处房子空着，你不妨就搬了去先住起来。"又道："正价虽有，零星开销也不能省的，我讨小讨惯的了，还有甚么不晓得的。索性成全你到底罢：五百五的正价，算是借项；如今再多送你两百块钱，就算是我的贺仪，我也不另外送了。"于是瞿耐庵感激不尽。当天就去看房子，租家伙。诸事停当，然后到窑子里同老鸨交清楚，连夜一顶小轿把爱珠接了出来。这天瞿耐庵一心只有新讨的小老婆在心上，泼出胆子来做，早把太太丢在九霄云外了。这一夜又没有过江。第二天晚上，特地叫了两席酒请请众位朋友。自然是笪玄洞首坐。席面上大家又叫局豁拳，尽情取乐。等到席散，又有十二点半了。

接连瞿耐庵三夜没有回省。他太太跟着宝小姐在制台衙门里，恰恰亦住了三夜。第四天太太回来，问起老爷。家人不便直回，说："老爷在局里办公事，三天三夜没有回来。"太太大动疑心，说："他这个差使有甚么大不了的事情，整日整夜办不完？就是上司有甚么公事交代他办，亦何至于连着回家睡觉的工夫都没有了？这话我不相信！"立刻吩咐跟班："赶快到局子里看看老爷到底在那里不在！"跟班心上是明白的；出来打了一个转身，回来告诉太太说："老爷正在局子里忙着呢。"瞿太太是何等样人，眼睛比镜子还亮，早看出这跟班说的是假话。便说："是了，替我打轿子。"跟班的只得依他。等到上了轿，请示到那里。瞿太太说："到局子里看老爷去。"一句话把跟班的吓急了，只好硬硬头皮，跟到那里再说。

当时一群人跟着太太的轿子一直走到局子里。谁知局子里声息全无，一个鬼影子也没有。瞿太太见了把门的，劈口就问："瞿大老爷今天来过没有？"把门的回道："大老爷有四天不到这里来了。"瞿太太回头瞧着跟班的哼哼了两声，吓得跟班的脸色都变了。瞿太太下轿问明白了，走到老爷素来办公事的一间屋子里坐下。那个跟班连忙拿鸡毛掸子掸桌子上的灰尘，又忙着替太太献茶。瞿太太道："用不着你忙！我有话问你！"跟班的拉长了嗓子，一迭连声的答应"者，者"，手里还是不住的做他的事情。瞿太太看着格外生气，又厉声骂道："混帐王八蛋！你说老爷在局子里，如今到那里去了？你替我把老爷找出来！找不出来问你要！"那个跟班的还只顾答应"者，者"，站在底下，拿两只眼睛相着鼻子，一句别的话也没有。太太气极了，一迭连声的拍桌子骂王八蛋，叫他还出老爷来。

其时同来的还有一个是本在公馆厨房里做打杂的，现在亦升作二爷了。这人姓胡，名福，最爱挑唆是非，说人坏话。瞿太太欢喜他。外头有甚么事，都是他听了来说，赛如耳报神一般，所以才会提升到二爷。瞿太太到局子里下轿，他早已跑到别屋子里向别人家的二爷探问详细，知道老爷这两天同了朋友出城过江到汉口窑子里顽要，恋着不回来。他得到这信息，又如赶头报似的，赶过来到瞿太太跟前，弯着腰，蝎蝎螫螫的，将此情由全盘托出。他说话说得傍人都不听见，只见瞿太太面孔气得铁青，四肢厥冷，坐在椅子上半天说不出话来。后来想了半天，这事情非得自己亲身过江到汉口，决不能扫穴擒渠。当时又问胡福："老爷在汉口甚么人家住夜？"胡福道："出去问过众人，都说不晓得；横竖到了汉口总打听得出的。"瞿太太无奈，遂命："打轿！你们都跟着我到汉口去！"众人只得答应着。

要知此去如何，且听下回分解。

第四十回
息坤威解纷凭片语　绍心法清讼诩多才

话说瞿太太霎时过得江来，下船登岸。轿夫仍把轿子抬起，都说："这么一个大地方，晓得老爷在那里？到那里去问呢？"到底瞿太太有才情，吩咐一个跟班的，叫他到夏口厅马老爷衙门里去，就说是制台衙门里来的，要找瞿老爷，叫他打发几个人帮着去找了来。家人奉令，如飞而去。瞿太太也不下轿。就叫轿夫把轿子抬到夏口厅衙门左近，歇了下来等回信。

原来这位夏口厅马老爷在湖北厅班当中，也很算得一位能员，上司跟前巴结得好，就是做错了两件事，亦就含糊过去了。他虽是地方官，也时常到戏馆里、窑子里走走，不说是弹压，就说是查夜。就是瞿耐庵、笪玄洞几个人，近来也很同他在一块儿。瞿耐庵讨爱珠一事，他深晓得；昨夜请客，他亦在座。这天在衙门里，忽然门上人上来回："制台衙门有人来问瞿大老爷，叫这里派人帮着去找。"他便急得屁滚尿流，立刻叫门上人出来说："瞿大老爷新公馆在洋街西头第二条弄堂，进弄右手转弯，第三个大门便是。"又派了两名练勇同去引路。当下又问："制台衙门里甚么人找他？为的是甚么事？"来人含含糊糊的回了两句，同了练勇自去。走不多时，遇见瞿太太的轿子，跟班的上前禀复说："老爷在某处新公馆里。"

瞿太太一听"新公馆"三个字，知道老爷有了相好，另外租的房子，这一气更非同小可！随催轿夫跟着练勇一路同到洋街西头，按照马大老爷所说的地方，走进弄堂，数到第三个大门，敲门进去。瞿太太在轿子里问："这里住的可是姓瞿的？"只见一个老头子出来回道："不错，姓'徐'。你是那里来的？"瞿太太不由分说，一面下轿，一面就直着嗓子喊道："叫那杀坯出来！我同他说话！办的好公事！天天哄我在局子里，如今局子搬到这里来了！快出来，我同你去见制台！"一面骂，一面又号令手下人："快替我打！"其时带来的人都是些粗卤之辈，不问青红皂白，一阵乒乒乓乓，把这家楼底下的东西打了个净光。那个老头子气昏了，连说："反了！反了！这是那里来的强盗！"正闹着，瞿太太已到楼上搜寻了一回；一看样子不对，急忙下楼，问同来的练勇道："可是这里不是？怎么不对呀？"那房主老头儿也说道："你们到底找的是那个？怎么也不问个青红皂白，就出来乱打人！世界上那有这种道理！”瞿太太自知打错，连忙出门上轿，骂手下人糊涂，不问明白就乱敲门。老头子见自己的东西被他们捣毁，如今一言不发，便想走出去上轿，立刻三步并做两步跑出来，拉住轿杠要拚命。幸亏有两个练勇助威，一阵吆喝，又要举起鞭子来打，才把老头子吓回去了。

这里瞿太太在轿子里还骂手下人，骂练勇。内中有一个练勇稍须明白些，便说：“莫不是我们转弯转错了罢？我们姑且到那边第三家去问声看。”刚刚走到那边第三家门口，只见本公馆里另外一个管家正在那里敲门。瞿太太一见有自己的人来敲门，便道：“就是这里了！”那管家一见太太赶到，晓得其事已破，连忙上前打一个千，说道：“替太太请安。小的亦是来找老爷的，想不到太太也会找到这里来。”瞿太太道：“你们一个鼻子管里出气，做的好事情，当是我不知道！如今被我访着了，你倒装起没事人来了！你仔细着！等我同你老爷算完帐再同你算帐！”说完，推门进去。

却不料其时瞿老爷已不在这里了；只有新娶的爱珠同一个老妈在楼上，一见楼下来了许多人，知道不妙，坐在楼上不敢则声。瞿太太因刚才打错了人家，故到此不敢造次；连问两声，不见有人答应，便即迈步登楼。一见楼上只有两个女人，不敢指定他一定是老爷的相好，只得先问一声：“这里可是瞿老爷的新公馆？”爱珠望望他，并不答应。瞿太太只得又问。歇了半晌，爱珠才说道：“你是甚么人？为甚么走到这里来？”瞿太太见问，反不免楞住了，站在扶梯边，进不得进，退不得退。正在为难的时候，忽然胡福上来报道：“太太，正是这里。跟班老爷出门的黄升报信来了。”瞿太太一听是这里，立刻胆子放大，厉声说道：“叫他上来！”黄升上楼见了太太，就跪在地下嗑头，说是替太太叩喜。瞿太太发怒道：“老爷讨小，他欢喜，我是没有甚么欢喜，用不着你们来巴结！我是不受这一切的！”黄升道：“小的替太太叩喜，不是这个，为的是老爷挂了牌了。”瞿太太一听“挂牌”二字，很像吃了一惊似的，连忙问道：“挂那里？”黄升道：“署理兴国州。”瞿太太道：“这一个缺也罢了，但是还不能遂我的心愿。横竖我们这位老爷，无论得了甚么缺，出去做官总是一个糊涂官。你们不相信，只要看他做的事情。他说年纪大了，愁的没儿子，要讨小，难道我就不怕绝了后代？自然我的心比他还急。我又没有说不准他讨小。如今瞒着我做这样的事情，你们想想看，叫我心上怎么不气呢！”

众人一见太太嘴里虽说有气，其实面子上比起初上楼的时候已经好了许多。就以瞿太太本心而论，此番率领众人一鼓作气而来，原想打一个落花流水；忽然得了老爷署缺信息，晓得干娘宝小姐的手面做到，心中一高兴，不知不觉，早把方才的气恨十分中撇去九分。但是面子上一时落不下去，只得做腔做势，说道：“我末，辛辛苦苦的东去求人，西去求人，朝着人家磕头礼拜，好容易替他弄了这个缺来。他瞒着我，倒在外头穷开心。我这是何犯着呢。他指日到任，手里有了钱，眼睛里更可以没有我了。不如我今天同他拚了罢！我也没福气做甚么现任太太，等我死了，好让人家享福！”说着，便要寻绳子，找剪刀，要自己寻死。一众管家老妈只得上前解劝。此时新姨太太爱珠坐在窗口揩眼泪，只是不动身。一众管家因听得老爷挂牌，都不肯多事，一个个站着不动。瞿太太看了，愈加不肯罢休，说：“你们都是帮着老爷的，不替我太太出力！老爷得了缺，你们想发财；你们可晓得老爷的这个缺都是太太一人之力吗？既然大家没良心，索性让我到制台衙门里去，拿这个缺仍旧还了制台，叫他另委别人。有福同享，有难同当，我又不是众人的灰孙子！”说罢，大哭不止。

正闹着，人报：“马老爷上来。”原来瞿太太初上楼之后，齐巧瞿耐庵亦从外头回来，刚进大门，一听说是太太在这里，早吓得魂不附体。知道事情不妙，心上盘算了一回：“别的朋友都靠不住，只有夏口厅马老爷精明强干，最能随机应变，不如找了他来，想个法子把个阎王请开；不然，饥荒有得打哩！”想好主意，刚出大门，那边第三家被太太打错的那个姓徐的老头儿赶了过来，一把拉住瞿耐庵，说：“你太太打坏了我的东西，要你赔我！你若不赔，我要叫洋东出场，到领事那里告你的！”瞿耐庵听了，顿口无言。还是跟去的管家会说话，朝姓徐的千赔不是，万赔不是，才把老爷放手。瞿耐庵得了命，立刻一溜烟跑到夏口厅衙门，将以上情形同马老爷说知。马老爷无可推却，只得赶了过来。瞿太太虽然从未见面，事到此间，也说不得了。

当下马老爷上楼，也不说别的，但连连跺脚，说道：“要人家冒名顶替，亦得看甚么人去！他们叫耐庵顶这个名，我就说不对；如今果然闹出事来了！打错了中国人还不要紧，怎么打到一个洋行买办家去！马上人家告诉了洋东，洋东禀了领事，立时三刻，领事打德律风来，不但要赔东西，还要办人。大家都是好朋友，叫我怎么办呢！”他说的话虽然是没头没脑，瞿太太听了，大致亦有点懂得；本来是坐着的，到此也只好站了起来。马老爷装作不认识，连问：“那一位是瞿太太？……”管家们说了。马老爷才赶过来作揖，瞿太太也只得福了一福。

马老爷又说道：“这事情只怪我们朋友不好，连累大嫂过这一趟江，生这一回气。这女人本是在窑子里的，因为老鸨凶不过，所以兄弟起头，合了几个朋友，大家凑钱拿他赎了出来。兄弟是做官人，如何讨得婊子；众朋友都仗义，你亦不要，我亦不要，原想等个对劲的朋友，送给他做姨太太。当时就有人送给我们耐庵兄的。兄弟晓得耐庵兄的脾气，糊里糊涂，不是可以讨得小的人，所以力劝不可。当时朋友们商议，大家拿出钱来养活他，供他吃，供他用，还要门口替他写个公馆条子，省得不三不四的人闯进来。大嫂是晓得的：我们汉口比不得省城，游勇会匪，所在皆是，动不动要闯祸的；有了公馆条子，他们就不敢进来了。其时便有朋友说顽话：'耐庵兄怕嫂子，不敢讨小，我偏要害他一害：将来这里我就写个瞿公馆，等老嫂子晓得了，叫他吃顿苦头也是好的。'条子如今还没有写，不料这话已经传开，果然把大嫂骗到这里呕这一口气，真正岂有此理！"

瞿太太听说，低头一想："幸亏没有动手，几几乎又错打了人！"又转念想道："如果不是这里，何以我叫人请问你马老爷，你马老爷派了练勇同我到这里来呢？为甚么黄升亦到这里来找老爷呢？"当把这话说了出来。马老爷赖道："我并没有这个话。果然耐庵讨了小，要瞒你嫂子，我岂肯再叫人同了你来。一定是我们门口亦是听了谣言，以讹传讹。大嫂断断不要相信！"瞿太太又问黄升。亏得黄升人尚伶俐，亦就趁势回道："小的亦是听见外面如此说，所以会找到这里来；不过是来碰碰看，并不敢说定老爷一定在这里。"

瞿太太又把瞿老爷几天在外不回家的话说了。马老爷道："公事呢，原有公事。"又凑前一步，低声对瞿太太说道："新近我们汉口到了几个维新党，不晓得住在那一爿栈房里，上头特地派了耐庵过来访拿；恐怕声张起来，那几个维新党要逃走，所以只以顽耍为名，原是叫傍人看不出的意思。大嫂，你不晓得，这维新党是要造反的，若捉住了就要正法的。这两年很被做兄弟的办掉几百个。不料现在还有这种大胆的人来到这里，又不晓得有甚么举动。将来耐庵把人拿着了，还要大大的得保举呢。"瞿太太道："如今挂了牌，就要到任，怎么还能来办这个呢？"马老爷道："牌是藩台挂的，拿维新党是臬台委的，大家不接头。大约总得把这件事情办完了才得去上任。"瞿太太道："维新党是要造反的，是不好惹的。有了缺还是早到任的好。等我去同制台说，把这差使委了别人罢。我们拿了人家的脑袋去换保举，怕人势势的，这保举还是不得的好。"马老爷道："制台跟前有大嫂自己去，自然一说就妥。"瞿太太又抢着说道："倒是前头打错的那个人家，怎么找补找补他才好？"马老爷皱着眉头道："这倒是顶为难的一桩事情！现在牵涉洋商，又惊动了领事，恐怕要酿成交涉重案咧！"瞿太太亦着急道："到底怎么办呢？这个总得拜托你马老爷的了！"说着，又福了一福。马老爷见瞿太太一面已经软了下来，不至生变，便也趁势收篷，立刻拿胸脯一拍，道："为朋友，说不得包在我身上替他办妥就是了。大嫂此地也不便久留，就请过江回省。且看事情办的怎么样，兄弟再送信给耐庵兄。"于是瞿太太千恩万谢，偃旗息鼓，率领众人，悄悄回省而去。

这里马老爷回到衙门，一看瞿耐庵还在那里候信。马老爷先把他署缺的话说了，催他赶紧回省谢委；又把方才同他太太造的一派假话也告诉了他，以便彼此接洽；一面又叫人安慰徐老头子，打坏的东西，一齐认赔，还叫人替他点一副香烛，赔礼了事。又同瞿耐庵商量："现在看尊嫂如此举动，尊宠只好留在汉口，同了去是不便的。等你到任一两月之后，看看情形如何再来迎接。好在这里有我们朋友替你照应，你只管放心前去。"瞿耐庵见各事都已办妥，异常感激，方才辞别马老爷渡江回省，向公馆而来。

回家之后，虽说有马老爷教他的一派胡言可以抵制，毕竟是贼人胆虚，见了太太总有点扭扭捏捏说不出话来。幸亏他太太打错了一个人家，又走错了一个人家，亦觉得心上没趣，没精打采。见了老爷，但说得一句："还不赶紧去谢委！"又道："拿甚么维新党的差使可以趁空让给别人罢，自己犯不着揽在身上。"瞿耐庵一见马老爷之计已行，便道："这捉人的差使，我就去回复了臬台，叫他另外派人，我们可以马上就去到任。"瞿太太道："你辞得掉，顶好；倘若辞不掉，只好苦了我再到制台衙门里替你去走一趟。"瞿耐庵道："容易得很，一辞就掉，不消太太费心。"说着，便换了衣服，赴各宪衙门谢委。第二天瞿太太又到戴公馆叩谢过干娘。又求宝小姐把他带到制台衙门叩谢过干外公、干外婆。瞿耐庵不日也就禀辞。接着便是上司荐人，同寅饯行，亦忙了好几日。

临走的头一天，瞿耐庵又到夏口厅马老爷那里再三把新娶的爱妾相托。马老爷自然一口答应。当下又请教做官的法门。马老爷说："耐庵，你虽然候补了多年，如今却是第一回拿印把子。我们做官人有七个字秘决。那七个字呢？叫做'一紧，二慢，三罢休'。各式事情到手，先给人家一个老虎势，一来叫人家害怕，二来叫上司瞧着我们办事还认真：这便叫做'一紧'。等到人家怕了我们，自然会生出后文无数文章。上司见我们紧在前头，决不至再疑心我们有甚么；然后把这事缓了下来，好等人家来打点：这叫做'二慢'。'千里为官只为财'，只要这个到手。……"马老爷说着，把两个指头一比。瞿耐庵明白，晓得他说的是钱了。马老爷又说："无论原告怎么来催，我们只是给他一个不理；百姓见我们不理，他们自然不来告状：这就叫做'三罢休'。耐庵，你要晓得，我们湖北民风刁悍，最喜健讼；现在我们不理他，亦是个清讼之法。至于别的法门，一时亦说不尽。好在你请的这位刑名老夫子王召兴本是此中老手，一切趋避之法他都懂的，随时请教他就是了。"瞿耐庵听了，甚是佩服。回家收拾行李，雇船起程。等到上了船，头一夜，瞿太太等人静之后，亲自出来船前船后看了几十遍，生怕老爷另雇了船带了相好同去。后来见老爷一直睡在大船上，晓得没有别人同来，方才放心。

兴国州离省不过四五天路程。头天派人下去下红谕。次日赶到本州，书差接着。瞿耐庵拜过前任，便预备第二天接印。这天原看定时辰，午时接印。到了十一点半钟，瞿老爷换了蟒袍补褂，打着全副执事，前往衙门里上任。齐巧有个乡下人不懂得规矩，穿了一身重孝，走上前来拉住轿杠，拦舆喊冤。轿子跟前一班听差的衙役三班，赶忙一齐过来呼喝；无奈这乡下人蛮力如牛，抵死不放。瞿老爷忌讳最深，这日看定了时辰接印，说是黄历上虽然好星宿不少，底下还有个坏星宿，恐怕冲撞了不好，特地在补褂当中挂了一面小铜镜子，镜子上还画了一个八卦，原取“诸邪回避”的意思。如今忽见一个穿重孝的人拉舆叫喊，早把瞿老爷吓得面如土色，以为到底时辰不好，必定撞着甚么“披麻星”了。好容易定了一定神，方问得一句：“这穿孝的是甚么人？”那乡下人见老爷说了话，连忙跪下道：“小的冤枉！小的是王七。小的的父亲上个月死了，有两个本家想抢家当，争着过继，硬说小的不是小的的父亲养的，因此要把小的母子赶出大门。”瞿老爷道：“不是你父亲养的，难道是你娘拖油瓶拖来的吗？”王七道：“我的青天大老爷！为的就是这句话！前任大老爷得了被告的钱，所以就把小的断输了。小的打听得今日青天大老爷上任，所以赶来求伸冤的。”

瞿老爷不等说完，拍着扶手板，大骂道：“好刁的百姓！我没有来到这里就晓得你们兴国州的百姓健讼！如今还没有接印，你就来告状！甚么大不了的事情！这是你们家务事，亦要老爷替你管？我署这个缺，原是上头因我在省里苦够了，所以特地委个缺给我，原是调剂我的意思；不是叫我来替你们管家务！一个兴国州，十几万百姓，一家家都要我老爷管起来，我亦来不及呀！赶出去！不准！”差役们一阵吆喝，七八个人一齐上前来拖，好容易把个王七拖走。王七嘴里还是一味的喊“冤枉”；见老爷不准，索性在轿子旁边大哭起来。瞿老爷听着讨厌，连连吐馋唾，连连说：“晦气！……”后来见王七痛哭不止，不由无名火动，在轿子里大声喊道：“替我把那王八蛋锁起来！等我接了印再打他！”新官号令，衙役们无有不遵的，立刻把王七锁起。

说话间瞿老爷已经到了大堂下轿。礼生报吉时已到，鼓手吹打着。等老爷拜过了印，便是老爷升座，典吏堂参，书差叩贺。瞿老爷急急等诸事完毕，一天怒气便在王七身上发作，立刻叫人把他提到案前跪下，拍着惊堂木，骂道：“你要告状，明天不好来，嗳！后天不好来，偏偏老爷今天接印，你撞了来！你死了老子的人不怕忌讳，老爷今天是初接印，是要图个吉利的！拉下去！替我打！”两旁差役一声吆喝，犹如鹰抓燕雀一般，把王七拖翻在地，剥去下衣；霎时间两条腿上早已打成两个大窟窿，血流满地。瞿老爷瞧着底下一滩红的，方才把心安了一半。原来他的意思，以为“我今日头一天接印，看见这个身穿重孝的人，未免太不吉利；如今把他打的见血，也可以除除晦气了”。他坐在堂上一直不作声，掌刑的皂班便一直不敢停手。看看打到八百，他还不则声。倒是值堂的签押二爷瞧着不对，轻轻的回了老爷，方把王七放起来，然而已经不能行动了。瞿耐庵至此方命退堂。

此时前任还住在衙门里，没有让出。瞿耐庵只好另外赁了公馆办事，把太太一块儿接了上来同住。

且说他的前任姓王，表字柏臣，乃是个试用知州。委署这个缺未及一年，齐巧碰着开征时候，天天有银子进来，把他兴头的了不得，以为只要收过这季钱漕，就是交卸，亦可以在省里候补几年了。那知乐极悲生，刚才开征之后，未及十天，家乡来了电报，说是老太爷没了。王柏臣系属亲子，例当呈报丁忧。报了丁忧，就要交卸，白白的望着钱粮漕米，只好让别人去收。当下他看过电报，回心一想，连忙拿电报往身上一揣，吩咐左右不准声张。他全不想一个外府州、县衙门，凭空里来了一个电报，大家总以为省里上司来的甚么公事，后来好容易才打听出来。然而他老人家虽然死了老太爷，因为要瞒众人，并不举哀。后被大家看破了，不免指指摘摘，私相议论。

王柏臣晓得遮盖不住，只得把帐房及钱谷师爷请来，并几个有脸面、有权柄的大爷们亦叫齐。等到众人到了，他一齐让到签押房床后头一间套屋里去。两位师爷坐着，几个大爷站着，别的人一概赶出。王柏臣更亲手把两扇门关好，然后回转身来，朝着两位师爷一跪就下。大家虽然明晓得他是丁艰，面子上只作不知，一齐做出诧异的样子，问道：“这是怎么一回事？断乎不敢当！快快请起！”说着，两位师爷也跪下了。王柏臣只是不起，爬在地下，哭着说道：“兄弟接到家乡电报，先严前天已经见背了！”两位师爷又故作嗟叹，说道：“老伯大人是甚么病？怎么我们竟其一点没有晓得呢？”王柏臣道：“如今他老人家死已死了，俗语说得好：‘死者不可复生。’总求两位照应照应我们这些活的。我一家门几十口人吃饭，丁忧下来，一靠就是三年，坐吃山空，如何干靠得住！如今事情，权柄是在你们二位手里。”又指着几个大爷们说道：“至于他们，都是兄弟的旧人，他们也巴不得兄弟迟交卸一天好一天。只要你二位肯把丁忧的事情替兄弟瞒起，多耽搁一个月或二十天，不要声张出来，上头亦缓点报上去。趁这档口，好叫兄弟多弄两文，以为将来丁忧盘缠，便是两兄莫大之恩！就是先严在九泉之下，亦是感激你二位的！”一席话说得两人都回答不出。还是帐房师爷有主意，一想：“东家早交卸一天印把子，我们亦少赚一天钱。好在他匿丧与我们无干，我们乐得答应他，做个顺水人情，彼此有益。”便把这话又与钱谷师爷说明，钱谷师爷亦应允了。几个大爷们更是不愿意老爷早交卸的。于是彼此相戒不言。王柏臣重行爬下替两位师爷磕了一个头，爬了起来，送两位师爷出去，一路说说笑笑，装作没事人一般。

当天帐房师爷同钱谷师爷又出来商量了一条主意，说："现在钱粮才动头开征，十几天里如何收得齐？总得想个法子叫乡下人愿意在我们手里来完才好。"于是商量了一个跌价的法子：譬如原收四吊钱一两的，如今改为三吊八或是三吊六，言明几天为限。乡下人有利可图，自然是踊跃从事。如此办法，一来钱粮可以早收到手，二来还落个好声名。商妥之后，当把这话告诉了王柏臣。王柏臣一想不差，使叫照办，立刻发出告示，四乡八镇统通贴遍。乡下人见有利益可沾，果然赶着来完。看看到了半个月，这一季的钱粮已完到六七成了，王柏臣的银子也赚得不少了。帐房、钱谷二位师爷又商量道："钱粮已收到一大半，可以劝东家报丁忧了。等到派人下来，总得有好几天，怕不要收到八九分。多少留点后任收收，等人家捞两个，也堵堵人家的嘴；倘若收得太足了，后任一个捞不到，恐怕要出乱子的。"

当把这话又通知了王柏臣，王柏臣还舍不得。两位师爷便说："有了这个样子，我们也很对得住东家了。到这时候再不把丁忧报出去，倘或出了甚么岔子，我们是不包场的。"便有人把这话又告诉了王柏臣。王柏臣是个毛燥脾气，一听这话，便跳得三丈高，直着嗓子喊道："我死了老太爷我不报，我匿丧，有罪名我自己去担，要他们急的那一门呢！"话虽如此说，自己转念一想："不对，如今我自己把丁忧的事情嚷了出来，倘若不报丁忧，这话传了出去，将来终究要担处分的。罢罢罢，我就吃点亏罢！"当时就把这话交代了出去，又自譬自解道："丁忧大事，总以家信为凭，电报是作不得准的。犹如大官大员升官调缺，总以部文为凭，电传上谕亦是作不得准的。所以我前头虽然接到电报不报丁忧，于例上亦没有甚么说不过去。"此时合衙门上下方才一齐晓得老爷丁忧，一个个走来慰问。王柏臣也假做出闻讣的样子，干号了一场。一面禀报上司，一面将印信交代典史太爷看管。跟手就在衙门里设了老太爷的灵位，发报丧条子，即日成服。从同城起以及大小绅士，一齐都来叩奠。

转眼间上头委的瞿耐庵也就到了。瞿耐庵未到之前，算计正是开征时候，恨不得立时到任。等得接印之后一问，钱粮已被前任收去九成光景，登时把他气的话都说不出来。后来访问前任用的是个甚么法子，才晓得每两银子跌去大钱四百，所以乡下人都赶着来完。常言道："好事不出门，恶言传千里。"王柏臣接着电报十几天不报丁忧，这话早已沸沸扬扬，传的同城都已知道，就有些耳报神到瞿耐庵面前送信讨好。瞿耐庵拿到这个把柄，恨不得立时就要禀揭他。遂只详求实在，又有人把帐房师爷代出主意，叫他跌价的话说了出来。于是瞿耐庵恨这帐房师爷比恨王柏臣还要利害，总想抓他一个错，拿练子锁了他来，打他二千板子，方雪此恨。

此时王柏臣钱虽到手，一听外头风声不好，加以后任同他更如水火，现在尚未结算交代，后任已经处处挑剔，事事为难。凡他手里顶红的书差，不上三天，都被后任换了个干净；就是断好的案子，亦被后任翻了好几起。此时瞿耐庵一心只顾同前任作对，一桩事到手，不问有理无理，但是前任手里占上风的，他总得反过来叫他占下风，要是前任批驳的，到他手里一定批准。

有天坐堂，一件案情有姓张的欠了姓孙的钱，有二十多年未还。还是前任手里，姓孙的来告了；王柏臣断姓张的先还若干，其余拨付。两造遵断下去。这个档口，齐巧新旧交替，等姓张的缴钱上来，已是瞿大老爷手里了。瞿大老爷有心要拿前任断定的案子批驳，就传谕下来，硬叫姓孙的找出中人来方准具领。姓孙的说："我的老爷！事情隔了二十多年，中人已经死了，那里去找中人？横竖有纸笔为凭，被告肯认帐就是了。"瞿耐庵道："放屁！姓张的答应，我老爷不答应！没有中人，没有证见，就听你们马马糊糊过去吗？钱存案，候寻到中人再领。"一阵吆喝，把两边都撵下去：这是一桩。

又有一桩：是一个姓富的定了一家姓田的女儿做媳妇。后来姓田的忽然赖婚，说了姓富的儿子许多坏话，就把女儿另外许给一个姓黄的。姓富的晓得了，到州里来打官司。前任王柏臣断的是叫姓黄的退还礼金；拿姓田的训饬了两句，吩咐他不准赖婚，仍旧将女儿许配姓富的。当时三家已遵断具结。到了瞿耐庵手里，姓黄的又来翻案。瞿耐庵一翻旧卷，便谕姓田的仍将女儿许于姓黄的儿子。姓富的不答应，上堂跪求。老爷说："你儿子不学好，所以人家不肯拿女儿许给他。只要你儿子肯改过，还怕没有人家给他老婆吗？不去教训自己的儿子，倒在这里咆哮公堂，真正岂有此理！再不遵断，本州就要打了！"一顿臭骂，又把姓富的骂了下去。

过了一天又问案。头一起乃是胡老六偷割了徐大海的稻子，却不是前任手里的事。瞿耐庵坐到堂上看了看状子，便把原告叫了上来问了两句，叫他下去。又叫被告胡老六上来，便拍着桌子，骂道："好个混帐王八蛋！人家种的稻子，要你去割他的！"便喊叫："拉下去打他三百板子！"被告胡老六道："小的还有下情。"瞿耐庵喝令："打了再说！"早有皂役把他托翻了，打了三百板，放他起来跪着。瞿耐庵道："你有甚么话，快说！快说！"胡老六道："小的的地是同徐大海隔壁。他占了小的地，小的不依他；他不讲理，所以小的才去割他的稻子的。"瞿耐庵道："原来如此。"再把原告徐大海带上，骂道："天下人总要自己没有错才可告人！你既然自己错在前头，怎么能怪别人呢？也拉下去打三百！"徐大海道："小的没有错。"瞿耐庵道："天下那有自己肯说自己错的！不要多说！快打！快打！”站堂的早把徐大海拉下去，亦打了三百。瞿耐庵便喝令到一边去，具结完案。

随手问第二起，乃是卢老四告钱小驴子，说他酗酒骂人。瞿耐庵也是先带了原告问过，叫他下去；把被告带上来，打了一百。被告说：“小的平时一钟酒不喝的，见了酒头里就晕，怎么会吃醉了酒骂人呢？是他诬赖小的的。”瞿耐庵又信以为真了，竟把原告喊上来，帮着被告硬说他是诬告，也打一百。仍旧带在一旁具结。

于是又问第三起，是一个人家大小老婆打架儿。大老婆朱苟氏，小老婆朱吕氏，男人朱骆驼。这件事实在是小老婆撒泼行凶，把大老婆的脸都抓破，男人制伏不下，所以大老婆来告状的。瞿耐庵把状子略看了一看，便叫带朱苟氏。朱苟氏上来跪下，刚说得几句，瞿耐庵不等他说完，便气吁吁的骂道：“统天底下，你们做大老婆的就没有好东西！常言说得好：‘上梁不整下梁差。’你倘若是个好的，小老婆敢同你打架吗？这要怪你自己不好。我老爷那里有工夫替你管这些闲事！不准！”又把男人朱骆驼叫上来吩咐道：“你家里有这样凶的大老婆，为甚么要讨小？既然讨了小，就应该在外头，不应该叫他们住在一块儿。闹出事来，你自己又降伏不住他们，今又来找我老爷。你想，我老爷又要伺候上司，又要替皇上家收钱粮，再管你们的闲帐，我老爷是三头六臂也来不及呀！快快回去，拿大小老婆分开在两下里住，包你平安无事。”朱骆驼道：“起初本是两下住的；后来大的打上门来，吵闹过几次，才并的宅。”瞿耐庵道：“这就是大的不是了！”说着，要打。大老婆急了，求了好半天，算没有打。亦是具结完案。

接着又审第四起，乃是两个乡下人：一个叫杨狗子，一个叫徐划子。两个为了一只鸡，杨狗子说是他的，徐划子又说是他的，说不明白，就打起架来。杨狗子力气大，把徐划子右腿上踢伤了一块，一齐扭到州里来喊冤。官叫仵作验伤。仵作上来，把徐划子的裤子脱了下来，看了半天，跪下禀过。瞿大老爷便同徐划子说道：“容易。他踢坏了你的右腿，我老爷现在就打他的右腿。”于是吩咐把杨狗子翻倒在地，叫皂隶只准拿板子打他的右腿，一连打了一百多下。先是发青，后为发紫，看看颜色同徐划子腿上踢伤的差不多了，瞿耐庵便命放起来。嘴里又不住的自赞道：“像我这样的老爷，真正再要公平没有！”于是徐、杨二人又争论那只鸡。瞿耐庵道：“这只鸡顶不是好东西！为了他害得你们打架！老爷替你们讲和罢。”正说着，忽拿面孔一板，道：“这只鸡两个人都不准要，充公！——来，替我拎到大厨房里去，叫他俩下去具结。”衙役一声吆喝，两个人只得一瘸一拐的走了下来，眼望着鸡早拎到后头去了。

这天瞿耐庵从早上问案，一直问到晚方才退堂。足足问了二三十起案子，其判断与头四起都大同小异。

第二天正想再要坐堂，只见稿案门上拿了几十张禀帖进来，说是："这些人因为老爷精明不过，都不愿意打官司了。这是息呈，请老爷过目。请老爷的示，还是准与不准？"瞿耐庵忙道："自然一齐准。我正恨这兴国州的百姓健讼；如今我才坐几回堂，他们就一齐息讼，可见道政齐刑，天下无不可治之百姓。现在上头正在讲究清讼，这个地方，照这样子，只要我再做上一两个月，还怕不政简刑清吗。"想罢，怡然自得。

那知这两天来，把一个兴国州的百姓早已炸了，一齐都说："如今王官丁了艰，来了这个昏官，我们百姓还有性命吗！"又加瞿耐庵自以为是制台的亲眷，腰把子是硬的，别人是抗他不动的，便不把绅士放在眼里，到任之后，一家亦没有去拜过。弄得一般狗头绅士起先望他来，以为可以同他联络的；等到后来见他一家不拜，便生了怨望之心，都说："这位大老爷瞧我们不起，我们也不犯着帮他。"又过两天，听见瞿耐庵问案笑话，于是一传十，十传百；其中更生出无数谣言，添了无数假话，竟把个瞿耐庵说得一钱不值，恨不得早叫这瘟官离任才好。于是这话传到王柏臣耳朵里，便把他急的了不得。

要知后事如何，且听下回分解。

第四十一回
乞保留极意媚乡绅　算交代有心改帐簿

话说王柏臣正为这两天外头风声不好，人家说他匿丧，心上怀着鬼胎，忐忑不定。瞿耐庵亦为钱粮收不到手，更加恨他，四处八方，打听他的坏处。又查考他是几时跌的价钱，几时报的丁忧：应该是闻讣在前，跌价在后；如今一查不对，倒是没有闻讣丁忧，他先跌起价来。他好端端的在任上，又没有要交卸的消息。据此看来，再参以外面人的议论，明明是匿丧无疑了。瞿耐庵问案虽糊涂，弄钱的本事却精明，既然拿到了这个把柄，一腔怨气，便想由此发作，立刻请了刑名师爷替他拟了一个禀稿，誊清用印，禀揭出去。

瞿耐庵这面发禀帖；王柏臣那面也晓得了，急得搔头抓耳，坐立不安。亦请了自己的朋友前来商议；大家亦是面面相对，一筹莫展。还亏了帐房师爷有主意，一想："东家自到任以来，外面的口碑虽然不见得怎样，幸亏同绅士还联络。无论甚么事情，只看绅士如何说，他便如何办；有时还拿了公事走到绅士家中，同他们商量，听他们的主意。至于他们绅士们自己的事，更不用说了。因此地方上一般绅士都同他要好，没有一个愿意他去的。如今是丁忧，也叫做没法。不料他有匿丧的一件事，被后任禀揭出去，果然闹出来，大家面子不好看，不如叫他同绅士商量。”一面想，一面又问：“电报是那里送来的？”王柏臣说是：“电报打到裕厚钱庄，由裕厚钱庄送来的。”帐房师爷道：“既然不是一直打到衙门里来的，这话就更好说了。”

原来这裕厚钱庄是同王柏臣顶要好的一个在籍候补员外郎赵员外开的。论功名，赵员外在兴国州并不算很阔；但是借着州官同他要好，有此势力，便觉与众不同。当下宾东二人想着了他。帐房师爷出主意，先叫厨房里备了一席酒，叫管家拿了帖子去送给他，说：“敝上本来要请大老爷过去叙叙，因为在七中不便，所以叫小的送过来的。”赵员外收了酒席，跟手王柏臣又叫人送给他四件顶好的细毛皮衣，一挂琥珀朝珠。送礼的管家说：“敝上因为就要走了，不能常常同大老爷在一块儿；这是自己常穿的几件衣服，一挂朝珠，留在大老爷这里做个纪念罢。”赵员外无可推托，亦只得留下。“平时本来要好，受他的好处已经不少；如今临走忽然又送这些贵重东西，未免令人局促不安。莫不是外面传说他甚么匿丧那话是真的？果然是真的，倒可趁此又敲他一个竹杠了。”

正盘算间，忽见王柏臣差人拿着片子来请，当下连忙换了衣服，坐着轿子到州里来。此时王柏臣还没有搬出衙门，因为在苫，自己不便出迎，只好叫帐房师爷接了出来，一直把他领到签押房同王柏臣相见。王柏臣做出在苫的样子，让赵员外同帐房师爷在高椅子上坐了，自己却坐在一个矮杌子上。先寒暄了几句。王柏臣一看左右无人，便走近赵员外身旁同他咕唧了半天，所说无非是外面风声不好，后任想出他的花样；彼此交好，务必要他帮忙的意思。赵员外考究所以，才晓得电报是他钱庄上转来；嘴里虽然诺诺连声，心上却不住的打主意。等到王柏臣说完，他主意亦已打好，连忙接口道：“是呀，老父台不说，治弟为着这件事正在这里替老父台担心呢！头一个就是敝钱庄的一个伙计到治弟家里来报信。治弟因为是老父台的事情，一来我们自己人，二来匿丧是革职处分，所以治弟当时就关照他，叫他不要响起；并且同他说：‘王大老爷待人厚道，你如今替他出了力，包在我身上，将来总要补报你的。’这个伙计经过治弟嘱咐，一定不会多嘴。这话是那里来的，老父台倒要查考查考。”王柏臣道：“查也无须查得，只要老哥肯帮忙。现在兄弟已被后任禀了出去，这种公事，上头少不得总要派人来查；上头派人来查，自然头一桩要搜寻这电报的底子。只说是老哥替兄弟扣了下来，兄弟始终一个不知情，总不能说兄弟的不是。”

赵员外道："不是这样说，且等我想想来。"于是一个人抱着水烟袋，闭着眼睛，出了一会神；歇了半天，才说道："这件事不该这样办法。"王柏臣便问："如何办法？"赵员外道："你说电报是我扣下来的，不给你晓得，总算地方上绅士大家爱戴你，不愿你去任，所以才有此举。这事情并非不好如此办；但是光我一个人办不到，总得还要请出几位来，大家商量商量，约会齐了才好办。"王柏臣一听不错，便求他写信去联络众位。一面说话，一面便把纸墨笔砚取了出来，请他当面写信；又亲自动手替他磨墨。赵员外又楞了一会，道："且慢。来了电报，不给你晓得，总算是我替你扣下来的；但是你没有得信，凭空的钱粮跌价，这话总说不过去，总是一个大漏洞。我们总得预先斟酌好了，方才妥当。"王柏臣听他说得有理，亦就呆在一旁出神。赵员外道："这事情不是三言两语可以了结的，等治弟出去商量一个主意，再进来回复老父台就是了。"列位要晓得：赵员外既然存了主意要敲王柏臣的竹杠，人有见面之情，自然当着面有许多话说不出。王柏臣不懂得，还要起身相留。幸亏帐房师爷明白，丢个眼色给东家，叫他不必留他；又帮着东家，替东家再三拜托赵员外，说道："你老先生有甚么指教，敝居停不能出门，兄弟过来领教就是了。"赵员外于是起身别去。

到得晚上，王柏臣急不可耐，差了帐房师爷前去探听回音。赵员外见了面，便道："主意是有一条，亦是兄弟想出来的；不过我们这当中还有几位心上不是如此。"帐房师爷急欲请教。赵员外道："电报是敝钱庄上通知了兄弟，由兄弟通知了各绅士，就是大家意思要留这位贤父母多做两天，显得我们地方上爱戴之情。这事只要兄弟领个头，他们众人倒也无可无不可。至于钱粮何以预先跌价？倘说是贤父母体恤百姓的苦处，虽亦说得过去；但是夹着丁忧一层，总不免为人藉口。何如由我们绅士大家顶上一个禀帖，叙说百姓如何苦，求他减价的意思，倒填年月，递了进去？有了这个根子，便见得王老父台此举不是为着丁忧了。还有一个逼进一层的办法：索性由我们绅士上个公禀，就说是王老父台在这里做官，如何清正，如何认真，百姓实在舍他不得。现在国家有事之秋，正当破格用人之际，可否先由瞿某人代理起来，等他穿孝百日过后，仍旧由他署理，以收为地择人之效。禀帖后头，并可把后任这几天断的案子叙了进去，以见眼前非王某人赶紧回任竭力整顿不可。后任既然会出王老父台的花样，我们就给他两拳也不为过。不过其中却要同后任做一个大大冤家，因此有几个人主意还拿不定。"

帐房师爷听了他话，心上明白，晓得他无非为两个钱；只要有了钱，别人的事，他都可以作得主意。又想："这事就要做得快，一天天蹉跎过去，等上头查了下来，反为不妙。"于是起身把嘴附在赵员外耳朵旁边，索性老老实实问他多少数目；又说："这钱并不是送你老先生的，为的是诸公跟前总得点缀点缀。况且敝居停这季钱粮已经收了九分九，无非是你们诸公所赐，这几个钱也是情愿出的。”赵员外听他说得冠冕，也就不同他客气，索性照实说，讨了二千的价。禁不起帐房师爷再四磋磨，答应了一千。彼此定议。回来通知了王柏臣。王柏臣无可说得，只得照办，次日一早把银子划了过去。

赵员外跟手送进来一张求减银价的公呈，倒填年月，还是一个月前头的事；又把保留他的稿禀也一块儿请他过目。王柏臣看了自然欢喜。虽然是银子买来的，面子上却很拿赵员外感激。一会又说要拿女儿许给赵员外的儿子，同他做亲家；一会又说：“倘若上头能够批准留任，将来不但你老兄有甚么事情，兄弟一力帮忙；就是老兄的亲戚朋友有了甚么事情，只要嘱咐了兄弟，兄弟无不照应。最好就请吾兄先把自己的亲戚朋友名号开张单子给兄弟，等兄弟拿他贴在签押房里，遇见甚么事，兄弟一览便知，也免得惊动老兄了。”赵员外道：“承情得很！但愿如此，再好没有！但是批准不批准，其权操之自上，亦非治弟们可能拿稳的。”王柏臣道：“诸公的公禀，并非一人之私言；上宪俯顺舆情，没有不批准的。”赵员外道：“那亦看罢了。”说完辞去。王柏臣重复千恩万谢的拿他送到二门口，又叫帐房师爷送出了大门。自此王柏臣便一心一意静候回批。

谁知瞿耐庵禀揭他的禀帖，不过虚张声势，其实并没有出去。后来听说众绅士递公禀保留前任，他便软了下来，又重新同前任拉拢起来。起先前任王柏臣还催他早算交代，以便回籍守制。瞿耐庵道：“忙甚么！听说地方绅士一齐有禀帖上去保留你；将来这个缺总是你的，我不过替你看几天印罢了。依我看起来，这交代很可以不必算的。”王柏臣道：“虽然地方上爱戴，究竟也要看上头的宪眷。像你耐翁同制宪的交情，不要说是一个兴国州，就是比兴国州再好上十倍的缺也容易！”瞿耐庵道：“这句话，兄弟也不用客气，倒是拿得稳的。”一连几天，彼此往来甚是亲热。

过了一天，上头的批禀下来，说：

> 王牧现在既已丁忧，自应开缺回籍守制。州缺业已委人署理，早经禀报接印任事在案。目下非军务吃紧之际，何得援例夺情？况该牧在任并无实在政绩及民，该绅等率为禀请保留原任，无非出自该牧贿嘱，以为沽名钓誉地步。绅等此举殊属冒昧，所请着不准行！

一个钉子碰了下来，王柏臣无可说得，只好收拾收拾行李，预备交代起程。好在囊橐充盈，倒也无所顾恋。

至于瞿耐庵一边，一到任之后，晓得钱粮已被前任收个净尽，心上老大不自在，把前任恨如切骨，时时刻刻想出前任的手。后来听说绅士有禀保留，一来晓得他民情爱戴，二业亦指望他真能留任，自己可以另图别缺；所以前几日间同前任重新和好。等到绅士禀帖被驳，前任既不得留，自己绝了指望，于是一腔怒气，仍复勾起。自己从这日起，便与前任不再见面，逐日督率着师爷们去算交代。欠项款目自不必说，都要一一斤斤较量；至于细头关目，下至一张板凳，一盏洋灯，也叫前任开帐点收，缺一不可。

瞿耐庵的帐房就是他的舅子，名唤贺推仁，本在家乡教书度日；自从姊丈得了差使，就把他叫到武昌在公馆帮闲为业，带着叫他当当杂差，管管零用帐。一连吃了一年零两个月闲饭。姊夫得缺，就升他作帐房，自此更把他兴头的了不得。通衙门上下都尊为舅老爷。下人有点不好，舅老爷虽不敢径同老爷去说，却趁便就跑到太太跟前报信，由太太传话给老爷，将那下人或打或骂。因此舅老爷的作用更比寻常不同。这贺推仁更有一件本事，是专会见风使船，看眼色行事，头两天见姊夫同前任不对，他便于中兴风作浪，挑剔前任的帐房。后来两天，姊夫忽同前任又要好起来，他亦请前任帐房吃茶吃酒。近来两天见姊夫同前任翻脸，他的架子登时亦就“水长船高”。

向来州、县衙门，凡遇过年、过节以及督、抚、藩、臬、道、府六重上司或有喜庆等事，做属员的孝敬都有一定数目；甚么缺应该多少，一任任相沿下来，都不敢增减毫分。此外还有上司衙门里的幕宾，以及甚么监印、文案、文武巡捕，或是年节，或是到任，应得应酬的地方，亦都有一定尺寸。至于门敬、跟敬，更是各种衙门所不能免。另外府考、院考办差，总督大阅办差，钦差过境办差；还有查驿站的委员，查地丁的委员，查钱粮的委员，查监狱的委员，重重叠叠，一时也说他不尽。诸如此类，种种开销，倘无一定而不可易的章程，将来开销起来，少则固惹人言，多则遂成为例。所以这州、县官帐房一席，竟非有绝大才干不能胜任。每见新官到任，后任同前任因银钱交代，虽不免彼此龃龉；而后任帐房同前任帐房，却是要卑礼厚币，柔气低声，以为事事叨教地步。缺分无论大小，做帐房的都有历代相传的一本秘书；这本秘书就是他们开销的帐簿子。后任帐房要到前任手里买这本帐簿，缺分大的，竟是三百、五百的讨价，至少也得一二百两或数十两不等。这笔本钱都是做帐房的自己挖腰包，与东家不相干涉。只要前后任帐房彼此联络要好，自然讨价也会便宜；倘然有些犄牾，就是拚出价钱，那前任的帐房亦是不肯轻易出手的。

贺推仁同前任帐房忽冷忽热，忽热忽冷，人家同他会过几次，早把他的底细看得穿而又穿。他不请教人，人家也不俯就他。瞿耐庵到任不多几日，不要说别的，但是本衙门的开销，甚么差役工食、犯人口粮，他胸中毫无主宰，早弄得头昏眼花，七颠八倒；又不敢去请示东家，只索同首府所荐的一个杂务门上马二爷商量。马二爷历充立幕，这些规矩是懂得的；便问：“舅老爷同前任帐房师爷接过头没有？簿子可曾拿过来？”贺推仁道：“会是会过多次，却不晓得有甚么簿子。”马二爷一听这话，晓得他是外行；因为舅老爷是太太面上的人，不敢给他当上，便把做帐房的诀窍，一五一十，统通告诉了一遍。贺推仁至此方才恍然大悟，便道：“据你说，怎么样呢？”马二爷道：“依家人愚见：舅老爷先把这些应开销的帐目暂时搁起，叫他们过天来领；一面自己再去拜望拜望前任的帐房师爷，然后备副帖子请他们明天吃饭，才好同他们开口这件事情。”贺推仁道：“吃饭是我已经请过的了。”马二爷道：“前头请的不算数，现在是专为叨教来的。”贺推仁道：“倘若我请了他，他再不把簿子交给我，岂不是我又化了冤钱？”马二爷道：“唉！我的舅老爷！吃顿饭值得甚么，这本簿子是要拿银子买的！”贺推仁一听，不禁大为失色，忙问：“多少银子？”马二爷道：“一二百两、三四百两，都论不定，像这个缺几十两是不来的。”

贺推仁听说要许多银子，吓得舌头伸了出来缩不回去；歇了半天，才说道：“人家都说帐房是好事情；像我来了这几天，一个钱都没有见，那里有许多银子去买这个呢！”马二爷道：“这是州、县衙门里的通例，做了帐房是说不得的。没有银子好借，将来还人家就是了。”贺推仁道：“当了帐房好处没有，先叫我去拖债，我可不能！姑且等我斟酌斟酌再说。”于是趁空便把这话告诉了他姊姊瞿太太。瞿太太道：“放屁！衙门里买东西，无论那一项都有一个九五扣，这是帐房的呆出息。至于做官的，只有拿进两个，那里有拿出去给人家的。甚么工食、口粮，都是官的好处，我从小就听见人说，这些都用不着开销的。他们不要拿那簿子当宝贝，你看我没有簿子也办得来！”一顿话说得贺推仁无言可答。

过了两天，忽然府里听差的有信来，说本府大人新近添了一位孙少爷，各属要送礼。瞿耐庵晓得贺推仁不懂得这个规矩，索性不同他说话，叫了杂务门马二爷上来问他。马二爷又把前言回了一遍，又说：“这本簿子是万万少不得的！”瞿耐庵默然无言；回来同刑、钱老夫子提起此事。钱谷老夫子是个老在行，便道：“怎么耐翁接印这许多天，贺推翁这件事还没办好？这件事向例没有接印的前头就要弄好的。幸亏得这帐房兄弟同他熟识，等兄弟同他去说起来看。”瞿耐庵道：“如此就拜托了。”钱谷老夫子果然替他去跑了两天。前任帐房见了面甚是客气，不过提到帐簿，前任帐房便同钱谷老夫子咬耳朵咬了半天，又说：“彼此都是自己人，我兄弟好瞒得你吗。如今将下情奉告过你老先生，料想你老先生也不会责备我兄弟了。”钱谷老夫子也晓得这事非钱不行，只得回来劝东家送他们一百银子，又说：“这是起码的价钱。”瞿耐庵预先听了太太的吩咐，一个钱不肯往外拿。钱谷老夫子一看，事情不会合拢，也就搭讪着出去，不来干预这事。

原来前任帐房的为人也是精明不过的，晓得瞿耐庵生性吝啬，决计不

肯多拿钱的，不如趁此时簿子还在手中，乐得做他两注卖买。主意打定，便叫值帐房的传话出去："凡是要常常到帐房里领钱的主儿，叫他们或是今天，或是明天，分班来见，师爷有话交代他们。"众人还不晓得甚么事情。到了天黑之后，先是把宅门的同了茶房进来，打了一千个，尊了一声"师老爷"，垂手一旁站着听吩咐。只见那帐房师爷笑嘻嘻的对他们先说了一声"辛苦"。把门的道："小的当差使日子虽浅，蒙大老爷、师老爷抬举，不要说没有捱过一下板子，并且连骂都没有骂一声。如今大老爷走了，师老爷也要跟着一块儿去，小的们心上实在舍不得师老爷走。"帐房师爷道："只要你们晓得就好，所以你们晓得好歹，大老爷同我也有恩典给你们。"他二人一听有恩典给他，于是又凑前一步。帐房师爷拿帐翻了一翻，先指给把门的看，道："这是你门下应该领的工食。你每月只领几个钱，原是历任相沿下来的，并不是我克扣你们。如今我要走了，晓得你们都是苦人，可以替你们想法子的地方，我总肯替你们想法子的。幸亏这簿子还没有交代过去，等我来做桩好事，替你把簿子改了过来，总说是月月领全的。后任亦不在乎此。"把门的听了这话，连忙跪下磕了一个头，说了声"谢师老爷栽培！不但小的感念师老爷的恩典，就是小的家里的老婆孩子也没有一个不感念师老爷的"！

帐房师爷也不理他。又指出一条拿给茶房看，说："这是你领的工食。历任手里只领多少，我如今也替你改了过来。"帐房师爷的意思，以为如此，那茶房又要磕头的了；岂知茶房呆着，昂然不动。停了一回，说道："回师老爷的话：'有例不兴，无例不灭。'这两句俗语料想师老爷是晓得的。师老爷肯照顾小的，小的岂有不知感激之理！但是小的这差使也不止当了一年了，历任大老爷，一任去，一任来，当说也伺候过七八任。等到要临走的时候，帐房师爷总是叫小的们来，说体恤小的们，那一款，这一款，都替小的们复了旧；不过师爷们改簿子，稍些要花两个辛苦钱。小的们听了这个说话，总以为当真的了，心上想：'果然如此，便是一辈子沾光，就是眼前化两个也还有限。'连忙回家借钱或是当当孝敬师爷；有的写张领纸，多借一两个月工食以作报效。谁知前任师爷钱已到手，也不管你后头了。到了后任帐房手里，那知扣得更凶。譬如前任帐房只发五成的，这后任只发二三成，有的一成都不发。小的们便上去回说：'师老爷！这个前任有帐可以查得的。'那帐房便发怒道：'混帐王八蛋！我岂不知道有帐！你可晓得那帐是假的，一齐是你们化了钱买嘱前任替你们改的！'我的师老爷，你老人家想，这些后任的帐房怎么就会晓得我们化了钱改的？真正眼睛比镜子还亮。当时小的们已经化了一笔冤钱孝敬前任，还没有补上空子，那里还禁得后任分文不给呢？到了无可奈何之时，只得托了人去疏通，老实对后任说，前任实实在在是个甚么数目。好容易把话说明白，后任还怪小的们不应该预支透付，以致好处都被前任占去，一定还在后来领的数目里一笔一笔的明扣了去，丝毫也不肯让一点。小的们上过一回当还不死心，等到第二任又是如此的一办；等到再戳破以后，便死心塌地不来想这些好处了。如今蒙师老爷恩典，小的心上实是感激！但求师老爷还是按照旧帐移交过去，免得后任挑剔，小的们就感恩不浅！小的说的句句真言；灯光菩萨在这里，小的倘有一句假话，便不是人生父母养的！”

帐房师爷听了他这番议论，气的半天说不出话来；仔细想了想，他的话又实在不错，无可驳得。只得微微的冷笑了两声，说道：“你说的很是！倒怪我瞎操心了！”说着，拿簿子往桌上一推，取了一根火煤子就灯上点着了火，两只手捧着了水烟袋，坐在那里呼噜呼噜吃个不了。茶房碰了钉子，退缩到门外，还不敢就出去。站了好一回，帐房师爷才吩咐得一句道：“你们还在这里做甚么！”于是把门的又向师爷磕了一个头，说了声“谢师老爷恩典”。那茶房仍旧昂立不动，搭讪着跟着一块儿退出去。帐房师爷眼望着他们出去了，心上甚是觉着没趣。幸亏到了次日，别的主顾很有几个相信他的话，仍旧把他鼓起兴来。他见了人总推头说自己不要钱，不过改簿子的人不能不略为点缀。一连做了两晚上的卖买，居然也弄到大大的一笔钱。然后把簿子通通另外誊了一遍，预备后任来要。

再说后任瞿耐庵见前任不把簿子交出，便接二连三，一天好几遍叫人来讨。背后头还说：“他再不交来，我一定禀明上头，看他在湖北省里还想吃饭不吃饭！”瞿太太见事不了，又从旁代出主意：“现在人心难测，就把簿子交了出来，谁能保他簿子里不做手脚。总而言之一句话：这里头的弊病，前任同后任不对，一定拿数目改大。譬如孝敬上司，应该送一百的，他一定要写二百；开发底下，向来是发一半的，他一定要写发全分，或者七成八成。他们的心上总要我们多出钱他才高兴。你在省里候补的时候，这些事不留心；我是姊妹当中有些他们的老爷也做过现任的交卸回来，都把这弊病告诉了我，我都记在心上，所以有些开销都瞒不过我。只要这本帐簿拿到我眼睛里来，是真是假，我都有点数目。现在你姑且答应他一百银子。同他言明在先：先拿簿子送来看过，果然真的，我自然照送，一个不少；倘若一笔假帐被我查了出来，非但一个钱没有，我还要四处八方写信去坏他名声的。”瞿耐庵听了太太吩咐，自然奉命如神，仍旧出来去找钱谷老夫子托作介绍。钱谷老夫子道：“话呢，不妨如此说；但是不送银子，人家的簿子也决计不肯拿出来的。至于不许他造假帐，这句话我可以同他讲的。”无奈瞿耐庵听了太太的话，决计不肯先送银子。钱谷老夫子急了，便道：“这一百银子暂且算了我的；将来看帐不对，在我的束脩上扣就是了。”在他的意思，以为如此说法，他们决计无可推却。岂知瞿耐庵夫妇倒反认以为真，以为有他担待，这一百两银子将来总收得回来的。于是满口答应，当天就划了一张票子送给钱谷老夫子。

等到钱谷老夫子将帐簿取了过来，太太略为翻着看了一看，以为这兴国州是个大缺，送上司的寿礼、节礼至少一百金一次；岂知帐簿上开的只有八十元或是五十元，顶多的也不过百元。从前他老爷也到外府州、县出过差，各府州、县于例送菲敬之外，一定还有加敬；譬如菲敬送三十两，加敬竟加至五六十两不等。候补老爷出差全靠这些。今看帐簿，菲敬倒还不差上下，但是加敬只有四两、六两，至多也只有十两。此时他夫妇二人倒不疑心这簿子是假的了。但是如此一个大缺，孝敬上司只有这个数目，应酬同寅也只有这个数目，心上不免疑疑惑惑。既而一想："州、县缺分本有明缺、暗缺之分：明缺好处在面子上，暗缺好处在骨子里；在面子上的应酬大，在骨子里的应酬小。照此看来，这个缺倒是一个暗缺，很可做得。"如此一想，也不疑心了。谁知看到后面，有些开销，或是送同城的，或是开发本衙门书差的数目，反见加大起来。于是瞿太太遂执定说这个簿子是前任帐房所改，一百银子一定不能照送，要扣钱谷老夫子束脩。钱谷老夫子不肯，于是又闹出一番口舌。

要知后事如何，且听下回分解。

第四十二回 欢喜便宜暗中上当 附庸风雅忙里偷闲

话说瞿耐庵夫妇吵着要扣钱谷老夫子一百银子的束脩，钱谷老夫子不肯，闹着要辞馆；瞿耐庵急了，只得又托人出来挽留。里面太太还只顾吵着扣束脩，又说甚么"一季扣不来，分作四季扣就是了；要少我一个钱可是不能"！瞿耐庵无奈，只得答应着。

帐房簿子既已到手，顶要紧的应酬，目下府太尊添了孙少爷，应送多少贺敬？翻开簿子一看，并无专条。瞿太太广有才情，于是拿了别条来比拟。上头有一条是："本道添少爷，本署送贺敬一百元。"瞿太太道："就拿这个比比罢。本府比本道差一层，一百块应得打一个八折，送八十块；孙少爷又比不得少爷，应再打一个八折；八八六十四，就送他六十四块罢。"于是叫书启师爷把贺禀写好，专人送到府里交纳。

不料本府是个旗人，他自己官名叫喜元。他祖老太爷养他老太爷的那一年，刚正六十四岁，因此就替他老太爷起了个官名，叫做“六十四”。旗人有个通病，顶忌的是犯他的讳，不独湍制台一人为然。这喜太守亦正坐此病。他老太爷名叫六十四，这几个字是万万不准人家触犯的。喜太守自接府篆，同寅荐一位书启师爷，姓的是大耳朵的陆字。喜太守见了心上不愿意，便说：“大写小写都是一样，以后称呼起来不好出口，可否请师爷换一个？”师爷道：“别的好改，怎么叫我改起姓来！”晓得馆地不好处，于是弃馆而去。喜太尊也无可如何，只得听其自去。喜太尊虽然不大认得字，有些公事上的日子总得自己标写；每逢写到“六十四”三个字，一定要缺一笔；头一次标“十”字也缺一笔。旁边稿案便说：“回老爷的话：‘十’字缺一笔不又成了一个‘一’字吗？”他一想不错，连忙把笔放下，踌躇了半天没得法想。还是稿案有主意，叫他横过一横之后，一竖只写一半，不要透头。他闻言大喜，从此以后便照办，每逢写到“十”字，一竖只竖一半；还夸奖这稿案，说他有才情。又说：“我们现在升官发财是那里来的？不是老太爷养咱们，咱们那里有这个官做呢？如今连他老人家的讳都忘了，还成个人吗。至于我，如今也是一府之主了，这一府的人总亦不能犯我的。”于是合衙门上下摸着老爷这个脾气，一齐留心，不敢触犯。

偏偏这回孙少爷做满月，兴国州孝敬的贺礼，签条上竟写了个“喜敬六十四元”。先是本府门政大爷接到手里一看，还没有嫌钱少，先看了签条上写的字，不觉眉头一绉，心上转念道：“真正凑巧！统共六个字，倒把他老人家父子两代的讳一齐都闹上了。我们如果不说明，照这样子拿上去，我们就得先碰钉子，又要怪我们不教给他了。”转了一回念头，又看到那封门包，也写得明明白白是“六元四角”。门政大爷到此方才觉得兴国州送的贺礼不够数；于是问来人道：“你们贵上的缺，在湖北省里也算得上中字号了。怎么也不查查帐，只送这一点点？这个是有老例的。”瞿耐庵派去的管家说道：“例倒查过，是没有的。敝上怕上头大人挑眼，所以特特为为查了几条别的例，才斟酌了这么一个数目。相烦你替咱费心，拿了上去。”门政大爷一面摇头，一面又说道：“你们贵上大老爷这回署缺，是初任还是做过几任了？”派去的管家回称“是初任”。门政大爷道：“这也怪不得你们老爷不晓得这个规矩了。”派去的管家问：“甚么规矩。”门政大爷道：“你不瞧见这签条上的字吗？又是‘喜元’，又是‘六十四’，把他父子两代的讳都干上去。你们老爷既然做他的下属，怎么连他的讳都不打听打听？你可晓得他们在旗的人，犯了他的讳，比当面骂他‘混帐王八蛋’还要利害？你老爷怎么不打听明白了就出来做官？”一顿话说得派去的管家呆了，只得拜求费心，说：“求你想个法子替敝上遮瞒遮瞒，敝上总是感激，总要补报的。”

门政大爷见他孝敬的钱不在分寸上，晓得这位老爷手笔一定不大的，便安心出出他的丑，等他以后怕了好来打点。主意打定，一声不响，先把六元四角揣起，然后拿了六十四块，便直径奔上房里来告诉主人。恰巧喜太尊正在上房同姨太太打麻雀牌哩，打的是两块钱一底的小麻雀。喜太尊先前输了钱不肯拿出来；其时正和了一副九十六副，姨太太想同他扣帐，他不肯，起身上前要抢姨太太的筹码。正闹着，齐巧门政大爷拿着洋钱进来。姨太太道：“不要抢了，送了洋钱来了。”喜太尊一听有洋钱送来，果然放手，忙问：“洋钱在那里？”门政大爷大慌不忙，登时把一个手本，一封喜敬，摆在喜太尊面前。喜太尊一看手本，知道是新任兴国州知州瞿某人，忽然想起一桩事来，回头问门政大爷道：“瞿某人到任也有好多天了，怎么‘到任规’还没送来？兴国州是好缺，他都如此疲玩起来，叫我这本府指望谁呢？”门政大爷道：“这是送的孙少爷满月的贺礼。他有人在这里，‘到任规’却没有提起。”于是喜太尊方才歪过头去瞧那一封洋钱；一瞧是“喜敬六十四元”六个小字，面色登时改变，从椅子上直站起来，嘴里不住的连声说：“啊！啊”啊了两声，仍旧回过头去问门政大爷道：“怎么他到任，你们也没有写封信去拿这个教导教导他？”门政大爷道：“这个向来是应该他们来请示的。他们既然做到属员，这些上头就该当心。等到他们来问奴才，奴才自然交代他；他不来问，奴才怎么好写信给他呢。”喜太尊道：“写两封信也不要紧。你既然没有写信通知他们，等他来了，你就该告诉他来人，叫他拿回去重新写过再送来。如今拿了这个来给我瞧，可是有心给我下不去不是？”

门政大爷道：“老爷且请息怒。请老爷先瞧瞧他送的数目可对不对？”喜太尊至此方看出他止送有六十四块。此时也不管签条上有他老太爷的名讳，便登的一声，接着豁琅两响，把封洋钱摔在地下，早把包洋钱的纸摔破，洋钱滚了满地了。喜太尊一头跺脚，一头骂道：“岂有此理！岂有此理！他这明明是瞧不起我本府！我做本府也不是今天才做起，到他手里要破我的例可是不能！怎么他这个知州腰把子可是比别人硬绷些，就把我本府不放在眼里！‘到任规’不送，贺礼亦只送这一点点！哼哼！他不要眼睛里没有人！有些事情，他能逃过我本府手吗！把这洋钱还给他，不收！”喜太尊说完这句，麻雀牌也不打了，一个人背着手自到房里生气去了。

这里门政大爷方从地板上把洋钱一块一块的拾起，连着手本捧了出来。那瞿耐庵派去的管家正坐在外面候信哩。门政大爷走进门房，也把洋钱和手本往桌上一摔，道：“伙计！碰下来了！上头说‘谢谢’，你带回去罢！”瞿耐庵派去的管家还要说别的；门政大爷因见又有人来说话，便去同别人去聒唧，也不来理他了。瞿耐庵管家无奈，只得把洋钱、手本揣了出来，回到下处；晓得事不妙，不敢径回本州，连夜打了一个禀帖给主人说明原委，听示办理。等到禀帖寄到，瞿耐庵看过之后，不觉手里捏着一把汗，进来请教太太。谁知太太听了反行所无事，连说："他不收，很好！……我的钱本来不在这里嫌多，一定要孝敬他的。好歹咱们是署事，好便好，不好，到一年之后，他东我西，我不认得他，我也不仰攀他，要他认得我。派去的人赶紧写信叫他回来。就说我眼睛里没有本府，我担得起，看他拿我怎样！"瞿耐庵听了太太的话，一想不错，于是写了封信把管家叫了回来。后来本府喜太尊又等了半个月，不见兴国州添送进来，"到任规"也始终没送；心上奇怪，仔细一打听，才晓得他有这么一位仗腰的太太，面子上虽说不出，只好暗地想法子。

闲话少叙。且说瞿耐庵夫妇二人因见本府尚奈何他不得，以后胆子更大，除了督、抚、两司之外，其余连本道都不在他眼里。三节两寿，孝敬上司的钱，虽不敢任情减少，然而总是照着前任移交过来的簿子送的。各位司、道大人都念他同制台有点瓜葛，大家都不与他计较，不过恨在心里。究竟多送少送，瞿耐庵并不晓得，以为"照着簿子，我总交代得过了"。只有抚台是同制台敌体的，有些节敬、门包等项送得少了，便由首县传出话来，说他一两句，或是退了回来。瞿耐庵弄得不懂，告诉人说："我是照例送的，怎么他们还贪心不足？"无奈抚台面上，只好补些进去。有时候添过原数，有时候不及原数，总叫使他钱的人心上总不舒服；这也非止一次了。还有些过境的委员老爷，或是专门来查事件的，他也是照着簿子开发，以致没一位委员不同他争论。

正是光阴似箭，日月如梭，不知不觉，瞿耐庵自从到任至今也有半年了。治下的百姓因他听断糊涂，一个个痛心疾首，还是平常；甚至上司，同寅也没有一个喜欢他的。磕来碰去，只有替他说坏话的人，没有一个说他好的人。他自以为："我于上司面上的孝敬，同寅当中的应酬，并没有少人一个，而且笔笔都是照着前任移交的簿子送的。就是到任之初，同本府稍有龃龉，后来首县前来打圆场，情面难却，一切'到任规'，孙少爷满月贺礼，都按照簿子上孝敬本道的数目孝敬本府，也算得尽心的了。"那知本府亦恨之入骨。一处处弄得天怒人怨，在他自己始终亦莫明其所以然。

不料此时他太太所依靠的干外公湍制台奉旨进京陛见；接着又有旨意叫他署理直隶总督，一时不得回任。这里制台就奉旨派了抚台升署，抚台一缺就派了藩台升署，臬台、盐道以次递升，另外委了一位候补道署理盐道。省中大局已定，所属印委各员，送旧迎新，自有一番忙碌，不消细述。

且说这位署理制台的，姓贾，名世文。底子是个拔贡；做过一任教官，后来过班知县；连升带保，不到二十年工夫，居然做到封疆大吏；在湖北巡抚任上也足足有了三个年头。这年实年纪六十六岁。生平保养的很好，所以到如今还是精神充足。自称生平有两桩绝技：一桩是画梅花，一桩是写字。他的书法，自称是王右军一路，常常对人说："我有一本王羲之写的《前赤壁赋》，笔笔真楷，碧波清爽，一笔不坏；听说还是汉朝一个有名的石匠刻的。兄弟自从得了这部帖，每天总得临写一遍；一年三百六十日，从没有一天不写的。"大家听了他的话，幸亏官场上有学问的人也少，究竟王右军是那一朝代的人，一百个当中，论不定只有三个两个晓得。晓得的也不过付之一笑，不晓得的还当是真的哩。他说近来有名的大员如同彭玉麟、任道熔等，都欢喜画梅花，他因此也学着画梅花。他画梅花另有一个诀窍，说是只要圈儿画得圆，梗儿画得粗，便是能手。每逢画的时候，或是大堂幅，或是屏幅，自己来不及，便叫管家帮着画圈；管家画不圆，他便检了几个沙壳子小钱铺在纸上，叫管家依着钱画，没有不圆的了。等到管家画完之后，然后再经他的手钩须加点。

有些下属想要趋奉他，每于上来禀见的时候，谈完了公事，有的便在袖筒管里或是靴页子里，掏出一张纸或是一把扇子，双手捧着，说一声"卑职求大人墨宝"，或是"求大人法绘"。那是他再要高兴没有，必定还要说一句："你倒欢喜我的书画吗？"那人答应一声"是"，他更乐的了不得。送客回来，不到天黑便已写好，画好，叫差官送给那人了。

后来大家摸着他的脾气。就有一位候补知县，姓卫，名瓒，号占先，因为在省里穷的实在没有路子走了，曾于半个月前头，求过贾制台赏过一幅小堂画。贾制台的脾气是每逢人家求他书画，一定要详详细细把这人履历细问一遍，没差的就可得差，无缺的就可得缺。候补班子当中，有些人因走这条路子得法的很不少。卫占先为此也赶到这条路上来。但是求书画的人也多了，一个湖北省城那里有这许多缺，许多差使应酬他们。弄到后来，书画虽还是有求必应，差缺却有点来不及了。卫占先心上踌躇了一回，忽然想出一条主意来，故意的说："有事面禀。"号房替他传话进去。贾制台一看手本，记得是上次求过书画的，吩咐叫"请"。见面之后，略为扳谈了几句。卫占先扭扭捏捏又从袖子管里掏出一卷纸来，说："大人画的梅花，卑职实在爱得很！意思想再求大人赏画一张，预备将来传之子孙，垂之久远。"贾制台道："不是我已经给你画过一张吗？"卫占先故意把脸一红，吞吞吐吐的，半天才回道："回大人话：卑职该死！卑职该死！卑职没出息！卑职因为候补的实在穷不过，那张画卑职领到了两天，就被人家买了去了。"贾制台一听这话，不禁满脸堆下笑来，忙问道："我的画，人家要买吗？"卫占先正言厉色的答道："不但人家要买，并且抢着买！起先人家讨价，卑职要值十两银子。”贾制台绉着眉，摇着头道：“不值罢！不值罢！”又忙问：“你到底几个钱卖的？”卫占先道：“卑职实实在在到手二十块洋钱。”贾制台诧异道：“你只讨人家十两，怎么倒到手二十块钱？”卫占先道：“卑职讨了那人十两，那人回家去取银子，忽然来了一个东洋人，说是听见朋友说起卑职这里有大人画的梅花，也要来买。”贾制台又惊又喜道：“怎么东洋人也欢喜我的画？”卫占先道：“大人容禀。”贾制台道：“快说！”卫占先道：“东洋人跑来要画，卑职回他：‘只有一张。’他说：‘一张就是一张。’卑职拿出来给他看过之后，他便问：‘多少银子？’卑职回他：‘十两银子。已经被别的朋友买了去了。’东洋人道：‘你退还他的银子，我给你十四块洋钱。’卑职说：‘人家已经买定，是不好退还的。’东洋人只道卑职不愿意，立刻就十六块、十八块，一直添到二十块，不由分说，把洋钱丢下，拿着画就跑了。后来那个朋友拿了十两银子再来，卑职只好怪他没有留定钱，所以被别人买了去。那个朋友还满肚皮不愿意，说卑职不是。”贾制台道：“本来是你不是。”卫占先一听制台派他不是，立刻站起来答应了几声“是”。贾制台道：“你既然十两银子许给了人家，怎么还可以再卖给东洋人呢？果然东洋人要我的画，你何妨多约他两天，进来同我说明，等我画了再给他？”卫占先连连称“是”；又说：“卑职也是因为候补的实在苦极了，所以才斗胆拿这个卖给人的。”

贾制台道：“既然有人要，我就替你多画两张也使得。”说罢便吩咐卫占先跟着自己同到签押房里来。贾制台进屋之后，便自己除去靴帽，脱去大衣，催管家磨墨，立刻把纸摊开，蘸饱了笔就画；又吩咐卫占先也脱去衣帽，坐在一旁观看。正在画得高兴时候，巡捕上来回：“藩司有公事禀见。”贾制台道：“停一刻儿。”接着又是学台来拜。贾制台道：“刚刚有事，偏偏他们缠不清！替我挡驾！”巡捕出去回头了。接着又是臬司禀见，说是“夏口厅马同知捉住几个维新党，请示怎么办法”。夏口厅马同知也跟来预备传见。还有些客官来禀见的，官厅子上坐得有如许若干人，只等他老人家请见。他老人家专替卫占先画梅花，只是不出来。

外面学台虽然挡住未曾进来，藩、臬两司以及各项禀见的人却都等得不耐烦。当下藩台先探问：“到底督宪在里面会的甚么客，这半天不出来？”探来探去，好容易探到，说是大人正在签押房里替候补知县卫某人画画哩。藩台一向是有毛燥脾气的，一听这话，不觉怒气冲天，在官厅子上，连连说道：“我们是有公事来的，拿我们丢在一边，倒有闲情别致在里头替人家画画儿！真正岂有此理！……我做的是皇上家的官，没有这样闲工夫好耐性去等他！既然不见，等我走！”说着，赌气走出官厅，上轿去了。

且说这时候署藩台的亦是一个旗人，官名唤做噶札腾额，年纪只有三十岁。他父亲曾做过兵部尚书，去世的时候，他年纪不过二十一岁。早年捐有郎中在身，到部学习行走。父亲见背，遂蒙皇上天恩，仍以本部郎中，遇缺即补；服满补缺。幸亏此时他岳丈执掌军机，歇了三年，齐巧碰到京察年分，本部堂官就拿他保荐上去，引见下来，奉旨以道、府用。不到半年，就放湖北武昌盐法道。是年只有二十七岁。到底年纪轻的人，一心想做好官，很替地方上办了些事，口碑倒也很好。次年还是湍制台任上保荐贤员，把他的政绩胪列上陈，奉朱批，先行传旨嘉奖。他里面有丈人照应，外面又有总督奏保，所以外放未及三年，便已升授本省臬司。这番湍制台调署直隶总督，本省抚台署理督篆，藩台署理抚篆，所以就请他署理藩篆。他到任之后，靠着自己内有奥援，总有点心高气傲。有些事情，凡是藩司分所应为的，在别人一定还要请示督、抚，在他却不免有点独断独行，不把督、抚放在眼里。此番偶然要好，为了一件公事前来请示制台。齐巧贾制台替卫占先画画，没有立刻出来相会，叫他在官厅里等了一会，把他等的不耐烦，赌口气出门上轿，径回衙门，公事亦不回了。

歇了一会，贾制台把画画完，题了款，用了图章，又同卫占先赏玩了一回，方才想起藩台来了半天了，立刻到厅上请见。那知等了一刻，外面传进话来，说是藩司已经回去了。贾制台听说藩台已去，便也罢休。只因他平日为人很有点号令不常，起居无节，一时高兴起来，想到那个人，无论是藩台，是臬台，马上就传见；等到人家来了，他或是画画，或是写字，竟可以十天不出来，把这人忘记在九霄云外。巡捕晓得他的脾气，回过一遍两遍，多回了怕他生气，也只好把那人丢在官厅上老等。常有早晨传见的人，到得晚上还不请见；晚上传见的人，到得三更、四更还不请见。他睡觉又没有一定的时刻，会着客，看着公事，坐在那里都会朦胧睡去。一天到夜，一夜到天亮，少说也要睡二三十次。幸亏睡的时候不大，只要稍为朦一朦，仍旧是清清楚楚的了。他还有一个脾气，是不欢喜剃头的。他说剃发匠拿刀子剃在头上，比拿刀子割他的头还难过；所以往往一两个月不剃头，亦不打辫子。人家见了，定要老大的吓一跳，倘不说明白是制台，不拿他当做囚犯看待，一定拿他当做孤哀子看待了。除了画梅花写字之外，最讲究的是写四六信。常常同书启老夫子们讨论，说是一个人只要会做四六信，别的学问一定是不差的。因为这四六信对仗既要工整，声调又要铿锵。譬如干支对干支，卦名对卦名，鸟兽对鸟兽，草木对草木；倘若拿干支对卦名，使鸟兽对草木，便不算得好手了。至于声调更是要紧的，一封信念到完，一直顺流水泻，从不作兴有一个隔顿。一班书启相公、文案老爷，晓得制台讲究这个，便一个个在这上头用心思。至于文理浮泛些，或是用的典故不的当，他老人家却也不甚斤斤较量。

闲话少叙。且说他有位堂母舅，叙起来却是他母亲的从堂兄弟；不过从前替他批过文章，又算是受过业的老夫子。他外祖家是江西袁州人氏。这位堂母舅一直是个老贡生，近来为着年纪大了，家里人口众多，处馆不能养活，忽然动了做官之兴。想来想去，只有这位老贤甥可以帮助几百银子。后来又听见老贤甥升署总督，越发把他喜欢的了不得。意思就想自己到湖北来走一趟，一来想看看老贤甥，二来顺便弄点事情做做："倘若事情不成功，几百银子总得帮助我的。彼时回来弄个教官，捐足花样，倘能补得一缺，也好做下半世的吃着。"主意打定，好容易凑足盘川，待要动身，忽地又害起病来。老年人禁不起病，不到两三天，便把他病的骨瘦如柴，四肢无力。依他的意思，还要挣扎动身前去；他老婆同儿子再三谏阻，不容他起身，他只得罢手。于是婉婉曲曲修了一封书，差自己的大儿子趁了船一直来到湖北省城，寻个好客寓住下。他的大儿子，便是贾制台的表弟了。这位老表有点秃顶，为他姓萧，乡下人都叫他为"萧秃子"；后来念顺了嘴，竟其称为"小兔子"。

且说小兔子一直是在家乡住惯的，没有见过甚么大什面。平常在家乡的时候，见了捕厅老爷，已经当作贵人看待；如今要叫他去见制台，又听人家说起制台的官比捕厅老爷还要大个十七八级，就是伺候制台的以及在制台跟前当底下人的，论起官来，都要比捕厅老爷要大几成，一路早捏了一把汗。如今到得这里，不见事情不成功，只得硬硬头皮，穿了一身新衣服，戴了一顶古式大帽子，检出几样土仪，叫栈房里伙计替他拎到制台衙门跟前。东探西望，好容易找到一个人。小兔子卑躬屈节，自己拿了"愚表弟萧慎"的名片，向那人低低说道："我是大人的表弟，大人是我的表哥。我有事情要见他，相烦你替我通报一声。"那人拿眼朝他看了两眼，因听说是大人的表弟，方才把嘴努了一努，叫他去找号房。小兔子走到号房门口，又探望了半天，才见一个人在床上睡觉；于是从床上把那人唤醒。那号房一接名片，晓得是大人亲戚，不敢怠慢，立刻通报。传出话来叫"请"。仍旧由号房替他把土仪拿着，把他领了进去叩见表哥。贾制台看了老母舅的信，自有一番寒暄，问长问短。小兔子除掉诺诺答应之外，更无别话说得。贾制台见他上不得台盘，知道没有谈头，便吩咐叫他在客栈暂住，"等我写好回信，连银子就送过来。"

小兔子本来是见官害怕的，因见表哥叫他住在外面候信，便也不敢再到衙门里来。贾制台的公事本忙，记性又不好，一搁搁了一个月，竟把这事忘记。后来又接到老母舅一封信，方才想起，忙请书启老夫子替他打信稿子，写回信，说是送老母舅五百银子。又对书启老夫子说："这是我的老母舅。这封信须要说几句家常话，用不着大客气的。"书启老夫子回到书房，按照家常信的样子写了一封，送给贾制台过目。贾制台取过来看了一遍，因为上头说的话如同白话一样，心中不甚惬意，吩咐把文案上委员请一位来。委员到来，贾制台仍照前话告诉他一番，又道："虽是家常信，但是我这位舅太爷，我小的时候曾经跟他批过文章，于家常之中，仍得加点材料才好，也好叫老夫子晓得我如今的笔墨如何。"委员答应退下，自去构思，约摸有三个钟头，做好写好，上来呈政。无奈当中又用了许多典故，贾制台有点不懂，看了心上气闷得很。后来看见信里有"渭阳"两个字，不觉颠头播脑，反而称赞这位文案有才情；又道："我这封信本是给娘舅带银子去的。'诗经'上这两句我还记得，是'我送舅氏，曰至渭阳'。如今用这个典故，可称确切不移。好好好！但是别的句子又做得太文雅些，不像我们至亲说的话了。为了这封信，倒很辛苦你们。无奈写来写去，总不的当。你们如今也不必费心了，还是等我自己写罢。"文案退去之后，贾制台拿两封信给众人看，说："不信一个武昌省城，连封信都没人写，还要我老头子自己烦心，真正是难了！"

人家总以为他既如此说，这封信一定马上自己动手的；况且舅太爷还在那里指望他寄银子。谁知小兔子在栈房里，一住住了两个月，不敢来见表哥。他老人家事情又多，几个打岔，竟把这件事忘记在九霄云外。忽然一天接到舅母的电报，说是娘舅已死，恳情立刻打发他儿子回去。贾制台到此方想起五百银子未寄，信亦不曾写，如今已来不及了。无可说得，只得叫人把表弟找来，当面怪表弟："为甚么躲着我表哥，自从一面之后，一直不再来见我？我只当你已经动身回去了，我有银子，我给谁带呢？"幸亏小兔子是个锯了嘴的葫芦，由他埋怨，一声不响，听凭贾制台给了他几个钱，次日便起身奔回原籍而去。

要知后事如何，且听下回分解。

第四十三回
八座荒唐起居无节　一班龌龊堂构相承

话说小兔子去了三四天，贾制台忽然接到蕲州知州一个夹单，说是"宪台表老爷萧某人趁了轮船路过卑境，停船的时候，上下搭客混杂不分，偶不小心，包裹里的银子被扒儿手悉数扒去；现在住在敝署，不能前进，请示办理"等语。原来小兔子自从上了轮船，东张西望，并不照顾自己的行李，以致遇见扒手。当时齐巧解开包裹找衣服穿，一摸银子没有了，立刻吵着闹着，要船上人替他捉贼。贼捉不到，就哭着要船上茶房赔他；一会又说要上岸去告状。船上的人落得顺水推船，趁着轮船还未离岸，马上动手把他的行李送到岸上，由他去告状。他问了问，晓得靠船地方是蕲州该管，忙坐了一辆小车子，奔到州里来告状。

这州官姓区，号奉仁，一听是制台的表弟，便也不敢怠慢，立刻请他到衙门里来住；一面禀明制台，请求办理。夹单后面又说："这银子是在轮船上失去的。轮船自有洋人该管，卑职并无治外法权，还求大人详察。"他的意思以为着此一笔，这事便不与他相干，无非欲脱自己的干系。谁知制台看了这两句，心上老大不自在，便道："不管他岸上水里，总是他蕲州该管，少了东西就得问他要。我的亲戚，他们尚且如此，别的小民更不用说了！"说罢，便下了一个札子，将蕲州区牧严行申饬，说他捕务废弛，"限三天人赃并获；逾限不获，定行撤委"。区奉仁接到此信，无奈只得来同小兔子商量，私底下答应小兔子，凡是此番失去的银子都归他赔，额外又送了二十四两银子的程仪；又另外替他写了船票，打发一个家人，两个练勇，送他回籍。一面自己上省禀见制台，面陈此事。

这位区知州是晚上上了火就赶着过江的。到了省里，恐怕制台记挂表弟，立刻上院禀见。幸亏贾制台是个起居无节的，三四更天一样会客。巡捕、号房晓得他的脾气，便也不敢回家，大家轮班在院上伺候。所以虽是三更半夜，辕门里头仍旧热闹得很。区奉仁走到官厅一看，已经有个人在那里了。这个人歪在首县一向坐惯的一张炕上，低着头打盹；有人走过他的面前，他也不曾觉得。这里官厅子共是三间厂间，只点了一支指头细的蜡烛，照得满屋三间仍是黑沉沉的，看得不十分清楚。区奉仁是久在外任，省城里这些同寅素来隔膜；初时来时，见那人坐着不动，便也懒得上前招呼。此时正是十月天气，忽然起了一阵北风，吹得门窗户扇唏哩哗喇的响。蜡烛火被风一闪，早已蜡油直泻下来，一支蜡烛便已剩得无几了。区奉仁此时也觉得阴气凛凛，寒毛直竖。正想叫管家取件衣服来穿，尚未开口，只见炕上那个打盹的人，忽然"啊唷"一声，从炕上下来，站着伸了一个懒腰，仍就歪下；却不知从那里拖到一件又破又旧的一口钟围在身上，拥抱而卧；一双脚露在外头，却是穿了一双靴子。区奉仁看了甚是疑心，既不晓得他是个甚么人；"倘若是个官，何以并无家人伺候，却要在这里睡觉？"一面寻思，一面看表。他初进来的时候是十一点三刻，此时已经是三点一刻。

正在看表，忽然听见窗户外面一班差人、轿夫蹲在那里，嘴里不住的嘘哩嘘哩的响，好像吃面条子似的。区奉仁听得清切，便想："此时也不早了，肚里也有些饿了，我何不叫他们也买一碗吃了，一来可以充饥，二来可以抵当寒气。”主意打定，便想推出门去叫人。谁知外面风大得很，尖风削面，犹如刀子割的一般。尚未开口，管家们早已瞧见，赶了进来，动问：“老爷有何使唤？”区奉仁连忙缩了回来，仍旧坐下；喘息稍定，便把买面吃的话说了。管家道：“三更半夜，那里有卖面的。他们一般人是冻的在那里嘘哩嘘哩的喘气，并不是吃面；老爷想是听错了。老爷要吃面，等小的出去，到辕门外面去买了来。”区奉仁点点头。管家自去买面。停了好半天，只买得一碗稀粥；说是天将四鼓，面是没有的了。区奉仁只得罢休。

吃过了粥，登时身上有了热气。就问：“上头为甚么还不请见？”管家回道：“听说同首府说话哩。首府从掌灯就进来，一直跑进签押房；大人留着吃晚饭，谈字，谈画，一直谈到如今还没有谈完。江汉关道从白天两点钟到这里，都没有见着哩。这位大人只有同首府说得来，有些司、道都不如他。”区奉仁道：“首府本来同制台是把兄弟。”管家道：“听说现在又拜了门，拜制台做老师，不认把兄弟了。通武昌省城，只有他可以进得内签押房，别人只好在外头老等。”区奉仁道：“照这样子，可晓得他几时才见？”管家道：“小的进来就问过号房：马上就见亦说不定，十天半个月亦说不定，就此忘记了不见也说不定。”区奉仁道：“我是有缺的人，见他一面，把话说过了，我就要回去的。被他如此耽误下来也好了！”管家道：“这话难说。不是为此，怎么这官厅子上一个个都怨声载道呢？”

主仆二人正讲得高兴，忽见炕上围着一口钟睡觉的那个人一骨碌爬起，一手揉眼睛，一手拿一口钟推在一边，又拿两手拱了一拱，说道：“老同寅，放肆了！你阁下才来了一霎工夫已经等的不耐烦，兄弟到这里不差有一个月了！”区奉仁一听这话，大为错愕，忙站起来，请教“贵姓、台甫”。那人便亦起身相迎，回称：“姓瞿，号耐庵。”区奉仁一听这“瞿耐庵”三字很熟，想了一回，想不起来。

原来这瞿耐庵自从到了兴国州，前任因为同他不对，前任帐房又因需索不遂，就把历任移交的帐簿子一齐改了给他。譬如素来孝敬上司一百两银子的，他簿子上却是改做一百元；应该一百元的，都改做五十元。无论瞿耐庵的太太如何精明，如何在行，见了这个簿子，总信以为真，决不疑心是假造的。谁知这可上了当了：送一处碰一处，送两处碰两处；连他自己还不明白所以然，已经得罪的人不少了。你道前任帐房的心思可恶不可恶！

起初湍制台在湖北，丫姑爷戴世昌腰把子挺得起，说得动话，瞿耐庵靠着他的虚火，有些上司晓得他的来历，大众看制台分上，都不来同他计较；所以孝敬上司的数目就是少些，还不觉得。不料湍制台一朝调离，丫姑爷尚且失势，他这个假外孙婿更说不着了。贾制台初署督篆，就有人说他坏话。起先贾制台还看前任的面子，不肯拿他即时撤任；后来说他坏话人多了，又把他在任上听断如何糊涂，太太如何要钱，一齐掀了出来。齐巧本府上省，贾制台问到首府，首府又替他下了一副药：因此才拿他撤任。

撤任回省，接连上了三天辕门，制台都没有见他。后来因为要甄别一票人，忽然想着了他，平空里忽然传见。瞿耐庵闻命之后，忙得甚么似的，也没有坐轿子，就赶到制台衙门里来。来传的人是十二点一刻到他公馆；瞿耐庵没有吃午饭，不到十二点三刻就赶到辕门，走进官厅，一直坐了老等。谁知左等也不见请，右等也不见请，想要回去，又不敢回去。肚里饿得难过，只好买些点心充饥。看看天黑下来，找到一个素来认得的巡捕，托他请示。巡捕道："他老人家的脾气，你还不知道吗？谁敢上去替你回！他一天不见你，就得等一天；他十天不见你，就得等十天；他一个月不见你，就得等一个月。他甚么时候要见，你无论三更半夜，天明鸡叫，你都得在这儿伺候着。倘若走了，不在这里，他发起脾气来，那可不是玩的！"原来这巡捕当初也因少拿了瞿耐庵的钱，心上亦很不舒服他，乐得拿话吓他，叫他心上难过难过。瞿耐庵本来是个没有志气的，又加太太威风一倒，没了仗腰的人，听了巡捕的话，早吓得魂不附体，只得诺诺连声，退回官厅子上静等。那知等到半夜，里边还没有传见。这一夜，竟是坐了一夜，一直未曾合眼。

等到第二天天明，就在官厅子上洗脸，吃点心。停了一刻，上衙门的人都来了，管厅子上人都挤满。等到制台传见了几个，其余统通散去，又只剩得他一个。仍旧不敢回家，只得又叫管家到公馆里搬了茶饭来吃。这日又等了一天，还没请见。又去请教巡捕。巡捕生气，说道："你这人好麻烦！同你说过，大人的脾气是不好打发的！既然来了，走不得！怎么还是问不完？"瞿耐庵吓的不敢出气，仍回到官厅上。这夜不比昨夜了，因为昨夜一夜未曾合眼，身子疲倦得很，偶然往炕上躺躺，谁知一躺就躺着了。这一觉好睡，一直睡到第二天出太阳才醒。接着又有人来上院。他碰见熟人也就招呼，好像是特地穿了衣帽专门在官厅上陪客似的。一霎时各官散去，他仍旧从公馆里搬了茶饭来吃。只因其时天气尚不十分寒冷，所以穿了一件袍套还熬得住。

如是者又过了几天，一直不回公馆。太太生了疑心，说："老爷不要又是到汉口被甚么女人迷住了，所以不回来？"偷偷的自己过江探问。无意之中，又打听到前次率领家人去打的那个人家，的确是老爷讨的小老婆，那女人名唤爱珠，本是汉口窑子里的人。当时不知道怎样被夏口厅马老爷一个鬼串，竟被他蒙住了。后来瞿耐庵到任，很寄过几百银子给这女人。不过瞿耐庵惧内得很，一直不敢接他上任。那爱珠又是堂子里出身，杨花水性。幸亏马老爷顾朋友，说道："倘若照此胡闹下去，终究不是个了局。"就写了一封信给瞿耐庵，说爱珠如何不好，"恐怕将来为盛名之累，已经替你打发了”。瞿耐庵得信之后，无可如何，只索丢开这个念头。如今这事全盘被太太访闻，始而不禁大怒，既而晓得人已打发，方才把气平下。汉口找不到老爷，于是过江回省。怕家人说的话靠不住，又叫自己贴身老妈摸到制台衙门州、县官厅上瞧了一瞧，果然老爷一个人坐在那里，方始放心。天天派了人送饭送衣服给老爷。过了几天，又因天气冷了，夜里实实熬不住，被头褥子无处安放，只送了一件一口钟，又一条洋毯，以为夜间御寒之用。

闲话少叙。且说当时区奉仁拿他端详了一回，方才想起从前有人提过他是前任制台的寄外孙婿。闻名不如见面，怎么今天也会弄到这个样子。便大略的问了一问。瞿耐庵是老实人，就一五一十的把从前如何得缺，后来如何撤任，回省上辕门，制台如何不见，如今平空的传见，及至来了，一等等了一个月不见传见，以及巡捕又不准他走的话，详述一遍。区奉仁听了，一面替他叹息，一面又自己担心。不觉皱紧眉头，说道：“吾兄在省候补，是个赋闲的人，有这闲工夫等他；兄弟是实缺人员，地方上有公事，怎么够耽搁得许久呢？”瞿耐庵道：“你要不来便罢，既然来了，少不得就要等他。我正苦没有人作伴，如今好了，有了你老哥，我们空着无事谈谈，兄弟倒着实可以领教了。”区奉仁道：“不要取笑！他不见终究不是个事。兄弟这趟上省只带了中毛衣服来，大毛的都没带，原想就好回任的。如今被你老哥这一说，兄弟还要派人回蕲州去拿衣服哩。”

瞿耐庵道：“今儿这个样子大约是不会传见的了。你把补褂脱去，也到这炕上来睡一回儿；就是不睡着，我们躺着谈心。夜深了，天气冷，两个人睡在这炕上总比外面好些。我这里还有一条洋毯，你拿去盖盖脚；我这里有一口钟，也可以无须这个了。”起先区奉仁还同他客气，不肯上炕来睡。后来听听里面杳无消息，夜静天寒，窗户又是破碎的，一阵阵的凉风吹了进来，实在有些熬不住了；瞿耐庵又催了三回，方才上炕睡的。两个人就拿了两个炕枕作枕头。睡下之后，瞿耐庵又同他说：“不瞒老哥说：这三间屋里，上面有几根椽子，每根椽子里有几块砖头，地下有几块方砖，其中有几块整的，几块破的，兄弟肚子里有一本帐，早把他记得清清楚楚了。”区奉仁听他说得奇怪，忙问所以。瞿耐庵方同他说：“兄弟要见不得见，天天在这里替他们看守老营。别人走了，单剩兄弟一个，空着没有事做，又没有人谈天，我只好在这里数砖头了。”区奉仁闻言，甚为叹息。瞿耐庵又说：“我们睡一会罢。停刻天亮，又有人来上衙门，一耽误又是半天哩。”却好区奉仁也有点倦意，便亦朦胧睡去。次日起来，才穿好衣服，赶早上衙门的人已经来了。他俩是日又等了一天，仍未传见。这夜又在官厅上盖着洋毯睡了一夜。

到了第三天，区奉仁熬不住了。幸亏他是现任，平时制台衙门里照例规矩并没有错，人缘亦还好；便找着制台的一个门口，化上一千两银子，托他疏通。那人拍胸脯说，各事都在他的身上。齐巧这天有人禀见，巡捕替他把手本一块儿递了上去，贾制台叫“请”。进去的时候，惟恐大人见怪，两手捏着一把汗。及至见了面，制台挨排问话，问到他，只说得两三句：第一句是“你几时来的？”区奉仁恭恭敬敬回了声“卑职前天就来了”。上头又说：“长江一带剪绺贼多得很啊，轮船到的时候，总得多派几个人弹压弹压才好。”区奉仁答应了两声“是”。制台马上端茶送客。区奉仁方才把心放下。等到站了起来，又重新请一个安，说：“大人如无甚么吩咐，卑职禀辞，今天晚上就打算回去。”贾制台点点头道：“你赶紧回去罢。”说罢，把一干人送到宅门，一呵腰，制台进去。

然后区奉仁又去上藩、臬两司衙门。从司、道衙门里下来，回到寓处，收拾行李。刚要起身，忽见执帖门上拿着手本上来回称：“新选蕲州吏目随太爷特来禀见。”区奉仁一看，手本上写“蓝翎五品顶戴、新选蕲州吏目随凤占”一行小字，便道：“我马上就要出城赶过江的，那里还有工夫会他。”执帖门道：“自从老爷一到这里，才去上制台衙门，不晓得他怎样打听着的，当天就奔了来。老爷一直没回家，他就一连跑了好几趟。他说老爷是他亲临上司，应得天天到这里来伺候的。”区奉仁听他说话还恭顺，便说了声“请”。执帖门出去。一霎时只见随凤占随太爷戴着五品翎顶，外面一样是补褂朝珠——因为第一次见面，照例穿着蟒袍。——未曾进门，先把马蹄袖放了下来；一进门，只见他把两只手往后一瘪，恭恭敬敬走到当中跪下，碰了三个头，起来请了一个安；跟手从袖筒管里拿履历掏了出来，双手奉上，又请了一个安。此番区奉仁见下属不比见制台了，大模大样的，回礼起来，收了履历。随凤占替他请安，他只拿只右手往前一竖，把腰呵了呵，就算已经还礼了。当下分宾坐下。区奉仁大约把履历翻了一翻，因为认得的字有限，也就不往下看了。翻完了履历，便问：“老兄贵处是山东？”随凤占道：“卑职是安徽庐州府人。”区奉仁诧异道：“怎么履历上说是山东呢？”再翻出来一看，才知道他是山东振捐局捐的官，原来错看到隔壁第二行去了。自觉没趣，只得搭讪着问了几句：“你是几时来的？几时去上任？”随凤占一一回答了。立刻端茶送客。也同制台送下属一样，送了一半路，一呵腰进去了，随凤占又赶到城外，照例禀送，区奉仁自去回任不题。

单说随凤占禀到了十几天，未见藩台挂牌饬赴新任，他心上发急。因为同武昌府有些渊源，便天天到府里禀见。头一次首府还单请他进去，谈了两句，答应他吹嘘；以后就随着大众站班见了。有天首府见了藩台，顺便替他求了一求。藩台答应。首府回来，看见站班的那些佐杂当中，随凤占也在其内，进了宅门，就叫号房请随太爷进来。号房传话出去，随凤占马上满面春风，赛如脸上装金的一样，一手整帽子，一手提衣服，跟了号房进去。见面之后，首府无非拿藩台应允的话述了一遍。随凤占请安，谢过栽培。首府见无甚说得，也只好照例送客。

等到随凤占出来之后，他那些同班的人接着，一齐赶上前来拿他围住了，问他："太尊传见甚么事情？"随凤占得意洋洋的还不肯说真话，只说："有两个差使，太尊叫我去，我不高兴去。太尊叫我保举几个人，我一时肚皮里没有人，答应明天给他回音。"大众一听首府有甚么差使，于是一齐攒聚过来，足足有二三十个，竟把随凤占围在垓心。好在一班都是佐杂太爷，人到穷了志气就没有了，甚么怪像都做得出。其时正在隆冬天气，有的穿件单外褂，有的竟其还是纱的，一个个都钉着黄线织的补子，有些黄线都已宕了下来；脚下的靴子多是尖头上长了一对眼睛，有两个穿着"抓地虎"，还算是好的咧。至于头上戴的帽子，呢的也有，绒的也有，都是破旧不堪；间或有一两顶皮的，也是光板子，没有毛的了。大堂底下，敞豁豁的一堆人站在那里，都一个个冻的红眼睛，红鼻子；还有些一把胡子的人，眼泪鼻涕从胡子上直挂下来，拿着灰色布的手巾在那里揩抹。如今听说首府叫随凤占保举人，便认定了随凤占一定有甚么大来头了，一齐围住了他，请问"贵姓、台甫"。

当中有一个稍些漂亮些的，亲自走到大堂暖阁后面一看，瞥见有个万民伞的伞架子在那里，他就搬了出来，靠墙摆好，请他坐下谈天。随凤占看看没有板凳，难拂他的美意，只得同他坐下，也请教他的名姓。那人自称姓申，号守尧，是个府经班子；二十四岁上就出来候补，今年六十八岁了。先捐了个典史，在河南等过几年，分在卫辉府当差。有年派了个保甲差使，晚上带了巡勇出门查夜。有一个吃酒醉的人，拦住当路骂人，被他碰见了。彼时少年气盛，拉下来就五十板。等到打完了，那人才说："我是监生。"——捐了监的人，不革功名是打不得屁股的。当时无法，只得拿他开释。谁知第二天，通城的监生老爷都来不答应他，说他擅责有功名的人，声称要到府里去告他。他就此一吓，卷卷行李逃走了。后来还是那个捱打的人恐怕闹出来于自己面子不好看，私自出来求人家，劝大众不要闹了，这才罢休。后来本府也晓得了，明知他是畏罪而逃，乐得把差使委派别人。地方上少掉一个试用典史是不打紧的，倒也没有人追究。他闹了这个乱子，河南不能再去。齐巧他兄弟一辈子当中，当初有个捐巡检的，后来这人死了，他就顶了这巡检名字，化几个钱，捐免验看，一直到湖北候补；正碰着官运亨通，那年修理堤工案内，得了一个异常劳绩，保举免补本班，以府经补用。年代隔得远了，他自己也常常拿从前的事情告诉别人，以鸣得意。还说甚么"你们不要瞧我不起，虽然是官卑职小，监生老爷都被我打过的！"人家听

惯了，都当他有些痰气，没有人去理会他。此时同随凤占拉拢上了，便嘻开了一张胡子嘴，同随凤占一并排坐在伞架子上，扳谈起来。随凤占难却他这番美意，只得同他坐在一块儿谈天。

究竟佐杂太爷们眼眶子浅，见申守尧同随凤占如此亲热，以为他二人一定又有甚么渊源，看来太尊所说的甚么差使，论不定就要被申某人夺去了。于是有些不看风色的人，偏偏跟了他二人到暖阁后面，听他二人讲话。又有些醋心重的人，一旁咕噜说道："人家好，有门路，巴结得上红差使。不要说起是一桩事情轮不到我们头上，就是有十桩、八桩也早被手长的人抢了去了。我们何必在这里碍人家的眼，还是走开，省得结一重怨。"又有些人说道："我偏不服气！我定要在这里听他们说些甚么。有甚么瞒人事情，要这样鬼鬼祟祟的！"

一干人正在言三语四，刺刺不休，忽见斜刺里走过一个少年，穿着一身半新的袍套，向一个老头子深深一辑，道："梅翁老伯，常远不见了！小侄昨天回来就到公馆里请安，还是老伯母亲自出来开门的，一定要小侄里头坐。小侄一问老伯不在家，看见老伯母还只穿了一件单褂子，头也没梳，正在那里烧水煮饭，所以小侄也就出来了。今日凑巧老伯在这里，正想同老伯谈谈。"又听那老头子道："失迎得很！兄弟家里也没得个客坐，偶然有个客气些的人来了，兄弟都是叫内人到门外街上顿一刻儿，好让客人到房里来，在床上坐坐；连吃烟，连睡觉，连会客，都是这一张床。老兄来了，兄弟不在家，亵渎得很！"又听那少年道："老伯，小侄是自家人，说那里话来！"又听老头子道："老兄这趟差使，想还得意？"少年道："小侄记着老伯的教训，该同人家争的地方，一点没有放松。所以这趟差使虽苦，除用之外，也剩到八块洋钱。"老头子道："你已经吃了亏了！到底你们年纪轻，是没有甚么用头的。"少年听了不服气，说道："银钱大事，再比小侄年纪轻的人，他也会丁是丁，卯是卯的；况且我们出来为的是那一项，岂有不同人家要，白睁着眼吃人家亏的道理。"老头子道："你且不要不服气。你走了几个地方？"少年道："我的札子一共是五处地方，走了半个多月才走完的。"老头子说："你又来！五个地方只剩得八块洋钱，好算多？不信一处地方连着两三块钱都不要送。如今合算起来，每处只送得一块六角钱。我们是老迈无能了，终年是轮不到一个红点子；像你们年轻的人，差使到了手了又如此的辜负那差使，这才真正可惜哩。"少年道："依你老伯怎么样？"老头子道："叫我至少一处三只大洋，三五一十五块钱总得剩的。"少年道："人家送出来何尝不是三块、四块，但是，自家也要用几文。人家送了这笔洋钱来，力钱总得开销人两个。"老头子把嘴一披，道："你阔！你太爷要赏他们！他们跟惯州县大老爷的人，那个腰里不是装饱的，就稀罕你这几角洋钱！叫我是老老脸皮，来的人请他坐下，倒碗茶让他吃，同他们谦恭些，是不犯本钱的。至于力钱，抹抹脸，我亦不同他们客气了。人家见我如此待他，就是我拿出来，他亦不好意思收了。所以这笔钱我就乐得省下，自己亦好多用两天。至于你说甚么零用，这却是没有底的，倘若要阔，一天有多少都用得完；但是贪图舒服，也很可不必再出来当这个差使了。”

老头子只管絮絮叨叨不住，少年听了甚不耐烦。齐巧随凤占同申守尧在暖阁后面谈了一回也走了出来。申守尧是认得那两个人的，便问少年道：“你同梅翁谈些甚么？”少年正待开口，却被老头子抢着说了一遍，无非是怪少年不知甘苦，不会弄钱的一派话。少年听了不服气，又同他争论。申守尧便从中解劝道：“这话怪不得梅翁要说。你老兄派的几处地方总还在上中字号里头。他们现任大老爷，一年两三万往腰里拿；我们面上，他就是多应酬几文，也不过水牛身上拔一根毛。所以兄弟也是出差每到一处，等他们把照例的送了出来，我一定要客气，同他们推上两推。并不说嫌少不收，我只说：‘彼此至好，这个断断乎不敢当的。不过在省城里候补了多少年，光景实在不好，现在情愿写借票，商借几文，’如此说法，他们总得加你几文。有些客气的，借的数目比送的数目还多。”少年道：“开口问人家借，借多少呢？”申守尧道：“这也没有一定。总而言之：开出口去，伸出手去，不会落空就是了。”少年道：“到底这借票还写不写呢？”申守尧道：“你这人又呆了，钱既到手，抹抹脸皮，还有甚么笔据给人家。倘若一处处都写起来，要是一年出上三趟差，至少也写得二十来张借票，这笔帐今辈子还得清吗？不过是一句好看话罢了。况且几块钱的小事，就是写票据，人家也不肯接你的，倒不如大大方方说声‘多谢’，彼此了事。”

三个人正说得高兴，不提防随凤占站在旁边一齐听得明明白白，便插口说道：“守翁的话呢，固然不错；然而也要鉴貌辨色，随风驶船。这当中并没有甚么一定的。”众人见他一旁插口，不知道他是甚么人，不觉都楞在那里。申守尧便替他拉扯，朝着一老一少说：“这位是新选蕲州右堂，姓随，官印叫凤占；宦途得意得很，不日就要到任的。而且是老成练达，真要算我们佐班中出色人员了！”一老一少听了，连忙作揖，极道仰慕之忱。申守尧又替二人通报名姓，指着年老的道：“这位姓秦，号梅士，同兄弟同班，都是府经。”又指年少的道：“这位学槐兄，今年秋天才验看。同太尊第二位少奶奶娘家沾一点亲，极蒙太尊照拂，到省不到半年，已经委过好几个差使了。”随凤占亦连称“久仰”。又道：“恰恰听见诸公高论，甚是佩服！”秦梅士道：“见笑得很！像你老兄，指日就要到任的，比起我们这些终年听鼓的到底两样。”随凤占道：“岂敢，岂敢！不过兄弟自从出来做官，一直是捐了花样，补的实缺，从没有在省城里候补过一天。不过这里头的经济，从前常常听见先君提起，所以其中奥妙也还晓得一二。”众人忙问：“老伯大人从前一向那里得意？”随凤占道：“兄弟家里，自从先祖就在山东做官；先祖见背之后，先君也就验看到省，一直是在山左的；等到兄弟，却是一直选了出来，侥幸没有受过这苦：虽然都是佐班，兄弟家里也总算得三代做官了。”众人道：“有你老哥这般大才，真要算得犁牛之子，跨灶之儿了。但是老伯从前是怎么一个诀窍，可否见示一二？”申守尧道：“你们不要吵，且听他说。老成人的见解一定是不同的。”

随凤占道：“先君从前在山东听鼓的时候，有年奉首府的札子，叫老人家到各属去查一件甚么事情。先君到了第二县，我还记得明明白白的，是长清县。这长清在山东省里也算一个上中缺，这位县大爷又同先君稍为有些渊源。到了长清，见面之后，他就留先君到衙门里去住。先君一想，住店总得化钱，有得省乐得省，就把铺盖往衙门里一搬。横竖衙门里空房子多得很。先君住的那间屋子就在帐房的紧隔壁。当时住了下来，本官又打发门上来招呼，说：‘请太爷同帐房一块儿吃饭。’衙门里大厨房的菜是不能进嘴的，帐房师爷要好，又特地添了两样菜。先君吃着倒也很舒服。谁知住了一夜，第二天本官就下乡相验去了，离城一百多里路，来回总得三四天。临走的时候还同先君说：“老兄不妨在这里多盘桓几天。倘若要紧动身，一切我已交代过帐房了。’先君以为他已经交代过帐房，总不会错的。第三天，先君觉着住在那儿白扰人家没有味儿，就同帐房商量，说要就走的话。帐房答应了。先君先回到屋里收拾行李。停了一会，帐房就叫人送过两吊京钱来，说是太爷的差费。先君此来本想他多送两个的，等到两吊钱一送出来，气的话都说不出！”申守尧道：“两吊钱还比两块钱多些，现在一块洋钱只换得八百有零。”随凤占道：“呀呀呼！我的太爷！北边用的小钱，五百钱算一吊，一个算两个，两吊只有一千文，合起洋钱来还不到一元三角。”申守尧道：“那亦太少了。”随凤占道：“就是这句话了。所以当时先君见了，着实动气，就同送钱来的人说：‘我同你家大老爷的交情并不在钱上头，这个断断乎不好收的。’那人听了先君的话，先还不肯拿回去，后来见先君执定不收才拿了的。帐房就在隔壁，是听得见的。那人过去，把先君的话述了一遍。只听得帐房半天不说话，歇了一回，才说道：“两吊不肯，只好再加一吊。这钱又不是我的，我也不便拿东家的钱乱做好人。’先君一听隔壁的话，知道不妙。等到第二趟送来，这时候顶为难：倘若是不推，明明是同他争这一吊钱，面子上不好看；无奈，只得略为推了一推。那送来的人自然还不肯拿回去。先君也就自己转圜，说道：‘论理呢，这个钱我是不好收的。但是你们大老爷又不在家，我倘若一定不收，又叫你们师老爷为难，我只好留在这里。师老爷跟前，先替我道谢罢。’诸公，你们想，这时候倘若先君再不收他的，他们索性拿了回去，老实不再送来，你奈何他？你奈何他？所以这些地方全亏看得亮，好推便推，不好推只得留下：这就叫做见风驶船，鉴貌辨色。这些话是先君常常教导兄弟的。诸公以为何如？”大家听了，一齐点头称“妙”，说：“老伯大人的议论，真是我们佐班中的玉律金科！”

正说得高兴，忽见一个女老妈，身上穿的又破又烂，向申守尧说道：“老爷的事情完了没有？衣裳脱下来交代给我，我好替你拿回去。家里今天还没米下锅，太太叫我去当当，我要回去了。”申守尧不听则已，听了之时，怪这老妈不会说话，伸手一个巴掌，打的这老妈一个趔趄，站脚不稳，躺下了。

欲知后事如何，且听下回分解。

第四十四回
跌茶碗初次上台盘　拉辫子两番争节礼

却说申守尧因为跟他拿衣帽的老妈说出他的窘况，一时面上落不下去，只得嗔怪老妈不会说话，顺手一个巴掌打了过去；不料用力过猛，把老妈打倒了。偏偏这个老妈又是个泼辣货，趁势往地下一躺，说了声“老爷，你尽管打！你打死我，我也不起来了！”说完了这句，就在地下号啕痛哭起来。幸亏这时候，有些小老爷因为方才站班已经见着首府，他们说话的档口，早已散去十之八九，此时所剩不过五六个人，被他这一哭，却惊动了许多人，一齐围住来看。

申守尧只得红着脸，弯了腰去拖他；拖不起来，只得尽着骂他。骂了又要还嘴；气极了，举起腿来又是两脚。那老妈见老爷动手动脚，索性赖着不起来，只是哭着喊冤枉。府衙门里的号房、把门的出来吆喝都不听，后来还亏了本府的门政大爷出来骂了两句，又说拿他送到首县里去，方才住了哭，站了起来，拿手在那里揉眼睛。此时弄得个申守尧说不出的感激，意思想走到门政大爷跟前敷衍两句。谁知等到走上前去，还未开口，那门政大爷早把他看了两眼，回转身就进去了。申守尧更觉羞的无地自容；意思又想过来趁势吆喝老妈两句，谁知老妈早已跑掉，靴子、帽子、衣包都丢在地下，没有人拿。申守尧更急得没法。随凤占说：“可惜兄弟还要到别处拜客，否则就叫我的跟班的替你拎了回去了。”申守尧道：“不消费心。”

几个人当中，毕竟是老头子秦梅士古道热肠，便说：“守兄的衣帽脱下来没有人拿，我们怎么走呢？”说完，喊了一声“小狗子”。只见一个面黄肌瘦的小厮应了一声，跑过来叫了一声“爸爸”，一旁侍立，却举起一只袖子来擦鼻涕。老头子道：“这位是随老伯，这位是申老伯，见过了没有？”小狗子说：“申老伯是认得的，只是随老伯没有见过。”老头就叫他请安。小狗子果然请了一个安，叫了声“老伯”。随凤占便晓得是老头子的儿子了，于是拉住了手，问长问短；又道：“世兄品貌非凡，将来是要一定发达的。”老头子道：“承赞，承赞。这是三小儿，今年已经十五岁了；不肯读书，外才倒还有点。每逢兄弟上衙门，省得带人，总是叫他跟着，或是拿拿衣帽，或是拜客投投帖。这些事情还做得来。”老头子一面说，一面回头吩咐儿子道：“你在这里站着听甚么！还不拿鞋来给我换！”小狗子听说，立刻从怀里掏出一个小布包，把鞋取出，等他爸爸换好。老头子亦一面把衣裳脱下折好，同靴子包在一处；又把申守尧的包裹、靴子、帽盒，亦交代儿子拿着。申守尧先还不肯，老头子一定要好，只得随他。无奈小狗子两只手拿不了许多。幸亏他人还伶俐，便在大堂底下找了一根棍子，两头挑着；又把他爸爸的大帽子合在自己头上，然后挑了衣包，吁呀吁呀的一路喊了出去。众人至此方晓得老头子拿儿子是当跟班用的。

闲话少叙。单说秦梅士打发儿子把申守尧的衣帽送到他的寓处，只见那老妈正坐在堂屋里哭骂哩，气得申守尧要立刻赶他出去。老妈坐着不肯走，口称：“要我走容易，把工钱算还了给我，我立刻走。还有老爷许我的，天天跟着上衙门拿衣帽，另外加钱给我的。”申守尧道：“那时说明白，有了差使再贴补你；如今我老爷并没有得甚么差使，你怎好问我要呢？”老妈道：“这个不贴，送礼的脚钱总应该给我的了。”申守尧道：“送礼也有限得几注。”老妈道：“不管他多少，总是我名分上应得的钱。老爷，你是做官做府的人，难道还吃我们这几个脚钱不成？我记得清清楚楚，自从去年五月到如今，大大小小，也有三块多钱的脚钱。从前你老爷说过，这笔钱要提给太太六成，余下的替我们收着一块儿分。如今多算点，太太名下算扣掉两块大洋，还有一块多钱的多余。连着十三个半月的工钱，一个月八角洋钱，八得八，三八两块四，再加半个月四角洋钱，一共是十元八角。加上脚钱。老爷，我就再让些，你一共给我十二块洋钱罢。”

申守尧一听老妈要他这许多钱，急得头里火星直迸，恨不得伸手就要打他，嘴里嚷着骂：“混帐王八蛋！岂有此理！我老爷那里欠你这许多工钱？我有数的，也不过还该你三个月没有付，如今倒赖我说是有十三个半月没付，真正岂有此理！就是送礼的脚钱，我也是笔笔有帐，通共不到一块钱。除掉太太的六成，所余不过三四角洋钱，那里有这许多？明明讹人罢哩！本来这钱我是要立刻给你的，因为你会讹人，如今把脚钱罚掉，我不给了。”

老妈道："还有工钱呢？"申守尧道："依我算三个月工钱就拿了去。彼此一刀两断，永远不准进我的大门！"老妈道："好便宜！你倒会打如意算盘！十三个半月工钱，只付三个月！你同我了事，我却不同你干休！还有送礼的脚钱，也不能少我半个的！老爷，你试试！你如果少我一个钱，我同你到江夏县打官司去！赖了人家的工钱，还要吃人家的脚钱，这样下作，还充甚么老爷！"申守尧不听则已，听了他这番议论，立刻奔上前来，一手把老妈的领口拉住，要同他拼命。老妈索性发起泼来，跳骂不止，口口声声"老爷赖工钱！吃脚钱"！

他主仆拌嘴的时候，太太正在楼上捉虱子，所以没有下来，后来听得不像样子，只得蓬着头下来解劝。其时小狗子还未走，亦帮着在旁边拉申守尧的袖子。小狗子一手拉，一面说道："申老伯，你不要去理那混帐东西。等他走了以后，老伯要送礼，等我来替你送；就是上衙门，也是我来替你拿衣帽：这些事情我都会做。不稀罕他，取他的宝！"申守尧道："世兄，你是我们秦大哥的少爷，我怎么好常常的烦你送礼拿衣帽呢？"小狗子道："这些事我都做惯的，况且送礼是你申老伯挑我赚钱，以后十个钱我亦只要四个钱罢了。"申守尧听了他的话，又是好笑，又是好气；心想："我们当佐班的竟不晓得是些甚么东西，养出来的儿子都如此的下作！"

正想着，齐巧太太亦下来了。见是老爷同老妈呕气，太太心上是明白的，晓得老爷这两天是没有钱，不要说是十二块，就是三块亦拿不出，面子上只得劝老爷不要生气，却丢了个眼色把老妈招呼到后面窝盘他，叫他不要生气，仍旧做下去，"老爷一时气头上说的话是不好作准的"。起先老妈还一口咬定不答应；禁不住太太左说好话，右说好话，面情难却，也只好住下来再说。

当时秦小狗子把申守尧拉开之后，即便把衣帽等等一一点交清楚。申守尧留他吃茶也不要，留他吃饭也不要，——嘴里虽说不要，两只脚只是站着不肯走。申守尧摸不着头脑，问他："有甚么话说？"他说："问申老伯要八个铜钱买糖山查吃。"可怜申守尧的搭连袋那里有甚么铜钱！但是小狗子开了口，又不好回他没有，只得仍旧进去同太太商量。太太道："我前天当的当，只剩了二十三个大钱，在褥子底下，买半升米还不够。今日又没有米下锅，横竖总要再当的了。你就数八个给他。余下的替我收好，我还要用两天呢！"一霎时申守尧把钱拿了出来。小狗子爬在地下给申老伯磕了一个头，方才接过铜钱，一头走，一头数了出去。

小狗子去了，申守尧听了听后面没有声息，晓得太太已经把老妈窝盘好了，不至于问他要钱，于是一块石头放下。这天仍是太太叫老妈出去当了当买了米来，才有饭吃。等到做好，太太一头吃饭，一头数说道："当初我嫁你的时候，并不想甚么大富大贵，只图有碗饱饭吃也够了。后来你出来做官，我们老人家还说：'如今好了，某人出去做了官，你可以不愁的了。'人家做官是升官发财；谁晓得我们做官是越做越穷，眼前当都没得当了！照此一天一天的下去，叫我怎么样呢！"申守尧听了太太的话，满面羞惭，说道："我自从出来做官，也总算巴结的了，衙门牌期没有一回不到。时运不济，叫我也没法想！"说罢，连连叹气。太太更是扑簌簌的泪如雨下，索性饭亦不吃了。申守尧看了这个样子，亦只吃了半碗饭，凑巧有朋友来找他，也就出去了。

向来申守尧吃了中饭出门，一定是要半夜里才回来，这天出去了不到两个钟头就回来了。一进门，拍手跳脚，竟把他兴头的了不得！太太见了反觉稀奇，问他："为甚么大早的回来？"他说："好了！好了！我们做佐班的向来是被人家压住了头做的，没有人拿我们当作人的。如今好了，有了出头之日了！"太太问他："怎么有了出头之日？"申守尧道："我刚才同朋友出门，走到素来我同他商量借钱的胡太爷家。齐巧胡太爷出差回来，禀见藩台。藩台同他说：'刚刚从院上下来，制台今天已有过话：自从明天起，凡是佐杂，一概有个坐位，不像从前只是站着见了。'制台还说：'大小都是皇上家的官，我瞧他不起，便是亵渎朝廷的命官。坐了下来，他们有甚么话，都可以同他谈谈。'太太，你想这位制台也总算好的了。想我候补了十几年，真正气也受够了。到底如此，彼此坐下谈两句，他也好晓得晓得我。你不记得今年八月里，算命的还说我今年流年腊月大利？看来就此得法，也未可知。而且还有一样，藩台见制台也不过有个坐位；如今我们佐班竟同藩台一样，你想这一跳跳的多高！"太太听了，寻思了半天，说道："慢着！你从前不是对我说，你们做官的并不分甚么大小，同制台就同哥儿兄弟一样？怎么你今儿又说从前都是站着见他呢？站着见他，不就合他的二爷一样吗？"申守尧脸上一红，一时回答不出，歇了好一会，才说道："如今好了，是用不着站着见他了。"一面支吾，一面心上寻思："难怪他们妇道之家，不懂得我们当佐杂的，连制台衙门里的一条狗还不如，能够比上他的二爷倒好了！"正想着，又听得太太说道："你不要骗我了。你站着见也好，坐着见也好，就是跪着见也好，我只要有钱用，有饭吃，不要当当就好了。"申守尧道："你不要愁；如今兴了这个规矩，以后就有了指望了，你等着罢。"太太也不理他。

本来次日申守尧是不上衙门的，因为制台有了这句话，又说检班次老的，一天先传见二三十员。自己算了算："论起资格来，虽然还算不得十二分老，论不定制台高兴，或者多见几个，也未可知。与其临传不到，还是早去伺候的为是。"主意打定，次日一早，仍旧是老妈拿了衣帽跟着到了制台衙门。头天制台的话早已传遍的了；所以到了这天，那些佐贰老爷都兴头的了不得，上衙门的格外来得多。申守尧到了制台大堂底下，换好衣帽，会见秦梅士、随凤占一干人。随凤占说是昨晚已蒙藩宪挂牌，今天禀见，带着禀辞。又说蕲州吏目一缺，打听得近两年来，全被前任弄坏了；见了制军，有些话应得当面请请示。秦梅士亦预备下多少话，见了制军要面禀。

一干人正在那里簇簇私议，只见藩台、臬台、粮道、盐道，以及各著名局所总办、道班、府班、首府、首县，同、通、州、县班实缺、候补，一起一起的进去出来。从藩、臬起，首府止，出来上轿的时候，一班佐杂老爷都赶着走出来站班。那些大人们，有两位客气的，还同他们点点头；有几个架子大的，便亦昂头不顾的走出去了。

各官自清早七点钟上院，一等等到十二点，制台方才统通见完。然后巡捕拿手本下来，说是传见三十位佐班。某人某人，叫着名字，叫了上去，依着次序，鱼贯而入，不得搀前落后。各位太爷虽然高兴，毕竟是第一次上台盘，由不得战战兢兢，上下三十六个牙打对。还有几个名字在后的，恐怕不能露脸，便越过几个人跳上前去，前头的人又不答应，便上前去拉他们；后头的不服，又同前头的吵闹起来。巡捕官等得不耐烦，连连催道："快些罢！……有话下来说！我瞧你这些太爷，怎么好啊！"那些太爷被巡捕吆喝了两句，不敢则声，一齐放放马蹄袖，跟了进来。走到会客厅上，制台已经站在居中，传谕不要磕头。大众团团请了一个安。制台摊了一摊手，说了一声"坐"，便团团的坐了下来。有些人两只眼睛只管望着大帅，没有照顾后面，也有坐在茶几上的；也有一张椅子上已经有人坐了，这人又坐了下去，以致坐无可坐，又赶到对面，在厅上兜了一个大圈子的。乱了半天，方才坐定。

大家必恭必敬，声息俱无，静听大帅吩咐。只听得贾制台说道："现在各处官场体制，佐杂见首府多半都是站班见的，不要说是督、抚了。我如今破除成例，望你们大家都知道自爱才好。这两天事情忙，过几天我还要挨班传见，当面考考你们。听清爽了没有？"起先众人听制台说要考试，早已彼此面面相觑，一声回答不出。等到临了问"大家听见了没有"，方才有两个答应了一声。制台见话已说完，无可再说，只得端起茶碗送客。随凤占进来的时候，原预备有许多说话面禀的；及至见了制台，不知不觉，就像被制台把他的气逼住了，半个字也说不出。众人答应"是"，也只得答应"是"；众人端茶碗，也只得端茶碗。刚把茶碗端起，忽听得拍挞一声，不知是谁的茶碗跌碎了。定睛看时，原来是右手末二位那位太爷，不知怎样会把茶碗跌在地下，砸得粉碎，把茶泼了一地，连制台的开气袍子上都溅潮了。制台一面站起抖擞衣裳上的水，一面嘴里说道："这是怎么说！这是怎么说！"急的那位太爷蹲在地下，拿两只马蹄袖掳那打碎磁片子，弄得袖子尽湿。嘴里自言自语的说："卑职该死！卑职该死！打碎茶碗，卑职来赔！"制台也不理他。那人掳了一会，无法可想，也只得站了起来。

众人至此方看明白，打碎茶碗的不是别人，正是申守尧。原来他此番得蒙制台赏坐，竟自以为莫大之荣宠，一时乐得手舞足蹈，心花都开。一见端茶送客，正想赶着出来，以便夸示同僚。岂知那茶碗托子是没有底的，凑巧他那碗茶又是才泡的开水滚汤，连锡托子都烫热了；他见制台端茶，忙将两手把碗连托子举起，不觉烫了一下，一时要放不敢放，一个不当心，误将指头伸在托子底下，往上一顶，那茶碗拍拉托一声，翻到在地下来了。此时众人既看清是申守尧，直把他羞得满面绯红，无地自容。制台拿他望了两眼，想要说他两句，又实在无可说得。只站起身来，回头对巡捕说道："以后还得照旧罢。这些人是上不得台盘，抬举不来的。"说完了这句，也不送客，一直径往里头去了。

这里众人先还不敢走，只见制台的一个跟班进来说道："诸位太爷不走等甚么？还想大人再出来送你们吗？倒合了一句俗话，'鼻子上挂鲞鱼，叫做休想！"众人听说，只得相将出来。申守尧思思索索的跟在众人后头，走的很慢。那爷们又说道："刚才大人的话可听见了没有？这厅上的椅子，除了今天，明天又没得坐了。如果舍不得，不妨再进来多坐一会去。"众人虽明晓得他是奚落的话，但奈何他不得，只好低着头退了出去，仍走到大堂底下。秦梅士年老嘴快，首先走来把申守尧埋怨一顿，说："我们熬了几十年，才熬到这么一个际遇，如今又被你闹回去了。你一人的成败有限，这是关系我们佐班大局的，怎么能彀不来怪你呢！"申守尧自知理屈，不敢置辨。还是随凤占为人圆通，忙过来解劝道："惟其只有今天坐得一次，越显得难得之机会。将来我们这辈人千秋之后，这件事行述上都刻得的。老前辈以为何如？"众人议论了一回，各自散去。

随凤占随又分赴别位大宪衙门，叩谢禀辞，预备上任。且说他这个吏目，在湖北省佐贰实缺当中，虽然算不得好缺，比较起来，还算中中。随凤占自己又抱定了一个宗旨，叫做"事在人为"。他的意思，以为各种样缺总要想法自己去做，决没有赔累的。他捐了花样，新选到省，手中本来略有几文。因为吏目是从九品，上任之后，轿子跟前只能打把蓝伞，乡下人不懂得，还说这轿子里的老爷是穿"服"的。心想蓝伞实在不好看，要捐个五品衔又够不上。齐巧有人用他十二块钱，抵押给他一张空白五品翎顶奖札。他得了这个，非凡之喜，立刻穿戴起来，手本上居然加上"蓝翎五品顶戴"六个小字。又想在省里做好四副衔牌带去：一副是"蕲州右堂"，一副是"五品顶戴"，一副是"赏戴蓝翎"；那一副凑不出，想了半天，忽然想起"我的五品翎顶是军功上来的”，便凑了一副“军功加三级”。把四副官衔牌凑齐，找了个漆匠加工制造，五天包好，带去上任。

到了蕲州，照例先去禀见堂翁区奉仁。知州大老爷没有官厅，右堂太爷至此，只得先下门房，见了门政大爷，送过门包，自然以好颜相向，彼此如兄若弟的鬼混了半天。门政大爷随口编了几句恭维的话，随凤占亦说了些“诸事拜求关照”的话。等到里头堂翁请见，跟着手本进去，一般花衣补服，灿烂夺目。同堂翁区奉仁虽然在省城里已经见过，不能算数，重新磕头行礼。区奉仁让他坐下，彼此敷衍了几句，端茶送客。随凤占辞了出来，预先托过执帖门上，凡是堂翁衙里官亲、老夫子，打帐房起，钱谷、刑名、书启、征收、教读、大少爷、二少爷、姑爷、表少爷，由执帖门上领着，一处处都去拜过。每处一张小字官衔名片。也有见着的，也有挡驾的。连堂翁的一个十二岁的小儿子，他还给他作了一个揖。又托执帖门上拿手本替他到上房里给太太请安，太太说不敢当，然后退了出去。其时一个州衙门已经大半个走遍了。下来之后，仍在门房里歇脚。门口几位拿权的大爷，是早已溜的熟而又熟，就是堂翁的跟班，随凤占亦都一一招呼过。三小子倒上茶来，还站起来同他呵一呵腰，说一声“劳驾”。跟手下来拜同寅，拜绅士，所有大小铺户，轿过之处，一概飞片。整整拜了一天客，未曾拜完。

预选吉日是第二天腊月十九，接钤任事。到了这天，地保办差，招了无数若干的化子，替太爷打着伞，抗着牌；又弄了两个鼓手，一个打鼓，一个吹唢呐，一路吡哩叭喇冬，一直吹进了衙门。随凤占身穿朝服，下了轿，一样三跪九叩首，赞礼生吆喝着，接过了木头戳子。因为上有堂翁，放不得炮，只放了两挂一千头的鞭炮。下来便是改换公服，升堂受贺。启用木戳。自有他那手下的一班人向他行礼。退堂之后，接着又到堂翁跟前禀知任事，照例三天衙门，不用细述。

随凤占虽系初任，幸亏是世代佐班，一切经络都还牢记在心，并不隔膜。他晓得做捕厅的好处全在三节，所以急急赶来上任，生恐怕节礼被前任预支了。到地头的头一天，禀见堂翁下来，就到盐公堂以及各当铺等处拜会管事人。见面之后，无非先拿人家一泡臭恭维，慢慢的谈及缺分清苦，以后全仗诸位帮忙，然后再谈到年下节敬一层。蕲州城厢里外一共有七家当铺。内中有两家当铺是新换挡手，只知道年下送捕厅有此一分礼；那署事的预先托人来预借，挡手的不晓得新选实缺就要来的，以为早晚都是一样，他既来借，乐得送个人情。有两家老硬的，却板定一定要到年下再送，预先来借，竟其一毛不拔；那署事的却也拿他无可如何。还有两家通融办理，等他来借，只借给他一半：譬如一向是送两块洋钱的，先叫他带一块去，说明白那一块须留送正任；那署事的亦只好罢手。内中只有盐公堂的管事人，因同这位署事的是同乡，见他来借，另外送了他两块，说是彼此乡情，格外送的程仪；至于正项，须得到年下方好支送。那署事的为盐公堂的节礼向比别处多些，不肯轻轻放过，便道：“从中秋到年下一共是一百三十五天，我做了一百二十来天，这笔钱应该我得。”但虽如此说，无奈人家只是不肯送，便也无可如何，只得罢手。

单说随凤占自到蕲州之后，东也拜客，西也拜客，东也探听，西也探听；不上三天，居然把前任署事的一本帐簿都打听得清清楚楚，放在肚里。自己又去同人家讲：“兄弟本来今年是不打算到任的了；只因宪恩高厚，晓得年底下总有点出息，所以上头才叫兄弟赶了来的。兄弟倘若随随便便，不去顶真，不特自己对不住自己，并且辜负上头的一番美意。至于一切照例规矩，料想诸位都是按照旧章。”说到这里，禁不住强作欢颜，哈哈一笑，接着又道：“兄弟是实缺，彼此以后相聚的日子正长，将来叨教的地方甚多，诸位一定是照应兄弟的，还要兄弟多虑吗。”说罢，又哈哈大笑。他一连走了多处，都是如此说法。有几家年礼未被前任收去的，听了他话，乐得送个顺水人情；有两家不懂得这里头诀窍，已经预先在前任面上做过好人，听此说话，却不免有点后悔。

闲话少叙。却说随凤占接印下来，忙叫自己的内弟同了一个心腹跟班，追着前任清算交代，一草一木，不能短少，别的更不消说了。前任移交下来，一些是五只吃茶的盖碗，内中有一只没有盖子。这边点收的时候，那个跟班的一个不当心，又跌碎了一只盖子。无奈这跟班的又想自己讨好，不肯说是跌破了，见了老爷，只推头说是前任只交过来三只有盖子的；以为一只茶碗盖子为价有限，推头在前任身上，老爷或者不好意思再去问他讨，这事就过去了。谁知这位太爷一根针也不肯放松，定规不答应，逼着跟班的找前任去讨盖子：“倘若没有，就剥下他的王八盖来给我！”那跟班心上是明白的，自己打破了，怎么好向人家去讨呢。于是赖着不肯去。随凤占骂他说：“跟了我这许多年，如今越发好了，帮着别人，不帮着我老爷，一点忠心都没有了！”跟班的被他催得无可如何，只得出去打了一个转身，仍旧空着手回来，说：“没有。”随凤占不免又拿他埋怨了一顿，怪他无用，一定要自己去讨；后来还是被舅老爷劝下的。

交代算清，听说前任明天就要回省。他一听不妙，忙忙的连夜出门，找齐了城厢内外地保，叫他们去吩咐各烟馆，各赌场，以及私门头窑子：“凡是右堂太爷衙门有规矩的，都通知他们一概不准付。倘若私自传授，我太爷一定不算，从新要第二分的。况且他是署事，我是实缺，将来他们这些人都是要在我手下过日子的。如果不听吩咐，叫他们以后小心！”着地保分头传命去后，他一想：“烟馆、赌场、窑子等处是我吃得住的。唯独当铺都是些有势力的绅衿开的，有两家已被前任收了去，年下未必肯再送我，岂不白白的吃亏。这事须得趁早向前任算了回来，倘若被他走了，这钱问谁去找呢。”主意打定，立刻亲自去拜望前任。

前任听说他来，只得出来相见。只见他进门之后，勉勉强强作了一个揖。归坐之后，把脸红了几阵，要说又不爽爽快快的说，吞吞吐吐了半天，才说道：“兄弟今日过来，有一桩事情要请教。……”说到这里，又咽住了。歇了一会，又说道：“论理呢，兄弟世代为官，这几个钱也见过的。但是既然犯了本钱出来做官，所为何事？倘若一处不计较，两处不在乎，这也可以不必出来现世了。这事论不定还是他们因我们新旧交替，趁空蒙蔽，也未可知。所以兄弟不得不过来言语一声，大家明明心迹，这就不为小人所欺了。”前任署事的见他说了半天只是绕圈子，还没有说到本题；虽然心上也有点数，究为何事，不得而知，楞在那里，不则一声。随凤占见他不答，只得又说道：“所为的并非别事，就是年下节礼一层。这笔钱虽然有限，也是名分所关，所谓‘有其举之，莫敢废之’，我们也犯不着做甚么好人不要。但是这笔钱，兄弟一向是晓得的，总得拖到年下，他们方肯送来。有几处脾气不好的，弄到大年三十还不送来，总要派了人到他们店里去等，等到三更半夜，方才封了出来。我说他们这些人是犯贱的，一定要弄得人家上门，不知是何打算！”前任署事的听他如此讲，方才顺着他的嘴说道：“这班人真是可恶得很！不到年下，早一天决计不肯通融的。”随凤占忽然把脸一板道：“兄弟说的是别省外府州、县，都是这个样子；谁知此地这些人家竟其大谬不然！”前任听了他的说话，晓得他指的是自己，面子上只得做出诧愕的神气，装作不懂。

随凤占又笑嘻嘻说道：“做官的苦处，你老哥是晓得的。我们这个缺，一年之计在于三节；所以兄弟一接印之后，就忙忙的先去打听这个。这也瞒不过吾兄，这是我们养命之源，岂有不上劲之理。谁知连走几家，他们都说这分年礼已被老兄支来用了。兄弟想，兄弟是实缺，老兄不过署事。倘若兄弟是大年初一接印，这笔钱自然是归老兄所得；倘若是二十九接印，年里还有一天，这钱就应兄弟得了。兄弟听他们说话奇怪，心想吾兄是个要面子的人，决不至于如此无耻。而且他们这笔钱一向非到年下不付，何以此番忽然慷慨肯借？所以很疑心他们趁我们新旧交替，两面影射。兄弟一向是事事留心，所以今天特地过来请教一声，以免为所蒙蔽。”前任署事的听他此话，一句回答不出。随凤占又道：“我晓得老哥决不做对不住朋友的事情；咱俩一同到两家当铺里去，把话说说明白，也明明你老哥的心迹。”说罢，起身要走。前任署事的只是推头明天要动身，收拾行李，实在没有工夫出门。随凤占道：“老哥不去，岂不被人家瞧着真果的同他们串通，已经支用了吗？”前任一想：“这事遮遮掩掩，终不是个了局，不如说穿了，看他如何。”想定主意，便哼哼冷笑了两声，说道：“你老哥也太精明了！固然你是实缺，兄弟是署事。你说你是宪恩高厚，叫你来收节礼的；难道兄弟不是上宪栽培，就会到这里来吗？辛苦了一节，好容易熬到年下，才收人家这分节礼。我们算算日子看：你到任不过十几天，我兄弟在任一百多天，论理年下的这分礼统通都应该我收才是。你是实缺，做得日子长着哩，自然该我们署事的占点便宜。”

随凤占见他直认不辞，不觉气愤填膺，狠狠的说道：“那可不能！通天底下没有这个道理！照此说来，一定这个钱已经被你支了用了！我赶了来做甚么的！我同你老实说：彼此顾交情，留个脸，小小不言的事情，我也不追究了。你把这预支的年礼乖乖的替我吐了出来，大家客客气气；如果要赖着不肯往外拿，哼哼，我不同你讲理，我们同去见堂翁，等堂翁替我评评这个理去！”前任署事的听他说话强横，便也不肯相让，连连说道：“见堂翁就见堂翁，我亦不怕他甚么！……”随凤占见他不怕，立刻走上前去一把胸脯，说了声“我们同去”！前任署事的见他动手，也乘势一把辫子。两个人从右堂扭了出来，一扭扭到正堂的宅门里头。

把门的是认得的，连忙上前相劝。谁知两个人都用死力揪住不放，再三的拉亦拉不开。两家的管家都跟着。一揪揪到门房里，只见执帖门上同了几位门政大爷正在那里打麻雀牌哩。见了这个样子，一齐上前喝阻。随凤占说：“他眼睛里太没有我实缺了！我要见堂翁，请堂翁替我评评这个理！”前任亦说：“一共总我只收到人家四块钱的节礼，这钱也是我名分应得的。他要见堂翁，我就陪他来见堂翁。我没有短处，不怕甚么！”几位门政大爷听了他二人说话，无可袒护，只得上来劝的劝，拉的拉，好容易才把他两位拉开。州里执帖门跺着脚说道：“你二位这是怎么说呢？说起来，大小是个官，怎么连着一点官礼都不要了？快别这个样子，叫上头听见了生气，就是傍人瞧着也要笑话的。有甚么话，我们当面讲讲开。俗话说的好，叫做是‘君子动口，小人动手’，怎么你二位连这两句话都不晓得吗？”他俩扭进来的时候，各人都觉着自己理长，恨不得见了堂翁，各人把各人苦处诉说一顿。及至被执帖大爷训斥一番，登时哑口无言，不知不觉，气焰矮了大半截，坐在那里，一声不响。执帖门上又叫三小子绞手巾给他俩擦脸，又叫泡盖碗茶，着实殷勤。

那班打麻雀牌的人也不打了，一齐拿眼睛钉住他俩，听他说些甚么。始终随凤占熬了半天，熬不住了，把前任预支年礼的话，原原本本述了一遍。前任见他开口，也抢着把他的苦况陈说一番；又说：“可怜我到了临要交卸的几天，是一点势力也没有了；那些人真正势利，向他们开口，说到舌敝唇焦，只有两家一家拿出来两块大洋，一共只有四块大洋。你看，他就闹得这个样子！”随凤占道：“怎么四块还嫌少？依你要多少？”前任还未开口，只听一个打牌的人说道：“真是你们这些太爷眼眶子浅！四块钱也值得闹到这个样子！我们打麻雀，只要和上一百副就有了。——旁家和一百副，做庄还不要。四块洋钱甚么稀奇！我昨天还输了四十多块哩！”执帖门道：“老哥，谁能比得上你？你们钱漕大爷，一年好几千的挣，人家当小老爷，做上十年官，还不晓得能够赚到这个数目不能！”钱漕道：“我有钱赚，我可惜做不着老爷；他们大小总是皇上家的官。”又一个同赌的道：“罢罢罢！你们没瞧见他们刚才一路扭进来的时候，为了四块洋钱，这个官简直也不在他二位心上；倘若有几千银子给他赚，只怕叫他不做官都情愿的。你老哥眼馋他俩做官，我来做个中人，你俩就换一换，可好不好？”钱漕门道：“我有了钱，我不会自己捐官，我为甚么要人家的？”那个同赌的道：“我只要有钱赚，就是给我官做我亦不要。”众人你一句，我一句，直把个随凤占同前任羞得无地自容，也深悔自己孟浪，如今坍台坍在他们这一班奴才手里。当下随凤占也没有再说别的，淡淡的谈了两句，自行回去。至于那前任，另有同他说得来的人，早拉他到别的屋里去了。一天大事，瓦解冰消。

一直等到年下，随凤占还差人到那两家当铺去讨年礼。人家回称早就送过了。随凤占道：“我没有收到，不能算数。”后首说来说去，大家总念他大小是个朝廷的官，将来论不定或者有仰仗他的地方，也就不肯过于同他计较，又每家送了他一只大洋，方才过去。

正是光阴似箭，日月如梭，转瞬间三春易过，已到四月。向例各属犯人，到了这个时定须解往省城，由大宪订期会讯详察有无冤枉；这日巡抚、司、道统通朝服升座，提犯勘验，其名谓之“秋审大典”。——其实不过点名过堂。大员之中有好名的，还捐几文钱买些蒲扇、痧药之类，赏给那些犯人，实则为数亦甚有限。名字说是“秋审”，及至犯人上堂之后，就是有冤枉，那坐在头上的几位大人实在也没闲工夫同犯人说话：所以这一番竟是虚应故事。

闲话休题。且说蕲州是黄州府该管，到了这个时候，府太尊便把合属的捕厅开了单子，酌派两位解犯进省。这趟到省，不定有一月、半月耽搁，本缺未便久悬，例在本府候补佐贰当中轮派两人前往代理，亦是调剂属员的意思。这年府太尊所委两人，偏偏有随凤占在内。到得四月初十边，本府公事跟着府委代理的一同下来。随凤占照例交卸，解犯上省。倘若到省没有耽搁，约计四月底、五月初就可回来，赶收节礼，尚不为晚；设遇有事，迟至节后亦未可知。随凤占奉到此札，心上甚是懊闷。但是太尊所委，便也无可如何，只得将钤记交与代理的人看管，自己跟手整顿行装，急急进省。不料到省之后，各属犯人刚刚这天到齐。臬台正要请抚台几时秋审，偏偏这天抚台得了病症，请了几个大夫都医不好。又有人说：抚台犯的是外症，面目浮肿，很不好看；嘴里还有一股气味，叫人闻了恶心。后首来请到一位外国大夫，方才有了把握，配了几瓶药水，送给抚台吃过。据外国大夫说：吃了他这个药水，有甚么病症，一齐从小便里出去，决不会上头面的了。但是一时总得避风，不能出外见客。因此就把这"秋审"一事耽误下来。一班实缺捕厅太爷眼巴巴望着，恨不得早把此事办过，也可以早些回任。无奈抚台病着，一时不能举行；公事不完，又不敢擅离省城一步。各位太爷异常焦躁。

书中单表随凤占随太爷只因端节就在目前，一时不得回任，眼看着一分节礼要被人家夺去，更是茶饭无心，坐立不安。等到四月二十六这一天，听得同寅说起抚台的病虽有转机，但一时总难出外，必须节后方能举行秋审。他一听此信，犹如浑身浇了一盆冷水一般。回寓后，一言不发，踌躇了半夜，方想出一条主意来。他想："照此样子下去，不过闲居在省，一无事事，我何如趁此挡口，赶回蕲州，就骗人家说是公事已完。人家见我回来，自然这节礼决计不会再送到别人手中去了。等到节礼收齐，安安稳稳，过完了节，我再回省。神不知，鬼不觉，岂不大妙！"主意打定，立刻叫家人收拾行李，出城过江，趁了下水轮船，径向蕲州进发。临走的时候，有同他住在一起一位同差的，问他那里去。他说："接到家信，太太在蕲州生产，家里没人照应，不得不亲自回去。这里的事，千万拜托老兄不要说破。"人家见他说得如此恳切，这种顺水人情自然乐得送的，便亦无话，听其自去。谁知他老人家回到蕲州，既不禀见堂翁，亦不拜客，并不与代理的见面，天天钻在那几家当铺里，或是盐公堂里走走，同人家说："我已经回来了，几时几日接的印。"人家都信以为真。到了五月初三，所有的礼物都被他收了去了。

那代理的人起先听说抚台有病，把"秋审"一事搁起，晓得实缺一时不得回来，满心欢喜，以为这分节礼逃不出我的掌握之中。那知等到初五早上，依然杳无消息。赶紧托人出去打听，才知道早被随太爷半路上截了去了。这一气非同小可！立刻出门查访，后在一爿小客栈里把随太爷找着。见面之后，不由分说，拿随太爷一把辫子，说他擅离职守，捏称回任，定要扭他到堂翁跟前，请堂翁禀明太尊，请示定夺。随太爷亦不肯相让。因此彼此又冲突起来。

要知后事如何，且听下回分解。

第四十五回
擅受民词声名扫地　渥承宪眷气焰熏天

却说正任蕲州吏目随凤占被代理的找着扭骂了一顿，随凤占不服，就同他冲突起来。代理的要拉了他去见堂翁，说他擅离差次，私自回任，问他当个甚么处分。随凤占说："我来了，又没有要你交印，怎么好说我私自回任？"代理的说："你没接印，怎么私底下好受人家的节礼？"随凤占说："我是正任，自然这个应归我收。"代理的不服，一定要上禀帖告他。毕竟是随凤占理短，敌不过人家，只得连夜到州里叩见堂翁，托堂翁代为斡旋。

这日州官区奉仁正办了两席酒，请一班幕友、官亲，庆赏端阳。正待入座，人报："前任捕厅随太爷坐在帐房里，请帐房师爷说话。"帐房师爷不及入席，赶过来同他相见；只见他穿着行装，一见面先磕头拜节。帐房师爷还礼不迭。磕头起来，分宾归坐。帐房师爷未及开谈，随凤占先说道："兄弟有件事，总得老夫子帮忙。"帐房师爷到此方问他差使是几时交卸的，几时回来的。随凤占见问，只得把生怕节礼被人受去，私自赶回来的苦衷，细说了一遍；又说："代理的为了此事要禀揭兄弟，所以兄弟特地先来求求老夫子，堂翁跟前务求好言一声，感激不尽！"说完，又一连请了两个安。帐房师爷因为他时常进来拍马屁，彼此极熟，不好意思驳他。让他一人帐房里坐，自己到厅上，一五一十告诉了东家区奉仁。区奉仁亦念他素来恪守下属体制，听了帐房的话，有心替他帮忙。便让众位吃完了酒，等到席散，也有十点多钟了，然后再把随凤占传上去。面子上说话，少不得派他几句不是。随凤占亦再三自己引错，只求堂翁栽培。区奉仁答应他，等把代理的请了来，替他把话说开。

正待送客，齐巧代理的拿着手本也来了。区奉仁连忙让随凤占仍到帐房里坐，然后把代理的请了进来。代理的见了堂翁，跪在地下，不肯起来。区奉仁道："有话起来好说，为甚么要这个样子呢？"代理的道："堂翁替卑职作主，卑职才起来。"区奉仁道："到底甚么事情呢？"代理的道："卑职的饭，都被随某人一个人吃完了。卑职这个缺，情愿不做了。"区奉仁道："你起来，我们商量。"一面说，一面又拉了他一把。于是起立归坐。区奉仁又问："到底甚么事情？"代理的道："卑职分府当差，整整二十七个年头。前头洪太尊、陆太尊，卑职统通伺候过。就是代理，大小也有五六次，也有一月的，也有半月的。”区奉仁道：“这些我都晓得，你不用说了。你但说现在随某人同你怎样。”代理的道：“分府当差的人，不论差使、署缺，都是轮流得的。卑职好容易熬到代理这个缺，偏偏碰着随某人一时不能回任，节下有些卑职应得的规矩……”不想说到这里，区奉仁故意的把脸一板道：“甚么规矩？怎么我不晓得？你倒说说看！”代理的一见堂翁顶起真来，不由得战战兢兢的，陪着笑脸，回道：“堂翁明鉴：就是外边有些人家送的节礼。”区奉仁听了，哼哼冷笑两声道：“噢！原来是节礼啊！”又正言厉色问道：“多少呢？”代理的道：“也有四块的，也有两块的，顶多的不过六块，一古脑儿也有三十多块钱。”区奉仁道：“怎么样呢？”代理的撇着哭声回道：“都被随某人收了去了，卑职一个没有捞着！卑职这一趟代理，不是白白的代理，一点好处都没有了吗。所以卑职要求堂翁作主！”说罢，从袖筒管里抽出一个禀帖，双手捧上，又请了一个安。看那样子，两个眼泡里含着眼泪，恨不得马上就哭出来了。

区奉仁接在手中，先看红禀由头，只见上面写的是：“代理蕲州吏目、试用从九品钱琼光禀：为前任吏目偷离省城，私是回任，冒收节敬，恳恩作主由。”区奉仁一头看，一头说道：“他是正任，你是代理，只好称他做正任。”又念到“私是回任”，想了一回，道：“噢！私自的自字写错了。但是他没有要你交卸，说不到回任两个字。”又念过末了一句，说道：“亦没有自称节敬的道理。亏你做了二十七年官，还没有晓得节敬是个私的！”顺手又看白禀，只见“敬禀者”底下头一句就是“窃卑职前任右堂随某人”。区奉仁也不往下再看，就往桌子上一撩，说道：“这禀帖可是老哥的手笔？”钱琼光答应一声“是”。又说：“卑职写得不好。”区奉仁道：“高明之极！但是这件事兄弟也不好办。随某人呢，私自回来，原是不应该的；但是你老哥告他冒收节敬，这节敬可是上得禀帖的？我倘若把你这禀帖通详上去，随某人固不必说，于你老哥恐怕亦不大便当罢？”钱琼光一听堂翁如此一番教训，不禁恍然大悟，生怕堂翁作起真来，于自己前程有碍，立刻站了起来，意思想上前收回那个禀帖。区奉仁懂得他的来意，连忙拿手一揿，说道：“慢着！公事公办。既然动了公事，那有收回之理？你老哥且请回去听信，兄弟自有办法。”说罢，端茶送客。钱琼光只得出来。

这里区奉仁便把帐房请了来，叫他出去替他们二人调处此事。随凤占私离差次，本是不应该的，现在罚他把已收到的节礼，退出一半，津帖后任。随凤占听了本不愿意；后见堂翁动了气，要上禀帖给本府，方才服了软，拿出十六块大洋交到帐房手里。禀辞过堂翁，仍自回省，等候秋审不题。

这里钱琼光自从见了堂翁下来，一个钱没有捞着，反留个把柄在堂翁手里，心上害怕。在门房里坐了半天，不得主意，只得回去。次日大早，仍旧踱了过来。门口的人一齐劝他上去见帐房师爷。他一想没法，只得照办。其时随凤占吐出来的十六块洋钱已到帐房手里。只因他的人缘不及随凤占来的圆通，及至见面之后，吱吱喳喳，又把臭唾沫吐了帐房师爷一脸，还没有把话讲明白。帐房师爷看他可怜，意思想把十六块洋钱拿出来给他；回头一想："倘若就此付给他，他一定不承情的。"只得先把东家要通禀上头的话，加上些枝叶，说给他听。直把他吓得跪在地下磕头。然后帐房师爷又装着出去见东家，替他求情。鬼鬼祟祟了半天，回来同他说，东家已答应不提这事了。钱琼光不胜感激。至此方慢慢的讲到："我兄弟念你老兄是个苦恼子，特地再三替你同随某人商量，把节礼分给你一半，你俩也就不用再闹了。"钱琼光见了起初的情形，但求堂翁不要拿他的禀帖通详上去，已经是非常之幸，断想不到后来帐房师爷又拿出十六块洋钱给他。把他感激的那副情形，真是画也画不出。立刻爬在地下，磕了八个头；磕起来少说作了十来个揖，千"费心"，万"费心"，说个不了。又托帐房师爷带他到堂翁跟前叩谢宪恩。帐房师爷说："他现在有公事，我替你说到一样的了。"于是钱琼光又作了一个揖，然后拿了洋钱，告辞出去。

回到自己捕厅里，把十六块洋钱拿出来，翻来覆去的看了半天，又一块一块的在桌上钉了好几回，一听响声不错，格外感激州里帐房照应他，连一块哑板的都没有。总想如何酬谢酬谢他才好。一面想，一面取块小毛巾，把洋钱包好，放在枕头旁边。跟手出去解手。解手回来，一个人低着头走，忽然想到："四月底城外河里新到了一只档子班的船，一共有七八个江西女人，有两个长的很标致。南街上毡帽铺里掌柜王二瞎子请过我一趟，临行的时候，还再三的托我照应他们。我不如明天到那里，叫他们替我弄几样菜，化上一两块钱请这位老夫子，补补他的情才好。"主意打定，回到屋里，不知不觉，把刚才十六块洋钱陡然忘记放在那里去了。桌子抽屉，书箱里面，统通找到，无奈只是无影无踪。直把他急的出了一身大汗，找了半天，仍旧找不着，恍恍惚惚，自己也不辨是真是梦。于是和衣往床上躺下，慢慢的想："到底我刚才放在那里的？"一会又怪自己记性不好，恨的像甚么似的！不料偶一转侧，忽听得当的一声，原来一包洋钱，小手巾未曾包好，被个小枕头碰了一下，所以响的。钱琼光翻过身来一看，洋钱有了；立刻打开来数了数，不错，还是十六块。这一喜更非同小可！仍旧拿手巾包好，塞在身上袋里。便起身叫管家到南街上招呼王二瞎子，托他去到档子班船上，叫他们明天晚上到馆子里叫几样菜，说是要请州里帐房师老爷吃饭；交代馆子里，菜要弄好些；再叫船上收拾收拾干净。

底下人奉命去后，他自己又盘算道："明天请的客自然是帐房老夫子首座。"忽又想起："我今儿在帐房里，看见本官的二老爷，见了我，还问我这趟代理弄得好有几个钱，看来着实关切，也不好不请请他。我们在外头，那里不拉个朋友呢。”屈指一算：“帐房老夫子一位，本官二老爷两位，王二瞎子三位，连自己一共才有四个人。人头太少，索性多请两位，把南关里咸肉铺老板孙老荤，东门外丰大药材行跑街周小驴子，一齐请了来，大家热闹热闹。料想他们听见我请的是州里二老爷、帐房师爷，他们一齐都要赶得来的。况且如此一请，人家晓得我同州里要好，目下于我的事情也不为无益。”主意打定，正在洋洋自得，那差出去的管家也回来了，回称：“王二爷听说老爷请州里师爷吃饭，忙的他立刻自己出城到船上去交代，连馆子里也是自己去的。”钱琼光点点头，又道：“我请的不但帐房师爷，还有区大老爷的二老爷哩。”

管家出去，钱琼光也就安寝；毕竟有事在心，睡不大着。次日一早起身，洗脸之后，就赶过来自己请客。先落门房，取出一张官衔名片，先上去禀见二老爷。执帖门上进去了一回，回来说道：“二老爷昨儿在房里叉了半夜麻雀，到了后半夜忽然发起痧来，闹到天亮才好的。如今睡着了，只好挡你老的驾罢。”钱琼光一听这话，不觉心中一个失望，嘴里还说：“我今天备了酒席，专诚要请他老人家赏光的，怎么病起来了？真真不凑巧了！”于是又亲身到帐房里，想当面去约帐房师爷。不料走到帐房里，只见里间外间桌子上面以及床上，堆着无数若干的簿子；帐房师爷手里捻着一管笔，一头查，一头念；旁边两个书办在那里帮着写。帐房一见他来，也不及招呼，只说得一句“请坐！兄弟忙着哩。”钱琼光见插不下嘴，一人闷坐了半天。值帐房的送上水烟袋，一吃吃了五根火煤子。无奈帐房还没有忙完，只得站起身来告辞；意思想帐房出来送客的时候，可以把请他吃饭的话通知于他。谁知钱琼光这里说“失陪”，帐房只把身子欠了一欠，说了声“对不住，我这里忙着，不能送了，过天再会罢”。说完，仍旧查他的簿子。

钱琼光无法，只得出来。心想：今天特为请他们吃饭，一个也不来。化了冤钱事小，被王二瞎子一班人瞧着，我这个脸摆在那里去呢！”一回又怪帐房师爷道：“我专诚来请你吃饭，你不该只顾做你的事情，拿我搁在旁边，一理不理。谅你不过靠着东家骗碗饭吃，也不是甚么大好老，就这样的大模大样，瞧人不起！至于那位二老爷，昨天不病，明天不病，偏偏今儿我定了菜，他今儿病了，得知是真是假。他们既然不来，我也不稀罕他们来！”一面想，一面又走到门房里。执帖门上见他没精打彩的，便问：“钱太爷，心上转甚么念头？很像满肚皮心事似的。”谁知一句话倒把钱琼光提醒，一想：“二老爷、帐房既然不来，我不如拿这桌菜请请底下的朋友，人家看起来，一样是州里的人。只怕这几位拿权的大爷，到堂翁跟前说起话来，还比甚么帐房、二老爷格外香些。况且我自从到任至今，也没有请过他们，今儿这局，岂不一当两便。”于是就把这话告诉了执帖门上，托他把钱漕、稿案、杂务、签押、书禀、用印，几位有名目的大爷统通请到；跟班人多，不能遍约，只约得跟班头一位。说明今天是夜局。执帖门上明晓得他是请上头请不到，所以改请他们的，便推头“没有空，谢谢罢”。钱琼光也没听见，忙着又托这屋里的三小子替他去请客。一霎时三小子回来说：“稿案毛大爷、签押卢大爷，恐怕晚上有堂事，不敢走开；杂务上朱大爷、用印的马大爷，为了这两天上头常常有呼唤，亦抽不得身；钱漕上陆大爷，为他二奶奶养孩子，请了假，已经两天不来了；只有跟班上萧二爷说是等到老爷睡了觉，一定过来奉扰的。”三小子未说完，执帖门上又道：“他们统通不来，你为我一个人，何必要费事呢？”钱琼光道：“还有萧二爷同你俩呢。他们扫我的面子，难道咱们老兄弟，你还好说不来吗。”于是又千叮万嘱，直到执帖门上点头应允，方才告别。

回到自己衙内，心想：“他们竟如此瞧我不起，竟其一个不来；肯来的又是拿不到权的人。真正越想越气！”好容易熬到下午，王二瞎子亲自跑来，说：“一切都预备好了。馆子里听说请的是州里师老爷，贴本都情愿。但不知这位师爷甚么时候才过来？”只见钱琼光脸上红了一阵，说道：“他们一齐体谅我，不肯叫我化钱，一定还要拉我在衙门里吃饭，说着就吩咐大厨房里添菜。我想我今天的菜已经托了你了，他们既然不来，我不好叫你为难，只得又请了两位别的客。”王二瞎子道：“你早告诉了我，这菜可以退得掉的。但不知请的又是那两位？”钱琼光不好说请的是跟班上的，只含糊说了声“还是衙门里的”。王二瞎子一听仍是衙门里的人，就是声光比帐房差些，尚属慰情聊胜于无。依王二瞎子意思，还想等着衙门里的人到齐，一块陪出城，似乎面上有光彩些。钱琼光是晓得的，跟班上萧二爷，非得老爷睡了觉是不得出来的，便说：“不必罢，我们先出去吃着烟等他们罢。”于是两人步行出城。

到了船上，一班女戏子迎了出来，一个个擦着粉，戴着花，妖妖娆娆的，“钱太爷”、“王二爷”，叫的应天响。钱太爷走进舱里，只见居中摆了一张烟铺。王二瞎子是大瘾，见了烟铺就躺下了。船上女老班也进舱招呼，问衙门里的老爷几时好来。王二瞎子不等钱太爷开口，拿指头算着时候，说道：“现在是五点钟，州里大老爷吃点心；六点钟看公事；七点钟坐堂。大约这几位老爷八点钟可以出城。”钱琼光道：“那可来不及。我们这位堂翁也是个大瘾头，每日吃三顿烟，一顿总得吃上一个时辰。这个时辰单是抽烟，专门替他装烟的，一共有五六个，还来不及。此刻五点钟，不过才升帐先过瘾；到六点钟吃点心；七点钟看公事；八点钟吃中饭；九点钟坐堂；碰着堂事少，十点钟也可以完了，回到上房吃晚饭过瘾；十二点半钟，再到签押房看公事；打过两点，再到上房抽烟，这顿烟一直要抽到大天亮。不过以后有上房里的人伺候，跟班上的爷们都可以没事了。”王二瞎子道：“他老这么大的瘾，设若有起事来，怎么样呢？”钱琼光道：“有起事来，或是进省上衙门，总是来吞生烟。”

正说着，孙老荤先来了，晓得要陪州里的老夫子吃饭，特地换了一簇新衣服。王二瞎子道：“老荤，今儿钱太爷是请你来做陪客的，不是请你来招女婿的，为甚么穿的衣服同新女婿一样呢？”孙老荤道：“难得钱老父台赏饭吃，请的又是州里的老夫子，自然应该穿件新衣服，恭敬些。”三个人闲谈了好一回，船上又搬出些点心来吃过。王二瞎子掏出表来一看，九点钟只差得五分了，不但州里的客没来，连着周小驴子也没音信。大家甚是奇怪。又等了半个钟头，忽听见船头上有人叫唤，大家总以为是请的特客来了，一齐起身相迎。及至进舱一看，原来就是周小驴子，跑的满身是汗，一件官纱大衫已湿透了半截了，一只手只拿扇子搧个不了。王二瞎子劝他脱去长衫，又叫船上打盆水给他洗脸。钱琼光便问他：“为何来得如此之晚？”周小驴子道：“不要说起，今儿替一个朋友忙了一天。”钱琼光问：“是甚么事情？”周小驴子道：“也是治弟的一个乡亲，他有个姑表妹妹，从前他姑妈在世的时候有过话，允许把这个女儿给我们这个乡亲做媳妇的；后来姑妈死了，姑夫变了卦，嫌这内侄不学好，把女儿又许给别人了。”钱琼光道：“当初媒人是谁？”周小驴子道：“有了媒人倒好了，为的是至亲，姑妈亲口许的，用不着媒人。”钱琼光道：“婚书总有？”周小驴子道：“这个不晓得有没有。治弟为了这件事，今天替他们跑了一天，无奈说不合拢，看来恐怕要成讼的了。”钱琼光道：“一无媒证，二无婚书，这官司是走到天边亦打不赢的。”周小驴子道：“现在我们这乡亲情愿……”说到这里又不说了。王二瞎子会意，拿嘴朝着钱琼光一努，对周小驴子道：“摆着我们钱老父台在这里你不托。该应怎么办法，大家商量好了。只要替你乡亲争口气；再不然，钱老父台同州里上头下头都说得来，还怕有办不到的事吗。”一句话提醒了周小驴子，忙说道：“他姑夫那边只要出张票，不怕他不遵。”钱琼光道：“单是出张票容易。兄弟自从到任之后，承诸位乡亲照顾，一共出过十多张票。不瞒诸位说：这票都是诸位照顾兄弟的。这件事兄弟衙门里很可办得，用不着惊动州里的。”周小驴子道：“你老父台肯办这件事，那还有甚么说的，包管一张票出去，不怕他姑夫不把女儿送过来。捕衙的规矩治弟是懂得的。如今我们这乡亲，他是有钱的主儿，我一定叫他多出几文。俗语说得好，叫做‘争气不争财’。只要这件扳过来，不但治弟面子上有光彩，将来敝乡亲还要送老父台的万民伞咧。”钱琼光道：“全仗费心！你老哥今儿回去，叫他明天一早就把呈子送过来。兄弟这边签稿并行，当天就出票的。”

几个人又闲谈了一回。王二瞎子躺在烟铺上，一连打了几个呵欠。都说："天不早了，怎么请的客还不来？不要是忘记了罢？"钱琼光道："我有数的，他们早不得来，这时候也快了。"又停了一会，只听得岸上咭咭呱呱的，一片说笑之声；走到岸滩上，又哼儿哈儿的，叫船上打扶手。霎时上得船来。钱琼光急忙迎出去一看，原来来的只有一个萧二爷；还有一个小爷们，是常常替堂翁装水烟的，虽然面善得很，却不晓得他姓甚名谁。当下不便动问，只问得一声："为甚么某人不来？"小爷们抢着说道："老爷派他进省，他不得来，所以叫我来代理的。萧大爷，今天咱代理执帖门，你说咱阔不阔！"一面说，一面走进舱中。众人一齐起身相迎，见面之后，都恭恭敬敬的作揖。不料这小爷们是打千打惯的，见了人，一伸腿就湾下去了。众人之中亦只有钱琼光还安还得快。那三个却都不在行；王二瞎子幸亏被钱琼光扶了一把，否则几乎跌倒。当下都劝他俩宽衣。只见这小爷们身胚很小，却穿了一件又长又大的纱大褂，钱琼光认得这件大褂是堂翁天天穿着会客的；再看手里的潮州扇子，指头上搬指，腰里的表帕、荷包，没有一件不是堂翁的。当面不便说破，心上却也好笑。

一会，归坐奉茶。钱琼光先问："二位为甚么来的这么晚？"萧大爷先回答道："九点半钟本来就可以来的，齐巧我们东家接到省里一封信。外头还没有人知道，先送个信给你，你明天一早好穿了衣裳过来道喜。"钱琼光忙问道："堂翁有甚么喜事？"小爷们抢着说道："我们老爷升了官了。"萧大爷进来的时候，当着王二瞎子一班人，自己还想充做师爷，所以一口一声的"我们东家"。今见小爷们说了声"我们老爷"，他便把小爷们瞅了一眼。幸亏在场的人都没留意。钱琼光又接着问道："堂翁高升到那里？"小爷们又抢着说道："或者武昌府，或者黄州府，都论不定。"萧大爷道："你别听他胡说。我们东家，他身上本有个补缺后的同知直隶州，如今又保了个——保了个甚么？……你看，我的记性真正不好，偏偏又忘记了。"一面说，一面又低着头，皱着眉，闭着眼睛，想了半天，还是想不出。又拿自己的拳头打着自己的头，说道："保得个甚么？……怎么我说不上来？"小爷们又抢着说道："萧大爷，这封信是杂务上拿进来的，那时候我正在椅子后头替他老人家装烟。他老指着信上一句，对杂务上说：'你看。'我在他背后，亦就踮着脚望了一望，原来这信上有我的名字，——有'应升'两个字。我自己的名字，我是认得的。"钱琼光是在官场上阅历久的了，晓得保案上有"应升"两个字，一定是应升之缺升用，便道："他老人家已有了同知直隶州，再升甚么，自然一定是知府了。明天应得过去道喜，费心二位关照。"萧大爷道："自家人，说那里话来！"此时钱琼光正因不晓得小爷们的尊姓大名，心上闷闷；因此一番酬答，倒晓得了。

当因时候不早，忙命摆席。自然是萧大爷首座，小爷们二座。在席面上，萧大爷还留身分，提到州官，口口声声“我们东家”，在座人始终瞧不破他的底细。只有小爷们吃无吃相，坐无坐相。夜里天热，打赤了膊，把条辫子盘在头上，拿两条腿蹲在椅子上，尽性的喝酒吃菜。档子班的女人，叫名头是卖技不卖身的，他偏要同他们动手动脚。有两个女人，在人面前一定要撇清；被他这一闹，一个个都咕嘟着嘴，说甚么“你们老爷，手要放尊重些”！说罢，把手一摔走开。小爷们生气，骂声“混帐王八蛋！你瞧不起我大爷，明儿回去一定告诉本官，出票拿你们，看你怕不怕！”船上女人也不理他。主人钱琼光只好起身相劝。

好容易一席酒吃完，看看已将天亮。小爷们是带着跑上房的，怕误了差使，老爷要骂，立刻披衣要走。主人还再三相留，吃了稀饭再去。萧大爷亦劝他慢些，“我同钱太爷还有句话说。”小爷们等不及，只是跺脚，说：“误了差使，钉子是我碰！你饱人不知饿人饥！我劝你快走罢！”萧大爷被他催得无奈，只得穿衣告辞。等到主人送到船头上，小爷们早披了又长又大的那件长褂，站在岸上了。当时他二人自回衙门不题。

且说钱琼光回到舱中，王二瞎子便埋怨他道：“怎么请到这位宝贝？”钱琼光把脸一红，想了想，说道：“你不要看轻了他，他在本州大老爷跟前，倒是头一分的红人呢。一天到晚，除掉睡觉，那有一刻工夫离得掉他。总而言之：我们做官，总要随机应变，能屈能伸，才不会吃亏。即如他们所说的州里大老爷得了保举，他们就肯送信给我；我既然先得信，今天我就头一个去道喜，上司瞧着自然欢喜。倘若不请他们吃饭，谁有这闲工夫来通知我。可见同人拉拢是没有吃亏的。这叫做做官的诀窍。”王二瞎子被他说得顿口无言。周小驴子起身先行，说：“要办那件事去。治晚马上就去同前途接头，尽两个钟头赶来回复老父台。”钱琼光道：“兄弟就回去，一面先把票子写好，空着名字等填。等老兄来过，兄弟再到州里贺喜。专候，专候。”说罢，拱手而别。钱琼光也同王、孙两个各自回去，不在话下。

单说钱琼光虽然熬了一夜，只因有利可图，便也不觉劳乏。回到捕衙，业已红日高升，急忙翻出旧卷，查照旧票的底子把票写好，只空着案由及原被告的名字未填。写好之后，看了两遍，索性又取出木头戳子用好，又拿朱笔把日子填好。其时已有八点钟了，算算时候已不止两个钟头，无奈不见周小驴子前来，心上异常着急。看看时候不早，又须赶到州衙门里道喜，急得他甚么似的。无奈，只得穿好衣帽静坐，专等周小驴子一到，交割清楚，便好踱了过来。事有凑巧，刚刚衣服穿得一半，周小驴子来了。二人相见大喜。周小驴子在袖子里取出那张禀帖，钱琼光大略一看，只见上面很有些不懂得的句子；忙把原被告名字记清；又再三斟酌一番，把案由摘叙了三四

句；从抽屉里取出票来填好，立刻派了一个人，叫他跟着周先生一同去。然后周小驴子从大襟袋里取出一个红封袋，双手奉上。钱琼光接在手里一掂，似乎觉得甚轻，忙问："这里头是若干？"周小驴子道："这里头是四块折席，不成意思，不过送老父台吃杯酒的。"钱琼光踌躇了一回，说道："不瞒老哥说：兄弟是代理，就要交卸的人。同老哥相好，承老哥照顾这件事，兄弟多也不敢望，只望他一个全数。不要说别的，单是这张票，兄弟从城外一回来就连忙弄好了，专等你老哥来。这票上的字都是兄弟自己写的。倘若照衙门里的规矩办起来，至少也得十天起码，那里有这样快。此事落在别人，哼哼，至少也得要他三十只洋！如今只要你十块，真是格外克己的了。"周小驴子听了他这一番话，又见他不肯收那四块，知道事情不得过场，于是从袋里又挖出两块洋钱，还说："这两块是治弟代垫的。替朋友办事，少不得也要替他作三分主。"钱琼光道："兄弟是个爽快人，你老哥替朋友办事也是义气，你索性爽快些再替他添两块。一共兄弟受他八块，你回去开销他十块，我们弄个二八扣。你费了心，我也不另外替你道乏了。"周小驴子又思思索索的半天，好容易才添了一块，说了无数的叨情话，说甚么"这总是老父台照应治弟的，多赏治弟一块买鞋穿罢。"钱琼光无奈。周小驴子去后，方急忙赶到州里去。虽然晓得堂翁是起得迟的，但是为了道喜，不得不早些过来。

此时合衙门的人因为老爷得了保案，都是喜气冲冲的。钱琼光蟒袍补褂，照例先下门房。常见的那位执帖大爷，已经奉派进省，这天是杂务门兼执帖，钱琼光也是认得的，急忙取出手本交给，托他上去代回，说是禀贺、禀见。杂务门进去了一回，忽然满头是汗，怒冲冲的走回门房，把大帽子摘下往桌子上一撩，说道："妈的晦气！他升官，人家就该死了！幸亏他得的保举，不过是个虚好看；倘若真正做了知府，那架子更要大呢！倘若做了道台，天都可以撑破！再大更不用说了！总而言之，我们当奴才的不是人！——钱太爷，大小像你这样，总得是个官才好！"钱琼光听了他半天说话，也摸不着头脑，只得搭讪着站起来，说道："堂翁可曾升帐没有？我还是就进去，还是等一会儿？"杂务门道："得了保举，早把他喜的睡不着了。今天一早就起来了，忙着做官衔牌，糊灯笼。因为做牌的来的晚了些，开口就骂人。谁不是人生父母养的？搁得住被他'混帐王八蛋'骂了去，喝了来！大爷越想越气，不吃这碗饭了！"钱琼光一听堂翁已经起来多时，心上着急，恨不得马上进去才好；后来直等得杂务门气平了，然后领了他进去见的。

这时候区奉仁正在大厅上，把昨夜接的那封喜信搁在面前；旁边坐着几位朋友、官亲，如帐房、书启、二老爷之类，都在那里凑趣。钱琼光进了大厅，恭恭敬敬跪下磕了三个头，替堂翁叩喜；又与各位师爷及二老爷相见。堂翁让他坐，然后坐下。区奉仁一面孔得意之色，先开口道："你是几时晓得的？"钱琼光一想，不好说是昨夜里得信，只得回称："刚刚得信。"区奉仁道："还是你一个人晓得，还是同城统通晓得？"钱琼光道："只有卑职一个人得信，所以赶过来先替堂翁叩喜。"区奉仁道："是啊，我料想他们是不会晓得的。我得的是密保，上头只有抚台自己晓得，连藩台都还不明白哩。还是那年获盗案内，抚台亲口许我的，到如今果然保了出来。可见做上宪的人，又要赏罚分明，又要记性好，然后叫人心服。这位抚台，兄弟同他也算投缘的了，将来倒要送副门生帖子去才是。"说着，便同帐房说："我的话可是不是？"帐房说："是极！"

区奉仁又道："我已经有了同知直隶州了，再升用，升个甚么？自然一定是知府了。你看这些混帐王八蛋！我从早上叫他们赶做一付'升用府正堂'的官衔牌，到如今木匠还不来，真正可恶！此时同城虽然还不晓得，马上他们得了信都要来道喜的。今天他们来过，明天我去谢步，这副牌是执事里一定要用的。况且这是恩出自上，比捐的总体面些。"师爷们一齐应了一声"是"。区奉仁又望着钱琼光说道："我们湖北的体制，佐贰见知府是没得坐位的。兄弟虽然不讲究这个，但是体制所关，将来过了班，就是要随随便便也就不能了。"钱琼光明晓得这句话说的是他，想了半天，无可回答，只应了一声"是"。

正说着，书办上来请示，说是里里外外，或是柱子上，或是门上，有些对联都要另换新的，要请师爷拟好了句子，好交代书办去写。区奉仁忙回过脸去对书启老夫子说道："这个要请你老夫子费心了。"书启师爷忙又应一声"是"，随手请教是怎么做法。区奉仁道："前头的对子都是按着州、县官做的；如今兄弟得了升用知府，有些甚么'五马黄堂'等类的字眼都可以用得着了。兄弟如今一来公事忙，二来上了年纪，也不肯用这个心思了。至于暖阁当中，我倒想好了一句成句，就是帖'一品当朝'四个字的地方，你们拿红纸比好尺寸，替我写'宪眷优隆'四个字，照样贴在屏门当中。"回头又问书启："老夫子以为何如？"书启尚未答言，二老爷接着说道："这四个字似乎太俗。"区奉仁听了不愿意，道："这四个字，人家四六信里常常用的，又是成句，总比'一品当朝'四个字来得文雅。"二老爷道："暖阁当中，不是'当朝一品'，就是'指日高升'，从没有用过别的字眼。"区奉仁更发怒道："你们这些人真正不通！不靠着宪眷，怎么能够升官呢？我这四个字，把你所说的两句，统通包括在内。所以一等人有一等人的材料。老弟，不是我瞧你不起，像你这样执迷不化，将来能彀赶到愚兄这个分儿还早咧！"二老爷见哥哥动了气，也就撅起了嘴，不言语了。

区奉仁正待再说下去，忽听外面一片人声，大家不觉吓了一跳，忙叫人出去查问。只见稿案门飞跑似的进来，回道："有些人来告钱太爷受了人家的状子，又出票子拿人，逼得人家吃了鸦片烟。现在赶来求老爷替他伸冤。那个吃大烟的也抬了来了，还不知有气没气。"区奉仁道："混帐！我的衙门里准他们把尸首抬来的吗？你跟官跟了这许多年，这一点点规矩还不晓得？今天老爷有喜事，连点忌讳都没有了！混帐王八蛋！还不替我轰出去！"稿案门道："这是钱太爷不该受人家的状子，人家无路伸冤，所以才来上控的。"区奉仁听得"上控"二字，忽然明白，方才回过脸去，对准钱太爷发作道："你做的好官啊！这是你闹的乱子，弄得人家到我这里来上控。我自己公事累不了，你还要弄点事情出来叫我忙忙。现在怎么说？"

钱琼光起先听了稿案门的话，早已吓得瑟瑟的抖，后来又听了堂翁的教训，便拍托一声，身不由己的跪下了。区奉仁并不让他起来，又拉着长腔，说甚么"擅受民词，有干例禁；你既出来做官，连这个还不晓得吗？我也顾不得你，我是照例要揭参的"。钱琼光一听要参官，更吓的魂不附体，只是跪在地下磕响头不起来，求堂翁开恩。区奉仁拿他训斥了半天，还不晓得外面究竟闹的是甚么事情，便道："你就在这里朝我跪到天黑也不中用。你自己闹的乱子，快自己出去了结过再来见我。"钱琼光跪在地下还是不动。区奉仁问他为甚么不出去。钱琼光道："不瞒堂翁说：卑职这一出去，可没有命了！"区奉仁道："到底为着甚么事情，你自己总该有点数的。"钱琼光又磕头道："卑职该死！卑职同他们来往，共有好两件事情，实在不晓得是那一件。"区奉仁道："好个不安本分的人！"钱琼光道："都是他们来找卑职的，卑职也只盼能够替他们把事情了掉，也免得堂翁操心。"区奉仁道："承情。"至此方回头问稿案门："到底外面为了甚么事情？"稿案门回称："为的是一个人家有个女儿，有个光棍想要娶他。那家不肯，这光棍就托人化了钱给钱太爷，托钱太爷出票子抓那个该女儿的人，说是抓了来要打板子。那人急了，就吃了生大烟。乡邻不服，所以闹到这里来的。"钱琼光至此，方才明白就是早上的那桩事，深恨周小驴子事情办得不妥当。

里面说了半天话，外面的人声已住。稿案门再出去问了问，才知已被杂务门吆喝住，只等老爷坐堂审问，不敢罗唣了。区奉仁一听外头人声已息，才说："那个吞烟的，赶紧拿点药水给他吃，或者有救。"人回："已经灌过了，听说吃的不多，大约可以救得的。"区奉仁于是把心放下，又朝着钱琼光发作了几句，方才自往签押房里而去。钱琼光不免跟了帐房师爷同到帐房里，就左一个安，右一个安，一面请安，一面软求道："晚生一时荒谬，总得求你老夫子成全！"师爷道："你老哥就要交卸的人了，何必再去多事。这事你自己闹的乱子，还不快去想个法子压伏压伏他们；等到堂翁坐了堂，那事就不好办了。”一句话提醒了钱琼光，立刻退出帐房，走到杂务门的门房里。杂务门正在外面帮着灌那吞烟的人，一霎回来，见了面，少不得又是一番埋怨，说：“我的太爷！几乎玩成功一条人命！亏你，我亦不晓得你是怎样闹的！”停了一回，又说道：“现在你放心罢，人命是没有的了。你今天算好运气，偏偏碰着我们这位老爷有喜事不坐堂。你有这半天一夜的工夫，能够完结，赶快去完结了再来；完结不了，明天再审。”

钱琼光于是再三感谢，方才辞别出来。回到捕衙，蟒袍补褂，统通汗透的了。马上叫人去找周小驴子；周小驴子逃走了，不在家。钱琼光无奈，只得去找王二瞎子；因他地面上人头还熟，托他找个人出来劝和劝和。王二瞎子昨夜扰过他的酒，少不得出来帮忙。当时就找到了两个人：一个是善堂董事；一个是从前做过图正的，后来因为上了岁数，就把图正一应事务，统通交代儿子承受，自己不管。他俩都是年高望重的人，又是捕厅老父台见委之事，一想彼此都有仰仗的地方，乐得藉此交结交结。王二瞎子见他俩已允，便先寻了本图地保，同着原差又找到原告，在小茶馆里会齐，开议此事。幸亏原告那边吞烟吞的不多，一经施治，便无妨碍。又经王二瞎子、善堂董事一干人，连骗带吓；原告一面，只求太爷不逼他把女儿嫁给那个光棍，他亦情愿息讼。钱琼光就答应他：“前头那张票不算数，立刻吊销。所有你们婚嫁之事，我太爷一概不管。”于是一天大事，瓦解冰销。

钱琼光又进去求了帐房师爷、钱谷师爷，替他到堂翁面前讲情。凑巧堂翁这两天正因升官一事，满心快活，只图省事，便也不来问信。过了两日，正任吏目随凤占回任，钱琼光照例交卸，自行回府销差，这事也就完了。

要知后事如何，且听下回分解。

第四十六回
却洋货尚书挽利权　换银票公子工心计

且说蕲州州官区奉仁自从得了保举之后，回城齐来道喜，少不得一一答拜；又办了酒席，请他们吃喝；一连忙了几日，方才停当。后来奉到部文核准，行知下来，自己又特地进了一趟省，叩谢宪恩。正想回任，忽然奉到藩台公事，说他从前当过好几处局子的收支委员，帐目清楚，公事在行。现在北京派有钦差童大人前来清查财政，由江、皖各省，一路而来，目下已到南京，指日就临湖北；所有本省司库局所，凡属银钱出入之地，均须造册报销，以备钦差查考。因此特地留下区奉仁在省办理此事；蕲州本缺，另委一位候补同知前去代理。虽说是短局，然而区奉仁放着一个实缺不得回任，却在省里帮人家清理帐目，心上很不愿意。但是迫于宪令，亦叫做无可奈何而已。

且说这位钦差姓童，表字子良，原籍山西人氏。乃是两榜出身，由部曹外放知府，一直升到封疆大吏；三年前调京当差，改以侍郎候补，第二年就补了缺，做了两年侍郎；目下正奉旨署理户部尚书。此时朝廷正因府库空虚，有些应办的事，都因没有款项，停住了手。便有人上了一个折子，说"现在东南各省，如两江、湖广、闽、浙、两粤等处，均系财赋之区，钱粮厘税，岁入以数千万计。然而钱漕有积欠，厘金有中饱；如能加意搜剔，一年之中，定可有益公家不少。无如各省督、抚狃于积习，苟且因循，决不肯破除情面，认真厘剔。近来又有了甚么外销名目，说是筹了款项，只能办理本省之事；将来不过一纸空文咨部塞责。似此不顾大局，自便私图，若非钦派亲信大员，前往各省详细稽查，认真清理，将来财政竭蹶，根本动摇，其弊当不可胜言"各等语。

朝廷看了这个折子，甚是动听，马上召见军机大臣、户部尚书，商议此事。童子良亦以此举为然，并且自己保举自己说："臣在外省做官做了二十年，一切情形都熟。先下江南，后到闽、广，大约有半年工夫，就可回京复命。"朝廷准奏。跟手就下一条上谕，派童某人前往江南等省查办事件。

次日童大人谢恩，召见下来，就在本部里选了八位司员，又在别部里奏调了几位，此外还有军机嘱托、老公嘱托，大小一共又收了五十多张条子，一齐派为随员。又因为自己膝下只有一个大儿子，是前头正太太所生，余外都是妾生的几个小儿子；若把大的留在家里，恐怕他欺负小的，只得把大的带了出门。安排停当，方才检了日子，陛辞出京。

且说童子良生平却有一个脾气，最犯恶的是洋人：无论甚么东西，吃的、用的，凡带着一个"洋"字，他决计不肯亲近。所以他浑身上下，穿的都是乡下人自织的粗布，洋布、洋呢之类是找不出一点的。但是到了五十多岁上，因为生病抽上了鸦片烟，再戒不脱。一天在朝房里，有位王爷同他说笑话道："子良，你不是犯恶洋货吗？你为甚么抽洋烟呢？"一句说话恼了他，回得家来，就把烟灯、烟枪统通摔掉，对家里人说："我从今再不吃这捞什子了！"谁知他老人家烟瘾很大，两个时辰不抽，眼泪鼻涕就一齐来了。家里人看他难过，想要劝他，又不敢十分相劝。才劝得一句，他便回道："你们随我罢，我宁可死也不破戒的了！"后来实在熬不过了，一息奄奄，说不出话来，拿眼睛望着他大儿子，意思想叫他大少爷替他备办后事。他大少爷此时也有十八九岁了，读书虽不成，外才是有的。见了父亲这个样子，便追问所以立志戒烟的原故。当时就有人提起，只因某王爷说了一句笑话，所以把老头子害到这步田地。到底大少爷有主意，想了一想，道："说了洋烟，无怪乎他老人家要不吃了。如今你们只说是云南土熬的广膏。云南、广东都是中国地方，并不是外洋来的，自然他老人家没得说了。"家人遵命，慌忙另外取了一付烟盘，端到房中。童子良见了，连忙摇手，意思不要他们进来。后来家人照着大少爷的话回了，方才一连呼十几口。这一顿，竟比平时多吃了三钱，方才过瘾。

过了几天，齐巧前头同他说笑话的那位王爷请他吃饭。见面之后，童子良便叫着自己名字告诉王爷，说道："童某现在不吃洋烟了。"王爷一听大喜，连连夸奖他，说道："有志不在年高。你老先生竟能立志戒烟，打起精神替主子办事，真正是国家之福！"一面吃酒，一面留心看他到底吃不吃。谁知他吃到一半，叫值席的倒了一碗热茶给他，趁人不见，从荷包里摸出一个烟泡，化在茶里吃了。这位王爷是同他向来说惯笑话的，今天拿住了这个把柄，便问他："既然不抽洋烟，为甚么还要吞烟泡呢？"他便正言厉色的答道："童某吃的是本土，是不相干的。"王爷说："吃烟吞泡还不是一样吗，怎么叫做不相干呢？"童子良道："回王爷话：所谓戒烟者，原戒的是洋药，本不是戒的本土。但看各关报销册，洋药进口税一年有多少，便晓得我们中国人吃洋烟的多少。如今先从童某起，头一个不抽洋烟，拿本土来抵制他，以后慢慢劝化。倘或天下人一齐都吃本土，不吃洋烟，还愁甚么利源外溢呢。童某并不是欢喜一定要吃这个捞什子，原不过以身作法，叫天下人晓得我是为洋药节流，便是为本土开源，如此一片苦心而已。"王爷道："不想老先生抽抽鸦片烟，却有如此的一番大经济在内。可佩！可佩！"这是一桩事。

还有一桩，这一桩乃是要钱：做官的人要钱，本来算不得甚么。但是他却另有一副脾气，是专要银子，不要洋钱，为的洋钱的"洋"字又犯了他的忌讳。从前京城里面本来是不用甚么洋钱的，用的全是当十大钱，无非银子换钱，钱换银子，倒也爽快。近来几年，洋钱渐渐的用开了，北京城也有了。有些会打小算盘的人，譬如一向是孝敬一百两的，如今只消一百块钱，化上七十多两银子，也甚觉得冠冕。无奈这位童大人，要是人家送他洋钱，他一定璧还不受。送他钱的人，不是门生，便是故吏，总是有求于他的人；如今见他不受，大家心上都要诧异。后来访着缘故，只得换了银子再去送，合起数目来，总比洋钱还要多些。他到此亦不谦让了。除掉现银子，便是银票：一千两、二千两，三百两、五百两，白纸写的居多。还有些人因为写的白纸票子，恐怕忌讳，竟用大红缎子写的，倒也新鲜得很。

他生平虽爱钱，却是一文不肯浪费。凡是人家送给他的银票，上房后面，另有一间小屋。这间屋是墨測黑，连个窗户都没有的，然而一步一锁，无论甚么人不准进去的。——就是儿子亦只准站在门外。一天老头子在这屋里有事情。大少爷进来回话，因为受过父亲的教训，不敢径入房中，站在门外老等。等了一回，忽听老头子在小屋里叫唤起来；方见姨太太点了个亮，掀开门帘，在门口站着，亦不敢进去。仿佛老头子在地下摸索了一回，忽然一跳就起，说道："还好！有了！"随手出来，把门锁好。姨太太照火的时候，大少爷留心观看。只见这间小屋里四面墙上贴的，一张一张，很像帐条子一样。及至仔细一看，才晓得墙上贴的都是银票。大少爷把舌头一伸，心中暗暗欢喜："原来老人家有这许多家当，这间小屋却是他老人家的一间银库！"

又过了两年，有几省督、抚奏请置办机器，试造中国洋钱。他老先生见了这个折子，老大不以为然。无奈朝廷已经批准，他也无可挽回，只得回转家中，生了两天气，说："好好一个中国，为甚么要用夷变夏！中国用惯银子的，如今偏要学外国的样，铸甚么中国洋钱！这个洋钱日后倘若用开，岂不是全个成了他们外国人的世界？那还了得！我情愿早死一天，眼睛闭了干净，免得日后叫我瞧着难过。"他虽如此说，人家亦不来睬他。到了第二年，有两省银元造成，解到部里，——其时他老人家已掌户部，——司员检了一包，请他过目。他闭着眼睛，说道："我不忍看这些亡国东西，你们拿了去罢！"司官晓得他素来脾气，只得退了下来。后来这话传开了，京城里面都以为笑话。

有天，有个门生，本是个翰林底子，因得京察记名，奉旨简放江西九江府知府。召见下来，到老师跟前辞行。童子良道："听说九江地方是很热闹的。"门生道："本是个通商码头，各国商人都有。在那里是很不好做的，门生特来请请老师的教训。"童子良叹口气道："那里有这许多国度！总而言之一句话：他们外国人，想出法子来骗我们钱的。我不相信他们外国人就穷到这步田地，自己家里做不出生意，一定要赶到我们中国做生意。偏偏就有我们这些不争气的督、抚去随和，他们的洋钱不够使，我们又特地买了机器，铸出洋钱来给他们使。不晓得他们外国人有何功何德到我们，我们要如此的巴结他！我真正不懂！"门生道："我们中国自铸的洋钱本不叫做洋钱，有的叫银元，亦叫龙圆。"童子良道："亦不过多换几个名字，骗骗皇上罢了，还不同外国洋钱一个样子吗。"门生道："大小虽一个样子，花样却是不同。我们的龙圆，正中盘的是一条龙，所以叫做龙圆。"童子良听说花样不同外国一样，不觉心上一动，说道："你有没有？可拿个来我瞧瞧。"这位门生齐巧身边有两块洋钱，——一块鹰洋，一块龙元，——便取出来，说声"老师请看"。童子良接在手中，一见有一块鹰洋在内，便绉着眉头，说道："怎么老弟你亦用这个？"随手就拿这块洋钱在炕几上一丢，却拿了那块龙元不住的端详。后来看见有龙的一面四转亦有洋字，他老人家便把面孔一板道："老弟！怎么你也来欺我？如果不是造了送给外国人的，为甚么要刻上这些外国字呢？我总疑心现在的人，一定是吃了外国人的迷混药，所以样样都帮着外国人，真正不解！"后来这个门生又再三告诉他："中国所以铸造龙元，原是想出法子抵制外国洋钱的意思，就同老师单吃本土，不吃洋烟，同一用意。"童子良经此一番譬解，虽然明白了许多，然而总为这龙元上面刻了洋字，决计不肯使用。

闲话少叙。单说他此番派了九省钦差，到处查帐筹款，不但那九省大小官员，听得他来，个个不安其位，就是别省听着，也为担心。当时他上去请训，奏称道："臣这趟出京，要由旱道而走，十八站到清江浦，然后坐了民船，再下江南。"上头问他："为甚么不坐火车到天津，再换轮船到上海？岂不快些？"他便碰头奏道："臣是天朝的大臣，应该按照国家的制度办事。甚么火车、轮船，走的虽快，总不外乎奇技淫巧；臣若坐了，有伤国体，所以断断不敢。"上头听他说的话很冠冕，而且晓得他为人古板，也就随他去了。但是按照官站，须要经过山东，朝廷便谕他顺便带看河工。他亦说："山东黄河，年来时常决口，听说其中弊端百出；臣到山东后，定当严密稽查，决不敢有负委任。"上头听了，无甚说得。

过了一天，又上去陛辞下来，便在部里支了盘川，带了随员，径向北道旱路进发。未曾动身的前头，发信给各地方大员，叫他们传谕所属，无非说"本大臣砥砺廉隅，一介不取。所到之处，一概不许办差。倘敢不遵，定行参处"。如此通饬下去，总以为这位钦差是清廉自矢，决计不用地方上破费银钱的了。——岂知他所费的更多。你道是何缘故呢？现在不说别的，单指轿马一项而论：钦差坐的是长轿，抬轿子的每班四人，每天要换三班。一位少大人，随员六七十位，有的坐轿，有的坐车。钦差随员，各人都有跟人，都有行李。通扯起来，轿子至少亦得二三十顶，轿车、大车一百多辆，马亦要一百多匹。这笔费用，一天共需几何？部里支得盘川，如何彀使？钦差每到一处，总要面谕地方官："所有夫价，即便写了领纸，交给巡捕官到我这里来领。"地方官当时只得诺诺遵命。等到下来，一一发付之后，那里还敢向钦差大人手里讨取。然而等到钦差临动身的时候，这张领纸又一定要来讨了去的，地方官又不敢不照写。然而只见领纸进来，从不见银子出去。好在地方官亦早已自认晦气，决不要钦差还的。至于钦差自己心上亦未始不明白；但是不如此，不能显得清廉，况且自己亦那里贴得出许多呢。最要紧的是：每到一处，地方官办差太省俭了，固然不好；太华丽了，也不相宜。钦差尚未来到，便有钦差的巡捕先赶早一步来，名字叫做"先站"；其实是同地方官讲价钱来的。看缺分大小，一千、八百，尽着量要。若是地方官孝敬的能够如愿，他便把钦差脾气欢喜甚么，不欢喜甚么，都说了出来；地方官摸着钦差的脾气，这差事自然是好办了。倘若送的不能如愿，他便不肯以实相告，尽着地方官去瞎碰。

此番钦差因奉旨查办河工，所以绕道济南。抚台恐怕首县办差，一个人兼顾不到，特地派了两个同知、两个知县，帮着去办。使用银子，都在善后局里支领。偏所派的四位当中，有一位同知手笔极紧，除掉行辕应用的物件，不得不办了送去，其余小钱一文不肯浪费。巡捕官预先下来，只有首县私下答应他二千银子。那巡捕官一定要三千，说："钦差到你们这里，总得多住几天，随时可以挑眼的。咱们劝你多破费几文，为的是彼此平安，省得钦差挑眼之后，大家没味。"首县听了，甚以为然，无奈那位同知大老爷执定不肯。首县无奈，只得又自己暗里送了这巡捕五百金。

此是山东省城是早已晓得钦差脾气不喜欢洋货的，所以行辕之内，一切摆设铺陈，凡是洋钟、洋表、洋毯、洋灯、洋桌、洋椅之类，一概不用。等到晚上，点了无数若干的牛油蜡烛，不拿洋灯比较，也还觉得明亮。至于其他一切陈设，都是中国土货。吃的东西，又无非照例的燕菜席，满、汉席。钦差住了几天，尚无话说。其时已是四月，天气渐热。跟班的出来，说大人嫌吃的水不干净，就是拧出手巾来也有股气味。办差的听见了，立刻就叫人到趵突泉打了水来给钦差吃。又买了一打林文烟香水交给跟班上，说："每逢钦差洗脸，面盆里冲上些香水，就没有气味了，而且还香喷喷的好闻。"谁知拿了进去，钦差还没有闻着，打手巾把子的人已经挑眼了，拿着香水送到钦差面前，说："这是外国人的药水，他们拿来药你的。"钦差听了，便气的了不得，写信给抚台，要查办办差的。抚台忙传那四个办差的到辕问话。四个人据实禀明，说那香水原是可以避暑气的，而且还可以避疫气。抚台复了钦差。钦差又查问那里买的，后来听说是洋货店里买的，钦差愈加不高兴，说："我就同女人一样，守节已经到了六七十岁了，难道还要半路上失节不成。你们这些人都不是好人，总要想出法子来害我，到底是何居心！"

这个风声传了出去，不但办差的人处处小心，就是合省官员来禀见的，凡是稍微带点洋气的东西，都不敢叫他瞧见。有天同司、道谈论公事，谈得时候多了些，忘记了时辰，便问："现在是甚么时辰了？"有位候补道无意之中说了声"现在大约有一点钟了"。童子良不听则已，听了之时，便把眉头一绉，眼睛一楞，说："你老哥说的甚么？兄弟不懂。"嘴里说不懂，心上却是明白的，晓得他们所说的一定是表上的时刻。便想到这些人身上一定带着有表。半天不言语，侧着耳朵一听，偏偏同他坐的顶近一位道台，外褂里面剔剔的响。童子良听了一会，便问这位道台："你老哥身上有甚么东西，一剔一剔的响？"又问："你们众位可曾听见没有？"众人都不敢言语，直把那位道台羞得耳根都红，坐立不稳。童子良还算忠厚，未曾当面揭穿；只第二天见了抚台，说："某道人是漂亮的；但是漂亮人总不免华而不实，不肯务正。所以兄弟取人，总在悃愊无华一路。"抚台听了，先还摸不着头脑，还以为某人办事不诚实，所以钦差才加了他这个考语；后来别位司、道说起，晓得是为带着表，方才付之一笑了事。

钦差在济南住了十来天，所查办的事，无非是河工局里多孝敬他几万银子，没甚么大不了之事。河工局送的是公款，为的是保全大局起见，钦差受了自无话说。抚台又另处送了程仪。下来便是司、道孝敬，府、县孝敬，还有些相好处的孝敬：钦差亦一一笑纳。

另外又有位平度州知州，这州官乃是在旗，名唤巴吉，表字祥甫。平度州缺，在东三府里也算得中等的缺。巴祥甫到任，已经做过六年了。这年又得了"卓异"，照例送部引见。他身上本有"在任候补直隶州"字样，等到引见下来，又得了个"回任候升"。回省之后，上司都拿他当老州县看待，自然立即饬回本任的。回任不多几时，偏偏临清州出缺。——临清州乃是直隶州。巴祥甫因为自己资格已到，不免有觊觎之心。亲自进省，托人在大宪面前吹嘘，意思想求大人拿他升补。上头尚在游移两可。这个档口，齐巧钦差来到，一连忙了十几天，就把这事搁起。巴祥甫心上虽然着急，也属无可如何。

巴祥甫有个哥哥，从前曾经拜在钦差门下，巴祥甫因此渊源，也就拿着门生的帖子前去叩见；居然传见，留下谈了半天，甚是亲热。等到见了下来，就有他的亲家，——也在省里候补的，——劝他送分重礼给钦差，趁势托钦差说两句好话，抚台一定答应。巴祥甫亦以为然，意思想送钦差八千银子。他亲家道："送银子不及送东西的体面。"原来巴祥甫省城里有甚么事情，都是托他这位亲家替他经手的。他亲家新近亦是替一个朋友办了一分礼，就是送给一位甚么大人的；后来这分礼没有收，那个朋友的钱亦就一直没有拿出来。这分礼物总共值到五吊来往银子，一齐担在他亲家身上，所以他亲家急于想要出脱。齐巧碰着巴祥甫要送钦差的礼，他亲家面子上劝他置办东西，内骨子实是要卸自己的干系，因此一力撺掇。那分礼物当中，如珠宝、翡翠之类，很有两件值钱的。巴祥甫瞧了，因见亲家讨他六千，他看过六千还值，便尔应允。

但是巴祥甫的为人，是有点马马糊糊的；把礼物大概看了一遍，面子上很觉过得去，便对亲家说了声"费心"，吩咐开写礼单，即刻派人送去。不料送礼的家人去不多时，忽然赶回来找老爷，说是礼单之中有盘珠打璜金

表一打，钦差巡捕说："这是大人顶顶犯忌的东西，怎么拿这个送他？非但不落好，倘或钦差生了气，还怕于你老爷功名有碍。"巴祥甫道："既然承他关照，我们就把表拿回来，再配一样别的送去亦好。"家人道："小的亦是如此说，无奈巡捕老爷不准我们拿回来。"巴祥甫急了，只好亲自赶去。走到那里，巡捕拿他一味恫吓，说："已回过少大人了，不能由你拿回去掉换。你要太平无事，除非送三千银子给少大人，托他替你想法子，还是个办法。"巴祥甫无奈，只得同他磋磨了半天，跌到二千。巡捕果然进去同大少爷说明。大少爷说："叫他把银子拿来，保他无事。"巴祥甫只得又回来，找到他亲家，打了二千银子的一张票子送了进去；然后巡捕连表连银子，统通拿进去，交代了大少爷。大少爷又教了巡捕若干话，巡捕会意。

直等到里头传开饭，童子良刚刚坐下，只见巡捕拿了手本、礼单从外面走了进来。方才走到院子里，劈面大少爷从厢房里走了出来，不由分说，拦住台盒瞧了一瞧，顺手在盒子里取出一捧东西。手里拿着，却嘴里嚷着说道："这人真正岂有此理！他不晓得这里大人犯恶这个吗？竟其大胆，敢拿这个往这里送吗？"一头嚷，一头抢在盒子前头上来报信。其时拿手本、礼单的人已经到了童子良跟前了。童子良看了礼单，一见有金表在内，心上一个不高兴，面孔登时沉了下来，要待发作，尚未发作。不料少爷才上得一层台阶，一个滑脚早滑倒了，哗啷一声，一大捧东西一齐丢在地下，还有些珠子的溜溜在地下乱滚。看上去，有两个黄澄澄的的确像个金表，珠子早洒了满地了。童子良一见大少爷跌倒，忙问："怎么样了？"大少爷喘吁吁的站起来，把衣服掸了两掸，也不拾地下的东西，便跑在他父亲身边，回道："我正为巴某人送的礼奇怪，所以抢着拿了来给你老人家瞧。"童子良此时早看清是表，便发话道："你不晓得我顶恨这个东西吗？还要拿了来气我！替我把那地下的东西扫出去，就是跌破了，也不准放在这里。"家人们答应一声，早有几个人把表抢着拿了出去；又一连两三苕帚，地下一颗珠子都扫的没有了。童子良见表拿出去，方把巡捕埋怨道："他们说不晓得，怎么你们在我这里当差使，连这个都不知道吗？也不通知他们一声，由着他们拿这个来气我！"

巡捕见表拿了出去，没有对证，方慢慢的辨道："回大人的话：巴牧有两句说话，本来要紧禀告大人知道的；倘若巴牧没有那两句话，标下亦决计不敢替他拿上来了。"童子良忙问："甚么话？"巡捕道："他说他这个表不是外国来的，是本地匠人自己造的。"童子良道："怎么本地人也会造表？造出表来做甚么用呢？"巡捕便按照大少爷吩咐他的话回道："巴牧的意思，因为外国进来的表太多了，顶好中国人不买。无奈中国人有几个能像大人这样正派，不要这些东西呢？但是外国进来的多了，中国的银钱就不免慢慢的一齐淌出去了。现在也是万不得已才想出这个抵制的法子：叫自己的匠人，仿照外国人的样子造出一个表来，一样报时报刻；中间的关捩子就同锁璜一样，所以叫做打璜金表；面子上盘了多少珍珠，无非取其值钱好看的意思，所以叫做盘珠打璜金表。大人没有瞧见，那底下一面还有'大清光绪年制'六个字，上头外国字一个都没有，真正是自己本国土造的。"童子良听了，居然信以为真，便道："果然如此，还得说下去。如今跌碎了他的，倒辜负他这一片盛意了。"

巡捕见钦差怒气已平，便笑着朝大少爷说道："巴某人送礼来的时候，他自己倒也很明白。"童子良道："怎样讲？"巡捕道："他说：'我巴某人拿了这东西孝敬钦差，不把话说明白，钦差一定要生气的。说明白了，或者还念这片苦心，亦就包涵过去了。'巴某人还说：'钦差是个正人，自古道，"邪不胜正"，所以不欢喜这些东西的。'如今可被他一句话说着了。表是大人犯恶的，一进了院子门，大人老远的瞅了一眼，自然而然那东西就会跌在地下跌碎，不能近大人的身。这也不怪少大人拿的不好跌碎的，暗地里自有神道在少大人手里夺过来摔在地下的。真正是'邪不胜正'，老话是万不得错的。"童子良听了这番恭维，方才一面吃饭，一面慢慢的说道："神道自有的。我们老太爷从前在山西做知县，凡是出了疑难命盗案件，自己弄得没有法子想，总是去求城隍老爷帮忙。洗过澡，换过新衣服，吃的是净素，住在城隍庙里，城隍老爷就托梦给他，或是强盗，或是凶犯，依着方向去找，回回都找到的。后来老太爷升天之后，老太太还做梦，说是老太爷也做了那一县的城隍了。神道的确是有的，不可不相信。"巡捕道："像大人这样的职分，一定有值日功曹暗中保护，城隍老爷位分小，还彀不上哩。"童子良把脸一板道："这话不是可以混说的！那年陆中堂死了，他家是南方人，都按照南方风俗办的事：当天化了多少锡箔，甚么望乡台、地狱门、十八殿阎王，一齐都上了钱粮。城隍庙里自从城隍老爷起，一直到小鬼土地，一齐都有烧化。人死了，头一重先要到城隍老爷跟前挂号，任凭你中堂、尚书再大点的官都逃不过的。这话都可以混说，真正瞎胡闹了！"

一席话说完，饭亦停当，方走下来，把巴祥甫送的礼物仔仔细细看了一遍。有个翡翠搬指，很中他老人家的意，带了手上给大少爷瞧，问大少爷道："你瞧，这搬指也不输给你丈人的那一个了？"大少爷答应了一声"是"。童子良又看别的礼物也都过得去，便吩咐一齐收下；表已打碎，亦不追究。因此一个搬指对了他的胃口，却很替巴祥甫出力，在抚台面前替他说了许多好话，后来巴祥甫竟其如愿以偿，补授临清州缺。这是后话不题。

单说大少爷凭空得着了十二只金表，自然满心欢喜。且说他此番跟了老头子出来，人家孝敬钦差，少不得也要孝敬少大人；银子虽然也弄得不少，不过人心总无餍足之时，自然越多越好。老头子自到山东，总共收了人家若干现的，若干票子，就帐上看起来，也就不在少数。后来老头子又嫌现的累坠，于是又一概换了票子，床头上有个拜匣，一齐锁在里面。莫说别人不能经手，就是自己儿子也不准近前一步。这间屋，一步一锁，钥匙是老头子自己带着。老头子或是清晨起来，或是灯下无事，一定一天要早晚查点二次。统计在山东境内，得了十五万六千银子。少爷劝他与其自己带在身边，不如早些托票号里汇到京城，也可存庄生息。无奈老头子总觉放心不下，不以少爷之言为然。

过了些时，山东银子收齐了，便吩咐起马，九站旱道，直到清江浦换船南下。在旱道上，这个拜匣就放在轿子里面，每逢打尖住宿，等到无人之时，依旧每日二次查点银票。十五万六千银子的银票，也有二千一张的，也有一千一张的，三百、五百也有，一百、二百也有：统算起来，共有三百几十张银票。查点一次，亦很费半天工夫。他在屋里点票，一向是一个人不准入内；就是有客来拜，也不敢回，必须等到他老人家点完了数，锁入拜匣，亲随人等方敢进见。

及至到了清江，坐的是大号南湾子船，钦差自己一只，少爷一只，随员人等一共是二十多只，一字儿排在河心。少爷因为老头子一个人在船上未免冷清，同老头子说，情愿同老人家同船，以便早晚伺候。老头子怕儿子偷他银子，执意不肯。少爷见老头子不允，也只好遵命。南湾子船极大，房舱又多。童子良特特为为叫办差的替他做了两扇牢固的门，以便随时好锁。到了清江，漕台请他吃饭，都是锁了舱门才去的。漕台见了面，同他说："我这里有的是小火轮，我派两条送你到苏州，免得路了耽搁。"童子良连连作揖推辞道："你老哥还不晓得兄弟的脾气吗？我宁可天天顶风，一天走不上三里路，我是情愿的。小火轮虽快，是洋人的东西，兄弟生平顶顶恨的是洋货，已经守了这几十年，现在要兄弟失节是万万不能的了。况且兄弟苟其贪图走的快，早由天津坐了火轮船到上海，也不到山东绕这一个大湾儿了。"漕台见他如此说法，晓得他牛性发作，也只好一笑置之。

单说少爷见老人家有这许多银子，自己到不了手，总觉有点难过；变尽方法，总想偷老头子一票，方才称心。如此者处心积虑，已非一日。从清江一路行来，早晚靠了船，大少爷一定要过来请安。等到老头子查点票子的时候，一定要把大少爷赶回自己船上去。大少爷也晓得老头子的用意，生恐被他偷用了，将来轮不到小儿小女；无奈想放下总放不下。有天船靠常州，到了晚上，时候还早，父子二人吃过了饭，随便谈了几句，童子良就急急的催儿子过船。大少爷心上有点气不服，走到船头，盘算了一回。恰喜这夜并无月色，对面不见人影，他便悄悄的吩咐船家说："我要在这船沿上出恭。"

船上人道："这里河面宽，要当心，滑了脚不是玩的！船上有的是马桶，还是舱里稳当些。"大少爷道："我欢喜如此。不准响，闹得大人知道！"船上人见说他不听，也只好随他了。大少爷便依着船沿，慢慢的扶到后面，约摸老人家住的那间房舱。幸喜窗板露着有缝，趁势蹲下，朝里一望，可巧老头子正是一个人在那里点票子哩。大少爷看着眼馋，一头看，一头想主意。只见老头子只是一张一张的点数，并不细看票子上的数目，——一搭五十张，望上去有七八搭的光景，——点完之后，用纸包了一个总包，仍旧放在那个拜匣之内，拿锁锁好，摆在床头。他老人家亦就顺势躺在床上，看那样子，甚为怡然自得。大少爷随即回到自己船上。

一宵易过，容易天明。第二天开船，是日船到无锡。到了晚上，大少爷又过来偷着看了一回，也是如此。他便心上想道："像他这种点法，只点票子的数，并不点银子的数，倘若有人暗地里替他换上几张，他会晓得吗？有了，等我到了苏州，如此如此，这般这般。这银子虽然不能全数到我的手，十成里头，总有六七成可以弄到手的。"主意打定，便买嘱上下人等。等到船泊苏州之后，偷个空上岸，先把自己的现银子取出几个大元宝，到钱铺里托他们一齐写了银票，也有十两的，也有八两的，极少也有四两。钱铺问他做甚么用，他说是赏人的，人家也不疑心了。回到船上，专等钦差上岸，或是拜客，或是赴宴，这个挡口，大少爷便开了老头子住的舱门；——钥匙都是预先配好的——开了舱门，寻到拜匣所在，取出银票，拿掉几张大数目的，放上几张小数目的，仍然包好放好。等到晚上老头子点票子的时候，大少爷又去偷看了一回，只见老头子依然是一张一张的点了个总数不差，无甚说得。因此大少爷胆子愈大，第二天又换上十来张，老头子仍未看出：如此者不上五天，便把他老人家整千整百大数目的银票统通偷换了去。

童钦差虽然仍旧逐日查点，无奈这个弊病始终没有查出。又幸亏这童钦差平时一个钱不肯用的，这些银票，将来回京之后，也不过送到黑屋里为糊墙之用。大约这重公案，他老人家在世一日，总不会破的了。于是大少爷把心放下。后来手脚做的越多，胆子越大，老头子这趟差使弄来的钱，足足有八九成到他儿子手里了。

要知后事如何，且听下回分解。

第四十七回
喜掉文频频说白字　为惜费急急煮乌烟

却说童子良到了苏州。江苏是财赋之区，本是有名的地方。童子良此番是奉旨前来，一为查旧帐，二为筹新款。钦差还没有下来，这里官场上得了信，早已吓毛了。此时做江苏巡抚的，姓徐，号长绵，是直隶河间府人氏，一榜出身。藩台姓施，号步彤，是汉军旗人氏。臬台姓萧，号卣才，是江西人氏。他俩一个是保举，一个是捐班，现在一齐做到监司大员，偏偏都在这苏州城内。施藩台文理虽不甚清通，然而极爱掉文，又欢喜挖苦人。因为萧臬台是江西人，他背后总要说他是个锯碗的出身。萧臬台听见了，甚是恨他。

这日辕期，两司上院，见了徐抚台。徐抚台先开口道："里头总说我们江苏是个发财地方，我们在这里做官，也不知有多少好处，上头不放心，一定要派钦差来查。我们做了封疆大吏，上头还如此不放心我们，听了叫人寒心！"施藩台答应了两声"是"，又说道："回大帅的话：我们江苏声名好听，其实是有名无实。即如司里做了这个官，急急的'量人为出'，还是不彀用，一样有亏空。"徐抚台听了"量人为出"四个字不懂，便问："步翁说得甚么？"施藩台道："司里说的是'量人为出'，是不敢浪费的意思。"毕竟徐抚台是一榜出身，想了一想，忽然明白，笑着对臬台说道："是了。施大哥眼睛近视，把个量入为出的'入'字看错个头，认做个'人'字了。"萧臬台道："虽然看错了一个字，然而'量人为出'，这个'人'字还讲得过。"徐抚台听了，付之一笑。施藩台却颇洋洋自得。

徐抚台又同两司说道："我们说正经话，钦差说来就来，我们须得早为防备。你二位老兄所管的几个局子，有些帐趁早叫人结算结算，赶紧把册子造好，以备钦差查考。等到这一关搪塞过了，我兄弟亦决计不来管你的闲事。"藩、臬二司一齐躬身答应，齐说："像大帅这样体恤属员，真正少有，司里实在感激！"徐抚台道："多糜费，少糜费，横竖不是用的我的钱，我兄弟决计不来做这个难人的。"藩、臬两司下来，果然分头交代属员，赶造册子不题。

正是有话便长，无话便短。转眼间，童钦差已经到了苏州了，一切接差请圣安等事，不必细述。且说童钦差见了巡抚徐长绵，问问地方上的情形，徐抚台无非拿场面上的话敷衍了半天。接着便是司道到行辕禀见。童钦差单传两司上去，先问地方上的公事，随后又问藩台："单就江苏一省而论，厘金共是若干？"施藩台先回一声"是"，接着说了句："等司里回去查查看。"童钦差听了，无甚说得。歇了一回，又提到漕米，童钦差道："这个是你老哥所晓得的了？"谁料施藩台仍旧答应了一声"是"，接着又说了一句"等司里回去查查看"。

童钦差一听，他这个要回去查，那个要回去查，便很有些不高兴。于是回过脸同萧臬台议论江南的枭匪，施藩台又抢着说道："前天无锡县王令来省，司里还同他说起：'无锡的九龙山强盗很多，你们总得会同营里，时常派几条兵船去"游戈游戈"才好；不然，强盗胆子越弄越大，那里离太湖又近，倘或将来同太湖里的"鸟匪"合起帮来，可不是顽的！'"施藩台说得高兴，童钦差一直等他说完，方同萧臬台说道："他说的甚么？我有好几句不懂。甚么'游戈游戈'，难道是下油锅的油锅不成？"萧臬台明晓得施藩台又说了白字，不便当面揭穿驳他，只笑了一笑。童钦差又说道："他说太湖里还有甚么'鸟匪'，那鸟儿自然会飞的，于地方上的公事，有甚么相干呢？哦！我明白了，大约是枭匪的'枭'字。施大哥的一根木头被人家抗了去了，自然那鸟儿没处歇，就飞走了。施大哥好才情，真要算得想入非非的了！"

施藩台晓得童钦差是挖苦他，把脸红了一阵，又挣扎着说道："司里实在是为大局起见，生怕他们串通一气，设或将来造起反来，总不免'茶毒生灵'的。"童钦差听了，只是绉眉头。施藩台又说道："现在缉捕营统领周副将，这人很有本事，赛如戏台上的黄天霸一样。还是前年司里护院的时候委他这个差使。而且这人不怕死，常同司里说：'我们做皇上的官，吃皇上家的钱使，将来总要"马革裹尸"，才算对得起朝廷。'"童钦差又摇了摇头，说道："做武官能彀不怕死，原是好的。但是你说的甚么'马革裹尸'，这句话我又不懂。"施藩台只是涨红了脸，回答不出。萧臬台于是替他分辨道："回大人的话：施藩台眼睛有点近视，所说的'马革裹尸'，大约是'马革裹尸'，因为近视眼看错了半个字了。就是刚才说的甚么'茶毒生灵的'的'茶'字，想来亦是这个缘故。"童钦差点头笑了一笑，马上端茶送客。一面吃茶，又笑着说道："我们现在用得着这'茶度生灵'了！"施藩台下来之后，朝萧臬台拱拱手，道："卣翁，以后凡事照应些，钦差跟前是玩不得的！"于是各自上轿而去。

自此以后，童钦差便在苏州住了下来。今天传见牙厘局总办，明天传见铜元局委员，无非查问他们一年实收若干，开销若干，盈余若干。所有局所，虽然一齐造了四柱清册，呈送钦差过目；无奈童子良还不放心，背后头同自己随员说："这些帐是假造的，都有点靠不住；总要自己彻底清查，方能作准。"于是见过总办、会办，大小委员都不算数；一定要把局子里的司事一齐传到行辕，分班回话。头一天传上来的一班人，童钦差只略为敷衍了几句话，并不查问公事。这一班退出，吩咐明天再换一班来见。等到第二天，换二班的上来，钦差竟其异常顶真，凡事都要考求一个实在。有些人回答不出，很碰钦差的钉子。于是大家齐说："这是钦差用的计策：晓得头一班上来见的人一定是各局总办选了又选，都是几个尖子，自然公事熟悉，应对如流，所以无须问得。等到第二班，一来总办没有预备，再则大家见头一天钦差无甚说话，便亦随随便便；谁知钦差忽然改变，焉有不碰钉子之理。"司事碰了钉子，其过自然一齐归在总办身上。合苏州省里的几个阔差使总办一齐都是藩台当权，马上传见施藩台，当面申饬，问他所司何事。施藩台道："司里要算是顶真的了，几次三番同他们三令五申，无奈这些人只有这个材料，总是这么不明不白的。"童子良道："这里头的事，你可明白？"施藩台道："等司里回去查查看。"童子良气的无话可说，便也不再理他。

幸亏现任苏州府知府为人极会钻营，而且公事亦明白，不知怎样，钦差跟前被他溜上了，竟其大为赏识，凡事都同他商量。这知府姓卜，号琼名。但是过于精明的人，就不免流于刻薄一路。平时做官极其风厉，在街上看见有不顺眼的人，抓过来就是一顿。——尤其犯恶打前刘海的人，见了总要打的。他说这班都是无业游民，往往有打个半死的。因此百姓恨极了他，背后都替他起了一个浑号，称他为"剥穷民"。藩台施步通文理虽然不甚通，公事亦极颟顸；然而心地是慈悲的，所谓"虽非好官，尚不失为好人"。因见首府如此行为，心上老大不以为然，背后常说："像某人这样做官，真正是草菅人命了。"亦曾当面劝过他，无如卜知府阳奉阴违，也就奈何他不得。

钦差此番南来，无非为的是筹款。江南财赋之区，查了几天，尚无眉目，别处更可想而知了。童子良生怕回京无以交代，因此心上甚为着急。卜知府晓得钦差的心事，便献计于钦差，说是："苏州一府，有些乡下人应该缴的钱粮漕米，都是地方上绅士包了去，总不能缴到十足；有的缴上八九成，有的缴上六七成，地方官怕他们，一直奈何他们不得。许多年积攒下来，为数却亦不少。"童子良道："做百姓的食毛践土，连国课都要欠起来不还，这还了得吗！"卜知府道："其过不在百姓而在绅士；百姓是早已十成交足，都收到绅士的腰包里去了。苏州省城里还好，顶坏的是常熟、昭文两县，他那里的人，只要中个举，就可以出来替人家包完钱漕，进士更不用说了。"童子良道："你也欠，他也欠，地方官就肯容他欠吗？将来交不到数目，不还是地方官的责任吗？"卜知府道："地方官顾自己考成，亦只好拿那些没势力的欺负，做个移东补西的法子。至于有势力的，拉拢他还来不及，还敢拿他怎样呢。”童子良道：“一个举人有多大的功名，胆敢如此！”卜知府道：“一个举人原算不得甚么；他们合起帮来同地方官为难，遇事掣肘，就叫你做不成功，所以有些州、县，只好隐忍。卑府却甚不以此为然。”童子良道：“依你之见如何？”卜知府道：“卑府愚见：大人此番本是奉旨筹款而来，这笔钱，实实在在是皇上家的钱，极应该清理的，而且数目也不在少处。为今之计，只要大人发个令，说要清赋，谁敢拖欠，我们就办谁。——越是绅衿，越要办得凶。办两个做榜样，人家害怕，以后的事情就好办了。不但以后的事情好办，这笔钱清理出来，也尽够大人回京复旨交代的了。”

童子良这两天正以筹不着款为虑，听了此言虽然合意；但是意思之中尚不免于踌躇，想了一想，说道：“这笔钱原是极应该清理的，但是，如此一闹，不免总要得罪人。”卜知府道：“古人‘铁面无私’，大人能够如此，包管大人的名声格外好，也同古人一样，传之不朽；而且如此一办，朝廷也一定说大人有忠心；朝廷相信了大人，谁还敢说甚么话呢？”童子良经他这一泡恭维，便觉他说的话果然不错，连说：“兄弟照办。……但是，老兄到底在这里做过几年官，情形总比兄弟熟悉些，将来凡事还要仰仗！”卜知府亦深愿效力。一连又议了几日，把大概的办法商量妥当，就委卜知府做了总办。

卜知府本来是个喜欢多事的人，一朝权在手，便把令来行，行文各属，查取拖欠的数目以及各花户的姓名；查明之后，立刻委了委员，分赴各属，先去拿人。那些地方官本来是同绅士不对的，今奉本府之命，又是钦差的公事，乐得假私济公，凡来文指拿的人，没有一名漏网。等到解到省城之后，凡是数目大的，一概下监；数目小的，捕厅看管。但是欠得年代太久了，总算起来，任凭你甚么人，一时如何还得起。于是变卖田地的也有，变卖房子的也有，把现成生意盘给人家的也有；一齐拿出钱弥补这笔亏空。然而这些都还是有产业、有生意的人，方能如此。要是一无底子的人，靠着自己一个功名，鱼肉乡愚，挟持官长，左手来，右手去，弄得的钱是早已用完的了，到得此时，斥革功名，抄没家产都不算，一定还要拷打监追；及至山穷水尽，一无法想，然后定他一个罪名，以为玩视国课者戒：因此破家荡产，鬻儿卖女，时有所闻。虽然是咎由自取，然而大家谈起来，总说这卜知府办的太煞认真了。

闲话少叙。但说卜知府奉到宪札之后，认真办了几天，又去禀见钦差。童子良道：“兄弟即日就要起身前赴镇江，沿江上驶；先到南京，其次安徽，其次江西，其次两湖；回来再坐了海船，分赴闽、粤等省。到处查查帐，筹筹款，总得有一年半载耽搁。这事既交代了老兄，大约有半年光景，总可清理出一个头绪？”卜知府道：“不消半年。卑府是个急性子的人，凡事到手，总得办掉了才睡得着觉；大约多则三月，少则两月，总好销差。”童子良道：“如此更好！”卜知府回去，真个是雷厉风行，丝毫不肯假借；怕委员们私下容情，一齐提来，自己审问。每天从早晨起来就坐在堂上问案，一直到夜方才退堂。他又在三大宪跟前禀明，说：“有钦差委派的事，不能常常上来伺侯大人。”甚至每逢辕期，他独不到。三宪面子上虽不拿他怎样，心上却甚是不快。

有天施藩台又同萧臬台说道：“听说卜某人是一天到晚坐在堂上问案子，连吃饭的工夫都没有。这人精明得很，赛如古时皋陶一般；有了他，可用不着你这臬台了。”施藩台说这话，萧臬台心上本以为然；无奈施藩台又读差了字音，把个皋陶的“陶”字，念做本音，像煞是甚么“糕桃”。萧臬台楞了，忙问：“甚么叫做糕桃？”施藩台亦把脸红了半天，回答不出。后来还是一位候补道忽然明白了他这句话，解出来与众人听了，臬台方才无言而罢。

按下卜知府在苏州办理清赋不表。且说此时做徐州府知府的，姓万，号向荣，是四川人氏。这人以军功出身，一直保到道台，放过实缺。到任不久，为了一件甚么事，被御史参了一本；本省巡抚查明复奏，奉旨降了一个知府。后来走了门路，经两江总督咨调过来，当了半年的差使。齐巧徐州府出缺，他是实缺降调人员，又有上头的照应，自然是他无疑了。

这万太尊从前做道台的时候，很有点贪赃的名声；就是降官之后，又一直没有断过差使：所以手里光景还好。到任之后，就把从前的积蓄以及新收的到任规费等先拿出一万银子，叫帐房替他存在庄上。每月定要一分利息；钱庄上不肯，只出得一个六厘；万太尊不答应，后首说来说去，作为每月七厘半长存。这爿钱庄乃本地几个绅士摒出股分来合开的，下本不到一万；放出去的帐面却有十来万上下。齐巧这年年成不好，各色生意大半有亏无赢，因此，钱业也不能获利；后来放出去的帐又被人家倒掉几注，到了年下，这爿钱庄便觉得有点转运不灵。万太尊一听消息不好，立刻逼着帐房去提那一万银子。钱庄上挡手的忙托了东家进来同太尊说，请他过了年再提。万太尊见银子提不出，更疑心这钱庄是挣不住的了；也不及思前顾后，登时一角公事给首县，叫他一面提钱庄挡手，押缴存款，一面派人看守该庄前后门户。知县不知就里，正在奉命而行，却不料这个风声一传出去，凡是存户，一齐拿了折子到庄取现，登时把个钱庄逼倒。既倒之后，万太尊不好说是为了自己的款子所以札县拿人，只说是奸商亏空巨款，地方官不能置之不问。便是钱庄已经闭倒，店伙四散，挡手的就是押在县里亦是枉然。后来几个东家会议，先凑了三千银子归还太尊，请把挡手保出，以便清理。万太尊无

奈，只得应允。连利钱整整一万零几百银子，现在所收到的不及三分之一；虽说保出去清理，究竟还在虚无缥缈之间。总算凭空失去一笔巨项，心上焉有不懊闷之理。

又过了些时，恰值新年。万太尊有两个少爷，生性好赌，正月无事，便有人同他到一爿破落户乡绅人家去赌。无奈手气不好，屡赌屡输，不到几天，就输到五千多两。少爷想要抵赖，又抵赖不脱。兄弟二人，彼此私下商量，无从设法；便心生一计，将他们聚赌的情形，一齐告诉与他父亲。万太尊转念想道："这拿赌是好事情，其中有无数生发。"便声色不动，传齐差役，等到三更半夜，按照儿子所说的地方前往拿人；并带了儿子同去，充做眼线。少爷一想："倘或到得那里被人家看破，反为不妙。"但是老子跟前又不好说明，只得临时推头肚子疼，逃了回来。这里万太尊既已找着赌场所在，吩咐跟来的人把守住了前后门户；然后打门进去，乘其不备，登时拿到十几个人。其中很有几个体面人，平时也到过府里，同万太尊平起平坐的，如今却被差役们拉住了辫子；至于屋主那个破落乡绅，更不用说了。此时这般人正在赌到高兴头上，桌子上洋钱、银子、钱票、银票、戒指、镯头、金表统通都有，连着筹码、骨牌，万太尊都指为赌具，于是连赌具，连银钱，亲自动手，一搂而光；总共包了一个总包，交代跟来的家人，放在自己轿子肚里，说是带回衙门，销毁充公。又亲自率了多人，故意在这个人家上房内院仔细查点了一回，然后出来，叫差人拉了那十几个人，同回衙门而去。

万太尊明晓得被拿之人有体面人在内，便吩咐把一干人分别看管。第二天也不审问，专等这些人前来说法。果然不到三天，一齐说好；有些顾面子的，竟其出到三千、五千不等，就是再少的三百、二百也有，统通保了出去。万太尊面子上说这笔钱是罚充善举；其实各善堂里并没有拨给分文，后来也不晓得是如何报销的。便有人说：这回拿赌，万太尊总共拿进有一万几千银子。少爷赖掉人家的五千多不算；当大赌台上搂来的，听说值到三四千亦不算；倘算起来，足足有两万朝外。不但上年被钱庄倒掉的一齐收回，而且更多了一倍，真可谓得之意外了。便是被拿的人事后考究这事是如何被太尊晓得的，猜来猜去，便有人猜到少爷漏的消息，说道："太尊的两位少爷是天天到此地来的，独有拿赌的那天没来，如今索性连影子都不见了。赌输了钱，欠的帐都有凭据；他如此混帐，我们要到道里去上控的。他既纵子为非，又借拿赌为名，敲我们的竹杠。如今这笔钱到底是捐在那爿善堂里，我们倒要查查看。"众人齐说："是极。"于是一倡百和，大家都是这个说法。就有人把话传到万太尊耳朵里。万太尊道："我不怕！他要告，先拿他们办了再说！难道他们开赌是应该的？我的儿子好好的在家里，没有人来引诱，他就会跑出去同他们在一块儿吗？我不办他们，只罚他们出几个钱，难道还不该应？真正又好笑，又好气！”万太尊说罢，行所无事。后来再打听打听，那几个罚钱的亦始终没有敢去出首；大约是怕弄他不倒，自己先坐不是之故。但是名气越闹越大，这个消息传到京城里，被一个都老爷晓得了。齐巧这都老爷是徐州人氏，便上了一个折子，大大的拿这万太尊参了几款。这时恰碰着童子良到江西筹款，军机里寄出信来，就叫他就近查办。童子良不免派了自己带来的随员，悄悄的到徐州府走了一遭。列位看官，可晓得现在官场，凡是奉派查办事件，无论大小，可有几件是铁面无私的？委员到得徐州，面子上说不拜客，只是住在店里查访；却暗地里早透个风给人，叫人到万太尊那里报信。万太尊得了这信，岂有不着急之理！立刻亲自过来奉拜，送了一桌酒席；又想留他在衙门里去住。几天下来，彼此熟了，还有甚么不拉交情的。再加派去的委员亦并不是吃素的，万太尊斟酌送些，他再借些，自然是大事化小，小事化无了。

话休絮烦。此时童子良已由苏州坐了民船到得南京，委员回来禀复了。万太尊晓得事已消弥，不致再有出岔，于是也跟着进省，叩谢钦差；并且由先前那个委员替他说合，拜钦差童子良为老师，借名送了一分厚礼，自不必说。正当这天进去禀见，同班连他共是三个；那两个也是知府，都在省里当甚么差使的。齐巧头天童子良病了一天一夜，又吐又泻，甚是利害。这天本是不见客的，因为万太尊是新收的门生，那两个又有要紧的公事面回，所以一齐都请到卧室里相见。预先传谕万太尊不必行礼，万太尊答应着。进得房来，只见钦差靠着两个炕枕，坐在床上。三个人只恭恭敬敬的请了一个安。童子良略为把身子欠了一欠，上气不接下气的敷衍了两句。三个躬身询问：“福体欠安，今天怎么样了？”童子良因晓得那两位知府当中，有一位略为懂得点医道的，先把病势大概说了几句，又叫人把方子取出来，请他过目，问他怎么样，可用得用不得。那位不懂得医道的先说道：“大人洪福齐天，定然吉人天相，马上就会痊好的。”童子良也不理他。又听得那个略为懂得点医道的说道：“方才不过如此。但是卑府学问疏浅，大人明鉴万里，还是大人鉴察施行罢。”童子良着急道：“这是甚么话！我晓得老兄于此道甚是高明，所以特地请教。现在兄弟命在呼吸，还要如此的恭维，也真正太难了！诸位老兄在官场上历练久了，敷衍的本事是第一等；像这样子，只怕要敷衍到兄弟死了方才不敷衍呢！”

他俩听了，面孔很红了一阵，不敢作声。到底新收的门生万太尊格外贴切些，因见他俩都碰了钉子，便搭讪着说道：“上吐下泻的病，只要吃两口鸦片烟就好的。”童子良道：“是啊！我从前原本不忌这个东西的；现在到了江南来，因为天天要起早办公事、见客，吃了他很不便当，又要耽搁工夫，又要糜费。像愚兄从前的瘾，总得一两银子一天。所以到了苏州就立志戒烟，天天吃药丸子。前头还觉撑得住，如今有了病，倒有点撑不住了。”

万太尊道：“老师是朝廷的栋梁，就是一天吃一两银子也不打紧。”童子良道：“小处不可大算，一天一两，一年三百六十两。近年来大土的价钱又贵，三百六十两，不过买上十二三只土，还要自己看着煮，才不会走漏；一转眼，就被他们偷了去了。”万太尊道：“老师毛病要紧，多化几两银子值得甚么！如果要土，门生那个地方本是出土的地方，而且的的确确是我们中国的土。门生这趟带来的不多，大约只彀老师一年用的；等到门生回去，再替老师办些来；就是老师回京之后，门生年年供应些，亦还供应得起。”童子良一听万太尊有烟土送他，自然欢喜。因为病后，恐怕多说了话劳神，当时示意送客，三人一齐告辞出来。万太尊回到寓处，把从徐州带来的烟土取出好些，送到行辕。童子良一齐收下。当天就传话出来，叫到烟馆里挑选四名煮烟的好手到行辕伺候；又叫办差的置办锅炉、木炭、磁缸等件预备应用；又特地派了大少爷及三个心腹随员监督熬烟。大少爷道：“一天就是抽二两，一时那里就抽得这许多。有这些土，只要略为煮些，够路上抽的就是了；其余的不必煮，路上带着，岂不便当些。如今一起煮好了，缸儿罐儿堆了一大堆，还要人去照顾他；一个不留心，不是打碎了罐子，或如倒翻了烟，真正不上算。”童子良低低的说道：“你们小孩子家，真正糊涂！我为的如今煮烟，炭是有人办差的；就是缸儿、罐儿，也不要自己出钱买。等到上起路来，船上不必说；走到旱路，还怕没有人替我们抬着走吗。每罐多少，每缸多少，我上头都号了字，谁敢少咱们的。打翻了，少不得就叫地方官赔，用不着你操心。如今倘若不把他煮好了，将来带到京里，那一样不要自己拿钱买呢？谁来替咱办差？你们小孩子家，只顾得眼前一点，不晓得瞻前虑后，这点算盘都不会打，我看你们将来怎样好啊！”一席话说得儿子无言可答。

不多一会，煮烟的也来了。童子良吩咐他们明天起早来煮。到了第二天，他老人家病也好些，居然也能到外面来走走了。就在花厅上摆起四个炉子煮烟。除掉大少爷之外，其余三个随员，虽然不戴大帽子，却一齐穿了方马褂上来，围着炉子，川流不息的监察。童子良也穿了一件小夹袄，短打着，头上又戴了一个风帽，拄着拐杖，自己出来监工，弄得三间厅上，烟雾腾天。碰着有些不要紧的官员来见，他就吩咐叫“请”。人家进来之后，或是立谈数语，或是让人家随便旁边椅子上坐坐。人家见了，都为诧异。

要知后事如何，且听下回分解。

第四十八回
还私债巧邀上宪欢 骗公文忍绝良朋义

却说钦差童子良在南京养了半个月，病亦好了，公事亦查完了，总共凑到将近一百万银子光景。因见这边实在无可再筹，只得起身溯江上驶。未曾动身之先，就有安徽派来道员一员、知县两员，前来迎迓。及至动身的几天头里，江宁、上元两县晓得钦差不坐轮船的，特地封了十几号大江船，又由长江水师提督派了十几号炮船沿江护卫。在路早行夜泊，非止一日。有天到得芜湖，钦差因为没甚公事，未曾登岸。及至将到安庆省城，文武大小官员一起出境迎接，照例周旋，无庸多述。因安徽省现在这位中丞亦有被参交查事件，所以钦差于盘查仓库，提拨款项之后，只得暂时住下，查办参案。

原来此时做安徽巡抚的，姓蒋，号愚斋，本贯四川人氏。先做过一任山东巡抚，上年春天才调过来的。由山东调安徽，乃是以繁调简，蒋中丞心上本来不甚高兴。实因其时皖北凤、亳一带土匪蠢动，朝廷因为这蒋中丞是军功出身，前年山东曹州一带亦是土匪作乱，经蒋中丞派了兵去治服的；所以朝廷特地调他过来，以便剿办皖北土匪，无非为地择人之意。蒋中丞接印之后，就派了一位营务处上的道台，——姓黄，名保信；一员副将，姓胡，名鸾仁，带了五营人马，前去剿办。禀辞的时候，蒋中丞原面谕他们相机行事；及至到得那里，他两个办不下来，就上了一个禀帖，说土匪如何猖狂，如何利害，请加派几营兵，以资策应。蒋中丞得禀后，就加派了一员记名总兵，姓盖，名道运，统率了新练的甚么常备军、续备军，又是三四营，前去救应。此番蒋中丞因该匪等胆敢抗拒官军，异常凶悍，实属目无法纪；又加了一个札子给他三个，叫他们如遇土匪，迎头痛剿。毕竟土匪是乌合之众，那里禁得起这大队人马，不下三个月，土匪也平了，那一带的村庄也没有了。问是怎样没有的，说是早被他三位架起大炮，轰的没有了。于是“得胜回朝”。蒋中丞自有一番保奏：胡副将升总兵；盖总兵升提督；黄道台亦得了甚么“巴图鲁”勇号。正在高兴头上，不提防被御史参上几本，说他们并不分别良莠，一律剿杀；又说蒋中丞滥保匪上，玩视民命，所以派了童子良查办的。

蒋中丞未曾调任之前，安徽有一个候补知府，姓刁，名迈彭，历任三大宪都欢喜他，凡是省里的红差使、阔差使，不是总办，便是提调，都有他一分。然而除掉上司之外，却没有一个说他好的。蒋中丞亦早已闻得他的大名。等到接印下来，同司、道谈起本省公事，便道："怎么我们安徽一省候补道、府如此之多，连个能够办事的都没有？"两司听了愕然，各候补道更为失色。蒋中丞歇了一会，又说道："但凡有个会办事的，何至于无论甚么差使都少不了刁某人一个呢？就是他能办事，他一个人到底有多少本事，有多大能耐？一天到晚，忙了东又忙西，就是有兼人之材，恐怕亦办不了！"各位司、道方才晓得中丞是专指刁某人而言，一齐把心放下。但是大众听抚宪如此口气，知道不妙，就是想要替他说两句好话也不敢说了。有些穷候补道，永远不得差使的，心中反为称快。

等到下来，早有耳报神把这话传给了刁迈彭了。刁迈彭自从到省十几年，一直是走惯上风的，从没有受过这种瘪子。初听这话，还是一鼓作气的，说道："明天就上院辞差使，决计不干了！"亲友们大家都劝他忍耐。又有人说："中丞大约是初到这里，误听人言；再过几天，同你相处久了，晓得你的本领，自然也要倾倒的。"在外亲友劝，在家太太劝，过了两天，刁迈彭的气也平了，也不想辞差使了，仍旧谨谨慎慎上他的局子，办他的公事。却不料藩台因抚台说他闲话，也不敢过于相信他，三四天后，忽然拿他所兼的差使委了别人两个；大约还是些挂名不办事的，正经差使却没有动。刁迈彭一见苗头果然不对，此时一心害怕，惟恐还有甚么下文，翻过来求藩台，求臬台，替他在抚宪面前说好话，保全他的差使还来不及，亦不说辞差使不干的话了。

毕竟蒋中丞人尚忠厚，因见两司代为求情，亦就答应暂时留差，以观后效。两司下来，传谕给刁迈彭，叫他巴结听差。刁迈彭不但感激涕零，异常出力；并且日夜钻谋笼络抚宪的法子，总要叫他以后开不得口才好。心想："凡是面子上的巴结，人人都做得到的，不必去做。总要晓得抚台内里的情形，或者有甚么隐事，人家不能知道的，我独知道；或者他要办一件事，未曾出口，我先办到，那时候方能显得我的本领。但是他做巡抚，我做属员，平日内里又无往来，如何能够晓得他的隐事？"这天整整踌躇了半夜。

回到上房，正待睡觉，忽然有个老妈，因为太太平时很喜欢他，他不免常在主人眼前说同伴坏话；些时忽被同伴说他做贼，并且拿到贼赃，一时赖不过去。太太只得吩咐局里听差的勇役，一面看守好了这个老妈，一面去追赶荐头；说是等到荐头到来，一齐送到首县里去办。这事从吃晚饭闹起，一直等到二更多天，荐头才来。太太正在上房发威，荐头同老妈直挺挺跪在地下。这个档口，齐巧刁迈彭踱了进去。问其所以，太太说了一遍。太太又骂荐头好大的架子，叫了这半天才来。荐头分辨说道："实为着抚台大人的三姨太太昨日添了一位小少爷，叫我雇奶妈；早晨送去一个，说是不好，刚才晚上又送去一个；进去之后，又等了好半天，所以误了太太这里的差事。只求太太开恩！”太太听了这话，心上生气，说他拿抚台压我。正待发作，谁知刁迈彭早听的明明白白，忽然意有所触；又见老妈年纪尚轻，甚是洁净。刁迈彭便心生一计，连向太太摇手，叫他不要追问。太太摸不着头脑。刁迈彭急走上前，附耳说了两句，太太明白，果然就不响了。刁迈彭忙叫荐头起来，向他说道：“‘知人知面不知心’，你们做荐头的人也管不了这许多，荐来的人做贼，是怪不得你的；不过是你的来手，却不能不同你言语一声。刚才太太因为你来得晚了生气，如今把话说明，就没有你的事了。”荐头正为太太说要拿他当窝家办，吓得心上十五个吊桶七上八落。如今见刁大人这番说话，不但转愁为喜，立刻爬在地下替大人、太太磕了几个响头；回转身来，就把那偷东西的老妈打了两下巴掌，又着实拿他埋怨了几句。刁迈彭又道：“这个人我本是要送他到县里重办的；只为到得县里，一定要追及荐头人，于你亦有不便。我如今索性拿他交代与你带去，只要把偷的东西拿回来，看你面上，饶他这一遭，等他以后别处好吃饭。”那老妈听了，自然也是感激的了不得，亦磕了几个头，跟了荐头，千恩万谢而去。

第二天刁太太这里仍旧由原荐头荐了个人来。刁迈彭有意笼络这荐头，便同他问长问短，故意找些话出来搭讪着同他讲。后来荐头来得多了，刁迈彭同他熟惯了，甚至无话不谈。有天刁迈彭问他：“抚台衙门里，你可常去？”荐头道：“现在院上用的老妈一大半是我荐得去的。”刁迈彭道：“有甚么伶利点的人没有？”荐头道：“可是太太跟前要添人？”刁迈彭道：“不是。现在没有这样伶俐人，也不必说；等到有了，你告诉我，我自有用他的去处，并且于你也有好处的。”荐头道：“可惜一个人，大人公门里若能再叫他进来了，这个人倒是很聪明的，而且人也干净，模样儿也好，心也细；有甚么事情托他，是再不会错的。”刁迈彭忙问：“是谁？”又问：“我这里为甚么不能再来？”荐头道：“就是前个月里人家冤枉他做贼撵掉的那个王妈。大人明鉴：人家说他做贼，是冤枉的；同伙里和他不对，所以说他做贼，无非想害他的意思。”刁迈彭道：“这个人很不错，太太本来也很喜欢他。不过同伙当中都同他不对，因此我这里他站不住脚，所以太太亦只好让他走了干净。至于做贼的一件事，我也晓得冤枉的，所以当时我并不追问。”荐头道：“大人、太太待他的恩典，他有甚么不知道！”刁迈彭道：“知道就好，可见得就不是个糊涂人。如今又是你的保举，我现在就用他亦可以。”荐头道：“他出去之后，我又荐他到南街上刘道台公馆里去。刘道台是一直没有当过甚么差使的，公馆里没有出息，听说老妈的工钱都是付不出的。所以王妈虽然去了，并不愿意在他家，闹着要出来。既然大人要他，我回去就带信给他，仍旧叫他到这里来伺候大人同太太就是了。”

刁迈彭道："钱归我出，而且还可以多给他些好处。但是这个人并不是要他来伺候我，亦不是要他来伺候我们太太；要他去伺候一个人，伺候好了，我还重重有赏，连你都有好处的。"荐头听了，还当是刁大人有甚么外室，瞒住了太太；因是熟惯了，便凑前一步，附耳问道："可是去伺候姨太太？"刁迈彭连连摇头道："不是，不是。你不要乱猜。"荐头道："这个我可猜不着了。到底去伺候谁，请大人吩咐了罢。"刁迈彭道："现在离年不多几天了，我还要消停两天，今日不同你说；等你回家猜两天，猜不着，等我过了年再告诉你。"荐头无奈，只得回去。

正是光阴似箭，转眼又是新年了。这天是大年初五，那荐头急忙忙赶到刁公馆里给大人、太太叩喜。齐巧太太被一位要好的同寅内眷邀去吃年酒去了，只有刁迈彭在家。荐头便问："大人去年所说的那桩事情，可把我闷坏了。今日请大人吩咐了罢。"刁迈彭说道："你不要着急，我本来今天就要告诉你的。总而言之，这件事你能替我办成，我老爷的升官，连你的发财，统通都在里头。"荐头听了，直喜得眉花眼笑，嘴都合不拢来。

刁迈彭正要往下说时，恰巧管家头戴大帽子，拿了封信进来，说是："老爷的喜信来了。"刁迈彭听了，不觉陡然楞了一楞，于是把话头打住。原来上年刁迈彭曾经托京里一个朋友谋干一件事情。这个管家乃是刁迈彭的心腹，晓是此事；所以今天接着了这封京信，以为必定是那件事的回信来了。及至刁迈彭拆开看过之后，才知不是，于是搁在一边。

管家退去，刁迈彭方才说道："我托你不为别的，为的你常常荐人到抚台衙门里去，就是上回歇掉的那个王妈，我看这人还伶俐，我想托你拿他荐到抚台衙门里去。我这里有四十两银子，二十两送你吃杯茶，那二十两你替我给了王妈。你可晓得我托你把他荐了进去，所为何事？专为叫他在里头做一个小耳朵。凡是抚台大人有甚么事情，都来告诉我；就是没有事情，或是大人说些甚么闲话，一天到晚做些甚么事情，只要是他知道的，都可以来告诉我。我公馆里他不便来，他可送信给你，由你再传给我。但是至多三天总得报一次。这件事情办成，我还要重重的谢你；以后若是王妈他家里缺甚么钱用，你告诉我，都由我这里给他。"那荐头听了刁迈彭的一番话，沉吟了一回，回说："这人现在已不在刘公馆了，另外找了一个人家，听说出息很好。等我去挖挖看。大人赏他的银子，我带了去。这个请大人收了回去，我们怎好无功受禄呢。"刁迈彭道："这一点点算不得甚么。你也不必客气，将来我还要补报你的。"荐头见刁迈彭执意要他收，他亦乐得享用；于是千恩万谢，揣了银子而去。走出宅门，刁迈彭又拿他喊住，问道："你拿他送进去给那一个？倘若送到不相干人的跟前，那是没用的。"荐头道："现在是二姨太太拿权，我自然拿他送到二姨太太跟前去，大人放心就是了。"刁迈彭见他说话在行，也自放心。

果然那荐头回去找到王妈，交代他十两银子，把刁迈彭的一番盛意说知；并说以后还有赒济他。王妈自然欢喜。本来他此时在刘公馆里出来，正待找主，有了这个机会，随即一口答应。齐巧院上传出话来，二姨太太房里要雇个老妈，又要干净，又要能干。荐头得信，便把这王妈荐了进去；试了两天工，居然甚合二姨太太之意。当时荐头先把进去情形禀报过刁迈彭。过了两天，王妈传出话来，无非抚台大人昨日欢喜，今天生气的一派话，并没有甚么大事情；以后或三天一报，或两天一报，都是些不要紧的，甚至抚台大人同姨太太说笑的话也说了出来。刁迈彭听了，不过付之一笑。只有一次是二姨太太过生日，别人都不晓得，只有他厚厚的送了一分礼。虽然抚宪大人有命璧谢，未曾赏收；然而从此以后，似乎觉得有了他这个人在心上，便不像先前那样的犯恶他了。以后又有两件事情被他得了风声，都抢了先去，不用细述。

单说有天王妈又出来报说，说是抚台大人这两天很有些愁眉不展。听得二姨太太讲起，说他老人家前年上京陛见的时候，借了一家钱庄上一万二千银子，前后已还过五千，还短七千。现在这个人生意不好，店亦倒了，派了人来逼这七千银子。这位大人一向是一清如水的。现在这个来讨帐的人，就住在院东一爿客栈里面。大人想要不还他，似乎对不住人家，而且声名也不好听；倘若是还他，一时又不凑手，因此甚觉为难。刁迈彭听在肚里，等到王妈去后，便独自一个踱到街上，寻到院东几爿客栈，一家家访问，有无北京下来的人。等到问着了，又问这人名姓；问他到此之后，可是常常到院上去的，并他来往的是些甚么人，都打听清楚。刁迈彭是在安庆住久的，人头既熟，便找到这人的熟人，托他请这人吃饭，他却自己作陪。席面上故意说这位抚台手里如何有钱，如叫那人听了回去，逼的更凶。过了一天，果然王妈又来报，说大人这两天不知为着何事，心上不快活，一天到夜骂人，饭亦吃不下去。

刁迈彭听了欢喜，心想道："时候到了。"便打了一张七千两的票子，又另外打了一百两的票子，带在身上，去到栈房，找那个讨帐的说话。幸喜几天头里在台面上同那人早已混熟了，彼此来往过多次；那人亦曾把讨帐的话告诉过刁迈彭。刁迈彭立刻拍着胸脯，说道："我们这位老宪台是有钱的，不应如此啬刻。你只管天天去讨；将来实在讨不着，等我进去同他帐房老夫子说，划还给你就是了。"果然那人次日进去，逼的更紧。抚台不便亲自出来会他，都是官亲表侄少爷出来同他支吾。有时或竟在门房里一坐半天，弄得个抚台难为情的了不得，而又奈何他不得。想要同下属商量，又难于启齿。正在急的时候，忽然一连三天，不见那人前来。合衙门的人都为诧异，派个人到他住的栈房里打听打听，说是已经回京去了。栈房里的人还说："这人本是专为取一笔银子来的；如今人家银子已经还了他，还住在这里做甚么呢。"出来打听的人回去，把这话禀报上去，弄得个抚台更是满腹狐疑，想不出其中缘故。

原来刁迈彭自从王妈送信之后，他袖了银票，一直径到栈房，找到那人；自己装做是抚台帐房里托出来做说客的。起先止允还一半，那人不肯；然后讲到让去利钱，那人方才肯了。叫他取出字据，银契两交，一刀割断。然后又把那一张一百两的票子取出，作为抚台送的盘川。那人自是感激。又叫他写了一张谢帖。那人次日便动身回京而去。刁迈彭把笔据谢帖带了回家，心上盘算："银子已代还了，抚台的面子亦有了；怎么想个法子，叫抚台晓得是我替他还的才好。"意思想托个人去通知他，恐怕他不认，亦属徒然；若是自己去当面去同他讲，更恐怕把他说臊了，反为不美。而且这字据又不便公然送还他。踌躇了好两天，才想出一个法子。当天足足忙了半夜。

诸事停当，次日饭后上院。这几天抚台正为要帐的人忽然走了，心上甚是疑惑不定。见他独自一个来禀见，原本不想见他；后来说是有事面回，方才见的。进去之后，敷衍了几句，并不提及公事。等到抚台问他，刁迈彭方才从从容容的从袖筒管里取出一个手折，双手送给抚台，口称："大人上次命卑府抄的各局所的节略，凡是卑府所当过的差使，这上头一齐有了；此外卑府没有当过的，不晓得其中情形，不敢乱写。"抚台听了，一时记不清楚自己从前到底有过这话没有，随手接了过来，往茶几上一搁，道："等兄弟慢慢的看。"刁迈彭道："这后头还有卑府新拟的两条条陈，要请大人教训。"抚台听说有条陈，不得不打开来，一页一页的翻看。大略的看了一遍：前面所叙的，无非是他历来当的差使，如何兴利，如何除弊的一派话；后头果然又附了两条条陈，一条用人，一条理财，却都是老生常谈，看不出甚么好处。抚台正在看得不耐烦，忽地手折里面夹着两张纸头，上面都写着有字，——一张是八行书信纸写的，一张是红纸写的——急展开一半来一看，原来那张信纸写的不是别样，正是他老人家自己欠人家银子的字据；那一张就是来讨银子的那个人的谢帖。再看欠据上，却早已写明"收清"涂销了。抚台看了，当时不觉呆了一呆；随时心上亦就明白过来，连手折，连字据，连谢帖，卷了一卷，攒在手里，说了声"兄弟都晓得了，过天再谈罢"。说完，端茶送客。

且说抚台蒋中丞送客之后，袖了那卷东西，回到签押房里，打开来仔仔细细的看了一回，的确是那张原据七千多银子，连利钱足足一万开外。"如此一笔巨款，他竟替我还掉，可为难得！但是思想不出，他是怎么晓得的，真正不解！"接着又看那张谢帖，写明白"收到一百银子川资"的话，心想：“他这又何苦呢！正项之外，还要多贴一百银子。”仔细一想，明白了：“这是他明明替我做脸的意思。这人真有能耐，真想得到，倒看他不出！从前这人我还要撤他的；如今看来，倒是一个真能办事的人，以后倒要补补他的情才好。”跟手又把他那个手折翻出来，自头至尾，看了一遍。虽然不多几句话，然而简洁老当，有条不紊，的确是个老公事。再看那两条条陈，亦觉得语多中肯。”在候补当中，竟要算个出色人员！”盘算了一会，回到上房。

接着吃晚饭。二姨太太陪着吃饭，正议论到那个要帐的走的奇怪。蒋中丞连忙接口道：“我正要告诉你们，这银子竟有人替我代还了。”二姨太太听了诧异，忙问：“是谁还的？”蒋中丞便一五一十的统通告诉了他。又说：“刁某人是个候补知府，”现在当的是甚么差使。此时齐巧王妈站在二姨太太身旁，伺候添饭；他心上是明白的，忙插嘴道：“这位老爷我伺候过他，他的光景我是知道的，虽然当了这几年差使，还是穷的当当，手里一个钱都没有，那里来的这一万银子呢？不要不是他罢？”蒋中丞道：“的确是他。他当的都是好差使，还怕没钱，头两万银子，算来难不倒他。”王妈道：“这位老爷的的确确没有钱。我伺候过他的太太一年多，还有甚么不晓得的。他的太太亦时常同我们说：‘这些差使给了我们这位老爷，真正冤枉呢！除掉几两薪水之外，外快一个不要，这两年把我的嫁装都赔完了，再过两年就支不往了。这些差使若是委在别人身上，少说有五六万银子的财好发。’”蒋中丞听了疑惑道：“他既然没得钱，怎么能彀替我还帐呢？”王妈道：“这位老爷钱虽不要，然而手笔很大，一千、八百的常常帮人，自己没有钱，外头拖亏空；所以他身上听说有毛五万银子的亏空。如今这笔钱，想来又是甚么庄上拉来的。有几个差使在身上罩住，那里总还拉得动；但怕将来没了差使，不晓得拿甚么还人家呢。”蒋中丞听了，心上盘算道：“据他这样说来，真正是个好人了。”从此以后，蒋中丞便拿他另眼看待；又委他做了本衙门的总文案，没有事情，都可以穿了便服一直到签押房里同抚台谈天的。此时刁大人的声光竟比蒋中丞未到任之前还好。人家看了，都为奇怪，齐说：“某人做官真有本事，无论甚么抚台来，一个好一个。”总猜不出是个甚么诀窍。

又过了一个月，童钦差要来的话早已宣布开了，所有当银钱差使的人，一齐捏着一把汗。刁迈彭更不必说。还算他有才具，只在暗地里布置，外面却丝毫不肯矜张。等到钦差到了安庆住下，叫他们造报销，他早已派人在南京抄到人家报销的底子，怎样钦差就赏识，怎样钦差就批驳，他都了然于心，预备停当。等到这里钦差才吩咐下来，他第二天就把册子呈了上去，又快又清楚，合了钦差的心。钦差看了大喜，一连传见过三次；所说的话，又甚对钦差的脾胃。以后通省各局所的册子都造好送了上来；钦差看了，有好有歹，然而总不及刁迈彭的好。因此钦差很赏识他，同蒋抚台说，要上折子保举他。抚台是承过他的情的，岂有不赞成之理。这是后话不题。

且说钦差童子良因奉朝廷命查办蒋抚台“误剿良民，滥保匪人”一案，案情重大，所以到了安庆之后，声色不动，早派了两个心腹，前往凤、亳一带密查。等到这里司库局所盘查停当，先前委去查事的人亦已回来了，径同御史参的话丝毫不错。钦差便行文抚台，叫他把记名提督盖道运、候补道黄保信、候补总兵胡鸾仁三员，先行摘去顶戴，有缺撤任，有差撤委，一齐先交首府看管，听候严参，归案审办。这事一出，大家又吓毛了。

先前蒋抚台也听见风声不好，便有人送信给他说，为的就是上年皖北剿匪一案。蒋抚台说：“我有地方官奏报为凭，所以才发兵的。至于派出去的人误剿良民，这个我坐在省城里，离着一千多里路，我怎么会晓得呢。这个须问他们带兵的，其过并不在我。”又有人把话传给了盖道运等三个，说：“看上去抚台不肯帮忙。”盖道运道：“我们是奉公差遣，他不叫我们去杀人，我们就能够乱杀人吗。这件事是他叫我们如此做的。钦差问起来，我有他的札子为凭，咱不怕！”说完，便把札子取了出来，给大众瞧了一瞧，仍旧拽在身上，又说一声“这是咱的真凭据”！黄保信、胡鸾仁两个听他如此一说，亦各各把心放下。随后又有人把盖道运的话告诉了蒋抚台。蒋抚台一听大惊，便把札子的原稿吊出查看，觉得所说得话虽然过火，尚无大碍；惟独后头有一句是叫他们“迎头痛剿”。看到这里，不觉把桌子一拍，道：“完了！这是我的指使了！”深悔当初自己没有站定脚步，如今反被他们拿住了把柄；自己恼悔的了不得，然而又是一筹莫展。晓得刁迈彭见识广，才情极大；况且这些属员当中，亦只有同他知己；于是请了他来，密商这件事如何办法。

这件事刁迈彭是早已知道的了。三人之中，黄保信黄道台还同他是把兄弟。依理，老把兄遭了事情，现在首府看管，做把弟人就该应进去瞧瞧他，上司跟前能够尽力的地方，替他帮点忙才是。无奈这位刁迈彭一听抚台有卸罪于他三人身上的意思，将来他三人的罪名，重则杀头，轻则出口，断无轻恕之理；因此就把前头交情一笔勾消，见了抚台，绝口不提一字，免得抚台心上生疑：这正是他做能员的秘诀。此时，抚台传见，正为商议这件事情。他便迎合宪意，说他三人有如何荒唐，“极该拿他三人重办：一来塞御史之口，二来卸大人的干系；倘若大人再要回护他三人，将来一定两败俱伤，于大人反为无益。”蒋抚台听了，虽甚以他话为然，但是因为前头自己实实在在下过一个札子，叫他们迎头痛剿，如今把柄落在他们手里，钦差提审起来，他们一定要把这个札子呈上去的；岂不是一应干系都在自己身上，他们罪名反可减轻。因把详细情节告诉了刁迈彭，问他如何是好。

刁迈彭至此也不免低头沉吟了一回，问抚台要了那个札子底稿，揣摹了半天，便道："法子是有一个；但是光卑府一个人做不来，还得找一个盖某人的朋友，肯替大帅出力的，做个连手才好。"蒋抚台默默无语。后来还是刁迈彭想起武巡捕当中有一个名字叫做范颜清的，这人同盖道运本是郎舅。后来为了借钱不遂，早已不大来往的了。"如今找他做个帮手，这事或者成功。"蒋抚台一听这话，连忙站起身来，朝着刁迈彭深深一揖，道："兄弟的身家性命，一齐在老哥身上。千万费心！一切拜托！"刁迈彭道："卑府有一分心，尽一分力就是了。"就罢，退下。

刁迈彭也不及回公馆，便去找着范颜清，先探他口气，同他说："想不以令亲出此意外之事！"范颜清道："我们是至亲，不是我背后说，他也过于得意了。"刁迈彭一听口音很对，便说："你们是至亲，到了这个时候，只应该帮帮他的忙才是。你是常在老帅身边的人，总望你替他说句好话才好。今日连你都如此说他，他还有活命吗？"范颜清道："卑职的事情，瞒不过你大人的明鉴。常言道：'至亲莫如郎舅。'他是提镇，卑职是千、把，说起来只有他提拔卑职的了，谁知倒是一点好处沾不到的。即如去年他平了土匪回来，随折呢，本来不敢妄想；只求他大案里头带个名字，就算我至亲沾他这点光，也在情理之内。那晓得弄到后来竟是一场空，倒是些不三不四的一齐保举了出来。所以如今卑职也看穿了，决计不去求他。卑职同他亲虽亲，究竟隔着一层；如今连他们的姑太太也不同他来往了，这可是同他一个娘肚里爬出来的，尚且如此，更怪不得别人了。"刁迈彭一听范颜清的话很是有隙可乘，便把他拉到里间房里，同他咕唧了好一会；把抚台所托的事情，以及拉他帮忙的话，并如何摆布他三个法子，密密的商量了半天。范颜清果然满口答应："情愿拚着断了这门亲戚报效老帅，只求事成之后，求大人在老帅面前好言吹嘘，求老帅的栽培就是了。"刁迈彭亦满口答应。二人计议已定。

好个刁迈彭，回到公馆，立刻叫厨子做了两席酒，叫人挑着送到首府里。一席说是自己送给黄大人的；那一席又换了两个抬了进去，说是院上武巡捕范老爷送给他舅爷盖大人的。随后又见他二人不约而同，一齐来到首府，找了首府陪着他，一个看朋友，一个看亲戚。首府一见他二人都是抚台的红人，焉有不领他进去之理。盖道运见了范颜清，虽然平时同他不对，如今自己是落难的人，他送了吃的，又亲自来瞧，总算有情分的了，不得不拿他当做亲人，同他诉了一番苦，又问姑太太的好。范颜清同他敷衍了几句；又把刁迈彭引了过来，彼此相见。刁迈彭先见老把兄，自然另有一番替他抱屈的话，说得黄保信感激他，直拿他当做亲兄弟一般看待。及至见了盖道运，又是义形于色的说了一大泡。盖道运是个武家伙，更加容易哄骗，亦当他是真好人；便说抚台如何想卸罪于他三人身上："现在我有抚台札子为凭，钦差提审，我是要呈上去的。"刁迈彭亦竭力叫他把札子收好，不但保得性命，而且保得前程。盖道运自然佩服他的话。四个人又谈了半天，他二人方才辞别而出。

第二天，范颜清说院上事忙，止有刁迈彭一个又到首府里看他二人，说的话无非同昨天一样。刁迈彭回到院上，同蒋抚台说："时候到了。再不办，钦差要提人审问，就来不及了。"当夜刁迈彭就住在院上签押房里，足足忙了半夜。第三天午前又去瞧盖道运，说是："刚从院上下来，听得说你三位的风声不好。"盖道运道："无论如何，我有中丞这个凭据，总不会杀头的。"刁迈彭道："你别这样讲，他们做文官的心眼子总比你多两个，你那里是他对手。你姑且把札子拿出来，等我替你看看还有甚么拿住他的把柄地方没有。"头两天盖道运听了黄保信的话，说我们这位把弟如何能干，如何在行，所以一听他言，登时就要请教。齐巧黄保信这时也陪了过来，亦催盖道运把札子拿出来，"给某人瞧瞧还有甚么可以规避的方法。"盖道运不加思索，忙从怀里取出那角公事，双手送上。

刁迈清刚正接到手中，忽然范颜清又从外面进来，拿个盖道运一把拉到对过房里说话。大家晓得他是院上来的，一定是得了甚么风声了，盖道运不由得跟了过去。黄保信同胡鸾仁各各惊疑不定。刁迈彭将计就计，亦说："范某人到这里，一定有甚么话说，你二人姑且跟过去听听看。"他俩被这一句提醒，果然一齐走了过去。此时刁迈彭见房内无人，急急从袖筒管里把昨夜所改好的一个札子取了出来，替他换上。那边范颜清故意做得鬼鬼祟祟的，说是："今天在院上，听见老帅同两司谈起你老舅的事情，大约无甚要紧。老帅总得想法子出脱你们三位的罪名，可以保全自己。"

盖道运听了如此一讲，又把心略略放下，忙说道："果其如此，还像个人。"范颜清又故意多坐了一回，约摸刁迈彭手脚已经做好，倏地取出表来一看，说一声："不好了！误了差了！"连忙起身告辞；又走过来喊了一声："刁大人，我们同走罢。老帅叫你起的那个稿子，今儿早上还催过两遍，你交代上去没有？"刁迈彭亦故作一惊道："真的！我忘记了！我们同走，回来再来。"说完出来，便把札子连封套交代了盖道运，彼此拱拱手，同了范颜清扬长而去。这里盖道运还算细心，拉开封套瞧了一瞧，见札子依然在内，仍旧往身上一拽，行所无事。

且说童子良此番来到安徽筹款，没有筹得甚么；安徽又是苦省分，抚台应酬的也不能如愿，所以这事既已查到实在，就想彻底究办。先叫带来的司员拟定折稿，请旨把盖道运等三个先行革职，归案审办。这是钦差在行辕里做的事，抚台在外头虽然得了风声，然而无法弥补。偏偏又是刁迈彭因蒙钦差赏识，便天天到钦差行辕里去献殷勤；不但钦差欢喜他，连钦差的随员跟人没有一个不同他要好的，拜把子，送东西，应有尽有，所以弄得异常连络。等到钦差参了出去，他得了风声，又去化钱给钦差随员，托他们把折子的稿子抄了出来。大众以为折已拜发，无可挽回，落得卖他几文。那晓得他稿子到手，立刻送到抚台跟前。蒋抚台见上头参的很凶，倘若认真的办起来，不但自己功名不保，而且还防有余罪，急同刁迈彭商量办法。刁迈彭道："只要钦差的这个底子到了我们手里，卑府就有法子想了。"蒋抚台急欲请教。刁迈彭道："要大人先下手奏出去，便可无事。"蒋抚台道："钦差的折子昨儿已经拜发，我们怎么赶到他的头里呢？"刁迈彭道："这有甚么难的。钦差折子是按站走的；我们给他一个'六百里加紧'，将来总是我们的先到。他三个的罪名横竖是脱不掉的，如今札子已经换到，他们没有把柄，就冤枉他们一次，还怕甚么。现在只请大人先把这事奏参出去，只把罪名卸在他三个身上；自己亦不可推得十二分干净，失察处分必须自行检举的。如此一来，我们的折子先到京，皇上先看见；钦差的折子随后赶到，就是再说得利害些，也就无用了。"蒋抚台听他说话甚是有理，立刻照办，仔仔细细拟了一个折子，请将盖道运三个革职严惩，自己亦自请议处。当天把折子写好拜发，由驿站六百里加紧递到京城，果然比钦差的折子早到得好几天。上头批了下来："盖道运三个一齐充发军台，效力赎罪；巡抚蒋某交部议处。"旋经部议得"降三级调用"；亏得自己军机里有照应，求了上头，改了个"革职留任"，仍旧还做他的抚台。

上谕下来的那天，盖道运气愤愤的不服，说："我们是按照抚台的札子办事的，为甚么要办我们的罪？"一定吵着，要首府上去替他伸冤。首府问他有甚么凭据。他就把札子掏了出来，摔到首府面前，说："老兄请看！这不是他叫我们'迎头痛剿'的吗？怎么如今全推在我们身上呢？"首府接过来一看，只有叫他们"相机剿办"的字眼，并没有许他"迎头痛剿"的字眼，便把这话告诉了他，又把字义讲给他听。盖道运还不明白。毕竟黄保信是文官，猜出其中的原故，一定是那天被刁迈彭偷换了去。把话说明，于是一齐痛骂刁迈彭，已经来不及了。后来钦差那面见朝廷先有旨意，亦道是蒋某人自己先行出奏，却不晓得全是刁迈彭一个人串的鬼戏。后来刁迈彭在安徽做官，因此甚为得法。

欲知后事如何，且听下回分解。

第四十九回
焚遗财伤心说命妇　造揭帖密计遣群姬

却说刁迈彭自蒙钦差童子良赏识，本省巡抚蒋中丞亦因他种种出力，心上十二分的感激。后来钦差那边拿他保了个送部引见；抚台这边明保，亦有好几个折子。刁迈彭就趁势请咨进京引见。到京之后，又走了门路，引见下来，接着召见了一次，竟其奉旨以道员发往安徽补用。平空里得了一个“特旨道”，声光更与前不同了。回省之后，不特通省印委人员仰承鼻息，就是抚台，因为从前历次承过他的情，不免诸事都请教他，有时还让他三分。因此安徽省里官场上竟替他起了一个绰号，叫他做“二抚台”。这二抚台屡次署藩台，署臬台，署关道，署巡道；每遇缺出总有他一分，都是蒋抚台照应他的。后来又署了芜湖关道。

到任未久，忽然当地有个外路绅衿，姓张，名守财，从前带过兵，打过“捻匪”；事平之后，带过十几年营头，又做过一任实缺提督。自从打“捻匪”掳来的钱财以及做统领尅扣的军饷，少说手里有三百多万家私。这人到了七十岁上，因为手里钱也有了，官也到了极品了，看看世界上以后的官一天难做一天，如果还是恋栈，保不定那时出个乱子；皇上叫你去带兵，或是打土匪，或是打洋人，打赢了还好，打输了，岂非前功尽弃，自寻苦恼。齐巧这年新换的总督同他不对，很想抓他个岔子，出他的手；亏得他见貌辨色，立刻告病还乡，乐得带了妻儿老小，回家享福，以保他的富贵。他原籍虽然不是芜湖，只因从前带营头，曾经在芜湖住过几年，同地方上熟了，就在本地买了些地基，起了一所房子。后来在任上手里的钱多了，又派人回来添买了一百几十亩地，翻造了一所大住宅，宅子旁边又起了一座大花园。

这张守财生平只有一样不足，是年纪活到七十岁，膝下还是空无所有。前前后后，连买带骗，他的姨太太，少说也有四五十个。到了后来，也有半路上逃走的；也有过了两年不欢喜，送给朋友，赏给差官的；等到告病交卸的那年，连正太太、姨太太一共还有十九位。正太太是续娶的，其年不过四十来岁，听说也是一位实缺总兵的女儿。张守财一向是在女人面上逞英豪惯了的，谁知娶了这位太太来，年纪比他差着三十岁，然而见了面，竟其伏帖帖不敢违拗半分。那十八位姨太太都还是太太未进门之前讨的，自从太太进门，却没有添得一位。在任上的时候，一来太太来的日子还浅，不便放出甚么手段；二则衙门里耳目众多，不至于闹甚么笑话：所以彼时太太还不见得怎样，不过禁止张守财不再添小老婆而已。等到交卸之后，回到芜湖，他盖造的那所大房子本是预先画了图样，照着图样盖的：上房一并排是个九间，原说明是太太住的上房。后头紧靠着上房，四四方方，起了一座楼；楼上下的房间都是井字式，楼上是九间，楼下是九间；四面都有窗户，只有当中一间是一天到夜都要点火的。九间屋，每间都有两三个门，可以走得通的。恰恰楼上下一十八个房间，住了一十八位姨太太。正太太住了前面上房，怕这些姨太太不妥当，凡是这楼的四面，或是天井里，或是夹道里，有门可以通到外头的，一齐叫木匠钉煞，或是叫泥水匠砌煞。倘若要出来，只准走一个总门。这个总门通着太太后房，要走太太的后房里出来，一定还要在太太的木床旁边绕过。不但十八位姨太太出来一齐飞不掉太太的房间，就是伺候这十八位姨太太的人，无论老妈子、丫头，冲壶开水，点个火，也要入太太后房，在床边经过。镇日价人来人去，太太并不嫌烦，而且以为：“必须如此，方好免得老爷瞒了我同这班人有甚么鬼鬼祟祟的事，或是私下拿银子去给他们。只要有我这个总关口，不怕他插翅飞去。”按下慢表。

且说张守财告病回来，他是做过大员的人，地方官自然要拿他抬高了身分看待。县里官小说不着，本道刁迈彭乃是官场中著名的老猾，碰见这种主儿，而且又是该钱的，岂有不同他拉拢的道理。起先不过请吃饭，请吃酒，到得后来，照例拜了把子。张守财年尊居长，是老把哥；刁迈彭年轻，是老把弟。拜过把子不算，彼此两家的内眷又互相往来。刁迈彭又特特为为穿了公服到张守财家里拜过老把嫂；等到张守财到道衙门里来的时候，又叫自己的妻子也出来拜见了大伯子。从此两家往来甚是热闹。刁迈彭虽然屡次署缺，心还不足，又托人到京里买通了门路，拿他实授芜湖关道。这走门路的银子，十成之中，听说竟有九成是老把兄张守财拿出来的。

张守财一介武夫，本元虽足，到底年轻的时候，打过仗，受过伤，到了中年，斲丧过度，如今已是暮年了，还是整天的守着一群小老婆厮混，无论你如何好的身体，亦总有撑不住的一日。平时常常有点头晕眼花，刁迈彭得了信，一定亲自坐了轿子来看他；上房之内，直出直进，竟亦无须回避的。到底张守财是上了年纪的人，经不起常常有病，病了几天，竟其躺在床上，不能起来了。不但精神模糊，言语蹇涩；而且骨瘦如柴，遍体火烧，到得后来，竟其痰涌上来，喘声如锯。这几个月里，只要稍微有点名气的医生，统通请到；一个方子，总得三四个先生商量好了，方才煎服。一帖药至少六七十块洋钱起码；若是便宜了，太太一定要闹着说：“便宜无好货，这药是吃了不中用的。”——谁知越吃越坏，仍旧毫无功效。

后来又由刁迈彭荐了一个医生，说是他们的同乡，现在在上海行道，很有本事。张太太得到这个风声，立刻就请刁迈彭写了信，打发两个差官去请；要多少银子，就给他多少银子。好在上海有来往的庄家，可以就近划取的。等到到了上海，差官找到了医生的下处，一看场面，好不威武，一样贴着公馆条子；但是上门看病的人，却是一个不见。差官只得把信投进。那医生见是芜湖关道所荐，一定要包他三百银子一天，盘川在外；医好了再议；另外还要"安家费"二千两。差官样样都遵命，只是安家费不肯出，说："我们大人自从有了病，请的大夫少说也有八九十位了，无论甚么大价钱都肯出，从来没有听见还要甚么安家费的。先生如果缺钱使用，不妨在'包银'里头支五天使用，三五一十五，也有一千五百银子。"那医生见差官不允，立刻拿架子，说："不去了。"又说："我又不是唱戏的戏子，不应该说'包银'。"同来请的是两个差官，一个不认安家费，以致先生不肯去，那一个急了，便做好做歹，磕头赔礼，仍旧统通答应了他，方才上轮船。在轮船上包的是大餐间，一切供应，不必细述。

谁知等到先生来到芜湖，张守财的病已经九分九了。当时急急忙忙，张太太恨不得马上就请这位名医进去替老爷看脉，把药灌下，就可以起死回生。齐巧这位先生偏偏要摆架子，一定不肯马上就看，说是轮船上吹了风，又是一夜没有好生睡觉，总得等他养养神，歇息一夜，到第二天再看。无论如何求他，总是不肯。甚至于张太太要出来跪求他，他只是执定不答应。他说："我们做名医的不是可以粗心浮气的。等到将息过一两天，敛气凝神，然后可以诊脉。如此，开出方子来才能有用。"大家见他说得有理，也只得依他。

这医生是早晨到的，当天不看脉，到得晚上，张守财的病越发不成样子了，看看只有出的气，没有进来的气。这两天刁迈彭是一天两三趟的来看病，偏偏这天有公事，等到上火才来。会见了上海请来的先生，问看过没有。差官便把医生的话回了。刁迈彭道："人是眼看着就没有用了，怎么等到明天！还不早些请他进去看看，用两味药，把病人扳了过来。你们不会说话，等我去同他商量。"当下幸亏刁迈彭好言奉劝，才把先生劝得勉强答应了。于是由刁大人陪着，前面十几个差官打了十几个灯笼，把这位先生请到上房里来。此时张太太见了先生，他的心上赛如老爷的救命星来了。满上房里，洋灯、保险灯、洋蜡烛、机器灯，点的烁亮。先生走到床前，只见病人困在床上，喉咙里只有痰出进抽的声响。

那先生进去之后，坐在床前一张杌子上，闭着眼，歪着头，三个指头把了半天脉；一只把完，再把一只，足足把了一个钟头。把完之后，张太太急急问道："先生，我们军门的病，看是怎样？"先生听了，并不答腔，便约刁大人同到外面去开方子。张太太方再要问，先生已经走出门外。大家齐说："这先生是有脾气的，有些话是不能同他多讲的。"当由刁大人让了出来。先生一面吃水烟，一面想脉案方，说得一句"军门这个病……"，下半截还没有说出，里面已经是号啕痛哭，一片举哀的声音；就有人赶出来报信，说是军门归天了。刁迈彭听了这话，一跳就起，也不及顾，先跑到里头，帮着举哀去了。

这里先生双手捧着一支烟袋，楞在那里坐着发呆。正在出神的时候，不提防一个差官举手一个巴掌，说："你这个混帐王八蛋！不替我滚出去，还在这里等甚么！说着，又是一脚。先生亦因坐着没味，便说："我的当差的呢？我要到关道衙门去。"又道："我是你们请来的，就是要我走，也得好好的打发我走，不应该这个样子待我。我倒要同刁大人把这个情理再讲讲。"差官道："你早晨来了，叫你看病，你不看，摆你娘的臭架子！一直等到人不中用了，还是刁大人说着，你这才进去看！我们军门的病都是你这杂种耽误坏的！不走，等做不成！"说着，举起拳头又要打过来。幸亏刁大人的管家劝住，才腾空放那先生走的。

闲话少叙。再说张太太在上房里，原指望请了这个名医来，一帖药下去，好救回军门的性命。谁知先生前脚出去，军门跟手就断气，立刻手忙脚乱起来。一位太太同着十八位姨太太一齐号啕痛哭，哭的震天价响。正哭着，人报："刁大人进来了。"张太太此时已经哭的死去活来。一众老妈见是刁大人进来，但把十几位姨太太架弄到后房里去。刁大人靠着房门，望着死人亦干号了几声。于是张太太又重新大哭；一面哭着，一面下跪给刁大人磕头，说："我们军门伸脚去了，家下没有作主的人，以后各事都要仰仗了！"刁迈彭急忙回说："这都是兄弟身上应该办的事，还要大嫂嘱咐吗。"说罢，又哭。

张守财既死之后，一切成殓成服，都不必说，横竖有钱，马上就可以办得的。但是一件：他老人家做了这么大的一个官，又挣下了这么一分大家私，没有儿子，叫谁承受？他本来出身微贱，平时于这些近支远亲，自已都弄不清楚。娶的这位续弦太太，又是个武官的女儿，平时把揽家私以及驾驭这些姨太太，压制手段是有的；至于如何懂得大道理，也未见得；所以于过继儿子一事，竟不提起。至于那些姨太太，平日受他的压制，服他的规矩，都是因为军门在世；如今军门死了，大家都是寡妇家，晓得太太也没有仗腰的人，彼此还不是一样，便慢慢的有两个不服规矩起来。太太到了此时，也竟奈何他们不得。

此时张府上是整日整夜请了四十九位僧众在大厅上拜礼"梁王忏"，晚上"施食"，闹得昼夜不得休息。到了"三七"的头两天，有个尼庵的姑子走了一位姨太太的门路，也想插进来做几天佛事。姨太太已答应了他。谁知太太不答应，一定要等和尚拜完四十九天功德圆满之后，再用姑子。这件事本来是小事情，谁知他们妇道家存了意见。这位姨太太见太太不允，扫了他面子，立刻满嘴里叽哩咕噜的，瞎说了一泡，还是不算；又跑到军门灵前，连哭带骂，絮絮叨叨哭个不了。太太听得话内有因，便把他拉住了，问他说些甚么。这位姨太太索性一不做，二不休，便一头哭，一头说道："我只可怜我们老爷做了一辈子的官，如今死了，还不能够叫他风光风光，多念几天经，多拜几堂忏，好超度他老人家早生天界，免在地狱里受罪；如今连着这么一点点都不肯，我不晓得留着这些钱将来做甚么使？难道谁还要留着贴汉不成！如今他老人家死了，我晓得我们这些人更该没有活命了！我也不想活了，索性大家闹破了脸，我剃了头发当姑子去！"一面说，一面哭。

太太也有听得明白的，气的坐在房里，瑟瑟的抖；后来又听说甚么养汉不养汉，越发气急了。也不顾前虑后，立起走到床前，把军门在日素来存放房产契据、银钱票子的一个铁柜，拿钥匙开了开来，顺手抱出一大捧的字据，一走走到灵前，说了声："老爷死了，我免得留着这样东西害人！"抓了一把，捺在焚化锡箔的炉内，点了个火，呼呼的一齐烧着。说时迟，那时快，等到家人、小子、老妈、丫环上前来抢，已经把那一大捧一齐送进去了。究竟这柜子里的东西，连张太太自家亦没有个数，大约刚才所烧掉的一大包，估量上去，至少亦得二三十万产业。有些可以注失重补；有些票子，一烧之后，没有查考，亦就完了。当时张太太盛怒之下，不加思索，以致有此一番举动。一霎烧完，正想回到上房里，从柜子里再拿出一包来烧；谁知早被几个老妈抱住，捺在一张椅子上，几个人围着，不容他再去拿了。张太太身不由己，这才跺着脚，连哭带骂，骂个不了。起先说他闲话的那个姨太太，倒楞在一旁呆看，不言不语了。

正当胡闹的时候，早有人飞跑送信到道衙门里去。刁迈彭得信赶来，不用通报，一直进去。因为进门的时候，就听得人说张太太把些家当产业统通烧完，他便三步迈作两步走到灵前，嘴里连连说道："这从那儿说起！这从那儿说起！"一见炉子里还在那里冒烟，他便伸手下去，抓了一下子，被火烫的手指头生痛，连忙缩了回来。看看心总不死，于是又伸下去，抓出一叠四面已经焦黄，当中没有烧到的几张契纸，字迹还有些约略可辨。刁迈彭一面检看，一面连连跌脚，说道："这又何必！"看了半天，都是残缺不全，无可如何，亦只有付之一叹，然后起身与张太太相见。

此时张太太早哭得头发散乱，哑着喉咙，把这事的始末根由诉了一遍。诉罢，又跪下磕了一个头，跪着不起来。刁迈彭再三让他站起，他总是不肯起，口口声声要求刁迈彭作主。刁迈彭一想："他们都是一般寡妇，没有一个作主的。若论彼此交情，除了我也没有第二个可以管得他的家事的。"于是也就不避嫌疑，满口答应。又说："大哥临终的时候，我受了他的嘱托，本来就想过来替他料理的；一来这两天公事忙，二来因为大哥过去了才不多几天，还不忍说到别事。如今既然嫂嫂这里弄得吵闹不安，那亦就说不得了。"张太太听了，自然是千感万谢，忙又磕了一个头。磕头起来，便请刁大人到屋里来，拿柜子指给他看，说："我们军门几十年辛苦赚得来的，明天就请大人过来替他理个头绪。应该怎么个用头，就求大人斟酌一个数目，省得我嫂子受人的气。"刁迈彭道："这件事不是光理个头绪就算完的；依我兄弟的愚见，总得分派分派才好。大哥身后掉下来的人又不止你嫂子一个，如果还像从前和在一起，那是万万做不到的。兄弟明天过来，自有一个办法。"张太太一向是"惟我独尊"的，如今听说要拿家当分派，意思之间，以为："这个家除了我更有何人？"便有点不高兴。

当下刁迈彭回到自己衙门，独自盘算着，说道："这位军门，他的钱当初也不晓得是怎么来的，如今整大捧的被他太太一齐往火里送。自己辛苦了一辈子，挣了这分大家私，死下来又没有个传宗接代的人，不知当初要留着这些钱何用！我刚才想要替他们大小老婆分派分派，似乎张太太心上还不高兴。唉！我这人真正也太呆了！替他们分派之后，一个人守着十几万银子，各人干各人的，这钱岂非仍落他人之手。我明天何不另想一个主意，等到太太出面，把些小老婆好打发的打发几个；打发不掉的，每人些须少分给他们几个；余下的，一齐仍归太太掌管。如此办法，少不得他太太总要相信我。以后各事经了我的手，便有了商量了。"转念一想，"凡事不能光做一面，总要两面光"，必须如此如此方好。

主意打定，第二天止衙门不见客，独自一个溜到张家，先到大厅上见了张守财的几个老差官。晓得这班人都很有点权柄，太太跟前亦都说得动话的。刁迈彭便着实拿他们抬举，又要拉他们坐下谈天。几个老差官因他是实缺关道，又是主人把弟，齐说："大人跟前，那有标下坐位。"刁迈彭道："不必如此说。一来，诸位大小亦是皇上家的一个官；二来，你们太太托了我要替他料理料理家务，有些事情还得同诸位商量。现在跟前没有别人，我们还是坐下好谈。诸位不坐，我亦只好站着说话了。"众人至此无奈，方才一齐斜签着身子坐下。刁迈彭先夸奖诸位如何忠心，"军门过去了，全靠诸位替他料理这样，料理那样。"又说："诸位跟了军门这许多年，可惜不出去投标投营。有诸位的本领，倘若出去做官，还怕不做到提、镇大员，戴红顶子吗。"随后方才说到自己同军门的交情："如今军门死了，无人问信，我做把弟的少不得要替他料理料理；就是人家说我甚么，也顾不得了。"此时，众人已被刁迈彭灌足米汤，不由己的冲口而出，一齐说道："大人是我们军门的盟弟，军门过去了，大人就是我们的主人，谁敢说得一句甚么！——要是有人说话，标下亦不答应他，一定揍他。”刁迈彭哈哈大笑道：“就是说甚么，我亦不怕。我同军门的交情非同别个，要是怕人说话，我也不往这里来了。”说罢，就往上房里跑。走了几步，又停住了脚，回头说道：“诸位都跟着军门出过力，见过世面的人。我今天来到这里，要同军门的太太商量：现在我奉到上头公事，要添招几营人；又有几营要换管带。我看来看去，只有诸位是老军务，目前就要借重诸位跟我帮个忙才好。”众人一听刁大人有委他们做管带的意思，指日便是个官了，总比如今当奴才好，便一齐请安，“谢大人提拔”。然后跟着同到上房，见了张太太，照例请安，劝慰一番；然后又提到替他料理家务的话。此时一众差官都当他是好人，见他同太太讲话，并不生他的疑心。把他送到上房之后，便一齐退到外面，候着站班恭送。

刁迈彭见跟前的人渐渐少了，方才把想好的主意说了出来。张太太一听，甚中其意，连忙满脸堆着笑，说道：“到底我们军门的眼力不差，交了这些个朋友，只有大人一位可以托得后事的。”说着，又叹气道：“我们军门一条命送在这班狐狸手里！依我的意思，一齐赶掉，一个钱也不给他们。”刁迈彭道：“这是断断乎不可，钱是要给几个的。”张太太默默无言。刁迈彭又讲到：“这班出过力的差官，很有几个有才具的。兄弟的意思：想求嫂子赏荐几个，等兄弟派他们点差事，帮帮兄弟。横竖又不出门，府上有事，仍旧可以一喊就来的。”张太太道：“这是大人提拔他们。大人看谁好，就叫谁去。军门过世之后，公馆里亦没有甚么事情，本来也要裁人。如今一得两便，他们又有了出路，自然再好没有了。”刁迈彭辞别回去，第二天办了五六个札子，叫人送到张府上。那札子便是委这几个差官当甚么新军管带的。凡是张府上几个拿权老差官，都被他统通调了去。这般人正愁着军门过世以后绝了指望；如今凭空里一齐得了差使，更胜军门在日，有何不感激之理。自此以后，这班人便在刁迈彭手下当差。刁迈彭却自从那日起，一直未曾再到过张府，后文再叙。

且说张太太自从听了刁迈彭的话，同那班姨太太忽然又改了一副相待情形；天天同起同坐，又同在一块儿吃饭，说话异常亲热。从前这班姨太太出出进进都要打太太的床前走过；如今太太也不拿他们防备了，便在中间屋里另开了一个门，通着后头，预备他们出进。太太又说：“我们现在都是一样的，还分甚么大小呢。”一班姨太太陡然见太太如此随和，心上都觉得纳罕。毕竟这班小老婆几个是好出身？从前怕的是老爷，是太太；如今老爷已死了，太太也没有威风了。有几个安分守已的，还是规规矩矩，同前头一样；有几个却不免有点放荡起来，同家人小厮嘻嘻哈哈。有时和尚进来参灵，或是念经念的短了，或是声音不好听了，这些姨太太还排揎他们一顿。

西贛

后来过了半月，借着到庙里替军门做佛事，就时常出去玩耍。太太非但不管他们，倒反劝他们出去散心，说："你们都是一班年轻人，如今老爷死了，还有甚么指望，有得玩乐得出去玩玩。不比我自从遭了老爷的事，就一直有病，那里有玩的兴致呢。"自那日起，张太太果然推头有病，不出来吃饭。一班姨太太见他如此，乐得无拘无束，尽着性儿出去玩耍。太太睡在家里，一问也不问。张府中照此样子，已经有一个多月。

这一个多月，刁迈彭竟其推称有公事，一趟未曾来过。又不时把他新委的几个张府上的差官传来谕话，说："我这一阵因为公事忙，未曾到你们军门家里。自从军门去世之后，留下这些年轻女人，我实在替他放心不下。你们得空，还得常常回去，带着招呼招呼，也好替我分分心。"众人一齐答应称"是"。背后私议，齐说："刁大人如此关切，真正是我们军门的好朋友！"又过两天，正是初一，刁迈彭到城隍庙里拈香，磕头起来，说是："神桌底下有张字帖似的，看是甚么东西。"便有人拾了起来，递到刁迈彭手里，故意看了一看，就往袖子里一藏，出来上轿。此时那一班差官都跟来看见。刁迈彭回到衙中，脱去衣服，吩咐左右之人一齐退去，单把那班差官传进来，拿这帖给他们看。又是埋怨自己，又是怪他们，说道："我再三的同你们说，我这阵子公事忙，不能常常到你们军门公馆里去。况且现在又不比军门在日，公馆里全是班女人，我常常跑了去亦很不便。所以再三交代你们，叫你们时常带着回去招呼招呼，为的就是怕闹点事情出来，叫人家笑话。也不必实有其事，就是被人家造两句谣言，亦就犯不着。你们不听我的话，如今如何！被人家写在匿名帖子上头！这个写帖子的人也是可恶！甚么事情不好说，偏偏要说他们寡妇家的事情！我总得叫县里查到这个人重办他一办。这个帖子幸亏是我瞧见，叫他们拾了起来；倘若被别人拾着了，传扬出去，那时候名气才好听呢！"

刁迈彭一头说，众差官一面应"是"，一面看那匿名揭帖。内中有两个识字的，只得把上写的四句诗念给众人听道："芜湖城里出新闻：提督军门开后门，日日人前来卖俏，便宜浪子与淫僧。"那两个差官毕竟是武夫，字虽认得，句子的意思究竟还不懂。念完之后，楞住不响。刁迈彭特地逐句讲给他们听过，然后大家方才明白。内中就有一粗卤的，听了这些言语，不觉双眉倒竖，两眼圆睁，气愤愤的说道："这是怎么说！这是怎么说！我们军门做了这么大的一个官，倒叫他死后丢脸！这件事标下倒有点不服气！近来半个月，我们太太有病，睡在屋里不出来，这一定是那班姨太太闹的。太太病了，没有人管他们，就闹得无法无天了。大人，说不得，我们军门死了，知己朋友可以帮着替他料理料理家务的，只有你老人家一位。标下在这里替你老人家跪着，总得求你老人家替他管管才好！"于是一齐跪下。刁迈彭看了，皱着眉头说道："这事情闹的太难为情了，叫我亦不好管啊。也罢，等我慢慢的想个法子。你们且出去，一面打听打听，到底怎么样；一面访访那个写匿名帖子的人到底是谁，查得人头，我也好办。况且这帖子既然被我拾着一张，看来总不止一张，外面一定还有，你们姑且留起心来。"众差官只好答应着，退了下来。

有两个回到公馆里把这话禀告了张太太。张太太听了，一声不响。歇了半天，方说："我自己的病还不晓得怎样，那里有工夫管他们！你们姑且出去查查看，查到了甚么凭据，告诉我说，我再来问他们。"差官退出，因见太太并不追究此事，心中俱各愤愤，齐说："军门死了，怎么连个管事的人都没有了！尽他们无法无天，这还了得！"于是又过两天，那两个性子暴的差官正在茶馆里吃茶回来，将近走到辕门，忽见照壁前有许多人在那里围住了看。他俩亦就停止了脚，看他们看些甚么。原来墙上帖着一张字帖，众人一头看，一头说，一头譬解，也譬解不的当。你道如何？原来那张字帖正与前天刁大人在城隍庙里拾着的一样，不过第二句"提督军门开后门"一句，改为"大小老婆开后门"，换了四个字了。这两个差官不看则已，看了之时，不觉一腔热血，大抱不平，也不顾人多拥挤，立时迈步上前，把字帖揭在手中；并不回到道衙门，拿了字帖，一直径到张公馆上房，叫老妈禀报，说："有要事面回太太。"太太便唤他们进见。那两个差官见了太太，一言不发，把个字帖往太太面前一送，说一声"太太请看"！太太瞧了，佯作不知，还问："上头说的是些甚么？"差官道："上回刁大人照这样的字已经见过一张了，标下就来回过太太，请太太管管这些姨太太，少教他们出去，弄的声名怪不好听的。太太说：'没有工夫管他们。'如今好了，连太太的声名也被他们带累上了！"太太着急道："怎么有我在上头？"差官道："这第二句可不是连太太也被他们糟蹋了吗。"

太太看了一遍，还是不懂，叫帐房师爷来讲给他听，方才明白。等到明白之后，这一气真非同小可！登时面孔一板，两脚一顿，也不顾有人没人，蓬着个头，穿了一身小衣裳，也不及穿裙子，一跑跑到军门灵前，拍着灵台，又哭又骂，数说："老爷在世，吃了皇上家的钱粮，不替皇上家办事，只知道克扣军饷，弄了钱来讨小老婆。人家讨小老婆，三个五个，也尽够的了，你偏一讨讨上几十个。又不是开窑子，要这群狐狸做甚么用！如今等你死了，留下这班祸害，替你换了顶戴还不算，还要拿我往浑水缸里乱拉，连我的名声也弄坏了！"一面数说，一面回头叫人："替我把刁大人请了来。他是军门的好兄弟，军门死了，他索性门也不上了！我们这里的事，他一管也不管了！到底我们这里大小老婆，那一个开后门，那一个卖俏，那一个同和尚往来，他是地方官，可以审得的。横竖我是一直病着，连房门都没有出，是瞒不过人的。将来审明白了那个狐狸干的事，我同那个拚命！倘若审不出，我情愿自己剃了头发当姑子去。住在这里，弄得名声被别人带累坏了，我却犯不着！”说着，又叫人去催刁大人，说：“他为甚么还不来？他不是军门的好朋友吗？军门死了，他竟其信也不问了，活的不要管，问他对得住死的吗！”

正吵着，刁大人来了。一只脚才跨进门，张太太已经跪下了，口口声声“请大人伸冤！大人倘若不替我伸冤，我今天就死在大人跟前！”说完，从袖筒管里一把烁亮雪尖的剪刀伸了出来，就在面前地下一摆。刁迈彭见了，连连摇手，道：“快别如此！快别如此！有话起来说，我们好商量。我受了大哥临终时候的嘱托，我赛如就是他的顾命大臣一样，还有甚么不尽心的。快快请起！快快请起！”起先张太太还只是跪着不起来；后来听见刁大人答应了他，方才又磕了一个头，从地下爬起，就在灵前一张矮脚杌子上坐下。刁迈彭亦即归座。张太太便一五一十把方才的话说了一遍。刁迈彭道：“这事原难怪大嫂生气。大娘一直有病，睡在家里，如今忽然拿你带累在里头，自然你要生气。但是这事情关系府上的大局，传扬出去名声不好听，而且也对不住死的大哥。依兄弟愚见：还是请大嫂训斥他们一番，等他们以后收敛些就是了。”差官插口道：“头一回大人拾着那张帖子，标下就赶回来告诉太太说：‘请太太管管他们，不准他们出去。’太太不听。如今果然闹到自己身上来了。”刁迈彭道：“是啊，当初我交代你们，也为的是这个。”张太太道：“我从前不管他们，是拿他们当做人，留他们的脸；如今闹到这步田地，大家的脸亦不要了。大人若是肯作主，对得住死的大哥，想个法子安放安放这些狐狸；若是不能，我就死了让他！”说着，伸手拾起剪刀来，就想抹脖子，急的众人连忙抢下。

刁迈彭装做没主意，向众人道：“这事怎么办呢？”众人也是你看看我，我看看你，都不得主意。张太太又只是催着问刁大人：“到底怎么？”后来还是那个来送信的差官心直口快，帮着说道：“军门过世之后，只有太太是一家之主，不要说是自尽，就是要往别处去住也是万万不能的。”张太太道：“留着我在这里受气！人家做了坏事，好一齐推在我的身上！既然不准我死，我无论如何，断然不能再同这班狐狸住在一块儿的！”差官道：“太太说到这步田地，料想是不能挽回的了。现在没得法想，只好求大人把这些姨太太都叫出来问问，谁是安分守己的谁留下，以后跟着太太同住；既然住下，就得服太太规矩。倘若不情愿的，只好请他另外住，免得常在一块儿淘气。”张太太道：“这些人我是一个合不来的！”刁迈彭道：“好是好，坏是坏，不可执一而论。就是叫他们另外住，也得有个章程给他们，不是出去之后，就可以任所欲为的。”张太太道：“甚么章程！他们各人有各人的私房，还怕不够吃用。公中的钱，那是一个不能动我的。不愿意，尽管走！从前我没有来的时候，小老婆听说也打发掉不少了，没有甚么稀罕！后来这几年，幸亏有我替他管得凶，所以没闹甚么笑话。如今军门过了世，还没有断七，他们就一个个的变了样子！刁大人若看把兄弟分上，这班狐狸办都可以办得的，如今还要拿出钱来送给他们，那却万万不能！”刁迈彭听毕，凑近一步，低低说道：“这话做兄弟的岂有不知。但是如此一做，被别人瞧着，好像我们做事过于刻薄，不如好好的叫他们另外去住。回来兄弟放个风声给他们，并且不要他们住在这里芜湖地面上才好；叫他们远远的，我们看不见，听不着，说句不中听的话，就是他们跟了人逃走，也不与我们相干，以后我们倒反干净。大嫂意思以为何如？但是姨太太听说一共还有头二十位，……”张太太道：“还有十八个。”刁迈彭道：“也得做几起慢慢的分派，不是一天可以去得完的。况其中果有一二安分守己的，也不妨留两个陪伴陪伴自己。兄弟今天先把几个常常爱出去玩的替你打发掉，其余的过天再来。”张太太一听他话有理，便也点头应允，不作一声。

刁迈彭于是回过脸，朝着众人说道：“我同你们军门是把兄弟，有些事情虽然我也应该管得；然而今天之事，一张匿名帖子也作不得凭据。我如今并不拿这帖子上说的话派谁的不是；不过一样：现在军门已经过世，太太便是一家之主，太太说的话，无论谁都不能违拗的。各位姨太太既然不服太太的规矩，爱出去玩耍，以致把太太的名声连累弄坏，这便是各位姨太太的不是。太太发过誓，不能再同各位姨太太住在一处，我劝来劝去，劝不下来。这是天长日久之事，倘若今天说和之后，明天又翻腾起来，或是闹得比今天更凶，叫我旁边人也来不及。所以我替他们想，也是分开住的好。现在有我做个当中人，也决计不会克苦了他们。我今天先替大家分派停当：愿意去的，尽半月之内，各自另外去住。倘若半月之后不走，便是有心在这里陪伴太太，太太亦并不难为他，一样分钱给他使；但是永远不得再出大门。叫他们想想看，还是走那条路的好。”张太太道：“走的人一家给他多少，亦请刁大人吩咐个数目。”刁迈彭道：“这要太太吩咐的。”张太太不肯，一定要刁大人说。刁迈彭无奈，只得说道：“今天我来分派，无论走的同不走的，总归一样。至于走不走，听便。各人衣服、首饰仍给本人。每人另给折子一个，就把大哥所有的当铺分派均匀，每人写明：当本三万，只准取利，不准动本。另外每人再给一千银子的搬家费，不去的不给。”张太太意思似乎太多。刁迈彭道：“出去之后仍是军门的人，军门有这分家当在这里，不好少他们的。”说完，又对来的两个差官说道：“你俩暂且在这里伺候两天。那位姨太太要走，我不便当面问他们，他们也不便对我说。今天请帐房先生把当铺里管事的一齐约好，赶把利钱折子写给他们。谁要走，有你们在这里，也好帮着招呼招呼；不走的，再等我来同你们太太商量安置的法子。”

刁迈彭说完了一席话，便即起身告辞。他说话时，一众姨太太在孝幔里都听得明明白白。有两个规矩的，早打定主意不出去。有两个尖刁的，听了不服，说道：“我偏不走，看他能够拿我怎样！”后来转念一想：“太太的气，从前也受够了。如今有了三万银子的利钱，又有自己私房，乐得出去享用，无拘无束。”因此也就不闹。又有些本来不打算出去另住，听了傍人的挑唆，或是老妈、丫环的撺掇，也觉得出去舒服些。因此愿意分开另外住的，十八位之中倒有一十五位。

欲知后事如何，且听下回分解。

第五十回
听主使豪仆学摸金　抗官威洋奴唆吃教

话说张守财一班姨太太自从太太闹着不要他们同住，经刁迈彭一番分派，倒也觉得甚是公允，没甚话说。其时十八位姨太太当中，止有三个安心不愿意出去，情愿跟着太太过活，也只好听其自然。下余的十五位，也有三个一起的，两个一起的，合了伙，房子租在一块儿，不但可以节省房金，而且彼此互有照应。其时正有一位大员的少爷在芜湖买了一大爿地基，仿上海的样子造了许多弄堂；弄堂里全是住宅，也有三楼三底的，也有五楼五底的，大家都贪图这里便当，所以一齐都租了这里的屋。而且这片房子里头，有戏园，有大菜馆，有窑子，真要算得第一个热闹所在。姨太太们虽然不逛窑子，上茶馆；然而戏园、大菜馆是逃不掉的，因此更觉随心乐意。刁大人限的是半月，这半月里头，油漆房子，置办家伙，并没有一天得空；等到安排停当，搬了出来，却也没有一个逾限的。你道为何？只因这位张太太为人凶狠不过，所以一群姨太太也以早离开他一天早快活一天；大家都存了这个心，自然是不肯耽搁了。十五位当中却有四位因为自己家里或是有父母，有兄弟，得了这个信，把他们接出来同住；有的住本地，有的住乡间，还有一二位竟住往别县而去。其他十位却一齐住在这热闹所在。

等到在张府临出门的头一天，刁大人特地叫差官传谕他们，说道：“诸位姨太太现在虽是搬出另住，也要自己顾自己的声名。凡是庵观寺院，戏园酒馆，统通不可去得。现在大人正有告示贴在以上各处，不许容留妇女入内玩耍；倘有不遵，定须重办！因为此事，又特地派了十几个委员，昼夜巡查。设若撞见委员们，委员们倘若置之不问，何以禁止傍人？如其毫不徇情，未免有伤颜面。为此特地关照一声，还是各自小心为妙。”大家听了，也有在意的，也有不在意的。按下不表。

单说张太太自从十五位姨太太一齐出去另住之后，过了两天，心上忽然想着：“刁大人做事好无决断！这班狐狸为甚么不赶掉了干净？他偏蝎蝎螫螫的，又像留住他们，却又叫他们分出去住，等他无拘无束，将来一定无所不至，岂不把军门的声名愈加弄坏！正不知他是何用意！”正在疑疑惑惑，齐巧刁迈彭亲来问候，张太太便问他所以纵容这班狐狸之故。刁迈彭道：“依我的意思，顶好叫他们离开芜湖地面，彼此不相闻问；无奈一时做不到，只好慢慢的来。好在我前天已经叫人透过风给他们，将来自有摆布他们的法子，不消大嫂费心的。至于大嫂这里，除掉分给各位姨太太之外，大约数目，我兄弟也粗知一二。也应该趁此时叫这里帐房先生理出一个头绪，该收的收，该放的放。譬如有甚么生意，也不妨做一两桩。家当虽大，断无坐吃山空的道理。此时大哥过世之后，大嫂是女流之辈，兄弟虽然不便经手，然而知无不言，也是我们做朋友的一点道理。”张太太道：“正是。军门去世，我乃女流之辈，一些事儿不懂，将来各式事情正要仰仗，怎么你刁大人倒说甚么‘不便经手’？刁大人不管，叫我将来靠那个呢？”说道，便大哭将起来。刁迈彭道：“非是兄弟不管，但是兄弟实在有不便之故。彼此交情无论如何好，嫌疑总应得避的。况且大嫂这里原有一向用的帐房，把事情交代他们也就够了。不瞒大嫂说：新近有好两注生意，弄得好，将来都是对本的利钱。倘若大哥在日，兄弟早来合他说，叫他入股；如今想想总不便，所以几次三番，人家叫兄弟来说，兄弟总没有来说。虽说看准这卖买好做，不至于蚀到那里；然而数目太大了，大嫂虽不疑心，亦总觉得骇人听闻的。”张太太道：“刁大人说那里话来！你照顾我，就是照顾你去世的大哥。只要生意靠得住，你说好，我有甚么不做的。钱是我的，谁还能管得住我。至于帐房所管不过是个呆帐，有些大生意他们是作不来主的。刁大人，你说的到底甚么生意？如果可以说得回来，要多少本钱，我这里有。”刁迈彭道：“生意呢，也算不得甚么大生意，不过弄得好才有对本利；弄得不好，也只有二三分、三四分钱。”太太道：“我亦不想多要，就有二三分、三四分，我已经快活死了。”刁迈彭见张太太于他深信不疑，便也不再推托，言明先叫帐房先生把所有的产业以及放在外头的，一律先开一篇细帐。至于所说的生意，立刻写信通知前途，叫他来合股。

自此以后，刁迈彭一连来了几天，把这里帐目都弄得清清楚楚。所有的房契、股票，合同、欠据、共总一个柜子，仍旧放在张太太床前。还有甚么金叶子、金条、洋钱、元宝，虽没有逐件细点，亦大约晓得一个数目，亦是统通放在太太屋里。已成之产业不算，总共还有个一百二十几万现的。张太太又说："分出去住一班狐狸，每人至少有三五万银子的金珠首饰。可怜我自己一个人所有的，也不过他们一个双分罢了！他们十五个人倒足足有五六十万！"刁迈彭听了吐舌头；借此又把张太太同一班姨太太的金珠价值亦了然于心了。

后来连着来说过两注买卖，张太太都答应：一注是在上海顶人家一爿丝厂，出股本三十万；一桩是合人家开一个小轮船公司，也拼了六万。两桩事张太太这边都托了刁迈彭，请他兼管。刁迈彭说自己官身不便，于是又保举了他的兄弟刁迈峭做了丝厂的总理；又保举自己的侄少爷去到轮船公司里做副挡手。张太太见两桩买卖都已成功，利钱又大，大约算起来，不上三年就有一个顶对；于是心上甚是感激刁迈彭，托他还有甚么好做的事情，留心留心。刁迈彭满口答应，又说："各式卖买，好做的却不少。但是靠不住的，我兄弟也不来说；设或有点差错，放了出去，一时收不回来，叫我如何对得住大嫂呢。"嘴里如此说，心上却不住的转念头。

话分两头。且说那十五位姨太太有五位给了自己家里的人出去另住，倒也偃旗息鼓，不必表他。单说那十位，一班都是年轻好玩的人，又是这么一闹热所在，此时无拘无束，乐得任意逍遥，整日里出去顽耍；到得晚上，不是合伙喝酒，便是聚拢打牌。十个人分住了三所五楼五底的房子。每人都有三四个老妈、丫环；此外，底下人、看门的、厨子、打杂的，都是公用。初出来的时候，这十个人很要好，每月轮流做东道；轮到做东道那一天，十个一齐聚在他家。从前张军门在日，这些姨太太，上下人等都唤做几姨几姨，以便易于分别。这番留在家里的三位是：大姨、二姨、六姨。跟着父母兄弟回家去住的五位是：五姨、十姨、十三姨、十六姨、十八姨。余下十位，统共搬出来同住。

这天轮当八姨做东道，办的是番菜。此时只开了一爿番菜馆，食物并不齐全；在本地人吃着，已经是海外奇味了。当下八姨隔夜关照，点定了十分菜，说明白晚上上火时候送在家里来吃。八姨是同十二姨、十五姨、十七姨同住的，说明白这天下午四点钟先会齐了打麻雀，打过八圈庄吃饭。谁知头天戏园子里送到一张传单，说有上海新到名角某人某人路过此地，挽留客串三天，一过三天，就要到汉口去的，劝人不可错过这机会。头一个十七姨得了信就嚷起来，说："明天一定要看戏，看过戏回来吃大菜不迟。"于是十二姨、十五姨一齐凑兴，都说要看戏。八姨还不愿意，说："凑巧我今天做主人，你们在家里也好帮着我料理料理。要看戏，明天我做东请你们，今天不放你们去。"无奈三个人执定不肯。八姨又吓唬他们道："刁道台出了

告示，不准女人看戏，前天还特地叫人来关照，不要被他拿了去。依我还是不去的好。”十二姨鼻子里哼了一声道：“不信他连这点交情都不顾了，那还成个人吗！”八姨见说他们不听，便也无可如何，只得让他们自去。

这里客人络续来到，都是八姨一个人接待。内中又有十四姨，亦说是因为看戏，随后就来。当下一算，只有宾主六人，打两场牌还少两位；便由八姨作主，把十二姨、十五姨，一家一个大丫头，叫了来替主人代打。本地戏园散戏本来是极早的，这里一帮人打牌打昏了，忘记派人去接。等到上了火一大会，只剩得一圈庄了，八姨吩咐烫酒，又叫厨房内预备起来，这才觉得他四个看戏的还没有回来。叫声“奇怪”，忙着叫人再去接时，忽听楼下一片声嚷，吱吱喳喳，听亦听不清楚。八姨连忙靠在楼窗上向下追问，只见十七姨屋里的老妈急的跺脚，说道：“不好了！三位姨太太连着跟去的人，被看街的兵一齐拉到局子里去了！”八姨一听这话，忙问：“这话可真？”楼下人说：“打杂的都回来了，怎么不真！跟去的男男女女倒有七八个，一齐都拉了去。这个打杂的幸亏同局子里有点亲，所以单把他放了出来。”

楼上下一番吵闹，打牌的也就不打了。其中还有十四姨是同四姨、九姨住在一起的，至今不见他来，恐怕亦被街上的兵拉去。四姨、九姨又忙着问打杂的：“可看见十四姨没有？”打杂的说：“没有看见。”大家更加疑心。八姨又问打杂的：“怎么会被街上的兵拉去的呢？”打杂的道：“散戏场的时候，刚刚出了大门，就有十来个兵上来拖了就走，一拖拖到警察局里的。老爷出来说：‘本道大人有过告示，不准女人出来看戏。你们这些人好不守妇道！等到明天一早，送到县里去办！’”八姨道：“你们没有嘴，为甚么不说是这里的呢？”打杂的道：“跟去的王二爷在街上就同他们说：‘这是张军门的姨太太。’他们不理。到了局里，见了委员老爷又说，委员老爷亦不理，说：‘无论甚么人，违了大人的告示，我们都要拿办的。有甚么话，你们明天到城里去说罢。’王二爷还要说时，已经被他们带了下来。三位姨太太是另外一间房子，派人看守；其余的都锁着，预备明天解到城里去。”大众听了，面面相觑，正想不出一个法子。忽然见十四姨披头散发，闯进门来，说声：“不…不…不好了！家…家…家里来了一般强…强…强盗在那…那里打劫哩！”大众听他这一说，都吓呆了。四姨、九姨是同他同住的，要抢一齐抢，得了这个信，更吓得魂不附体！八姨便问十四姨：“你不自去看戏的吗？几时回家的？十二姨、十五姨、十七姨被街上的巡兵拉了去，你知道不知道？你家里来了强盗，你一个人怎么逃走得脱的呢？”此时十四姨已经坐下，定了一定神，便含着泪说道：“可不是！我正是去看戏的。他们被巡兵拉了去，我不晓得。我看完了戏，因为天冷，想换件衣服再到你这里来。想不到一脚才跨进了门，强盗就跟了进来：吓得我也没有进房，就一直跑到厨房柴堆里躲起来的。只听得强盗上了楼……”四姨道：“啊呀！我的事情糟了！”十四姨又接着说道：“强盗上了楼，就听得哄隆哄隆，像是开箱子，拖柜子的声音。楼上吵了半天，又到楼底下翻了半天才去的。”九姨听到这里，亦就跺着脚哭道：“我就知道，我亦是逃不脱的！”

十四姨又说道：“我一直爬在柴堆里，动也不敢动！好容易等强盗走过一大会，看门的老头子进来，才拿我拉起来。家里至今只剩了看门的老头子一个，其余的用人都不晓得到那里去了。”八姨便问：“可查过东西？抢去了多少？”十四姨道：“那里查过！大约检好的都没有了！真正晦气！也不晓得今年交的是甚么星宿，一回一回的遭这些事！”说完又哭。四姨道：“今儿这里的三个扣在局子里不得出来；我们家里又遭了强盗；看来今天的饭是吃不成了！既然强盗已去，我们也得回家查点查点。这个明火执仗，地方官是有处分的。今天办警察，明天办警察，老爷在日，钱倒捐过不少；如今死了，警察的好处我们没有沾到，违了告示，倒会把我们的人拿了去的！现在又出了抢案，不知道他们管事不管事！”说到这里，四姨便起身拉了九姨、十四姨同走，说：“我们到底抢掉多少东西，也要回去查查看。查明白了，案总要报的，强盗总要替咱们办的。”说完自去。

此时在座的人只剩得三姨、七姨、十一姨，连着主人八姨，一共四个。八姨因为两下里出事，甚是没精打彩；又愁着十二姨……三个人明天到城里出丑；又记挂着他三人今夜里受罪；想要派人去瞧瞧，都说局子门口有人把着，不得进去。三姨说：“衙门里公事我是知道的，只要有钱，就准你进去了。”八姨就拿出四十块钱，仍旧打发打杂的去。这里厨子上来请示：番菜都已做好，客齐了，就好起菜了。”三姨说：“随便拿点甚么来吃了算数，番菜过天再吃罢。”无奈番菜馆里是点定的菜，不能退还；只好叫他一齐开了出来，敷衍吃过了事。刚刚吃完，打杂的回来，又同了一个被押的管家一块儿回来。这管家名唤胡贵，也是张军门的旧人。此番跟了几位姨太太出来，大家都拿他当作自己人看待。胡贵当下说道：“今日之事，是警察局里奉了本道大人面谕拿的。无论你是甚么人，违了本道的告示，一概不准用情。当时拿到之后，委员老爷就到道里请示。本道大人说道：‘若论张军门的家眷，我们极应该替他留个面子的。但是谁不晓得我同张军门是把兄弟。我若容了情，以后还能禁阻别人吗。现在是我格外留情，指示他一条路：你回去，就在今天晚上，叫他三个人每人拿出一万块洋钱充做罚款，就将他们取保出去。如今正在这里办警察，开学堂，没有款项，得此也不无小补。既保全他们的面子，人家亦不至说我徇情。如果不然，明天解到县里，公事公办，打了枷号，也好叫众人做个榜样。我本有言交代在前，他们不听好言，自投罗网，须知怪我不得。’委员老爷回来，就把三位姨太太叫了上去，叫他们早打主意。三位姨太太求他让些；无奈委员老爷执定不肯，说是：‘本道大人吩咐过，要少一丝一毫都不能够。’三位姨太太回说：‘就是照办，一时也没有这些现的。’委员老爷道：‘你们这班人好呆！没有现的，首饰、珠宝、利钱折子，都可以抵数，只要够了三万就是了。’三位姨太太还不答应。委员老爷立刻拿腔做势，把个跟去的陈妈锁了起来。陈妈说道：‘我又没有犯甚么罪，为甚么要锁我？’委员老爷就动了气，说他顶嘴，马上拖他跪下，打他嘴巴。才打了十几下子，陈妈的两个门牙已经打下来了，淌了满地是血。三位姨太太看了害怕，免得吃他眼前亏，所以无法答应的。”

八姨因这胡贵本来是靠得住的，便也不生疑心，到他三人房里找了半天，好容易把他三位的当铺利钱折子找到；点了点数，就检了三个一万头折子交代胡贵，叫他拿这个去抵数。胡贵去不多时，又回来说：“单是利钱折子，委员老爷不要。或是股票，或是首饰，方可作抵。”八姨一想：“股票本来是没有的；至于首饰，他三人出门看戏，都是插戴齐全了走的，每人头上手上，足有万把银子珠宝金器，已经尽够，何必再由家里往外拿呢。”于是又吩咐了胡贵。胡贵去了一回，又回来说：“委员老爷有过话：‘光是利钱折子不肯收；但是总得倍上几倍，少了不能相信。’三位姨太太说：‘横竖是暂时抵押，将来可以拿钱赎回来的。至于首饰不便交代他们，倘或被他们把好的掉换了几样，向谁去讨回呢。’”八姨一听这话不错，就把所有的当铺折子一齐交付了他。胡贵收了折子自去。大家以为，这笔钱拿出，三位太太一定可以回来了。一切取保等事，胡贵色色在行，可以无须虑得。

三姨、七姨、十一姨因为要等他三个，一直也没有回去。谁知一等等到半夜三点钟，还不见一干人回来，满腹狐疑；再派人到警察局门口探听，只见局门紧闭，连个鬼的影子也没瞧见。去的人回来说了，大众更觉惊疑不定。只得自宽自慰说：“今天来不及了，大约明天一早一定总放出来的。”于是三姨、七姨、十一姨要回去。八姨害怕，要留他们两位来做伴。他三人也不便一齐全走，商议半天，方才议定：七姨一个回去看家；这里留下三姨、十一姨陪伴八姨。七姨去后，这里又派人去看了四姨、九姨、十四姨一趟，晓得被强盗抢去的东西很不少；已经开好失单，专等明天报官。大家听了，叹息一回，各自关门安寝。

八姨直同三姨、十一姨闲谈了半夜，也没有合眼。看看天色快亮，方才朦胧睡去。忽听得有人在楼下院里高声叫喊，说：“快请三姨、十一姨回去！今夜家里被贼挖了壁洞，东西偷去无数若干！七姨东西赛如都偷完了，七姨在家里急的要上吊。”三姨、十一姨一听这话，一骨碌爬起，坐在床沿上，却是吓的瑟瑟的抖，两只脚就像蹈在棉花里的一般，要想往床下走一走路亦不能了；又过了半天，方才有点气力。三姨叹口气，说道："老天爷不长眼睛，为甚么只管同我们几个人做对头！"八姨到此，深自后悔昨夜不该留他二人作伴；此时无话可说，只得推他俩回去，开好失单，赶紧报案。"好在不多时候，或者就可破案，也论不定"。又托他俩安慰七姨。三姨、十一姨急急的走了回去，幸喜前弄后弄是没有许多路的。

八姨此时亦因昨夜的事挂在心上，也就起来不睡了，一面仍叫打杂的去到警察局打听十三姨、十五姨、十七姨的消息。又说："胡贵昨天已把款子缴了进去，怎么还不放出来呢？"打杂的去了一会子，急得满头是汗，跑回来说："局子里人说：昨儿这里并没有派人拿甚么钱去。现在时候为着还早，所以还没有拿人送到城里去。"八姨听了，这一急非同小可！忙道："昨儿胡贵不是说道台大人要罚他们的钱吗？"打杂的道："小的到局子里，就把这话托小的亲戚上去回了二爷，二爷又回了老爷。老爷还把小的叫上去，说：'这个话虽是有的；道台要罚他们的钱，一个人也不过罚他们几千，并没有这许多。你们不要被人家骗了去！你不来我这里，我亦要派人到你们公馆里尽问一声：如果是照罚的，我就缓点把人解城；倘若是不肯罚钱，早给我一个回信，我把人早解进城，也早卸我的干系。快去快来！'委员老爷的话如此，小的所以回来的。"八姨听了，真正急的失魂落魄，丝毫不得主意，忙问："你碰见了胡贵没有？"打杂的道："小的没碰见他。若是碰见了，早把他拉了来了。"

八姨正在寻思，忽听人报："警察局来了一个师爷，一个二爷。"一问正是为讨回信来的。八姨踌躇了一回，只好自己出面去回他。见面之后，那师爷便说："敝东是奉公差遣，并不是一定同这里为难。就是道台大人要这边捐几个钱，也是充做善举的。现在敝东特地叫我过来商量一个办法。至于说是昨天晚上由尊府上管家送来几个当铺折子，我们局里却没有收到。难保是府上受人之骗，须怪我们不得。况且几个利钱折子又不是股票，就是再多些也抵不了数。现在逃走的这管家叫甚么名字，请这边开出来，我们也好替你们上紧的查。至于现在每人罚他几千银子，并不为多。应该怎样，还是早点料理为是。"此时八姨一心只在胡贵身上，嘴里不住的说："所有的折子是我亲手交给他的，如今被他拿了逃走了，叫我怎么对得住人呢！"警察局师爷道："好在都是你们自己的当铺，派人去注了失，再补一分，不就完了吗？"一席话把八姨提醒，一想只好如此，方把心上一块石头放下，重新商量罚款之事。警察局师爷一口咬定二万银子，一切费用在内，马上就可把人保释。八姨想："银子只要二万，虽然还在分寸上，总望少点才好。"后首说来说去，跌到二万块钱，每人六千罚款，下余二千作一切费用。八姨道："洋钱现的是没有，看来只好拿首饰来抵。他们各人首饰，昨儿各人都带了出去，须得问他们自己，叫他们每人拿些出来暂时抵数。等到出来之后，再拿钱去赎回来，也是一样。”警察局师爷道：“没有现的，只好如此。但是他三位昨天进来的时候，头上并没有戴甚么珠宝。敝东亦亲口问过，都说：‘出门的时候，首饰原本有的，后来被拿，在半路上就卸了下来，叫人拿了回来了。’所以敝东才叫我们到这里来的。”八姨听了，又是一惊，忙说：“没有这回事！昨儿我们底下人回来还说，所有的首饰，他三个都还带的好好的呢。他三人不肯拿首饰抵给他们，所以才叫他来问我要折子。一定是他们藏了起来，哄你们的。”警察局师爷道：“我看未必，难保亦是贵管家做的鬼。姑且等我们回去问了他们再讲。”说完，立刻带了二爷自去。

此时八姨心上忐忑不定，一回又恨刁大人不顾交情，一回又骂胡贵“混帐”。不多一刻，局里师爷又回来说：“问过三位，所有首饰早交给胡贵拿回来了。现在他们三人身上，除了衣服之外，一无所有，所以叫咱仍旧到这里来取。他三位还说，自己首饰倘若果真都被胡贵卷了逃走，无可如何，总求你八太太替他凑一凑，今天把他们救了出来，少不得总要算还你的。”八姨一听，楞了半天，一声不响。师爷又催了两遍。想想没法，只得开了三位的拜匣，凑来凑去，约摸只有一半；一时逼在那里，说不得只得自己硬做好人，把自己值钱东西凑了十几件，拿出来交代与师爷过目。师爷还说不值二万。八姨气极了，一件件拆算给他听：“一总要值到二万四千哩。”师爷道：“你话原也不错。但是一样：你倘是一件件置办起来，照现在市价，合从前市价，只怕拿着二万四千还买不来；若是如今要拿他变钱，可是就不值钱了。至少再添这样一半来，我回去是好交代。”于是把个八姨急得没法。

正说着，齐巧昨儿番菜馆里一个细崽来收帐。因八姨是他老主顾，彼此熟了，他听此说话，便代出主意，道：“这一定是师爷想好处。”一句话提醒了八姨，说道：“不错。”商量送他多少。细崽道：“这位师爷常常到我们大菜馆里来替人家了事，多多少少都要。等我来替你问他。”果然那细崽到师爷面前咕唧了一回，讲明白另送二百块钱，方才拿了首饰走的。八姨不放心，又叫了个贴身老妈一同跟了去，顺便去接他们三人回来。

果然去不多时，十二姨、十五姨、十七姨就一同回来了。相见之下，自不免各有一番说话。彼此提到胡贵，十二姨说：“我们还没有走到局子门口，在半路上，他走上来说：‘姨太太带了这些珠宝进去是不便的，请姨太太悄悄的探了下来，我替你拿着。’我们一想不错，一头走，一头探东西给他。说也奇怪，跟去的一帮人，只有他没有被捉，在旁边跟着，竟像没事人一样。后来到局子里，还见他进来过一次。那时候我们心上吓亦吓死了，那有工夫理会到这些。谁知竟不是个好人！”八姨道：“这也奇了！你们三个人在路上探首饰东西又不在少数，难道那些巡兵竟其一管不管，随你们做手脚吗？”十五姨道：“真的！说也奇怪！我们把首饰除了下来，他还说手里不好拿，又问我们要了两块手帕子包着走的。拉我们的巡兵眼望着他，竟其一响不响。说穿了，这件事实在诧异得很！难道他们竟其串通一气来做我们的？”八姨于是又把打杂的叫上来问，问他：“昨天到局子里去，在那里碰见胡贵的？”打杂的说：“小的才走到局子门口，胡二爷已从里面出来。据他自己说，是委员老爷特地放他回来传话的，就同了小的一块回来。别的小的不知道。”大家听说，正猜不出所以然。

却好昨夜被强盗打劫的四姨、九姨、十四姨，被贼偷的三姨、七姨、十一姨，亦因为挂记这边，一齐过来问候。大家见面，一把鼻涕，一把眼泪，各人诉说各人苦处。八姨问他们：“报官没有？”三姨叹口气道：“提起报官来，更惹了一肚皮的气！警察局里的委员也来踏勘过了，失单也拿了去了。不过那委员的口音总说是家贼。我就同他说：‘现在墙上有挖好的壁洞，明明是外头来的。’那委员便说：‘是里应外合。没有家贼，断乎偷不了这许多去。墙上不挖个洞，他们怎么往外拿呢？’我又驳他：‘若说是家贼，他不好开了大门往外拿，岂不更为便当些？’委员被我顶的无话说，才拿了失单走的。但是一件：贼去之后，掉下一根雪青札腰。我们那些底下人都认得，说是这根札腰像你们这边胡贵的东西，常常见他札在腰里的，同这一模一样。我就赶紧朝他们摆手，叫他们快别响了。照这样子，警察局里还推三阻四，说我们是家贼，再有这个凭据，越发要叫他有得说了。”三姨一番话，众人还不理论，独有八姨这边四位是昨夜受过他骗的，晓得他不是好东西，便道：“这事的确是他做的也保不定。”三姨忙问所以，八姨又把昨晚的事说了，于是大家便也一口咬定是他。

接着又问四姨等强盗打劫之事。四姨道：“你们的话竟其一丝一毫也不错。依我看来，不但是自己人做弄自己，并且还是官串通了叫他们来的呢！”众人听了，更为诧异。四姨道：“我打这里回去，强盗是已经走掉的了。查查我们那些二爷，别人都不少，单单失了王福他爷儿俩。”三姨道：“王福是谁？”四姨道：“就是有两撇胡子的，南京人，常常到道里去的。从前在老公馆里的时候，每逢刁道台来了，总是他抢着装烟。刁道台着实说他好，还同他说：‘现在你们军门过世了，只要你们在这里好好当差，将来我总要提拔你们的。’后来我们出来，就派了他跟到我们那边照应。只可惜他儿子小三子不学好，时常在外头同着一般光棍来往。我昨天回去，不见了他爷儿俩，我还说：‘莫不是被强盗打死了罢？你们快去找找呢！’倒是看门老头子明白，上来同我说：‘今儿这个岔子出的蹊跷。’我问他：‘怎么蹊跷？’他说：‘小三子一向是一天到晚，一夜到天亮，从不回家的；独独昨天吃了饭就没有出门。起先他还在他爷的床上躲着的；后来等到打过四点钟，十四姨瞧戏去了，四姨、九姨到八姨那边去了，他这里忽而躺下，忽而又站起来到门外望望，好像等甚么人似的。后来一转眼就不见了。等到出了事，一直就没有瞧见他爷俩影子。’我听这话蹊跷，今儿早上我就叫人到门房里看看他俩的铺盖行李。看门的老头子就说：‘四姨用不着看，我早已看过了，床上只有一条破棉絮，别的东西早运了走了。’这不是自己人做弄自己吗。这班强盗一定是王福的儿子引来的了。”

众人道：“怎么你又说是官串通的呢？”四姨道：“这个是我心上恨不过，所以如此说的。昨天出了事去报官，说是迟了。今儿一早出城来踏勘，官倒来的不少，甚么县里、保甲局、警察局老爷共有好几位，看了半天，一点说不出道理来；倒把我们的人叫上去盘问了半天。顶可笑是县里周官还问我们的人：‘来的这伙强盗当中，你们可有素来认得的人在内没有？’这句话问的大家都笑起来了。我此刻也不管他甚么老爷不老爷，我隔板壁就说：‘强盗来了，一个个手里洋枪，我们逃性命还来不及，那里有工夫拿他们的脸一个个去认呢。’一句话，被我说的县官亦笑了，连忙分辨，说是：‘无论有熟人没有熟人，城厢里出了抢案，我总得要办的。不过你们要晓得：这强盗当中，有了你们认得的人，你们的心上也可以明白这一回事，用不着怪我地方官了。’你们众位听听看，这位老爷的话蹊跷不蹊跷？”众人听了，也有说这话说得奇怪的，也有骂官糊涂的。

在座的人只有八姨见事顶明白，听了他话，估量了一回，便说道：“据我看来，简直昨天的事都是他们串通了做的。你们想，我们这里的胡贵，他们那里的王福，为甚么都在这一天跑掉呢？被贼偷了东西，委员就说是‘家贼里应外合’；被强盗打劫了，芜湖县反问：‘这伙强盗，你们认得不认得？’我想他们心上都是明白的，不过不便说出来就是了。至于我们这里几位却是自己不好，不遵他的告示，说明白是姓刁的叫拿的。我看来看去，姓刁的顶不是东西！四姨，我且问你，你们的王福可是常常到道里去的？”四姨道：“可不是！”八姨道：“姓刁的同他说话，他回来亦告诉过你们没有？”四姨道：“才搬到这里来的时候，王福天天到道里去，回来之后，有影无形，乱吹上一泡；近来这四五天里，人虽是天天出去，问他那里去，不说是道里，只说是看朋友。我们还笑他，怕只是刁大人跟前碰下来；再想不到会出这个岔子！这都是我们军门当初用的好人！”八姨道：“不要怪用人，这班小人本来没有甚么好东西。怪只怪军门活着在世的时候交的好朋友！真好本事！真好计策！半天一夜，都被他一网打尽了！现在十个人当中，只空了我一个，不晓得还要想甚么好法子来摆布我，料想是逃不脱的！”

这面几个人正谈论着，只听得外间也有人在那里吱吱喳喳的说话。八姨便问：“是谁？”老妈回：“就是大菜馆里的，刚才来过了，如今又来。”

八姨便晓得就是刚才同局里师爷讲价钱那个细崽了。为他方才帮着出力，便掀开帘子招呼他。又说："刚才辛苦了你了！"细崽道："说那里话来！自己老主客，有了事应该帮忙的。不瞒太太说：这个局子开了不到一年，我们吃煞他苦了！名字叫警察局，就是保护百姓的。——街口上站的兵，吃了东西不还钱也罢了，还说他是苦人出身。偌大的局子，局子里出来的老爷、师爷，摇摇摆摆，哼而哈之，走到我们大菜馆里，拣精拣肥，要了这样，又要那样，一个伺候的不好，两只眼睛一竖，就要骂人；再说说，还要拿局子的势力吓唬我们。我们伺候这些老爷、师爷，也总算赔尽小心了。他们的帐，我们本来是不去收的，好在赔亦赔得有限，乐得借此结交结交他们，以后凡事有得照应些。谁知好事没有落到：一个月头里，我们伙计送菜到西头黄公馆里去，路上碰见几个青皮，有人说还是安庆道友一党呢，迎面走来，不由分说，拿我们的伙计就是一碰，菜亦翻了，家伙亦打碎了；还不算，还拉住我们伙计赔衣服，说是鲍鱼汤沾了他的衣服了。我们伙计不答应，要他赔衣服。彼此斗了两句嘴。他们一齐上前就是七八个，把伙计打了，又去报警察。等到店里得了信，我赶了去，倒说老爷叫人出来吩咐，派我们不是，打碎碗盏是自己不小心，一定要我们店里赔他们的衣服。我想大事化为小事，出两个钱算不得甚么，便自认晦气，问他们毁了件甚么衣服，等我看好了赔还他们。那晓得老爷竟一口帮定他们说：'衣服不用看。你拿五十块钱，我替你们了事；不然，先把人押起来再说。'诸位太太想想看，天底下可有这个情理没有？因此我恨伤了，想了想，好汉不吃眼前亏，当面答应他，回家打主意。当下老爷还把我们伙计留下做押头，我也随他去。我从局子里出来，一头走，一头想主意，不知不觉，碰在一个人的身上，猛可间吃了一惊。抬头一看，被我碰的那个不是别人，原来是我的娘舅。他问我：'有甚么要紧事情，如此心慌意乱。连娘舅到了眼前都不认得了？'我被他这一问，怔了半天，才同他说：'街上非说话之所。'急忙回到店内，把始末根由告诉了一遍。娘舅听了，把胸脯一拍，说了声：'容易，无论他做官的如何凶恶，见了咱总是让咱三分！'诸位太太，可晓得我这娘舅他是做甚么的，能够眼睛里没有官？原来他自在教的。一吃了教，另外有教士管他，地方官就管他不着。而且这教士样样事情很肯帮他忙，真正比自己亲人还要来的关切；连着生了病都是教士带了医生来替他看，一天来上好几趟。我们中国人，随你朋友如何要好，亦没有这个样子。所以凡是我们娘舅一个镇上，没有一个不吃他的教。如今且说那一天，我娘舅听说我受了这个冤枉，马上同我说，叫我说是这爿大菜馆他亦有分的。'如今店里的伙计被他们局子里抓去了，今天没有人做菜；没人做菜，生意就做不成。现在已经耽误了半天。赶紧把人放出来，耽误的卖买，就是要他赔也还有限。倘若到晚不出来，同他讲：我这爿店一共是十万银子的本钱，一年要做二十万银子的生意。他弄坏了我的招牌，问他可赔得起赔不起。’娘舅交代了我这话，要我就去说。我想不如拉了娘舅一块儿同去。幸喜我们这个娘舅也不怕多事，就领了我同去。起初我们到局里，老爷都是坐堂，叫我们跪着见的。这回我一到局子门口，他们是认得我的，便问：‘五十块洋钱可带了来没有？’我说：‘没有。现在我们东家来了，有甚么话，请老爷问他罢。’他们进去回了老爷，跟手老爷又出来坐堂，叫我上去。我说：‘这事不与小的相干，该赔多少，请老爷问小的东家罢。’老爷问：‘东家是谁？叫他上来。’咱娘舅不慌不忙，走到堂上，就在案桌旁边一站。老爷骂他：‘你好大胆子！这是皇上家法堂，你敢不跪！’咱娘舅说：‘县大老爷的公堂才算是法堂哩，你这个局子算不得甚么。就是真正皇上的法堂，咱来了亦是不跪的。’老爷被他这一说，气极了，问他：‘有几个脑袋，敢不跪？’他从从容容从怀里掏出一尊铜像来，又像佛，又不像佛，头上有个四叉架子。委员老爷一见这个也明白了，晓得他是在教。登时脸上颜色和平了许多，同他说：‘我这事不与你相干，用不着你来干预。’我娘舅说：‘我开的店，我店里的人被你捉了来，一点钟不放就耽误我一点钟卖买，半天不放就耽误我半天的卖买。我今番来到这里，问你要人还在其次，专为叫你赔我们的卖买来的。’这句话可把委员老爷吓死了，脸上顿时失色。幸而这老爷转弯转得快，一想此事不妙，也顾不得旁边有人无人，立刻走下公案，满脸堆着笑，拿手拉着咱娘勇的袖子，说：‘我们到里头谈去。’咱娘舅道：‘你只赔我卖买，还我的人就完了，此外没有别的话说。’委员道：‘我实在不晓得是你开的，是我糊涂，得罪了你，我在这里替你赔罪。’一面说，一面就作了一个揖。又说：‘你既然老远的来了，无论如何，总赏小弟一个脸，进去喝杯茶，也是我地主之谊。’同娘舅说完了，又回头同我说道：‘这件事我要怪你：你头一趟到这里，为甚么不把话说明白？早知道是他老先生开的，这事岂不早完了呢。’正说着，又回头叫站堂巡兵：‘快把他们的伙计放他回去，他们卖买是要紧的。’此时咱娘舅听了他这番说话，又好气，又好笑，还想不答应他。他手下的人一面已经泡了两碗盖碗茶出来，我一碗，娘舅一碗。娘舅不肯到里面去，他们就在公案旁边摆下两把椅子，让我们坐。老爷又亲自送茶。咱娘舅道：‘老爷，你不要忙这些。我只问你：我们的事你怎么开发？’老爷道：‘统通是我不是，你也不用说了。今儿委屈了你们的伙计，拿我的四轿送他回去；打碎的家伙统通归我赔；闯事人，我明天捉了来办给你看，就枷在你们店门口。你说好不好？’依咱娘舅的意思还不答应。是我拉了娘舅一把，说：‘能照这样也就罢了，饶了他罢。’娘舅方才没有再说别的；后来却着实拿他数说一顿，说：‘我们幸亏在教，你今天才有这个样子；若是平民百姓，只好压着头受你的气！’娘舅说一句，他答应一声‘是’，口口声声，总怪手下人不好。然后我们两个人连伙计一齐坐了轿子出来的。诸位太太，你想，这个老爷不是我说句瞧不起他们的话，真正是犯贱的！不拿吃教吓唬他，没有五十块洋钱，他就肯同你了吗？如今非但五十块不要，并且赔还我们碗盏，闯事的人还要办给我们看。”三姨道：“后来那个闹事的到底枷出来没有？”细崽道：“第二天那老爷果然自己来找我，要叫我同着他去拜我们娘舅。过天又托出人来说，说那几个光棍都逃走了，请这边原谅他们点。如果一定要办人，没法，亦只好上紧去捉，捉到了，一定要重办的。后来我想这件事我们已经占了上风，安庆道友就是哥老会一帮，他们党羽很多，倒不好缠的，不要将来吃他们的亏。因此我就同来人说：‘请老爷看着办罢。’也没有说别的。后来道台刁大人听见了，把委员老爷叫了进去，大大的埋怨一顿；埋怨他这事起初办的太糊涂了，为甚么不打听明白就把人押起来，几几乎闹出教案来。刁大人还说：‘不要看我是个道台，我的胆子比沙子还小。设或闹点事出来，你我有几个脑袋呢？也不光我是这样，或是上头制台，亦何尝不同我一样呢。上头尚且如此，你我更不用说了。以后总要处处留心才好。’诸位太太，请看这些样子，若要不受官的气，除了吃教竟没有第二条路。倘若不早点打算，诸位太太都是女流之辈，又有财主的名声，以后的亏还有得吃哩。”

八姨道：“你的话固然也不错。但是这件事你娘舅也忒煞荒唐了，怎么自己也没有股子好说是股东呢？倘或查出来不是，岂不连累了教里的名声？教士肯帮人的忙，有了病他还替你请医生，他的心原是好的；像你们仗着在教，招摇撞骗，也决计不是个正道理。”细崽道：“在这昏官底下，也不得不如此；不然，叫我们有甚么法呢。所以一占上风，我亦就教娘舅不要同他争了，为的就是这个。”

欲知众人听了心上如何，且听下回分解。

第五十一回
复雨翻云自相矛盾　依草附木莫测机关

却说张军门的姨太太听了番菜馆细崽的说话，心上自忖，晓得刁迈彭同他们作对，将来此地万难久居；除了吃教，亦没有第二条可以抵制之法。于是等细崽去后，商量了几天，仍把那个细崽唤来，叫他找了他娘舅替他做了个介绍，一齐进了教。自从他三家被偷、被抢、被罚之后，至今也有一个多月，强盗同贼杳无下落，就是被罚的三位，金珠首饰拿了进去，等到备了现钱去赎，倒说上头不要，定要吃没他们的东西。就是被胡贵骗去的利钱折子，本典之中，竟亦不肯挂失，折子补不出，利钱亦取不到。他们一帮人急杀了，只得去求教士。幸喜这位教士人极公正，先问他们有无别情；等到问实了，便说："地方官、警察局，本是保护居民的；如今居民被盗贼所害，问他保证的何事？至于利折被骗，例可挂失；首饰作抵，理应赎回，又断无掯住的道理。"于是把这事详详细细写了一封信给刁道台，请为追究。大众见教士允为出力，方才把心放下。按下不表。

且说他三家出事的那天晚上，警察局委员先到道辕禀知："有三位张府上姨太太出来看戏，已饬巡兵遵谕捉拿到局，请示办理。"刁迈彭传谕："从重示罚，以昭儆戒！"第二天委员把首饰缴了进去，刁迈彭便叫收起。委员又禀两家被劫被偷情形，以及家人胡贵骗去利折各话。刁迈彭尚未回答，恰好首县又来禀报此事。刁迈彭道："'慢藏诲盗，冶容诲淫'，不打劫他们的打劫那一个呢。虽然城厢出了盗案是老兄们的责任；但这件事据兄弟看起来，他们两家实在是咎由自取。这两件事，老兄们能够破案，固然甚好；倘然不能破案，我本道决计不催你们。就是他们来上控，我亦要申饬的。"首县同委员于本道近来的做事本也有点风闻，听了这话，自然乐得丢在脑后了。刁迈彭还说："利钱折子又抵不了罚款，怎么会被底下人骗去？不要是倒贴了底下人罢？这个倒要查个实在。好好用久的，怎么会逃走？"首县等见本道如此说法，也无话可说，只得退下。

刁迈彭便赶到张太太那里去送信讨好。又说："这一下子，可被我把他们弄倒了。"又说："他们有几个人的当铺折子亦被底下人骗了逃走；如今他们想注失，要当铺里照样补给他们。这件事我兄弟却不答应。好好的底下人，怎么会逃走？好好的折子，怎么会失掉？这事倒要查访明白才好。"张太太本来是恨这班姨太太的，听了刁迈彭的话，甚是欢喜，立刻叫帐房写信吩咐各当铺管事："如果有人要来补利钱折子，不准补给他。叫本人来同我说。"帐房答应，自去照办。这里刁迈彭又趁空说法张太太的银子，无非又是甚么织布局、肥皂厂、洋烛公司、自来水公司、造纸厂、纸烟公司，有的八分利，有的七分利，有些竟还利大于本，一年就有一个顶对的。张太太相信了他，当他是好人，自不免为其所惑，大捧的送到他手里，尽他去使用。如此者又是一个多月，张太太的现钱是早已卷光，做生意搭股分还不够，刁迈彭便说："当铺是呆生意，不如把他抵押出去，抽出本钱来好做别的。"张太太信以为真，亦就托他经手。

此时姓张的资财已有二百多万在刁迈彭掌握之中了。一日正在衙门里独自一人盘算："如今钱弄到手了，如何想个法子，远远的脱离此处才好。"忽见外面传一封信来，说是某处教会来的。刁迈彭一听"教会"二字，不免已吃一惊，及至拆开来一看，原来写的是绝好的华文。信上就是责备他不能保卫百姓，以致盗贼充斥，案悬不破；后来又提到"张姓妇人罚款，前以饰物作抵，原说准其赎还。何以备款往赎，委员掯住不付？办事殊欠公允！今该妇某某氏等已经皈依敝教，本教会例应保护。所有某某氏等被盗被窃两案，应请严限地方官迅速破案。至某某氏既备现款，自应准其将饰物赎去，务希饬令该委员即予发还，是所至盼"各等语。刁迈彭看过之后，赛如一盆冷水从头浇下，一时想不出如何复他；一回又骂："这些女人真正刁恶！竟敢拿教会来压制我！"想了半天，只好自己佯作不知，一齐推在首县、委员身上，说已札饬他们遵照来函办理，含含糊糊，写了回信送去。教士看了，还当是道台果不知情，下属蒙蔽上司，也是有的。于是又耽搁了半个月，仍然毫无音信，教士不免又写信来催。岂知这半个月里头，刁迈彭早已大票银子运往京城，路子都已弄好。这天教士来信，恰巧这天他接到电报，有旨赏他三品卿衔，派他做了那一国出使大臣了。刁迈彭得了这个信，自然欢喜。"但是事难两全。如今张太太一边的银子已经全数弄到了手了。至于那些姨太太的，明的暗的亦已不在少数。人贵见机，如今他们是有人保护的了，况且我目前就要到外洋去，正同他们打交道，倘若贪心不足，把名气弄坏了，反倒不好。应该放的地方，少不得也要放手，这方是大丈夫的作用。"想罢，便把洋人文案委员请来斟酌了一封信："除盗贼两案，仍勒限印委各员严拿惩办外；所有某某氏存抵首饰，准其即日备价赎回。"利钱折子亦答应补给。教士得到这封回信，自无话说。那被罚的十二姨、十五姨、十七姨都赶着把东西赎了出去。张家当铺早经刁迈彭言明由他经手抵出去的了，然而暗底下仍是他掌管。说不得自认晦气，另想法子敷衍。他们大众见刁迈彭如此办法，虽然那两家一时破不了案，也就不像从前追得紧了。按下不表。

单说张太太那面听说刁迈彭出使外洋，不觉心上老大吃了一惊。心上盘算："我偌大一分家私一齐托他经手，他今出门，多则六年，少则三年方能回来，所有他做出去的卖买，叫我同那一个算呢？"马上差人一面拿帖子到道台衙门贺喜，顺便请刁大人过来商量善后事宜。刁迈彭直至把教士回信打发去后，方才过来，见面就说："大嫂不来叫，兄弟也要过来了。天底下的事竟其想不到的！"张太太还当他说的是出外洋一事，便说："这是朝廷倚重大人。大人有这样圣眷，将来到外洋立了功回来，怕不做尚书、侍郎；就是督、抚，也在意中。"刁迈彭听说，绉了绉眉头，说道："不是这个。"张太太见他气色不对，忙问："又有甚么事情？"刁迈彭又故意踌躇了一回，方说道："这事却也不好瞒你，如今大嫂被外国人告了。"张太太听说他自己被外国人告了，不觉大惊失色道："我是中国人，他们是外国人，我同他'井水不犯河水'，他为甚么要告我呢？"刁迈彭道："不说明白了，不但你听了糊涂，就是我听了也诧异。这件事原是你们这里的人起的。"张太太忙问："是我们这里的甚么人？"刁迈彭道："还有谁！就是那班搬出去的姨太太。我倒是一片好心，帮着大嫂拿他们分了出去：一来省大嫂呕气，二来等他们自己过活，公中的钱也可省俭些。就是这一回他们被偷被抢，以及罚他们，也是兄弟帮着大嫂想竭力的拿他们压倒了，免得将来生事。倘若兄弟早替他们出把力，催催县里，还会到如今不破案。不晓得他们如今听了甚么坏种的说话，一齐入了外国籍；中国官管他们不着，他们有了事倒可以来找我们的。大嫂，你想气人不气人！"张太太道："他们入外国籍，倒入的是那一个国度？可是你刁大人放钦差的那个国度不是？如果是你刁大人去的那个国度，务必拜托你大人同他们那边皇上说了，递解他们回来，不要他们这些坏人做百姓。"刁迈彭道："他们入籍的那个国度，听说是甚么'南冰洋'、'北冰洋'，也不晓得是'黑水洋'、'红水洋'，兄弟一时在气头上也记不清楚。总而言之：他们现在已经做了外国人，我们总不是他的对手了。"

张太太道："你说的可就是他们？还是另外又有甚么外国人出来告我？"刁迈彭道："有是另外有个外国人，亦是他们串出来的。"张太太道："就是告我，也得有件事情，到底告我那一桩呢？"刁迈彭道："说来话长，等我慢慢的讲。其实在这件事情，我固然替大嫂出力，我待他们也不能算错。每人分给他三万吊钱的当铺利钱，就拿按年八厘算，每年每人就有两千多吊钱的利钱，无论如何，亦尽够使的了；况且他们各人又有自己的体己。还要贪心不足，串了外国人，进了外国籍，反过来告你大嫂，似乎也觉得过分。兄弟得了这个信，一直气的没有吃饭，人家来道喜，一齐挡驾，就赶过来通知大嫂。"张太太着急问道："到底他们告我是些甚么话？"刁迈彭至此方说道："告你吞没家财，驱逐夫妾。"张太太道："这也奇了！我们军门留下的家财，不是我承受谁承受？至于那班东西原是分出去的，他们另住，我何曾赶他们出门？这种说话未免太煞欺人了！况且我做大婆的，就是真果的要赶掉他们，他们也只好走。我不过背个不贤的名声罢了，总说不到家当上头。"刁迈彭哈哈一笑，道："大嫂，你就是误在这上头了！现在的世界比不得从前了。从前做姨太太的，见了正太太赛如主母，自己就同买来的丫头一样。所以太太说打发就打发，人家不能说他不是。如今各色事都是外国人拿权。外国人讲平等，讲平权，是没有甚么大小的。你是军门身上下来的人，他们亦是军门身上下来的人，同是一样的人，就不分甚么高下。有一个钱，大家就得三一三十一平分，如此方无说话。倘若你一个人多拿了，他们少拿了，就可以说话的，就可以请出讼师来同你打官司说，总得大家扯匀才好。”

张太太道：“我是中国人，我不懂得甚么外国理信。刁大人，你亦是中国官，你为甚么不拿中国的例子驳他呢？”刁迈彭道：“我心上何尝不是如此想，但是我这个官没有这个权柄可以管得他们。”张太太道：“你刁大人既没有这权柄管他们，等他来的时候，你不理他就是了。他们能够拿你怎样！”刁迈彭道：“我不理，他们要到南洋、两江制台那里去的；两江制台不理，他们还会到外务部。这两处只要一处管了帐，我们总没有便宜沾的。”张太太道：“依你说怎么样？可是要我把家当拿出来分派给他们，还是拿我赶出去，请他们回来住？不然，怎么样呢？”说道，就急得哭起来了。刁迈彭道：“大嫂，你且慢着，不要发急。他们如此说，我不得不过来述给你听。少不得我总要替你想法子。就是我自己没有权柄管理外国人，也总要挽出人来替你们和息的。”说罢，亦就告辞回去。

张太太还想留住他，托他想法子。刁迈彭道：“我的心上比你大嫂还要着急。就是你不托我，我亦要替你想法子的；不然，我怎样对得住大哥呢。兄弟自从接到电报放钦差，忙的连回电都没有打。目下实在没有工夫；等兄弟回去打好主意，明天再来同大嫂商量罢。”说完自去。张太太等他去后，心上自己盘算，说：“刁某人每逢来在这里，何等谦和；替我做事，何等忠心；怎的今天变了样子？难道放了钦差，立刻架子就大起来吗？如此，也不是甚么靠得住的朋友了。”转念一想：“我这分家私一齐在他手里，如今要同外国人打交道，除了他没有第二个。况且他本来是这里的道台，如今又放了钦差，说出去的话，外国人无论如何总得顾他一点面子。我如今是汉脚的蟹，赛如瞎子一样，除了人一步不能行；无奈，只得耐定了性，靠在他一个人身上的了。”按下张太太自己打主意不题。

且说刁迈彭回到衙门，一面又要忙交卸，一面又要预备进京陛见；一霎时又是外国人来拜，一会又要出门谢步；一回又是那里有信来，有电报来；一回忙着回那里信，那里电报；真正忙得席不暇暖，人仰马翻。少不得每天总要抽出空来到张公馆坐上五分钟或是三分钟。张太太见了面，顶住问他“怎么样”？刁迈彭无非一派恫吓之词。张太太又问：“如何对付他们？”刁迈彭只是一口咬定：“一个钱不能给他们的。”起先张太太听了，又把刁大人当做忠心朋友，自己怪自己那天几乎错怪了他。岂知一连几天，刁迈彭来了几次，都是这个说法。反至问他：“照此下去，几时可了？”刁迈彭皱着眉头，说道：“若是不给钱，要他们了，可是不容易呢！”张太太说：“刁大人，你是快走的人了，不趁在你手里把事早点了结，到了后任手里，叫我去找谁呢？”刁迈彭道：“昨儿省城里已有信来，派来署事的这位候补道，我也同他见过面的。等我见了他，竭力托他就是了。”张太太一听，事情不妙，连忙拿话顶住刁迈彭道：“一定要在刁大人手里了结。”刁迈彭隐约其词，似乎嫌张太太一个钱不肯放松，这事总不会了。张太太却一口咬定：“要我往外拿钱可是不能。”刁迈彭见话说不上去，只得另外打主意。当时辞了出来，回到衙门。

齐巧有个保人寿的洋人，因在南京得到刁迈彭放钦差的消息，就有刁迈彭的朋友替这洋人写了封信，叫他到芜湖来兜揽生意。刁迈彭看朋友的分上，少不得自要照顾他些卖买。恰巧这日正从张公馆回来，想不出一个哄骗张太太的法子，等到见了洋人，忽然有触斯通，便道：“你这趟窎远的跑来，总得替你多拉几注卖买才好。”洋人自然欢喜。刁迈彭便说：“我有一个朋友，姓张，家里很有家私。我荐你到他家里去。但是我这个朋友只有女眷在家。你先到那里，不必同他们说甚么；停刻等我到来，有我替你拉拢，自然一说成功。”洋人更为感激不尽，立刻问明方向，独自先去。刁迈彭亦跟手坐了轿子赶来。

洋人先到那里，虽有翻译，因为刁大人交代过，叫他不要说甚么，他只得不响。不过门上见是洋人，问那里来的，只回了声“道里来的”。门上人听说是道里来的，摸不着头脑，只得请他厅上坐了再讲。一面泡茶，一面进去报知女主人。张太太听了，只当是告他的那个外国人抄家当来了，吓得甚么似的，连连说道：“这怎么好！这怎么好！你们快去先把刁大人请来，等他想个法子，先把洋人弄走了才好。”家人奉命，飞跑赶去，走到半路齐巧刁大人也来了。刁迈彭轿子里看见，先说道：“我正要到你们太太这里来。现在可是外国人来了？”家人道：“正是。”刁迈彭催轿夫快走，赶到张公馆下轿，走进大厅，先向洋人拉手，说了声“你这里的事，一齐包在我兄弟身上，其实你也无须来得的。”洋人由翻译传话说道：“我是要来，我是要来。”刁迈彭未曾下轿，那个请他的家人早已赶快一步回到家里禀报太太知道，说：“刁大人听说洋人在此，已经赶了来了。”等到刁大人下轿到厅上同洋人说的话，张太太早已赶出来，在屏门背后听的清清楚楚。一听他俩所说的话，洋人说“我要来”，刁大人说“你的事一齐包在我身上”这两句，再要合拍没有，竟是为着打官司来的。张太太不听则已，听了之时，登时魂飞天外，面上失色。

说时迟，那时快，刁迈彭向洋人说完了两句话，立刻起身到后头来。一见张太太流泪满面，一句话也说不出。刁迈彭道：“此处不便，我们到里头去讲。”果然张太太跟刁迈彭到得里面。张太太一把眼泪，哭着说道：“别的话不必讲。自从军门去世之后，我这里一家一当，都在你刁大人手里。为今之计，弄到这个样子，你刁大人不来救我，更指望谁来救我呢！”说罢，跪在地下，不肯起来。刁迈彭一面让他起，一面故意做出嗳声叹气的样子，说“这是怎么好！这是怎么好！叫我怎么对得起死的大哥！”一个人在客堂里打了几个旋身，又出来同外人喊喊喳喳了一回。不见洋人走，他又进来同张太太说道：“如今之计，只有一个法子，少不得我要被人家说我不避嫌疑罢了。”张太太一听有法子好想，立刻问他是甚么法子。

刁迈彭想要说出口，又顿住了不说，道：“到底不便，到底被人家说起来不好听，只得另外打主意。”张太太看他又有不肯之意，不免又把眉毛蹙起来。只见刁迈彭又在地下旋了两三遍，把牙齿咬咬紧，说道：“这是没有法子的事，为朋友只得如此！我为了朋友，就是被人家说我甚么，我究竟自己问心无愧。”傍人看他自言自语。坐立不定，都莫知其所以然。大家正在楞住的时候，忽然听他说道：“大嫂，现在洋人不肯走，兄弟只有一个法子：等我去同洋人说，说大嫂现在剩得有限家当；其余的因为替军门还亏空，早已全数抵押出去了。他若问抵押给那个，你只说我经手。但是口说无凭，你快叫帐房立刻写好几张抵押据，随便写抵给张三、李四都可以，由你画了花押，交代给我。洋人不相信，我就拿这个给他看。我替你经手，连当铺，连钱，连银子，一共是二百六十七万，你就照这个数目写给我，可好不好？”

毕竟张太太是女流之辈，听了此话，马上就叫自己的帐房上来照写。不料这帐房倒是有点忠心的，近来因见刁迈彭的行为很觉不对，平时已在女主人面前絮聒过多次，无奈女主人不听他话，也叫无可如何。此时又叫他出立凭据，他便两眼瘪煞瘪煞的顶住了刁迈彭，一声不响。后来女主人又催他，帐房只是不写。刁迈彭何等精明，早已猜着其中用意，忙道：“贵居停这一分家当一齐都在我一人身上；我如今是要出洋的人了，说不定十年、八年方得回来，正要找个人交卸了好走。像老兄办事这样郑重，实在可靠得很，倒不如趁今天我们做个交代罢。”刁迈彭一面说，面上却是笑嘻嘻的。张太太看了不懂，只是催帐房快写，写好了就交代刁大人。那帐房想了一回，叹了一口气，提起笔来，一气写完。有些话头怕自己写的不合式，只得随时请教刁大人。刁迈彭见他肯写，也就不刁难他了。等到写完，又逐句讲给张太太听过，催着张太太画过字。刁迈彭道：“你们不要疑心我要这个，不过给外国人瞧过就拿回来的。”说着，便把笔据袖了出去，又同洋人咕哝了一回，洋人同他拉拉手，带了翻译自去。

刁迈彭果然来把笔据交还了张太太，叫了声大嫂：“这个东西果然有用！把这东西给洋人看过，居然一声不响就去了。大嫂，你暂请收好了这个，等洋人要看时，我再来问你讨。”张太太道：“这又何必给我呢？刁大人收着不是一样？”刁大人道：“不可！不可！人家要疑心我吞没你的家当的。”列位看官看到此处，以为刁迈彭拿笔据交还与张太太，一定又是从前骗盖道运札子的手段来；岂知并不如此，他用的乃是“欲擒故纵”之意。盖道运的事情关系蒋抚台，出入甚重，所以不得不把札子掉换下来。张太太这里，横竖欺他是女流之辈，瓮中捉鳖，是在我手掌之中；不过想做得八面玲珑，一时破不了案，等他摆脱身子，到了外洋，张太太从那里去找他呢。所以他当下把笔据交代之后，仍回自己的衙门，同保寿险的洋人鬼混了一阵，只说是张太太一定不肯保。洋人无可如何，只好听之。他却又耽搁了两三天，一直不到张公馆。

毕竟张太太放心不下，叫人去请；推头有公事。张太太少不得自己亲来。刁迈彭见面之后，只说：“你大嫂之事，不了自了，包你那个外国人是不来的了。就是你们那班姨太太，晓得官司打不出，也一齐瘪了念头了。这两天我倒替你很放心，很快活。你自己着急的那一门？”张太太道：“我所急的非为别事，有你刁大人在这里一天，我自然放心；设或你刁大人动身之后，那外国人又来找起我来，却如何是好呢？”刁迈彭听了此言，故意“啊唷”一声，跌足踌躇道：“这一层我倒没有虑到！到底你大嫂心细！然而据我看起来，不要紧，横竖你给我的那张抵押据在你手里，你拿出来给他看就是了。”张太太道：“这张据应该是你拿着的，不应该在我手里。”刁迈彭道：“我拿着不妥：一来你大嫂虽不疑心到我，我也要防别人说话；二来我把这笔据带了出洋，等到洋人来了，还是没得给他看。如今这事没有别法想，只有你把那张假笔据拿出来，等我替你上个禀帖给上头，预先存个案，再结结实实的找上两个中人；就是我出洋去，有中人替我说话，有起事来，只要中人出场，洋人自然不来找你的了。”张太太的笔据是带好了来的，马上交出。又问中人是谁。刁迈彭屈指一算，后任明天好到，便约张太太三天回音。张太太自回公馆。

这里刁迈彭等到后任接了印，便向后任说：“从前在此地住的有一位张军门，如今死了。他的家眷因为军门去世之后，官亏私亏共有二百多万，一齐托兄弟替他经手，把家产抵还清楚，现在分文不欠。恐怕再有人讹他，所以托兄弟替他禀明上头，并在道、县各衙存案，以免后论。兄弟适因交卸，未曾赶得及办理此事，现在只好费老兄的心了。”说罢，便把替张太太代拟的禀帖以及抵押据，还有捏造的人家还来的借据，一齐抄粘禀帖，请后任过目。后任因为他是钦差，上头圣眷优隆，将来不免或有倚靠他的地方，所以于他委的事，绝无推却，赶着签稿并送，第二天就详了出去。诸事办妥，方才到张太太那里报信。上头的批禀来不及，只好拿了道、县的批头给张太太看，又讲给张太太听道：“现在你生怕我走了，没有对证。如今好了，道里、县里一齐存了案，又禀了省里三大宪，将来没有不准的。不过批禀一时还不得回来。将来禀帖批过之后，新道台少不得要来招呼你的。而且道里、县里都存了案，他俩就是活对证。他们走了，就是后任换了，有案卷存在他们衙门里，终究赖不脱的。如今这事办得万妥万当，人家只晓得是你抵押到我名下，那洋人决计不会来找你的了。就是再有话说，不要你出头，道里、县里就会替你出头的。你说好不好？”张太太又问那张笔据。刁迈彭道：“附在卷里，你也不拿，我也不拿，是中人替我们守着，那是再要妥当没有。”张太太默然不语。刁迈彭又忙着说：“现在我就要走了，倒是我经手的帐，总要交代了才好走。一切生意都是我手里放出去的，一时又收不回来，少不得找个靠得住的人接我的手。”说着，便喊一声：“来！你们把七大人请进来。”又回头对张太太说：“这是我的堂房兄弟，就是上回荐给你在上海管事情的。我去了，只有他可以接我的手。如今先叫他进来见见大嫂，以后有甚么事情，大嫂就好当面交代他了。”说着，七大人进来了。穿的衣服并不像甚么大人老爷，简直油头光棍一样。张太太此时迫于刁迈彭面子，只得同他见礼。

刁迈彭道：“我这兄弟只能总其大纲，而且他一个人亦来不及。现在兄弟又把上次问大嫂要去的几个差官留心察看，见他们办事都还老练，我特地挑了又挑，挑出七八个真正尖子，几注大生意，每一处派他们一个去管理银钱帐目。”张太太道：“他们字都不认得，当得了吗？”刁迈彭道：“为的是自己人，无论如何总靠得住些；就是字不认得，数目是总认得的。”因为不够，又把本宅的帐房一齐派了出去。刁迈彭一面分派，一面又叫拿笔砚把他经手的生意以及现派某人管理某事，仍托本宅帐房拿张八行书开了一篇细帐交代了张太太。自从张太太请他经手这些银钱，某处生意，不过嘴里说得好听，始终没见一张合同，一张股票，一个息折。大约现写的这片帐，在他就算是交代的了。好在张太太是女流之辈，尽着由他哄骗。至于一班帐房，一班差官，因见大家都派了事情，也就不来多嘴了。交代清楚，刁迈彭便跪下磕头辞行，照例又叮嘱了几句。张太太少不得也说几句客套话。然后刁迈彭拱了拱手，带着兄弟而去。且说刁迈彭的兄弟就是上回所说的做丝厂的挡手的刁迈崑了。这人最是滑不过。但是刁迈彭有些事情自己不能去做，总是托了这兄弟去做。兄弟有利可图，倒也伏伏帖帖听他的使唤，做他的联手。这遭刁迈彭赚了姓张的二百几十万银子，自己实实在在有二百万上腰。下余几十万，这里五万那里三万，生意却也搭的不少；其中就算这兄弟经手的丝厂略为大些。当初原为遮人耳目起见，不得不如此；等到后来张太太把抵押的凭据禀了上头存了案，他却无所顾忌了。但是还怕兄弟并那张太太手下一班旧人说出他的底细，特地替兄弟捐了一个道台，一面在上海管事，一面候选。其他张府帐房、差官等等，凑拢不过十几个，面子上每人替他预留一个位置，其实早同挡手说明，派的都是吃粮不管事的事情，没有一个拿得权的；不过薪水总比在张府时略为丰润。这班人有钱好赚，谁肯再来多嘴。歇上三五个月，有另外荐出去的，也有因为多支薪水歇掉的。总之：不到一年，这班人一齐走光，张太太还毫无知晓。

等到张太太拿不到利钱，着急写信到上海来追讨，刁迈崑总给他一个含糊。后来张太太急了，自己赶到上海来，东打听，也是刁家产业，西打听，也是刁家股分，竟没有一个晓得是姓张的资本。于是赶到丝厂里找刁迈崑，说是进京投供去了。问问那班旧人，都说不知道。张太太又气又急，只得住了下来。虽然没有赶他，却也没有睬他。自己又是女流之辈，身旁没有一个得力的人。干急了两个月，心想只得先回芜湖，再作道理。谁知看了日子，写了船票，正待动身，倒说忽然生起病来。张太太自到上海，一直就住的全安栈，一病病了二十来天。在芜湖来的时候，本来带的钱不多，以为到了上海，无论那一注利钱收到手，总可够用；那知东也碰钉子，西也碰钉子，一个钱没弄到，而且还受了许多闲气。等到想要回去，原带来的钱早已用没了，还亏当了一只金镯子，才写的船票。后来病了二十几天，当的钱又用得一文不剩。上海无从设法，无奈只得叫同来的底下人写信回家取了钱来，然后离得上海。

等到一到家，刁迈崑的信也来了，说是：“刚从北京回来，大嫂已经动身。兄弟不在上海，诸多简亵。”但是通篇并无一句提到生意之事。张太太又赶了信去，问他本钱怎么样，利钱怎么样。他一封信回来，竟推得干干净净，说：“上海丝厂以及各项生意原是君家故物，自从某年某月由大嫂抵与家兄执业，彼此早已割绝清楚。如不相信，现有大嫂在芜湖道、县存的案，并前署芜湖道申详三宪公文为据，尽可就近一查，岂能欺骗”各等语。信后又说：“大嫂倘因一时缺乏，朋友原有通财之义，虽家兄奉使外洋，弟亦应得尽力；惟以抵出之款犹复任意纠缠，心存影射，弟虽愚昧，亦断不敢奉命”云云。张太太接到这封信，气得几乎要死！手底下还有几个旧人都怂恿他去告状。当下化了几十块钱，托人做了一张状子，又化了若干钱，才得递到芜湖道里。芜湖道检查旧卷，张某人的遗产早已抵到刁钦差名下，有他存案为凭，据实批斥不准。张太太心不服，又到省里上控。省里叫芜湖道查复。这个挡口，刁迈崑早已得信，马上一个电报给他哥。他哥就从外洋一个电报给芜湖道，说明存案之事。任你是谁做了芜湖道，只有巴结活钦差，断无巴结死军门之理，因此张太太又接二连三碰了几个钉子。不但外头放的钱一个弄不回来，就是手里的余资也渐渐的销归乌有。因此一气一急，又生了一场病，就此竟呜呼哀哉了！一切成殓发丧，不用细述。

但说刁迈彭在外洋得了这个消息，心上虽是快活；然而还有一句说话道："他那所房屋极好，我很中意，现在不晓得便宜了谁了！"

做书人做到此处，不得不把姓刁的权时搁起。单说姓张的家里自从正太太去世，家里只留了三个寡妇姨太太。此时公中虽然无钱，幸亏他三人还有些体己，拿出来变变卖卖，尚堪过活。而且住着一所绝好的大房子，上头又没有了管头，因此以后的日子倒也甚为安稳。

有日家里正为张军门过世整整三足年，特地请了一班和尚在厅上拜忏，就把他夫妇二人的牌位用黄纸写了，供在居中，以便上祭。这日约摸午牌时分，三位姨太太正穿了素衣上来哭奠。正在哀哀恸哭之时，忽然外面跑进一个三十多岁的男人进来。这人是个瘦长条子，面孔雪白，高眉大眼，仪表甚是不俗；虽是便衣，却也是蓝宁绸袍子，天青缎马褂，脚下粉底乌靴：看上去很像个做官模样。家人们见他一直闯了进来，又想拦又不敢拦，便问："老爷是那里来的？请旁边客厅上坐。"那人也不及回答，但见他三步并做两步，直走至供桌前跪倒，放声痛哭，哭个不了。一面哭，一面跌脚捶胸，自己口称："儿子不孝，不能来送你老人家的终，叫我怎么对得住你呢！"一面数说，一面还是哭个不了。众人听了他的声音，都为奇怪，暗想："我们军门那里来的这个大儿子？"但是看他哭得如此伤心，又不敢疑他是假，只得急急将他劝住，问他"一向在那里，几时来到此地？"他擦了擦眼泪，一见有三个穿素的女人，晓得便是三位老姨太太；立刻爬在地下，磕了三个头，口称"姨娘"。

行礼起来归坐，不等众人开口，他先说道："我今日来到这里，我若不把话说明，你们一定要奇怪。我的母亲刘氏，原是老人家头一位姨太太。彼时老人家还在湖南带兵。有天听了朋友一句玩话，立时三刻逼我母亲出去，一刻不能相容。其时我母亲已耽了两个月的身孕，老人家并没有晓得。亏得我母家彼时手里光景还好，便把咱老娘接到长沙同住。后来等我养了下来，很写过几封信给老人家，老人家一直置之不理。后来等到我七八岁上，忽然老人家想到没儿子的苦。不知那位晓得我母子的下落，便在老人家面前点了两句，听说老人家着实懊悔。不过此时老人家已经得缺，恐招物议，没有敢认；然而却是常常托人带信，问我们母子光景如何。后来又过了十几年，老人家已补授提督，我的母亲亦去世。其时我已有二十多岁了，好容易找到从前做狼山镇的黄军门，晓得他同老人家把兄弟，我就去找他把话说明，托他到老人家跟前替我设法。黄军门就留我住在他衙门里；后来又带我到镇江，见过老人家一面。彼时正议续娶这一位嫡母，原说是没有儿子的，所以仍旧不敢认。我回家再三托黄军门替我位置。以后每年总寄两回银子给我，每次三百两，一年六百两；娶亲的那一年，又多寄了一千两，都是黄军门转交的。又过了三四年，黄军门奉旨到四川督办军务，就把我带了过去。其时我已经保到都司衔候补守备。在四川住了五个年头，接连同土匪打了两回胜仗。总算官运还好，一保保到副将衔候补游击。这个挡口，想不到黄军门去世。幸亏接手的人很把我看得起，倒分给我四个营头，叫我统带进来。几年家里的情形，除掉老人家告病及老人家去世，我是知道的。但是相隔好几千里，又恐怕家里大娘不肯认我，所以一直连封信都不敢写。如今是有差使过来，到了汉口，碰见黄军门的大少爷，才晓得这边的事。心上惦记着这边父母同已去世，不晓得家里是个甚么样子，所以特地赶过来看看。原来家里还有三位姨娘，料理家务，那是极好的了。”

这一番话，说得三位姨太太将信将疑。大姨太太年纪最大，晓得旧事，知道张军门是有这么一位姓刘的姨太太，为了不好赶出去的，后无下落，亦从未见军门提过；至于儿子，更是毫无影响了。那人见三位姨太太怔住不响，晓得他们见疑，忙从靴子里取出一搭子信来，一面翻信，一面说道：“我的名字叫国柱，还是那年黄军门要替我谋保举，写信给老人家，叫老人家替我题个名字，后来回信，就题了这‘国柱’二字。这里还有老人家亲笔信为凭，不是我可以造得来的。而且我还有一句话要预先剖明：我现在也是四十岁的人了，功名也有了，老婆也娶了，儿子也养了；有现成的差事当着，手里还混得过；决不要疑心我是想家当来的。”一面又叫跟班的把护书拿来，取出好几件公事——据他说，全是得保举的凭据，上头都有他的名字。——翻出来给人瞧。三位姨太太瞧了，亦似懂非懂的。当时大家便问他：“吃饭没有？”他说：“一到这里，才落了栈，没有吃饭就赶了来的。”又说：“我是自已人，不用你们张罗，我也用不着客气。至于我到此只能耽搁几天，找和尚拜两天忏；灵柩停在那里，你们领我去磕一个头。事情完了，我就要走的。”

虽然说得如此冠冕，人家总不免疑心。他自已亦懂得，赶忙吃过饭，回到寓处，取出一张五千银子的银票来，仍回到公馆里来，托这边帐房里替他到庄上去换银子。银子换到，马上交出三百银，作为拜忏上祭之用。慢慢的又同三位姨娘讲到家里的日子，晓得公中一个钱都没有，三位姨娘都是自吃自的，他便说：“我这回银子带的不多，回来先拿五千银子过来，以备公中之用。至于三位姨娘缺钱使用，等我写信往四川再汇过来。”人家见他用钱用得如此慷慨，终究狐疑不定。

大姨太太私下便出主意，说：“他倘是真的，而且做了这么大的官，很可以叫他去出出场，到道里、县里去拜望拜望。人家儿子养在外头，等到大了再回来归宗的很多，是真是假，等他到外头碰碰去再说。如是假的，他一定不敢去见。”主意打定，趁空便同他说了。谁知他听了此言，非但不怕，而且甚喜，说道：“我是老人家的儿子，这些地方极应该去的。虽说儿子养在外头，长大之后归宗的很多，但是说出去终不免叫人疑心。我想总求这边姨娘先派个在行底下人跟了我同去，等投帖的时候，务先把话说明，人家便不疑心了。等到拜过之后，我还要重新替老人家开吊哩。”

到了第二天，果然张公馆里派了两名家丁，一名差官，过来伺候少大人拜客。道里、县里、营里统通是新换的官，自从张军门过世之后，家里又没有人同官场上来往，大众都不晓得他的底细，更乐得借此蒙混过去。只有几家土著的老乡绅，还有往年同张府上来往的几家铺户，如钱庄、票号等类，间或有两家留心到张军门并无儿子一层。等到家人把话说明，一来事不干己；二来此时张府早经衰败，久已彼此无涉：因此犯不着前来多事。等到客人拜完，家里人没有了疑心，便让他家里来住。

齐巧这位芜湖道是个老古板，因为张军门从前很有点名声，因此于这张大少爷来拜时，立刻请见，而且第三天就来回拜。见面之后，问长问短。张国柱并不隐瞒，竟说明自己是“先君弃妾所生。‘树高千丈，叶落归根。’此时先父母停柩未葬，还有三位庶母光景甚是拮据，说不得都是小侄之事。”又说：“小侄在外头带兵几年，从前先君在日，常常寄钱给小侄使用。如今先君一死，却再想不到他老人家有许多官亏私亏，以致把家产全数抵完。此事还是从前刁老伯经手，各衙门都有存案，料想老伯是晓得的。如今生养死葬一应大事，无论小侄有钱没钱，事情总是要做，尽着小侄的力量去办便了。”芜湖道道：“尊大人解组归来，听说共有好几百万。即使抵掉不少，看来身后之需，或不至过于竭蹶。就是几位老姨太太手里，谅想还可过得；再不然，这所房子，亦值得十多万银。”国柱道：“无论先君有无遗赀，总之，这些事情，在小侄都是义不容辞的。况且病不能侍汤药，死不能视含殓，已经是不可为子，不可为人，如今再来搜括老人家的遗产，小侄还算个人吗！所以小侄一回来，先取五千金存在公中，以备各项用度。下去所缺若干，再到四川去汇。莫说公中无钱，就是有钱，小侄亦决计分文不动。至于卖房子一句话，更非忍言！”一番话竟说得芜湖道大为佩服，连连夸说：“像世兄这样天性独厚，能顾大局，真是难得！……”又问：“世兄少年料想读的书不少？”张国柱回称：“还是在黄仲节黄军门世叔那里读过几年书，经书古文统通读过。”芜湖道道：“我猜世兄一定是有学问的，若是没有读过书，决计不懂这些大道理。”说完，又连夸奖。自此张国柱有了芜湖道认他为张军门之子，而且异常看重，自然别人更无话说了。

要知后事如何，且听下回分解。

第五十二回
走捷径假子统营头　靠泰山劣绅卖矿产

话说四川来的张国柱，自从芜湖道认他为张军门的少爷，再加他自己又能不惜钱财，把一公馆的人都笼络得住；而且所办的事，所说的话，无一句不在大道理上，因此众人听了更为心服。他见大势已定，便说："老太爷、老太太灵柩停在此地，终非了局。"便与三位老姨太太商量，意思想再开一回吊，然后灵柩送回原籍。算了算，总得上万银子；一面打电报到四川去汇，一等钱到了，就办此事。三位老姨太太自然无甚说得。谁知过了两天，不见电报回来。张国柱哭丧着面孔，咳声叹气的走了进来，说："老天爷同我作对，连着这一点点孝心都不叫我尽！我这人生在世界上还能做甚么事呢！"大家问他："回电怎么说？"他并不答言，只是呼嗤呼嗤的哭。

大家急了，又顶住问他。他说："四川的防营，前月底奉到上头的公事，这个月就要裁掉。我这趟出差，本是有个人替我的。我打电报去同他商量，叫他无论在那里暂时替我挪汇七八千金，再拿我这里的几千凑起来，看来这件事可以做得体体面面，把老人家送回家去；那知凭空出了这么一个岔子，叫我力不从心，真正把我恨死！"大姨太太道："老爷在世，有些手底下提拔过的人，得意的很多。现在有你大少爷在此，不怕他不认；写几封信出去，同他们张罗张罗，料想不至于不理。"张国柱道："不可！不可！老人家的大事，怎么好要人家帮忙？我虽暂时卸差，究竟还算骑在马上的人，朝他们去开口，断断不可！不是怕他们疑心，我为的是'人在人情在'，如今老人家已过世三年，彼此又一直没有通过音信，他不应酬你，固不必说；就是肯应酬，一处送上二三十两，极多到一百两，于我们仍旧无济，而且还承他们这么一分情，实在有点犯不着，还是我们自己想法子好。"过了一天，张国柱又说道："虽然我那边差使已经交卸，究竟我在这里不能过于耽搁。既然钱不凑手，说不得只好'称家有无'。况且从前已经开过吊，此时也不便再去叨扰人家。马上找人看个日子，尽半个月之内就送柩起身。除掉几处至好之外，其余概不通知。"

他这半月之内，得空就往道里跑；见了芜湖道，恭顺的了不得。后来又拜在芜湖道门下，说甚么"门生父亲去世的早，老一辈子的教训门生听见的不多。如今拜在门下，受老师一番陶熔，庶几将来可以稍为懂得做人的道理。”这种话灌在芜湖道的耳朵里，岂有不乐之理。晓得他四川差事已撤，目下正在为难，自己出于至诚，送他二百银子。不要他出名，竟替他写信给所属各府州、县替他张罗，居然也弄到将近二千银子，统通交代张国柱。张国柱自然感激。

看看动身的日子一天近似一天，张国柱就在庙里开了一天吊。凡是发有讣闻的，道台以下，都来吊奠，到客虽然不多，而场面却也很好。张国柱披麻带孝，叫两个人搀着出来给客人磕头；拿着哭丧棒，嘴里干号着，居然很有个孝子模样。因此三位老姨太太以及合公馆里人瞧着，都为感叹，都说：“还算我们军门的福气，有这么一个好儿子打发他回家。”内中忽然有位素同张军门要好的朋友，——也是本地乡绅，是个候补员外郎。——姓刘，名存恕，独他不十二分相信，背后里说过几句闲话。就有人把这话传到张国柱耳朵里去。当时张国柱也没有说甚么，但在肚皮里打主意。

本来说明白开吊后就动身的，如今又一连耽搁了七八天还没有动身。芜湖道问他：“为甚么还不动身？”他思思缩缩，要说又不肯说。芜湖道懂得他的意思，晓得一定是钱不彀，问他是否为此。他到此也只得实说。芜湖道道：“如今远水救不得近火，就是我们再帮点忙，至多再凑了几百银子，也无济于事。况且你这回回去，路远山遥，又非两三天就可以到的；就是回家安葬，亦得开开吊，惊动惊动朋友：那一注不是钱？从前我很想叫你把房子暂时押抵头二万金，以办此事，你世兄不肯。如今依我的主意，只有这么一个办法。你世兄万万不可拘泥；姑且照我的说话，回去同你们老姨太太商量商量。好在尊大人现在只剩得三位老姨太太，也不消住这大房子。就是迟两年，等你世兄有了钱，再赎亦不妨。”张国柱听了这番说话，心上很愿意；面子上却故意踌躇了半天，说道：“老师教训的极是。且等门生回去同几位庶母商量商量，当再来禀复。但是门生还有一件事：老人家带了这许多年的兵，又补授实缺多年，总算替皇家出过力的人，如今去世之后，连个照例的好处都还没有办准。小侄意思：想仗老师大力，求求上头督、抚宪，能彀专折替先君求个恩典，或照军营积劳病故例，从优赐恤，倘能办到一桩，存没均感！”说着，又爬在地下磕了一个头。芜湖道道：“这是世兄的一点孝心，愚兄岂有不竭力之理。不说别的，就是尊大人在安徽带兵，年代亦就不少。世兄一面把房子押掉，扶柩起身。我这里一面就替你办起来，大约顶快亦得好几个月的工夫。”张国柱又重新磕头谢过。

当天芜湖道就留他吃饭，说是：“今天因为开办学堂，请了几位绅董吃晚饭，带着议事，就屈世兄作陪。”张国柱听了此言，自然不走。少停客到，不料那个疑心他的刘存恕也在其内。张国柱一见有他，立刻吩咐底下人：“回家到我屋里，床头上有个皮包，替我取来。”这里一面入席，张国柱的管家已把皮包取到，交给主人。张国柱把皮包接了过来，一手开皮包，一手往里一摸，早摸出一张纸来，嘴里说道："今天趁诸位老伯都在这里，小侄有件东西，要请诸位过一过目。"一面说，一面把那张纸头递到刘存恕手中。刘存恕接过来一看，原来是一个札子。再看札子上的公事，乃是钦差督办四川军务大臣叫他统带营头。公事上头，拿他的官衔都写的明明白白。众人见他拿了这个出来，都莫明其用意。众人一面传观，只听得他又说道："先君过世之后，因为官亏，家产业已全数抵押出去，一无所有。小侄不远数千里赶回归宗，耽当一切大事，自己吃了苦不算，还要赔钱。一切事情都瞒不过我们这敝老师的，老人家真能晓得小侄的苦处。因为外面很有些不相干的人，言三语四，不说小侄回来想家当，便说小侄这个官是假的，所以小侄今天特地拿出这札子来，彼此明明心迹。"说完，随手把札子收回，放在皮包之内，交代跟人先拿回去，自己仍旧在这里陪客。

当下众人看了他的札子，都无话说。只有芜湖道当他是个正经人，便指着他同众人说道："从前他们老太爷致仕之后，听说手里着实好过；何以一故下来，竟其一无所有？只有他一位世兄真正是前世修来的！他所做的事，很顾大局。这趟回来，非但他老太爷的好处没有沾着，而且再赔了好几千两银子，真要算难得的了！现在想要扶他老太爷灵柩回去，一个钱没有，如何可以动得身？我劝他暂时把房子押几个钱动身，他还不肯。这种好儿子，真正是世界上没有的！"众人听说，自然也跟着附和一回。却不料在席有本衙门里一位老夫子，早看得清清楚楚，独他一言不发。等到席散，同同事讲起，说："我办了这几十年的公事，甚么没有见过？连着照会尚且有朱笔、墨笔之分，至于下到札子，从来没有见过有拿墨笔标日子的。凡是'札'字，总有一个红点，临了一圈一钩，名字上一点一钩，还有后头日子都要用朱笔标过，方能算数；而且一翻过来，一定有内号戳记一个。他这个札子，一非朱标，二无内号。想是我阅历尚浅，今天倒要算得见所未见了。"他同事道："这话我不相信。札子上的关防总是真的。"老夫子道："关防固然是真的，难道就不许他预印空白吗？他本是黄军门的世侄，到了四川，一直就在黄军门跟前。黄军门过世，他还在他的营里，这个挡口何事不可为？不过我们心存忠厚，不当面揭破他，也就罢了。"

再说张国柱回到家里，只说是芜湖道的意思，要上禀帖托上头替老人家请恤典。但是目前上上下下各衙门打点，以及部里的化销，至少也得四五万金。三位老姨太太齐说："这事固然是正办，然而一时那里有这些钱呢？"张国柱道："这是老人家死后风光的事，无论如何，苦了我一个人，到处募化，也总要办成功。"后来转转弯湾，仍逼到"抵房子"一句话上，但是仍出自三位老姨太太嘴里，并不是他创议。他到此时，得风就转，连说："若是只为盘送灵柩，无论如何，我总是不肯动这房子的。……如今替老人家请恤典，数目太在了，不得不在这房子上生法。”次日出门，仍旧托了道里的帐房朋友替他经手，竟抵了五万银子。芜湖道听见了，反说他是正办。又说：“某人的老太爷不在了，只有三个小，又没有孩子，一所大房子，还不是空了起来；现在抵给人家，到底好先收两个钱用用。”跟手见了张国柱的面，又说：“你四川的差使听说已经交卸，将来三位老姨太太回去，少不得要你养活；你没得差使的人，如何托累得起！我们大家要好，我总得替你想个法子。”张国柱听了这话，立刻请安，谢老师的栽培。芜湖道道：“你一面扶柩动身，我这里一面想法子。目下我就要进省，等你回来，大约亦就有眉目了。”按下张国柱拿了银子，随同三位老姨太太伴送张军门夫妻两具灵柩，回籍安葬不表。

且说这里芜湖道果然过了两天，因为别事晋省，带着替张军门请恤典，替张国柱谋差使。从芜湖到省，搭上了火轮船，马上就可以到的。下船之后，先到下属预备的公馆休息了一回。随手上院，照例先落司、道官厅。一进官厅，只见先有一个人已经坐在那里了。看样子，不像本省候补人员。彼此请教“贵姓、台甫”。芜湖道先自己说了一遍。那人忙称：“太公祖。”自称：“姓尹，号子崇，本籍庐州，以郎中在京供职，一向在京是住在敝岳徐大军机宅里的。”芜湖道明白，便晓得他是绰号琉璃蛋徐大军机的女婿了。于是又问他：“这趟出京有甚么贵干？”尹子崇因为同他初见面，有些秘密事情不好出口，只淡淡的说道：“有点小事情要同中丞商量商量，也没有甚么大事情。”随问芜湖道道：“太公祖所管的地方可有甚么好的矿？”芜湖道看出苗头，估量他此番一定是为开矿来的，便亦随嘴敷衍了几句。

恰巧里头先传见芜湖道。芜湖道上去回完公事，就把张军门身后情形以及替他求恤典的话说了一遍。又说：“张某人原有一个弃妾所生的儿子，一直养在外头，今年也差不多四十岁。从前跟着黄某人——黄镇——在四川防营，保至副将衔游击。这人虽是武官，甚是温文尔雅，人很漂亮，公事亦很明白。现在扶了他老人家的灵柩回籍安葬去了。但是现在四川防营已撤，张游击没有了差使，可否求求老师的恩典安置他一个地方？”

原来这抚台从前做臬司时候，同张军门也换过帖的。官场上换帖虽不作准，只要有人说好话，那交情亦就登时不同泛泛了。抚台原芜湖道的话，马上说道：“原来张某人还有个儿子，兄弟听见了很欢喜。况且是故人之子，我们应得提拔提拔他。可巧这里的营头，新近被刚钦差回京，一共做掉了三个统领。有十几营还是张某人手里招募的。如今他既然有这么一个好儿子，我这个差使暂不委人。你回去就写封信给他，叫他葬事一完，赶紧回来。至于他老人家的恤典，等他到了这里，我们再商量着办。我同他老人家是把兄弟，还有甚么不帮忙的。”芜湖道道：“既蒙大师赏恩典，肯照应他，职道去就打个电报给他，叫他把葬事办完赶紧出来到差。”抚台道：“如此更好。”芜湖道退出，自去办事不提。

后来这张国柱竟因此在安徽带了十几个营头，说起来没有一个不晓得他是张军门的儿子的。他扶柩回籍的时候，早把三位老姨太太安顿在家；手里有了抵房子的五万银子，着实宽裕，自然各事做得面面俱到了。等他在安徽带了几年营头，索性托人把芜湖的房子卖掉，又卖到好几万银子入了他的私囊。倒是分出去的几位老姨太太仗着在教，出来找过他几次，弄掉了几千银子，此外却一直太平无事。不必细述。

如今且说同芜湖道在官厅子上碰见的尹子崇，等到芜湖道见了下来，抚台方才请他。他还没有来的时候，抚台就绉着眉头对巡捕说：“他只管天天往我这里跑些甚么？谁不晓得他是徐大军机的女婿，一定要把他这块招牌掮出来做甚么呢？而且琉璃蛋的声名也不见得怎样！”正说着，尹子崇进来了。抚台是有侍郎衔的，尹子崇是郎中，少不得按照部里司官见堂官的体制，见面打躬，然后归坐。抚台虽不喜欢他，但念他是徐大军机的姑爷，少不得总须另眼看待。

尹子崇当下先开口说道：“司官昨儿晚上又接到司官岳父的信，叫司官把这边的事情赶紧料理料理清楚；料理清楚了，就叫司官回部当差。过年上半年谒陵，下半年又有万寿，叫司官不要错过了机会。”抚台道：“世兄这边除掉矿务事情，还有别的事吗？”尹子崇道：“不瞒大人说：就这善祥公司的事，司官就有点来不及了。司官创办这个公司的时候，说明白招股六十万，先收一半。虽不是司官的钱，司官却很费张罗：就是司官的岳父，也帮着写过几封信，才有这个局面。不要说矿是好的。但是三十万银子已经用完了，下余的一半股分，人家都不肯往外拿。”抚台道：“只要矿好，眼看着这公司将来一定发财的。再加以令岳大人的声望罩在那里，你世兄又是槃槃大才，调度有方，还怕不蒸蒸日上吗。下余的一半股分，只要写信催他们往外拿就是了。利钱既不少人家的，将来发财又可操券，人家还有甚么不放心的。”尹子崇道：“不瞒大人说：这件事坏在司官过于要好，实事求是，所以才弄得股东里头有了闲话，银子不肯往外拿。”抚台听了诧异道：“这又奇了！倒要请教请教。”尹子崇道：“当初才开创的时候，司官就立意事事省俭，所以自从开创到如今，所有的官利一齐都没有付。原说是等到公司获利之后，补还他们，原不想少他们的。不料他们都不愿意，把后头的股本就此掯住不付。”抚台道：“呀！原来有此一层。现在你世兄的意思打算怎么样呢？开矿本是件顶好的事，不但替中国挽回利权，而且养活穷人不少，若是半途而废，岂不可惜！现在你世兄有令岳大人的面子，还是劝人家赶紧把股本交齐，或者再招集新股。况且这个矿明摆着是个发财的事情，料想人家不至于不肯来。但是兄弟有一句话说：“利钱总应该发给他们。俗语说得好：‘将本求利。’有了利钱，人家自然踊跃了。”

尹子崇听了抚台的这番说话，脸上忽然一红，好像有许多话一时说不出口的；停了半天，方搭讪着说道：“大人教训原极是。但是司官的岳父有信来叫司官回京，不愿司官再经手这个事情。况且近来两个月，先招的股本用完，后头的一半人家又不肯拿出来，司官已经经手垫了好几万银子下去，所以也急于摆脱此事，能够早脱身一天好一天。”抚台道：“照阁下的意思想怎么样呢？”尹子崇道：“司官亦得回去同股东商量起来看。”抚台见无甚说得，只得端茶送客；等到送客回来，又跺着脚朝着手下人说：“我们中国人真正孱头，没有一件事办得好的！起初总是说得天花乱坠，向人家招股；等到股本到了手，烂嫖烂赌，利钱亦不给人家。随后事情闹糟了，他又不愿意干了。现在也不晓得他打甚么主意！我没有这大工夫陪他！再来不见！”手下人答应着。不在话下。

且说尹子崇这回上院，原有句话要同抚台商量的，后来被抚台几句话顶住，使他不能开口，便也没精打彩，回到善祥公司里。几个公司里的同事接着问：“那事回过中丞没有？方才那个洋人又来过了。他的意思，这件事一定要中丞预闻：总得中丞答应了他，以后他到这里开起矿来，大家可以格外联络些。”尹子崇道：“这洋人怎么这样糊涂！他不相信我，他一定要抚台答应他他才肯买，我就是不肯折这口气！你告诉他：这个公司是我姓尹的开创的，姓尹的有甚么事，自有姓徐的担当！他抚台能彀怎样？若说他抚台不答应，叫他同我老丈去说！我如今卖定这矿！至于洋人怕抚台掣他的肘，不肯保护他，问抚台可有几个脑袋，敢得罪外国人！”

尹子崇正在一个人说得高兴，一回那个买矿的洋人又来了，后头还跟着一个通事。尹子崇一见洋人来了，直急的屁滚尿流，连忙满脸堆着笑，站起身拉手让坐；又叫跟班的开洋酒，开荷兰水，拿点心，拿雪茄烟请他吃。当由洋人先同他带来通事咕噜了几句，通事就过来问尹子崇：“同抚台碰过头没有？”尹子崇道：“这个矿是我姓尹的手里开办的，一切事他作不了我的主。况且还有敝岳徐大军机在里头。将来你们接了手，尽着这一个省分，任凭你爱到那里开采，你就到那里去开采。我们可是怕他不保护？只怕他没有这个胆子。依我说：你们尽管放心去干。有甚么说话，你索性来同我讲，等我去同我们老丈讲，包你千妥万当。”通事当把这话翻译给外国人听了。外国人又咕唧了一回，通事又同尹子崇说道：“我们敝洋东的意思，说这个公司虽是你尹先生创办的，但你尹先生只算得一个商人。就是敝洋东，他也不过是个商人。虽然是一个愿卖，一个愿买；然而内地非租界可比，华商同洋商断不能私相授受。为的这开矿的事是要到内地来的：洋商尚不准在内地开设洋栈，岂有准他在内地乱开矿的道理。况且还有一说：就是在租界上华商把卖买倒给了洋商，或是单挂他的牌子，也得到领事公馆里去注册；如今我们敝洋东走到内地来接你的卖买，怎能够不经两边官长的手就能作准呢。你们中国人说起来总说外国人如何不讲情理，如何不守条约；这件事，敝洋东的意思一定要两边官长都签了字，他才肯接手。”

尹子崇听他的这一番说话，心上老大不自在。通事早把他的命意统通告诉了洋人；再加他那副恼闷的情形，就是通事不翻给外国人听，外国人也早已猜着了。那洋人的心上岂不明白：这事倘或经了抚台，除非这抚台是尹子崇一流人物，才肯把这全省矿产卖给外人，任凭外人前来开挖，中国官一问不问。倘或这抚台是稍微有点人心的，念到主权不可尽失，利源不可外溢，是没有不来阻挡的。只要抚台不答应他，这事就办不成功。所以一回回要尹子崇把这事上下打通，方肯接手。至于尹子崇虽说是徐大军机的女婿，然而全省矿产即关系全省之事，抚台是一省之主，事关国体，倘若抚台执定不肯，就是军机大臣也奈何他不得。

尹子崇刚刚听了抚台一番说话，晓得拿这话同他去讲，一定不成；然而面子上又不肯坍台，只好处处拉好了丈人，叫洋人不要听抚台的话，有话只同他讲，他好去同他丈人去讲。不料这洋人乃是明白事体的，执定不肯。尹子崇恐怕事情弄僵，公司的事摆脱不得还是小事，第一是把公司卖给外国人，至少也得他们二百万银子；除掉归还各股东股本外，自己很可稳赚一注钱财。因此被他搭上了手，决计不肯放松。

闲话少叙。且说当时洋人听了尹子崇的话，也晓得他此中为难，心上暗暗欢喜。一人自想：“公司虽然接办不来，弄他几文也是好的。他有个军机大臣的好亲戚，还怕没有人替他拿钱吗。”于是笑嘻嘻的就要告辞。尹子崇还是苦苦留住不放，一定要商量商量。那洋人脑筋一转，计上心来，连忙坐下听他说话。尹子崇无非还是前头一派说话，自己拍着胸脯，说道：“你们这些人为甚么一点胆子都没有，一定要抚台答应才算数！他的官做得长做不长都在咱老丈手里。不是说句狂话：我们做出来的事，他敢道得一个‘不’字！他要吱一吱，立刻端掉他的缺！还怕没有人来做！”通事不响，洋人只是笑。尹子崇又催通事问洋人。通事问过洋人，回称：“只要你丈人徐大军机肯签字也是一样。”尹子崇道：“肯签字！一定包在我手里。”洋人道：“既然如此，尹先生几时进京，我们同着一块儿进京。倘若徐大军机不肯签字，非但我这趟进京的盘缠要你认，就是我这趟由上海到安徽的盘缠以及到了这里几多天的浇用，都是要你认的。”

通事说一句，尹子崇应一句。因他说的有“一同进京”一层，尹子崇道："这层暂时倒可不必。等我先进京，把老头子运动起来，彼时再打电报给你们，然后你们再进京不迟。但是一件：事情不成，一切盘缠等等自然是我的；设或事情成功了，你们又翻悔起来，叫我去找谁呢？"洋人道："彼此是信义通商，那有骗人的道理。"尹子崇道："但是口说无凭，你总得付几成定银摆在这里，方能取信。"洋人想了一回，问道："付多少呢？如果是我翻悔，说不得定钱罚去；倘你翻悔，或是竟其办不成功，怎么一个议罚呢？"尹子崇道："我是决计不翻悔的。"洋人道："你虽如此说，我们章程总得议明在先，省得后论。"尹子崇道："是极，是极。"于是踌躇了一回，先要洋人付二成；又说："这全省的矿，总共要你二百四十万银子，也总算克己的了。二成先付四十八万。"洋人嫌多。后来说来说去，全省的矿一概卖掉，总共二百万银子，先付二成四十万。洋人只答应付半成五万。又禁不住尹子崇甜言蜜语，从五万加到先付十万，即日成交。先由尹子崇签字为凭，限五个月交割清楚；如其尹子崇运动不成，以及半途翻悔，除将原付十万退出外，还须加三倍作罚。

此时尹子崇一心只盼望成功，洋人当天付银子；凡洋人所说的话，无不一一照办，事情一齐写在纸上，自己签字为凭。写好之后，尹子崇等不及明天，当时就把自己的花押画了上去，意思就想跟着洋人要到寓处去拿钱。洋人说："我的钱一齐存在上海银行里。既然答应了你，早晚总得给你的。横竖事情已经说好了，我在这里也没有甚么耽搁，明天就回上海。你们可以派个人一块儿跟我到上海拿银子去。"尹子崇听了，心上虽然失望；无奈暂时忍耐，把那张签的字权且收回。又回头同公司人说："叫谁去收银子呢？"想来想去，无人可派，只得自己去走一遭。当同洋人商量，后天由他自己同往上海，定银收清之后，他亦跟手前赴北京。洋人应允，自回寓所。这里尹子崇也不知会股东，便把公司里的人一概辞掉；所有公司办的事情一概停手；又把现在租的大房子回掉，另外借人家一块地方，但求挂块招牌，存其名目而已。凡是自己来不及干的，都托了一个心腹替他去干，好让他即日起身。

正是有话便长，无话便短。两天到了上海，收到洋人的银子，把那张签的字交给洋人。洋人又领他到领事跟前议了一回。此时尹子崇只求银子到手，千依百顺，那是再要好没有。他本是个阔人，等到这笔昧心钱到手之后，越发闹起标劲来，无非在上海四马路狂嫖烂赌，竭力报效好几万。不必细表。他来的时候，正是五月中旬，如今已是六月初头。依他的意思，还要在上海过夏，到秋凉再进京，实实在在是要在上海讨小。有班谬托知己的朋友，天天在一块儿打牌吃酒，看他钱多，觑空弄他几个用用；所以不但他自己不愿走，就是这班朋友也不愿意要他走。后来还是他自己看见报上说是他丈人徐大军机因与别位军机不和，有折子要告病。他自己自从到了上海，一直嫖昏，也没有接过信，究竟不晓得老丈告病的话是真是假。算了算，洋人限的日子还有三个多月，事情尽来得及。但是一件：老丈果真告病，那事却要不灵。心上想要打个电报到京里去问问。又一想自己从到上海，老丈跟前一直没有写过信；如今凭空打个电报去，未免叫人觉得诧异。左思右想，甚是为难。后来幸亏他同嫖的一个朋友替他出主意：叫他先打个电报进京，只问老头子身体康健与否，不说别的。他便照样打去。第二天得到舅爷的回电，上写着“父病痢”三个字。尹子崇一想，他老丈是上了岁数的人了，又是抽大烟，是禁不起痢的。到此他才慌了，只得把娶妾一事暂搁一边，自己连夜搭了轮船进京。所有的钱，五成存在上海，二成汇到家里，上海玩掉了一成，自己却带了一成多进京。

当下急急忙忙，赶到京城。总算他老丈命不该绝，吃了两帖药，痢疾居然好了。尹子崇到此把心放心。但是他老丈总共有三个女婿：那两个都是正途出身；独他是捐班，而且小时候，仗着有钱，也没有读过甚么书，至今连个便条都写不来。因此徐大军机不大欢喜他。他见了丈人，一半是害怕，一半是羞愧，赛如锯了嘴的葫芦一般，不问不敢张嘴。如今为卖矿一事，已在洋人面前夸过口，说他回京之后，怎么叫丈人签字，怎样叫丈人帮忙，闹得一天星斗。谁知到京之后，只在丈人宅子里干做了两个月的姑爷，始终一句话未曾敢说。看看限期将满，洋人打了电报进京催他，他至此方才急的了不得，一个人走出走进，不得主意。如此者又过了十几天。买矿的洋人也来了，住在店里，专门等他，不成功好拿他的罚款，更把他急得像热锅上蚂蚁似的。自古当：“情急智生。”他平时见老丈画稿都是一画了事，至于所画的是件甚么公事是向来不问的。尹子崇虽然学问不深，毕竟聪明还有，看了这样，便晓得老丈是因为年纪大了，精神不济的原故；这件事倒很可以拿他朦一朦。又幸亏他那些舅爷当中有两位平时老子不给他们钱用，大家知道老姊丈有钱，十两、八两，一百、八十，都来问他借，因此这尹子崇丈人跟前虽不怎样露脸，那些使他钱的舅爷却是感激他的，所以郎舅当中彼此还说得来。尹子崇也曾把这卖矿一事同他舅爷谈过，几个舅爷都一力撺掇他成功，将来多少总得沾光几文。

当下大家都晓得尹子崇被洋人逼的为难，都来替他出主意。后来还亏他一个顶小的舅爷，——这年不过一十九岁，年纪虽小，心思最灵。——仗着他父亲徐大军机顶喜欢他，他便帮着出坏主意，言明事成之后，酬谢他若干。尹子崇自然应允。他先把外头安排停当，然后回去运动老头子。晓得老头子同前门里一个甚么寺的和尚要好，空闲了常常往这寺里跑。这寺里的当家和尚，会诗会画，又会替人家拉皮条。他既同徐大军机做了一人之交，惹得那些走徐大军机门路的都来巴结这和尚。而且和尚替人家拉了皮条，反丝毫不着痕迹，因为徐大军机相信他，总说他是出家人，四大皆空，慈悲为主，凡是和尚托的人情，无论如何，总得应酬他。和尚做的这些事，虽然瞒得过老大人，却是瞒不过少大人。幸亏这和尚见了少大人甚是客气，反借着别的事情替少大人出点力，以为求容之地。这些少大人虽然明知道他的所为，因为念他平日人还恭顺，亦就不肯在老头子跟前揭穿他的底子。这番尹子崇小舅爷替他出的主意，就靠在这老和尚身上。

老和尚晓得少大人有此一番作为，便也不敢怠慢。检了空日，备了一桌素斋，预先自己到府邀请徐大人这日赴宴。徐大军机自然立刻应允。到了那天，徐大军机朝罢无事，便坐了车子一直径去，见了和尚，谈诗谈画，风雅得很。正谈得高兴头上，尹子崇先同小舅爷赶到寺里，说是伺候老爷子来的。徐大军机并不在意。和尚见了，竭力拉拢，说道："备一桌素斋，本来嫌人少；如今你二位到这里，陪陪老大人，那是再好没有的了。"二人亦谦逊了一回。

老和尚丢下他二人，仍去同老头子谈天。才谈得几句，忽然听得窗子后头一阵洋琴的声音。和尚耳尖，听了先问香火道："这是谁又在那里弄这个东西？"香火道："就是前天来的那位外国王爷。"和尚道："叫别的师傅陪陪他，不要怠慢了人家。我这里陪徐大人，没工夫去招呼他，就说我不在家就是了。"香火答应着出去。这个挡口，尹子崇郎舅两个也已出去。徐大军机便问："这外国王爷是怎样的一个人？"和尚道："人倒是很好的一个，也是在教。他的教原同我们释教差仿不多，都是一心向善的。他自从到京之后，一直就住在他们公使馆里；前头到过寺里一次，是我出去陪他的。我虽然不会他们的说话，有了通事传话，都是一样的。这人弹得一手好洋琴，还会做做外国诗。有一部甚么外国人诗集，当中选刻他的诗很不少，可惜都是外国字，我们不认得。倘若懂得他们的文理，同他唱和唱和，结交一个海外诗友，倒是一桩极妙之事！"徐大军机道："你既然说得他如此好，为甚么不请他来会会呢？"和尚道："讲起外交的礼节，他既来了，原应该我自己去接他的。况且他也是王爷之分，非同寻常可比。但是难得今天你大人有空，我们正想借此谈谈心，所以让他们去陪他也是一样的。"徐大军机道："停刻我们还要在这里吃饭，倘若被他闯进来，反为不美。我看还是请他来会会的好。如果他没有吃饭，就让他一块儿吃素斋，我们的礼信总到的了。"和尚巴不得这一声，立刻丢下徐大军机，自己去请。

一霎时只见和尚在前头走，洋人在当中，尹子崇郎舅两个跟在后头。洋人身旁还有一个人，想必是通事了。进屋之后，徐大军机先站起来同他拉手，他亦赶着探帽子。徐大军机一见儿子、女婿都跟在后头，便说了声"你们倒同他先会过了"。和尚连忙凑热闹，说道："亏得请他进来。他刚才见少大人、尹姑爷，把他乐的了不得，正商量着一同来见你老大人哩。"当下分宾归坐。寒暄得不到三五句，和尚恐怕问出破绽来，急急到外间调排桌椅，催他们入座。从前徐大军机在寺里吃饭，都是一张方桌，同这当家和尚两个人对面坐的；如今多了四个人，六人三对面，方桌亦还坐得下；再不然，加张圆桌面子也坐得很舒服，很宽展了。——那知和尚竟不其然，只见他对着香火说道："徐大人常常来的，外国人还是头一遭哩。一时头上，素番菜来不及办，就拿这中国菜请他，似乎觉得不恭敬些。现在我一个法子：你们到西书房里把那张大菜桌子，那些椅子都搬过来，用大菜家伙吃中国菜。我们依他一样，他总不能说我甚么了。"一霎时调排已定，随请入座。徐大军机走到外间一看，只见摆的是很长桌子。和尚便说："徐大人，咱们今天是中西合璧：你老大人独自一位，请坐在上面，旁是少大人、尹姑爷作陪；这边底下是主位；密司忒萨坐在右首，他同来这位刘先生坐在左手。靠着主人右手这一位，在他们外国人算是头一席，所以你老大人无须同他客气的。"当下坐定之后，和尚又叫开洋酒、荷兰水。洋人不会用筷子，又替他换了刀叉。当下说说笑笑，都是些不相干的话。徐大人找出多少话来应酬他，都是少大人，尹姑爷同着翻译替他支吾的。

等到吃过一大半，约摸徐老头儿有点倦意，不晓得洋人同翻译说了几句甚么话，翻译便同少大人说："我们敝洋东极其仰慕徐大人，从前没有到中国时候，就常常见人提起徐大人的名字的。他现在跟着我们中国人，亦很认得几个中国字。"和尚急忙插口道："认得了中国字，将来就好做中国诗了。只是我们不认得洋字，不会看他的诗，实在抱愧得很。"和尚说的话大家亦没有理会。那通事刘先生又说道："敝洋东的意思，想求大人把大人的名字三个字写在一张纸上给他看。"徐大军机听了大喜，立刻叫拿笔砚。又见洋人从身上摸索了半天，拿出一大叠的厚洋纸，上头还写着洋字，花花绿绿的，看了亦不认得。通事把这一叠纸接过来送到徐大军机面前，说道："敝洋东嫌中国纸不牢，身上一搓就要破的，请大人把三个字写在这张纸上。"徐大军机此时丝毫不加思索，立刻戴上老花眼镜，提起笔来，把自己的名字三个字端端整整写了出来。通事拿回给洋人看过。洋人又咕噜了两句，通事又把那叠纸枭去几张，重新送到徐大军机面前，说道："敝洋东想求大人照样再替他写三个字。前头写的是他自己留着当古玩珍藏；这写的，他要带到外国去，把这三个字印在他的书当中。"和尚又帮着敷衍道："想是这位外国诗翁今天即席赋诗，定归把他今天碰见老大人一齐都做了进去，所以要把老大人的名字刻在他的诗稿当中，这倒是海外扬名的。"和尚一面说，徐大军机早已写完，又传到洋人手中。洋人拿起来往身上一藏，然后仍旧吃酒吃菜。和尚见事弄好，便丢了眼色给香火，催厨房赶紧出菜。

一霎席散，让少大人、尹姑爷陪了洋人到西书房里吃茶，他自己招呼徐大军机。徐大军机又坐了半天，喝了两杯茶，方才坐车先自回去。至此和尚方才踱到西书房来，正见少大人在那里指手划脚，自己称扬自己哩。

要知后事如何，且听下回分解。

第五十三回
洋务能员但求形式　外交老手别具肺肠

话说老和尚把徐大军机送出大门登车之后，他便踱到西书房来。原来洋人已走，只剩得尹子崇郎舅两个。他小舅爷正在那里高谈阔论，夸说自己的好主意，神不知，鬼不觉，就把安徽全省矿产轻轻卖掉。外国人签字不过是写个名字，如今这卖矿的合同，连老头子亦都签了名字在上头，还怕他本省巡抚说甚么话吗。就是洋人一面，当面瞧见老头子签字，自然更无话说了。原来这事当初是尹子崇弄得一无法想，求教到他的小舅爷；小舅爷勾通了洋人的翻译，方有这篇文章。所有朝中大老的小照，那翻译都预先弄了出来给洋人看熟；所以刚才一见面，他就认得是徐大军机，并无丝毫疑意。合同例须两分，都是预先写好的。明欺徐大军机不认得洋字，所以当面请他自己写名字；因系两分，所以叫他写了又写。至于和尚一面，前回书内早已交代，无庸多叙。当时他们几个人同到了西书房，翻译便叫洋人把那两分合同取了出来，叫他自己亦签了字，交代给尹子崇一分，约明付银子日期，方才握手告别。尹子崇见大事告成，少不得把弄来的昧心钱除酬谢和尚、通事二人外，一定又须分赠各位舅爷若干，好堵住他们的嘴。

闲文少叙。且说尹子崇自从做了这一番偷天换日的大事业，等到银子到手，便把原有的股东一齐写信去招呼，说是“公司生意不好，吃本太重，再弄下去，实实有点撑不住了。不得已，方才由敝岳作主，将此矿产卖给洋人，共得价银若干”。除垫还他经手若干外，所剩无几，一齐打三折归还人家的本钱，以作了事。股东当中有几个素来仰仗徐大军机的，自然听了无甚说得，就是明晓得吃亏，亦所甘愿；有两个稍些强硬点的，听了外头的说话，自然也不肯干休。常言说得好：“若要人不知，除非己莫为。”尹子崇既做了这种事情，所有同乡京官里面，有些正派的，因为事关大局，自然都派尹子崇的不是；有些小意见的，还说他一个人得了如许钱财，别人一点光没有沾着，他要一个人安稳享用，有点气他不过，便亦撺掇了大众出来同他说话。专为此事，同乡当中特地开了一回会馆，尹子崇却吓得没敢到场。后来又听听外头风声不好，不是同乡要递公呈到都察院里去告他，就是都老爷要参他。他一想不妙，京城里有点站不住脚，便去催逼洋人，等把银子收清，立刻卷卷行李，叩别丈人，一溜烟逃到上海。

恰巧他到上海，京城的事也发作了，竟有四位御史一连四个折子参他，奉旨交安徽巡抚查办。信息传到上海，有两家报馆里统通把他的事情写在报上，拿他骂了个狗血喷头。他一想，上海也存不得身，而且出门已久，亦很动归家之念，不得已，偃旗息鼓，径回本籍。他自己一人忖道："这番赚来的钱也尽够我下半世过活的。既然人家同我不对，我亦乐得与世无争，回家享用。"于是在家一过过了两个多月，居然无人找他。他自己又自宽自慰，说道："我到底有'泰山'之靠，他们就是要拿我怎样，总不能不顾老丈的面子。况且合同上还有老丈的名字，就是有起事情来，自然先找到老丈，我还退后一层，真正可以无须虑得。"一个人正在那里盘算，忽然管家传进一张名片，说是县里来拜。他听了这话，不禁心上一怔，说道："我自从回家，一直还没有拜过客，他是怎么晓得的？"既然来的，只得请见。这里执帖的管家还没出去，门上又有人来说："县里大老爷已经下轿，坐在厅上，专候老爷出去说话。"尹子崇听了，分外生疑。想要不出去见他，他已经坐在那里等候，不见是不成功的；转念一想道："横竖我有靠山，他敢拿我怎样！"于是硬硬头皮，出来相见。

谁料走到大厅，尚未同知县相见，只见门外廊下以及天井里站了无数若干的差人。尹子崇这一吓非同小可！此时知县大老爷早已望见了他了，提着嗓子，叫了一声"尹子翁，兄弟在这儿"。尹子崇只得过来同他见面。知县是个老猾吏，笑嘻嘻的，一面作揖，一面竭力寒暄道："兄弟直到今日才晓得子翁回府，一直没有过来请安，抱歉之至！"尹子崇虽然也同他周旋，毕竟是贼人胆虚，终不免失魂落魄，张皇无措。作揖之后，理应让客人炕上上首坐的，不料一个不留心，竟自己坐了上面。后来管家上来递茶给他，叫他送茶，方才觉得。脸上急得红了一阵，只得换座过来，越发不得主意了。知县见此样子，心上好笑；便亦不肯多耽时刻，说道："兄弟现在奉到上头一件公事，所以不得不亲自过来一趟。"说罢，便在靴筒子当中抽出一角公文来。尹子崇接在手中一看，乃是南洋通商大臣的札子，心上又是一呆。及至抽出细瞧，不为别件，正为他卖矿一事，果然被四位都老爷联名参了四本，奉旨交本省巡抚查办。本省巡抚本不以为然的，自然是不肯帮他说话。不料事为两江总督所知，以案关交涉，正是通商大臣的责任，顿时又电奏一本，说他擅卖矿产，胆大妄为，请旨拿交刑部治罪。上头准奏。电谕一到，两江总督便饬藩司遴选委员前往提人。谁知这藩司正受过徐大军机栽培的，便把他私人、候补知县毛维新保举了上去。这毛维新同尹府上也有点渊源，为的派了他去，一路可以照料尹子崇的意思。等到到了那里，知县接着。毛维新因为自己同尹子崇是熟人，所以让知县一个人去的。及至尹子崇拿制台的公事看得一大半，已有将他拿办的说话，早已吓呆在那里，两只手拿着札子放不下来。

后来知县等得长久了，便说道："派来的毛委员现在兄弟衙门里。好在子翁同他是熟人，一路上倒有照应。轿子兄弟已经替子翁预备好了，就请同过去罢。"几句话说完，直把个尹子崇急得满身大汗，两只眼睛睁得如铜铃一般，吱吱了半天，才挣得一句道："这件事乃是家岳签的字，与兄弟并不相干。有甚么事，只要问家岳就是了。"知县道："这里头的委曲，兄弟并不知道。兄弟不过是奉了上头的公事，叫兄弟如此做，所以兄弟不能不来。如果子翁有甚么冤枉，到了南京，见了制台尽可分辨的；再不然，还有京里。况且里头有了令岳大人照应，谅来子翁虽然暂时受点委曲，不久就可明白的。现在时候已经不早了，毛某人明天一早就要动身的，我们一块去罢。"尹子崇气的无话可说，只得支吾道："兄弟须得到家母跟前禀告一声；还有些家事须得料理料理。准今天晚上一准过去。"知县道："太太跟前，等兄弟派人进去替你说到了就是了。至于府上的事，好在上头还有老太太，况且子翁不久就要回来的，也可以不必费心了。"

尹子崇还要说别的，知县已经仰着头，眼睛望着天，不理他；又拖着嗓子叫："来啊！"跟来的管家齐齐答应一声"者"。知县道："轿夫可伺候好了？我同尹大人此刻就回衙门去。"底下又一齐答应一声，回称："轿夫早已伺候好。"知县立刻起身，让尹子崇前头，他自己在后头，陪着他一块儿上轿。这一走，他自己还好；早听得屏门背后他一班家眷，本已得到他不好的消息，如今看他被县里拉了出去，赛如绑赴菜市口一般，早已哭成一片了。尹子崇听着也是伤心；无奈知县毫不容情，只得硬硬心肠跟了就走。

霎时到得县里，与毛委员相见。知县仍旧让他厅上坐，无非多派几个家丁、勇役轮流拿他看守。至于茶饭一切相待，自然与毛委员一样。毕竟他是徐大军机的女婿，地方官总有三分情面；加以毛委员受了江宁藩台的嘱托，公义私情，二者兼尽：所以这尹子崇甚是自在。当天在县衙一宵，仍是自己家里派了管家前来伺候。第二天跟着一同由水路起身。在路晓行夜宿，非止一日，已到南京。毛委员上去请示，奉饬交江宁府经厅看管，另行委员押解进京。搁下不表。

且说毛维新在南京候补，一直是在洋务局当差，本要算得洋务中出色能员。当他未曾奉差之前，他自己常常对人说道："现在吃洋务饭的，有几个能够把一部各国通商条约肚皮里记得滚瓜烂熟呢？但是我们于这种时候出来做官，少不得把本省的事情温习温习，省得办起事情来一无依傍。”于是单检了道光二十二年《江宁条约》抄了一遍，总共不过四五张书，就此埋头用起功来，一念念了好几天，居然可以背诵得出。他就到处向人夸口，说他念熟这个，将来办交涉是不怕的了。后来有位在行朋友拿他考了一考，晓得他能耐不过如此，便驳他道：“道光二十二年定的条约是老条约了，单念会了这个是不中用的。”他说：“我们在江宁做官，正应该晓得江宁的条约。至于甚么《天津条约》、《烟台条约》，且等我兄弟将来改省到那里，或是咨调过去，再去留心不迟。”那位在行朋友晓得他是误会，虽然有心要想告诉他，无奈见他拘墟不化，说了亦未必明白，不如让他糊涂一辈子罢。因此一笑而散。

却不料这毛维新反于此大享其名，竟有两位道台在制台前很替他吹嘘说：“毛令不但熟悉洋务，连着各国通商条约都背得出的，实为牧令中不可多得之员。”制台道：“我办交涉也办得多了，洋务人员在我手里提拔出来的也不计其数，办起事情来，一齐都是现查书。不但他们做官的是如此，连着我们老夫子也是如此。所以我气起来，总朝着他们说：‘我老头子记性差了，是不中用的了。你们年轻人很应该拿这些要紧的书念两部在肚子里。’一天念熟一页，一年便是三百六十页，化上三年功夫，那里还有他的对手。无奈我嘴虽说破，他们总是不肯听。宁可空了打麻雀，逛窑子；等到有起事情来，仍然要现翻书起来，真正气人！今天你二位所说的毛令既然肯在这上头用功，很好，就叫他明天来见我。”原来此时做江南制台的，姓文，名明，虽是在旗，却是个酷慕维新的。只是一样：可惜少年少读了几句书，胸中一点学问没有。这遭总算毛维新官运亨通，第二天上去，制台问了几句话，亏他东扯西拉，居然没有露出马脚，就此委了洋务局的差使。

这番派他到安徽去提人，禀辞的时候，他便回道：“现在安徽那边，听说风气亦很开通了。卑职此番前去，经过的地方，一齐都要留心考察考察。”制台听了，甚以为然。等到回来，把公事交代明白，上院禀见。制台问他考察的如何，他说：“现在安徽官场上很晓得维新了。”制台道：“何以见得？”他说：“听说省城里开了一爿大菜馆，三大宪都在那里请过客。”制台道：“但是吃吃大菜，也算不得开通。”毛维新面孔一板，道：“回大人的话，卑职听他们安徽官场上谈起那边中丞的意思说：凡百事情总是上行下效；将来总要做到叫这安徽全省的百姓，无论大家小户，统通都会吃了大菜才好。”制台道：“吃顿大菜，你晓得要几个钱？还要甚么香槟酒、啤酒去配他。还有些酒的名字，我亦说不上来。贫民小户可吃得起吗？”制台的话说到这里，齐巧有个初到省的知县，同毛维新一块进来的，只因初到省，不大懂得官场规矩，因见制台只同毛维新说话，不理他，他坐在一旁难过，便插嘴道："卑职这回出京，路过天津、上海，很吃过几顿大菜，光吃菜不吃酒亦可以的。"他这话原是帮毛维新的。制台听了，心上老大不高兴，眼睛往上一楞，说："我问到你再说。上海洋务局、省里洋务局，我请洋人吃饭也请过不止一次了，那回不是好几千块钱！你晓得！"回头又对毛维新说道："我兄弟虽亦是富贵出身，然而并非纨绔一流，所谓稼穑之艰难，尚还略知一二。"毛维新连忙恭维道："这正是大帅关心民瘼，才能想得如此周到。"

文制台道："你所考察的，还有别的没有？"毛维新又回道："那边安庆府知府饶守的儿子同着那里抚标参将的儿子，一齐都剪了辫子到外洋去游学。恰巧卑职赶到那里，正是他们剃辫子的那一天。首府饶守晓得卑职是洋务人员，所以特地下帖邀了卑职去同观盛典。这天官场绅士一共请了三百多位客。预先叫阴阳生挑选吉时。阴阳生开了一张单子，挑的是未时剃辫大吉。所请的客，一齐都是午前穿了吉服去的，朝主人道过喜，先开席坐席。等到席散，已经到了吉时了。只见饶守穿着蟒袍补褂，带领着这位游学的儿子，亦穿着靴帽袍套；望空设了祖先的牌位，点了香烛，他父子二人前后拜过，禀告祖先；然后叫家人拿着红毡，领着少爷到客人面前，一一行礼，有的磕头，有的作揖。等到一齐让过了，这才由两个家人在大厅正中摆一把圈身椅，让饶守坐了；再领少爷过来，跪在他父亲面前，听他父亲教训。大帅不晓得：这饶守原本只有这一个儿子；因为上头提倡游学，所以他自告奋勇，情愿自备资斧，叫儿子出洋。所以这天抚宪同藩、臬两司以及首道，一齐委了委员前来贺喜。只可怜他这个儿子今年只有十八岁，上年腊月才做亲，至今未及半年，就送他到外洋去。莫说他小夫妇两口子拆不开，就是饶守自己想想，已经望六之人了，膝下只有一个儿子，怎么舍得他出洋呢。所以一见儿子跪下请训，老头子止不住两泪交流，要想教训两句，也说不出话了。后来众亲友齐说：'吉时已到，不可错过，世兄改装也是时候了。'只见两个管家上来，把少爷的官衣脱去，除去大帽，只穿着一身便衣；又端过一张椅子，请少爷坐了。方传剃头的上来，拿盆热水，揿住了头，洗了半天，然后举起刀子来剃。谁知这一剃，剃出笑话来了：只见剃头的拿起刀来，磨了几磨，哗擦擦两声响，从辫子后头一刀下去，早已一大片雪白露出来了。幸亏卑职看得清切，立刻摆手，叫他不要再往下剃，赶上前去同他说：'再照你这样剃法，不成了个和尚头吗？外国人虽然是没有辫子，何尝是个和尚头呢？'当时在场的众亲朋友以及他父亲听卑职这一说，都明白过来，一齐骂剃头的，说他不在行，不会剃。剃头的跪在地下，索索的抖，说：'小的自小吃的这碗饭，实在没有瞧见过剃辫子是应该怎么样剃的。小的总以为既然不要辫子，自然连着头发一块儿不要，所以才敢下手的。现在既然错了，求求大老爷的示，该怎么样，指教指教小的。'卑职此时早已走到饶守的儿子跟前，拿手撩起他的辫子来一看，幸亏剃去的是前刘海，还不打紧。便叫他们拿过一把剪刀来，由卑职亲自动手，先把他辫子拆开，分作几股，一股一股的替他剪了去，底下还替他留了约摸一寸多光景，再拿镙花水前后刷光，居然也同外国人一样了。大帅请想：他们内地真正可怜，连着出洋游学想要去掉辫子这些小事情，都没有一个在行的。幸亏卑职到那里教给他们，以后只好用剪刀剪，不好用刀子剃，这才大家明白过来，说卑职的法子不错。当天把个安庆省城都传遍。听说参将的儿子就是照着卑职的话用剪刀的。第二天卑职上院见了那边中丞，很蒙奖励，说：'到底你们江南无辫子游学的人多，这都是制宪的提倡，我们这里还差着远哩。'"文制台听了别人说他提倡学务，心上非凡高兴。当时只因谈的时候长久了，制台要紧吃饭，便道："过天空了我们再谈罢。"说完，端茶送客。毛维新只得退出，赶着又上别的司、道衙门，一处处去卖弄他的本领。不在话下。

且说这位制台本是个有脾气的，无论见了甚么人，只要官比他小一级，是他管得到的，不论你是实缺藩台，他见了面，一言不合，就拿顶子给人碰，也不管人家脸上过得去过不去。藩台尚且如此，道、府是不消说了，州、县以下更不用说了；至于在他手下当差的人甚多，巡捕、戈什，喝了去，骂了来，轻则脚踢，重则马棒，越发不必问的了。

且说有天为了一件甚么公事，藩台开了一个手折拿上来给他看。他接过手折，顺手往桌上一撩，说道："我兄弟一个人管了这三省事情，那里还有工夫看这些东西呢！你有甚么事情，直截痛快的说两句罢。"藩台无法，只得捺定性子，按照手折上的情节约略择要陈说一遍。无如头绪太多，断非几句话所能了事，制台听到一半，又听得不耐烦了，发狠说道："你这人真正麻烦！兄弟虽然是三省之主，大小事情都照你这样子要我兄弟管起来，我就是三头六臂也来不及！"说着，掉过头去同别位道台说话，藩台再要分辨两句他也不听了。藩台下来，气的要告病，幸亏被朋友们劝住的。

后来不多两日，又有淮安府知府上省禀见。这位淮安府乃是翰林出身，放过一任学台，后来又考取御史，补授御史，京察一等放出来的。到任还不到一年，齐巧地方上出了两件交涉案件，特地上省见制台请示；恐怕说的不能详细，亦就写了两个节略，预备面递。等到见了面，同制台谈过两句，便将开的手折恭恭敬敬递了上去。制台一看是手折，上面写的都是黄豆大的小字，便觉心上几个不高兴，又明欺他的官不过是个四品职分，比起藩台差远了，索性把手折往地下一摔，说道："你们晓得我年纪大，眼睛花，故意写了这小字来蒙我！"那淮安府知府受了他这个瘪子，一声也不响。等他把话说完，不慌不忙，从从容容的从地下把那个手折拾了起来；一头拾，一头嘴里说："卑府自从殿试、朝考以及考差、考御史，一直是恪遵功令，写的小字；皇上取的亦就是这个小字。如今做了外官，倒不晓得大帅是同皇上相反，一个个是要看大字的，这个只好等卑府慢慢学起来。但是今时这两件事情都是刻不可缓的，所以卑府才赶到省里来面回大帅；若等卑府把大字学好了，那可来不及了。"

制台一听这话，便问："是两件甚么公事？你先说个大概。"淮安府回道："一件为了地方上的坏人卖了块地基给洋人，开甚么玻璃公司。一桩是一个包讨债的洋人到乡下去恐吓百姓，现在闹出人命来了。"制台一听，大惊失色道："这两桩都是个关系洋人的，你为甚么不早说呢？快把节略拿来我看！"淮安府只得又把手折呈上。制台把老花眼镜带上，看了一遍。淮安府又说道："卑职因为其中头绪繁多，恐怕说不清楚，所以写好了节略来的。况且洋人在内地开设行栈，有背约章；就是包讨帐，亦是不应该的，况且还有人命在里头。所以卑府特地上来请大帅的示，总得禁阻他来才好。"制台不等他说完，便把手折一放，说："老哥，你还不晓得外国人的事情是不好弄的吗？地方上百姓不拿地卖给他，请问他的公司到那里去开呢？就是包讨帐，他要的钱，并非要的是命。他自己寻死，与洋人何干呢？你老兄做知府，既然晓得地方有些坏人，就该预先禁止他们，拿地不准卖给外国人才是。至于那个欠帐的，他那张借纸怎么会到外国人手里？其中必定有个缘故。外国人顶讲情理，决不会凭空诈人的。而且欠钱还债，本是分内之事，难道不是外国人来讨，他就赖着不还不成？既然如此，也不是甚么好百姓了。现在凡百事情，总是我们自己的官同百姓都不好，所以才会被人家欺负；等到事情闹糟了，然后往我身上一推，你们算没有事了。好主意！"

原来这制台的意思是："洋人开公司，等他来开；洋人来讨帐，随他来讨。总之：在我手里，决计不肯为了这些小事同他失和的。你们既做我的属员，说不得都要就我范围，断断乎不准多事。"所以他看了淮安府的手折，一直只怪地方官同百姓不好，决不肯批评洋人一个字的。淮安府见他如此，就是再要分辨两句，也气得开不出口了。制台把手折看完，仍旧摔还给他。淮安府拾了，禀辞出去，一肚皮没好气。

正走出来，忽见巡捕拿了一张大字的片子，远望上去，还疑心是位新科的翰林。只听那巡捕嘴里叽哩咕噜的说道："我的爷！早不来，晚不来，偏偏这时候他老人家吃着饭他来了。到底上去回的好，还是不上去回的好？"旁边一个号房道："淮安府才见了下来，只怕还在签押房里换衣服，没有进去也论不定。你要回，赶紧上去还来得及。别的客你好叫他在外头等等，这个客是怠慢不得的！"那巡捕听了，拿了片子，飞跑的进去了。这时淮安府自回公馆不题。

且说那巡捕赶到签押房，跟班的说："大人没有换衣服就往上房去了。"巡捕连连跺脚道："糟了！糟了！"立刻拿了片子又赶到上房。才走到廊下，只见打杂的正端了饭菜上来。屋里正是文制台一迭连声骂人，问为甚么不开饭。巡捕一听这个声口，只得在廊檐底下站住。心上想回；因为文制台一到任，就有过吩咐的，凡是吃饭的时候，无论甚么客人来拜，或是下属禀见，统通不准巡捕上来回，总要等到吃过饭，擦过脸再说；无奈这位客人既非过路官员，亦非本省属员，平时制台见了他还要让他三分，如今叫他在外面老等起来，决计不是道理；但是违了制台的号令，倘若老头子一翻脸，又不是玩的：因此拿了名帖，只在廊下盘旋，要进又不敢进，要退又不敢退。正在为难的时候，文制台早已瞧见了，忙问一声："甚么事？"巡捕见问，立刻趋前一步，说了声"回大帅的话：有客来拜。"话言未了，只见拍的一声响，那巡捕脸上早被大帅打了一个耳刮子。接着听制台骂道："混帐王八蛋！我当初怎么吩咐的！凡是我吃着饭，无论甚么客来，不准上来回。你没有耳朵，没有听见！"说着，举起腿来又是一脚。

那巡捕挨了这顿打骂，索性泼出胆子来，说道："因为这个客是要紧的，与别的客不同。"制台道："他要紧，我不要紧！你说他与别的客不同，随你是谁，总不能盖过我！"巡捕道："回大帅：来的不是别人，是洋人。"那制台一听"洋人"二字，不知为何，顿时气焰矮了大半截，怔在那里半天；后首想了一想，蓦地起来，拍挞一声响，举起手来又打了巡捕一个耳刮子；接着骂道："混帐王八蛋！我当是谁！原来是洋人！洋人来了，为甚么不早回，叫他在外头等了这半天？"巡捕道："原本赶着上来回的，因见大帅吃饭，所以在廊下等了一回。"制台听完，举起腿来又是一脚，说道："别的客不准回，洋人来，是有外国公事的，怎么好叫他在外头老等？糊涂混帐！还不快请进来！"

那巡捕得了这句话，立刻三步并做二步，急忙跑了出来。走到外头，拿帽子探了下来，往桌子上一摔，道："回又不好，不回又不好！不说人头，谁亦没有他大；只要听见'洋人'两个字，一样吓的六神无主了！但是我们何苦来呢！掉过去，一个巴掌！翻过来，又是一个巴掌！东边一条腿，西边一条腿！老老实实不干了！"正说着，忽然里头又有人赶出来一迭连声叫唤，说："怎么还不请进来！……"那巡捕至此方才回醒过来，不由的仍旧拿大帽子合在头上，拿了片子，把洋人引进大厅。此时制台早已穿好衣帽，站在滴水檐前预备迎接了。

原来来拜的洋人非是别人，乃是那一国的领事。你道这领事来拜制台为的甚么事？原来制台新近正法了一名亲兵小队。制台杀名兵丁，本不算得大不了的事情；况且那亲兵亦必有可杀之道，所以制台才拿他如此的严办。谁知这一杀，杀的地方不对：既不是在校场上杀的，亦不是在辕门外杀的，偏偏走到这位领事公馆旁边就拿他宰了。所以领事大不答应，前来问罪。当下见了面，领事气愤愤的把前言述了一遍，问制台为甚么在他公馆旁边杀人，是个甚么缘故。幸亏制台年纪虽老，阅历却很深，颇有随机应变的本领；当下想了一想，说道："贵领事不是来问我兄弟杀的那个亲兵？他本不是个好人，他原是'拳匪'一党。那年北京'拳匪'闹乱子，同贵国及各国为难，他都有分的。兄弟如今拿他查实在了，所以才拿他正法的。"领事道："他既然通'拳匪'，拿他正法亦不冤枉。但是何必一定要杀在我的公馆旁边呢？"制台想了一想，道："有个原故：不如此，不足以震服人心。贵领事不晓得这'拳匪'乃是扶清灭洋的，将来闹出点子事情来，一定先同各国人及贵国人为难，就是于贵领事亦有所不利。所以兄弟特地想出一条计来，拿这人杀在贵衙署旁边，好教他们同党瞧着或者有些怕惧。俗语说得好，叫做'杀鸡骇猴'，拿鸡子宰了，那猴儿自然害怕。兄弟虽然只杀得一名亲兵，然而所有的'拳匪'见了这个榜样，一定解散，将来自不敢再同贵领事及贵国人为难了。"领事听他如此一番说话，不由得哈哈大笑，奖他有经济，办得好，随又闲谈了几句，告辞而去。

制台送客回来，连要了几把手巾，把脸上、身上擦了好几把；说道："我可被他骇得我一身大汗了！"坐定之后，又把巡捕、号房统通叫上来，吩咐道："我吃着饭，不准你们来打岔，原说的是中国人。至于外国人，无论甚么时候，就是半夜里我睡了觉，亦得喊醒了我，我决计不怪你们的。你们没瞧见刚才领事进来的神气，赛如马上就要同我翻脸的；若不是我这老手三言两语拿他降伏住，还不晓得闹点甚么事情出来哩。还搁得住你们再替我得罪人吗！以后凡是洋人来拜，随到随请！记着！"巡捕、号房统通应了一声"是"。

制台正要进去，只见淮安府又拿着手本来禀见，说有要紧公事面回；并有刚刚接到淮安来的电报，须得当面呈看。制台想了想，肚皮里说道："一定仍旧是那两件事。但不知这个电报来，又出了点甚么岔子？"本来是懒怠见他的；不过因内中牵涉了洋人，实在委决不下，只得吩咐说"请"。

霎时淮安府进来，制台气吁吁的问道："你老哥又来见我做甚么？你说有甚么电报，一定是那班不肖地方官又闹了点甚么乱子，可是不是？"淮安府道："回大帅的话：这个电报却是个喜信。"制台一听"喜信"二字，立刻气色舒展许多，忙问道："甚么喜信？"淮安府道："卑府刚才蒙大人教训，卑府下去回到寓处，原想照着大人的吩咐，马上打个电报给清河县黄令；谁知他倒先有一个电报给卑府，说玻璃公司一事，外国人虽有此议，但是一时股分不齐，不会成功。现在那洋人接到外洋的电报，想先回本国一走，等到回来再议。”制台道：“很好！他这一去，至少一年半载。我们现在的事情，过一天是一天，但愿他一直耽误下去，不要在我手里他出难题目给我做，我就感激他了。那一桩呢？”

淮安府道：“那一桩原是洋人的不是，不合到内地来包讨帐。”制台一听他说“洋人不是”，口虽不言，心下却老大不以为然，说：“你有多大能耐，就敢排揎起洋人来！”于是又听他往下讲道：“地方上百姓动了公愤，一哄而起。究竟洋人势孤，……”制台听到这里，急的把桌子一拍道：“糟了！一定是把外国人打死了！中国人死了一百个也不要紧；如今打死了外国人，这个处分谁耽得起！前年为了‘拳匪’杀了多少官，你们还不害怕吗？”淮安府道：“回大帅的话：卑府的话还未说完。”制台道：“你快说！”淮安府道：“百姓虽然起了一个哄，并没有动手，那洋人自己就软下来了。”制台皱着眉头，又把头摇了两摇，说道：“你们欺负他单身人，他怕吃眼前亏，暂时服软，回去告诉了领事，或者进京告诉了公使，将来仍旧要找咱们倒蛋的。不妥！不妥！”淮安府道：“实实在在是他自己晓得自己的错处，所以才肯服软的。”制台道：“何以见得？”淮安府道：“因为本地有两个出过洋的学生，是他俩听了不服，哄动了许多人，同洋人讲理；洋人说他不过，所以才服软的。”制台又摇头道：“更不妥！这些出洋回来的学生真不安分！于他毫不相干，就出来多事。地方官是昏蛋！难道就随他们吗？”淮安府道：“他俩不过找着洋人讲理，并没有滋事。虽然哄动了许多人跟着去看，并非他二人招来的。”制台道：“你老哥真不愧为民之父母！你总帮好了百姓，把自己百姓竟看得没有一个不好的，都是他们洋人不好。我生平最恨的就是这班刁民！动不动聚众滋事，挟制官长！如今同洋人也是这样。若不趁早整顿整顿，将来有得缠不清楚哩！你且说那洋人服软之后怎么样？”

淮安府道：“洋人被那两个学生一顿批驳，说他不该包讨帐，于条约大有违背；如今又逼死了人命；我们一定要到贵国领事那里去告的。”制台听了，点了点头道：“驳虽驳得有理，难道洋人怕他们告吗？——就是告了，外国领事岂有不帮自己人的道理。”淮安府道：“谁知就此三言两语，那洋人竟其顿口无言，反倒托他通事同那苦主讲说，欠的帐也不要了，还肯拿出几百银子来抚恤死者的家属，叫他们不要告罢。”制台道：“咦！这也奇了！我只晓得中国人出钱给外国人是出惯的，那里见过外国人出钱给中国人。这话恐怕不确罢？”淮安府道：“卑府不但接着电报是如此说，并有详信亦是刚才到的。”制台道：“奇怪！奇怪！他们肯服软认错，已经是难得了；如今还肯抚恤银子，尤其难得。真正意想不到之事！我看很应该就此同他了结。你马上打个电报回去，叫他们赶紧收篷，千万不可再同他争论别的。所谓‘得风便转’。他们既肯陪话，又肯化钱，已是莫大的面子。我办交涉也办老了，从没有办到这个样子。如今虽然被他们争回这个脸来，然而我心上倒反害起怕来。我总恐怕地方上的百姓不知进退，再有甚么话说，弄恼了那洋人，那可万万使不得！俗语说得好，叫做‘得意不可再往’。这个事可得责成你老哥身上。你老哥省里也不必耽搁了，赶紧连夜回去，第一弹压住百姓，还有那甚么出洋回来的学生，千万不可再生事端；二则洋人走的时候，仍是好好的护送他出境。他一时为理所屈，不能拿我们怎样，终究是记恨在心的。拿他周旋好了，或者可以解释解释。我说的乃是金玉之言，外交秘诀。老哥，你千万不要当做耳旁风！你可晓得你们在那里得意，我正在这里提心吊胆呢！”淮安府只得连连答应了几声“是”。然后端茶送客。

要知后事如何，且听下回分解。

第五十四回 慎邦交纡尊礼拜堂 重民权集议保商局

却说江南官场上自从这位贤制军一番提倡，于是大家都明白他的宗旨所在，是见了洋人，无论这洋人如何强硬，他总以柔媚手段去迎合他，抱定了“衅不我开”四个字的主义，敷衍一日算一日，搪塞一朝算一朝。制台如此，道、府不得不然；道、府如此，州、县越发可想而知了。

几个月前头，不知那里死掉一个外国有名的教士。这教士在中国岁数也不少了，一年到头，劝人为善，却着实做些好事。偶尔地方上出了甚么民教不和的案件，只要这位教士到场，任你事情如何棘手，亦无不迎刃而解的。所以各省的大吏亦都感激他。后来奏闻朝廷，不但屡次传旨嘉奖，而且还赏过他顶戴、匾额。由外洋进来传教的，总算数一数二的了。谁知皇天不佑好人，他年纪并不大，忽然得了一病，就此呜呼哀哉。他们在教的人开甚么追悼会、纪念会，自有一番典礼，不用细表。单说这位制台大人从前因办交涉也受过他的好处，此时听见他的凶信，立刻先打了一个电报，足足有好几百字，去慰唁他的夫人、儿子；又特地派了自己的二少爷同着本省洋务局老总胡道台，带了吊礼，坐了轮船，前去吊唁。一直等到送过教士的夫人、儿子回国，方才回来。自有此一番举动，大众愈加晓得，不但同在世的洋人往来酬应必不可少，就是吊死送葬一切礼信也不能免的。因此便有些州、县望风承旨，借着应酬外国人以为巴结制台地步。

目下单说江宁府首府该管的一个六合县。这六合县在府北一百一十五里，离着省城较近，自然信息灵通。此时做这六合县知县的乃是湖南人氏，姓梅，名飏仁，号子赓，行二。这人小的时候，诸事颟颟顸顸，不求甚解。偶然人家同他说句话，人家说东，他一定缠西；人家说南，他一定缠北。因此大家奉他一个表号，叫他做“梅二缠夹”。幸喜他凡事虽然缠夹，只有读书做八股却还来得，居然到二十岁上挣得一名秀才，到二十七岁上又挣得一名举人。有人说：他前一科就该得意的了，只因为一首八韵诗，是“平平平仄仄”平起的，后四韵忘记了，却又闹了个“仄仄平平仄”，变成功仄起的了；因此，房官看到那里，圈不下去，就打了下来。批语上拿他三篇文章赞他天花乱坠，只可惜诗上倒了韵，不能呈荐，着实替他惋惜。等到出榜之后，梅飏仁领出落卷来一看，见是如此，不禁气愤填膺，不怪自己错了韵，反骂主司去取不公，叹自己“文章憎命”。当时有他一个同窗听了他的话，便驳他道：“子赓，你的文章并没有荐到主司跟前，也不是你文章做得不好，是你诗上弄错了韵，出了岔子，是怪不得别人的。”梅飏仁至此方才明白过来，晓得自己粗心所致。只是他命中注定有个举人，到了下一科，便是他发达的那年，自古道，“福至心灵”，三场完毕，没有出岔子，等到出榜，居然高高的中了。

梅飏仁的父亲单名一个蔚字，是个候选通判。此时正跟了一位出使英国大臣凤大人做随员在上海。没有等到听见儿子的喜信，十天前头，就跟了钦差坐了公司船起身。他父亲的为人生性爱小，欢喜占便宜。离了上海还没有三天，这日正值风平浪静，他一人饭后无事，便踱出来到处闲逛。后来走到一间房舱门里，齐巧这舱里的外国客人，因事到隔壁舱里同别的客人谈天，忘记把自己舱门带上。这梅蔚看了看舱内无人，又见那张外国床上放着一个很大的皮包。他晓得外国人每逢出门，凡是紧要的东西以及银钱等类都是放在这皮包里头的，他便动了垂涎之念；也不管自己是何职分，并是何身价，且忘记自己这趟跟着钦差出洋还是替国家增光来的，还是替国家丢脸来的，此时都不在念，一心一意只想偷他一票。以为：“我此时身在外洋，就是破了案，也没有人认得是我的。”主意打定，便蹑手蹑脚掩入房中，把个皮包提了就走。一提提到自家那间舱内，急忙将门掩上，想把皮包打开来看，谁知又是锁着的。后来好容易拿小刀子把皮包划破了，把里面的东西一齐抖出，谁知这皮包内只有一卷字纸、几本破书、两个“金四开”，此外一无所有。他看了虽然失望，因想两个“金四开”也值得好几文钱，总算意外之财，这趟卖买未曾白做，便也甚是开心。后来那个失落皮包的客人当时虽然也着实寻找；后来找不着，又因所失甚微，随亦没有追究，所以未曾破案。

船上因为他是中国钦差的随员，每逢吃饭，都叫他跟着钦差一块儿吃大菜。用的家伙，甚么刀叉等类，有些都是金子打的，黄澄澄的着实可爱，而且也很值钱。他看了这个，又舍不得了，每逢吃饭，总要偷人家一两件小家伙。而且非但他一个，连他的同事——一位候选知府——也同他一个脾气。当时船上因为差的东西多了，查来查去，方才查出是中国钦差随员老爷们干的事。那船上的洋人便气极了，不准他们再到大餐间里去吃饭。钦差也晓得了，面子上很难为情，私底下叫了他二人过来，着实申饬他二人一顿。梅飏仁的父亲还不服，说道："咱们中国的钱被他们外洋弄去的也不少了，趁此拿他点东西也乐得的。"钦差听了格外生气。到了伦敦，就想咨送他回国的；因为接到电报，晓得他的儿子中举，因此才搁了下来。后来还闹出许多笑话，下文再表。

目下单说这梅飏仁中举之后，接到他父亲从英国寄回来的家信，自然有一番欢喜说话；接着又勉励他，无非叫他潜心举业，预备明年会试。末后说到自己，还要自己信口胡吹，说他自到外洋办理交涉，同洋人如何接洽，洋人如何相信他，钦差如何倚重他；好在没有对证，骗骗自己的儿子罢了。"信上还说："我的底子不过通判，将来保举虽然可靠，然而一保同知，再保知府，三保道员，其中甚费周章，而且耽误时日。"意思想叫儿子把家里的几亩薄田，还有几处市房，一齐盘给人家，拿出钱来，等儿子明年上京会试的时候，替他上兑捐一个分省补用知府；如此一保便成道员，似乎来的快些。梅飏仁得信之后，遵照办理。等到事情办妥，已经过了新年，急急起身，跟了大帮举子上京会试。头二场幸喜没出岔子。到了第三场，他每策止限定三百字，不知怎么一个不留心，多拽了一张，闹了一个曳白；他急了，便胡凑乱凑，把这条策多凑了一页。虽然没有被帖，然而每篇都是三百字，这篇闹了个"大肚皮"，文理又不甚贯串，自然就吃了这大肚皮亏了。等到出榜，名落孙山，心上好不懊恼。一面急忙忙想替老人家把官捐好，便即出京。

齐巧这年山西闹荒，开办急赈。忽有人同他说起："目下只要若干银子，捐一个大八成知县，马上就得了缺。"他听说不觉心上一动，说："老人家的保举总在三年之后，等到开保的前头再给他报捐也不为迟；何如我此刻先拿这钱自己捐个大八成知县？倘或选得一个好缺，这两年之内，先赚上几万银子，也未可知。"主意打定，便把老子的事情搁起，先办自己的事。果然天从人愿，不到半年，便选到江南做实缺知县去了。总算他官运亨通，一选就选到江南六合县知县。到省的时候还是前任制台手里。前任制台是个老古板，见面之后，问了几句话，梅飏仁都是老老实实回答的。前任制台喜欢他，说他是书生本色，因此并不留难，马上就叫藩台挂牌，饬赴新任。到任之后，公事一切尚称顺手，过了半年，无甚差错。制台既是古板，有些性情，同洋人交涉的事件，自不免就要据理直争，不肯随便了事；因此洋人在他手中不甚得意。上宪既如此，做下属的也想以气节自见，都要批驳洋人一两件事情，以为表见之地。

这梅飏仁的为人，虽然没有甚么大阅历，然而上司的意旨却也不敢不留心；既留了心，还有甚么不照着办的。六合县在内地，同洋人来没有甚么交涉。一天有个教民欠了人家的钱不还，被他抓住了理，打了这教民一顿。这教民本来是个不安分的，所以教士并不来保护他。梅飏仁因此扬扬自得，便上了一个禀帖，以显他的能耐。齐巧前任制台奉旨来京，未曾来得及批他这个禀帖，已经交卸。后任就是现在这位媚外的新制台了。在接管卷内看见这个禀帖，心上老大不高兴，便说："朝廷敦崇睦谊，视教民如赤子，不惮三令五申，叫地方官极力保护，该令岂无闻知？乃胆敢虐待教民，又复砌词渎禀，以为见好地步，实属糊涂谬妄！除严行申饬外，并记大过三次，以为妄启外衅者戒！"不伦不类，骂了下来，梅飏仁接着一看，赛如一盆冷水从头顶上直浇下来；心想："前任制宪是如此，后任制宪又是如此，真正叫我们做属员的为难死了！但为今之计：当王者贵，少不得跟着改变从前的宗旨，或者还可立脚。"

凡是初次出来做官的人，没有经过风浪，见了上司下来的札子，上面写着甚么违干、未便、定予严参等字样，一定要吓的慌做一团，意思之间，赛如上司已经要拿他参处的一般。后来请教到老夫子，老夫子譬解给他听，说："这是照例的话句，照例的公事，总是如此写的。"头一次他听了，还当是老夫子宽慰他的话，等到二次、三次弄惯了，也就胆子放大，不以为奇了。又凡是做官的人，如在运气头上，一帆风顺的时候，就是出点小岔子，说无事也就无事；倘若正在高兴头上，有人打他一下闷棍，无论大小事件，他吃了这个瘪子，心思登时不灵，手足也就登时无措了。

目下单表这梅飏仁到任已经半年，各种什面都算见过；再加制宪垂青，公事顺手，虽然他的为人平时有点颟顸，因在运气头上，倒也并不觉得。只可惜忽然换了上司，变了局面，结结实实一个钉子碰了下来，正是上文所说的，"在高兴头上，被人打了一下闷棍"，登时弄得两眼漆黑，走头无路。一回又想做好官："索性同上司去碰上一碰，就是革职，也博个强项声名。"一回又想："自己巴结到这个官，也很不容易，而且缺分又好；倘或同上头闹翻了，莫说参官，就是撤任，在省里闲空起来，这是何犯着呢！况且这捐官的钱原是预备替老人家过班的；如今还没有补上这个空子，已经把功名丢掉，怎么对得住老人家呢。"有此几个讲究，少不得就要委曲下来，改换自己的宗旨。照此看来，人家虽称他为"缠夹先生，"其实他并不缠夹。但是他自从受了这个瘪子，少不得气焰登时矮了半截，不但精神委顿，举止张皇，就是说话也渐渐的语无伦次了。六合离省城最近，制台一举一动，都有耳报神前来报给他的。他见制台是如此举动，越发懊悔他自己的从前所为，只因矫枉过正，就不免闹出笑话来了。

南京城里回子顶多，因此这六合的地方也就不少。有天一个回子被一个人扭到衙门里喊冤。喊冤的人叫卢大，回子叫马二。卢大控告马二，说被马二一拳头打掉他一个门牙，淌了若干的血；同马二评理，马二不服，抡起拳头，接连又是三拳，现在腰里膀子上都受了重伤，所以扭来求大老爷伸冤。其时正值梅大老爷早堂未散，一听是斗殴小事，便吩咐把两造带到案前跪下。梅大老爷先把名字问个明白，然后又追问为甚么彼此打架。卢大尚未开口，马二先抢着说。才说得一句“回大老爷的话”，梅大老爷晓得他是被告行凶打人的人，心上先有三分不愿意，他便把眼睛一楞，拿惊堂木一拍，骂了声“忘八蛋！老爷还没有问到你，用你插嘴！”两边差役一见老爷动气，便一齐吆喝：“不准多嘴！”老爷至此，方才细问卢大端的。卢大道：“小的在南街上王公馆里管厨。王公馆的主人喜欢吃烧鸭子。这马二店里，油鸡、烧鸭子、咸水鸭子都有。小的整天上街买菜，总到他店里买半只烧鸭子。这天买了菜回来，又到他店里，小的就拿菜篮子往他柜台上一摆，他就同小的翻起来了。小的同他讲理，说：‘我同你也算老主顾了，就是借你的柜台摆摆篮子也不打紧，用不着这个样子。’”梅大老爷说：“是啊，他怎么样呢？”卢大道：“他把眼睛一竖，说道：‘别的事情咱同你讲朋友，这个可来不得！’”梅大老爷道：“你怎么说呢？”卢大道：“我说：‘我的篮子摆末已经摆了，收不回去的了；你待怎么我的？’青天大老爷！这马二听到这里，也不同小的再说甚么，便伸过来一拳头。小的一个不防备，早把小的的门牙打下来了，现在还在这里淌血哩。小的赶着问他为甚么打人，他举手又是三拳，这可把小的打坏了。”梅大老爷一听这话，便把惊堂木一拍，脸上露着一团怒气，指着马二骂道：“好个混帐王八蛋！他借你柜台摆摆篮子，甚么大不了的事！你胆敢行凶打人，这还了得！”说着，就伸手到签筒里去抓签，想打马二的板子。

那马二急了，便在地下碰头，说道：“我的老爷！你听明白了再动气，小的是在教啊。”梅飏仁上次原是因为打了教民，碰了制台钉子，这番一听“在教”二字，不觉心上毕拍一跳，忙从签筒里先把那只手收了回来，心上独自想道：“好险呀！几乎闹出点事情来！”一面拿袖子擦头上的汗，一面又吩咐马二快说。说话时，那梅大老爷的脸色已经平和了许多，就是问话的声音也不像先前之疾言厉色了。当下只听得马二回道：“大老爷明鉴：小的从老祖宗下来一直在教。”梅飏仁道：“原来你是世代在教。你们教里的规矩我晓得的。快起来，快起来，不要你跪着说话。”于是马二站立在公案西边，原告卢大倒反跪在下面。只听马二又回：“小的柜台借给他摆摆篮子，原不打紧。大老爷可晓得他篮子里是些甚么？”梅飏仁道：“是些甚么？”马二道：“请大老爷问卢大。”卢大接口道：“篮子里有甚么，有他妈妈的肉！”梅飏仁把惊堂木一拍，道：“公堂之上，由你信口骂人，看来就不是个安分东西。给我打嘴！”左右一声吆喝，登时几个人上来，犹如鹰抓燕雀一般，揪住卢大，打了十个嘴巴。老爷又问马二。马二道：“小的是清真教门，猪肉这件东西原是忌的。卢大篮子里又是猪头，又是猪蹄子，不干不净，就往小的柜台上一摆。小的先同他好说，叫他不要摆；不料他倒恼了，开口就骂小的，说甚么‘猪爹爹’、‘驴祖宗’。可把小的气极了，顺手推了他一把是有的。小的并没有敢拿拳头打他。这都是他浑告，求大老爷的明鉴。”

原来梅飏仁一时糊涂，只认做中国人吃了教便称“在教”，并不曾想到回子也称“在教”。虽是马二供了出来，他还是执迷不悟，连说：“你们教里规矩，自然是吃了教就得念经，念了经就得吃素，甚么荤腥原不准进门的。这件事是卢大不是。……依我老爷的意思，卢大就先该打。”

卢大一听老爷要打他，连忙分辨道：“他的教并不是人家吃的那个教，用不着吃素，他自己还宰鸡鸭哩。”梅飏仁道：“无论他那一教，都是一样，本县皆有保护之意，断不容你们这些刁民欺负他的。”说着，又喝令：“拖下去打！”卢大急了，拚命的磕头，说：“求老爷的恩典！”梅飏仁道：“你这东西可恶，不能如此便宜你！你还是愿打呢，还是愿罚？”卢大又磕头道：“大老爷的恩典！小的一个当厨子的，那里有许多罚呢？”梅飏仁道：“不罚不成功！现在姑念你初次，我老爷格外加恩典给你，你拿出三十块钱给马二重修柜台，就此完案。如果不罚，打八十大板，枷在马二店门口三个月。你自己想，还是走那一条路好？”卢大又磕头道：“三十块实在罚不起。”后首求来求去，减到十二块洋钱，当天还没有。梅飏仁便吩咐拿他交保出外措资，限三天交案；随嘱咐马二到第三天当堂来领。马二打了人，倒反打了赢官司，好不兴头。可怜卢大挨了马二一顿打，老爷非但不给他伸冤，还要罚他出钱，真正晦气！

闲话休表。且说转眼之间，三天限期已到。卢大怕打，早已连借带当，凑了十二块洋钱送到衙门里来。此时老爷正坐在堂上理事，卢大把洋钱交了上去，老爷吩咐他一旁静候，等到马二到案具领，准予销案。卢大无可如何，只得息心屏气，等在外面。谁知一等等到散堂，那马二还没有来。老爷没有工夫等他，早已退堂。卢大却不敢就走。后来好容易等到上了灯，马二才来。老爷叫原差出来，问他为甚么到此时才来。他说他的老师父死了，前去帮忙，所以到这会才来的。原差据情禀复。老爷便问："可是他教里的老师父？"原差道："正是。"梅飏仁心上盘算着："上回我打了那个吃教的，他们教帮中一定是恨我了；如今我何不借着这件事情同他们联络联络，不但可以解释前嫌，而且叫上头制台瞧着心上也欢喜。况且近来不多几时，那一省死掉一个教士，制台还派了自己的二少爷前去吊孝；我的官比不上他，总得自去走一趟，叫人家看着也郑重些。"想定主意，仍叫原差出来问马二，问他们的老师父在那里死的。马二照说一遍。梅飏仁又叫原差出来留住马二，说："老爷要去上祭，叫你领路，一块儿同去。"马二自然遵命。梅飏仁便吩咐大厨房里立刻备一桌祭席，叫人挑着，自己亦就顶冠束带，出来上轿。

马二在前领路，一领领到清真寺门口，歇下轿子。老爷出轿，其时已是深夜，亦看不出上面写的是几个甚么字，梅飏仁还疑心他们是个礼拜堂。连忙踱到里面，忙着叫跟来的人摆设祭筵。那马二却早已去找老师父的家小以及他们那般在教的，霎时男男女女，亦就聚了七八十个人；有些都是听说大老爷来上祭，赶着来瞧热闹的。但是聚了一屋子人，梅大老爷举目四看，并不见一个外国人。心想："教士的家小总应该是洋婆，怎么如今来的全是些中国人呢？"正在心上疑疑惑惑，不提防那桌祭筵才摆得一半，已被那些回子打了一个空，登时人声鼎沸起来。还有人提起一个猪头摔到梅大老爷这边来，一齐嚷着说："不要放掉了那狗官！他不是来上祭，竟是拿我们开心来的！"原来此番梅飏仁来的孟浪，只听了"在教"二字，便拿定他是外洋传教的教士，并不晓得是回子，倒反备了猪头三牲来上祭；岂知越发触动众回子之怒，闹了个沸反盈天！梅飏仁幸亏马二保护着，从人丛里逃出来。走了几步，跟班的差役们方才慢慢的跟了上来。

梅飏仁轿子是已被众回子拆散的了，只得步行回衙。一头问马二："你们这里传教的总不止你老师父一位，别的外国人以及你老师父的家小都到那里去了？"马二到此方对他讲："我们虽然在教，并没有甚么外国人，大老爷不要弄错了。"梅飏仁又问左右。跟班的才回称："这里是回子的清真寺，并不是甚么外国人的礼拜堂。"梅飏仁怪他："为甚么不早说？"跟班的回道："小的至今没有明白老爷到那里去，只知道老爷叫马二领路，所以一齐就跟到这里来的。"梅飏仁又问马二："你们老师父可是那个住在堂里的神父？"马二道："我们只叫老师父，不晓得甚么神父不神父。"梅飏仁至此方才明白过来，自己没有问清，拿着回子当做了外国传教的了；但是脸上又落不下去，回衙之后，立刻坐堂，把刚才传话的原差叫上来骂了一顿，又打了二百屁股，总算替大老爷光了光脸，才把这事过去。自此以后，梅飏仁有十几天没有出门，生怕路上碰见了回子再来打他。其实众回子当时虽然闹了个沸反盈天，当中究竟也有几个懂事的，说："他无论如何不好，总是地方官，倘一翻脸，你们总敌他不过。"因此到了第二天，大众亦就偃旗息鼓，没有闹到衙门里去。梅飏仁听听外面没有甚么动静，方才一块石头落地。

又过了些时，上头有文书下来，叫地方官提倡商务。六合是个小地方，又是内地，没有甚么大生意的。梅飏仁却因上回责打了教民，碰了制台钉子，一直总想做两件仰承宪意的事，以为取悦之地。无奈越想讨好，越不讨好，以致误认教民，又被回子糟蹋了一顿，心上好不烦恼。如今得了这个题目，便想借题做一篇新鲜文章。上头的公事是叫地方官时时接见商人，与商人开诚布公，联络一气。地方有事，商为辅助；商民有事，官为保护：总令商情得以上通，永免隔阂之弊。札子上的话是如此立意，原非不善。梅飏仁因想借此做番事业，便把札文反复细看，看了十来遍，忽然豁然贯通，竟悟出一个道理来。当时拿了札子，一直奔到老夫子书房里，对老夫子说道："据兄弟看来，上头的意思还是重在'地方有事，商为辅助'的一句话上。辅助甚么？不过要他们捐钱而已。本来现在地方上很有些上头交办的公事，甚么学堂等等，一齐都要地方官筹款；如果办不起来，还有处分。兄弟正在这里发愁，如今可巧有这件札子，我们以后的事倒有了些把握了。"老夫子接过札子，大约看过一遍，歪着头想了一回，不禁一跳就起道："飏翁！你真可谓读书得间了！你说的一点不错，上头正是这个意思！但是话虽如此说，我们办事须有个秩序。上头既叫我们保护商人，我们如今先不说捐钱的话，先借一个地方，或是公所，或是总会，以为接待商人之所；等他们一齐来了，彼此也联络了，然后再向他们开口。人有见面之情，你开出口去，他们总得答应你的。"老夫子说一句，梅飏仁应一句。等到老夫子说完了，他又一连说了两句："着！着！我兄弟就照你老夫子的话去办。前天兄弟看见制台辕门抄上写着省城里已经设了一个保商局，派了黄观察做总办，大约亦就是办理此事。我们姑且托他到省里打听打听章程是个甚么样子，我们也照办一个，可好不好？"老夫子道："好好好，就是如此。"

幸喜这梅飏仁是个躁性子，有了一件事，从不肯留过夜的，当天就在本城城隍庙里借了三间房子，做了一个接待商人之所。门口挂起一面招牌，上写"奉宪设立保商局"；另外两扇虎头牌，是"商局重地，闲人免入"八个大字。一面又仿照札子上的意思，请老夫子拟了告示，晓谕一切坐贾行商，叫他们都到这里来聚会。又禀明上头，委了本县典史王朝恩王太爷做了驻局的委员。县大老爷公事忙，不能常常过来问信，商人有甚么事，都找王太爷说话。这是后话不题。

且说当时忙了几天，就检定日子开局。恐怕开局的那天商人来的不甚踊跃，一面由梅飏仁先发帖子请客，凡是城厢内外，大大小小的绅衿，一概请到。又叫典史王太爷坐着轿子到各铺户一家家去拜，劝他们到这天来入会。谁知到了这天，做卖买的来的仍然不多；大家不晓得大老爷安的甚么心，所以有些人不敢来。只有一向同地方官有来往的几家绅衿，还有两个同帐房里有首尾的一家钱庄，一家南货店的老板来了，合凑起来不到两桌人。梅飏仁甚为扫兴。客人到齐，勉强入座，一席是梅飏仁自作主人，一桌是典史王太爷代作主人。坐定之后，大家喝了几杯酒，坐首座一位绅士是北门外头大夫第，知府衔、候选同知蒋大化，先开口道："老公祖，你这件事办的甚好啊。你是怎么想出来的？治弟真拜服你。"原来梅飏仁头天晚上先在老夫子跟前叨了许多教，这回听了蒋大化的话，便摇头鼓舌说道："这件事呢，虽不是兄弟一个人主意，然而兄弟亦早存了这个心，所以发个狠，特地趁在兄弟任上，把这件事办成了。一来上头有个交代，二来兄弟以后叨教之处甚多。到了这个地方，诸位既不须拘甚么形迹；就是兄弟有甚么为难之事，也可以当面商量。否则，你们诸公请想：这么一个六合县，周围百把里路的地方，又要办这个，又要兴那个，巧媳妇做不出没米的饭，叫兄弟怎么来得及呢。"梅飏仁这番说话总不脱他将来借此筹款的宗旨。

此时在席第五座是改试策论新科发达的一位孝廉公，身上也捐了个内阁中书，姓冯，号彝斋。据他自说：旧学不见得怎样，新学他却极有工夫的；所以改试策论，马上就中。只可惜会试的卷子上有"目的"两个字，在他自己以为用的是新名词；房官看了还好，却不料到了大总裁吏部尚书塔公手里，看到这里，拿起笔墨竖了一个小小杠子，另外粘了一张纸条，注了十个字道："以'的'字入卷内，未免太俗。"因此就没有中得进士。等到报罢之后，冯彝斋领出落卷来一看，见是如此，气的了不得，大骂主司一场，急急收拾回家。齐巧上头派了委员下来劝捐，他就凑了千把银子捐了个内阁中书，借此可以出入公门，干预干预地方上的公事。这日请客，有他在座。他听了梅飏仁一番说话，心上老大不以为然，便想借此吐吐自己胸中的学问；于是不等别人开口，他先抢着说道："老公祖，此言误矣！治弟很读过几本翻译的外国书，故而略晓得些外国政治。照着今日此举，极应该仿照外国下议院的章程，无论大小事务，或是或否，总得议决于合邑商民，其权在下而不在上。如谓有了这个地方，专为老公祖聚敛张本，无论为公为私，总不脱专制政体，治弟不取也！"说着，又连连摇头不止。梅飏仁却也奈何他不得，彼此楞了一回。

第二座一位进士底子的主事公，姓劳，名祖意的，开言说道："治弟有个外孙，新近从东洋游学回来，他的议论竟与彝斋相像。我们这一辈子的人都是老朽无能了，'英雄出少年'，倒是彝翁同我们这外孙将来很可以做一番事业。"冯中书见他倚老卖老，竟把自己当作后辈看待，心上很不高兴。想了一想，说道："到了这个时候，也没有甚么事业可以做得。除掉腹地里几省，外国人鞭长莫及，其余的虽然没有摆在面子上瓜分，暗地里都各有了主子了。否则我们江南总还有几十年的等头；如今来了这么一位制军，只怕该五十年的，不到五年就要被他双手断送！"劳主政道："那亦不见得送得如此容易；就是真个送掉，无论这江南地方属那一国，那一国的人做了皇帝，他百姓总要有的。咱们只要安分守己做咱们的百姓，还怕他们不要咱们吗？你又愁他甚么呢！"梅飏仁道："劳老先生的话实在是通论，兄弟佩服得很。莫说你们做百姓的用不着愁，就是我们做官的也无须虑得。将来外国人果然得了我们的地方，他百姓固然要，难道官就不要吗？没有官，谁帮他治百姓呢？所以兄弟也决计不愁这个。他们要瓜分就让他们瓜分，与兄弟毫不相干。劳老先生以为如何？"劳主政道："是极，是极！"两个"是极"，直把个梅飏仁赞得十分得意，冯中书却早气得把面孔都发了青。

欲知后事如何，且听下回分解。

第五十五回
呈履历参戎甘屈节　递衔条州判苦求情

却说冯中书当下听了梅老公祖及劳老先生一番问答，心上想道："这个人竟其绝无一毫国家思想，只要保住他自己的功名产业，就是江南全省地方统通送与外国人，简捷与他绝不相干！但是百姓好做顺民，你这个官将来却无用处。谁不晓得中国的天下都是被这班做官的一块一块送掉的！他如今还说出这种话来，岂不可笑！"一个人肚皮里正寻思着，忽又听得梅飏仁说道："劳老先生，江南地方被外国人拿去，倒是一样不好。"劳主事忙问何事。梅飏仁道："不是别的，只有我们这一位制宪实实在在不好伺候。他一到任，我就碰他一个钉子。这几个月，兄弟总算跟定他走的了，听说他还是不高兴我。你想，我们做下属的难不难！"劳主事尚未开口，冯中书抢着说道："这个老公祖倒可以无须虑得的。如今他是上司，你是属员；等到地方属了外国人，外国人只讲平等，没有甚么'大人'、'卑职'，你的官就同他一般大，上头只有一个外国皇帝，你管不到他，他也管不到你，你还虑他做甚么呢？"梅飏仁听了，似信未信，未曾开言。又是劳主事抢说道："我原说彝斋兄的宗旨同我们外孙一样。这平等的话，我的外孙子也是常常说的。"冯中书听了，格外生气。究竟因他上了几岁年纪，又是一乡之望，奈何他不得，只得忍气吞声。草草把酒席吃完，各自分散。

自此以后，这梅飏仁竟借此联络商人，捐了无数的款项，把地方上甚么学堂等等一切可以得维新名誉的事情却也办了几件。他又自己爱上禀帖，长篇大套的，常常写到制台那里去。等到时候久了，上头也就回心转意，说某人还能办事。列公有所不知：凡是做官的，能够博得上司称赞这么一句，就是升官的喜信。果然不到三个月，藩台挂牌，把他升署海州直隶州。梅飏仁得信之下，好不兴头，立刻亲自进省谢委。省里回来，那个委署六合县的也就到了。梅飏仁忙着交卸，带了家眷、幕友、家丁径到海州上任。海州这个地方紧靠海边，名为要缺，其实从前并没有甚么事情；直至近两年来，有些国度总想霸占我们中国的地方，不时派了兵船前来中国江海一带口岸往来巡弋。每到一处又不就走，有时候还要派人上岸；上来的人，多多少少，也不能定，不说是测量形势就说是操练兵丁。封疆大吏尚且拿他无可如何，至于地方官更不消说得了。

闲话少叙。且说梅飏仁到任之后，刚刚才有一月光景，他所管的海面上忽然来了三只外国兵船，一排儿停住了不走。第二天大船上派了十几名外国兵，一齐坐了小划子下来，后头还跟了通事，走到岸上，向铺户买了许多的食物，甚么鸡鸭米麦之类；买好了，把帐算清，付了钱，仍旧坐了小划子回上大船，并没有丝毫骚扰。有些铺户见是外国人来买东西，故意把价钱多说些，因而倒反沾光不少，还望他第二天再来买。

这个档口，便有人飞跑送信到州里，说是海里来了三条外国兵船，不知是做甚么来的。州官梅飏仁闻报，不觉大吃一惊，马上请了师爷来商量对付的法子；又说："这来的兵船倘或他们要同我们开仗，我们这里毫无预备，却怎么是好呢？"一面着急，一面又叫人去知会营里，倘或闹点事情出来，只好请他们先去抵挡抵挡。梅飏仁只顾忙乱，头上的汗珠子早已有黄豆大小滚了下来。师爷见了他这副发急样子，又好气，又好笑，连忙劝他道："现在顶要紧的是先派个人到船问他到此是个甚么意思：倘或是路过这里，没有甚么举动，彼以礼来，我以礼往，也不必得罪他们；但是也得早早请他离开此地，以免地方上百姓见了疑惧。倘或是另有别的意思，他们船上的大炮何等利害，断非我们营里这几个老弱残兵可以抵挡得住的，必须快快打电报禀明上头制台，请示办理。"

梅飏仁正在束手无策的时候，听了师爷的说话甚是中听，立刻照办。但是一时又不晓得是个怎么办法："谁有这个胆子敢到他们船上去呢？"师爷道："两国交兵，不斩来使，我们派个人去是决计不要紧的。"梅飏仁便问："派甚么人去？"师爷想了想，说："东家是一县之主，去了不便，而且这些船上都是外国人，本衙门里没有翻译；现在只好借重州判老爷同了学堂里英文教习去走一趟，问他个来意，便好打电报到南京去。”梅飏仁道：“是极，是极！”马上叫人把州判老爷请了过来，把这话告诉了他，请他辛苦一趟。州判老爷生恐外国人拿他宰了，一味推三阻四，先说：“晚生不懂得外国话。”梅飏仁道：“有翻译。”州判还想说别的，齐巧请的那位英文学堂教习也来了，问知来意。幸喜他读过几年外国书，人还开通；又听得这事不会白做的，将来州官总得另外尽情；马上答应说：“应得效劳。”又帮着劝了州判老爷一番，方允一同前去。

州判老爷跟了教习走出来上轿，一头走，一头说道：“外国人是个甚么样子，我兄弟还是小时候在洋片子上瞧见过两次；到底同我们中国人一样不一样？见了他要行个甚么礼？我们一上船，该用个甚么手本？还是怎么说？”教习道：“外国人不过长的样子是个高鼻子，抠眼睛；说的话，彼此口音不同；此外原同中国人一样的。老父台见了他只要拉拉手，——也不消作揖，也不消磕头，只要拉拉手就好了。但是拉手切记用右手同他拉，千万不可拉左手，是要得罪他的。”州判老爷道：“得罪了他便怎么样？可是他就同咱打仗？”教习道：“那亦未见得，不过像煞不敬重似的。你想，你不敬重他，他心上会愿意吗。”州判老爷道：“我往常听见人说：‘外国兵船上，无论那里都装的是炮，只要拿手指头往桌子上一揿，就轰的一声，立刻把人打死。那年李中堂放钦差出去，也不知到了那个国度，人家炮船上请他吃饭。他一点没有预备，跑在人家船上，同那带兵官说着话；一言不合，那个带兵官拿起茶碗往桌子上一摔，登时一个绍兴坛一样大的炮子弹了出来。幸喜我们老中堂坐的地方偏了一点，没有打中身上。你说险不险呢！这事一则是老中堂的福气大；二来也亏他老人家从前打“长毛”，打“捻子”，见多识广，大炮的声音，耳朵是听惯的了，见了这个样子，只微微的一笑，并没有说甚么。那船上的带兵官见一炮打他不中，心上反觉过意不去，翻过来好好的送他上岸。第二天就办了许多金珠宝贝到老中堂跟前求和。老中堂允了他的和，准了他五口通商，所以如今才有了这些外国人。’我说的可是不是？我如今不怕别的，单怕他开炮。我是自小被炮仗吓坏了，往常听见放鞭炮总是护着耳朵的。”教习听他引经据典，说得津津有味，心上着实可笑，也不同他计较，便道：“中堂官大，所以船上开炮迎接他；我们去是不开炮的。你去见他，也用不着甚么手本，拿张片子，到了船上，我替你传话就是了。”说着，一同出来，上了轿，坐了轿子一直抬到海边上。小划子早已预备好了。

州判老爷虽说有教习壮着他的胆子，走到海滩下了轿，依然战战兢兢的，赛如将要送他上法场的一样，扶上划子。船小人多，不免东摇西荡，又把他吓得“啊唷皇天”的叫，伏在一个人的身上，动也不敢动。好容易撑近大船，扶他上梯子。他抬头一看，船头上站着好几个雄赳赳、深目高鼻的外国兵，更把他吓得索索的抖，两只腿上想要一点力气都没有了，忙找了三四个人，拿他架着送到船上。他此时魂灵出窍，脸色改变，早已呆在那里，拨一拨，动一动，连着片子也没有投，手亦忘记拉了。幸亏那个教习挡在头里，一到船上，同人家拉过手，就打着英国话，问人家那里来的，到此是个甚么意思。船上人回答出来，才晓得并不是英国来的兵船。幸亏英国话是普通的，大家都还懂得两句。船上的带兵的还是个提督职分，听说中国官派人来问他踪迹，他也打着英国话说："我们路过这里，想上去打猎玩耍两天，就要开船走的，并没有甚么意思。你们不必惊慌。"教习把话问明白，亦就同人家拉了拉手，搀了州判老爷下船。

州判老爷自从上船，一直也没有同人说一句话。此时回到小划子上，定了一定神，方算是魂灵归窍；拿手把头上的汗抹了一把，说道："出娘肚皮，今儿是头一遭，可把我吓死了！这官简直不是人做的！"教习也不理他，只瞧着他觉着好笑。他见人家不理他，又搭讪着说道："听得说外国人如何如何，其实也有说有笑，很好说话的。"教习道："既然如此，老父台为甚么不同他攀谈攀谈呢？"州判老爷把脸一红道："他同我言语不通，叫我说甚么呢？"教习道："不要紧，有我替你传话。"州判老爷道："同你到这里已经劳你的神了，还好再打搅你吗？我兄弟心上愈觉不安了"！说着，划子靠定了岸，他俩仍旧坐轿进城销差。

见了州官，州判老爷胆子也壮了，张牙舞爪，有句没句，跟着教习说了一大泡。等到把话说完，梅飏仁方才明白此番兵船的来意，于是一块石头落地。又想道："外国人来到这里，虽然没有甚么事，也乐得电禀制台知道，显得我们同外国人也还联络，所以才会偃旗息鼓，平安无事。"主意打定，请教师爷；师爷亦帮着他说很好，连忙找出《电报新编》，写好码子，叫人去打。州判老爷又求着把他亲自到船上见洋人周旋的话叙上。梅飏仁应允。州判老爷请安，谢了一声"堂翁栽培"。然后鼓舞欢欣，跟了请来做翻译的那位教习一同出去。梅飏仁亲自送了出去，只同教习说道："以后还要仰仗。"教习道："理应效劳。"霎时别去。

且说电报打到南京，制台一见上面叙着有三只兵船，登时大惊失色；及至看到后半，业已问过无事，脸色方才平和下来。忙传通省洋务局总办上院斟酌办法。这位制台是向来佩服外国人的，洋务局老总也就迎合着宪意，回道："如今不问他是做甚么来的，既然他们老远的从外国跑到我们中国，总之：他们是客，我们是主，这个地主之谊是要尽的。"制台道："你但知其一，不知其二。你晓得来的是个甚么人？"洋务局老总道："梅牧电报上原说是个水师提督。"制台道："是啊，提督是个甚么职分？在我们中国是武一品大员，可以节制镇道，连你老哥都要归他节制的。现在就拿我们的官来比他，他来了，地方上文武统通应该出境接才是。现据梅牧的来电看起来，直到派了翻译上船问过方才知道，可见地方上预先就没有一点预备。这班地方官也总算糊涂极了！据兄弟的意思：赶紧回个电报给梅牧，叫他连夜预备一座公馆请他们上岸来住，住一天供应一天。梅牧是地方官，这钱说不得要他赔两文；赔的多了，我们再调剂他，等他好放心竭力去办。我们这里再放一只兵轮去，算是我特地派了去接他们到南京来盘桓几天的。如此，或者叫他们心上欢喜。你老哥以为何如？"洋务局老总自然是顺着他说："好极！准定遵照大帅的宪谕办理。"制台立刻就同洋务局老总当面拟好一个电报，知会海州梅牧；一面传令派了一只兵轮，连夜开足机器，径向海州进发。按下慢表。

且说海州知州正在衙内同一班老夫子商量办法，忽然接到制宪回电，见是如此，便也不敢怠慢。立刻叫人到学堂里仍把那位教习请到，请他到船上传话，就说："制台有电报请贵提督到岸上去住，已由梅知州代备宽大房屋一所。"那船上提督便道："我们来此非有他意，上次即已言明，虽承贵总督美意，敝提督实实不愿相扰。况且我们的船再过一两天就要离开此地的，决计不要贵州梅大老爷费心。"教习见洋人不愿到岸上居住，便也由他，回来回复了梅飏仁。梅飏仁得了这个信，甚是为难：若是依了洋人，随他住在船上，深恐怕制台说他不会应酬；如果再叫翻译到船上去说，又怕洋人讨厌。想来想去，不得主意。

这个档口，齐巧省里派来的兵船到了。船上的管带是个总兵衔参将，姓萧，名长贵。到了海州，停轮之后，先上岸拜会州官。梅飏仁接见之下，萧长贵当把来意言明，又说："兄弟奉了老帅的将令，叫兄弟到此地同了老兄一块儿去到船上禀见那位外洋来的军门。兄弟这个差使是这位老帅到任之后才委的，头尾不到两年，一些事儿不懂，都要老大哥指教。"梅飏仁道："岂敢。"萧长贵道："兄弟打省里下来的时候，老帅有过吩咐，说那位外国来的带兵官是位提督大人，咱们都是按照做属员的礼节去见他。你老大哥还好商量；倒是兄弟有点为难，依着规矩，他是军门大人，咱是标下，就应该跪接才是。"梅飏仁道："现在又不要你去接他，只要你到他船上见他就是了。"萧长贵道："兄弟此来原是老帅派了兄弟专到此地接他来的，怎么不是接！非但要跪接，而且要报名，等他喊'起去'，我们才好站起来。这个礼节，兄弟从前在防营里当哨官，早已熟而又熟了。大约按照这个礼信做去是不会错的。"梅飏仁道："要是这个样子，我兄弟就不能奉陪了。我们地方官接钦差，接督抚，从来没有跪过。如今咱俩同去，我站着，你跪着，算个甚么样子呢！"萧长贵道："做此官行此礼，我倒不在乎这些。"梅飏仁道："就算你行你的礼，与我并不相干；但是外国人既不懂得中国礼信，又不会说中国话，你跪在那里，他不喊'起去'，你还是起来不起来？"

萧长贵一听这个话，不禁拿手抹着脖子，为难起来，连说："这怎么好！……"梅飏仁道："不瞒老兄说：这船上本来我兄弟也不敢去的；有我这儿翻译去过两趟，听说那位带兵官很好说话，所以兄弟也乐得同他结交结交，来往来往。况且又有制宪的吩咐，兄弟怎好不照办。现在也不好叫你老哥一个人为难，兄弟有个变通的法子。"萧长贵忙问："是个甚么法子？"梅飏仁道："你既然一定要跪着接他，你还是跪在海滩上，等我同翻译先上船见了他们那边的官，我便拿你指给他看。等他看见之后，然后我再打发人下来接你上船。你说好不好？"萧长贵听说，立刻离坐请了一个安，说："多谢指教！兄弟准定如此。"梅飏仁道："可是一样：外国人不作兴磕头的，就是你朝他磕头，他也不还礼的。所以我们到了船上，无论他是多大的官，你也只要同他拉手就好了。"萧长贵道："这个又似乎不妥。虽然外国礼信不作兴磕头，但是咱的官同人家的官比起来，本来用不着人家还礼。依兄弟的意思，还是一上船就磕头，磕头起来再打个千的为是。"

梅飏仁见说他不信，只得听他。马上吩咐伺候，同了翻译上船。刚上得一半，这里萧长贵早跪下了。等到梅飏仁到船上会见了那位提督，才拉完手，说过两句客气话，早听得岸滩上一阵锣声，只见萧长贵跪在地下，双手高捧履历，口拉长腔，报着自己官衔名字，一字儿不遗，在那里跪接大人。梅飏仁在船上瞧着，又气又好笑。等他报过之后，忙叫翻译知会洋官，说："岸上有位两江总督派来的萧大人在那里跪接你呢。"洋官听说，拿着千里镜，朝岸上打了一回，才看见他们一堆人，当头一个，只有人家一半长短。洋官看了诧异，便问："谁是你们总督派来的萧大人？"翻译指着说道："那个在前头的便是。"洋官道："怎么他比别人短半截呢？"翻译申明："他是跪在那里，所以要比人家见短半截。"又说："这是萧大人敬重你，他行的是中国顶重的礼信。"洋官至此方才明白，忙说几句客气话，无非是不敢当，叫他起来，请他上船的意思。翻译翻了出来，梅飏仁便派人招呼他上来。

一霎萧长贵上了船，翻译便指给他说，那位是提督，那位是副提督，那位是副将。萧长贵立刻爬在地下，先给提督磕了三个头，起来请了一个安。只见他从袖筒管里掏了半天，摸出一个东西来。翻译在旁边看得明白，原来是一套华洋合璧的履历，倒很拜服他想得周到。只见他倏地朝着洋提督跪了一只腿，拿履历高高举起，献了上去。洋提督不晓得他拿的是甚么东西，忙问这边同来的翻译；翻译同他说明，方才亲自离坐，接了他的履历。萧长贵至此，亦把那只腿伸了起来。又同甚么副提督、副将见礼，仍旧是磕头请安。虽然人家不还礼，幸亏他脸厚，并不觉得难为情。一一见完之后，方趋前一步站着，同洋提督说话。洋提督同他说话，请他坐。他说："标下理应伺候军门大人，军门大人跟前那有标下的坐位。"洋提督再三让他，方才斜签着脸坐了一点椅子边。洋提督说话他不懂，都是翻译代传。翻译听了洋提督的话，答应"也司"，他亦坐在一旁，高声应"是"。人家见他好笑，他也并不觉得。只听他又朝着洋提督说道："回军门大人的话：标下奉了老帅的将令，派标下来迎接军门大人到南京去盘桓几天。我们老帅晓得军门大人到了，马上叫洋务局老总替军门大人预备下一座大公馆，裱糊房子，挂好字画，挂灯结彩，足足忙了三天三夜。总求军门大人赏标下一个脸，标下今日就伺候军门起身。"说完之后，翻译照样翻了一遍。洋提督道："我早已说过，再过上一礼拜就要走的，另外还有事情到别处去。多承你们总督大人费心，我心领就是了。"

萧长贵听洋提督不肯进省，忙又回道："军门若是不到南京，我们老帅一定要说标下不会当差使，所以军门动了气，不肯进省。现在求军门无论怎样帮标下一个忙，给标下一个面子，等我们老帅看着欢喜，将来调剂标下一个好差使，标下是一家大大小小都要供你老人家长生禄位的。"说完，又请了一个安。于是翻译又把话翻了一遍。洋提督听完，笑了一笑，叫翻译同他说："你们不必强留我，南京我是决计不去的。"萧长贵见他心上甚是懊闷，便道："既然军门大人不肯赏脸，亦是没有法子的事情。标下是奉了老帅将令到此伺候军门大人的，军门大人有甚么差使，尽管派下来，等标下去办。"洋提督也同他谦逊了两句。梅飏仁又当面虚邀他到岸上去住，又说："公馆一切早已预备妥贴。"无奈那洋提督只是不肯下船。大众见无甚说得，方才一同辞别下船。梅飏仁自己回衙理事。萧长贵却不敢径回南京，天天还是拿着手本，早晚二次穿着行装到洋提督大船上请安。洋提督辞过他几次，他不肯听，也只得听其自然。

洋提督原说是七天就走的，却不料到第五天夜里，萧长贵正在自己兵船上睡觉，忽听得外面一派人声，接着又有洋枪、洋炮声音，拿他从睡梦中惊醒。直把他吓得索索的抖，在被窝里慌作一团；想要叫个人出去问信，无奈上气不接下气，挣了半天，还挣不出一句话来。正在发急时候，忽然一个水手从船头上慌慌张张的来报信道："大人，不好了！有强盗！"萧长贵一听"强盗"二字，更吓得魂不附体，马上想穿裤子逃命。急忙之中又没有看清，拿裤脚当作裤腰，穿了半天只伸下一只腿去，那一只腿抵死伸不下去。他急了，用力一登，豁拉一声，裤子裂开了一大条缝。至此方才明白穿倒了，重新掉过来穿好。把长衣披在身上，来不及钮扣子，拿扎腰拦腰一捆，拖了一双鞋。手下的兵丁还当是大人出来打强盗哩，拿了手枪上前递给他。

只听他悄悄的同旁边人说道："强盗来了，没有地方好逃，我们只得到下层煤舱里躲一会去。"说完，往后就跑。幸亏走得不多几步，船头上的水手又赶来报道："好了，好了！所有的强盗都被洋船上打死了，还捉住十几个。请大人放心，没有事了。"至此，萧长贵方才把神定了一定，站住了脚，问旁边人道："我现在可是做梦不是？"大家都听了好笑。萧长贵又怔了半天，说道："你们说甚么强盗已经捉住的话，可是真的？"一个水手道："怎么不真，是标下亲眼见的，一共捉住有十二三个哩。"萧长贵道："你们看清楚了没有？不要还有人躲在黑影里，我们出去被他宰了，白白的送了命，那可不是玩的！我看还是不出去的为是。就是出了甚么盗案，都是地方官的处分，我们是客官，何苦往自己身上拉呢。你们也快快息灯睡觉，把舱门关好，要紧！要紧！"说罢，他老人家先自脱衣上床，仍旧歇下。兵丁们亦乐得省事。于是大家安睡了一夜。

次日起来，向来萧长贵到洋提督船上禀安总是每早七点钟就去的，这天怕去的早了，路上遇着甚么强盗的余党，恐防不测，特地又缓了一个钟头才去的。等到萧长贵到了洋提督大船上，海州梅飏仁亦早已来了。原来这天晚上洋提督船上捉住了强盗，次日一早就叫人到城里送信。梅大老爷一想，捉住了大盗，地方官有保举的；所以一得信就赶着出城到船上，求着把强盗带回城里审问。幸亏那位洋提督并无一点为难的意思，立刻把十三个强盗统通交给他梅飏仁；又怕路上或有闪失，特地派了八名洋兵帮着解到城里。萧长贵一见强盗果然拿着，登时胆子壮了起来，立刻回船，也派了几名兵帮着护送，以为将来邀功地步。当下梅大老爷督率一班人把强盗解到衙门，打发过洋兵及萧长贵派来的兵，马上升堂审问。起先那些强盗还想赖着不认，后来有几个熬刑不过，只得招了。原来都是积年的大盗。其余的见他同党已招，晓得抵赖不脱，也只有一一招认。

梅飏仁心上想道："我今天平空拿住了许多大盗，虽然是外国兵船上出力，究竟是在我地面上，禀报上去，面子总好看的。"于是心上甚是快活，立刻叫书办把强盗供状叙了文书，申报上宪。又请老夫子详详细细替他做了一个电禀，专禀制台。电禀上先叙此番外国兵船到来，他如何竭力联络，竭力保护，以致那兵船上的提督如何感激他，想报答他；又叙他："自从到任之后，悬赏购线捕拿巨盗，久已萑苻绝迹，闾阎相安。乃于某日风闻有大股盗匪道出卑境，卑职先期商明外国兵船，请其届时帮助，当荷应允。不料某晚三更时分，据眼线报称，该盗窝藏某处。卑职立即督同通班健役前往捕拿。惟是盗党甚多，卑职深虑所带勇役众寡不敌，因即一面设法诱至海滩，一面密告外国兵船，果蒙协力兜拿，共捕获积年巨盗一十三名。经卑职带回卑署，详加鞫讯，俱各供认历年某案某案，肆行抢动不讳。除将供招另文申详，恳祈宪示遵行外，所有此次外国兵船帮同缉获积年巨盗应如何答谢之处，卑职不敢擅专，理合电禀，乞谕祗遵”云云。电报发了出去，梅飏仁赶忙又亲自到洋船上谢洋提督帮助之力。又说：“敝县已把此事电禀制台，马上就有回电，制台亦总是感激的。”意思想留洋提督多住两三天，以便稍尽地主之谊。洋提督谦逊了几句，仍旧是不肯久留。梅飏仁只得告辞回去。

且说南京制台接到海州知州梅飏仁的电禀，从头至尾看了一遍，登时脸上露出一副受宠若惊的样子，忽而红，忽而白，于红白不定之中又显出一副笑容。忙把总理洋务文案候补道史其祥史大人请到签押房里面商。这位制台是专门讲究洋务的，就是签押房也是洋款摆设，居中摆了一张大菜桌子，一面三把椅子，底下一位是主位。当下史其祥史大人进门，归坐之后，制台先把海州上来的电报禀给他看过。史其祥一面看，一面点头；看完之后，便问：“老帅是个甚么主见？”制台道：“我想此事，外国船上的洋兵替我们捉住了强盗，还肯交给我们地方官自己审办，这就是十二分面子。他们既给咱面子，咱们也不可以不顾人家的面子。我想现在既已审问明白，都是积年巨盗，本应该就地正法的；我们如今且不要批下去，电谕海州梅牧把这些人犯的案件以及应该得的罪名详细叙明，叫翻译翻成英文照会过去，应该如何办法，就请那兵船上的提督替我们酌断。他要他们死，就是死；他要他们不死，我们也乐得积些阴德。你道如何？”史其祥听罢，歇了一歇，说道：“这是我们内地里的事情。既是大盗审明之后，就地正法乃是我们自己的主权，他们外国人本不应该干预的。依职道的见识：还是老帅自己批饬下去，将该盗就地正法，似乎不必咨照外国兵官。至于他们出了力，应该如何答谢，或是电饬梅牧亲到船上一趟代达老帅的意思；或是办些土仪，如羊酒鸡蛋之类，犒赏兵丁，亦无不可。这是职道愚昧之见，请请老帅的示，可行不可行？”制台听罢，亦楞了一回，说道：“你的话呢，固然不错；然而人家顾了咱的面子，咱们一点不和人家客气客气，似乎心上总过不去。我看土仪呢亦得送；这几个人怎么办法，我的意思总得让让人家，等人家退回来不管，我们再自己办，那就不落褒贬了：我这是面面俱到的法子。我看还是如此办得好。”史其祥道：“这办案的事实实在在是我们自己的主权，那外国人是万万不可同他通融的。”

制台一见史其祥还是执定前见，心上很不高兴，便道：“我兄弟办交涉也办老了，这些事还有甚么不懂。你们总是顽固见识，到了这个时候，还是一点不肯让人。但是据你刚才所说，究不能彀面面俱到，总得斟酌一个两全的法子才好。”史其祥笑着说道：“强盗归我们自家办，就是保守我们自己的主权。再送些土仪给他们，也总算有情分到他们了。除此之外，实在没有第二条法子。”制台听了，面孔一板道：“你这人真好糊涂！我刚才怎么同你讲的？这件事非往常可比。强盗虽然应该归我们办，你不想这回的强盗是那个拿到的。人家出了力又不想咱们的别的好处，难道连这一点面子还不给他，还成句话吗！我办交涉办老了的，如今倒留个把柄在人家手里，叫人批评两句，我可犯不着！”说完，胡子一根根跷了起来，坐着不言语。

史其祥见制台生了气，一想不妙，怕于自己差使有碍。便暗暗说道：“主权不主权，关我甚么事，用得我干着急！我起了劲，白得罪了上司，于我有甚么好处呢。”但是一时又想不出一个转弯的法子。踌躇了好半天，只得仰承宪意，自圆其说道：“职道的话原是一时愚昧之谈，作不得准的。既然老帅要想一个两全的法子，足见老帅于慎重邦交之内，仍寓挽回主权之心，职道钦佩得很！现在职道想得一法，是主权既不可弃，邦交又当兼顾。请请老帅的示，可行不可行？”制台道：“你快说！”史其祥道：“请老帅立刻电饬梅牧把拿到十三个人当中把为首的先行就地正法几名，俾国法即所以保主权。下余的几个，若以强盗论，原应该不分首从，一律斩决；如今且不将他定罪，就遵照老帅的刚才吩咐的话，送交外国兵官，听他处治。他要他死，这几人本有应得的死罪；他要开脱他们，我们也乐得就此积些阴功，也不负老帅好生之德。”制台听到这里，一面听，一面点头，嘴里不住的赞好；不等史其祥说完，忙抢着说道：“就是这样！就是这样！到底你史大哥有主意，所以兄弟凡事都要同你商量。现在就作准照你办，立刻拟好电报，送到电局，饬令梅牧遵照办理。”

按下省城之事不表。单表海州梅飏仁奉到制台的复电，立刻照谕施行，请了本营参将从监里把前番审定的五名盗首提到大堂，验明箕斗，登时绑赴校场，一概正法。杀人的时候，他同营里一齐穿着大红斗篷；杀人回来，照例先到城隍庙拈香；回到衙门，又照例排衙，然后退入签押房。大凡他们做官的人忌讳顶多，又怕的是鬼，说是穿了大红斗篷，鬼就不敢近身了；再到城隍庙里一转，就是有点邪魔鬼祟，亦被城隍老爷叫小鬼拿他赶掉；等到回到衙门，升坐大堂排衙的时候，衙役们拿着棍子赶出赶进一阵吆喝，无论有多少冤鬼早已吓都吓散了。历来相传都是如此说法。究竟做官的人谁被冤鬼缠过又没人见过，不过借此骗骗自己，安安自己的心罢了。

且说梅飏仁回到签押房，因为洋提督后天就要走，连夜到学堂里又把那位教习拿轿子抬了来，请他翻译这件公事，以便照会洋提督，请他酌断。那位教习起先还拿腔做势，说来不及；又说：“为人办事须有一定时刻，晚生今天在学堂里已经教了几个钟头的书，到了晚上极应该休息休息。如今又要我翻译这些东西，这是最伤脑筋，晚生还是带回去，等到空的时候再翻好送过来罢。”梅飏仁一听他话不对，只得挽出师爷同他讲说：“洋提督后天就要走的，这件公事，无论如何，明日一早总得送过去。吾兄辛苦了，敝东自应格外尽情。千万辛苦这一遭罢！”那位教习听说“格外尽情”，无奈只得应允。当下就在梅飏仁签押房里调齐案卷翻译起来。梅飏仁跑出跑进，不时自己出来招呼，问他要茶要水，肚子饿了有点心；一回又叫管家把上海艾罗公司买的“补脑汁”开一瓶给他喝，免得他用心过度，脑筋受伤。那位教习见如此，心上也觉过意不去，只得尽心代为翻译。无奈这件公事头绪太多，他的西学尚不能登峰造极，很有些翻不出来的地方；好在通海州除掉他都是外行，骗人还骗得过。当下足足闹了八个钟头，只勉强把制台的意思叙了一个节略，写了出来，念给梅飏仁听过。梅飏仁除掉说好之外亦无他话可以说得。

当下梅飏仁立刻叫人把写好的英文信送到船上。那位教习深晓得自己本事有限，恐怕外国人看了他写的英文信不懂，非自己前去当面譬解给他听是断乎不会明白的，连忙挺身而出，说：“这信等我自己送去。”梅飏仁见他如此要好，自然欢喜。谁知等到他到了船上见了洋提督，呈上书信，洋提督看过一遍，又看第二遍，看来看去，竟有大半不懂，忙问他：“信上写的甚么？”他只得红着脸，把这事一五一十说给洋提督听了一遍。洋提督道：“幸亏你自己来；你倘若不来，我这船上懂得各国文法的人都有，单就是你的英文没人懂得。”说罢，哈哈大笑。那位教习晓得总是写的信上拼法不对，所以被洋人耻笑，羞的红过脖子。当时洋提督说道：“既然贵国法律这几个人都该办死罪的，就请贵州梅大老爷照着贵国的法律办他们就是了。”那位教习又请洋提督同到法场监斩。洋提督欣然应允，随即约定时刻。那位教习先回来送信。

梅飏仁立刻照会营里摆齐队伍押解犯人同到法场。才走到那里，洋提督带了几十名洋兵也早来了。外国的兵腰把笔直，步伐整齐，身材长短都是一样；手里托着洋枪，打磨的净光雪亮，耀人的眼睛；等到到了法场上，一字儿摆开，站在那里一动不动。及看中国的兵：老的小的，长长短短，还有些痨病鬼、鸦片鬼，混杂在内；穿的衣裳虽然是号褂子，挂一块，飘一块，破破烂烂，竟同叫化子不相上下；而且走无走相，站无站相；脚底下踢哩搭拉，不是草鞋便是赤脚，有的袜子变成灰色，有的还穿一双钉靴；等到到了法场上，有说笑的，也有骂人的。痨病鬼不管人前人后随便吐痰；鸦片鬼就拿号褂子袖子擦眼泪；拿的刀叉一齐都生了锈了：比起人家的兵来真正是天悬地隔！洋提督走来同中国官见面之后，先拿照像机器替犯人拍了一张照，等到杀过之后又拍了一张，然后分道自回去。

其时梅飏仁已将宪谕饬办的羊酒鸡蛋送洋人的礼物都已办齐，就托省城派来兵轮管带萧参将上船送礼。萧长贵一听要他去送礼，又把他兴头的了不得；因为这分礼是替制台送的，是面子上的事情。立刻穿好衣帽，把礼物装了几台盒；活猪活羊各一百头，由兵役们牵着；他自己却坐了一顶小轿跟在后头，说："这两年在船上当差事舒服惯了，把骑马的本事忘掉了。"霎时到得船上，礼单是早已托翻译翻好的，兵船上的人看了都还明白。萧长贵是船上来过多次了，熟门熟路，人都有点认得。见了船上的人，无论是兵官，是兵丁，是水手，见了洋人就请安。见了洋提督，再请两个安：一个是自己请的，一个是替制台请的。他那副卑躬屈节的样子，洋船上的人早已看惯的了，都不以为奇。当下洋提督吩咐叫把礼物全行收下，犒赏来人；又叫一员小武官陪了萧长贵大餐。这一顿饭直害得萧长贵坐立不安，神魂不安！还有些兵丁见他来熟了，都不同他客气，拉着他的辫子，打着洋话问他"可是尾巴不是"？萧长贵话虽不懂，晓得是拿他开心的话头，便涨红了脸，低着头，一声也不敢响。

一会吃完饭，又在洋提督跟前禀谢过然后告辞，一直回到州衙门。彼此会面，商量了一回明天送行的仪注。萧长贵仍说要在岸滩上跪送。又邀了本营参将摆齐队伍一块儿去跪送，本营参将亦就答应了。此时梅飏仁又把本城的文官一齐约定次日一早先到本衙门会齐，然后一同出城上手本。大家倒都应允。慢慢的梅飏仁又讲到："这回拿住强盗虽然是外国人出力，看上头制台的意思甚是欢喜，将来保举一定是有的。"萧长贵听到这里，跑过来深深一揖，托着替他带个名字。梅飏仁为他是制台派来的，即日回省，还望他帮着自己说好话，马上答应。接着翻译又求保举。梅飏仁亦答应，又说："往来传话，这遭是你老哥顶辛苦了，应该，应该！"翻译欢喜的了不得。说话之时，前番上船探信的那位州判老爷正同别人闲话，忽然听到这边谈保举，立刻丢掉别人，赶过来朝着梅飏仁说道："堂翁，还有晚生呢？"梅飏仁一闻此话，不觉怔了半天，才慢慢的问道："你老哥还有甚么？"州判老爷道："不是晚生说句夸口的话：这件事要算晚生的头功。堂翁，你还有甚么不知道的，他们一个人不敢上去，不是你堂翁委了晚生同了这位翻译老夫子去的吗。"梅飏仁道："是啊，去了也不好说是头功。"州判老爷着急道："晚生不去这一趟，那外国人怎肯同我们要好，替我们出力？晚生不求堂翁别的，只求将来开保案时候，求堂翁把晚生这段劳绩叙上，制台大人看了是决计不会批驳的。将来借此晚生得能过个班，也不枉堂翁的栽培！"说着，又请了一个安。梅飏仁只得淡淡的说："我们再商量罢。"

州判老爷恐怕事情不妙，呆坐半天，忽然心生一计，便悄悄的拉了那位同去当翻译的教习一把。两个人一同告辞出来。州判拿他让到自己衙门里坐了，同他商量说："这事是你第一个出力，兄弟还在第二。总而言之，没有第三个人可以盖过咱俩的。我看我们这位堂翁疑疑惑惑，是有点靠不住的。我们不如趁今天晚上洋船还没有开，咱俩同到他们船上，求他出封信给制台保举。咱俩索性丢掉他们。你说可好不好？”翻译听罢此言，想了一回，心想：“他的话确也不错，走外国人门路似乎觉得比中国人妥当些。倒难为他想出这条好法子来。”连说：“好极！……你如果要去，有甚么话，我替你传去。”州判大喜，立刻开抽屉找出两条红纸；又把西席老夫子请来，托他代写两张官衔条子：一张是自己的，一张是翻译的，都把自己一厢情愿的保举开了上去。写好之后，立刻飞轿赶到海滩，下轿上船。

此番州判老爷晓得外国船上的人没有歹意，放开胆子，不像前番觳觫恐惶的样子了。船上的人问他：“来做甚么？”翻译说是：“要见你们提督的。”船上人只得领他进见。此时州判老爷因有求于人，不得不自己格外谦恭；见了洋提督，磕头请安，竟与萧长贵一式无二。幸亏洋提督早已司空见惯，看他磕头，昂不为礼，直等他站起，方才用手指了一指，——是让他坐的意思。他亦明白，于是斜签着脸，朝上坐下。当由翻译叙述来意。洋提督一头听，一头笑，一面又摇摇头。州判老爷瞧着，话虽不懂，意思是明白的，晓得有点不愿意的意思。心上甚为着急，想要插嘴，又不知说甚么是好。而且说出来的话，他们亦不懂得。

正在左右为难，只听得翻译又叽哩咕噜的说了半天，方见洋提督笑了一笑。翻译便回过头来从州判老爷手里把两张衔条讨过来递给了洋提督。洋提督看了不懂，又问翻译：“这上头写的甚么？”翻译却把州判老爷的一张翻来覆去讲给他听。州判老爷一旁瞧着，暗暗欢喜，以为这事总可望成功了。翻译说了一回，便约州判老爷一同走。州判老爷便急急的问他：“我们的事怎样？你看会成功不会成功？”翻译道：“停刻再说。”州判老爷无奈，只得去替洋提督请了一个安，算是告辞，然后同了翻译出来。一出舱门，又问翻译：“到底咱们的事怎么样？”翻译道：“等我们回去再细谈。”此时直把个州判老爷急的头上汗珠子有黄豆大小！究竟事情成否不得而知，禁不住心上毕卜毕卜跳个不住。

欲知后事如何，且听下回分解。

第五十六回
制造厂假札赚优差　仕学院冒名作枪手

却说海州州判同了翻译从洋船上回到自己衙门，急于要问所递衔条，洋提督是否允准出信。当下翻译先说洋提督如何不肯，经他一再代为婉商方才应允，并且答应信上大大的替他两人说好话。州判老爷听了，非凡之喜。一宵易过，次日又跟了同寅同到海边送过洋提督开船方才回来。萧长贵亦开船回省。

过了一日，梅飏仁果然发了一个禀帖，无非又拿他办理交涉情形铺张一遍；后面叙述拿获大盗，所有出力员弁，叩求宪恩，准予奖励。等到制台接到梅飏仁的禀帖，那洋提督的信亦同日由邮政局递到，立刻译了出来。信上大致是谢制台派人接他，又送他土仪的话；下来便叙“海州文武相待甚好，这都是贵总督的调度，我心上甚是感激”。末后方叙到“海州州判某人及翻译某人，他二人托我求你保举他俩一个官职；至于何等官职，谅贵总督自有权衡，未便干预。附去名条二纸，即请台察”各等语。制台看完，暗道：“这件事情，海州梅牧总算亏他的了。就是不拿住强盗，我亦想保举他，给他点好处做个榜样；如今添此一层，更有话好说了。至于州判、翻译能够巴结洋人写信给我，他二人的能耐也不小，将来办起交涉来一定是个好手。我倒要调他俩到省里来察看察看。”当日无话。

次日司、道上院见了制台。制台便把海州来禀给他们瞧过；又提到该州州判同翻译托外国官求情的话。藩司先说道：“这些人走门路竟走到外国人的门路，也算会钻的了。所恐此风一开，将来必有些不肖官吏，拿了封洋人信来，或求差缺，或说人情，不特难于应付，势必至是非倒置，黑白混淆，以后吏治，更不可问。依司里的意思：海州梅牧获盗一案，亟应照章给奖；至于州判某人，巧于钻营，不顾廉耻，请请大帅的示，或是拿他撤任，或是大大的申斥一番，以后叫他们有点怕惧也好。”谁知一番话，制台听了，竟其大不为然，马上面孔一板道：“现在是甚么时候！朝廷正当破格用人，还好拘这个吗？照你说法，外国人来到这里，我们赶他出去，不去理他，就算你是第一个大忠臣！弄得后来，人家翻了脸，驾了铁甲船杀了进来，你挡他不住，乖乖的送银子给他，朝他求和，归根办起罪魁来，你始终脱不掉。到那时候，你自己想想，上算不上算？古语说得好：‘君子防患未然。’我现在就打的是这个主意。又道是：“观人必于其微’，这两人会托外国人递条子，他的见解已经高人一着，兄弟就取他这个，将来一定是个外交好手。现在中国人才消乏，我们做大员的正应该舍短取长，预备国家将来任使，还好责备苛求吗。”藩台见制台如此一番说话，心上虽然不愿意，嘴里不好说甚么，只得答应了几声“是”，退了出去。

这里制台便叫行文海州，调他二人上来。二人晓得外国信发作之故，自然高兴的了不得，立刻装束进省，到得南京，叩见制台。制台竟异常谦虚，赏了他二人一个坐位。坐着谈了好半天，无非奖励他二人很明白道理。“现在暂时不必回去，我这里有用你们的地方。”两人听说，重新请安谢过。次日制台便把海州州判委在洋务局当差，又兼制造厂提调委员。那个翻译，因他本是海州学堂里的教习，拿他升做南京大学堂的教习，仍兼院上洋务随员。分拨既定，两人各自到差。海州州判自由藩司另外委人署理。海州梅飏仁因此一案，居然得了明保，奉旨送部引见。萧长贵回来，亦蒙制台格外垂青，调到别营做了统领，仍兼兵轮管带。都是后话不题。

且说海州州判因为奉委做了制造厂提调，便忙着赶去见总办，见会办，拜同寅，到厂接事。你道此时做这制造厂总办的是谁？说来话长：原来此时这位当总办的也是才接差使未久，这人姓傅，号博万。他父亲做过一任海关道，一任臬司，两任藩司。后首来了一位抚台，不大同他合式，他自己估量自己手里也着实有两文了，便即告病不做，退归林下。傅博万原先有个亲哥哥，可惜长到十六岁上就死了。所以老人家家当一齐都归了他。人家叫顺了嘴，都叫他为傅百万。其实他家私，老人家下来，五六十万是有的，百万也不过说说好听罢了。只因他生得又矮又胖，穿了厚底靴子，站在人前也不过二尺九寸高；又因他排行第二：因此大家又赠他一个表号，叫做傅二棒锤。傅二棒锤自小才养下来没有满月，他父亲就替他捐了一个道台，所以他的这个道台，人家又尊他为"落地道台"。但是这句话只有当时几个在场的亲友晓得，到得后来亦就没有人提及了。后来大众所晓得的只有这傅二棒锤一个绰号。

且说傅二棒锤先前靠着老人家的余荫，只在家里纳福，并不想出来做官，在家无事，终日抽大烟。幸亏他得过异人传授，说道："凡是抽烟的人，只要饭量好，能够吃油腻，脸上便不会有烟气。"他这人吃量是本来高的，于是吩咐厨房里一天定要宰两只鸭子：是中饭吃一只，夜饭吃一只；剩下来的骨头，第二天早上煮汤下面。一年三百六十天，天天如此。所以竟把他吃得又白又胖，竟与别的吃烟人两样。他抽烟一天是三顿：早上吃过点心，中饭，晚饭，都在饭后。泡子都是跟班打好的，一口气，一抽就是三十来口，口子又大，一天便百十来口，至少也得五六钱烟。等到抽完之后，热毛巾是预备好的，三四个跟班的，左一把，右一把，擦个不了，所以他脸上竟其没有一些些烟气。擦了脸，自己拿了一把镜子，一头照，一头说道："我该了这么大的家私，就是一天吃了一两、八钱，有谁来管我！不过像我们世受国恩的人家，将来总要出去做官的，自己先一脸的烟气，怎么好管属员呢。"有些老一辈人见他话说得冠冕，都说："某人虽有嗜好，尚还有自爱之心。"因此大家甚是看重他，都劝他出去混混。无奈他的意思，就这样出去做官，庸庸碌碌，跟着人家到省候补，总觉不愿；总想做两件特别事情，或是出洋，或是办商务，或是那省督、抚奏调，或是那省督、抚明保，做一个出色人员，方为称意。但是在家纳福，有谁来找他？——谁知富贵逼人，坐在家里也会有机会来的。

齐巧有他老太爷提拔的一个属员，姓王，现亦保到道员，做了出使那一国的大臣参赞。这位钦差大臣姓温，名国，因是由京官翰林放出来的，平时文墨功夫虽好，无奈都是纸上谈兵，于外间的时务依然隔膜得很。而且外洋文明进步，异常迅速；他看的洋板书还是十年前编纂的，照着如今的时势是早已不合时宜的了，他却不晓得，拾了人家的唾余，还当是“入时眉样”。亦幸亏有些大老们耳朵里从没有听见这些话，现在听了他的议论，以为通达极的了，就有两位上折子保举他使才。中国朝廷向来是大臣说甚么是甚么，照例奉旨记名，从来不加考核的；等到出使大臣有了缺出，外部把单子开上，又只要里头有人说好话，上头亦就马上放他。等到朝旨下来，甚么谢恩、请训都是照例的事。就是上头召见，问两句话，亦不过检可对答的回上两句，余下不过磕头而已。列位看官试想：任你是谁，终年不出京城一步，一朝要叫你去到外洋，你平时看书纵虽明白，等到办起事来，两眼总漆黑的。

闲话少叙。且说这个温钦差召见下来，便到各位拿权的王大臣前请安，请示机宜，以为将来办事的方针。这些大人们当中有关切的，便荐两个出过洋、懂得事务的，或当参赞，或充随员，以为指臂之助。还有些汲引私人的，亦只顾荐人，无非为三年之后得保起见。当下只傅二棒锤父亲所提拔那位属员王观察，已有人把他荐到温钦差跟前充当参赞。幸喜钦差甚是器重他。他便想到从前受过好处的傅藩台的儿子。——亦是傅二棒锤有出山的思想，预先有过信给这王观察。——王观察才干虽有，光景不佳，既然出洋，少不得添置行头，筹寄家用；虽有照例应支银两，无奈总是不敷，所以也须张罗几文。心上早看中这傅二棒锤是个主儿，本想朝他开口，齐巧他有信来托谋差使，便将机就计，在温钦差前竭力拿他保荐，求钦差将他携带出洋。钦差应允。王观察便打电报给他，叫他到上海会齐。等到到得上海，会面之后，傅二棒锤虽然是世家子弟，毕竟是初出茅庐，阅历尚浅，一切都亏王观察指教，因此便同王观察十分亲密，王观察因之亦得遂所愿。两人遂一块儿跟着钦差出洋。王观察当的是头等参赞。因为这傅二棒锤已经是道台，小的差使不能派，别的事又委实做不来；又亏王观察替他出主意，教他送钦差一笔钱，拜钦差为老师，钦差亦就奏派他一个挂名的差使。

温钦差自当穷京官当惯的，在京的时候，典质赊欠，无一不来。家里有一个太太，两个小姐。太太常穿的都是打补钉的衣服。光景艰难，不用老妈，都是太太自己烧茶煮饭，浆洗衣服。这会子得了这种阔差使，在别人一定登时阔绰起来；谁知道这位太太德性最好，不肯忘本，虽然做了钦差夫人，依旧是一个人不用，上轮船，下轮船，倒马桶，招呼少爷、小姐，仍旧还是太太自己做。朋友们看不过。告诉了钦差，托钦差劝劝他。他说道："我难道不晓得现在有钱，但是有的时候总要想到没有的时候。如今一有了钱，我们就尽着花消，倘或将来再遇着难过的日子，我们还能过吗。所以我如今决计还要同从前一样，有了攒聚下来，岂不更好。"钦差见他说得有理，也只得听他。好在也早已看惯的了，并不觉奇。

傅二棒锤既然拜了钦差为老师，自然钦差太太也上去叩见过。太太说："你是我们老爷的门生，我也不同你客气。况且到了外洋，我们中华人在那里的少，我们都是自己人一样。你有甚么事情只管进来说，就是要甚么吃的、用的亦尽管上来问我要，我总拿你当我家子侄一样看待，是用不着客气的。"傅二棒锤道："门生蒙老师、师母如此栽培，实在再好没有。"说着，又谈了些别的闲话，亦就退了出来。

这一帮出洋的人，从钦差起，至随员止，只有这傅二棒锤顶财主，是汇了几万银子带出去用的。虽然不带家眷，管家亦带了三四个。穿的衣裳，脱套换套。他说："外国人是讲究干净的。"穿的衬衣衫裤，夏天一天要换两套，冬天亦是一天一身。换下来的，拿去重洗。外国不比中国，洗衣裳的工钱极贵，照傅二棒锤这样子，一天总得两块金洋钱工钱，一月统扯起来，也就不在少处了。

钦差幸亏有太太，他一家老少的衣衫，自从到得外洋，一直仍旧是太太自己浆洗。在外国的中国使馆是租人家一座洋房做的。外国地方小，一座洋房总是几层洋楼，窗户外头便是街上。外国人洗衣服是有一定做工的地方，并且有空院子可以晾晒。钦差太太洗的衣服，除掉屋里，只有窗户外头好晾。太太因为房里转动不开，只得拿长绳子把所洗的衣服一齐拴在绳子上，两头钉好，晾在窗户外面。这条绳子上，裤子也有，短衫也有，袜子也有，裹脚条子也有，还有四四方方的包脚布；亦有蓝的，亦有白的，同使馆上面天天挂的龙旗一般的迎风招展。有些外国人在街上走过，见了不懂，说："中国使馆今日是甚么大典？龙旗之外又挂了些长旗子、方旗子，蓝的、白的，形状不一，到底是个甚么讲究？"因此一传十，十传百，人人诧为奇事。便有些报馆访事的回去告诉了主笔，第二天报上上了出来。幸亏钦差不懂得英文的，虽然使馆里逐日亦有洋报送来，他也懒怠叫翻译去翻，所以这件事外头已当作新闻，他夫妇二人还是毫无闻见，依旧是我行我素。

傅二棒锤初到之时，衣服很拿出去洗过几次，便有些小耳朵进来告诉了钦差太太，说傅大人如何阔，如何有钱，一天单是洗衣服的钱就得好几块。钦差太太听了，念一声"阿弥陀佛"："要是我有了钱，决计不肯如此用的。我们老爷、少爷的衣服统通是一个月换一回，我自己论不定两三个月才换一回；那里有他阔，天天换新鲜。他一个月有多少薪水，全不打算打算。

照这样子，只怕单是洗衣服还要去掉一半。你们去同他说：横竖一天到晚空着没有事情做，叫他把换下来的衣裳拿来，我替他洗。他一天要化两块钱的，我要他一天一块钱就彀了。他也好省几文，我们也乐得赚他几文，横竖是我气力换来的。”当下果然有人把这话传给了傅二棒锤。傅二棒锤因为他是师母，如把裤子、袜子给他洗，终觉有些不便，一直因循未果。后来钦差太太见他不肯拿来洗，恐怕生意被人家夺了去，只得自己请傅二棒锤进来同他说。傅二棒锤无奈，只得遵命，以后凡是有换下来的衣服，总是拿进来给钦差太太替他浆洗。头两个月没有话说，傅二棒锤因为要巴结师母，工价并不减付，仍照从前给外国人的一样。钦差太太自然欢喜。

有天有个很出名的外国人请钦差茶会，钦差自然带了参赞、翻译一块儿前去。到得那里，场子可不小，男男女女，足足容得下二三千人。多半都是那国的贵人阔人，富商巨贾，此外也有各国的公使、参赞，客官商人。凡是有名的人统通请到。傅二棒锤身穿行装，头戴大帽，翎顶辉煌的也跟在里头钻出钻进。无如他的人实在长得短，站在钦差身后，垫着脚指头想看前面的热闹，总被钦差的身子挡住，总是看不见；夹在人堆里，挤死挤不出，把他急的了不得，只是拿身子乱摆。齐巧他身子旁边站了一个外国绝色的美人。外国的礼信：凡是女人来到这茶会地方，无论你怎样阔，那女人下身虽然拖着扫地的长裙，上半身却是袒胸露肩，同打赤膊的无异。这是外国人的规矩如此，并不足为奇的。傅二棒锤站在这女人的身旁，因为要挤向前去瞧外面的热闹，只是把身子乱摆，一个脑袋，东张西望，赛如小孩摇的鼓一般。那女人觉得膀子底下有一件东西磕来碰去，翠森森的毛，又是凉冰冰的，不晓得是甚么东西。凡是外国人茶会，一位女客总得另请一位男客陪他。这男客接到主人的这副帖子，一定要先发封信去问这女客肯要他接待与否，必须等女客答应了肯要他接待，到期方好前来伺候；倘若这女客不要，还得主人另请高明。

闲话休叙。且说这天陪伴这位女客的也是一位极有名望的外国人，听说还是一个伯爵，是在朝中有职事的。当时那外国女客因不认得那件东西，便问陪伴他的那个伯爵，问他是甚么。幸亏那位伯爵平时同中国官员往来过几次，晓得中国官员头上常常戴着这翠森森、凉冰冰的东西，名字叫做“花翎”，就同外国的“宝星”一样，有了功劳，皇上赏他准他戴他才敢戴，若是不赏他却是不能戴的。那位伯爵只知其一，不知其二，却把银子可捐戴的一层没有告诉了他。这也是那位伯爵不懂得中国内情的缘故，休要怪他。当下那外国女客明白了这个道理，便把身子退后半尺，低下头去把傅二棒锤的翎子仔细端详了一回，又拿手去摩弄了一番，然后同那伯爵说笑了几句，方始罢休。

这天傅二棒锤跟了钦差辛苦了几个时辰，人家个子高，看得清楚，倒见了许多什面；独有他长得矮，躲在人后头，足足闷了一天，一些些景致多没有瞧见。因此把他气的了不得，回到使馆，三天没有出门。第四天，有个出名制造厂的主人请客，请的是中国北京派来考查制造的两位委员。这两位委员都是旗人，一名呼里图，一名搭拉祥，都是部曹出身。到了外洋，自然先到钦差衙门禀到，验过文书。却与傅二棒锤未曾谋面。这晚厂主人请那两位委员，却邀他作陪。傅二棒锤接到了信，便一早的赶了去，见了外国人，寒暄几句。接着那两位委员亦就来了。进门之后，先同外国人拉手，又同傅二棒锤厮见。问傅二棒锤："贵姓？台甫？贵处？贵班？贵省？几时到外洋来的？"傅二棒锤一一说了。他俩晓得是钦差大人的参赞，不觉肃然起敬。傅二棒锤仔细看他二人：一个呼里图，满脸的烟气，青枝枝的一张脸；一个搭拉祥，满脸的滑气，油幌幌的一张脸；年纪都在三十朝外，说的一口好京话，见了人满拉拢。傅二棒锤亦问他二人官阶一切。呼里图说是："内务府员外郎，现在火器营当差。"搭拉祥是"兵部主事，现蒙本部右堂桐善桐大人在王爷跟前递了条子，蒙王爷恩典派在练兵处报效。""是咱俩商量：凡是人家出过洋的回来，总是当红差使。所以咱俩亦就禀了王爷，情愿出洋游历，考查考查情形，将来回来报效。王爷听了很欢喜。临走的这一天，咱俩到王爷跟前请示。他老人家说：'好好好，你们出去考察回来，一家做一本日记，我替你们进呈，将来你俩升官发财都在这里头了。'傅二哥，你想，他老人家真细心！真想得到！咱俩蒙他老人家这样栽培，说来真真也是缘分。"傅二棒锤听了他二人这一番说话，默默若有所悟；听他说完，只得随口恭维了两句。

接着便是本厂的主人同他二人说话。两边都是通事传话。厂主人问他二位："在北京做些甚么事情？想来一定忙的？"呼里图说是："吃钱粮，没有别的事情。"外国人不懂。通事又问了他，才晓得他们在旗的人，自小一养下来就有一份口粮，都是开支皇上家的。厂主人方才明白。又问搭拉祥，搭拉祥说："我单管画到。"厂主人又不知甚么叫做"画到"。搭拉祥说："我们当司官的，天天上衙门，没有甚么公事，又要上头堂官晓得我们是天天来的，所以有本簿子，这天谁来过，就画上个'到'字。我专当这差使。除掉自己之外，还有些朋友，自己不来，托我替他代画的。所以我天天上这一趟衙门，倒也很忙。"厂主人又问他二人："这遭出来到我们这里，可要办些甚么枪炮机械不要？"搭拉祥正待接腔，呼里图抢着说道："从前咱们火器营里用的都是鸟枪，别的枪恐怕没有比过他的。至于炮，还是那年联兵进城的时候，前门城楼上架着几尊大炮，到如今还摆着，咱瞧亦就很不小了。"当下厂主人见他说的话不类不伦，也就不谈这个，另外说了些闲话。

等到吃完客散，傅二棒锤回到使馆，心想："现在官场只要这人出过洋，无论他晓得不晓得，总当他是见过什面的人，派他好差使。我这趟出洋总算主意没有打错，将来回去总得比别人占点面子。"一个人正在肚里思量，不提防接到家里一个电报，说是老太太生病，问他能否请假回去。他得到这个电报，心上好不自在：要想留下，究竟老太太天性之亲，一朝有病，打了电报来，要说不回去，于名分上说不下去；如果就此请假回国，这里的事半途而废，将来保举弄不到，白吃一趟辛苦，想想亦有点不合算。左思右想，不得主意。后来他这电报一个使馆里都传开了，瞒亦难瞒。钦差打发人来问他，老太太犯的是甚么病，要电报去看。他一想不好，只得上去请假，说要回国省亲。又道："倘若门生的母亲病好了，再回来报效老师。"温钦差道："我本想留下你帮帮我的；因为是你老太太有病，我也不便留你，等你回去看看好放心。老弟几时动身？大约要多少川资？我这里来拿就是了。"傅二棒锤一想："这个样子，不能不回去的了。眼望着一个保举不能到手。至于回国之后，要说再来，那可就烦难了。"踌躇了一回，忽然想到前日呼里图、搭拉祥二人的说话，只要到过外洋，将来回去总要当红差使的，于是略略把心放下。又想："他们到这里游历的人都要记本日记簿子，以为将来自见地步；我出来这半年，一笔没记。而且每日除掉抽大烟，陪着老师说闲话之外，此外之事一样未曾考较，就是要记，叫我写些甚么呢？回去之后，没有这本东西做凭据，谁相信你有本事呢？"

亦是他福至性灵，忽又想到一个绝妙计策，仍旧上来见老师，说："门生想在这里报效老师，无奈门生福薄灾生，门生的母亲又生起病来，门生不得不回去。辜负老师这一番栽培，门生抱愧得很。"钦差道："父母大事，这是没法的。你回去之后，能彀你们老太太的病就此好了，你赶紧再来，也是一样；倘或真果有点甚么事故，你老弟一时不得回来，好在愚兄三年任满，亦就回国，我们后会有期，将来总有碰着的日子。"傅二棒锤道："门生蒙老师如此栽培，实在无可报答。看样子，门生的母亲未必再容门生出洋；门生的意思，亦就打算引见到省，稍谋禄养。门生这一到省，人地生疏，未必登时就有差委。门生想求老师一件事情。……"钦差不等他说完，接着问道："可是要两封信？老弟分发那一省？"傅二棒锤道："门生想求老师赏两个札子。"钦差想了想，皱着眉头，说道："我内地里没有甚么事情可以委你去办。"傅二棒锤道："不是内地，仍旧在外国。英国的商务，德国的枪炮，美国的学堂，统通求老师赏个札子，等门生去查考一遍。"钦差道："不是你老太太有病，你急于回去，还有工夫一国一国的去考查这些事情吗？"傅二棒锤道："门生并不真去。"钦差道："你既不去，又要这个做甚么？这更奇了！"傅二棒锤又扭捏了半天，说道："不瞒老师说：老师大远的带了门生到这外洋来，原想三年期满，提拔门生得个保举，以便将来出去做官便宜些；谁料平空里出了这个岔子，现在保举是没有指望。这是门生自己没有运气，辜负老师栽培，亦是没法的事。门生现在求老师赏个札子，不为别的，为的是将来回国之后，说起来面子好看些。虽说门生没有一处处走到，到底老师委过门生这么一个差使，将来履历上亦写着好看些。”温钦差听了一笑，也不置可否。你道为何？原来温钦差的为人极为诚笃，说是委了差使不去，这事便不实在，所以他不甚为然，因之没有下文。当下但问他：“几时动身？川资可到帐房去领。”

傅二棒锤见钦差无话，只得退了下来，心上闷闷不乐。幸亏他父亲提拔的那位王观察此时正同在使馆当参赞，听得他这个消息，立刻过来探望。傅二棒锤只得又托他吹嘘，王观察一口应允。傅二棒锤又说：“只要钦差肯赏札子，情愿不领川资，自行回国。”王观察正是钦差信用之人，说的话自然比别人香些。钦差初虽不允，禁不住一再恳求，又道是：“傅某人情愿不领川资。况且给他这个札子，无关出入。”钦差因他说话动听，自然也应允了。谁知傅二棒锤得到这个札子，却是非凡之喜，立刻收拾行李，叩谢老师，辞别众同事，急急忙忙，趁了公司船回国。

在公司船上，足足走了两个多月方才回到上海。在上海栈房里耽搁一天，随即径回原籍。老太太的病乃是多年的老病，时重时轻，如今见儿子从外洋回来，心上一欢喜，病势自然松减了许多，请了大夫吃了几帖药，居然一天好似一天。傅二棒锤于是把心放下。这趟出洋虽然化了许多冤枉钱，又白辛苦了半年多，保举丝毫无望；然而被他弄到了这个札子，心里却是高兴。路过上海时，请教了一位懂时务的朋友，买了几部甚么《英轺日记》、《出使星轺笔记》等类，空了便留心观看。凡是那一国轮船打得好，那一国学堂办得好，那一国工艺振兴得好，那一国枪炮制造得好，虽不能全记，大致记得一、半成。到了台面上同人家谈天，说的总是这些话。大众齐说：“某人到过一趟外洋，居然增长了这多见识。”傅二棒锤听了，心上欢喜。仍旧逐日温习，一直等到老太太可以起床，看看决无妨碍的了，他便起身进京引见。

到得京里，会见几位大老们，问他一向做得甚么。他便说：“新从外洋回来，奉出使大臣某钦差的札子，委赴各国考察一切。事完正待销差，忽接到老母病电，一面电禀销差，一面请假回国。现因亲老，不敢出洋，所以才来京引见的。”大老们听了他这番说话，又问他外国的事情，他便把甚么《英轺日记》、《出使笔记》所看熟的几句话说了出来，听上去倒也是原原本本，有条不紊。大老们听了，都赞他留心时事。又问他外国景致，这是更无查对之事，除自己知道的之外，又随口编造了许多。那些大老爷有几位轮船都没有坐过，听了他话还有甚么不相信的。傅二棒锤见人家相信他的话，越发得意的了不得。

引见之后，遂即到省，指的省分是江苏。先到南京禀见制台，传了上去。制台是已经晓得他的履历的了。一来他父亲做过实缺藩司，从前曾在那里同过事，自然有点交情；二来又晓得他从外洋回来，南京候补虽多，能够懂得外交的却也很少，某人既到过外洋，情形一定是明白的：因此已经存了个另眼看待的心。等到见面，傅二棒锤又把温钦差派他到某国某国查考甚么事情一一陈说一遍。说完，又从靴筒里把温钦差给他的札子双手递给制台过目。制台略为看了一看，便问他所有的地方可曾自己一一亲自到过。傅二棒锤索性张大其词，说得天花乱坠，不但身到其处，并且一一都考较过，谁家的机器，谁家的章程，滔滔汩汩，说个不了。好在是没有对证的，制台当时已不免被他所瞒。等他下去，第二天同司、道说："如今我们南京正苦懂得事的少，如今傅某人从外洋回来，倒是见过什面的，有些交办的新政很可以同他商量。他阅历既多，总比我们见得到。"司、道都答应着。

又过了几天，傅二棒锤禀辞，要往苏州，说是禀见抚台去。制台还同他说："这里有许多事要同你商量，快去快来。"傅二棒锤自然高兴。等到到了苏州，又把他操演熟的一套工夫使了出来。可巧抚台是个守旧人，有点糊里糊涂的；而且一向是谨小慎微，属员给他一个禀帖，他要从第一行人家的官衔、名字，"谨禀大人阁下敬禀者"读起，一直读到"某年月日"为止，才具只得如此，还能做得甚么事情。所以听了他的说话，倒也随随便便，并不在意。傅二棒锤见苏州局面既小，抚台又是如此，只得仍旧回到南京。

此时制台正想振作有为。都说他的人是个好的，只可惜了一件，是犯了"不学无术"四个字的毛病。倘或身旁有个好人时时提醒了他，他却也会做好官的。无奈幕府里属员当中，办洋务的只仗着翻译。要说翻译，外国话、外国文理是好的；至于要讲到国际上的事情，他没有读过中国书，总不免有点偏见，帮着外国。所以这位制台靠了这班人办理外交，只有愈办愈坏，主权慢慢削完，地方慢慢送掉，他自己还不曾晓得。此外管军政的，管财政的，管学务的，纵然也有一二个明白的在内，无奈好的不敌坏的多，不是借此当作升官的捷径，便是认做发财的根源。一省如此，省省如此，国事焉得而不坏呢！

闲话休叙。且说傅二棒锤回到南京，制台又谬采虚声，拿他当作了一员能员，先委了他几个好差使。随后他又上条陈，说省城里这样办得不好，那样办得不对，照外国章程，应该怎样怎样。制台相信了他的话，齐巧制造枪炮厂的出差，就委他做了总办；又拨给许多款项，叫他随时整顿。不久又兼了一个银元局的会办，一个警察局会办。这几个差使都是他说大话、发空议论骗了来的。考其究竟，还亏温钦差给了他那个考查各国的札子；他虽然一处没有去，借了这札子的力量，居然制台相信他，做了这厂的总办。那海州州判调省之后，制台拿他拨在厂里当差。其时正当这傅二棒锤初委总办，接手未久。亦是他俩官运亨通：傅二棒锤自从接差之后，诸事顺手，从未出过一点岔子，所以制台愈加相信。当了两年红差使，跟手就委署一任海关道。交卸到省，仍旧当他的红差使。那位州判老爷因为宪眷优隆，亦就捐升同知，做了“摇头大老爷”，说是遇有机会就可以过班知府。后来能否如愿，书中不及详叙。

且说彼时捐例大开，各省候补人员十分拥挤，其中鱼龙混杂，良莠不齐。做上司的人既漫无区别，专检些有来往、有交有情，或者有大帽子写信的人，照应照应，量委差缺。有些苦的，候补了十来年永远见不到上司面的人还有。因此京里有位都老爷便上了一个折子，请旨饬令各省督、抚，整顿吏治，甄别贤愚，好的留省当差，坏的咨回原籍，或是责令学习。折子上去，上头自然没有不准，立刻由军机处寄字各省督、抚照办。各省当中，有些已有“课吏馆”的，奉到这个上谕，譬如本来敷衍的，至此也要整顿起来。还有些督、抚晓得捐班当中通的人少，也不忍过于苛求。凡是捐班人员初到省，道、府大员总得给他个面子，不肯过于顶真；同、通以下以及佐杂就用不着客气了。

这些人到省，并不要他做甚么策论，也不要扃门考试，同、通、知县只要他当面点“京报”。北京出的“京报”，上面所载的不过是“宫门抄”同本日的几道谕旨以及几个折奏，并没有甚么深文奥义，是顶容易明白的。这时候做督、抚的人随手翻一条，或是谕旨，或是折片，只要不点“骑马句”就算是完卷。算算是并不烦难，无奈有些候补老爷仍旧还是点不断。传说那一省有一个候补同知到省，抚台叫他点“京报”，点的是那一省的巡抚上的折子。这位巡抚是姓觉罗，他当下拿笔在手，“某省巡抚”一点，“奴才”一点，“觉罗”一点。点到这里，抚台说：“罢了！罢了！不消再往下点了！”当下那位同知还不晓得自己点错，等到众一齐点过，退了下去，还要指望上司照应他，派他差使。那知道过了两天，挂出牌来，是叫他回籍学习。他到此急了，一时摸不着头脑。请教傍人，傍人说：“莫非你点‘京报’点错了罢？”他还不服。人家问他点的那一段，他便背给人家听。又道：“旗人的名字一直是两个字的，‘奴才’底下‘觉罗’两字一定是这位抚台的名字，我点的并不错。”人们见他不肯认错，也就鼻子里冷笑一声，不告诉他，等他糊涂一辈子。但是上司挂牌叫他回去学习是无从挽回得来的，只得收拾行李，离开此省，另作打算。此外因点破句子闹笑话的尚不知其数，但看督抚挑剔不挑剔，凭各人的运气去碰罢了。

至于一班佐杂，学问自然又差了一层，索性“京报”也不要他点了，只叫他各人把各人的履历当面写上三四行。督、抚来不及，就叫首府代为面试。只要能够写得出，已算交代过排场；倘若字迹稍些清楚点就是超等。至于写不成字的往往十居六七，要奏参革职亦参不了许多，要咨回原籍亦咨不了许多。做上司的到了此时亦只好宽宏大量，积点阴骘，给他们留个饭碗罢了。

闲话少叙。目下单说湖南一省，新近换了两任巡抚，着实文明，很办了些维新事业。属下各员望风承旨，极应该都开通的了，——那知开者自开，闭者自闭。当时正接着这考试属员的上谕，抚台本是个肯做事的人，当下便传两司商量办法。藩台说：“同、通、州、县，本有月课。现在考较他们，也不过同月课一个样子。”臬台说：“其实只要月课顶真些考，考得好的，拔委差缺；那不好的自然也要巴结上进。”抚台道：“这个我岂不知；但是现在军机里郑重其事的写出信来，总得另外考试一场，分别一个去取。我的意思不光是专考捐班人员，就是科甲出身的也应一体与试。”齐巧藩台是个甲班，便道：“科甲出身人员总求大帅给他一个面子，可否免其考试？”抚台道：“这个不可。科甲人员文理虽通，但是他们从前中举人，中进士，都是仗着八股、试帖骗得来的，于国计民生毫无关系。这番考试乃是试以政事，公事明白的方可做官；倘若公事不明白，虽是科甲出身，也只好请他回家处馆。这样人倘若将来拿了印把子，怕不误尽苍生吗！”藩台听了无话。

当下抚台便叫藩台传谕他们：自从候补道、府起至佐杂为止，分作三天，一体考试。如有规避，从重参处。倘有疾病，随后补考。这个风声一出，人人害怕，个个惊皇。不但一班候补道台怨声载道，自以为已经做了监司大员，如今还要他同了一班小老爷分班考试，心上气的了不得；至于一班科甲人员尤其不平，心想：“我们乃是正途出身，又不是银子买来的，还要考甚么！”但是抚台既有这个号令，又不敢违拗，只得一个去打听几时才考，考些甚么，打听着了，以便也预先揣摩起来。

其中有位候补知府乃是一位太史公截取出来的。到省后亦委过两趟好点的差使；无奈总是办理不善，闹了乱子，撤了回来，因此也就空在省里。他虽然改官外省，却还是积习未除。他点翰林的那年，已经四十开外；五十多岁上截取出来，目下已经六十三岁，然而精神还健，目力还好。每日清晨起来，定要临摹《灵飞经》，写白折子两开方吃早点；下午太阳还未落山的时候，又要翻出诗韵来做一首五言八韵诗。他说：“吟诗一事，最能陶写性灵。”然而人家见他做诗却是甚苦，或是炼字，或是炼句，往往一首诗做到二三更天还不得完。诗不做完就不睡觉。偶然得到了一句自己得意的句子，马上把太太、少爷一齐叫了来，讲给他们听。有时太太睡了觉，还一定要叫醒了他，或爬在床沿上高声朗诵，念给太太听。他自从当童生起，一直顶到如今，所有做的试帖诗稿，经他自己删汰过五次，到如今还有二尺来高，六十几本，自以为在清朝当中也算得一位诗家了。后来朝廷废去八股、试帖，改试策论，他听了大不为然。此时已经改外候补，因为得了这个信息，气的三天没有上衙门。同寅当中有两个关切的，还当他有病在家，都走来瞧他，问他为甚么不出门。他叹口气，对人说道："现在是杂学庞兴，正学将废！眼见得世界上读书的种子都要绝灭了！"自此以后，白折子写的格外勤，试帖诗做的格外多。人家问他何苦如此，他说他是为正学绵一线之留延，所以不得不如此。大家都说他痰迷心窍，也就不再劝他。

又过了些时，听见抚台有考试属员的话，又说连正途出身的道、府亦要一体考试。他听了更气的甚么似的，说："我们自从乡、会、复试，朝、殿、散馆以及考差，除掉皇上，亦没有第二个人来考过。咱如今不该做了他的属员，倒被他搬弄起来，这个官还好做吗！"说着，马上要写禀帖给抚台告病，说："不干了！我不能来受他的气！"谁知他老人家正在闹着告病，倒说一连接到亲友两封来信：一封是他一个至好朋友，还是那年由京里截取出来，问他挪用过八百金，一直未曾归还。如今那个朋友光景很难，所以写了信来问他讨。又一封乃是他的亲家，现任户部侍郎，从前定过他的小姐做儿媳，如今儿子已经长大，拟于秋间为之完姻，以了"向平之愿"。这位侍郎公亲家乃是他一向仰仗的。想想自己女儿也不小了，留在家里无用，早晚总要出阁的。还帐要钱，嫁女儿亦是要钱，眼面前就有这两宗出款，倘若不做官，更从何处张罗？因此空发了半日牢骚。

过了一夜，第二天便出门拜见首府。因首府是他同年，彼此知己，好打听中丞这番考试属员是个甚么宗旨，所考的是些甚么东西。首府同他说："听说也不过策论、告示、批判之类。"他说："若说策论呢，对策不过翻书的工夫，乡、会三场以及殿试，我辈尚优为之；至于作论，越发不是难事，不过做一篇散体文章，况且朝考亦要作论；这些都是做过的。至于拟告示，拟批，拟判，我兄弟虽是一行作吏，但自问并不同于俗吏所为，一向于这公事上头却也不甚留心，不甚了了。骤然拿个禀帖叫我批，说桩案子叫我判，叫我写些甚么呢？"首府乃是一个老滑，听了说道："这些事情，只要准情酌理，大致不错，也就交代过去，没有甚么烦难的。"他道："总要还他格式才好。这些格式我肚子里一向没有，怎么好呢？"首府道："就像我兄弟出来做官，何曾懂得甚么格式，也不过书办拟了上来，老夫子改好之后，再送我过目，瞧着有不对的，斟酌换两个字罢了。老同年如其单要讲究格式，其实只要一书办足矣。"那位截取知府听了，喜的了不得，连忙说道："现在我兄弟就少这么一个人指点指点。如此就拜托同年，可否就在贵衙门里书办当中检老成练达的赏荐一位，以便兄弟朝夕领教？也免得时刻来烦老同年。”首府被他缠不过，晓得他有痰气的，如果不答应，一定还要缠之不休，只得应允。

等到他拜客回公馆，那府里的书办也就来了。见了面磕头称“大人”，自己称“书办”。问他那一房，回说是“刑房”。这位太守公竟其异常客气，因为他姓王，就称之为王先生。又请王先生坐，王先生执定不……他说：“请教的事情多，坐了好商量。”原来这位太守公从前做八股的时候单练就一种工夫，是自己抄写类书，把甚么《四书人物串珠》、《四书典林》、《文料触机》等类，一概自己分门别类，抄写起来。等到用的时候，自然是有触斯通，取之不竭。如今抚台要考官，他想考试都是一样，夹带总要预备的。他的意思很想仿照款式照编一部，就题个名字，叫做《官学分类大成》。将来刻了出来，不但便己，并可便人。通天下十八省，大大小小候补官员总有好几万人。既然上头要考官，这种类书，每人总得买一部。一十八省一齐销通，就有好几万部的销场，不惟得名，而又获利。看来此事大可做得。因此便把这意告诉了王先生。王先生听了，楞了一楞，说道：“案卷有几千几百宗，一时那里查得齐！况且书办管的单是刑科，还有吏、户、礼、兵、工五科的事情，再加现在的洋务、商务，一共有八九门，书办一个人怎么管得来呢。若是大人考较各种格式，依书办的愚见：外面书铺里有一种书，叫做甚么《宦乡要则》，买部来看看，大约亦有个六七成。”那位截取太守公听了甚喜；听了一遍不懂，又问了一遍，把名字问明白了，立刻写了个条子，叫管家去买。不到半点钟工夫，居然买了回来。翻开一看，只见各种款式都有些。他老人家翻来覆去看了一回，说道：“原来这书竟同我们做时文的所读的《制艺声调谱》一样，只要把他读熟，将来出去做官，自然无往不利了。”王先生道：“这些都是个呆的；至于其中的巧妙，在乎各人学问、阅历，书上亦载不尽许多。”截取太守公道：“这个你可办得来？”王先生道：“办虽办得来，不过几句照例的话，随便写了上去，仍旧要师爷改了才好用。”截取太守公道：“我现在只要有你的本事，我就不愁了。”两个人谈了半天，就要留王先生吃饭。王先生不肯，起身告辞。特地叫他把地名写下，以便叫人来请。

等到王先生去后，这一位太守公足足盘算一夜，想来想去，自己本事总觉有限，不可冒昧出去应考。忽然悟到：“凡是考试都可以请枪手，冒名顶替进场。等到明天，我何不把王先生找了来，就叫他充做我的跟班，一块儿混了进去；等到题目下来，可以同他商量，岂不省事。”主意打定，次日一早便派人把王先生找来，同他密商此事，答应送他若干银子；如得高等，得有差缺，另外补情。王先生听了，若笑不笑的踌躇了一回，说道：“大人既要书办去做这个，为甚么昨天不说？书办今天早上已答应了别人了。”截取太守公一听大惊，心想：“人家倒比我还来得快！可见这事早已通行，在我今日并不算作创举。”想罢，便问：“请你作枪的是谁？”书办道：“是一位同知老爷，并不同大人一班；至于这位老爷的名字，书办也不便说。横竖到了那天，如其府、厅同一天考，只要书办帮完了那边，自然赶到大人这边来效力；倘若不在一天，那话更好说了。”这位太守公听了，默默无言，只得另打主意。

原来这两天所有的道员已经竭力运动，弄了甚么京信，抚台答应顾全他们的面子，免其考试。府、厅以下均不能免。当下已定了府、厅为一天，州、县人多分作三天，统通到课吏馆听候面试。至于佐杂各员则归首道代劳。

闲话少叙。且说到了考试府、厅的那一天，抚台因系奉旨的事，不得不格外慎重。天甫黎明，宪驾已临课吏馆。司、道大宪通同堂参与考。各官一齐翎顶辉煌，靴声橐橐，却个个手跨考篮，同应试的举子一样。当下逐一点名给卷。点完之后，司、道退出，照例封门。抚台特留下两员候补道作为场中巡绰官。当下发出题目牌。众人挤上去看时，只见上面一共写着两个题目：一篇史论，一道策。史论题目是大家晓得的，总出在《御批通鉴辑览》一部书上。策题问的是“膏捐”。这膏捐一事，有些抽大烟的老爷们或者还明白一二，至于那些不抽烟的以及平时连“申报”都不看的，还不晓得是甚么事呢。一时人头簇簇，言三语四，聚了多少人商量：也有商量出道理的，也有商量不出道理的。

正在聚讼纷纷之际，忽听得一片声喧，说是拿住了枪手。只见许多穿袍子，戴帽子的老爷，扭住一个又胖又大的一个黑汉，说：“他进来冒名顶替做枪手，如今要拿他去回抚台。”后来那两个监场的道台彼此商量了一回，齐说：“这事情闹到大帅跟前，恐怕弄僵，不好收场。”便挺身出来打圆场，劝诸位放手：“把枪手交给我们二人，我们替你们禀明中丞，查明白他那本卷子是替甚么人枪的。查明白了，一面撤去这本卷子，再把本人严参；一面把枪手另外一间屋子看管起来，等到开门的时候发交长沙县严办。诸位不要耽误自己的工夫。这件事统通交给我二人便了。”一众大人老爷们见这两位道台说话在理，果然把枪手交出，众人各自散去。那两位道台这才进去面禀抚台。抚台于此举甚是顶真，一听这话，忙说：“冒名顶替，照考试定章办起来是要斩立决的。今天考试虽非乡、会可比，然究系奉旨之事，既然拿到了枪手，兄弟今天定要惩一儆百，让众人当面看看，好叫他们有个怕惧。”说着，立刻叫巡捕官传令开门，传三大营，首府、县伺候，说抚台大人今天要请大令杀人。

众官不知就里，一齐奔到课吏馆。谁知等了半天，既不见抚台出来，亦没有别的吩咐。后来一打听，不料拿到的那个枪手，查出那本卷子，不是别人，正是抚台二少爷的妻舅。他因为要仰仗太亲翁的提拔，所以特地捐了一个知府，寄托宇下。正逢着抚台考官，这位大人乃是个一窍不通的，只得请了枪手，代为枪替。又有二少爷的内线，替他求求太亲翁，料想超等总有分的。那知被人拿住了破绽。抚台一时未及查问明白，闹得一天星斗，一时不好收篷。众人来了半天，巡捕上来请示，抚台只吩咐枪手发交首府；调三大营来是恐怕再有人传递，特地叫他们来巡缉的；要杀人的话也就不提了。

欲知后事如何，且听下回分解。

第五十七回
惯逢迎片言矜秘奥　办交涉两面露殷勤

话说湖南抚台本想借着这回课吏振作一番，谁知闹来闹去仍旧闹到自己亲戚头上，做声不得，只落得一个虎头蛇尾。后来又怕别人说话，便叫人传话给首府，叫他斟酌着办罢。首府会意，回去叫人先把那个枪手教导了一番话，先由发审委员问过两堂，然后自己亲提审问。首府大人假装声势，要打要夹，说他是个枪手。那枪手只顾言东语西，不肯承认。在堂的人都说他是个疯子。首府又问："这人有无家属？"就有他一个老婆，一个儿子，赶到堂上跪下，说："他一向有痰气病的。这天本来穿了衣帽到亲戚家拜寿，有小工王三跟去。王三回来说：'刚刚走到课吏馆，因彼处人多路挤，一转眼就不见了。'王三寻了半天不见，只得回家报知。后来家中妻子连日在外查访，杳无消息。今天刚刚走到府衙，听得里面审问重犯，又听说是课吏馆捉到的枪手，因此赶进来一看，谁知果然是他。但他实系有病；虽然捐有顶戴，并未出来做官，亦并不会做文章。叩求青天大人开恩，放他回去。"首府听了不理；歇了一回，才说道："就不是枪手，是个疯子也监禁的。"那人的妻子还只是在下叩头。

首府又叫人去传问请枪手的那位候补知府。那位候补知府说是有病不能亲来，拿白折子写了说帖，派管家当堂呈递。首府一面看说帖，管家一面在底下回道："家主这天原预备来考的；实因这天半夜里得了重病，头晕眼花，不能起床。"首府道："既有病，就该请假。"管家道："回大人的话，抚台大人点名的时候，正是家主病重的时候。小的几个人连着公馆里上上下下，请医生的请医生，撮药的撮药，那里忙得过来。好容易等到第二天下午，家主稍为清爽些，想到了此事，已经来不及了。”说着，又从身边把一卷药方呈上，说道：“这张是某先生几时几日开的，那张是某先生几时几日开的。”又说：“家主现在还躺在床上不能起来，大人很可以派人看的。”又道：“这些医生都可以去问的。”首府点点头，吩咐众人一齐退去，疯子暂时看管，听候禀过抚台大人再行发落。

后来首府禀明了抚台，回来就照这样通详上去。把枪手当做疯子，定了一个监禁罪名。“侯补知府某人，派首县前往验过，委系有病，取具医生甘结为凭。惟该守既系有病，亟应先期请假；迨至查出未到，始行遣下续报。虽讯无资雇枪手等弊，究不能辞玩忽之咎。应如何惩儆之处，出自宪裁”各等语。抚台得了这个禀帖，还怕人有说话，并不就批。第二天传发出一道手谕贴在府厅官厅上，说：

> 本部院凡事秉公办理，从不假手傍人。此番钦奉谕旨考试属员，原为拔取真材，共求治理。在尔各员应如何恪恭将事，争自濯磨，以副朝廷孜孜求治之盛意。乃候补知府某人，临期不到，已难免疏忽之愆；复经当场拿获疯子某某，其时众议沸腾，佥称枪手。是以特发首府，严行审讯。旋经该府讯明某守是日有病，某某确有疯疾，取具医生甘结，并该疯子家属供词，禀请核办前来。本部院办事顶真，犹难凭信，为此谕尔各守、丞、倅知悉：凡是日与考各员，苟有真知灼见，确能指出枪替实据者，务各密告首府，汇禀本部院，亲自提讯。一经证实，立刻按律严惩。饬吏治而拔真材，在此一举，本部院有厚望焉！特谕。

这个手谕贴了出来，就有些妒忌那位知府的，又有些当场拿人的，各人有各人的主意，有的是泄愤，有的想露脸，竟有两个人写了禀帖去交给首府代递。次日衙期，一齐到了官厅。头一个上来拿禀帖交给了首府。首府大略一看，一面让坐，一面拿那人浑身打量一番，慢慢的讲道：“事情呢，本来不错，就是兄弟也晓得并不冤枉。但是一样：谁不晓得他是抚台少爷的亲戚，我们何苦同他做这个冤家呢。况且就是拿他参掉，剩下来的差使未必就派到你我，而且我们的名字他老人家倒永远记在心上。据我兄弟看来，诸君很可不必同他多此一个痕迹。果然诸君一定要兄弟代递，兄弟原不能不递；但是朋友有忠告之义，愚见所及，安敢秘而不宣。诸君姑且斟酌斟酌再递何如？”大家听了首府的话，想想不错。有些禀帖还没有出手的一齐缩了回来。就是已把禀帖交给首府的，到此也觉后悔，朝着首府打恭作揖，连称“领教”，也把那禀帖收了回来。首府又细加探听，内中有几个心上顶不服的，把他们的名字一齐开了单子送给抚台。

抚台见手谕贴出了两天，没有说话，便按照首府的详文办理，略谓：

“某守临期因病不到，虽非有心规避，究属玩视，着记大过三次。疯子暂行监禁，俟其病痊，方准其家属领回。”一面缮牌晓谕；一面已把前天所考的府、厅一班分别等第，榜示辕门。凡是首府开进来的单子，想要攻讦他儿子妻舅的几个名字一齐考在一等之内，三名之后。这班人得了高第，无不颂称中丞拔取之公。次日一齐上院叩谢。其实弄到后来，前三名仍是抚台的私人。第一名，委了一个缺出去；二三名都派了一个差使；三名之后，毫无动静，空欢喜了一阵，始终未得一点好处。至于那位记过的虽然一面记过，一面仍有三四个差使委了下来。众人看了他虽不免作不平之鸣，毕竟奈何他不得。

只因这一番作为，抚台深感首府斡旋之功，拿他器重的了不得。未久就保荐他人材，将他送部引见。引见之后，过班道台，仍归本省补用，并交军机处存记。领凭到省，禀见抚台，第二天就委了全省学务处、洋务局、营务处三个阔差使，又兼院上总文案。

且说这位观察公，姓单，号舟泉，为人极其漂亮，又是正途出身。俗语说得好：“一法通，百法通。”他八股做得精通，自然办起事来亦就面面俱到了。他自从接了这四个差使之后，一天到晚真正是日无暇晷，没有一天不上院。抚台极其相信他固不必说；他更有一种本事，是一天到晚同抚台在一处，凡是抚台说的话他总答应着，从来不作兴说一句“不是”的。有天抚台为了一件甚么交涉事件牵涉法国人在内，抚台写错了，写了英国人了。抚台自己谦虚，拿着这件公事同他商量，问他可是如此办法。他明明晓得抚台把法国的“法”字错写做英国的“英”字，他却并不点穿，只随着嘴说：“极是。”抚台心上想：“某字同某人商量过，他说不错一定是不错的了。”便发到洋务文案上照办。几个洋务文案奉到了这件公事，一看是抚台自己写的，自然是分头赶办。等到仔细校对起来，法国人的事牵到英国人身上，明明是抚台一时写错；然而抚台写的字不敢提笔改，只得捧了公事上来请教老总。单道台道：“这个我何曾不晓得是中丞写错。但是在上宪跟前，我们做属员的如何可以显揭他的短处。兄弟亦正为此事踌躇。”

此时单道台一面说，一面四下一看，只见文案提调、候补知府旗人崇志，绰号崇二马糊的，还没有散；便把手一招，道：“崇二哥，快过来！这事须得同你商量。”崇二马糊忙问何事。单道台如此这般的说了一遍；又道：“现在别无办法，只有托你二哥明天拿这件公事另外写一分，夹在别的公事当中送上去，请他老人家的示，看他怎么批。料想闹错过一回，断乎不会回回都闹错的。”崇二马糊虽然马糊，此时忽然明白过来，忙说道：“回大人的话：这件公事，大帅今天才发下来，明天又送上去，不怕他老人家动气？又该说咱们不当心了。”单道台发急道：“我们文案上碰个钉子算甚么！差使当的越红，钉子碰的越多。总比你当面回他说大人写错了字的好。

况且他一省之主，肯落这个把柄在我们手里吗。还是照我办的好。”崇二马糊拗他不过，只得依他。等到了第二天送公事上去，果然又把这件公事夹在里面。

抚台一面翻看，一面说话。后来又翻到这件，忽然说道：“这个我昨天已经批好交代单道台的了。”崇二马糊不响。抚台又说一遍。崇二马糊回称：“这是单道说的，还得请请大帅的示。”抚台心上想：“难道昨儿批的那张条子，他失落掉不成？”于是又重批一条。谁知那个法国人的“法”字依旧写成英国的“英”字。一误再误，他自己实实在在未曾晓得。等到下来，崇二马糊把公事送给单道台过目。单道台看到这件，只是皱眉头，也不便说甚么。为的旁边的人太多，他做属员的人，如何可以指斥上宪之过；倘或被旁边人传到抚台耳朵里去，如何使得！看过之后放在一边。

等了半天，打听得抚台一个人在签押房里，他便袖了这件公事，一个人走到抚台跟前，一掀门帘，正见抚台坐在那里写信。他进来的脚步轻，抚台没有听见。他见抚台有事，便也不敢惊动，袖了公事，站在当地，一站站了一点钟。抚台因为要茶喝，喊了一声“来”，猛然把头抬起，才看见了单道台。问他几时来的，有甚么事情。单道台至此方才卑躬屈节的口称：“职道才进来，因见大帅有公事，所以不敢惊动。”抚台一面封信，一面让他坐。等信封完，然后慢慢的提到公事。倒是抚台先说：昨天一件甚么事，“不是我兄弟已经同老哥商量好了，批了出去，叫他们照办吗？他们今天又上来问我。你看他们这些人可糊涂不糊涂！”单道台道：“非但他们糊涂，职道学问疏浅，实在亦糊涂得很。就是昨天那件公事，大帅一定晓得这外国人的来历，一定是英国人，不是法国人。职道猜这件公事，他们底下总没有弄清，一定是英国人写做法国人了。大人明鉴万里，所以替他们改正过来的。”抚台听了，楞了一楞，说：“那件公事你带来没有？”单道台回称：“已带来。”就在袖筒管里把那件公事取了出来，双手奉上；却又板着面孔，说道：“法国人在中国的不及英国人多，所以职道很疑心这桩事一定是英国人，大帅改的一点不错。”抚台亦不答腔，接过公事，从头至尾瞧了遍，忽然笑道：“这是我弄错了，他们并没有错。”单道台故作惊惶之色道：“倒是他们不错？这个职道倒有点不相信了。”立刻接过公事，又仔细端详看一遍；一面点头，一面咂嘴弄舌的，自言自语了一回；又说道：“果真是法国人。不是大帅改过来，职道一辈子也缠他不清。职道下去立刻就吩咐他们照着大帅批的去办。”抚台道：“这事已耽误了一天了，赶快催他们去办罢。”

单道台诺诺连声，告退下去。回到文案上，朝着崇二马糊一班人说道：“你们不要瞧着做官容易，伺候上司要有伺候上司的本领！照着你们刚才的样子，就是公事送上去十回，不但改不掉，还要碰下来！”崇二马糊道：

“依着卑府是要在那写错字的旁边贴个红签子送上去，等他老人家自己明白。”单道台道：“这个尤其不可！只有殿试、朝考，阅卷大臣看见卷子上有了甚么毛病，方才贴上个签子以做记号。我是过来人，还有甚么不晓得。如今我们做他下属，倒反加他签子，赛如当面骂他不是，断断使不得！《中庸》上有两句话我还记得，叫做：‘在下位，不获乎上，民不可得而治矣。’甚么叫‘获上’？就说会巴结，会讨好，不叫上司生气。如果不是这个样子，包你一辈子不会得缺，不能得缺那里来的黎民管呢？这便是‘民不可得而治矣’的注解。”单道台正说得高兴，崇二马糊是有点马马糊糊，也不管甚么大人、卑府，一定要请教：“刚才大人上去是同大帅怎么讲的？怎么大帅肯自己认错改正过来？求求大人指示，等卑府将来也好学点本事。”单道台闭着眼睛，说道：“这些事可以意会，不可言传，要说一时亦说不了许多。‘神而明之，存乎其人’，诸公随时留心，慢慢的学罢了。”

又过了些时，首县禀报上来：有一个游历的外国人，因为上街买东西，有些小孩子拉住他的衣服笑他。那个洋人恼了，就把手里的棍子打那孩子；那孩子躲避不及，一下子打到太阳穴上，——是个致命伤的所在，那孩子就躺在地下，过了一会就没有气了。那个孩子的父母自然不肯干休，一齐上来，要扭住外国人。外国人急了，举起棍子一阵乱打，旁边看的人很有几个受伤的。街坊上众人起了公愤，一齐奋勇上前，捉住了外国人，夺去他手里的棍子，拿绳子将他手脚一齐捆了起来，穿根扁担，把他扛到首县喊冤。首县一听，人命关天，这一惊非同小可！等到仔细一问，才晓得凶手是外国人。因想：“外国人不是我知县大老爷可以管得的。”立刻吩咐一干人下去候信。当时尸也不验，立刻亲自上院请示。

抚台见了面，问知端的，晓得是交涉重案，事情是不容易办的，马上传单道台商量办法。单道台问：“打死人的凶手既是个外国人，到底那一国的？查明白了，可以照会他该管领事，商量办法。”首县见问，呆了半天，方挣扎着说道：“横竖外国人就是了。卑职来的匆促，却忘记问得。”抚台又问：“打杀的是个甚么人？”首县说：“是个小孩子。”抚台道：“我亦晓得是个小孩子！到底他家里是个做甚么的？”首县道：“这个卑职忘记问他们，等卑职下去问过了他们再上来禀复大帅。”抚台骂他糊涂，叫马上去查明白了再来。

首县无奈，只得退去。回到衙门，把签稿二爷叫上来哼儿哈儿骂了一顿，骂他糊涂：“不把那小孩子的家计同凶手是那一国的人查明白了回我，如今抚台问了下来，叫我无言可对！真正糊涂！赶紧去查！”签稿门下来，照样把地保骂了一顿。地保又出去追问苦主，方才晓得是豆腐店的儿子，是个小户人家，没有甚么大手面的。后来又问到外国人，大家都不懂他说话。首县急了，晓得本城绅士龙侍郎新近亦沾染了维新习气，请了外国回来的洋学生在家里教儿子读洋书，打算请了他来，充当翻译。马上叫人拿片子去请。等了半天，去人空身回来，说是："龙大人那里洋师爷半个月前头就进京去考洋翰林去了。"首县正在为难，齐巧院上派人下来，说："把外国凶手先送到洋务局里安置。等到问明之后，照会他本国领事，再商办法。"首县闻言，如释重负，赶忙前去验尸，提问苦主、邻右，叠成文书，申详上宪。

闲话少叙。原来这事全是单道台一个人的主意。他同抚台说："我们长沙并没有甚么领事。这个外国人是为游历来的，如今打死了人，倘若不办他，地方上百姓一定不答应。若说是拿他来抵罪，我们又没有这样的治外法权，可以拿着本国的法律治别国的人。想来想去，这凶手放在县里总不妥当。倘或在班房里叫他受点委曲，将来被他本国领事说起话，总是我们不好。不如把他软禁在职道局子里，不过多化几个钱供应他。等到他本国领事回文来，看是如何说法，再商量着办，请请大帅的示，看是怎样？"抚台连说："很好。……"所以单道台下来，立刻就派人到首县里去提人的。当下人已提到，局子里有的是翻译，立刻问他是那一国的人，甚么名字。幸亏邻省湖北汉口就有他该管领事，可以就近照会。马上又回明抚台，详详细细由抚台打了一个电报给湖广总督，托他先把情节告诉他本国领事，再彼此商量办法。

这位单道台办事一向是面面俱到，不肯落一点褒贬的。他说："这事是人命关天；况且凶手又是外国人；湖南省的阔人又多；如果一个办的不得法，他们说起话来，或是聚众同外国人为难起来，到这时节，拿外国人办也不好，不办也不好。不如先把官场上为难情形告诉他们，请他们出来替官场帮忙。如此一来，他们一定认做官场也同他们一气，绅士、百姓一边就好办了。但是一件：外国领事一定不是好缠的。外国人打死了人，虽然不要抵命，然而其势也不能轻轻放他回去。但是如今我们说定这外国人一个甚么罪名，领事亦决计不答应。此时却用着他们绅士、百姓了：等他们大众动了公愤，出头同领事硬争，领事见动了众，自然害怕。再由我们出去压服百姓，叫百姓不要闹。百姓晓得我们官场上是帮着他们的，自然风波容易平定。那时节凶手的罪名也容易定了；百姓自然也没得说了；外国领事还要感激我们。内而外部，外而督、抚，见你有如此才干，谁不器重，真是无上妙策！"主意打定，立刻就想坐了轿子去拜几个有权势的乡绅，探探他们口气，好借他们做个帮手。

正待上轿，已有人前来报称："众绅士因为此事，说洋务局不该不把外国凶手交给县里审问，如今倒反拿他留在局中，十分优待；因此众人心上不服，一齐发了传单，约定明日午后两点钟在某处会议此事。又听说一共发了几千张传单，通城都已发遍。将来来的人一定不少；还恐怕愚民无知，因此闹出事来。”单道台听了，马上三步并做两步，上了轿，又吩咐轿夫快走。甚么叶阁学、龙祭酒、王侍郎，几个有名望的，他都去拜过。只有龙祭酒门上回感冒未见，其余都见着的。见了面，头一个王侍郎先埋怨官场上太软弱，不应该拿凶手如此优待，如今大众不服，生怕明天闹出事情出来，彼此不便。好个单道台，听了王侍郎这番说话，连说：“这件事职道很替死者呼冤！……一定要禀明上宪，照会领事，归我们自家重办，好替百姓出这口气！”王侍郎道：“既然晓得百姓死的冤枉，极该应把凶手发到县里，叫他先吃点苦头，也好平平百姓的气。”单道台凑近一步道：“大人明鉴：我们做官的人只好按照约章办理。无论他是那一国的人，都得交还他本国领事自办。面子上那能说句违约的话呢。但是职道却有一个愚见：这个凶手如今无故打死了我们中国人，倘若就此轻轻放他过去，不但百姓不服，就是抚宪同职道，亦觉于心不忍。所以职道很盼大人约会大众帮着出力，等到领事来到此地，同他竭力的争上一争。倘若争得过来，一来伸了百姓的冤，二来也是我们的面子。就是京里晓得了，这是迫于公愤的事，也不能说甚么话。”王侍郎道：“官不帮忙，只叫我们底下出头，这是还有用吗？”单道台发急道：“职道何尝不出力！要说不出力也不赶着来同大人商量了。”一席话竟把王侍郎……一班绅士拿单道台当作了好官，说他真能卫护百姓。登时传遍了一个湖南省城，竟没有一个不说他好的。

单道台又恐怕底下聚了多少人，真要闹点事情出来，倒反棘手。过了一天，因为王侍郎是省城众绅衿的领袖，于是又来同王侍郎商议。见面之后，先说：“接到领事电报，一定要我们把凶手护送到汉口，归他们自己去办。是职道同抚宪说明，一定不答应他。现在抚台又追了一封电报去，就说百姓已经动了公愤，叫他赶紧到这里，彼此商量办法，以保两国睦谊。如今电报已打了去，还没有回电来，不晓得那边怎么样。卑职深怕大人这边等得心焦，所以特地过来送个信。总望大人传谕众绅民，叫他们少安毋躁，将来这事官场上一定替他们作主，决不叫死者含冤。所虑官场力量有时而穷，不得不借众力以为挟制地步；究竟到了内地，他们势孤，总可以强他就我：所以动众一事，大人明鉴，只可有其名而无其实。倘或聚众人多了，外国人有个一长两短，岂不是于国际上又添了一重交涉吗？”此时王侍郎本系丁忧在家，刚刚服满，颇有出山之意。一听这话，深以为然；但是于自己乡亲面上不能不做一副激烈的样子，说两句激烈的话，以顾自己面子，其实也并不是愿意多事的人。当下听了单道台的话，连称“是极”。等到单道台去后，他那些乡亲前来候信，王侍郎只劝他们不可聚众，不可多事，将来领事到来，抚台一定要替死者伸冤。他是一乡之望，说出来的话，众人自然没有不听的，果然一连平定了三天。

等到第四天，领事也就到了。领事只因奉到了驻京本国公使的电报，叫他亲赴长沙，会审此案，所以坐了小轮船来的。地方官接着，自不得不按照条约以礼相待，预备公馆，请吃大菜。一切烦文不用细述。等到讲到了命案，单道台先同来的领事说："我们中国湖南地方，百姓顶蛮；而且从前打'长毛'全亏湖南人，都是些有本事的。他们为了这件事情，百姓动了公愤，一定也要把凶手打死，以为死者伸冤。兄弟听见这个信，急的了不得，马上禀了抚台，调了好几营的兵，昼夜保护，才得无事；不然，那凶手还能活到如今等贵领事来吗！"领事道："这个条约上有的，本应该归我们自己惩办；倘若凶手被百姓打死了，我只问你们贵抚台要人。"单道台道："这个自然，不特此也；百姓听见贵领事要到此地，早已商量明白，打算一齐哄到领事公馆里，要求贵领事拿凶手当众杀给他们看。百姓既不动蛮，不能说百姓不是。他们动了公愤，就是地方官亦无可如何。不知贵领事到了这个时候是个怎么办法？"领事听了他这番话，一想："现在我们势孤，倘真百姓闹起事来，也须防他一二。"但是面子上又不肯示人以弱；呆了一呆，说道："贵道台如此说法，兄弟马上先打个电报给我们的驻京公使，叫他电回本国政府，赶快派几条兵轮上来。倘若百姓真要动蛮，那时敝国却也不能退让。"单道台一听领事如此说法，亦就正言厉色的说道："贵领事且不要如此说法。敝国同贵国的交谊，固然要顾；然而百姓起了公愤，就是敝国政府亦不能禁压他们，何况兄弟。以前是贵领事未到，百姓几次三番想要闹事，都是兄弟出去劝谕他们。又告诉他们听：'将来领事到来，自能秉公办理，尔等千万不可多事。'又告诉他们，贵领事今天初到这里。他们已聚了若干的人，想来问信，又是兄弟拿他们解散。若非兄弟出力，早已闹出事来，贵领事那里还能平平安安在这里谈天。就是打电报去调兵船，只怕远水亦救不得近火。如今各事且都丢开不讲，但说这个凶手，论他犯的罪名是'故杀'，照敝国律例是要抵拟的。但不知贵领事此番前来，作何办理？"领事道："是'故杀'不是'故杀'，总得兄弟问过犯人一次，方能作准。就是'故杀'，敝国亦无拟抵的罪名，大约不过监禁几个月罢了。"单道台道："办的轻了，恐怕百姓不服。"领事道："贵国的人口很多，贵国的新学家做起文章来或是演说起来，开口'四万万同胞'，闭口'四万万同胞'；打死一个小孩子值得甚么，还怕少了百姓吗？"单道台一听领事说的话，明明奚落中国。有心还要驳他几句；回心一想："彼此翻了脸，以后事情倒反难办。我横竖打定主意，两面做个好人。只要他见情于我，我又何苦同他做此空头冤家呢。"想罢，便微微一笑，暂别过领事，又回到王侍郎家里，把他见了领事，如何辨驳，如何要求，添了无数枝叶。不晓得的人听了都当真正是个好官，真能彀回护百姓。后来大众问他："到底办这外国人一个甚么罪名？"单道台道："这个还要磋磨起来看。"

单道台此时也深晓得领事与绅士两面的事不容易合在一处的。但是面子上见了领事不能不装出一副害怕的样子，说百姓如何刁难，如何挟制；"如果不是我在里头弹压住他们，早晚他们一定闹点事情出来。"只要说得领事害怕，自然可望移船就岸。见了绅士，又做出一副慷慨激烈的样子，说道："我们中国是弱到极点的了！兄弟实在气愤不过！如今我们还没有同他为难，听说他要把诸公名字开了清单，寄给他们本国驻京公使，说是这桩命案全是诸公鼓动百姓与他为难，拿个聚众罪名轻轻加在诸公身上。将来设有一长两短，百姓人多，他查不仔细，诸公是不得免的！"几个绅士一听这话，起先是靠了大众公愤，故而敢与领事抵抗；如今听说要拿他们当作出头的人，早已一大半都打了退堂鼓了。反有许多不懂事的人，私底下去求单道台，求他想个法子，不要把名字叫领事知道方好。因此几个周转，领事同绅士都拿单道台当做好人。

当下拿凶手问过两堂，定了一个监禁五年的罪名。据领事说：照他本国律例，打死一个人，从来没有监禁到五个年头的，这是格外加重。抚台及单道台都没有话说。单道台还极力恭维领事，说他能顾大局，并不袒护自己百姓，好叫领事听了喜欢。及至他见了绅士，依旧是义形于色的说道："虽然凶手定了监禁五年的罪名，照我心上，似乎觉得办的太轻，总要同他磋磨，还要加重，方足以平诸公之气！"这番话，他自己亦明晓得已定之案，决计加重不来；不过姑妄言之，好叫百姓说他一个"好"字。至于绅士到了此时，一个个都想保全自己功名，倒反掉转头来劝自己的同乡说："这位领事能够把凶手办到这步地位，已经是十二分了。况且有单某人在内，但凡可以替我们帮忙，替百姓出气的地方，也没有不竭力的。尔等千万不可多事！"百姓见绅士如此说法，大家谁肯多事。一天大事，瓦解冰销，竟弄成一个虎头蛇尾！

只有单道台却做了一个面面俱圆：抚台见面夸奖他，说了能办事；领事心上也感激他弹压百姓，没有闹出事来，见了抚台亦很替他说好话；至于绅衿一面，一直当他是回护百姓的，更不消说得了。自从出事之后，顶到如今，人人见他东奔西波，着实辛苦。官厅子上，有些同寅见了面，都恭维他"能者多劳"。单道台得意洋洋的答道："忙虽忙，然而并不觉得其苦。所谓'成竹在胸'，凡事有了把握，依着条理办去，总没有办不好的。"人家问他有甚么诀窍。他笑着说道："此是不传之秘，诸公领悟不来，说了也属无益。"人家见他不肯说，也就不肯往下追问了。

又过了些时，领事因事情已完，辞行回去。地方官照例送行，不用细述。谁知这回事，当时领事只认定百姓果然要闹事，幸亏单道台一人之力，得以压服下来。当时在湖南虽隐忍不言，过后想想，心总不甘，于是全归咎于湖南绅衿；又说抚台不能镇压百姓，由着百姓聚众，人太软弱，不胜巡抚之任。至于几个为首的绅衿，开了单子，禀明驻京公使，请公使向总理各国事务衙门诘责，定要办这几个人的罪名。又要把湖南巡抚换人。因此外国公使便向总理衙门又多出一番交涉来。

要知后事如何，且听下回分解。

第五十八回
大中丞受制顾问官　洋翰林见拒老前辈

且说驻京外国公使接到领事的禀帖，一想这事一定要争的，便先送了一个照会到总理衙门，叫这些总理各国事务大人们照办。列位看官是知道的：中国的大臣，都是熬资格出来的。等到顶子红了，官升足了，胡子也白了，耳朵也聋了，火性也消灭了。还要起五更上朝；等到退朝下来，一天已过了半天，他的精神更磨的一点没有了。所以人人只存着一个省事的心：能够少一桩事，他就可多休息一回。倘在他精神委顿之时，就是要他多说一句话也是难的。而且人人又都存了一个心，事情弄好弄坏，都与我毫不相干；只求不在我手里弄坏的，我就可以告无罪了。人人都存着这个念头，所以接到公使的照会，司员看了看，晓得是一件交涉重案，压不来的，马上拿了文书呈堂。无奈张大人看了摇摇头；王大人看了不则声；李大人看了不赞一辞；赵大人看了仍旧交还司员。司员请示："怎么回复他？"诸位大人说："请王爷的示。"

第二天会见了王爷，谈到此事。王爷问："诸位是甚么意思？还是答应他，还是不答应他？怎么回复他才好？"诸位大人你看看我，我看看你，一句话也没有。王爷等了半天，见各位大人没有一句说话，又问下来道："到底诸公有些甚么高见？说出来大家亦可以商量商量。"张、王、李、赵四位大人被王爷这一逼，不能不说话了。张大人先开口道："还是王爷有甚么高见，一定不会差的。"王大人更报着自己的名字，说道："某人识见有限，还是王爷历练的多，王爷吩咐该怎么办，就怎么办罢。"李大人道："他二位说的话一些不错。"赵大人资格最浅，就是肚皮里有主意，也不敢多说话的，只随着大众说，应了一声"是"。王爷见谈了半天仍谈不出一毫道理来，于是摸出表来一看。张大人说本衙门有事，王大人说还要拜客，李、赵二位大人亦都要应酬；一齐说了声“明天再议”。送过王爷，各人登车而去。

过了两天，公使馆里没有来讨回信，王爷同他四位亦就没有再提此事。等到第三天，公使因为他们没有回复，又照会过来问信。他们还是不得主意。王爷同他们议了半天，无非“是是是”，“者者者”，闹了些过节儿，一点正经主意都没有。这天又是空过去，亦没有照复公使。等到第五天，公使生了气，说：“给你们照会，你们不理！”于是写了一封信来，订期明日三点钟亲自前来拜会，以便面商一切。诸位王爷、大人们，只得答应他，回他：“明天恭候。”同外国人打交道是不可误时候的。说是三点钟来见，两点半钟各位王爷、大人都已到齐；一齐穿了补褂朝珠，在一间西式会客堂上等候。刚刚三点，公使到了。从王爷起，一个个同他拉手致敬，分宾坐下，照例奉过西式茶点。王爷先搭讪着同他攀谈道：“我们多天不见了。”公使还没有答腔，张大人忙接了一句道：“这一别可有一个多月了。”王大人道：“还是上个月会的。”李大人道：“多时不见，我们记挂贵公使的很。”赵大人道：“我们总得常常叙叙才好。”公使是懂得中国话的，他们五位都说客气话，少不得也谦逊了一句。王爷又道：“今天天气好啊。”张大人道：“没有下雨。”王大人道：“难得贵公使过来，天缘总算凑巧得的。”李大人道：“幸亏是好天。下起雨来，这京城地面可是有些不方便。”赵大人道：“我晓得贵公使馆里很有些精于天文的人，不是好天，贵公使亦不出来。”

公使又问道：“前天有两件照会过来，贵亲王、贵大臣想都已见过的了，为甚么没有回复？”王爷道：“就是湖南的事吗？”张大人亦说了一声：“湖南的事？”公使问：“怎么办法？”王爷咳嗽了一声，四位大人亦都咳嗽了一声。公使又问：“怎么样？”王爷道：“等我们查查看。”四位大人亦都说：“须得查明白了，再回复贵公使。”公使问：“几天方能查清？”王爷道：“行文到湖南，再等他声复到京，总得两个月。”四位大人齐说：“总得两个月。”公使道：“敝国早替贵国查明白了：实在巡抚过于软弱；一班绅衿架弄着百姓，几乎闹出‘拳匪’那年的事来。我们彼此要好，所以特地关照一声。贵亲王、贵大臣似可无须再去查得，就请照办罢。”王爷又咳嗽了一声，各位大人亦都咳嗽了一声；但是也有吐痰的，也有不吐痰的。呆了半天，公使又追着问信。王爷说：“我们须得商量起来看。”四位大人齐说：“总得商量起来看。”公使听了，微微一笑。幸亏这位公使性气和平，也是晓得中国官场的习气是捱一天算一天，等到实在捱不过去，也只好随着他办；所以当时听了这班王爷、大人们的说话，也不过于迫胁他们。但道："要等行文去查，那是等候不及。现在电报又不是不通，诸公马上打个电报去，两三天里头，还怕没有回电吗？"一句话把他们提醒了，一齐都说："准其打电报去问明白了，就给贵公使回音罢。"公使临走又说了一句："三日之后，来听回音。"

等到送过公使，王爷说道："这件事情，还是依他，还是不依他？倘若不依他，总得想个法子对付他才好。"四位大人当中，要算张大人资格最老，经手办的事亦顶多；忙出来拦住道："王爷不晓得：我们同外国人打交道也不止一次了，从来没有驳过他的事情。那是万万拗不得的，只有顺着他办。"说完，又回头对王、李、赵三位大人道："我们办交涉事办老了，这一点点诀窍还不懂得。"王爷被他驳得无话可说，歇了半天，搭讪着说道："这件事情，你们到底查明白了没有？"张大人道："用不着。等到他们外国人来，他们说怎么办就怎么办，还要王爷操这个心吗。"其实公使来闹了半天，为了甚么事，他们亦只晓得一个大略，是湖南出了一件人命交涉案件，公使不答应，说巡抚软弱，挟制政府里换人；究竟案中的详情，他们还是糊里糊涂一个个吃了"补心丹"，一齐把心补住，决不肯为了此事再操心的。当下又谈了一回，无非是商量把现在这位湖南巡抚调任别处，拣一个有机变的调做湖南巡抚。又是张大人出主意道："我们调去的人，怕他们外国人不愿意；何如等他后天来讨回信时，探探他的口气？他说那个好，就派那一个去；省得将来同他们不对，又来同我们倒蛋。"王爷点头称"是"。大众亦就别去。

且说总理各国事务王大臣听了外国公使的说话，心上虽不甘愿迁就他，却也不敢违拗他。等到第三天公使又来讨回信的时候，见了面拿他恭维了一泡。先时一个个手里都捏着一把汗。后来提到正事，王爷头一个答应他："准定把湖南巡抚换人。但是放那一个去，一时还斟酌不出这么一个对劲的。最好是同贵国人说得来的，以后办起交涉来，彼此有个商量，不至于再像这回事，弄得不讨好。"公使道："是啊，现署山东巡抚的赖养仁赖抚台这人就很好。前任黄抚台很同我们敝国人作对。自从姓赖的接了手，我们的铁路已经放长了好几百里，还肯把潍县城外一块地方借给我们做操场。贵亲王、贵大臣是晓得的：敝国在贵省地方造了铁路，不见得中国人不坐；载货搭客，原是彼此有益的事情。就是借地做操场，后来亦总要还的。不晓得前任黄某人为甚么商量不通。赖抚台是开通极了，所以我们各国都欢喜他。以后贵政府都要用这种人，国家才会兴旺。现在据我们意思：贵亲王、贵大臣就奏明贵国皇上，竟把赖某人补授湖南巡抚，再拣一个同赖某人一样的人做山东巡抚。如此方见我们两国邦交更加亲热。诸公以为如何？"王爷听了，望望四位大人；四位大人，亦望望王爷：彼此不则一声。还是王爷熬不过，就近同张大人说："既然他们说赖某人好，我们就给他一个对调罢？"张大人摇摇头道："使不得！使不得！赖某人一准升湖南巡抚。山东一席还要斟酌。这个是他们不欢喜的，调了过去亦不讨好。还是陕西窦某人，从前做津海道的时候，很应酬他们外国人。凡是才进口的新鲜果子，以及时鲜吃物等类，他除掉送我们几个人之外，各国公使馆里他都要送一分去。你说他想的周到不周到！如果把这种人调到山东去，他们一定喜欢的。"王爷道："既然如此，我们就答应他就是了。"张大人道："倒也不在乎一定先要说给他们。只要不驳他的话，他就晓得我们已经许他的了。王爷不晓得：老办交涉的，本有这'默许'的一个诀窍；凡事我们等他做，不则声，他们就晓得我们已经允许了他了。"王爷点头称"是"。他二人谈了半天，公使等得不耐烦，又问："怎么样？"他们几个人只是守着默许的秘诀，无论如何也不做声。公使急得发跳。还是王爷熬不住，同他说了声"回来就有明文"。公使听了这句也就明白，不再往下追问了。又说了几句别的闲话，分手辞去。次日果然一连下了两条上谕：湖南、山东两省巡抚，一齐换人。先前的那位湖南巡抚，亦并没有拿他调补陕西，落空下来，这也是张大人的调度，说他是得罪过外国人的人，一时不好叫他有事情；总得冷冷场，等人家平平气，方好位置他。

闲话休题。且说新任山东巡抚窦抚台，名唤窦世豪，原是佐贰出身。生平最讲究的是应酬。做佐杂的时候，有一次跟着一位候补知县一同到外州县出差。候补知县坐的是轿子；他不肯化钱，在路上或是叫部小车子，或是跟着轿子一路的跑。有些不知道的，还当是跟的差官、底下人之类，并没人晓得他是太爷。亦是他运气凑合：这年正在省里候补，空闲着没有事，齐巧本省巡抚有位老太爷最爱着象棋，就有人把他保荐进去；同老太爷一连下了十盘，就一连和了十盘。据窦世豪私下对人家说："若照老太爷手段，赢他一百盘都容易；但是恐怕老太爷面子上过不去，所以同他和了十盘。"此时老太爷也明晓得窦世豪是个好手；但是自己生性好胜，不赢他一盘总不肯歇手。幸亏窦世豪乖觉，摸着老太爷脾气，故意让他几步，等老太爷赢了一盘，光了光面子。果然老太爷大喜，连说："我今天虽然赢了窦某人棋子；然而他的手段是好的。……只有他还可以同我交交手，若是别人休想。"窦世豪听老太爷奖励他，甚喜。此时老太爷离不了他，先叫儿子委了他几个挂名差使，拿干薪水；后来碰着机会，开保举，又把他保举过班；连进京引见的盘费，都是老太爷叫儿子替他想的法子，无非是委派一个解饷等差，无庸细述。等到引见出来，走了老太爷门路，署过两趟好缺，又着实弄到几文。又一齐孝敬了上司。于是升过府班，过道班，保送海关道，放津海关道，一齐都是应酬来的。津海关做了两年，只因有人谋他的这个缺，上头也晓得他发了财了，就拿他升臬司，接着升藩司，如今升山东巡抚。他自从佐贰起家，一直做到封疆大吏，前后不到十年工夫。

他办交涉的手段，还是做候补道的时候就练好的。等到做了津海关道，自然交涉等事情更多了。他练就的一套功夫是甚么？就是上文张大军机所说的“默许”的一个秘诀：凡是洋人来讲一件事情，如果是遵条约的，固然无甚说得；倘若不遵条约的，面子上一样同人家争争，到后来洋人生气，或者拿出强项手段来办事，他亦听那洋人去干，决不过问。后来洋人摸着了他的脾气，凡百事情总要同他言语一声，他允也罢，不允也罢，洋人自己去干他自己的。他有时碰了上头的钉子，下来问那洋人。洋人道：“你早已默许我过了。你不许我做，我能做吗？如今事已做成了，你再要我反悔，可是不能。——倘若一定要反悔也可以，你赔我若干钱，我就歇手。你为甚么不早点拦住我？如今我已经化了本钱，忽然拦住我；我不做，耽误我的卖买，坏我的名气，还得赔我若干钱，方能过去。否则不能同你干休！”他听了外国人的说话，仍旧无言可答。后来外国人又来问他讨银子，要赔款。倘或彼此说开了，也就不要了；有些说不开的，外国人问他要赔款，他还当真的给他。如此者三四次。上头见他赔银子是真的，以后的事晓得他为难，只要外国人没有话说，也不来责备他了。

且说他如今升了巡抚，自然是过了几年，阅历愈深。又加以外国人在他手里究竟占过便宜，不肯忘记了他，一听他来，个个欢喜。到任之后，这一个来找，那一个来找。凡是来找他的外国人，他没有一个不请见，又没有一个不回拜。一天到晚，只有同外国人来往还来不及；那有工夫还能顾及地方上公事呢。因此便有人上条陈说：“大帅万金之体，为国自爱，倘照这样忙法子，就是天天喝参汤，精神也来不及，总得找个人能够替代替代才好。”窦世豪道：“外国人事情，他们一样不懂，谁能替我？除非现在有这样一个人懂得外国人的脾气，有甚么事情他替我代办了，不要我操心，还要外国人不生气；如此，我才放心得下。你们可有这么一个人？”大家保举不出人，也就不往下说了。后来这个风声传到外国人的耳朵里，便借此因头硬来荐人；又引证海外那一个国从前没有兴旺的时候，亦是借用别国有本事的人做客卿，然后他的国度就此兴旺了；这也不过借他做个向导的意思。

窦世豪听了这个说话，心想：“这个法子倒不错。用外国人去对付外国人，外国人同外国人有些事情，总容易商量得通，不消我费心。而且以后永无难办的交涉。我倒可以借此卸去这付重担，省得外国人时刻来找我；也免得里头嫌我办得不好。横竖有人当了风去。好歹不与我相干。”存了这个主意，马上答应，就托外国人介绍，请了一位向导官。据他们外国人说：“此人在他们学堂里学的是政治、法律，都得过高等文凭的。”窦世豪道：“我这一番的公事，十府、二直隶州、一百单八州、县，所有的公事都要我一个人过目，我那儿来的及。有了这个帮手，我也可以歇歇了。”过了两天，介绍的人先把合同底子送过来请窦世豪过目，满纸洋文，写的花花绿绿的。窦世豪不认得，发到洋务局叫翻译去翻译好。又由洋务总办斟酌添了两条，余外无甚改动。每月是六百两薪水，先订一年合同。窦世豪看了无话，就叫照办。那洋人本是住在中国的，自然一请就到。等合同签字之后，窦抚台便约他到衙门里同住，以便遇事可以就近相商。那洋人本无家眷，原是无可无不可的，搬了进来。因为他姓喀，抚台称他喀先生；合衙门都称他喀师爷；官场来往，还称他为喀老爷、喀大人；有些不晓得他的姓，都尊之为“洋大人。”

闲话休叙。单说他才接事的头一天，窦世豪为了长清县禀到一件命案，师爷拟的批不算数，一定要叫翻译去同喀先生说过，请喀先生拟批。谁知讲了半天，一个案由还没有明白。大家都说：“喀先生学的是外国刑名，中国的刑名他没有讲究过，就是拟了出来，到部里亦要驳的。还是请我们自己老夫子拟罢。”窦世豪无奈，只得拿回来交给自己老夫子去办。又过了几天，上头有廷寄下来，叫他练兵，办警察，开学堂。他得了这个题目，便道：“这几件都是新政事宜，可要请教这位大政治家了。”即忙把喀先生请了来，同他逐一细讲，要他代拟章程。喀先生道：“这几件在我们敝国都是专门的学问。即以练兵而论：陆军有陆军学堂，水师有水师学堂。就以学堂而论：也有初级，有高级。我不是那学堂里出身，不好乱说。”窦世豪至此方才有点反悔之意，皱了皱眉头，说道：“人命案件请教你，你说中国刑名你不懂。今儿这些事情，原是上头照着你们法子办的，怎么你亦不懂？这样不懂，那样不懂，到底你晓得些甚么呢？”喀先生道：“你们中国的法律本是腐败不堪的。现今虽然说改，亦还没有改好。要我拿了你们的法律去办事，我可不能。我要用我们敝国的法律，大帅你又怕部里要驳。今儿你大帅所说的几件事，在我敝国都是专门学问。如果你大帅一准办这几桩事，要我荐人，我都有人。至于问我晓得些甚么，将来倘如有了同敝国交涉的事情，不消你大帅费心，我都可以办得好好的。”窦世豪听了无话。所有新政仍旧委了本省司、道分头赶办，也不再去请教喀先生了。

喀先生也乐得拿薪水，吃饭睡觉，清闲无事。不知不觉，已过了半年下来。一天他有一位外国同乡，带了家小，初次到中华来，先到山东游历。因为叫人挑行李，价钱没有说明白，挑夫欺他也有的，便把那个外国人的行李吃住不放。约摸有二里多路，定要他五百大钱一担。那个外国人恨伤了，晓得喀先生在抚台衙门里，便来找他，将情由细说一遍；又说挑夫一共三个。喀先生心上想：“在此住了半年，一无事办，自已亦惭愧得很；如今借此题目，倒可做篇文章了。”便去找窦世豪，气愤愤的说：“挑夫吃住他同乡的行李，直与抢夺无异。贵国这条律例我是知道的，应请大帅将挑夫三名一概按例枭示，方合正办。”窦世豪起初听了，还以为挑夫果然可恶；如其抢夺洋人行李，一定要重办的。立刻传了首县来，告诉他这事，叫他办人。首县去不多时，回来禀称：“人已拿到，并且问过一堂。此事原系挑夫同洋人讲明五百大钱一担挑的。等到挑到了地头，有人同洋人说：‘某处到这里，每担只要二百四十个小钱，那里用得五百大钱！’因此洋人不肯付钱，挑夫一定吃住了讨，说：‘五百一担本是讲明白的，少一个钱可不能。’洋人气急了，就拿棍子打人。现在有个挑夫头都打破了，卑职验得属实。因此三个挑夫起了哄，说钱亦不要了，仍把东西挑回去，等洋人另外找人去挑，他们总算没有做这笔卖买。后来还是房东出来打圆场，每担给他三百大钱，行李亦早已交代过了。据卑职看，这件事情早已完结的了；那个洋人又来叫大帅操心，亦未免太多事了。”首县一番话说得甚为圆转，窦抚台一听不错，说：“挑夫乱要钱，诚属可恶；你既打了他，又没有照着原讲的价钱给他，如今反说挑夫动抢，一定要我拿他们正法，这也太过分了！”便请了喀先生来，把情节同他讲明，叫他回复那洋人，不要管这闲事。

谁知喀先生不听则已，听了之时，竟其拍桌子，捶板凳，朝着窦抚台大闹起来，说：“我自从接事以来，不按照你们中国的法律办事，嫌我不好；如今按照你们中国的法律办事，亦是不好！明明是瞧我不起，所以不听我的话！既然不听我的话，还要我做甚么呢！”当下那洋人又着实责备窦抚台，说他违背合同：“既然请了我来，一点事权也不给我，被别国人看着，还当是我怎样无能。这明明是坏我的名誉，以后还有谁请我呢！现在你把一年的薪水一齐找出来给我还不算，还要赔我名誉银子若干。如果不赔我，同你到北京公使那里讲理去。”说完，就要拖了窦抚台出去。窦抚台问他：“那里去？”他说：“北京去。”窦抚台说：“就是要北京去，我自有职守的人，不奉旨是不能擅离的。你要去，你一个人先去罢。这是你自己要去，不是我辞你的，不能问我要薪水。”那洋人一听窦抚台如此的回绝他，越发想要蛮做。幸亏其时首县还没走，立刻过来打圆场；一面同洋人说：“有话总好商量，我们回来再说。他是一省之主，你把他闹翻了，你在这里是孤立无助的，吃了眼前亏，不要后悔！”洋人听了这两句话，一想不错，方才闭了嘴不响。首县又过来求大帅息怒：“大帅是朝廷柱石，他算甚么东西！倘或大帅气坏了，那还了得！”窦抚台亦只好收篷，就吩咐把此事交给洋务局去办。首县答应下去，禀明洋务局老总，就同着洋务局老总找到洋人，说来说去，言明认赔一年薪水，以后各事概不要他过问。洋人只要银子到手，自然无甚说得。窦抚台自从上了这么一个当，自已也深自懊悔，倚靠洋人的心也就淡了许多了。后首有人传说出来：这事一来是窦世豪自己懊悔，深晓得上了外国人的当；一来是他亲家沈中堂从京里写信出来通知他，信上说："现在京里很有人说亲家的闲话，说亲家请了一位洋人做老夫子，大权旁落，自己一点事不问。这事很失国体，劝亲家赶快把那位洋人辞掉，免得傍人说话。至戚相关，所以预行关照。"窦世豪得了这封信，所以毅然决然，借点原由同洋人反对，彼此分手，以免傍人议论，以保自己功名。

话休絮烦。且说他这位亲家沈中堂，现官礼部尚书、协办大学士，又兼掌院大学士。虽然不在军机处有甚么权柄，然而屡掌文衡，门生可是不少。他的为人本来是极守旧的，无奈后来朝廷锐意维新，他虽不敢公然抵抗，然而言谈之间，总不免有点牢骚。有天有两位督、抚，又有几个御史，连上几个折奏，请减科举中额，专重学堂。老头子见了，心上老大不高兴，嘴里说道："不要说别人，就是他们几位，从前那一个不是由科举出身；如今已得意了，倒会出主意，断送别人的出路，真正岂有此理！"后来打听着上折子的几位御史，内中有一个姓金的，一个姓王的，都是那年会试他做总裁取的门生，因此越发气的了不得！无奈朝廷已经准了他们的折奏，面子上不好说甚么，只吩咐门上人："以后王某人同金某人来见，一概挡驾。璧还他们的门生帖子，不要收。"门上人答应着。后来王、金二人来了，果然被门上人挡住了。两人只得托人疏通。无奈他老人家倔性发作，决意不收。两人无可如何，只索罢休。又过了些时，又有那省督、抚奏请朝廷优待出洋游学毕业回来的学生。他老人家得了这个信，越发胡子根根跷起，说："这些学生，今儿闹学堂，明儿闹学堂，一齐都是无法无天的，怎么好叫朝廷重用他们！这种人做了官还了得！"当下正要把他那些得意门生，凡是与自己宗旨相同的，挑选几十位，约会在一处，请他们吃饭，商量挽回的法子。单子还没有发出，又传到一个消息，说要把天下庵观寺院，一齐改作学堂。他老人家一听这话，更气得两手冰冷，连连说道："如今越闹越好了！……再闹下去，不晓得还闹出些甚么花样来！我亦没有这种气力同他们去争，只有祷告菩萨给他们点活报应就是了。"这一夜，直把他气的不曾合眼，第二天就请病假在家里静养。

他是掌院，又是尚书，自然有些门生属吏，川流不息的前来瞧他。大众一齐晓得老师犯的病是医药不能治的，便有一个门生告奋勇，说："门生拚着官不要，拚着性命不要，学那从前吴都老爹的'尸谏'，明天一定要上折子争回来；倘若上头不批准，门生真果死给众人看，总替老师出这一口气！"沈中堂一看这告奋勇的人不是别人，正是侍读学士旗人绅灵，号叫绅筱庵的便是。还是三科前那年殿试，他做阅卷大臣，把绅筱庵这本卷子取在前十本内；第二科留馆；旗人升官容易，所以如今已做到侍读学士了。沈中堂看清是他，忙把大拇指头一伸，说："你老弟倘能把这桩事扳回来，菩萨马上保佑你升官，将来一定做到愚兄的地位！"绅筱庵当时亦就义形于色的辞别老师，言明："回家拟好折子，请老师明天候信便了。"沈中堂闻言之下，喜虽喜，然而面上还露着一副哀戚之容，说："筱庵老弟果真要尸谏，虽是件不朽之事，但是他一家妻儿老小靠托谁呢！我老头子这么一把年纪，官况又不好，还能照顾他吗！"于是呆了一回。等到众人要去，一定要亲自送他们到门外上车。众门生执定不肯，说："老师于门生向来是不送的。倘若老师要送，一定是拿我们摈诸门外了。"于是走到檐下，大众站定不肯走。沈中堂道："我不是送众位，我是送筱庵老弟的。筱庵果然要学吴侍御之所为，我们今日就要一别千古了，我怎好不送他一送呢！"众人见他如此说法，只得随他送诸门外。

如今不说绅学士回去拟折，且言沈中堂送客进来，也不回上房，一直到自己常常念经的一间屋子里，就在观音面前，抖抖擞擞的，点了一炷香，又爬下碰了三个头。等到碰头末了一个，爬在地下，有好半天没有站起。口中念念有词，也不晓得祷告的是些甚么。后首起来之后，又上气不接下气的念了半遍《金刚经》，实在念不动了，只好次日再补。自此便在家养病，三天假满，又续三天。老头子一心指望绅学士折子上去，定有一道上谕。即使批斥不准或是留中，绅筱庵既说明尸谏，"他的为人平时虽放荡不羁，然而看他前天那副忠义样子，决计不是说着玩玩的。但是折子上去准与不准，以及筱庵死与不死，总应该有个确信，何以一连几天，杳无消息？真令人猜不出是个甚么缘故。眼见得六天假期满了，筱庵那里还是无动静。自己又不是怎样病得利害，请假请得太多了，反怕有人说话。"无奈只得销假请安。

众门生属吏见他老人家病痊销假，又一齐赶了来禀候。沈中堂见了众位，又独独不见绅学士。前天的话是大家一齐听见的，沈中堂便问众人："这两天见着筱庵没有？我等了他五天，折子仍旧没有上去。难道前天说的话是随口说说的吗？如果说了话不当话，我也不敢认他为门生了！"其时众人当中，有个同绅筱庵同做日讲起居注官的一位"翰读学"，姓刘名信明。他听了沈中堂的说话，忙替绅筱庵辨道："筱庵那天从老师这儿回去，听说竟为这件事气伤了，在家里发肝气。请了许多中国医生医不好，后来还是吃了洋医生两粒丸药吃好的。第二天睡了一天，第三天才起来的。正想办这件事，凑巧那两天天热，不知怎样又忽然发起痧来。马上找了个剃头的挑了十几针，幸亏挑的还快，总算保住性命。现在是门生大家叫他在家里养病，不要出来，受了暑气不是玩的。大约明天总到老师这里来请安。"沈中堂道："原来说来说去，他的性命还是要紧的。他连外国大夫的药都肯吃，他还肯为了这件事死吗。我如今也断了这个念头，决计不再望他死了。"言罢，恨恨不已。过了两天，绅筱庵晓得老师怪他，但是不好意思见老师的面。后来好容易找了许多人疏通好了，方才来见。沈中堂总同他淡淡的，不像从前的亲热了。

原来绅筱庵绅学士，自从那天从沈中堂宅子里回去，原想一鼓作气，留个千载不朽的好名儿。一路上在车子里盘算这个折子应得如何着笔，方能动听。及至到家，才跨下车来，忽见自己的管家迎着请了一个安，说："替老爷叩喜。"绅筱庵忙问："何事？"管家道："广东学政出缺，外头都拟定是老爷。小军机王老爷刚才来过，因见老爷不在家，叫奴才转禀老爷。今天王爷还提到老爷的名字，看来这事情倒有十分可靠。"绅筱庵原想明天学吴可读尸谏的；及至听了管家这番说话，不觉功名心一动，顿时就把那件事忘记了。他这一夜赛如热锅上蚂蚁似的，在一间屋里踱来踱去，一直没有住脚，又想写信去问小军机王老爷。家人回称："时候已经不早了，怕王老爷已经睡了觉。"又要写信去问别位朋友，一时又无可问之人。恐怕人家本来不晓得，现在送个信给他，反被他钻了去，此事不可不防。因此足足盘算了一夜。第二天一早，正想出门探觅消息，上谕已经下来，早放了别人。绅筱庵望了一个空，一团闷气，无可发泄，方想到昨儿在老师沈中堂跟前说的话，现在正好借此题目，发泄发泄。正提起笔来做折子，忽然太太叫老妈来请，说是小少爷头晕发烧，也不知犯了甚么症候。绅筱庵兄弟三房，只此一个儿子，年方十一岁。读书很聪明：虽不能过目成诵，然而十一岁的人，居然五经已读完三经，现在正读《左传》；文章已做到"起讲"，先生许他明年就好完篇了的。因此绅筱庵夫妇竟拿他当做宝贝一般看待。一旦有了病，不但绅筱庵神魂不定，一个太太早靠在少爷身边，一手拍着，一面泪珠子早已接连不断的挂在脸上了。绅筱庵回到上房，一看这个样子，一条英气勃勃的心肠，早为儿女私情所牵制。少不得延医服药，竭力替儿子医治，以安太太的心。这一闹又闹了两天。等到儿子病好，恰值沈中堂假期已满。他此时学吴可读尸谏的心，早已消归东洋大海。只是老师面前无以交代，少不得编造谣言，托人缓颊，把此事搪塞过去。明知老师冷淡他，事到其间，也只好听其自然了。过了些时，他这段故事，外头都传开了。都说："老头子发痰气，逼着门生寻死。幸亏绅某人有主意，没有上了他的当。"

有天他老人家在家里坐着，直隶总督来拜。见面之后，卖弄他这两年派出去的学生，学成回来，很有些好学问的："今儿召见，已蒙上头应许，准其择优保送，由礼部请示日期，在保和殿考试一次，分别等第，赏他们进士、翰林，以示鼓励。将来这阅卷一事，少不得总要老先生费心的。这样门生多收两个在门下，将来能够替国家办点事，大家都有面子。"沈中堂听他说完，忙忙摇手道："别的都可以，只是保和殿考试一事，兄弟还要力争。

他们这些人都够到殿试，以后要把我们摆到那儿去呢。就以我们这个翰林院衙门而论：几千年下来，一直干干净净的；如今跑进来这些不伦不类的人，不被他们闹糟了吗！”说罢，闷闷不乐。直隶总督此来，原想预先托个人情的，后见话不投机，只好搭讪着出去。那知这位直隶总督，上头圣眷很红，说甚么是甚么，向来没有驳回他的。回去之后，果然保送了许多学生，请上头考试录用。军机上先得了信。就有位军机大臣，晓得沈中堂有迂倔脾气的，便拿他开心说：“直隶总督某人送些学生进来，都被我们咨回去了。晓得中堂不欢喜这班人，所以特地告诉你一声，也叫你欢喜欢喜。”沈中堂听了，果然心上很快活，连连说道：“这才是正办！……就是上头准了他这个，如其派我阅卷，我宁可辞官不做，这个差使决计不当的。”那位军机大臣道：“中堂所见极是！”彼此别去。谁知到了第二天就有上谕，着于某日在保和殿考试出洋毕业学生。沈中堂看了，还当是军机没有这个权力阻当这件事，也只有付之一叹，没有别的说话。又过了两天，考试过了。第二天派他做阅卷大臣。他此时告假已来不及；要说不去，这违旨的罪名又当不起。只得垂头丧气，跟了进去。幸亏试卷不多，而且派阅卷大臣也不止他一位，他自己乐得不管事，让别人去作主。不过大概翻了一翻，检一本没有违碍字眼的摆在第一，呈进上去。等到引见下来，果然朝廷破格用人：顶高等的都赏了翰林；其次用主事、知县，京官、外官都有。

那些用主事、知县的不用去说他了，但说那几个赏翰林的，照例要衙门拜老师，认前辈，这些礼节，一点不能少的。沈中堂当的是掌院学士，正管得着他们，少不得前来叩见。那几位翰林虽然打外洋回来，不晓得中华规矩；然而做此官，行此礼，到了此时，说不得也要从众了。于是打听了规矩，封了贽见、门包，拿着手本，前来私宅谒见。不提防这位老中堂早就预备此一着，两天头里便齐集了甲班出身的那些门生，同他们说道：“从前要进我们这个翰林院，何等烦难！乡试三场，会试三场；取中之后，还要复试，又是殿试、朝考、留馆。诸君都是过来人，那一层门槛可以越得过！如今这些人一点苦没有吃着，止作得两篇策论，就要来当翰林，以后无论甚么人也可以当翰林了！然而上头有恩典给他们，我们怎好叫上头不给他们。就是上头派愚兄阅卷，愚兄亦怎好不去。不过收到这种门生，愚兄心上总觉不是。现在请了诸位来，彼此商量一个抵制的法子，就同他们上海抵制‘美约’一样，总要弄得他们不敢进这个衙门才好。诸位老弟高见，以为何如？”于是一齐称“是”。沈中堂又问他们抵制的法子。有人说：“应该上个折子，不准他们考差。凡是本衙门差使，都不准派。”又有人说：“这个翰林只能算做‘顶带荣身’，不能按资升转。”沈中堂听了，不置可否。内中有一位阁学公，姓甄号守球，年纪已有七十三岁了；独他见解独高，忙插嘴道："老师所说的是抵制之法，抵制得他们自己不敢来才好。现在有个法子：他既然赏了翰林，一定要来拜老师，认前辈。老师不能不认他；他送贽见，亦乐得收他的。我们这些老前辈无求于他，等他来的时候，我们约齐了一概不见。我们不要认得他。就是在别处碰见了，他称我们前辈、老前辈，我们只拱手说'不敢当'，也不要理他。如此等他碰过几回钉子，怕见我们的面，以后叫他们把这翰林一道视为畏途，自然没有人再来了。但是要抵制，我们总要齐心才好。"众人听罢，一齐称"妙"。沈中堂点头称"是"，连说："守球老弟所论极是！……愚兄乐得认他做门生，但是贽见亦要照寻常加倍。我们中国的规矩：凡是沾到一个'洋'字总要加钱。不要说别的，我们大孩子新从上海来，他说上海戏园子规矩，洋人看戏加倍。他几个虽不是洋人，然而总是外洋回来的，我问他多要并不为过。"众门生又一齐称"是"。于是当天议定，等他几人来见老前辈时，一概不许接待，以为抵制之策。众人一齐认可，方才别去。

欲知后事如何，且听下回分解。

第五十九回
附来裙带能谄能骄　掌到银钱作威作福

话说甄守球甄阁学在沈中堂宅内议定抵制之法：凡是新赏翰林的几个学生来拜，一概不见，不要他们认前辈、老前辈。商议既定，果然大众齐心，直弄得他们那几个人，到一处碰一处，没有一处见到。后来这几个人晓得在京里有点不合时宜，也就各自走了道路，出京另外谋干去了。京里的这班人听得他们已走，彼此见面，一齐夸说："甄老前辈出的好计策！"甄阁学亦甚是得意。

一天甄阁学在自己宅子里备了三席酒，请众位同年、同门吃酒赏菊花。沈中堂得了信，说是："饮酒赏菊是顶雅致的事情，怎么守球不请我老头子？"就有人把话传给了甄阁学。连忙亲自过来陪话，说道："不是不请老师，实在因为房子小，客多，怕亵渎了老师，所以不敢来请。"沈中堂道："我很欢喜。到了那天我要来。你亦不必多化钱，我亦吃不了甚么，不过大家凑凑罢了。"甄阁学自然高兴。到了那天，因为老头子要来，虽说不花钱，早已特特为为又添了一桌菜，拣老师爱吃的点了几样。这天约明白的两点钟会齐。不到一点钟，老头子顶高兴，早已跑了来了。一问所请的客都是自己的门生，尤其高兴。等到客齐，老头子先创议，要人家做菊花诗。老头子说："甚么五古、七古，七律、七绝，我都有点忘记了。只有五律，只要拿试帖减四韵，我虽然多年不做，工夫荒了，还勉强凑得成功。"众人见老头子高兴，少不得一齐献丑。当时各自搜索枯肠。约摸一个钟头，还是沈中堂头一个做好。众人抢着看时，果然是一首五律。然后众人络续告成，数了数一共二十七首。有三位说要回去补做了送来。汇齐之后，甄阁学一齐请沈中堂过目。其中只有两个做七绝的，一个做七律的，九个做五律的，十五个做五绝。你道为何？只因五绝比五律更好做，连中间的对仗都可以减去，所以大家舍难就易，走了这一路。当时沈中堂看了甚喜，说："明天请守球老弟画一张格子，分送诸位。另外各自再誊一张，中缝脚下，各人写各人的名字；签条上就写'翰苑分书菊花诗'。送到琉璃厂，等他们刻了板印出来卖，凡是写大卷子的人，谁不要买一部。"众人一听，不胜佩服。

酒席吃到一半，甄阁学忽然起身向内，停了一回，拿了两张字出来，送到沈中堂跟前，说是："门生的两个儿子做的。不晓得将来还有点出息没有？"沈中堂道："好啊！拿来我看。"原来都是和的菊花诗；前面写着"恭求太老夫子中堂训正"，下面注着"小门生甄学忠、甄学孝谨呈"字样。沈中堂未看诗先看名字，说道："好名字！一个人能够记得'忠孝'两个字，还有甚么说的呢。"于是又看诗，连赞："好口气！……两位世兄将来一定都是要发达的！都是我的小门生，将来亦'于汤有光'的事。我很想见见他俩。"甄阁学巴不得这一声，即刻进去，招呼儿子扎扮了出来。沈中堂一看，大的约摸有四十外了，戴的是蓝顶花翎；小的亦有二十多岁，还是金顶子；一齐都穿着袍套。见了太老师爬下磕头，太老师止回了半揖；磕头起来又让坐。老头子因见甄学忠是四品服色，晓得他一定有了官了，便问："在那一部当差？"甄阁学抢着回道："本来有个小京官在身上，如今改了直隶州出去。"沈中堂道："怎么不下场？"甄阁学道："已经下过十场，年纪也不小了，正途不及，只好叫他到外头去历练历练。"沈中堂道："可惜可惜！有如此才华，不等着中举人，中进士，飞黄腾达上去，却捐了个官到外头去混，真正可惜！"一面说，一面又拿他俩的诗，颠来倒去，看了两三遍，拍案道："'言为心声'，这句话是一点不差的：大世兄的诗好虽好，然而还总带着牢骚，这便是屡试不第的样子；幸亏还豪放，将来外任还可望得意，至二世兄富丽堂皇，不用说，将来一定是玉堂人物了！"接着又问甄学忠："几时出去做官？分发那一省？"甄学忠回称："这个月里就办引见，指分山东。"沈中堂道："好地方！山东抚台也是我门生，我替你写封信去。"甄阁学本有此心，但是不便出口；今见老师先说了出来，自然感激涕零。立刻又叫儿子磕头，谢了太老师栽培。当时沈中堂甚是高兴，吃酒

论文，直至上火始散。次日甄阁学又叫儿子去叩见太老师。等到引见领凭下来，又去辞行。沈中堂见面之后，果然郑重其事的拿出一封亲笔信来，叫他带去给山东巡抚。按下慢表。

目前单说甄阁学的儿子甄学忠拿了沈太老师的信，携带家眷前去到省。他父亲因为他独自一个出去做官，心上不放心，便把自己的内兄请了来，请他跟着同到山东，诸事好有照应。——他父亲的内兄，便是他的舅太爷了。这位舅太爷姓于，前年死了老伴，无依无靠，便到京找他老妹丈，吃碗闲饭。甄阁学是做京官一直省俭惯的人，凭空多了一个人吃饭，心上老大不自在。几次三番要把他荐出去，无奈人家嫌他年纪太大了，都不敢请教。这遭托他同到山东照应儿子，却是一举两得。于舅太爷年纪虽大，精神尚健；于世路上一切事情亦还在行。甄学忠有这位老母舅照料，自然诸事一概靠托，乐得自己不问。于舅太爷却勤勤恳恳，事必躬亲，于这位外甥的事格外当心。那些跟来的管家，都是在京里苦够的了，好容易跟着主人到外省做官，大家总望赚两个。谁知碰见了这位舅老爷，以后的好处且慢说，但就目前路上而论，甚么雇车子，开发店家，有心赚两个零用钱亦做不到。因此大家没有一个欢喜这位于舅太爷的，而且都在少主人面前说他的坏话。

在路晓行夜宿，非止一日，早已走到山东济南府城。禀到，禀见，缴凭，投信，一切繁文，不必细表。抚台接到沈中堂的私函，托他照应甄学忠，自然是另眼看待。到省不到一个月，抚台避嫌疑，不肯委他差使。齐巧那时候办河工，抚台反替他托了上游的总办张道台。算是张道台上禀帖，向抚台说这甄牧如何老练，如何才干，“目下正值需才之际，可否禀恳宪恩，饬令该牧来工差遣，以资臂助”各等语。抚台看了，彼此心心相印，断无驳回之理。甄学忠奉到了公事，连忙上院叩谢。抚台当着大众很拿他交代一番，又说：“你到省未久，本还轮不到委甚么差使。这是张道台有禀帖在此，禀请你去帮忙；好生干！”甄学忠连应了几声“是”，下来大家都说他一定同张观察有甚么渊源。还有人来问他，甄学忠回称：“素昧平生。”大家都不相信，还说他有意瞒人。甄学忠自己亦摸不着头脑，人家都说他闲话，无可置辨。后来到得工上，叩见了张观察，张观察同他很客气。第二天就委了他买料差使。上来叩谢。张观察晓得买料事繁，特地面荐了两个人，一个萧心闲，一个潘士斐，说：“他二人于办料一切，都是老手。”甄学忠又怕荐的人没有自己人当心，于是又写信到公馆，请他娘舅于舅太爷赶了来。于舅太爷一听外甥有了事，自然也是欢喜的；便道：“这买料的事上关国帑，下关民命，中间还关系委员的考成。若是没个人去监察监察他们，这些人我是知道的，甚么私弊都会做出来。”因此接信之后，便赶着赶到工上。有他一个清眼鬼，自然那些甚么萧心闲、潘士斐，以及一班家人们，都不敢作甚么弊了。然而大家一齐拿他恨入骨髓。不在话下。

且说甄学忠到省不及一月，居然得了这个美差，便有他的堂房舅子姓黄绰号黄二麻子的，前来找他。他太太是湖北人。这黄二麻子是他大舅子。齐巧这年正在山东潍县当征收，看了辕门抄写得妹丈得了河工差使，他便想赶到省里来：一来望望妹妹；二来想插手弄点事情做做，总比他当征收师爷的好。主意打定，便在东家跟前请了两个半月的假，上省找他妹丈。他这个馆地原是情面帐，东家并不拿他十二分当人；他要告假，乐得等他告假。叫帐房多送了一个月的束脩给他做盘川；又托帐房师爷替他照官价雇了一辆车，派了一个差役送他进省，连个二爷都没有带。到了省城，黄二麻子是省钱惯的，不肯住客店；又因为同甄学忠的太太有几十年不见了，虽是堂房兄妹，怕他一时记不得，似乎未便冒昧，况且妹丈又是从未见过面的人；因此便借了一个朋友家里暂住歇脚。他是午饭前到的，吃了饭就换了衣服，要去拜望妹妹、妹丈。他也不该甚么好衣服，一件复染的茧缎袍子，一件天青缎旧马褂，便算是出客衣服了。又嫌不恭敬，特地又戴了一顶大帽子，穿了一双前头有两只眼的靴。摇摇摆摆，算做行装，也还充得过。

打扮停当，忽然想起："初次拜妹丈，应该用个甚么帖子？"他朋友说："用个'姻愚弟'罢了。"黄二麻子摇摇头说道："我这趟来是望他提拔提拔我的，同他兄弟相称，似乎自己过于拿大。而且依我意思，用帖子亦不妥当，还是写个单名的手本。你说好不好？"那朋友道："令亲是甚么官？"黄二麻子道："舍妹丈是户部主政，改捐直隶州知州。我们这位太亲翁是现任内阁学士，——除掉内阁大学士之外，京城的官就要算他顶大。舍妹丈便是他的大少爷。"那朋友道："他老子官大，儿子总不能世袭到自己身上；就算可以世袭，也没见过郎舅至亲可以用得手本的。"黄二麻子道："这是官场的规矩，你没有做过官不晓得的。我这趟来找他在工上弄事情做的。事情成功了，他做老总，我们在他手下办事，赛如就同他的属员一样，怎么今天来了不上个手本？不但见舍妹丈要用手本；就是去见舍妹，也是要用手本，先上去禀安，方是道理。"那朋友见他执迷不悟，也只好随他，便说道："你说的不错。时候不早了，你快去罢。"

黄二麻子赶忙出门，一路问人，好容易问到妹夫的公馆。自己投帖。门上人拿他看了两眼，回称："老爷到工上去了，不在家，挡你老爷的驾罢。"黄二麻子又说："既然老爷不在家，费心上房太太跟前替我回一声，就说我黄某人禀安、禀见。"门上人听他说要见太太，又拿他看了两眼，问他："同敝上可是亲戚？"他到此方才说明："你们的太太就是我的舍妹。"门上人连忙改口称呼说："原来是一位舅老爷。"又问："同我们太太可是胞兄妹？"黄二麻子道："同高祖还在五服之内，是亲的，不算远。”门上人一听不是亲舅老爷，那脸上的神色又差了。但念他总是太太娘家的人，得罪不得，便道：“你老爷坐一回，等家人上去回过再来请。”黄二麻子连称：“劳驾得很！”……一霎时门上人进去回过太太，让他厅上相见。太太家常打扮出来。见了面，太太正想举袖子万福，黄二麻子早跪下了。磕头起来，又请了一个安，口称：“连年在外省处馆，姑太太到了，没有赶得上来伺候。”太太道：“不敢！”于是满面春风的，问长问短。黄二麻子异常恭敬，竟其口口声声“姑老爷”、姑太太”，甚么“妹夫”、“妹妹”等字眼，一个也不提了。随后提到托在工上谋事情的话，太太道：“至亲原应该照应的；无奈这些事情都是你妹夫作主，不是熟手插不下手去，我亦不好要他怎么样。你既然很远的来，住在那里？”黄二麻子道：“暂时借一个朋友家里歇歇脚，还没有一定的住处。”太太道：“既然如此，你且把行李搬了来住两天。你妹夫不时到省里来，等他见过了你，我们再来想法子。”黄二麻子听了前半截的话，心上老大着急；及听到后半，留他在公馆里住，便满心欢喜，又着实说了几句感激姑太太栽培的话，然后退了下来。一众家人晓得太太留他在公馆里住，看太太面上，少不得都来趋奉他，一个个“舅老爷”长，“舅老爷”短，叫的镇天价响。黄二麻子此时同他们却异常客气，连称：“我如今也是来靠人的，一切正望你们老爷提拔，诸位从旁吹嘘。我们还不是一样吗？快别提到‘舅老爷’三个字！……”大家见他随和，倒也欢喜他。

过了几天，甄学忠工上有事，自己没有回来，差了于舅太爷到省城里来办一件甚么事。黄二麻子早打听明白了。等到于舅太爷下车进来之后，他忙赶着拿了“姻愚侄”的帖子上去叩见。见了面，口称：“老姻伯”，自称“小侄”。说到他自己的事情，又要恳老姻伯替他吹嘘。于舅太爷是至诚人，看他规矩，便也认他是个好人。过了一天，事情办完，于舅太爷要回工上去。甄学忠的太太又来拜托他在外甥面前替他哥子帮忙，于舅太爷只得答应着。等到老人家转过了身，一班家人都指指点点的骂他。黄二麻子听在肚里，心想：“他的人缘如此不好，倒是一个绝好的机会。”没有事便到上房找妹子谈天；面子上说是请姑太太的安，其实是常常亲热惯了，他有他的主意。凑巧这位太太最爱谈天说闲话，如今有了这个本家哥哥凑趣，而且又无须避得嫌疑。因此这黄二麻子在妹子跟前很有脸，家人小子们求舅老爷说句把话亦很灵。如此者约有半个月光景。有天甄学忠因公回省，到得家里，听了于舅太爷的先人之言，心上早有了个底了。等到见了面，头一样他能够低头服小，就合了脾胃。答应同他一块儿到工上去。

黄二麻子既到得工上，一看姑老爷的气派可不小：虽说是个买料委员，只因他手下用的人多，凡是工上用的东西，无论一土一木，都要他派人去采办；用的人多，自然趋奉的人就多；名为委员，实则同总办一样。此时是于舅太爷拿总，专管银钱。就是总办荐的萧心闲、潘士斐，亦都在总局里派了有底有面的执事。黄二麻子初到，一个个都去拜望。提到妹夫还不敢称妹夫，仍旧称“我们姑老爷”；后来见大家背后叫“老总”，他亦改口称“老总”。过了两天，老总派他稽查工料，他也不晓是稽查些甚么。他平时见了老总及于舅太爷不敢多说话，却同萧心闲、潘士斐两人甚是投机。他俩念他是东家的舅爷，总比别人亲一层。而且他在工上住了两天，定要借事进省一趟，说是记挂姑太太，进省看姑太太去。人家见他走得如此勤，便疑心他纵然不是亲兄妹，亦总是嫡堂兄妹了。有些话不便当面向东家谈的，便借他做个内线，只要他在他姑太太跟前提一声，将来东家总晓得的。几回事情一来，他晓得人家有仰仗他的地方，顿时水长船高，架子亦就慢慢的大了起来。朝着萧、潘一般人信口乱吹，数说：姑太太今天留他吃甚么点心，又为他添甚么菜；又指着身上一件光板无毛的皮袍子说：“这件面子，也是姑太太送的。”众人看了看皮袍子面子，乃是一件旧宁绸复染的，已经旧的不要旧了。潘士斐爱说玩话，便笑着说道：“你们姑太太也太小气了，既然送你皮袍子面子，为甚么不送你一件新的，却送你旧的？”黄二麻子把脸一红，想了一想，说道：“我们姑太太本来要送我一件新的；是我不要，只问他要这件旧的。”众人说：“有新的送你，你反不要，要旧的，这是甚么缘故？”黄二麻子道：“我们天天在工上当差使，跑了来，跑了去，风又大，灰土又多，新的上身，不到三天就弄坏了，岂不可惜！我所以只问他要件旧的，可以随便拖拖。这个意思难道你们还不晓得？”

过了一天，姑太太差了管家来替老爷送东西吃食，顺便带给于舅太爷、黄二麻子一家一块咸肉、一盘包子。于舅太爷向来是自己一个人吃饭的，所以大家不晓得。黄二麻子却如得了皇恩御赐一般，直把他喜的了不得，逢人便告。又说：“我们姑太太怎么想得这样周到！晓得我们在工上吃苦，所以老远的带吃食来。从前我有两个舍妹：大舍妹小气的了不得，所以只嫁了一个教书的，不久就过去了；这是二舍妹，他自小手笔就阔，气派也不同，所以就会做太太。这是一点不错的。”

到了第二天中午，特地把姑太太给他的咸肉蒸了一小块，拿小刀子溜薄的切得一片一片的，摆在一个三寸碟子里头。等到开饭的时候，他拿了出来。一桌子五个人吃饭，他每人敬了一片，说：“这就是我们姑太太的肉，请诸位尝尝。”敬了一片，第二片他可不敬了，只见他一筷子一片，只管夹着往嘴里送；一头吃，还要一头赞。等到吃完，剩了三片，还叫伺候开饭的二爷替他留好了，预备第二顿再吃。偏偏碰见这个二爷的嘴谗，伸手拈了一片往嘴里一送；又自言自语道：“只听他说好，到底是个甚么滋味，等我也尝他一片。”果然滋味好，于是又偷吃了一片。越吃越好吃；又自己说道：“一不做，二不休，一片也是吃，三片也是吃，索性吃完了他。舅老爷不问便罢；倘若问起来，就说是个猫偷吃了的，他总不能怪我。”主意打定。

等到晚上开饭的时候，伺候开饭的二爷，只指望他忘却那三片咸肉，不提起才好。谁知黄二麻子于这三片咸肉竟是刻骨铭心，也决计忘不掉。一坐下来，还没有动筷子，就问：“我的咸肉呢？”偷嘴的二爷忙嚷着叫厨房里添碗肉。黄二麻子道：“不是要厨房里添肉，是中饭吃的我们姑太太肉，还剩下三片，我叫你替我留好的。”偷嘴的二爷晓得躲不过，瞎张罗了半天，才回了一声：“没有了。”黄二麻子眼睛一瞪，把筷子往桌子上一拍，说道：“那里去了？”偷嘴的二爷说道：“想是被野猫衔了去了。”急的黄二麻子跺脚骂“王八蛋”，说道：“是我们姑太太给我的肉，我一顿舍不得吃完，所以留在第二顿吃。叫你留好，你不当心，如今被猫衔了去了。我不管，我只是问你要！你没，你赔我的；你要不赔，你自己去同你们太太说去。”黄二麻子只管骂，不动筷子。等到别人吃完饭，他还是坐着不动，一定要偷嘴的二爷赔他的。那偷嘴的二爷先撅着嘴不做声，尽着他骂。后来挨不过，走到门外，嘴里叽哩咕噜的说道：“少了三片咸肉，不过是猪肉，又不真果是他们姑太太身上的肉，何犯着闹到这步田地！”偏偏这句话又被黄二麻子听见了，赶着出去打他的嘴巴，问他吃的谁的饭。一定上去回老爷，撵掉他还不算，还要打他的板子。别的爷们晓得事情闹大了，都怪那个偷嘴的二爷不是，不该嘴里拿太太乱讲：“舅太爷是太太的哥哥，你乱讲被他听见了，怎么叫他不生气呢。他果然同老爷说了，你还想吃饭吗？”那个偷嘴的二爷到此方才悔悟过来，由众人架弄着，领他到黄二麻子跟前磕头，求舅老爷息怒，不要告诉太太晓得。黄二麻子起先还拿腔做势，一定不答应；禁不住众管家一齐打千哀求，方才答应下。那个偷嘴的二爷又磕头谢过舅老爷恩典，方才完事。如此一来，黄二麻子把情分一齐卖在众人身上，众人自然见他的情。他自己一想：“上头除掉姑老爷，就是于舅太爷一位，余外的人都越不过我的头去。”自此以后，他的架子顿时大了起来。一班家人小子，看了老爷、太太的分上，少不得都要巴结他。还有些人晓得他在主人面前说得动话，指望他说句把好，也不得不来趋奉。

偏偏事有凑巧，于舅太爷病了十天。甄学忠一向有甚么事情，都是于舅太爷承当了去。如今他老人家病了，样样都得自己烦心，不上三天，早把他闹烦了。到这档口，黄二麻子晓得是机会到了，便格外在姑老爷跟前献殷勤；甚至家人小厮当的差使，不该他做的，他亦抢在前头。甄学忠觉得他这人可靠，渐渐的拿些事情交代他办。他办完了事情，一天定要十几趟到于舅太爷屋里看于舅太爷的病，伺候于舅太爷，甚么汤啊水啊，亦都是他料理。

因此于舅太爷亦很见他的情，面子上很赞他好。却不料他老人家的病一日重似一日。甄学忠待娘舅还算好，凡是左近有名的医生都已请遍，无奈总不见效。他老人家自己也晓得是时候了，便把外甥请到床前，黄二麻子亦跟了进去。只见他从被窝里伸出手来，拉着外甥的手，说道："老贤甥！我自从你令堂去世，承你老人家看得起我；如今又到你手里，并不拿我娘舅当作外人，一切事情都还相信我。我如今是不中用的了！现在正是你要紧时候，我不能帮你的忙，这也是无可奈何之事。但是我死之后，银钱大事，你可收回自己去管。一句话须要记好，'人心叵测'，虽是至亲，也都是靠不住的。"于舅太爷说到这里，已经喘吁吁上气接不到下气，头上汗珠子同黄豆大小，直滚下来。甄学忠此时念到他平日相待情形，不期而然的从天性中流出几点眼泪。忙请娘舅呷一口参汤；劝娘舅暂时养神，不要说话。约摸停了一会，于舅太爷得了参汤补助之力，渐渐的精神回转；于是又挣扎着说道："不但银钱大事要自己管，就是买土买料，也总要时时刻刻当心。我活一天，这些事我都替你抢在头里，不要你操心；就是惹人家骂我恨我，我亦不怕。横竖我有了这把年纪，也不想甚么好处。除了我，却没有第二个肯做这个冤家的。黄某人，人是很能干的……"说到这里，于舅太爷气又接不上来，喘做一团。甄学忠扶他睡下，叫他歇一回。谁知他话说多了，精神早已散了，一个气不接，早见他眼睛一翻，早已不中用了。甄学忠少不得哭了一场。赶紧派人替他办后事，忙着入殓出殡；把他灵柩权寄在庙里，随后再扶回原籍。都是后话不题。

且说当他病重时，同他外甥说的几句话，黄二麻子跟在屋里听得清清楚楚。先听他说，"人心叵测，虽是至亲亦靠不住"，不由心上毕拍一跳；暗暗骂他："老杀才！你病了，我如此的伺侯你，巴结你，如今倒要绝我的饭碗！幸亏没有叫出名来还好。"等到第二回说，"黄某人人是很能干的，……"照于舅太爷的意思，谅来一定还有不满意于他的说话。又幸亏底下的话没有说出，他就一命呜呼了。碰巧他这位老贤甥听话也只听一半，竟是断章取义，听了老母舅临终的说话，以为是老母舅保举他堂舅爷接他的手，所以才会夸奖他能干。他得了这句说话，等到于舅太爷一断了气，还没有下棺材，他已把大权交给黄二麻子。黄二麻子却出其不意受了妹夫的托付，这一喜真非同小可！当天就接手。接手之后，一心想查于舅太爷的帐目有甚么弊端，掀了出来也好报报前仇；谁知查了半天，竟其一毫也查不出。只有一间空房里，常常堆着千把吊钱。他便到妹夫跟前献殷勤道："这许多钱堆在家里，岂不搁利钱，何不存在钱铺里，一来可生几个利钱，二则也免自己担心？舅太爷到底有了岁数的人了，无论你如何精明，总有想不到的地方。"只见他妹道："你倒不要说他。工上用的全是现钱，不多预备点存在家里，一时头上要起来，那里去弄呢？"

黄二麻子碰了这个软钉子，自己觉着没趣，搭讪着又说了几句别的闲话，妹夫也没理会他。他便回到自己房里生气，咕嘟着嘴，一个人自言自语道："谁稀罕吃他的饭！这也算得甚么！"

正在气间，齐巧管厨的上来付伙食钱。管厨的晓得他是主人的舅老爷，今儿又是初接事，不敢不巴结他。一进门，先请一个安，说了声："请舅老爷的安。"黄二麻子爱理不理的，问他甚么事。管厨的故意做出一副笑容，从袖子里取出本伙食帐来，送到桌子上，却又笑嘻嘻的说道："又要舅老爷费心了。"黄二麻子是在现任州、县衙门当过师爷的，自己虽然没有经过手，规矩是知道的，晓得大厨房里，帐房师爷有个九五扣。黄二麻子便拿起算盘，踢踢搭搭一算：五天应付九十六吊；照九五扣，应除四吊八百文，实付九十一吊二百文。照数发了出来。管厨的接到手里一算，不敢说不对，只笑嘻嘻的说道："舅老爷这是怎么算的？小的不懂。"黄二麻子当是管厨的有心当面奚落他，便把算盘一推，跟手拿桌子一拍，骂道："好混帐！你瞧不起我，见我今天初接手，欺负我外行，要来蒙我！通天底下衙门局子，都是一样。我做帐房虽是今天头一天，你当管厨的难道亦是今天头一回吗？你如果嫌少，你不要拿，替我把钱放在这里！"管厨的碰了这个钉子，晓得一时说不明白，只好拿了钱，搭讪着出去。黄二麻子还骂道："到底贱货！你不凶过他的头，他就凶过你的头，真正不是些好东西！"

到了第二天，管厨的特地送了黄二麻子一只火腿；又做了两碗菜，一碗红烧肘子，一碗是清炖鸭子；说是："小的孝敬师老爷的，总得求舅老爷赏个脸收下。"起先黄二麻子还只板着个脸，一定不要这些东西；禁不住管厨的一再恳求，方才有点活动。管厨的下去，当夜便找了值帐房的二爷，请他吃了几杯酒，托他同舅老爷说："这个九五扣，照例原是应该有的；只为舅太爷要替老爷省钱，叫我们办'清公事'，甚么伙食钱，酒席价，格外往少里打算，也不要甚么扣头。如今舅老爷来了。这个钱我们下头亦情愿报效的。但是有一句俗语，叫做'羊毛出在羊身上'，无非还是拿着老爷的钱贴补他舅老爷罢了，舅老爷是何等精明的人，难道要我们卖老婆孩子不成？少不得还要拜求舅老爷在老爷面前，就说现在工上米粮柴火以及吃的菜，无一不贵。若照着前头数目，实在有点赔不起。总得求他老人家看破些，自下个月起，每人伙食加上十个钱。如此一来，我也不至赔本，舅老爷也有了。至于老爷一天多化几百钱，少处去，大处来，只要那笔材料里头多开销上头几文，还怕这笔没抵挡吗。"

那值帐房的二爷吃喝了他的酒菜，少不得要帮他的忙，当时诺诺连声。等到晚上，走到黄二麻子身旁，一五一十，说了一遍。只见黄二麻子皱了半天眉头，说道："既然如此，何不早说！老爷跟前，我已经说他做不下去，保举了别人，换别人做了。如今叫我到老爷跟前怎么再替他说回来呢？”值帐房的二爷听了此言，亦为一惊，口称：“这事总要求舅老爷恩典！”停了半晌，黄二麻子又说道：“这么样罢：老爷跟前，我还说得回来，只说接手的那个人家里有事，一时不能上工，仍叫前头一个做起来。以后我们再留心，另雇别人罢。但是要接手的那个人，我已经答应他了，明天就要来上工。这个只好你们底下去同他商量。他肯让自然极好；倘若不肯，也只好由他，我不能做出尔反尔的事。”值帐房的出来同管厨的说了。管厨的倒也明白，说：“也不过想两个钱。等我认晦气送他二十吊钱，叫他明天不要来。但是由我们底下劝他，一定不肯依的。这事情还得求舅老爷帮我一个忙，这钱就请舅老爷给他，方才妥当。”值帐房的又上去回了。黄二麻子不说别的，但说二十吊钱太少，恐怕说不下去。后来又添了十吊，黄二麻子答应了，方才无事。自从管厨的有了这回事，大家都晓得舅老爷是要钱的，凡是来想他妹夫好处的，没一个不送钱给他。等到妹夫差使交卸下来，他的腰包里亦就满了。

要知后事如何，且听下回分解。

第六十回 苦辣甜酸遍尝滋味 嬉笑怒骂皆为文章

话说黄二麻子在他妹夫的工上很赚了几个钱。等到事情完了，他看来看去，统天底下的卖买，只有做官利钱顶好，所以拿定主意，一定也要做官。但是赚来的钱虽不算少，然而捐个正印官还不够，又恐怕人家说闲话。为此踌躇了几天，才捐了一个县丞，指分山东，并捐免验看，径自到省。一面到省；一面又托过妹夫，将来大案里头替他填个名字，一保就好过班。妹夫见他有志向上，而且人情是势利的，见他如此，也就乐得成人之美。

闲话休叙。且说黄二麻子到省之后，勤勤恳恳，上衙门站班。他拿定主意，只上两个衙门，一个是藩台，一个是首府。每天只赶这两处，赶了出又赶进，别处也来不及再去了。又过了些时，有天黄二麻子走到藩台衙门里一问，号房说：“大人今儿请假，不上院了。”又问：“为甚么事情请假？”回称：“同太太、姨太太打饥荒，姨太太哭了两天不吃饭，所以他老人家亦不上院了。”又问：“为甚么事同姨太太打饥荒？”号房道：“这个事我本不晓得，原是里头二爷出来说的，被我听见了。我今告诉你，你到外头却不可乱说呢。”黄二麻子道：“这个自然。”号房道：“原来我们这位大人一共是一位正太太，三位姨太太。不是前两天有过上谕，如要捐官的，尽两月里头上兑；两月之后，就不能捐了？因此我们大人就给太太养的大少爷捐了一个道台。大姨太太养的是二少爷，今年虽然才七岁，有他娘吵在头里，定要同太太一样也捐一个道台。二姨太太看着眼热，自己没有儿子，幸亏已有五个月的身孕，便要大人替他没有养出来的儿子，亦捐一个官放在那里。我们大人说：‘将来养了下来，得知是男是女？倘若是个女怎么样？’二姨太太不依，说道：‘固然保不定是个男孩子，然而亦拿不稳一定是个女孩子。姑且捐好一个预备着，就是头胎养了女儿，还有二胎哩。’大人说他不过，也替他捐了，不过比道台差了一级，只捐得一个知府。二姨太太才闹完，三姨太太又不答应了。三姨太太更不比二姨太太，并且连着身孕也没有，也要替儿子捐官。大人说：‘你连着喜都没有，急的那一门？’三姨太太说：‘我现在虽没有喜，焉知道我下月不受胎呢。’因此也闹着一定要捐一个知府。听说昨儿亦说好了。大人被这几位姨太太闹了几天几夜，没有好生睡，实在有点撑不住了，所以请的假。”

黄二麻子至此方才明白。于是又赶到首府衙门。到了首府，执帖的说：“大人上院还没有回来。”黄二麻子只得在官厅子上老等。一等等到下午三点钟，才见首府大人回来，急忙赶出去站班。只见首府面孔气得碧青，下属站班，他理也不理，下了轿一直跑了进去，大非往日情形可比。黄二麻子心中不解。等到人家散过，他独不走，跑到执帖门房里探听消息。执帖的说：“太爷你请少坐，等我进去打听明白了，再出来告诉你。”于是上去伺候了半天，好容易探得明白，出来同黄二麻子说道：“你晓得我们大人为了甚么事气的这个样子？”黄二麻子急于要问。执帖道：“照这样看去，这个官竟是不容易做的！只因今天上院，齐巧抚台大人这两天发痔疮，屁股里疼的熬不住，自从臬台大人起，上去回话，说不了三句就碰了下来。听见说我们大人还被他喷了一口唾沫，因此气的了不得。现在正在上房生气，口口声声要请师爷替他打禀帖告病哩。”黄二麻子道：“这个却是不该应的。他自己屁股有病，怎么好给人家脸上下不去？平心而论：这也是他们做道、府大员的，才够得上给他吐唾沫，像我们这样小官，想他吐唾沫还想不到哩。”一面说完，也就起身告辞回去。

到第二天，仍旧先上藩台衙门，号房说：“大人还不见客。”黄二麻子道：“现在各位姨太太可没有甚么饥荒打了？”号房道：“听说我们大人，只有大太太、大姨太太两位少爷的官，实实在在，银子已经拿了出去。二姨太太同三姨太太，他俩一个才有喜，一个还没有喜，为此大人还赖着不肯替他们捐。嘴里虽然答应，没有部照给他们。他们放心不下，所以他俩这

两天跟着老爷闹，大约将来亦总要替他捐的：这是私事。还有公事：向来有些局子里的小委员，凡是我们大人管得到的，如果要换甚么人，一齐都归我们大人作主。抚台跟前，不过等到上院的时候，顺便回一声就是了。如今这位抚台大人却不然，每个局里都委了一位道台做坐办。面子上说藩司公事忙，照顾不了这许多，所以添委一位道台办公事。名为坐办，其实权柄同总办一样，一切事情都归他作主；他要委就委，他要撤就撤，全凭他一个人的主意。我们大人除掉照例画行之外，反不能问信。弄得他老人家心上有点酸挤挤的不高兴，所以今天仍旧不出门。”黄二麻子听完这番话，一个人肚皮里寻思道：“他做到一省藩台，除掉抚台，谁还有比他大的？谁不来巴结他？照现在的情形说起来，辛苦了半辈子，弄了几个钱，不过是替儿孙作马牛。外头的同寅还来排挤他。一群小老婆似的，赛如就是抚台一个是男人，大家都要讨他喜欢；稍些失点宠，就是酸挤挤的。说穿了，这个官真不是人做的！”一面说，一面呆坐了一回。号房说：“黄太爷，你也可以回去歇歇了。他老人家今天不出门，你在这里岂不是白耽搁了时候？”一句话提醒了黄二麻子，连忙站起来说道：“不错，你老哥说的是极。臬台衙门我有好两个月不去了。他那里例差也不少，永远不去照面，就是他有差使，也不会送到我的门上来。”说着自去。

才进臬台辕门，只见首府轿子、执事，横七竖八，乱纷纷的摆在大门外头。黄二麻子心上明白，晓得首府在这里。心上暗暗欢喜，以为这一趟来的不冤枉，又上了臬台衙门，又替首府大人站了出班，真正一举两得。心上正在欢喜。等到进来一看，统省的官到得不少，一齐坐在官厅子上等见。停了一刻，各位实缺候补道大人亦都来了，都是按照见抚台的仪制，在外头下轿。黄二麻子心上说：“司、道平行，一向顶门拜会的，怎么今儿换了样子？”于是找着熟人问信，才晓得抚台奉旨进京陛见；因为他一向同臬台合式，同藩台不合式，所以保奏了臬台护院。正碰着臬台又是旗人，上头圣眷极红，顿时批准。批折没有回来，自然电报先到了。恰好这日是辕期，臬台上院，抚台拿电报给他看过。各还各的规矩：臬台自然谢抚台的栽培；抚台又朝着他恭喜，当时就叫升炮送他出去。等到臬台回到自己的衙门，首府、县跟屁股赶了来叩喜；接连一班实缺道、候补道，亦都按照属员规矩，前来禀安、禀贺。此时臬台少不得仍同他们客气。常言道：“做此官，行此礼。”无论那臬台如何谦恭，他们决计不敢越分的。

闲话休叙。当下黄二麻子听了他朋友一番说话，便道：“怎么我刚才在藩台衙门来，他们那里一点没有消息？”他的朋友道：“抚台刚刚得电报，齐巧臬台上院禀见，抚台告诉了他。臬台下来，抚台只见了一起客，说是痔疮还没有好，不能多坐，所以别的客一概不见。自从得电报到如今，不过一个钟头，自然藩台衙门里不会得信。”黄二麻子道：“怎么电报局亦不送个信去？”他的朋友道：“你这人好呆！人家护院，他不得护院，可是送个信给他，好叫他生气不是？”黄二麻子道：“抚台亦总该知照他的。”朋友道：“不过是接到的电报，部文还没有来，就是晚点知照他也不打紧。况且他俩平素又不合式；如果合式，也不会拿他那个缺，越过藩台给臬台护了。”黄二麻子到此，方才恍然。停了一会，各位道台大人见完了新护院，一齐出来。新护院拉住叫“请轿”，他们一定不肯。又开中门拉他们，还只是不敢走，仍旧走的旁边。各位道台出去之后，又见一班知府，一班州、县，约摸有两点钟才完。藩台那里，也不晓得是甚么人送的信，后来听说当时简直气得个半死！气了一回，亦无法想。一直等到饭后，想了想，这是朝廷的旨意，总不能违背的。好在仍在请假期内，自己用不着去，只派了人拿了手本到臬台衙门，替新护院禀安、禀贺；又声明有病请假，自己不能亲自过来的缘故。然而过了两天，假期满了，少不得仍旧自己去上衙门。他自己戴的是头品顶戴红顶子，臬台还是亮蓝顶子；如今反过来去俯就他，怎么能够不气呢。

按下慢表。且说甄学忠靠了老人家的面子，在山东河工上得了个异常劳绩，居然过班知府。第二年又在抢险案内，又得了一个保举，又居然做了道台。等到经手的事情完了，请咨进京引见。父子相见，自有一番欢乐。老太爷便提到小儿子读书不成，应过两回秋闱不中，意思亦想替他捐了官，等他出去历练历练。甄学忠仰体父意，晓得自己没有中举，只以捐纳出身，虽然做到道台，尚非老人所愿。如今再叫兄弟做外官，未免绝了中会的指望，老人家越发伤心。于是极力劝老人家：只替兄弟捐个主事，到部未曾补缺，一样可以乡试。倘若能够中个举人，或是联捷上去，莫说点翰林，就是呈请本班，也就沾光不少。甄阁学听了，颇以为然，果然替小儿子捐了一个主事，签分刑部当差。又过了两年，大儿子在山东居然署理济东泰武临道。此时甄阁学春秋已高，精神也渐渐的有点支持不住，便写信给大儿子说，想要告病。此时，儿子已经到任，接到了老太爷的信，马上写信给老人家，劝老人家告病，或是请几个月的病假，到山东衙门里盘桓些时。甄阁学回信应允。甄学忠得到了信，便商量着派人上京去迎接。想来想去，无人可派，只得把他的堂舅爷黄二麻子请了来，请他进京去走一遭。此时黄二麻子在省城里，靠了妹夫的虚火，也弄到两三个局子差事在身上。听了妹夫的吩咐，又是本省上司，少不得马上答应。甄学忠又替他各处去请假，——凡是各局子的总、会办都是同寅——言明不扣薪水。在各位总、会办，横竖开支的不是自己的钱，乐得做好人；而且又顾全了首道的情面；于是一一允许。黄二麻子愈加感激。第二天收拾了一天，稍些买点送人礼物。第三天就带盘川及家人、练勇，一路上京而来。

在路晓行夜宿，不止一日，已到了京城。找到甄阁学的住宅，先落门房，把甄学忠的家信，连着自己的手本，托门上人递了进去。甄阁学看了信，晓得派来的是儿子的堂舅爷，彼此是亲戚，便马上叫“请见”。黄二麻子见了甄阁学，行礼之后，甄阁学让他坐，他一定不敢上坐；并且口口声声的“老大人”，自己报着名字。甄阁学道：“我们是至亲，你不要闹这些官派。”黄二麻子那里肯听，甄阁学也只好随他。黄二麻子请示：“老大人几时动身？”甄阁学道：“我请病假，上头已经批准，本来一无顾恋，马上可以动得身的。无奈我有一个胞兄，病在保定，几次叫我侄儿写信前来，据说病得很凶，深怕老兄弟不得见面，信上再三劝我，务必到他那里看他一趟。现在我好在一无事体，看手足分上，少不得要亲自去走一遭。再者：我那些侄儿还没有一个出仕，等我去同他商量商量，也要替他们弄出两个去才好。”黄二麻子便问：“这位大老大人，一向是在保定候补呢，还是作幕？”甄阁学道：“也非候补，也非作幕。只因我们家嫂，祖、父两代在保定做官，就在保定买了房子，赛同落了户的一样。家兄娶的头一位家嫂，没有生育就死了。这一位是续弦，姓徐。徐家这位太亲母止此一个女儿，钟爱的了不得，就把家兄招赘在家里做亲的。那年家兄已有四十八岁，家嫂亦四十朝外了。家兄一辈子顶羡慕的是做官。自从十六岁下场乡试，一直顶到四十八岁，三十年里头，连正带恩，少说下过十七八场，不要说是举人、副榜，连着出房、堂备，也没有过，总算是蹭蹬极了！到了这个年纪，家兄亦就意懒心灰，把这正途一条念头打断，意思想从异途上走。到这时候，如说捐官，家嫂娘家有的是钱，单他一个爱婿，就是捐个道台也很容易。偏偏碰着我们这位太亲母——就是家兄的丈母了——他的意思却不以为然。他说：‘梁灏八十二岁中状元。只要你有志气，将来总有一朝发迹的日子。我这里又不少穿，又不少吃，老婆孩子又不要你养活，你急的那一门，要出去做官？我劝你还要用功，不要去打那些瞎念头。你左右不过五十岁的人，比起梁灏还差着三十多岁哩！’家兄听了他丈母的教训，无奈只得再下场。如今又是七八科下来了；再过一两科不中，大约离着邀恩也不远了。偏偏事不凑巧，他又生起病来。至于我那些侄儿呢：肚子里的才情，比起我那两个孩子来却差得多。我的两个孩子，我岂不盼他们由正途出身，于我的面上格外有点光彩；无奈他们的笔路不对，考一辈子也不会发达的。幸亏我老头子见机得早，随他们走了异途，如今到底还有个官做。若照家兄的样子，自己已经蹭蹬了一辈子，还经得起儿子再学他的样！所以我急于要去替他安排安排才好。”甄阁学说完了这番话，黄二麻子都已领悟，无言而退。一时在京那些同年至好，晓得甄阁学要出京，今天你送礼，明天我饯行；甄阁学怕应酬，一概辞谢。赶把行李收拾停当，雇好了车，提早三天就起身，前往保定进发。他第二个儿子甄学孝同着家眷仍留京城，当他的主事。按下慢表。

单说甄阁学同了黄二麻子两个，晓行夜宿，不止一日，已到保定大老大人的公馆，一直到他门口下车。原来大老大人的丈母一年前头也不在了，另外有过继儿子过来当家。大老大人因为住在丈人家不便，好在有的是妻财，立刻拿出来，另外典一所大房子，同着太太、少爷搬出来另住。当时黄二麻子招呼着甄阁学下了车，甄阁学先进去了。黄二麻子且不进去，先在门外督率家人、练勇卸行李。自己又一面留心，在门楼底下两面墙上看了一回，只见满墙贴着二寸来宽的红纸封条。只见报条上的官衔：自从拔贡、举人起，某科进士、某科翰林；京官大学士、军机大臣起，以及御史、中书为止；外官从督，抚起，以至佐杂太爷止；还有武职，提、镇至千、把、外委，通通都有；又有甚么钦差大臣、学政、主考，一切阔差使；至于各省局所督、会办，不计其数。黄二麻子一头看，一头想心思："他老人家生平没有做过甚么官，就是令弟二先生也不过做到阁学，他上代头又没有甚么阔人，那里来的这许多官衔？至于外省的那些官衔同那武职的，越发不对了。就说是亲戚的，也只应该拣官大的写上几个，光光门面；甚么佐杂，千、把，写了徒然叫人家看着寒碜。不晓得他一齐写在这里，是个甚么意思？"黄二麻子正在门楼底下一个纳闷，不知不觉，行李已发完了，于是跟了大众一块儿进去。听见这里的管家说起："二老爷进来的时候，我们老爷正发晕过去，至今还没有醒。"黄二麻子虽是亲戚，不便直闯人家的上房，只好一个人坐在厅上静候。等了一会，忽听得里面哭声大震。黄二麻子道声"不好！一定是大老大人断了气了"！想进去望望，究竟人地生疏，不敢造次。心上又想："幸亏还好，他老兄弟俩还见得一面。但这一霎的工夫，不晓得他老兄弟可能说句话没有？"正想着，里面哭声也就住了。黄二麻子不免怀疑。按下慢表。

如今且说甄阁学，自从下车走到里面，便有他胞侄儿迎了出来，抢着替二叔请安。刚进上房，又见他那位续弦嫂子也站在那里了。甄阁学是古板人，见了长嫂一定要磕头的。磕完了头，嫂子忙叫一班侄儿来替他磕头。等到见完了礼，甄阁学急于要问："大哥怎么样了？"他嫂子见问，早已含着一包眼泪，拿袖子擦了又擦，歇了半天，才回得："不大好！请里间坐。"甄阁学也急于要看哥哥的病，不等嫂子让，早已掀开门帘进去了。进得房来，只见他哥哥朝外睡在床上；拿块手巾包着头，脸上一点血丝也没有，的确是久病的样子。甄阁学要进来的时候，他哥哥迷迷糊糊，似睡不睡，并不觉得有人进来。等到兄弟叫他一声，似乎拿他一惊，睁开眼睛一看，当时还没有看清。后来他儿子赶到床前，又高声同他说："是二叔来了。"这才心上明白。登时一惊一喜，竭力的从被窝里挣出一只手来，拿兄弟的衣裳一把拉住。看他情形，不晓得要有许多话说。谁知拉兄弟衣裳的时候，用力过猛，又闪了气，一阵昏晕，一松手，早又不知人事。儿子急的喊爸爸，喊了几声，亦不见醒。甄阁学一时手足情切，止不住淌下泪来。谁知他嫂子、侄儿以为这个样子，人是决计不中用的了；又用力喊了两声，不见回来；便当他已死，一齐痛哭起来。后来还是常伺候病人的一个老妈，在病人胸前摸了一把，说："老爷胸口还有热气，决计不碍。"劝大家别哭，大家方才停止。

悲声停了一刻，忽听见病人在床上大声呼喊起来。众人一齐吃了一惊，赶紧枭开帐子一看，只见病人已经挣扎着爬起来了。众人又怕他闪了气力，然而要想按他，又按他不下，只得扶他坐起。只听他嘴里还自言自语："这可真正吓死我了！"一连又说了两遍，说话的声音很有气力，迥非平时可比。再看他脸色，也有了血色了。甄阁学看了诧异，忙问："大哥怎么样？"只见他回道："我刚才似乎做梦，梦见走到一座深山里面。这山上豺、狼、虎、豹，样样都有，见了人，恨不得一口就吞下去的样子。我幸亏躲在那树林子里，没有被这班恶兽看见，得以无事。……"毕竟他是有病之人，说到这里，便觉上气不接下气；众人赶忙送上半碗参汤，等他呷了几口接接力。又说道："我在林子里，那些东西瞧不见我，我却瞧见他们，看的碧波爽清的。原来这山上并不光是豺、狼、虎、豹，连着猫、狗、老鼠、猴子、黄鼠狼，统通都有；至于猪、羊、牛，更不计其数了。老鼠会钻，满山里打洞：钻得进的地方，他要钻；倘若碰见石头，钻不进的地方，他也是乱钻。狗是见了人就咬；然而又怕老虎吃他，见了老虎就摆头摇尾巴的样子，又实在可怜。最坏不过的是猫，跳上跳下：见虎、豹，他就跳在树上；虎、豹走远了，他又下来了。猴子是见样学样。黄鼠狼是顾前不顾后的，后头追得紧，他就一连放上几个臭屁跑了。此外还有狐狸，装做怪俊的女人，在山上走来走去，叫人看了，真正爱死人。猪、羊顶是无用之物。牛虽来得大，也不过摆样子看罢了。我在树林子里看了半天，我心上想：'我如今同这一班畜生在一块，终究不是个事。'又想跳出树林子去。无奈遍山遍地，都是这班畜生的世界，又实在跳不出去。想来想去，只好定了心，闭着眼睛，另外生主意。正在这个档口，不提防大吼一声，顿时天崩地裂一般。这时候我早已吓昏了，并不晓得我这个人是生是死。恍恍惚惚的，一睁眼忽然又换了一个世界，不但先前那一班畜生一个不见，并且连我刚才所受的惊吓也忘记了。"

病人说到这里，又停了一刻，接了一接力；家人们又送上半碗汤，呷了两口。这才接下去说道："我梦里所到的地方，竟是一片康庄大道，马来车往，络绎不绝，竟同上海大马路一个样子。我此时顺着脚向东走去，不知不觉，走到一个所在，乃是一所极高大的洋房，很高的台阶。一头走，一头数台阶，足足有一十八级。我上了台阶，亦似乎觉得有点腿酸，就在东面廊下一张外国椅子上，和身倒下。刚才有点蒙胧睡去，忽然觉得身后有人推我一把，嘴里大声喊道：‘这是甚么地方！你是那里来的野人，敢在这里乱睡！你不看里面那些戴顶子、穿靴子的老爷们，他们一齐静悄悄的坐在那里？只有你这个不懂规矩的在这里撒野，还不给我滚开！’我被他骂得动气，便道：‘他们做他的老爷，我睡我的觉，我不碍着他们。他们不能管我，你怎能管我？你道我不懂规矩，难道他们那班戴顶子、穿靴子的人，就不作兴有不规矩的事吗？’那个人被我顶撞了两句，登时恼羞成怒，抡起拳头来就要打我。我也不肯失这口气，就与他对打起来。洋房里的人听见我同那人打架，立刻出来吆喝说：‘这里办正经事，你们闹的甚么！’那人见有人吆喝，马上站住，我也只好住手。里头的人便问我是那里来的。我怎么回答他，一时间恍恍惚惚也记不清了。又忽然记得我问那人：‘你们在这里做甚么？’那人道：‘我们在这里校对一部书。’我问他是甚么书，那人说是：‘上帝可怜中国贫弱到这步田地，一心要想救救中国。然而中国四万万多人，一时那能够统通救得。因此便想到一个提纲挈领的法子，说：中国一向是专制政体，普天下的百姓都是怕官的，只要官怎么，百姓就怎么，所谓上行下效。为此拿定了主意，想把这些做官的先陶熔到一个程度，好等他们出去，整躬率物，出身加民。又想：中国的官，大大小小，何止几千百个；至于他们的坏处，很像是一个先生教出来的。因此就悟出一个新法子来：摹仿学堂里先生教学生的法子，编几本教科书教导他们。并且仿照世界各国普通的教法：从初等小学堂，一层一层的上去，由是而高等小学堂、中学堂、高等学堂。等到到了高等卒业之后，然后再放他们出去做官，自然都是好官。二十年之后，天下还愁不太平吗？’我听了未及回答，只见那人的背后走过一个人来，拿他拍了一下，说声：‘伙计！快去校对你的书罢！校完了好一块儿出去吃饭。’那人听罢此言，马上就跑了进去。不多一刻，里面忽然大喊起来，但听得一片人声说：‘火！火！火！’随后又看见许多人，抱了些烧残不全的书出来，这里顷刻间火已冒穿屋顶了。一霎时救火的洋龙一齐赶到，救了半天，把火救灭。再到屋里一看，并不见有甚么失火的痕迹；就是刚才洋龙里面放出来的水，地下亦没有一点。我心上正在稀奇，又听见那班人回来，围在一张公案上面查点烧残的书籍。查了半天，道是：他们校对的那部书，只剩得上半部。原来这部教科书，前半部是指摘他们做官的坏处，好叫他们读了知过必改；后半部方是教导他们做官的法子。如今把这后半部烧了，只剩得前半部。光有这前半部，不像本教科书，倒像个《封神榜》、《西游记》，妖魔鬼怪，一齐都有。他们那班人因此便在那里商议说：‘总得把他补起来才好！’内中有一个人道：‘我是一时记不清这事情，就是要补，也非一二年之事。依我说：还是把这半部印出来，虽不能引之为善，却可以戒其为非。况且从前古人以半部《论语》治天下，就是半部亦何妨。倘若要续，等到空闲的时候再续。诸公以为何如？’众人踌躇了半天，也没有别的法子可想，只得依了他的说话，彼此一哄而散。他们都散了，我的梦也醒了；说也奇怪，一场大病，亦赛如没有了。”

当下甄阁学见他哥子病势已减，不觉心中安慰了许多。以后他哥子活到若干年纪。他自己何时前往山东，到他儿子任上做老太爷去。写了出来，不过都是些老套头，不必提他了。

是为《官场现形记》，前半部终。

图书在版编目（CIP）数据

官场现形记：全2册 / (清) 李宝嘉著. –哈尔滨:
黑龙江美术出版社, 2012.10
（中国古典文学名著丛书）
ISBN 978-7-5318-3643-8

Ⅰ. ①官… Ⅱ. ①李… Ⅲ. ①章回小说－中国－清代
Ⅳ. ①I242.4

中国版本图书馆CIP数据核字(2012)第191744号

官场现形记

作　　者　李宝嘉
责任编辑　陈颖杰　郭建廷
出版发行　黑龙江美术出版社
地　　址　哈尔滨市道里区安定街225号
邮政编码　150016
发行电话　（0451）84270514
网　　址　www.hljmscbs.com
经　　销　全国新华书店
印　　刷　哈尔滨市石桥印务有限公司
开　　本　720×1020　1/16
印　　张　39.75
字　　数　723千字
版　　次　2012年11月第1版
印　　次　2012年11月第1次印刷
书　　号　ISBN 978-7-5318-3643-8
定　　价　176.00元（上　下）

醒世恒言

下

中国古典文学名著丛书

冯梦龙 著

黑龙江出版集团
黑龙江美术出版社

第二十一卷
张淑儿巧智脱杨生

自昔财为伤命刃，从来智乃护身符。
贼髡毒手谋文士，淑女双眸识俊儒。
已幸馀生逃密网，谁知好事在穷途？
一朝获把封章奏，雪怨酬恩显丈夫。

话说正德年间，有个举人，姓杨名延和，表字元礼，原是四川成都府籍贯。祖上流寓南直隶扬州府地方做客，遂住扬州江都县。此人生得肌如雪晕，唇若朱涂，一个脸儿，恰像羊脂白玉碾成的。那里有什么裴楷，那里有什么王衍？这个杨元礼，便真正是神清气清第一品的人物。更兼他文才天纵，学问夙成，开着古书簿叶，一双手不住的翻，吸力豁刺，不勾吃一杯茶时候，便看完一部。人只道他查点篇数，那晓得经他一展，逐行逐句，都稀烂的熟在肚子里头。一遇作文时节，铺着纸，研着墨，蘸着笔尖，飕飕声，簌簌声，直挥到底，好像猛雨般洒满一纸，句句是锦绣文章。真个是：

笔落惊风雨，书成泣鬼神。
终非池沼物，堪作庙堂珍。

七岁能书大字，八岁能作古诗，九岁精通时艺，十岁进了府庠，次年第一补廪。父母相继而亡，丁忧六载。元礼因为少孤，亲事也都不曾定得。喜得他苦志读书，十九岁便得中了乡场第二名。不得首荐，心中闷闷不乐。叹道：“世少识者。”不耐烦赴京会试。那些叔伯亲友们，那个不来劝他及早起程。又有同年兄弟六人，时常催促同行。那杨元礼虽说不愿会试，也是不曾中得解元，气忿的说话，功名心原是急的。一日，被这几个同年们催逼不过，发起兴来，整治行李。原来父母虽亡，他的老尊原是务实生理的人，却也有些田房遗下。元礼变卖一两处为上京盘缠，同了六个乡同年，一路上京。

那六位同年是谁？一个姓焦名士济，字子舟；一个姓王名元晖，字景照；一个姓张名显，字弢伯；一个姓韩名蕃锡，字康侯；一个姓蒋名义，字礼生；一个姓刘名善，字取之。六人里头，只有刘、蒋二人家事凉薄些儿，那四位却也一个个殷足。那姓王的家私百万，地方上叫做小王恺，说起来连这举人也是有些缘故来的。那时新得进身，这几个朋友，好不高兴，带了五六个家人上路。一个个人材表表，气势昂昂，十分齐整。怎见得？但见：

轻眉俊眼，绣腿花拳，风笠飘飘，雨衣鲜灿。玉勒马一声嘶破柳堤烟，碧帷车数武碾残松岭雪。右悬雕矢，行色增雄；左插鲛函，威风倍壮。扬鞭喝跃，途人谁敢争先；结队驱驰，村市尽皆惊盼。正是：

处处绿杨堪系马，人人有路透长安。

这班随从的人打扮出路光景，虽然悬弓佩剑，实落是一个也动不得手的。大凡出路的人，第一是老成二字最为紧要。一举一动，俱要留心。千不合，万不合，是贪了小便宜。在山东兖州府码头上，各家的管家打开了银包，兑了多少铜钱，放在皮箱里头，压得那马背郎当，担夫瘆软。一路上见的，只认是银子在内，那里晓得是铜钱在里头。行到河南府荥县地方相近，离城尚有七八十里。路上荒凉，远远的听得钟声清亮。抬头观看，望着一座大寺：

苍松虬结，古柏龙蟠。千寻峭壁，插汉芙蓉；百道鸣泉，洒空珠玉。螭头高拱，上逼层霄；鸱吻分张，下临无地。颤巍巍恍是云中双阙，光灿灿犹如海外五城。

寺门上有金字牌扁，名曰宝华禅寺。这几个连日鞍马劳顿，见了这么大寺，心中欢喜。一齐下马停车，进去游玩。但见稠阴夹道，曲径纡回，旁边多少旧碑，七横八竖，碑上字迹模糊，看起来唐时开元年间建造。正看之间，有小和尚疾忙进报。随有中年和尚油头滑脸，摆将出来，见了这几位冠冕客人踱进来，便鞠躬迎进。逐一位见礼看座，问了某姓某处，小和尚掇出一盘茶来吃了。那几个随即问道："师父法号？"那和尚道："小僧贱号悟石。列位相公有何尊干，到荒寺经过？"众人道："我们都是赴京会试的，在此经过，见寺宇整齐，进来随喜。"那和尚道："失敬，失敬！家师远出，有失迎接，却怎生是好？"说了三言两语，走出来分付道人摆茶果点心，便走到门前观看。只见行李十分华丽，跟随人役，个个鲜衣大帽。眉头一蹙，计上心来，暗暗地欢喜道："这些行李，若谋了他的，尽好受用。我们这样荒僻地面，他每在此逗留，正是天送来的东西了。见物不取，失之千里。不免留住他们，再作区处。"转身进来，就对众举人道："列位相公在上，小僧有一言相告，勿罪唐突。"众举人道："但说何妨。"

和尚道："说也奇怪，小僧昨夜得一奇梦，梦见天上一个大星，端端正正的落在荒寺后园地上，变了一块青石。小僧心上喜道：必有大贵人到我寺中。今日果得列位相公到此。今科状元，决不出七位相公之外。小僧这里荒僻乡村，虽不敢屈留尊驾，但小僧得此佳梦，意欲暂留过宿。列位相公，若不弃嫌，过了一宿，应此佳兆。只是山蔬野蔌，怠慢列位相公，不要见罪。"

众举人听见说了星落后园，决应在我们几人之内，欲待应承过宿，只有杨元礼心中疑惑，密向众同年道："这样荒僻寺院，和尚外貌虽则殷勤，人心难测。他苦苦要留，必有缘故。”众同年道：“杨年兄又来迂腐了。我们连主仆人夫，算来约有四十多人，那怕这几个乡村和尚。若杨年兄行李万有他虞，都是我众人赔偿。”杨元礼道：“前边只有三四十里，便到歇宿所在。还该赶去，才是道理。”却有张弢伯与刘取之，都是极高兴的朋友，心上只是要住，对元礼道：“且莫说天时已晚，赶不到村店。此去途中，尚有可虑。现成这样好僧房，受用一宵，明早起身，也不为误事。若年兄必要赶到市镇，年兄自请先行，我们不敢奉陪。”那和尚看见众人低声商议，杨元礼声声要去，便向元礼道：“相公，此处去十来里有黄泥坝，歹人极多。此时天时已晚，路上难保无虞。相公千金之躯，不如小房过夜，明日早行，差得几时路程，却不安稳了多少。”

元礼被众友牵制不过，又见和尚十分好意，况且跟随的人，见寺里热茶热水，也懒得赶路，向主人道：“这师父说黄泥坝晚上难走，不如暂过一夜罢。”元礼见说得有理，只得允从。众友分付抬进行李，明早起程。

那和尚心中暗喜中计，连忙备办酒席，分付道人，宰鸡杀鹅，烹鱼炮鳖，登时办起盛席来。这等地面那里买得凑手？原来这寺和尚极会受用，件色鸡鹅等类，都养在家里，因此捉来便杀，不费工夫。佛殿旁边转过曲廊，却是三间精致客堂，上面一字儿摆下七个筵席，下边列着一个陪桌，共是八席，十分齐整。悟石举杯安席。众同年序齿坐定。吃了数杯之后，张弢伯开言道：“列位年兄，必须行一酒令，才是有兴。”刘取之道：“师父，这里可有色盆？”和尚道：“有，有。”连唤道人取出色盆，斟着大杯，送第一位焦举人行令。焦子舟也不推逊，吃酒便掷，取么点为文星，掷得者卜色飞送。众人尝得酒味甘美，上口便干。原来这酒不比寻常，却是把酒来浸米，麹中又放些香料，用些热药，做来颜色浓酽，好像琥珀一般。上口甘香，吃了便觉神思昏迷，四肢疼软。这几个会试的路上吃惯了歪酒，水般样的淡酒，药般样的苦酒，还有尿般样的臭酒，这晚吃了恁般浓酿，加倍放出意兴来。猜拳赌色，一杯复一杯，吃一个不住。那悟石和尚又叫小和尚在外厢陪了这些家人，叫道人支持这些轿夫马夫，上下人等，都吃得泥烂。

只有杨元礼吃到中间，觉酒味香浓，心中渐渐昏迷，暗道：“这所在那得恁般好酒！且是昏迷神思，其中决有缘故。”就地生出智着来，假做腹痛，吃不下酒。那些人不解其意，却道：“途路上或者感些寒气，必是多吃热酒，才可解散，如何倒不用酒？”一齐来劝。那和尚道：“杨相公，这酒是三年陈的，小僧辈置在床头，不敢轻用。今日特地开出来，奉敬相公。腹内作痛，必是寒气，连用十来大杯，自然解散。”杨元礼看他勉强劝酒，心上愈加疑惑，坚执不饮。众人道：“杨年兄为何这般扫兴？我们是畅饮一番，不要负了师父美情。”和尚合席敬大杯，只放元礼不过，心上道：“他不肯吃酒，不知何故？我也不怕他一个醒的跳出圈子外边去。”又把大杯斟送。

元礼道：“实是吃不下了，多谢厚情。”和尚只得把那几位抵死劝酒。却说那些副手的和尚，接了这些行李，众管家们各拣洁净房头，铺下铺盖。这些吃醉的举人，大家你称我颂，乱叫着某状元、某会元，东歪西倒，跌到房中，面也不洗，衣也不脱，爬上床磕头便睡，齁齁鼻息，响动如雷。这些手下人也被道人和尚们大碗头劝着，一发不顾性命，吃得眼定口开，手疼脚软，做了一堆矬倒。

却说那和尚也在席上陪酒，他便如何不受酒毒？他每分付小和尚，另藏着一把注子，色味虽同，酒力各别。间或客人答酒，只得呷下肚里，却又有解酒汤，在房里去吃了，不得昏迷。酒散归房，人人熟睡。那些贼秃们一个个磨拳擦掌，思量动手。悟石道：“这事须用乘机取势，不可迟延。万一酒力散了，便难做事。”分付各持利刃，悄悄的步到卧房门首，听了一番，思待进房中间，又有一个四川和尚，号曰觉空，悄向悟石道：“这些书呆不难了当，必须先把跟随人役完了事，才进内房，这叫做斩草除根，永无遗患。”悟石点头道：“说得有理。”遂转身向家人安歇去处，掇开房门，见头便割。这班酒透的人，匹力扑六的好像切菜一般，一齐杀倒，血流遍地。其实堪伤！

却说那杨元礼因是心中疑惑，和衣而睡。也是命不该绝，在床上展转不能安寝。侧耳听着外边，只觉酒散之后，寂无人声。暗道：“这些和尚是山野的人，收了这残盘剩饭，必然聚吃一番，不然，也要收拾家火，为何寂然无声？”又少顷，闻得窗外悄步，若有人声，心中愈发疑异。又少顷，只听得外厢连叫哎哟，又有模糊口声。又听得匹扑的跳响，慌忙跳起道：“不好了，不好了！中了贼僧计也！”隐隐的闻得脚踪声近，急忙里用力去推那些醉汉，那里推得醒？也有木头般不答应的，也有胡胡卢卢说困话的。推了几推，只听得呀的房门声响。元礼顾不得别人，事急计生，耸身跳出后窗，见庭中有一棵大树，猛力爬上，偷眼观看。只见也有和尚，也有俗人，一伙儿拥进房门，持着利刃，望颈便刺。

元礼见众人被杀，惊得心摇胆战，也不知墙外是水是泥，奋身一跳，却是乱棘丛中。欲待蹲身，又想后窗不曾闭得，贼僧必从天井内追寻，此处不当稳便。用力推开棘刺，满面流血，钻出棘丛，拔步便走，却是硬泥荒地。带跳而走，已有二三里之远。云昏地黑，阴风淅淅，不知是什么所在，却都是废冢荒丘。又转了一个弯角儿，却见一所人家，孤丁丁住着，板缝内尚有火光。元礼道：“我已筋疲力尽，不能行动。此家灯火未息，只得哀求借宿，再作道理。”正是：

青龙白虎同行，凶吉全然未保。

元礼低声叩门，只见五十来岁一个老妪，点灯开门。见了元礼，道：

"夜深人静，为何叩门?"元礼道："昏夜叩门，实是学生得罪。争奈急难之中，只得求妈妈方便，容学生暂息半宵。"老妪道："老身孤寡，难好留你。且尊客又无行李，又无随从，语言各别，不知来历，决难从命!"元礼暗道：事到其间，不得不以实情告他："妈妈在上，其实小生姓杨，是扬州府人，会试来此，被宝华寺僧人苦苦留宿。不想他忽起狠心，把我们六七位同年都灌醉了，一齐杀倒。只有小生不醉，幸得逃生。"老妪道："哎哟！阿弥陀佛!不信有这样事!"元礼道："你不信，看我面上血痕。我从后庭中大树上爬出，跳出荆棘丛中，面都刺碎。"

老妪睁睛看时，果然面皮都碎。对元礼道："相公果然遭难，老身只得留住。相公会试中了，看顾老身，就有在里头了。"元礼道："极感妈妈厚情！自古道：救人一命，胜造七级浮屠。我替你关了门，你自去睡。我就在此桌儿上假寐片时，一待天明，即便告别。"老妪道："你自请稳便。那个门没事，不劳相公费心。老身这样寒家，难得会试相公到来。常言道：贵人上宅，柴长三千，米长八百。我老身有一个姨娘，是卖酒的，就住在前村。我老身去打一壶来，替相公压惊，省得你又无铺盖，冷冰冰地睡不去。"元礼只道脱了大难，心中又惊又喜，谢道："多承妈妈留宿，已感厚情，又承赐酒，何以图报？小生倘得成名，决不忘你大德。"妈妈道："相公且宽坐片时。有小女奉陪。老身暂去就来。女儿过来，见了相公。你且把门儿关着，我取了酒就来也。"那老妪分付女儿几句，随即提壶出门去了，不提。

却说那女子把元礼仔细端详，若有嗟叹之状。元礼道："请问小姐姐今年几岁了?"女子道："年方一十三岁。"元礼道："你为何只管呆看小生?"女子道："我看你堂堂容貌，表表姿材，受此大难，故此把你仔细观看。可惜你满腹文章，看不出人情世故。"元礼惊问道："你为何说此几句，令我好生疑异?"女子道："你只道我家母亲为何不肯留你借宿?"元礼道："孤寡人家，不肯黉夜留人。"女子道："后边说了被难缘因，他又如何肯留起来?"元礼道："这是你令堂恻隐之心，留我借宿。"女子道："这叫做燕雀处堂，不知祸之将及。"元礼益发惊问道："难道你母亲也待谋害我不成？我如今孤身无物，他又何所利于我？小姐姐，莫非道我伤弓之鸟，故把言语来唬诈我么?"女子道："你只道我家住居的房屋，是那个的房屋？我家营运的本钱是那个的本钱?"元礼道："小姐姐说话好奇怪！这是你家事，小生如何知道?"女子道："妾姓张，有个哥哥，叫做张小乙，是我母亲过继的儿子，在外面做些小经纪。他的本钱，也是宝华寺悟石和尚的，这一所草房也是寺里搭盖的。哥哥昨晚回来，今日到寺里交纳利钱去了，幸不在家。若还撞见相公，决不相饶。"元礼想道："方才众和尚行凶，内中也有俗人，一定是张小乙了。"便问道："既是你妈妈和寺里和尚们一路，如何又买酒请我?"女子道：

“他那里真个去买酒！假此为名，出去报与和尚得知。少顷他们就到了，你终须一死！我见你丰仪出众，决非凡品，故此对你说知，放你逃脱此难！”

元礼唬得浑身冷汗，抽身便待走出。女子扯住道：“你去了不打紧，我家母亲极是利害，他回来不见了你，必道我泄漏机关。这场责罚，教我怎生禁受？”元礼道：“你若有心救我，只得吃这场责罚，小生死不忘报。”女子道：“有计在此！你快把绳子将我绑缚在柱子上，你自脱身前去。我口中乱叫母亲，等他回来，只告诉他说你要把我强奸，绑缚在此。被我叫喊不过，也怕母亲归来，只得逃走了去。必然如此，方免责罚。”又急向箱中取银一锭与元礼道：“这正是和尚借我家的本钱。若母亲问起，我自有言抵对。”元礼初不欲受，思量前路盘缠，尚无毫忽，只得受了。把这女子绑缚起来，心中暗道：“此女仁智兼全，救我性命，不可忘他大恩。不如与他定约，异日娶他回去。”便向女子道：“小生杨延和，表字元礼，年十九岁，南直扬州府江都县人氏。因父母早亡，尚未婚配。受你活命之恩，意欲结为夫妇，后日娶你，决不食言。小姐姐意下如何？”女子道：“妾小名淑儿，今岁十三岁。若不弃微贱，永结葭莩，死且不恨。只是一件：我母亲通报寺僧，也是平昔受他恩惠，故尔不肯负他。请君日后勿复记怀。事已危迫，君无留恋。”元礼闻言一毕，抽身往外便走。才得出门，回头一看，只见后边一队人众，持着火把，蜂拥而来。元礼魂飞魄丧，好像失心风一般，望前乱跌，也不敢回头再看。

话分两头。单提那老妪打头，引僧觉空持棍在前，悟石随后，也有张小乙，通共有二十馀人，气吽吽一直赶到老妪家里。女子听得人声相近，乱叫乱哭。老妪一进门来，不见了姓杨的，只见女子被缚，唬了一跳，道：“女儿为何倒缚在那里？”女子哭道：“那人见母亲出去，竟要把我强奸，道我不从，竟把绳子绑缚了我。被我乱叫乱嚷，只得奔去。又转身进来要借盘缠，我回他没有，竟向箱中摸取东西，不知拿了甚么，向外就走。”那老妪闻言，好像落汤鸡一般，口不能言，连忙在箱子内查看，不见了一锭银子，叫道：“不好了！前借师父的本钱，反被他掏摸去了。”众和尚不见杨元礼，也没工夫逗留，连忙向外追赶。又不知东西南北那一条路去了。走了一阵，只得叹口气回到寺中，跌脚叹道：“打蛇不死，自遗其害。”事已如此，无可奈何。且把杀死众尸，埋在后园空地上。开了箱笼被囊等物，原来多是铜钱在内，银子也有八九百两，把些来分与觉空，又把些分与众和尚、众道人等，也分些与张小乙。人人欢喜，个个感激。又另把些送与老妪，一则买他的口，一则赔偿他所失本钱。依旧作借。

却说那元礼，脱身之后，黑地里走来走去，原只在一笪地方，气力都尽，只得蹲在一个冷庙堂里头。天色微明，向前又走，已到荥县。刚待进城，遇着一个老叟，连叫：“老侄，闻得你新中了举人，恭喜，恭喜！今上京会试，如何在此独步，没人随从？”那老叟你道是谁？却就是元礼的叔父，叫做杨小峰，一向在京生理，贩货下来，经繇河间府到往山东。劈面撞着了新中的侄儿，真是一天之喜。元礼正值穷途，撞见了自家的叔父，把宝华寺受难根因，与老妪家脱身的缘故一一告诉。杨小峰十分惊唬。挽着手，拖到饭店上吃了饭，将自已身边随从的阿三送与元礼伏侍，又借他白银一百二三十两，又替他叫了骡轿送他进京。正叫做：

不是一番寒彻骨，怎得梅花扑鼻香。

元礼别了小峰，到京会试，中了第二名会魁，叹道：“我杨延和到底逊人一筹！然虽如此，我今番得中，一则可以践约，二则得以伸冤矣。”殿试中了第一甲第三名，入了翰林。有相厚会试同年舒有庆，他父亲舒珽，正在山东做巡按。元礼把六个同年及从人受害本末，细细与舒有庆说知。有庆报知父亲，随着府县拘提合寺僧人到县。即将为首僧人悟石、觉空二人，极刑鞫问，招出杀害举人原繇。押赴后园，起尸相验，随将众僧拘禁。此时张小乙已自病故了。舒珽即时题请灭寺屠僧，立碑道傍，地方称快。后边元礼告假回来，亲到废寺基址，作诗吊祭六位同年，不题。

却说那老妪原系和尚心腹，一闻寺灭僧屠，正待逃走。女子心中暗道：“我若跟随母亲同去，前日那杨举人从何寻问？”正在忧惶，只见一个老人家走进门来，问道：“这里可是张妈妈家？”老妪道：“老身亡夫，其实姓张。”老叟道：“令爱可叫做淑儿么？”老妪道：“小女的名字，老人家如何晓得？”老叟道：“老夫是扬州杨小峰，我侄儿杨延和，中了举人，在此经过，往京会试。不意这里宝华禅寺和尚忽起狼心，谋害同行六位举人，并杀跟随多命。侄儿幸脱此难。现今中了探花，感激你家令爱活命之恩，又谢他赠了盘缠银一锭，因此托了老夫到此说亲。”老妪听了，唬呆了半晌，无言回答。那女子窥见母亲情慌无措，扯他到房中说道：“其实那晚见他丰格超群，必有大贵之日。孩儿惜他一命，只得赠了盘缠放他逃去。彼时感激孩儿，遂订终身之约。孩儿道：母亲平昔受了寺僧恩惠，纵去报与寺僧知道，也是各不相负，你切不可怀恨。他有言在先，你今日不须惊怕。”杨小峰就接淑儿母子到扬州地方，赁房居住。等了元礼荣归，随即结姻。

老妪不敢进见元礼，女儿苦苦代母请罪，方得相见。老妪匍伏而前。元礼扶起行礼，不提前事。却说后来淑儿与元礼生出儿子，又中辛未科状元，子孙荣盛。若非黑夜逃生，怎得佳人作合？这叫做：夫妻同是前生定，曾向蟠桃会里来。

有诗为证：

春闱赴选遇强徒，解厄全凭女丈夫。

凡事必须留后着，他年方不悔当初。

第二十二卷
吕洞宾飞剑斩黄龙

暮宿苍梧，朝游蓬岛，朗吟飞过洞庭边。岳阳楼酒醉，借玉山作枕，容我高眠。出入无踪，往来不定，半是风狂半是颠。随身用提篮背剑，货卖云烟。　人间飘荡多年，曾占东华第一筵。推倒玉楼，种吾奇树；黄河放浅，栽我金莲。捽碎珊瑚，翻身北海，稽首虚皇高座前。无难事，要功成八百，行满三千。

这只词儿名曰《沁园春》，乃是一位陆地大罗神仙所作。那位神仙是谁？姓吕名岩，表字洞宾，道号纯阳子。自从黄粱梦得悟，跟随师父钟离先生，每日在终南山学道。或一日，洞宾曰："弟子蒙我师度脱，超离生死，长生妙诀，俺道门中轮回还有尽处么？"师父曰："如何无尽？自从混沌初分以来，一小劫该十二万九千六百年，世上混一，圣贤皆尽；一大数二十五万九千二百年，儒教已尽；阿修劫三十八万八千八百年，俺道门已尽；襄劫七十七万七千七百年，释教已尽。此是劫数。"洞宾又问："我师，阎浮世上，高低阔远，南北东西，俱有尽处么？"师父曰："如何无尽处？且说中原之地，东至日出，西至日没，南至南蛮，北至幽燕，两轮日月，一合乾坤，四百座军州，三千座县分，七百座巡检司，此是中原之地。"洞宾曰："弟子欲游中原，从何而起？从何而止？"师曰："九九之数属阳，先从山前九州，山后九州，两淮三九二十七军州，河北四九三十六军州，关西五九四十五军州，西川六九五十四军州，荆湖七九六十三军州，江南九九八十一军州，海外潮阳四州，共计四百座军州。"洞宾曰："四百座军州，有多少人烟？"师曰："世上三山、六水、一分人烟。"

洞宾又问："我师成道之日，到今该多寿数？"师父曰："数着汉朝四百七年，晋朝一百五十七年，唐朝二百八十八年，宋朝三百一十七年，算来计该一千年一百岁有零。"洞宾曰："师父计年一千一百岁有零，度得几人？"师父曰："只度得你一人。"洞宾曰："缘何只度得弟子一人？只是俺道门中不肯慈悲，度脱众生。师父若教弟子三年严限，只在中原之地，度三千馀人，兴俺道家。"师父听得说，呵呵大笑："吾弟住口！世上众生不忠者多，不孝者广。不仁不义众生，如何做得神仙？吾教汝去三年，但寻得一个来，也是汝之功。”洞宾曰：“只就今日拜辞吾师，弟子云游去了。”师父曰：“且住，且住！你去未得。吾有法宝，未曾传与汝。道童，与吾取过降魔太阿神光宝剑来。”道童取到。师父曰：“此剑是吾师父东华帝君传与吾，吾传与汝。”这洞宾双膝跪下：“领我师法旨。”师父曰：“此剑能飞取人头，言说住址姓名，念咒罢，此剑化为青龙，飞去斩首，口中衔头而来，有此灵显。有咒一道，飞去者如此如此；再有收回咒一道，如此如此。”言罢，洞宾纳头拜授，背了剑曰：“告吾师，弟子只今日拜辞下山去。”师曰：“且住，且住！你去未得。汝若要下山，依我三件事，方可去。”洞宾曰：“告我师，不知那三件事？”

师曰：“第一件，到中原之地，休寻和尚闹，依得么？”洞宾曰：“依得。”师曰：“第二件，将吾宝剑去要将回来，休失落了，依得么？”洞宾曰：“依得。”师曰：“第三件，与你三年限满，休违了。如违了限，即当斩首灭形，依得么？”洞宾曰：“依得。”师父大喜道：“好去，好去！”洞宾曰：“蒙我师传法与弟子，年代劫数，地理路途，宝剑法语，弟子都省悟了。今作诗一首，拜谢吾师。弟子下山度人去也！”诗曰：

二十四神清，三千功行成。
云烟笼地轴，星月遍空明。
玉子何须种，金丹岂用耕？
个中玄妙诀，谁道不长生！

作诗已罢，师父呵呵大笑：“吾弟，汝去三年，度得人也回来，度不得人也回来，休违限次，宝剑休失落了。休惹和尚闹。速去速回！”洞宾拜辞师父下山，却不知度得人也度不得？正是：

情知语是钩和线，从头钓出是非来。

这洞宾一就下山，按落云头，来到阎浮世上，寻取有缘得道之士。整整行了一年，绝无踪迹。有诗为证：

自隐玄都不记春，几回沧海变成尘。
我今学得长生法，未肯轻传与世人。

洞宾行了一年，没寻人处，如之奈何？眉头一纵，计上心来。在山中曾听得师父说来，直上太虚顶上观看，但是紫气现处，五霸诸侯；黑气现处，山妖水怪；青气现处，得道神仙。去那无人烟处，喝声起，一道云头直到太虚顶上。东观西望，远远见一处青气充天而起。洞宾道：“好！此处必有神仙。”云行一万，风送八千，料来千里路；云头一片，去心留不住。

看看行到青气现处，不知何所。洞宾唤：“土地安在？”一阵风过处，土地现形，怎生模样？

衣裁五短，帽裹三山。手中梨杖老龙形，腰间皂绦黑虎尾。

土地唱喏："告上仙，呼唤小圣，不知有何法旨？"洞宾曰："下界何处青气现者，谁家男子妇人？"土地道："下界西京河南府在城铜驼巷口有个妇人殷氏，约年三十有馀，不曾出嫁。累世奉道，积有阴果。此女唐朝殷开山的子孙，七世女身，因此青气现。"洞宾曰："速退。"风过处，土地去了。

却说洞宾坠下云端，化作腌腆道人，直入城来。到铜驼巷口，见牌一面，上写"殷家浇造细心耐点清油蜡烛"。铺中立着个女娘，鱼魫冠儿，道装打扮，眉间青气现。洞宾见了，叫声好，不知高低。正是：

踏破铁鞋无觅处，得来全不费工夫。

洞宾叫声"稽首"，看那娘子，正与浇蜡烛待诏说话。回头道："先生过一遭。"洞宾上前一看，见怒气太重，叫声"可惜"！去袖内拂下一张纸来，上有四句诗曰：

出山罚愿度三千，寻遍阎浮未结缘。
特地来时真有意，可怜殷氏骨难仙。

诗后写道："口口仙作。"这个女娘见那道人袖中一幅纸拂将下来，交人拾起看时，二"口"为"吕"，知是吕祖师化身，便教人急忙赶去，寻这个先生。先生化阵清风不见了。殷氏心中懊悔。正是：无缘对面不相逢！只因这四句诗，风魔了这女娘一十二年。后来坐化而亡。

只说洞宾不觉又早一年光景，无寻人处。且去太虚顶上观看，只见一匹马飞来。到面前下马离鞍，背上宣筒里取出请书来："告上仙：东京开封府马行街居住，奉道信官王惟善，于今月十四日，请道一坛，就家庭开建奉真清醮三百六十分位斋。请往来道士二千员，恭为纯阳真人度诞之辰。特赍请状拜请。"洞宾听说："吾忘其所以，来朝是吾生日。符官有劳心力远来！"符官曰："小圣直到终南山，见老师父说，上仙在中原之地，特寻到此，得见上仙。"洞宾于荆筐篮内，取一个仙果，与符使吃了。拜谢上马而去。

洞宾一道云头直到东京人不到处，坠下云头，立住了脚。若还这般模样，被人识破。把头一摆，喝声变，变作一个腌臜疥癞先生入城。行到马行街，只见扬旛挂榜做好事。上朝请圣邀真。洞宾却好到。人若有愿，天必从之。且看那斋主有缘度他？洞宾到坛上看，却是个中贵官太尉，好善奉真修道，眉间微微有些青气。洞宾肚内思量："此人时节未到，显些神通化他。初心不退，久后成其正果。"洞宾吃罢斋，支衬钱五百文，白米五斗。洞宾言曰："贫道善能水墨画，用水一碗，也不用笔，取将绢一匹，画一幅山水相谢斋衬。"众人禀了太尉，取绢一幅与先生。先生磨那碗墨水，去绢上一泼，坏了那幅绢。太尉见道："这厮无礼，捉弄下官，与我拿来！"

先生见太尉焦躁，转身便去。众人赶来，只见先生化阵清风而去。但见有幅白纸吊将下来，众人拿白纸来见太尉，太尉打开看时，有四句言语道：

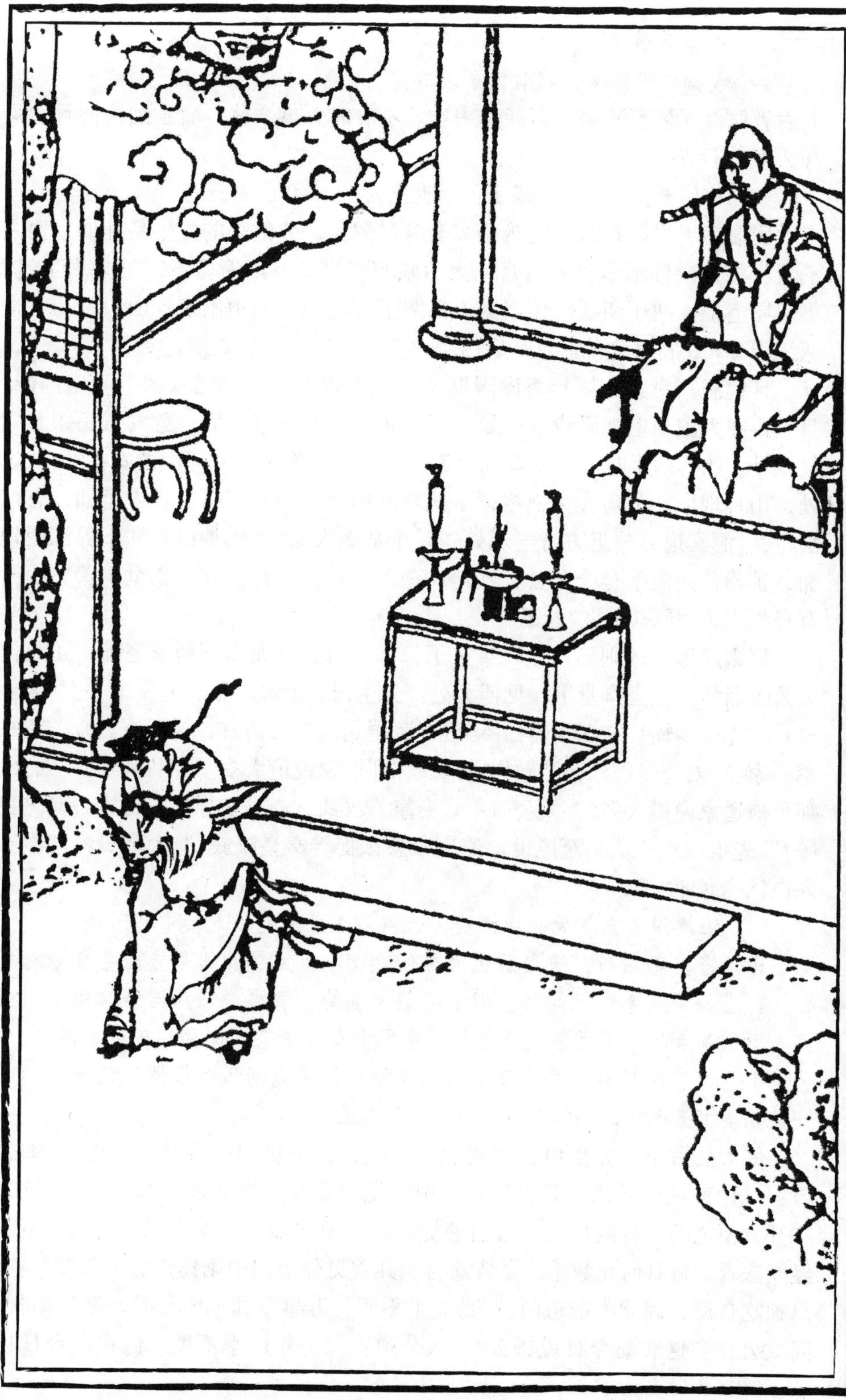

斋道欲求仙骨，及至我来不识。

要知贫道姓名，但看绢画端的。

太尉教取恰才坏了的绢，再展开来看。不看时万事全休，看了纳头便拜。见甚么来？正是：

神仙不肯分明说，误了阎浮世上人。

王太尉取污了绢来看时，完然一幅全身吕洞宾，才信来的先生是神仙，悔之不及！将这幅仙画送进入后宫，太后娘娘裱褙了，内府侍奉。王太尉奏过，将房屋宅子，纳还朝廷，伴当家人都散了，直到武当山出家。山中采药，遭遇纯阳真人，得度为仙。这是后话。

且说洞宾吕先生三年将满限期，一人不曾度得，如之奈何？心中闷倦。只得再在太虚顶上观看青气现处。只见正南上有青气一股，急驾云头望着青气现处。约行两个时辰，见青气至近，喝声住，唤："此间山神安在？"风过处，山神现形。金盔金甲锦袍，手执着开山斧，躬身唱喏："告上仙，有何法旨？"洞宾道："下方青气现处，是个甚么人家？"山神曰："下界江西地面，黄州黄龙山下有个公公，姓傅，法名永善，广行阴骘，累世积善。因此有青气现。"洞宾曰："速退。"

聚则成形，散则为气。先生坠下云来，直到黄龙山下傅家庭前，正见傅太公家斋僧。直至草堂上，见傅太公。先生曰"结缘增福，开发道心。"太公曰："先生少怪！老汉家斋僧不斋道。"洞宾曰："斋官，儒释道三教，从来总一家。"太公曰："偏不敬你道门！你那道家说谎太多。"洞宾曰："太公，那见俺道家说谎太多？"太公曰："秦皇、汉武，尚且被你道家捉弄，何况我等！"先生曰："从头至尾说，俺道家怎么捉弄秦皇汉武？"太公曰："岂不闻白氏《讽谏》曰：

海漫漫，直下无底傍无边。云涛雪浪最深处，人传中有三神山。山上多生不死药，服之羽化为神仙。秦皇汉武信此语，方士年年采药去。蓬莱今古但闻名，烟水茫茫无觅处。海漫漫，风浩浩，眼穿不见蓬莱岛。不见蓬莱不肯归，童男童女舟中老。徐福狂言多诳诞，上元太乙虚祈祷。君看骊山顶上茂陵头，毕竟悲风吹蔓草！何况玄元圣祖五千言，不言药，不言仙，不言白日上青天。"

傅太公言毕，先生曰："我道家说谎，你那佛门中有甚奇德处？"太公曰："休言灵山活佛，且说俺黄龙山黄龙寺黄龙长老慧南禅师，讲经说法，广开方便之门；普度群生，接引菩提之路。说法如云，度人如雨。法座下听经闻法者，每日何止数千，尽皆欢喜。几曾见你道门中阐扬道法，普度群生，只独吃自疴，因此不敬道门。"吕先生不听，万事全休；听得时，怒气填胸，问太公："这和尚今日说法么？"太公道："一年四季不歇，何在乎今日！"

吕先生不别太公，提了宝剑，径上黄龙山来，与慧南长老斗圣。谁胜谁赢？正是：

蜗角虚名，蝇头微利，算来直恁甘忙！事皆前定，谁弱与谁强？且趁闲身未老，尽容他些子疏狂。百年里，浑教是醉，三万六千场。　思量，能几许？忧愁风雨，一半相妨。又何须抵死，说短论长？幸对清风明月，箪纹展帘幕高张。江南好，千钟美酒，一曲《满庭芳》。

却才说不了，吕先生径望黄龙山上来，寻那慧南长老。

话中且说黄龙禅师擂动法鼓，鸣钟击磬，集众上堂说法，正欲开口启齿，只见一阵风，有一道青气撞将入来，直冲到法座下。长老见了，用目一观，暗暗地叫声苦："魔障到了！"便把手中界尺，去桌上按住大众道："老僧今日不说法，不讲经，有一转语问你大众。其中有答得的么？"言未了，去那人丛里走出那先生来道："和尚，你快道来。"长老曰：

老僧今年胆大，黄龙山下扎寨。
袖中扬起金锤，打破三千世界。

先生呵呵大笑道："和尚！前年不胆大，去年不胆大，明年亦不胆大，只今年胆大！你再道来。"和尚言："老僧今年胆大。"先生道："住！

贫道从来胆大，专会偷营劫寨。
夺了袖中金锤，留下三千世界。"

众人听得，发一声喊，好似：一风撼折千竿竹，百万军中半夜潮。众人道："好个先生，答得好！"长老拿界方按定，众人肃静。先生道："和尚，这四句只当引子，不算输赢。我有一转语，和你赌赛输赢，不赌金珠富贵。"去背上拔出那口宝剑来，插在砖缝里双手拍着："众人听贫道说：和尚赢，斩了小道；小道赢，要斩黄龙。"先生说罢，唬得人人失色，个个吃惊。只见长老道："你快道来！"先生言：

铁牛耕地种金钱，石刻儿童把线穿。
一粒粟中藏世界，半升铛内煮山川。
白头老子眉垂地，碧眼胡僧手指天。
休道此玄玄未尽，此玄玄内更无玄。

先生说罢，便问和尚："答得么？"黄龙道："你再道来。"先生道："铁牛耕地种金钱。"黄龙道："住！"和尚言：

自有红炉种玉钱，比先毫发不曾穿。
一粒能化三千界，大海须还纳百川。
六月炉头喷猛火，三冬水底纳凉天。
谁知此禅真妙用，此禅禅内又生禅。

先生道："和尚输了，一粒化不得三千界。"黄龙道："怎地说，近前来，老僧耳聋！"先生不知是计，趱上法座边，被黄龙一把捽住："我问你：一粒化不得三千界，你一粒怎地藏世界？且论此一句。我且问你：半升铛内煮山川，半升外在那里？"先生无言可答。和尚道："我的禅大合小，你的禅小合大。本欲斩你，佛门戒杀。饶你这一次！"手起一界尺，打得先生头上一个疙瘩，通红了脸。众人一齐贺将起来。先生没出豁，看着黄龙长老，大笑三声，三摇头，三拍手，拿了宝剑，入了鞘子，望外便走。众人道："输了呀！"黄龙禅师按下界方："大众！老僧今日大难到了。不知明日如何？有一转语曰：五五二十五，会打贺山鼓。黄龙山下看相扑，却来这里吃一赌。大地甜瓜彻底甜，生擦瓜儿连蒂苦。大众，你道甚么三鼓掌，三摇头，三声大笑，作甚么生？咦！

本是醍醐味，番成毒药仇。
今夜三更后，飞剑斩吾头。"

禅师道罢，众人皆散。和尚下座入方丈，集众道："老僧今日对你们说，夜至三更，先生飞剑来斩老僧。老僧有神通，躲得过；神通小些，没了头。你众僧各自小心。"众僧合掌下跪："长老慈悲，救度则个！"黄龙长老点头。伸两个指头，言不数句，话不一席，救了一寺僧众。正是：

劝君莫结冤，冤深难解结。
一日结成冤，千日解不彻。
若将恩报冤，如汤去泼雪。
若将冤报冤，如狼重见蝎。
我见结冤人，尽被冤磨折。

黄龙长老道："众僧，牢关门户，休点灯烛。各人裹顶头巾，戴个帽儿，躲此一夜，来日早见。"众僧出方丈，自言自语："今日也说法，明日也说法，说出这个祸来！一寺三百馀僧，有分切西瓜一般，都被切了头去。"胆大的在寺里，胆小的连夜走了。且说长老唤门公来。门公到面前唱个喏。长老道："近前来。"耳边低低道了言语，门公领了法旨自去。天色已晚，闹了黄龙寺中，半夜不安迹。

话中却说吕先生坐在山岩里，自思："限期已近，不曾度得一人。师父说道：休寻和尚闹！被他打了一界尺，就这般干罢？和尚，不是你便是我！飞将剑去斩了黄龙，教人说俺有气度。若不斩他，回去见师父如何答应？"抬头观看，星移斗转，正是三更时分，取出剑来，分付道："吾奉本师法旨，带将你做护身之宝，休误了我。你去黄龙山黄龙寺，见长老慧南禅师，不问他行住坐卧间，速取将头来。"念念有词，喝声道："疾！"豁剌剌一声响亮，化作一条青龙，径奔黄龙寺去。吕先生喝声采，去了多时，约莫四更天气，却似石沉沧海，线断风筝，不见回来。急念收咒语，念到有三千馀遍，不见些儿消息。

吕先生慌了手脚："倘或失了宝剑，斩首灭形！"连忙起身，驾起云头，直到黄龙寺前坠下云头。见山门佛殿大门一齐开着，却是长老分付门公，教他都不要关闭。吕先生见了道："可惜早知这和尚不准备，直入到方丈，一剑挥为两段。"径到方丈里面，两枝大红烛点得明晃晃地，焚着一炉好香，香烟缭绕，禅床上坐着黄龙长老。长老高声大叫："多口子！你要剑，在这里！进来取去。"吕先生揭起帘子，走将入方丈去，道："和尚，还我剑来。"长老用手一指，那口剑一半插在泥里。吕先生肚里思量："我去拔剑，被他暗算，如之奈何？"道："和尚，罢，罢，罢！你还了我剑，两解手。"长老道："多口子，老僧不与你一般见识。本欲斩了你。看你师父面。"洞宾听得："直恁利害！就拔剑在手，斩这厮！"大踏步向前，双手去拔剑，却便似万万斤生铁铸牢在地上，尽平生气力来拔，不动分毫。黄龙大笑。"多口子，自古道：人无害虎心，虎无伤人意。我要还了你剑，教你回去见师父去；你心中却要拔剑斩吾！吾不还你剑。有气力拔了去。"吕先生道："他禁法禁住了，如何拔得去！"便念解法，越念越牢，永拔不起。

吕先生道："和尚，还了我剑罢休。"长老道："我有四句颂，你若参得透，还了你剑。"先生道："你道来！"和尚怀中取出一幅纸来，纸上画着一个圈，当中间有一点，下面有一首颂曰：

丹在剑尖头，剑在丹心里。

若人晓此因，必脱轮回死。

吕先生见了，不解其意。黄龙曰："多口子，省得么？"洞宾顿口无言。黄龙禅师道声："俺护法神安在？"风过处，护法神现形。怎生打扮？

头顶金盔，绀红撒发朱缨，浑身金甲，妆成惯带，手中拿着降魔宝杵，貌若颜童。

护法神向前问讯："不知我师呼召，有何法旨？"黄龙曰：，"护法神，与我将这多口子押入困魔岩，待他参透禅机，引来见吾。每日天厨与他一个馒头。"护法神曰："领我师法旨。"

护法神道："先生快请行！"吕先生道："那里去？"护法神曰："走，走！如不走，交你认得三洲感应护法韦驮尊天手中宝杵！只重得八万四千斤，你若不走，直压你入泥里去！"吕先生自思量："师父教我不要惹和尚！"只得跟着护法神入困魔岩参禅。不在话下。

却说黄龙寺僧众，五更都到方丈参见长老。长老道："夜来惊恐你们。"众僧曰："得蒙长老佛法浩大，无些动静。"长老道："你们自好睡，却好闹了一夜。"众僧道："没有甚执照？"长老用手一指，众人见了这口宝剑，却似：

分开八片顶阳骨，倾下半桶冰雪水。

众僧一齐礼拜，方见长老神通广大，法力高强。山前山后，城里城外，男子女人，僧尼道俗，都来方丈，看剑的人，不知其数。闹了黄龙山，鼎沸了黄州府。

却说吕先生坐在困魔岩，耳畔听得闹嚷嚷地，便召山神。山神现形唱喏，问："寺中为甚热闹？"山神曰："告上仙：城里城外人都来看这口宝剑，人人拔不起，因此热闹。"洞宾道："速退。"山神去了。先生自思："闹了黄州，师父知道，怎地分说？自首免罪。"韦天不在，走出洞门，驾云而起。且说韦天到困魔岩，不见了吕先生，径来方丈报与黄龙禅师："走了吕先生，不知吾师要赶他也不赶？"禅师道："护法神，免劳生受。且回天宫。"化阵清风而去。

却说吕先生一道云头，直到终南山洞门口立着，见道童向前稽首，道童施礼。吕先生道："道童，师父在么？"道童言："老师父山中采药，不在洞中。"吕先生径上终南山寻见师父，双膝跪下，俯伏在地。钟离师父呵呵大笑，自已知道了，道："弟子引将徒弟来了？不知度得几人？先将剑来还我。"吕先生告罪说："不是处，望乞老师父将就解救弟子！"师父曰："吾再三分付，休惹和尚们，你头上的疙瘩，尚且未消，有何面目见吾？你神通短浅，法力未精，如何与人斗胜？徒弟不曾度得一个，妆这辱门败户的事！俺且饶你初犯一次，速去取剑来。"吕先生拜："告吾师，免弟子之罪。此剑被他禁住了，不能得回。"师父言："吾修书一封，将去与吾师兄辟支佛看，自然还你。不可轻易，休损坏了封皮。"去荆筐篮里，取出这封书来。吕先生见了，纳头便拜："吾师过去未来，俱已知道。"得了书，直到黄龙寺坠下云来。伽蓝通报长老："吕先生在方丈外听法旨。"黄龙道："唤他进来。"伽蓝曰："吾师有请！"洞宾直到方丈里，合掌顶礼："来时奉本师法旨，有封书在此。"长老已知道，教取书来。吕先生双手献上。长老拆开，上面一个圆圈，圈外有一点在上，下有四句偈曰：

丹只是剑，剑只是丹。

得剑知丹，得丹知剑。

黄龙曰："觑汝师父面皮，取了剑去。"洞宾向前，将剑轻轻拔起。"拜谢吾师。吕岩请问：吾师法语，'圈子里一点'；本师法语，'圈子上一点'，不知是何意故？"黄龙曰："你肯拜我为师，传道与你。"吕先生言："情愿皈依我师。"前三拜，后三拜，礼佛三拜，三三九拜，合掌抱膝谛听。黄龙曰："汝在座前言，一粒粟中藏世界，小合大圈子上一点。吾答一粒能化三千界，大合小圈子内一点。这是道！吾传与你。"

吕先生听罢，大彻大悟，如漆桶底脱。“拜谢吾师，弟子回终南山去拜谢师父。”黄龙曰：“吾传道与汝，久后休言自会，或诗或词留为表记。”就取文房四宝将来。吕先生磨墨蘸笔，作诗一首。诗曰：

摔碎葫芦踏折琴，生来只念道门深。

今朝得悟黄龙术，方信从前枉用心。

作诗已毕，拜谢了黄龙禅师，径回终南山，见了本师，纳还了宝剑。从此定性，修真养道，数百年不下山。功成行满，成陆地神仙。正是：

朝骑白鹿升三岛，暮跨青鸾上九霄。

后府人于凤翔府天庆观壁上，见诗一首，字如龙蛇之形，诗后大书“回道人”三字。详之，知为纯阳祖师也。诗曰：

得道年来八百秋，不曾飞剑取人头。

玉皇未有天符至，且货乌金混世流。

第二十三卷
金海陵纵欲亡身

昨日流莺今日殚，起来又是夕阳天。

六龙飞辔长相窘，何忍乘危自着鞭。

这四句诗，是唐朝司空图所作。他说流光迅速，人寿无多，何苦贪恋色欲，自促其命。看来这还是劝化平人的。平人所有者，不过一身一家，就是好色贪淫，还只心有馀而力不足。若是贵为帝王，富有四海，何令不从，何求不遂。假如商惑妲己，周爱褒姒，汉嬖飞燕，唐溺杨妃，他所宠者止于一人，尚且小则政乱民荒，大则丧身亡国，何况渔色不休，贪淫无度，不惜廉耻，不论纲常？若是安然无恙，皇天福善祸淫之理，也不可信了。

如今说这金海陵，乃是大金国一朝聪明天子。只为贪淫无道，蔑礼败伦，坐了十二年宝位，改了三个年号，初次天德三年，二次贞元，也是三年，末次正隆六年。到正隆六年，大举侵宋，被弑于瓜洲。大定帝即位，追废为海陵王。后人将史书所载废帝海陵之事，敷演出一段话文，以为将来之戒。正是：

后人请看前人样，莫使前人笑后人。

话说金废帝海陵王，初名迪古，后改名亮，字元功，辽王宗幹第二子也。为人善饰诈慓急，多猜忌，残忍任数。年十八，以宗室子为奉国将军，赴梁王宗弼军前任使。梁王以为行军万户，迁骠骑上将军。未几，加龙虎卫上将军，累迁尚书右丞，留守汴京，领行台尚书省事，后召入为丞相。初，熙宗以太祖嫡孙嗣位。海陵念其父辽王本是长子，己亦是太祖嫡孙，合当有天下之分，遂怀觊觎，专务立威，以压伏人心，后竟弑熙宗而篡其位。心忌太宗诸子，恐为后患，欲除去之。与秘书监萧裕密谋。裕倾险巧诈，因搆致太傅宗本、秉德等反状。海陵杀宗本，遣使杀秉德、宗懿及太宗子孙七十馀人，秦王宗翰子孙三十馀人。宗本已死，裕乃取宗本门客萧玉，教以具款反状，令作主名上变，遍诏天下。天下冤之。萧裕以诛宗本功，为尚书右丞，累迁至平章政事，专恣威福，遂以谋逆赐死。此是后话。

且说海陵初为丞相，假意俭约，妾媵不过三数人。及践大位，侈心顿萌，淫志蛊惑。自徒单皇后而下，有大氏、萧氏、耶律氏，俱以美色被宠。凡平日曾与淫者，悉召入内宫，列之妃位。又广求美色，不论同姓异姓，名分尊卑，及有夫无夫，但心中所好，百计求淫，多有封为妃嫔者。诸妃名号，共有十二位，昭仪至充媛九位，婕妤、美人、才人三位，殿直最下，其他不可举数。大营宫殿，以处妃嫔。一木之费，至二千万。牵一车之力，至五百人。宫殿之饰，遍傅黄金，而后绚以五采。金屑飞空如落雪，一殿之费，以亿万计。成而复毁，务极华丽。这俱不必题起。

且说昭妃阿里虎，姓蒲察氏，驸马都尉没里野女也。生而妖娆娇媚，嗜酒跌宕。阿里虎嫁于宗室子阿虎迭，生女重节，七岁。阿虎迭伏诛，阿里虎不待闭丧，携重节再蘸宗室南家。南家故善淫，阿里虎又以父所验方，修合春药，与南家昼夜宣淫。重节熟睹其丑态，阿里虎恬不讳也。久之，南家髓竭而死。南家父突葛速为南京元帅都监，知阿里虎淫荡丑恶，莫能禁止。因南家死，遂携阿里虎往南京，幽闭一室中，不令与人接见。阿里虎向闻海陵善嬲戏，好美色，恨天各一方，不得与之接欢，至是沉郁烦懑，无以自解。且知海陵亦在南京，乃自图其貌，题诗于上。诗曰：

阿里虎，阿里虎，夷光毛嫱非其伍。
一旦夫死来南京，突葛爬灰真吃苦。
有人救我出牢笼，脱却从前从后苦。

题毕，封缄固密，拔头上金簪一枝，银十两，贿嘱监守阍人，送于海陵。

海陵稔闻阿里虎之美，未之深信。一见此图，不觉手舞足蹈，羡慕不止。于是托人达突葛速，欲娶之。突葛速不从。海陵故意扬言，突葛速有新台之行，欲突葛速避嫌而出之。突葛速知海陵之意，只不放出。及篡位三日，诏遣阿里虎归父母家，以礼纳之宫中。阿里虎益嗜酒喜淫，海陵恨相见之晚。数月后，特封贤妃，再封昭妃。

一日，阿虎迭女重节来朝。重节为海陵再从兄之女，阿里虎其生母也。

留宿宫中。海陵猝至，见重节年将及笄，姿色顾眄，迥异诸女，不觉情动，思有以中之。而虞阿里虎之沮己，乃高张灯烛，令室中辉煌如昼。自傅淫药，与阿里虎及诸侍嫔裸逐而淫，以动重节。重节闻其嬉笑声，潜起以听，钻穴隙窥之，神痴心醉，几欲破户趋前，羞缩自止。海陵嬲謔至四鼓方止，诸嫔咸灭烛就寝。寂然无声，独重节咬指抚心，倏起倏卧，席不得暖，只得和衣拥被，长叹歪眠。忽闻阿里虎床复有声，欲再起窥之，头岑岑不止，倚枕听之，又闻有击户声。重节不应。击声甚急。重节问为谁。海陵捏作侍嫔取灯声，以促其开。重节强起，拔去门栓。海陵突入，搂抱接唇。重节欲脱身逃去，海陵力挽就榻中。盘桓一夜，謔浪千般。置阿里虎于不理者，将及旬矣。

阿里虎欲火高烧，情烟陡发，终日焦思，竟忘重节之未出宫也。命诸侍嫔侦察海陵之所在。一侍嫔曰："帝得新人，撇却旧人矣。"阿里虎惊问道："新人为谁？几时取入宫中？"侍嫔答道："帝幸阿虎重节于昭华宫，娘娘因何不知？"阿里虎面皮紫涨，怒发如火，搥胸跌脚，诟詈重节。侍嫔道："娘娘与之争锋，恐惹笑耻。且帝性躁急，祸且不测。"阿里虎道："彼父已死，我身再醮，恩义久绝，我怕谁笑话！我誓不与此淫种俱生，帝亦奈我何哉！"

侍嫔道："重节少艾，帝得之，胜百斛明珠。娘娘齿长矣！自当甘拜下风，何必发怒？"阿里虎闻诮，愈怒道："帝初得我，誓不相舍。讵意来此淫种，夺我口食！"乃促步至昭华宫。见重节方理妆，一嫔捧凤钗于侧。遂向前批其颊，骂道："老汉不仁，不顾情分，贪图淫乐，固为可恨！汝小小年纪，又是我亲生儿女，也不顾廉耻，便与老汉苟合，岂是有人心的！"重节亦怒骂道："老贱不知礼义，不识羞耻，明烛张灯，与诸嫔裸裎夺汉，求快于心。我因来朝，踏此淫网，求生不得生，求死不得死，正怨你这老贱，只图利己，不怕害人，造下无边恶孽，如何反来打我！"两下言语不让一句，扭做一团，结做一块。众多侍嫔，从中劝释。阿里虎忿忿归宫。重节大哭一场，闷闷而坐。

顷之，海陵来，见重节面带忧容，两颊泪痕犹湿，便促膝近前，偎其脸问道："汝有恁事，如此烦恼？"重节沉吟不答。侍嫔道："昭妃娘娘批贵人面颊，辱骂陛下，是以贵人失欢。"海陵闻之，大怒道："汝勿烦恼！我当别有处分。"是日，阿里虎回宫，益嗜酒无赖，诋訾海陵不已。海陵遣人责让之。阿里虎恬无忌惮，暗以衣服遗前夫南家之子。海陵侦知之，怒道："身已归我，突葛速之情犹未断也！"由是宠衰。

海陵制：凡诸妃位，皆以侍女服男子衣冠，号假厮儿。有胜哥者，身体雄壮若男子，给侍阿里虎本位，见阿里虎忧愁抱病，夜不成眠，知其欲心炽也，乃托宫竖市角先生一具以进。阿里虎使胜哥试之，情若不足，兴更有馀。嗣是，与之同卧起，日夕不须臾离。厨婢三娘者不知其详，密以告海陵道：

"胜哥实是男子，扮作女耳，给侍昭妃非礼。"海陵曾幸胜哥，知其非男子，不以为嫌，惟使人诫阿里虎勿箠三娘。阿里虎怒三娘之泄其隐也，笞杀之。海陵闻昭妃阁有死者，想道："必三娘也。若果尔，吾必杀阿里虎。"侦之，果然。是月为太子，光英生月，海陵私忌不行戮。徒单后又率诸妃嫔为之哀求，乃得免。胜哥畏罪，先仰药而亡。阿里虎闻海陵将杀己，又见胜哥先死，亦绝粒不食，日夕焚香吁天，以冀脱死。逾月，阿里虎已委顿不知所为。海陵乃使人缢杀之，并杀侍婢箠三娘者，因此不复幸昭华宫。出重节为民间妻，后屡召幸，出入昭妃位焉。

柔妃弥勒者，耶律氏之女，生有国色，族中人无不奇之。年十岁，色益丽，人益奇。弥勒亦自谓异于众人，每每沽娇夸诩。其母与邻母善，时时迭为宾主。邻母之子哈密都卢，年十二岁，丰姿颇美，闲尝与弥勒儿戏于房中，互相嘲谑，遂及于乱。

说话的，那十二岁的孩儿，和那十岁的女儿，晓得甚么做作，只无过是顽耍而已，怎么就说个乱字？看官们有所不知，北方男女，生得长大倜傥，容易知事。况且这些骚达子干事，不瞒着儿女，他们都看得惯熟了，故此小小年纪，便弄出事来。

光阴荏苒，约摸有一年多光景。一日也是合当败露。弥勒正在房中洗浴，忘记上了门闩，恰好哈密都卢闯进房来。弥勒忙忙叫他回去，说："娘要来看添汤。"那哈密都卢见弥勒雪白身子在那浴盆中，有如玉柱一般，欢喜得了不得，偏要共盆洗浴，弥勒苦不肯容。正在拘执喧闹，其母突至，哈密都卢乘间逸去。母大怒，将弥勒痛箠戒训，关防严密，再不得与哈密都卢绸缪欢狎。

倏经天德二年，弥勒年已逾笄。海陵闻其美也，使礼部侍郎迪辇阿不取之于汴京。迪辇阿不者，华言萧拱也，为弥勒女兄择特懒之夫，芳年美貌，颇识风情。一见弥勒，心神摇动，惧惮海陵，强自沮遏。不意弥勒久别哈密都卢，欲火甚爇，见迪辇阿不生得标致，心里便有几分爱他。只是船只各居，难以通情达意。弥勒遂心生一计，诈言鬼魅相侵，夜半辄喊叫不止。相从诸婢，无可奈何，只得请迪辇阿不同舟共济，果尔寂然。从婢实不察其隐衷也。于是眉目相调，情兴如火，彼此俱不能遏。遇晚，便同席饮食，谑浪无所不至。所以不遽上手者，迪辇阿不谓弥勒真处子，恐点破其躯，海陵见罪故耳。

一晚，维舟傍岸，大雨倾盆，两下正欲安眠，忽闻歌声聒耳。迪辇阿不虑有穿窬，坐而听之，乃岸上更夫倡和山歌，歌云：

雨落沉沉不见天，八哥儿飞到画堂前。
燕子无窠梁上宿，阿姨相伴姐夫眠。

迪辇阿不听见此歌，叹道："作此歌者，明是讥诮下官。岂知下官并没这样事情。谚云羊肉不吃得，空惹一身臊也！”叹息未毕，又闻得窣窣似有人行。定睛一看，只见弥勒踽踽凉凉，缓步至床前矣。迪辇阿不惊问：“贵人何所见而来？”弥勒道：“闻歌声而来，官人岂年高耳聋乎？”迪辇阿不道：“歌声聒耳，下官正无以自明。贵人何不安寝？”弥勒道：“我不解歌，欲求官人解一个明白。”迪辇阿不遂将歌词四句，逐一分析讲解。弥勒不觉面赤耳热，偎着迪辇阿不道：“山歌原来如此，官人岂无意乎？”迪辇阿不跪于床前，告道：“下官心非木石，岂能无情？但惧主上闻知，取罪不小。”弥勒便搂抱他起来，说道：“我和官人是至亲瓜葛，不比别人。到主上跟前，我自有道理支吾，不必惧怕。”当下两个兴发如狂，就在舟中成其云雨。但见：

蜂忙蝶恋，弱态难支。水渗露滋，娇声细作。一个原是惯熟风情，一个也曾略尝滋味。惯熟风情的，到此夜尽呈伎俩；略尝滋味的，喜今番方称情怀。一个道“大汉果胜似孩童”，一个道“小姨又强如阿姊”。一个顾不得女身点破，一个顾不得王命紧严。鸳鸯云雨百年情，果然色胆天来大。

一路上朝欢暮乐，荏苒耽延。道出燕京，迪辇阿不父萧仲恭，为燕京留守，见弥勒面貌，知非处女，乃叹道：“上必以疑杀珙矣。”却不知珙之果有染也。

已而入宫，弥勒自揣事必败露，惶悔无地。见海陵来，涕交颐下，战栗不敢迎。海陵淫兴大作，遂列烛两行，命侍嫔脱其衣而淫之。弥勒掩饰不来，只得任其做作。海陵见非处女，大怒道：“迪辇阿不乃敢盗尔元红，可恼可恨！”呼宫竖捆绑弥勒，审鞫其详。弥勒泣告道：“妾十三岁时，为哈密都卢所淫，以至于是，与迪辇阿不实无干涉。”海陵叱问：“哈密都卢何在？”弥勒道：“死已久矣。”海陵道：“哈密都卢死时几岁？”弥勒道：“方十六岁。”海陵怒道：“十六岁小孩童，岂能巨创汝耶？”弥勒泣告道：“贱妾死罪，实与迪辇阿不无干！”海陵笑道：“我知道了。是必哈密都卢取汝元红，迪辇阿不乘机入彀也。”弥勒顿首无言。即日，遣出宫，致迪辇阿不于死。弥勒出宫数月，海陵思之，复召入，封为充媛，封其母张氏华国夫人，伯母兰陵郡君萧氏为巩国夫人。越日，海陵诡以弥勒之命，召迪辇阿不妻择特懒入宫，乱之，笑曰：“迪辇阿不善蹦混水，朕亦淫其妻以报之。”进封弥勒为柔妃，以择特懒给侍本位，时行幸焉。

崇义节度使乌带之妻定哥，姓唐姑氏，眼横秋水，如月殿嫦娥；眉插春山，似瑶池玉女。说不尽的风流万种，窈窕千般。海陵在汴京时，偶于帘子下瞧见定哥美貌，不觉魄散魂飞，痴呆了半晌，自想道：“世上如何有这等一个美妇人！倒落在别人手里，岂不可惜！”便暗暗着人打听是谁家宅眷。探事人回覆：“是节度使乌带之妻，极是好风月、有情趣的人，只是没人近得他。他家中侍婢极多，止有一个贵哥是他得意丫鬟，常时使用的。这贵哥也有几分姿色。”

海陵就思量一个计策，差人去寻著乌带家中时常走动的一个女待诏，叫他到家里来，与自己篦了个头，赏他十两银子。这女待诏晓得海陵是个猜刻的人，又怕他威势，千推万阻，不敢受这十两银子。海陵道：“我赏你这几两银子，自有用你处，你不要十分推辞。”女待诏道：“但凭老爷分付。若可做的，小妇人尽心竭力去做就是，怎敢望这许多赏赐？”海陵笑道：“你不肯收我银子，就是不肯替我尽心竭力做了。你若肯为我做事，日后我还有抬举你处。”女待诏道：“不知要妇人做恁么事？”海陵道：“大街南首高门楼内，是乌带节度使衙门么？”女待诏答道：“是节度使衙。”海陵道：“闻你常常在他家中篦头，果然否？”女待诏道：“他夫人与侍婢，俱用小妇人篦头。”海陵道：“他家中有一个丫鬟，叫做贵哥，你认得否？”女待诏道：“这个是夫人得意的侍婢，与小妇人极是相好，背地里常常与小妇人东西，照顾着小妇人。”海陵道：“夫人心性何如？”女待诏道：“夫人端谨严厉，言笑不苟。只是不知为什么欢喜这贵哥？凭着他十分恼怒，若是贵哥站在面前一劝，天大的事也冰消了。所以衙内大小人都畏惧他。”

海陵道：“你既与贵哥相好，我有一句话，央你传与贵哥。”女待诏道：“贵哥莫非与老爷沾亲带骨么？”海陵道：“不是。”女待诏道：“莫非与衙内女使们是亲眷往来，老爷认得他么？”海陵也说：“不是。”女待诏道：“莫非原是衙内打发出去的人？”海陵道：“也不是。”女待诏道：“既然一些没相干，要小妇人去对他说恁么话？”海陵道：“我有宝环一双、珠钏一对，央你转送与贵哥，说是我送与他的。你肯拿去么？”女待诏道：“拿便小妇人拿去。只是老爷与他既非远亲，又非近邻，平素不相识，平白地送这许多东西与他。倘他细细盘问时，叫小妇人如何答应？”海陵道：“你说得有理，难道教他猜哑谜不成？我说与你听，须要替我用心委曲，不可悦事。”女待诏道：“分付得明白，妇人自有处置。”海陵道：“我两日前，在帘子下看见他夫人立在那里，十分美貌可爱，只是无缘与他相会。打听得他家只有你在里面走动，夫人也只欢喜贵哥一人，故此赏你银子，央你转送这些东西与他，要他在夫人跟前通一个信儿，引我进去，博他夫人一宵恩爱。”女待诏道：“偷寒送暖，大是难事，况且他夫人有些古怪兜搭，妇人如何去做得？”海陵怒道：“你这老虔婆，敢说三个不去么？我目下就断送你这老猪狗！”只这一句，唬得女待诏毛发都竖了，抖做一团，道：“妇人不说不去，只说这件事必须从容缓款，性急不得。怎么老爷就发起恼来？”海陵道：“我如今也不恼你了。只限你在一个月内，要圆成这事，不可十分怠缓。”

女待诏唯唯连声，跑到家中，算计了一夜，没法入脚。只得早早起来，梳洗完毕，就把宝环珠钏藏在身边，一径走到乌带家中。迎门撞见贵哥。贵哥问道："今日有何事？来得恁早？"女待诏道："有一个亲眷，为些小官事，有两件好首饰，托我来府中变卖些银两，是以早来。"贵哥道："首饰在那里？我用得的么？"女待诏道："正是你们用得的，你换了他的倒好。"贵哥道："要几贯钱？拿与我看一看。"女待诏道："到房中才把与你看。"贵哥引他到了自家房内，便向厨柜里搬些点心果子请他吃，问他讨首饰看。那女待诏在身边摸出一双宝环，放在桌子上，那环上是四颗祖母绿镶嵌的，果然耀日层光，世所罕见。贵哥一见，满心欢喜，便说："他要多少银子？"女待诏道："他要二千两一只，四千两一双。"贵哥舔舕道："我只说几贯钱的东西，我便兑得起。若说这许多银子，莫说我没有，就是我夫人，一时间也拿不出来，只好看看罢。"又道："待我拿去与夫人瞧一瞧，也识得世间有这般好首饰。"女待诏道："且慢着！我有句话与你说个明白，拿去不迟。"贵哥道："有话尽说，不必隐瞒。"

女待诏道："我承你日常看顾，感恩不尽。今日有句不识进退的话，说与你听，你不要恼我，不要怪我。"贵哥道："你今日想是风了。你在府中走动多年，那一日不说几句话，怎的今日说话我就怪你恼你不成？你说！你说！"女待诏道："这环儿是一个人央我送你的，不要你的银子。还有一双珠钏在此。"连忙向腰间摸出珠钏，放在桌子上。贵哥见了，笑道："你这婆子说话真个风了！我从幼儿来在府中，再不曾出门去，又不曾与恁人相熟，为何有人送这几千两银子的首饰与我？想是那个要央人做前程，你婆子在外边，指着我老爷的名头，说骗他这些首饰；今日露出马脚，恐怕我老爷知道，你故此早来府中，说这话骗我。"女待诏道："若是这般说，我就该死了。你将耳朵来，我悄悄说与你听。"贵哥道："这里再没有人来听的，你轻轻说就是了。"

女待诏道："这宝环珠钏，不是别人送你的，是那辽王宗幹第二世子，见做当朝右丞，领行台尚书省事完颜迪古老爷央我送来与你的。"贵哥笑道："那完颜老爷不是那白白净净没髭须的俊官儿么？"女待诏道："正是那俊俏后生官儿。"贵哥道："这到希奇了！他虽然与我老爷往来，不过是人情体面上走动，既非府中族分亲戚，又非通家兄弟，并不曾有杯酌往来。若说起我，一面也不曾相见，他如何肯送我这许多首饰？"

女待诏道："说来果忒希奇，忒好笑！我若不说，便不是受人之托，终人之事；我若轻轻说出来，连你也吃一个大惊。"贵哥笑道："果是恁么事情？你须说个明白。"女待诏才定了喘息，低了声音，附着贵哥耳朵说道："数日前完颜右丞在街上过，恰好你家夫人立在帘子下面，被他瞧见了。他思量要与你夫人会一会儿，没个进身的路头。打听得只有你在夫人眼前说得一句话，故此央我拿这宝环珠钏送与你，要你做个针儿将线引。你说希奇也不希奇，好笑也不好笑！”贵哥道：“癞虾蟆躲在阴沟洞里，指望天鹅肉吃，忒差做梦了！夫人好不兜搭性子！侍婢们谁敢在他跟前道个不字？莫说眼生面不熟的人要见他，就是我老爷，与他做了这几年夫妻，他若不欢喜时，等闲不许他近身。怎么完颜右丞做这个大春梦来！”女待诏道：“依你这般说，大事成不得了。我依先拿这环钏送还了他，两下撒开，省得他来絮聒。”

那贵哥口里虽是这般回覆，恰看了这两双好环钏，有些眼黄地黑，心下不割舍得还他，便对女待诏道：“你是老人家，积年做马泊六的主子，又不是少年媳妇，不曾经识事的，又不是头生儿，为何这般性急？凡事须从长计较，三思而行。世上那里有一锹掘个井的道理？”女待诏道：“不是我性急，你说的话，没有一些儿口风，教我如何去回覆右丞？不如送还了他这两件首饰，倒得安静。”贵哥道：“说便是这般说，且把这环钏留在我这里，待我慢慢地看觑个方便时节，踊探一个消息回话你。若有得一线的门路，我便将这物件送了夫人。你对右丞说，另拿两件送我何如？”女待诏道：“这个使得。只是你须要小心在意，紧差紧做，不可丢得冰洋了。我过两三日就来讨个消息，好去回覆右丞。”说毕，叫声聒噪去了。贵哥便把这东西，放在自己箱内，踌躇算计，不敢提起。

一夕晚，月明如昼，玉宇无尘。定哥独自一个坐在那轩廊下，倚着栏杆看月。贵哥也上前去，站在那里，细细地瞧他的面庞。果是生得有沉鱼落雁之容，闭月羞花之貌。只是眉目之间觉道有些不快活的意思。便猜破他的心事八九分，淡淡的说道：“夫人独自一个看月，也觉得凄凉，何不接老爷进来，杯酒交欢，同坐一看，更热闹有趣。”定哥皱眉答道：“从来说道，人月双清。我独自坐在月下，虽是孤另，还不辜负了这好月。若接这腌臜浊物来，举杯邀月，可不被嫦娥连我也笑得俗了！”贵哥道：“夫人在上，小妮子蒙恩抬举，却不晓得怎么样的人叫做趣人，怎么样的叫做俗人？”定哥笑道：“你是也不晓得，我说与你听。日后拣一个知趣的才嫁他，若遇着那般俗物，宁可一世没有老公，不要被他污辱了身子。”

贵哥道：“小妮子望夫人指教。”定哥道：“那人生得清标秀丽，倜傥脱洒，儒雅文墨，识重知轻，这便是趣人。那人生得丑陋鄙猥，粗浊蠢恶，取憎讨厌，龌龊不洁，这便是俗人。我前世里不曾栽修得，如今嫁了这个浊物，那眼梢里看得他上！到不如自家看看月，倒还有些趣。”贵哥道：“小妮子不知事，敢问夫人，比如小妮子，不幸嫁了个俗丈夫，还好再寻个趣丈夫么？”定哥哈哈的笑了一声道：“这妮子倒说得有趣！世上妇人，只有一个丈夫，那有两个的理？这就是偷情，不正气的勾当了。”贵哥道：“小妮子常听人说有偷情之事，原来不是亲丈夫就叫偷情了。”定哥道：“正是！你他日嫁了丈夫，莫要偷情。”贵哥苦笑说道：“若是夫人包得小妮子嫁得个趣丈夫，又去偷什么情！倘或像夫人今日，眼前人不中意，常常讨不快活吃，不如背地里另寻一个清雅文物，知轻识重的，与他悄地往来，也晓得人道之乐。终不然人生一世，草生一秋，就只管这般闷昏昏过日子不成？那见得那正气不偷情的，就举了节妇，名标青史？”

定哥半晌不语，方才道：“妮子禁口，勿得胡言！恐有人听得，不当稳便。”贵哥道：“一府之中，老爷是主父，夫人是主母，再无以次做得主的人。老爷又趁常不在府中。夫人就真个有些小做作，谁人敢说个不字？况且说话之间，何足为虑。”定哥对着月色，叹了一口气，欲言还止。贵哥又道：“小妮子是夫人心腹之人，夫人有甚心话，不要瞒我。”定哥道：“你方才所言，我非不知。只是我如今好似笼中之鸟，就有此心，眼前也没一个中得我意的人，空费一番神思了。假如我眼里就看得一个人中意，也没个人与我去传消递息，他怎么到得这里来？”贵哥道：“夫人若果有得意的人，小妮子便做个红娘，替夫人传书递柬，怎么夫人说没人敢去？”定哥又迷迷的笑一声，不答应他。贵哥转身就走，定哥叫住他道：“你往那里去？莫不是你见我不答应，心下著了忙么？我不是不答应，只笑你这个小妮子说话倒风得有趣。”贵哥道：“小妮子早间拾得一件宝贝，藏放在房里，要去拿来与夫人识一识宝。”定哥道：“恁么宝贝？那里拾得来的？我又不是识宝的三叔公。”

贵哥也不回言，忙忙的走回房中，拿了宝环珠钏，递与定哥，道：“夫人，这两件首饰，好做得人家的聘礼么？”定哥拿在手里，看了一回，道：“这东西那里来的？果是好得紧。随你恁么人家下聘，也没这等好首饰落盘。除非是皇亲国戚、驸马公侯人家，才拿得这样东西出来。你这妮子如何有在身边？实实的说与我听。”贵哥道：“不敢瞒夫人说，这是一个人央着女待诏，来我府里做媒，先行来的聘礼。”定哥笑道：“你这妮子，真个害风了！我无男无女，又没姑娘小叔，女待诏来替那个做媒？”贵哥道：“他也不说男说女，也不说姑娘小叔。他说的媒远不远千里，近只在目前。”定哥道：“难道女待诏来替你做媒？”贵哥道：“小妮子那得福来消受这宝环珠钏？”定哥道：“难道替侍女中那一个做媒不成？算来这些妮子，一发消受不起了。”贵哥道：“使女们如何有福消受这件？只除是天上仙姬，瑶台玉女，像得夫人这般人物，才有福受用他。”

定哥笑道：“据你这般说，我如今另寻一个头路去做新媳妇，作兴女待诏做个媒人，你这妮子，做个从嫁罢。”贵哥跪在地上道：“若得夫人作成女待诏，小妮子情愿从嫁夫人。”定哥又嘻嘻地笑了一声，把贵哥打一掌道：“我一向好看你，你今日真真害风，说出许多风话来！倘若被人听见，岂不连我也没了体面。”贵哥道：“不是妮子胡言乱道，真真实实那女待诏拿这礼物来聘夫人。”定哥柳眉倒竖，星眼圆睁，勃然怒道：“我是二品夫人，不是小户人家孤孀嫠妇，他怎敢小觑我，把这样没根蒂的话来奚落我！明日对老爷说，着人去拿他来，拷打他一番，也出这一口气。”贵哥道：“夫人且莫恼怒，待小妮子悄悄地说出来，斗夫人一场好笑。俗语云：‘不说不笑，不打不叫。’只怕小妮子说出来，夫人又笑又叫。”定哥一向是喜欢贵哥的。大凡有事发怒，见了贵哥就解散了，何况他今日自家的言语唐突，怎肯与他计较？故此顺口说道：“你说我听。”那一腔怒气直走到爪哇国去了。

贵哥道：“几日前头，有一个尚书右丞，打从俺府门首经过，瞧见夫人立在帘子下面，生得娇娆美艳，如毛嫱、飞燕一般。他那一点魂灵儿就掉在夫人身上，归家去整整欣昏迷痴想了两日，再不得凑巧儿遇见夫人。因此上托这女待诏送这两件首饰与夫人，求夫人再见一面。夫人若肯看觑他，便再在帘子下与他一见，也好收他这两件环钏。况这个右丞，就是那完颜迪古，好不生得聪俊洒落，极是有福分的官儿！算来夫人也曾瞧见他来。”定哥回嗔作喜道：“莫不是常来探望老爷的那少年官儿么？生得到也清俊文雅。只是这个人心性是不常的。”贵哥哈哈的笑道：“从来相面的先生，与人对坐着半日，从头看到脚下，又相手摸腰，还只知面不知心。夫人略瞧右丞一瞧，连心都瞧见了，岂不是两心相照？”定哥道：“丫头莫要嚷！我且问你，那女待诏怎么样对你说？你怎么样回话那女待诏？”

贵哥道：“那女待诏是个老作家，恐怕一句说出来，惹是非到了身上，便伸进吐出，团团圈圈，远远地说将来。我说：‘老婆子，你不消多说了，以定是有那个人儿，看上了我家夫人，你思量做个马百六，何苦扯扯拽拽，排布这个大套子？’那女待诏便拍手拍脚的笑起来，说道：‘好个乖乖姐姐！像似被人开过聪明孔了，一猜就猜着。’被小妮子照脸一口啐，唾骂他道：‘老虔婆，老花娘！你自没廉耻，被千人万人开了聪明孔，才学得这篦头生意。我是天生天化，踏着尾巴头便动的，那个和你这虔婆取笑！’那女待诏道：‘好姐姐，你不须发恼，我不过是趁口取笑你，难道你这般决烈！索性的姐姐身边就肯添个影人儿。’小妮子道：‘你这般说，且饶你去。不许在此胡缠！’那女待诏又道：‘我特特为着夫人来，被你抢白这一顿，怎么教我就去了？你且把夫人平日的性格说说我听。我是劈面相、闻声相、揣骨相、麻衣相、达磨相；一下里就知道他的心事了。’小妮子便道：‘若问别样心事，我实实不曾晓得。若说我夫人，正色治家，严肃待众，见我们一些笑容也是没有的，谁敢在他跟前把身子侧立立儿？’那女待诏道：‘若依这般说，就恭喜贺喜，我这马百六稳稳地做成了。’小妮子道：‘你这般胡嘲乱讲！莫不惹得打下截来！’他道：‘我是依着相书上相来的。’小妮子道：‘相书上那一本有如此说话？’他道：‘俗语说得好！嬉嬉哈哈，不要惹他；脸儿狠狠，一问就肯。'”定哥正呷着一口茶，听见贵哥这些话，不觉笑了一声，喷茶满面，骂道：“虔婆一味油嘴，明日叫他来，打他几个耳聒子，才饶他！”说罢话时，炉烟已尽，织女横斜，漏下二鼓矣。

贵哥伏侍定哥归房安置，就问道：“这两件宝贝放在那里好？”定哥道：“且放在我首饰箱内，好好锁着。”贵哥依言收拾不题。恰说贵哥得了定哥这个光景，心中揣定有八九分稳的事，也安眠了一夜。

到次日清晨，定哥在妆阁梳理，贵哥站在那里伏侍他。看见他眉眼欣欣，比每日欢喜的不了，便从傍插一嘴道：“夫人今日何不着人去叫那虔婆来，打他一顿？”定哥笑道：“且从容，那婆子自然来。”贵哥道：“不是小妮子性急，实是气那老虔婆不过！”定哥道：“当怒火炎，惟忍水制，你不消性急。”贵哥又悄悄道：“大凡做事，只该一促一成。倘或夜长梦多，这般一个标致人物，被人搂上了，那时便迟了。”定哥道：“他自标致，要他做恁么？”贵哥道：“不是小妮子多言，老爷常常不在家，夫人独自一个，颇是凄冷。小妮子又要溺尿，𢬵不得夫人的脚。待这标致人来，替夫人𢬵一𢬵，也强如冬天用汤婆子，夏天用竹夫人。”定哥道：“丫头多嘴，我不要你管！”贵哥道：“小妮子蒙夫人抬举，故替夫人耽忧。怎么说个管着夫人？”

定哥也不答应他的说话，向身边钞袋内摸出十两一锭的银子，递与贵哥道：“我把这银子赏赐你，拿去打一双镯儿戴在臂膊上，也是伏侍我一场恩念。你不可与众人知道。”贵哥叩头接了银子，对定哥道：“一丝为定，万金不移。夫人既酬谢了媒婆，媒婆即着人去寻女待诏，约那人晚上到府中来。”定哥掩口胡卢道：“黄花女儿做媒，自身难保！世间那有未出嫁的媒婆。”贵哥道：“虔婆也是女儿身，难道女儿就做不得虔婆？”定哥又笑道：“你说话真个乖巧好笑！只是人生路不熟，羞答答的怎好去约他？”贵哥道：“别的事怕羞，这事儿只有小妮子、女待诏知道，怕恁么羞！俗语道得好：‘羞一羞，抽一抽。羞两羞，抽两抽。只顾羞，只顾抽。若不羞，便不抽。”定哥道：“好女儿，你怎么学得这许多鬼话儿在肚里？”

两个一递一句，说得梳妆事毕。贵哥便走到厅上，分付当直的：“去叫女待诏来，夫人要篦头绞面。”当直的道：“夫人又不出去烧香赴筵席，为何要绞面？”贵哥道：“夫人面上的毛可是养得长的，你休多管闲事！”当直的道：“少刻女待诏来，姐姐的毛一发央他绞一绞，省得养长了拖着地。”贵哥啐了一声，进里面去了。

不移时，女待诏到了。见过定哥。定哥领他到妆阁上去篦头，只叫贵哥在傍伏侍，其馀女使一个也不许到阁儿上来。女待诏到得妆阁上头，便打开家伙包儿，把篦箕一个个摆列在桌子上，恰是一个大梳，一个通梳，一个掠儿，四个篦箕，又有刷子、剔帚，一双簪子，共是十一件家伙。才把定哥头发放散了，用手去前前后后、左边右边，蒲睃索捏了一遍，才把篦箕篦上两三篦箕。贵哥在傍把嘴一努，那女待诏就知其意愿，口儿开科，说道：“夫人头垢，气色及时，主有喜事临身。”贵哥插嘴道：“应在几时得喜？”女待诏道：“只在早晚之间，主有非常喜庆。”定哥道：“朝廷没有覃恩，我又不讨封赠，有恁么非常的喜事？”女待诏道：“该有个得活宝的喜气。”贵哥插嘴道：“除了西洋国出的走盘珠，缅甸国出的缅铃，只有人才是活宝。若说起人时，府中且是多得紧，夫人恰是用不着的。你说恁么活宝不活宝？”女待诏道：“人有几等人，物有几等物，宝有几等宝，活也有几等活。你这姐姐只好躲在夫人跟前拆白道绿，喝五吆三，那曾见希奇的活宝来？”

定哥心中虽是热燥得紧，只是口里说不出来。贵哥又问女待诏道：“你今日来篦头，还是来献宝？”定哥便把女待诏推了一推道：“小妮子多嘴饶舌，你莫听他！”贵哥便向女待诏瞧了一眼。女待诏道：“要活宝时尽有，只怕夫人不用。”贵哥道：“夫人正用得着这活宝。”定哥道：“还不噤声，谁许你多说！”贵哥道：“我站在此禁不住口。我且站远些个。”说罢，洋洋的走过一边。定哥便道：“婆子，我且问你，那人几时见我来？有恁话对你说？你怎么大胆就敢替他来诱骗我？”

女待诏道：“夫人勿罪！待老婆子细细告诉夫人。这个月那一日，夫人立在朱帘下边，瞧看那往来的人。恰好说的那人打从府门过，看见夫人容貌，便叹道：‘天下怎么有这等一个美人，倒被别人娶了去，岂不是我没福！”’定哥笑道：“这不是那人没福。”贵哥听得，又走来插嘴道，不是那人没福，是谁没福？”女待诏道：“是我婆子没福。”贵哥道：“怎么是你没福？”女待诏道：“若是夫人不曾出阁，我去对那人说，做上一头媒，岂不撰那人百十两媒钱？”贵哥道：“夫人倒肯作成你撰百十两银子，只怕那人没福受享着夫人。”定哥道：“他派演天汉，官居右相，那里少金钗十二，粉黛成行。说他没福，看来倒是我没福！”女待诏道：“夫人干净识得人。只是那人情重，眼睛里不轻意看上一个人。夫人如何得没福！”一边说，一边篦头。

三个人说得火滚般热，竟没了一些避忌。这定哥欢天喜地，开箱子取出一套好衣服、十两雪花银，赏与女待诏，道：“婆子，今日篦得头好，权赏你这些东西。我日后还要重重酬你。”女待诏千恩万谢，收藏过了，才附着定哥耳朵说道：“请问夫人，还是婆子今日去约那人来？还是明日去约他？”定哥面皮通红，答应不出。贵哥道：“老虔婆做事颠倒，说话好笑。今日是一个黄道大吉日，诸样顺溜的。况且那人数日前就等你的回覆，他心里好不急在那里。你如今忙忙去约他晚上来，他还等不得日落西山，月升东海，怎么说个明日？”

定哥笑道：“痴丫头，你又不曾与那人相处几时，怎么连他的心事先瞧破来?”贵哥道：“小妮子虽然不曾与那人相处，恰是穿铁草鞋，走得人的肚子过。”定哥又冷笑了一声，低头弄着裙带子。女待诏道：“婆子如今去约那人。夫人把恁么物件为信?”贵哥将定哥一枝凤头金簪拿在手中，递与女待诏。那簪儿有何好处?

叶子金，出自异邦，色欺火赤；细抽丝，攒成双凤，状若天生。顶上嵌猫儿眼，闪一派光芒，冲霄耀日。口中衔金刚钻，垂两条珠结，似舞如飞。常绾青丝，好像乌云中赤龙出现；今藏翠袖，宛然九天降丹诏前来。这女待诏将着这一件东西，明是个消除孽障，救苦天尊，解散相思，五瘟使者。

贵哥把簪儿递与女待诏道：“这个就是信物了。”定哥笑道：“这妮子好大胆，擅动我的首饰!”贵哥笑道：“小妮子头一次大胆，望夫人饶恕则个。”定哥道：“饶你，饶你!”女待诏欢天喜地，接着簪儿出门，一径跑到海陵府中。

海陵正坐在书房里面。女待诏便走到那里，朝着海陵道：“老爷恭喜，老爷贺喜!”海陵道：“我托你的事，如今已是七八日了，我正在此恼你。你今日来贺恁么喜?”女待诏道：“老妇人如今不做待诏了，是一个檄定三秦扶炎刘的韩信，临潼斗宝尊周室的子胥，怀揣令旨兵符来救那困围城的烈丈夫，怎么还说个恼字!”海陵欣欣然道：“早知你干成了功劳，却是错怪了也。”

那女待诏把前前后后的话，细细陈说了一遍，才向袖中取出那同心结的凤头簪儿，递与海陵道：“这便是皇王令旨，大将兵符，一到即行，不许迟滞。”欢喜得那海陵满身如虫钻虱咬，皮燥骨轻，坐立不牢，道：“这事亏着你了。只是我恁么时候好去?从那一条路入脚?”女待诏道：“黄昏时候，老爷把幅巾笼了头，穿上一件缁衣，只说夫人着婆子请来宣卷的尼姑，从左角门进去，万无一失。”海陵笑道：“这婆子果然是智赛孙吴，谋欺陆贾。连我也走不出这个圈套了。”忙取银二十两赏他。女待诏道：“前日送与贵哥的宝环珠钏，贵哥就送与夫人作聘礼了。老爷今晚过去，须索另寻两件去送与他。”海陵道：“环儿钏子，我还有两对，比前日的更好，原留着送夫人的。夫人既收了那两对，我晚上另带这两对去送与他。你须先和他约会一个端正，后头好常常来往。”

女待诏应允，去见定哥，把海陵的说话回覆了一遍。定哥满面堆下笑来，叫贵哥送他出门，嘱付道：“师父早些来。”女待诏一头走，悄悄地对贵哥说：“完颜老爷再三嘱谢你，说晚上另有环儿钏子送你，比前日又好。你须要温存抚惜他，不要只推在夫人身上。”贵哥啐了一声道：“好一个包前包后的马百六。”两下散去。

看看天色晚了，定哥便分付前后关门，男妇各归房去。大小侍婢，俱各早早歇息，不许东穿西走，只留贵哥一个在房伏侍。不觉谯楼鼓响，远寺钟鸣。这海陵瞒了徒单夫人，一个从人也不带着，独自一个走到女待诏家中，敲门叫道："待诏在否?"只见女待诏提了一盏小灯笼，走将出来开门。看见海陵黑魆魆的，独自立在街上，便道："请进来，坐坐去。"海陵道："这是什么时候了，还说坐坐。"女待诏道："譬如他那里还不招架子，怎的这般性急?"海陵笑了声，拽了手就走。女待诏道："放尊重些，不要连婆子也取笑。"

两个提着这盏小灯笼，遮遮掩掩，走到乌带府衙角门首，轻轻敲上一下。那里面走出一个丫鬟，也拿了一碗小纱灯儿，迎门相叫。海陵走进门去，丫鬟便一地里拴上了门。女待诏扯扯海陵道："颜师父，这个便是贵哥姐姐。"海陵听了女待诏话，便千揖万揖，谢了贵哥；又在袖子里取出两双环共钏与他，道："屡劳姐姐费心，这物件权表寸心，望姐姐勿嫌轻薄。"女待诏从旁撺掇道："老爷仔细看一看，不要错认了。若论这般一个好姐姐，就受老爷这聘礼也不为过。"海陵笑道："原蒙姐姐错爱，才敢唐突。若论小生这般人物，岂不辱莫了姐姐?"女待诏道："老爷不必过谦，姐姐不要害怕。你两个何不先吃个合卺杯儿?"海陵道："婆婆说得极是。只是酒在那里？杯儿在那里?"女待诏搿着他两个的头道："好个不聪明的老爷，杯儿就在嘴上，好酒就在嘴里。你两个香喷喷美甜甜，吣一个嘴就是合卺杯了。"海陵道："果是小生呆蠢，见不到此。"便搂着贵哥，要与他做嘴。那贵哥扭头摇头，不肯顺从。被海陵拦腰抱住，左凑右凑。贵哥拘不过，只得做了个肥嘴。海陵就用出那水磨的工夫，咂咂咬咬，多时还不放松。女待诏笑道："好姐姐，酒便少吃些，莫要贪杯吃醉了，撒酒风。"海陵便照女待诏肩胛上拍一下，道："老虔婆。一味胡言，全不理论正事。"

三个人说说道道，走到定哥房中。只见灯烛辉煌，杯盘罗列，珍羞毕备，水陆兼陈。恰便似会亲见礼，男男女女斗新妆；庆喜芳筵，色色般般堆美品。海陵近前下拜，定哥慌忙答礼，分宾主坐下。女待诏道："今日该坐床撒帐。你两个又不是亲家翁，如何对面坐着?"拖定哥过来，坐在海陵身边。

贵哥嘻嘻地笑道："你才做媒婆，又做搀扶婆了。"海陵道："这个叫做一当两，大家免思想。"他两个并肩同坐，一递一杯，席前各叙相慕之意。女待诏坐在傍边，左斟右劝。贵哥捧着酒壶，立在椅子背后，看他们调情斗口，觉得脸上热了又冷，冷了又热。约莫酒至半酣，女待诏道："欢娱夜短，寂寞更长，早结同心，莫教错过。"便收拾过酒肴几案，拽上了门关，自和贵哥去睡了。他两个携归罗帐，各逞风流，解扣轻摹，卸衣交颈。说不尽百媚千娇，魂飞魄荡。正是：

春意满身扶不起，一双蝴蝶逐人来。

颠倒约有两个更次，还像鳔胶一般，不肯放开。两个狂得无度，方才合眼安息。那女待诏也鼾鼾的睡着不醒。只有贵哥一个，听他们一会，又走起来睃他们一会，耳闻目击这许多侮弄的光景，弄得没情没绪，辗转无聊，眼也合不上。看看谯楼上钟鸣漏尽，画角高吹，贵哥只得近前叫道："鸡将鸣矣，请早起身，以图再会。"海陵从魂梦中爬起来，披衣就走。定哥也披了衣服，要送海陵。海陵叫他将息，不要他起来。定哥分付贵哥："好好送爷出去，你就进来。"贵哥便掌了灯，悄悄地一重重开了门，送海陵。

海陵走得几步，见侧边一间厢房净荡荡没有人，便搂住贵哥求欢。贵哥道："夫人极是疑心重的，我进去得迟，他岂不怪。"海陵道："你是有功之人。夫人也要酬谢你的，定不作酸。"一头说，一头就抱了贵哥，走进厢房。恰好有旧椅子一张，靠着壁，海陵就那椅子上与贵哥行事。原来贵哥年纪只得十五六岁，乌带虽是看上他，几番要偷摸他，怕着定哥，不曾到手。他只睃见定哥与海陵这般恩爱，只道怎地快乐，所以欣然相就，不道初时如此疼痛，连声告饶。海陵亦爱惜他，不敢姿意却又舍不得放手，摩弄多时，才出角门而去。

却说定哥见贵哥送海陵去，许久不转，疑有别事，忙忙的潜踪蹑足，立在角门里等他。见他慢慢地转来，便将身子影在黑地里，听他说些甚话。只见他一路关门，口里喃喃的说道："这桩事，有甚好处，却也当一件事去做他，真是好笑。"一头说，一头笑，望房里走，只道没人听见。不料定哥影着身子，跟着他走到房里。转身去关房门，才看见定哥立在房门外，唬了一跌，羞得当不得。定哥扶他起来道："你和他干得好事，我都瞧见了。"贵哥道："并不干恁么事。"定哥道："你赖到那里去？若是别一个，我实是容不得。他是你引进来的，果然不比我那浊物。如今正要和他来往，难道倒多你不成？只是你日后不要僭我的先头。"贵哥道："小妮子安敢僭先。只望夫人饶恕。"说毕，大家欢欢喜喜，坐到天明。不题。

从此以后，海陵不时到定哥那里，通宵作乐。贵哥和定哥两个，就像姊妹一般，不相嫌忌。渐渐的，侍女们也都知道，只是不敢管他闲事。所不知者，乌带一人而已。

光阴似箭，约摸着往来有数个月。海陵是渔色的人，又寻着别个主儿去弄，有好一程不到定哥这里。这定哥偷垂泪眼，懒试新妆，冷落凄凉，埋怨懊悔，叫贵哥着人去寻女待诏，要他寄个信儿与海陵，催他再来。那女待诏又病倒在床上，走来不得。定哥捺不住那春心鼓动，欲念牢骚。过一日有如一年，见了乌带就似眼中钉一般，一发惹动心中烦恼，没法计较。

家奴中有个阎乞儿，年不上二十，且是生得干净活脱。定哥看上了他，又怕贵哥不肯，不敢开言。凑着贵哥往娘家去了，便轻移莲步，独自一个走到厅前，只做叫阎乞儿分付说话，就与他结上了私情。怎见得私情好处：

一个是幽闺乍旷，一个是女色初侵。幽闺乍旷，有如饿虎擒羊；女色初侵，好似苍鹰逐兔。鸳鸯枕上，罗袜纵横；翡翠衾中，云鬟散乱。定哥许多欲为之兴趣，此际方酬；乞儿一段鏖战之精神，今宵毕露。惟愿同心天地老，何妨暮暮与朝朝。

如此往来，非止一夜。

一日贵哥回来，看见定哥容颜不似前番愁闷，便问那人是几时来的。定哥道："那人何尝肯来？不是跳槽，决是奉命往他方去了。我日夜在此想你，怨你，你为何今日才回？"贵哥道："夫人如何是想我？如何是怨我？"定哥道："亏你引得那人来，这便是想你；那人如今再不来，这便是怨你。"贵哥见定哥这样说话，心中有七八分疑惑，只是不敢问。停不移时，定哥叫贵哥到房中，要对他说些恁么话，却又脸红了，不说，半吞半吐的束住了嘴。

贵哥立了一会，只得问道："夫人呼唤小妮子来，毕竟要分付些话。怎的又不开口？"定哥叹口气道："你去得这几日，我惹下一桩事在这里，要和你商议，故此叫你来。及至你到我跟前，我又说不出了。"贵哥道："夫人平日没一句话不对小妮子说的，怎么今日这般含糊疑虑？"定哥道："我不好说得，我受了乞儿的亏。"贵哥道："乞儿不过是抄化无赖的人，受了他亏，夫人若肯饶他，便不打紧。若不肯饶他，着当直的送到五城兵马司，打他一顿板子，重重的枷，枷示他两三个月，就出气了。"定哥道："不是这个乞儿，所以要和你计较一个长便。"贵哥道："不是这个乞儿，却是那个乞儿？"定哥道："是家中的阎乞儿。"贵哥道："若是阎乞儿冲激了夫人，一发好惩治的了。夫人自己不耐烦打他，也不消送官府，只待老爷回来，着着实实的打他几百，赶逐他离了府门，就勾了，有恁么长便短便要计较得！"

定哥附着贵哥的耳朵道："不是这般说话。数日前我被阎乞儿强奸了，不好对别个说得，只等你回来，和你商议一个长便。"贵哥笑道："府中规矩，从来不许男子擅入中堂。便是那人来，也有个女待诏做牵头，小妮子做脚力，才走得进来。这狗才怎的敢闯进绣房，强奸夫人？真是夫人受亏了，这狗才的胆不知是怎么样大的。但不知他是日间闯来的，是夜间闯来的？"定哥的脸红了又白，白了又红，羞惭满面道："不瞒你说，是夜里进来的。"贵哥笑道："据夫人说来，是和奸不是强奸了。不要说乞儿有罪，连夫人也有个罪了。"定哥道："我睡着在床上，不知他怎地走将进来，把我骗了。"

贵哥笑道："这狗才倒是个啄木鸟。"定哥也笑道："他怎的是个啄木鸟？"贵哥道："小妮子闻得那啄木鸟，把尖嘴在那树上，画了几画，摇了几摇，那树木里头的蠹虫儿，自然钻出来，等这鸟儿吃。夫人的房门谨谨拴上的，房门又有侍妾们相伴着，不知这狗才把甚的在夫人门上，画得几画，摇得儿摇，夫人的房门就自开了？岂不是个啄木鸟？”定哥笑道：“好姐姐，你又来取笑我。实实与你说，那人许久不来，我心里着实怨他。你又不在家中，没有一个知我心的，我冷落不过，故此将就容纳了乞儿。你如今既回来，我就断绝了他，再不许他进来就是。”贵哥道：“萧何律法，和奸也合杖开。夫人这说话，正合着律法，但凭夫人自家裁处。只怕那虫儿不肯躲，又要钻出来。”凑着他两个正在说话，当直的报说乌带回来，大家惊得面如土色，忙忙出去迎接。不在话下。

当时定哥虽对贵哥说了这一番，心中却不舍得断绝乞儿，依先暗暗地赶着空儿干事，只不敢通宵作乐。贵哥明知其事，也只做不知，不去参破他。婢中有个小底药师奴，一日撞遇定哥和乞儿在轩廊下说话，跑来告诉贵哥。贵哥叮嘱他，叫他不要多管，惹夫人责罚，故此小底药师奴也不对人说。乞儿常常来撩拨贵哥，要图贵哥打做一家，贵哥只是不理他。一日，乞儿张着眼错把贵哥一把搂住了，要吣嘴，被贵哥骂道：“你这狗才，身上惹下了凌迟的罪儿，还不知死活，又来撩我。我说出来时，只怕你这狗才死无葬身之地。”那乞儿吃了这一场抢白，暗暗对定哥说，才绝了这个念头，再不敢来诮弄贵哥。

后来海陵即了大位，乌带还做崇义节度使。每遇元会生辰，使家奴葛鲁葛温诣阙上寿。定哥亦使贵哥候问两宫太后起居。海陵一见贵哥，就想起昔日的情意，因贵哥传话定哥道：“自古天子亦有两后者，能杀汝夫以从我，当以汝为后。”贵哥归，具以海陵言告定哥。定哥笑道：“少时丑恶事已可耻。今儿女已成立，岂可更为此事，以贻儿女羞？”盖与阎乞儿相得，不忍舍之也。海陵闻其言，又使人对定哥说道：“汝不忍杀汝夫，我将族灭汝家。”定哥大恐，乃以子乌答补为辞，说彼常侍其父，无隙可乘。海陵即召乌答补为符宝祗侯。定哥与贵哥商议道：“事不可止矣。”因乌带酒醉，令家奴葛鲁葛温缢杀乌带。时天德三年七月也。

乌带死，海陵伪为哀伤，以礼厚葬之。使小底药师奴传旨定哥，告以纳之之意。定哥将行，贵哥为从。小底药师奴谑之曰：“夫人行矣，阎乞儿何以为情？”定哥惧其泄于海陵也，以奴婢十八口赂之，使无言与阎乞儿私事。定哥入宫，海陵册为娘子。贞元元年封贵妃，大爱幸，许以为后，赐其家奴孙梅进士及第。海陵每与定哥同辇游瑶池，诸妃步从之。阎乞儿以妃家旧人，得给侍本位。

后海陵嬖幸愈多，定哥希得见。一日，独居楼上，海陵与他妃同辇从楼下过。定哥望见，号呼求去，诅骂海陵。海陵佯为不闻而去。定哥益无聊赖，欲复与乞儿通，乃使比丘尼向乞儿索所遗衣服以调之。乞儿识其意，笑曰：“妃今日富贵，忘我耶？”定哥欲以计纳乞儿于宫中，恐阍者察其隐，乃先令侍儿以大箧盛亵衣其中，遣人载之入宫。阍者索之，见箧中皆亵衣，阍者已悔惧。定哥使人诘责阍者，曰："我天子妃，亲体之衣，尔故玩视，何也？我且奏闻之。"阍者惶惧甘死罪，请后不敢再视。定哥乃使尼以大箧盛乞儿载入宫中，阍者果不敢复索。

乞儿入宫十馀日，定哥得恣情欢谑，喜出望外。然乐不可极，不得已，使衣妇人衣，杂诸侍婢，抵暮混出。贵哥闻其事，以告海陵。海陵乃缢死定哥，搜捕乞儿及比丘尼，皆伏诛。封贵哥莘国夫人。小底药师奴以匿定哥奸事，杖百五十，后亦赐死。

丽妃石哥者，定哥之妹，秘书监文之妻也。海陵与之私，欲纳之宫中，乃使文庶母按都瓜主文家。海陵谓按都瓜曰："必出而妇，不然，我将别有所行。"按都瓜以语文。文难之，按都瓜曰："上谓别有所行，是欲杀汝也。岂以一妻杀其身乎？愚痴谅不至此。"文不得已，乃与石哥相持恸哭而别。是时海陵至中都，迎石哥于中都，纳之。

一日，海陵与石哥坐便殿，召文至前，指石哥问道："卿还思此人否？"文答道："'侯门一入深如海，从此萧郎是路人。'微臣岂敢再萌邪思？"海陵大喜道："卿为人大忠厚。"乃以迪辇阿不之妻择特懒偿之，使为夫妇。及定哥缢死，遣石哥出宫。不数日复召入，封为昭仪。正隆元年封柔妃，二年进封丽妃。

昭媛察八者，姓耶律氏，尝嫁奚人萧堂古带。海陵闻其美，强纳之，封为昭媛。以萧堂古带为护卫。察八见海陵嫔御甚多，每以新欢间阻旧爱，不得已，勉意承欢，而心实恋恋堂古带也。一日，使侍女以软金鹌鹑袋子数枚，题诗一首，遗萧堂古带。诗云：

一入深宫尽日闲，思君欲见泪阑珊。
今生不结鸳鸯带，也应重过望夫山。

堂古带得之，惧祸及己，谒告往河间驿。无何事觉。海陵召问之。堂古带以实闻。海陵道："此非汝之罪也，罪在思汝者，吾为汝结来生缘。"乃登宝昌楼，手刃察八，堕楼下死。诸后妃股栗，莫能仰视。并诛侍女之遗软金鹌鹑袋者。

海陵杀诸宗室，择其妇人之美者，皆欲纳入宫中，乃讽宰相道："朕嗣续未广，此党人妇女，有朕中外亲，纳之宫中何如？"徒单贞以告萧裕。萧裕道："近杀宗室，中外异议纷纭，奈何复为此耶？"徒单贞以其语复海陵。海陵道："吾固知裕不肯从。"乃使贞自以己意讽萧裕，必欲裕等请行此事。贞不获辞，乃对裕说道："上意已有所属。公固止之，祸将及矣。"萧裕道："必不肯已，惟上择一人纳之。"徒单贞道："必须公等白之。"裕知不可止，乃具奏，遂纳秉德弟纠里妻高氏、宗本子莎曾剌妻、宗固子胡里剌妻，胡失来妻，又纳叔曹国王子宗敏妻阿懒于宫中。贞元元年，封为昭妃。大臣奏宗敏属近尊行，不可。乃令阿懒出宫，而封高氏为修仪，加其父高邪鲁瓦辅国上将军，母完颜氏封密国夫人。又宋王宗望女寿宁县主什古，梁王宗弼女净乐县主蒲剌及习撚，宗隽女师姑儿，皆海陵从姊妹也。混同郡君莎里古真，及其林馀都，太傅宗本女也，为海陵再从姊妹。表兄张定安妻剌忽，丽妃妹蒲鲁胡只，皆有夫。惟什古丧夫。

海陵无所忌耻，使高师姑、内哥、阿古等，传达言语，皆与之私。内中莎里古真色最美，而善淫。高师姑对他说道："上之好美色，汝所知也。汝之美，主上能舍汝乎？主上于汝为再从姊妹。出阁之日，服制无矣。相遇犹路人然。汝曷不入侍于上，以博恩宠？"莎里古真笑而从之，入见海陵。海陵幸之，竭尽精力，博得古真一笑。次日，以其夫撒速近侍局直宿，海陵谓撒速道："尔妻年少，遇尔直宿，不可令宿于家，当令宿于妃位。"撒速默然不敢出一语。每召古真入，海陵必亲伺候于廊下，立久不至，则坐于高师姑膝上以望之。高师姑道："陛下尊为天子，嫔御满前，何劳苦如此？"海陵笑道："我固以天子为易得耳，此等期会，乃可贵也。"莎里古真一至，则捧惜拥持，无所不用其极，惟恐古真之不悦己。然古真在外，颇恣淫佚，恃宠笞决其夫，其夫亦不能制。见官之尊贵，人之有才者，及美貌而饶于淫具者，必招徕之，与之交合，不以为耻。海陵闻之，大怒道："尔爱贵官，有贵如天子者乎？尔爱人才，有才兼文武似我者乎？尔爱娱乐，有丰富伟岸过我者乎？"怒甚，气咽不能言。莎里古真恬不为意，嘻嘻的道："我只笑尔无能耳。"海陵又大怒，遣之出宫。后复思之，屡召入焉。

其妹馀都，牌印松古剌妻也。海陵尝私之，谓之曰："汝貌虽不扬，而肌肤洁白可爱，胜莎里古真多矣。"馀都恚曰："古真既有貌，陛下何不易其肌肤，作一全人？"海陵道："我又不是阎罗天子，安能取彼易此？"馀都道："从今以后，妾不敢复承幸御矣。"海陵慰之曰："前言戏之耳。汝毋以我言为实，而生怨恚也。"进封寿阳县主，出入贵妃位。又使内哥召什古，出入昭妃位。

什古者，将军瓦剌哈迷妻也。瓦剌哈迷丰躯伟干，长九尺有奇，力能扛鼎，气可吞牛。一夕常淫二三姬，不则满身抽彻难熬，必提掇重物以泄其气。每与什古交合，什古辄娇颤踰时，瞑目欲死。后因瓦剌哈迷从征阵亡，什古不耐寡居，遂与门下少年相通，恨不畅意。少年乃觅淫药傅之，通宵不倦。什古笑道："今日差强人意。"后有知之者，遂嘲少年为"差强人"以笑。海陵闻什古之善嬲也，遂使内哥传语什古道："尔风流跌宕，冠绝一时，然沉溺下僚，未见风流元帅，岂不虚负此生？主上阳尊九五，杰出大僚，尔何不独当一队，分沾雨露以自快乎？"什古笑道："主上虽雄，谅不能敌瓦剌哈迷之半。况且后宫森列，何必召妾？”内哥道：“主上属意尔久矣。尔若不往，恐上怒不测。”

什古不得已，乃入宫焉。海陵乘其未至，先于小殿暖位，置琴阮其中。什古来朝，见礼毕，海陵携其手坐于膝上，调琴拨阮以悦其心，进封昭宁公主。乃检《洞房春意》一册，戏道：“朕今宵与汝，将此二十四势，次第试之。”海陵未尽其势之半，意欲少息。海陵道：“瓦剌哈迷何如？”什古道：“大异于是。”于是海陵不悦道：“汝齿长矣，汝色衰矣，朕不弃汝，汝之大幸，何得云尔。”什古愧恨而罢，翌日出宫，潜以其状对少年说道：“帝之交合，果有传授，非空摶也。”少年不谨，以其语泄之于人。人笑谓少年道：“帝今作差强人矣。”

奈剌忽者，蒲只哈剌赤女也，修美洁白，见者无不啧啧。及笄，嫁于节度使张定安为妻。定安为海陵表兄，海陵未冠时，常过定安家嬉戏，即与奈剌忽同席，接谈谑笑竟日，遂与之私。无何，张定安受熙宗命，出使于宋。海陵与奈剌忽通宵行乐，遂如夫妇。房中侍婢，无得免者。不料熙宗诏海陵赴梁王军前听用。海陵只得辞别奈剌忽而去，不复再见。直至即位，方才又召奈剌忽出入柔妃位。

女使辟懒，有夫在外，海陵欲幸之，封以县君，召之入宫。恶其有娠，乃命人煎麝香汤，躬自灌之，且揉拉其腹。辟懒欲全性命，乃乞哀道：“苟得乳娩，当不举以待陛下。”海陵道：“若待大产，则汝阴宽衍，不可用矣。”竟揉堕其胎。越数日幸之。

蒲察阿虎迭女义察，海陵姊庆宜公中所生。幼养于辽王宗幹府中，及笄而嫁秉德之弟特里。秉德伏诛，义察当连坐。太后使梧桐请于海陵，由是得免。海陵遂白太后欲纳之。太后道：“是儿始生，先帝亲抱至吾家养之，至于成人。帝虽舅，犹父也。岂可为此非礼之事？”海陵屈于太后而止。义察跌宕喜淫，不安其室，遂与完颜守诚有奸。守诚本名遏里来，芳年淑艾，白皙过人，更善交接。义察绝爱之。太后窃知其事，乃以之嫁宗室安达海之子乙补剌。乙补剌不胜其欲，义察日与之反目。海陵不知其故，数使人讽乙补剌出之，因而纳之。

太后初不知也。义察思念守诚，愁眉不展，每侍海陵，强为笑乐，转背即诅詈不已。侦者以告海陵。海陵怒道：“朕乃不如完颜守诚耶？”遂挞杀守诚，欲并杀义察，又得太后求哀，乃释放出宫。无何，义察家奴告义察痛守诚之死，日夜咒诅，语涉不道。海陵乃自临问，责义察道：“汝以守诚死詈我耶？守诚不可得见矣。朕今令汝往见之。”遂杀义察而分其尸。

太宗正阿里虎妻蒲速碗，乃元妃之妹也，大有姿色，而持身颇正。因入见元妃，留宿于宫中。迨晚，海陵强之同坐饮宴。蒲速碗正色固拒，退食于元妃之幕，将周身衣服谨系牢结，坐而不卧，以防海陵之辱已。果然，谯楼鼓急，画角声摧，银缸半灭半明，神思乍醒乍倦，海陵突至，强抱求欢，蒲速碗再四不从。海陵凌逼不已，相持相拒，将及更馀，海陵乃以力制之，怒发如雷，声如乳虎，喝令侍婢共挟持之，尽断其中外衣带。蒲速碗气索力疲，支撑不住，叫不得撞天的冤屈，只得紧闭着双眼，放开了两手，任凭着海陵百谑千嘲，千抽万迭，就像喉咙气断，死了不得知的一般。这海陵像心像意，侮弄了许多时节，见蒲速碗没有一些儿情趣，到也觉得没意思，兴尽而去。

元妃问蒲速碗道："妹妹，你平昔的兴在那里去了？今日做出这般模样。"蒲速碗道："姐姐，你可是有人气的？古来那娥皇、女英，都是未出嫁的女子，所以帝尧把他嫁得舜哥天子。我是有丈夫的，若和你合著个老公，岂不惹人笑杀，连姐姐也做人不成了。"元妃道："事到其间，连我也做不得主。俗语说得好：'只好随乡入乡。'那里顾得人笑耻。"蒲速碗道："姐姐，你说得好话儿，这话儿只当不说罢。世上那有百世太平、千年天子？你倘或被人凌辱，你心里过去得否？"元妃惨沮不出一声。过了一夜。次日早晨，蒲速碗辞朝归去，再不入宫朝见。虽是海陵假托别样名目来宣召他，他也只以疾辞道："臣妾有死而已，不能复见娘娘。"海陵亦付之无可奈何也。

张仲轲者，幼名牛儿，乃市井无赖小人，惯说传奇小说，杂以俳优诙谐语为业。其舌尖而且长，伸出可以舐著鼻子。海陵尝引之左右，以资戏笑。及即位，乃以为秘书郎，使之入直宫中，遇景生情，乘机谑浪，略无一些避忌。

又尝召侍臣聚于一殿，各露其秽以相比并，大者列为第一班，赏以摧残不用宫女一人，给与阳侯牙牌一面。中者列为第二班，赏以楮钞百锭，给与阳伯牙牌一面。不及二等者为最下，不入选。除正殿朝参奏事，大酺宴赏，依次叙爵外。凡入宫直宿，内殿赐饮，即不论官爵崇卑，悉照牙照，列成班次，以为笑乐。虽徒单贞亦不能免。百人之中，与海陵相伯仲者居其一，父叔事海陵者居其二，奴视海陵者百不得一也，时人为谣歌云：

朝廷做事忒兴阳，白做铨司开选场。

政事文章俱不用，惟须腰下硬帮帮。

那歌谣直传到海陵耳朵里，海陵也只当不得知，一味头只是作乐淫谑。不要说起那宫中嫔御，就是官庶妇人，曾蒙幸者，海陵也列在宫人数内。虽有丈夫的，皆分番出入，听其淫乱。海陵还不足意，欲把这些妇人随意幸之。限于更番不便，乃尽遣其丈夫往上京去了，恰把这些妇人都留在宫中。每当行幸，即令撤蔽去围帐，教坊司近前奏乐，幸已方止。再幸再奏。一幸必及数妇，徒以尽己之兴，而诸妇皆不畅所欲，人人嗟怨。尝幸室女，必乘兴狠触，不顾妃创痛。有不遂其情者，令妃嫔牵制其手足，促不得动。尝与妃嫔同坐，必自掷一物于地，使近侍环视之，他视者杀。又诫宫中给使男子，于妃嫔位举首者剜其目。出入不得独行，便旋须四人偕往。所司执刀监护，不由路者斩之。日入后，下阶砌行者死。告者赏钱百万。男女仓猝互相触，先声言者赏三品官，后言者死。齐言者皆释之。

有梁珫者，本大臭家奴，随元妃入宫，以阉竖事海陵。珫性便佞，善迎合人意。海陵特见宠信，言无不从。珫尝搆求海上仙方，远觅兴阳异物，修合媚药，以奉海陵。海陵试之，颇有效验，益肆淫蛊。中外嫔御妇女殆将万人，犹恨不得绝色，以逞心意。珫乃极言宋刘贵妃绝色倾国。海陵道："汝试言其容止。"珫道："鬒发腻理，姿质纤柔，体欺皓雪之容光，脸夺英华之濯艳；顾影徘徊，光彩溢目。承迎眄睐，举止绝伦；智算过人，歌舞出众。"海陵闻言大喜，自此决南征之意。

将行，命县君高师姑预贮紫绡帐、画石床、鹧鸪枕、却尘褥、神丝绣被、瑟瑟幕、纹布巾。帐轻疏而薄，视之如无所碍。虽属隆冬，而风不能入，盛暑则清凉自至。其色隐隐焉忽，不知其帐也，乃鲛绡之类。床文如锦绣，石体甚轻，郅支国所献。枕以七宝合为鹧鸪，褥色般鲜，光软无比，云是却尘兽毛所为，出自句骊国。被绣三千鸳鸯，仍间以奇花异叶，上缀灵粟之珠，如果粒，五色辉焕。其幕色如瑟瑟，阔三丈，长百尺，轻明虚薄，无以为比，向空张之，则疏网之纹如碧丝之贯其珠，虽大雨暴降，不能湿漏，云以蛟人瑞香膏所傅故也。纹布巾，即手巾也，洁白如雪光，软如绵，拭水不濡，用之弥年，不生垢腻，乃得自鬼谷国者。俟得刘贵妃时用之。更带九玉钗、蠲忿犀、如意玉、龙绡衣、龙髯紫拂。钗刻九鸾，皆九色，其上有字白玉儿，工巧妙丽，殆非人制。犀圆如弹丸，带之令人蠲忿怒。玉类桃实，上有七孔；云是通明之象。衣重无一二两，傅之不盈一握。拂色紫如烂椹，可长三尺，削水晶为柄，刻红玉为环纽，或风雨晦暝，临流沾洒，则光彩动摇，奋然如怒。置于堂中，则日无蝇虫，夜无蚊蚋。拂之为声，则鸡犬无不惊逸；垂之池潭，则鳞介之属，悉俯伏而至。引水于空中，则成瀑布；烧燕肉熏之，则焞焞焉若生云雾，云得于洞庭湖中者。俟得刘贵妃则以赐之。海陵件件色色，都打点端正。不想探事人来报，说刘贵妃已辞世矣。海陵好不痛惜。忙传下号令，说灭却宋时，把他死尸也抬来瞧一瞧，完了心中一念。这才是：

生前不结鸳鸯带，死后空劳李少君。

世宗时为济南尹，夫人乌林答氏，玉质凝肤，体轻气馥，绰约窈窕，转动照人。海陵闻其美，思有以通之。而乌林答氏端方严悫，无隙可乘。一日，传旨召之。世宗忿忿抗旨，不使之去。乌林答氏泣对世宗道："妾之身，王之身也。一醮不再，妾之志也，宁肯为上所辱？第妾不应召则无君，王不承旨则不臣。上坐是以杀王，王更何辞以免？我行当自勉，不以累王也。”世宗涕泣，不忍分离。乌林答氏毅然就道。一路上凄其沮忧，无以为情。行至良乡地方，乃将周身衣服缝纫固密，题诗一首于衣裾上，遂自杀。诗云：

世态翻如掌，君心狠似狼。

凶狂图快乐，淫逆灭纲常。

我死身无辱，夫存姓亦香。

敢劳传旨客，持血报君王。

乌林答氏既死，使者以讣闻。海陵伪为哀伤，命归其梂于世宗。世宗发梂视之，面色如生，血凝喉吻，抚尸痛悼，以礼葬焉。后世宗在位二十九年，不复立后者，以乌林答氏之死节也。此是后话。

却说海陵大举南侵，造战船于江上，毁民庐舍以为材，煮死人膏以为油，费财用如泥沙，视人命如草菅。既发兵南下，群臣因万民之嗟怨，立曹国公乌禄为帝，即位辽阳，改名雍，改元大定，通降海陵为王。海陵闻之，叹道：“朕本欲削平江南，然后改元大定。今日之事，岂非天乎？”因出素所书“一着戎衣，天下大定”改元事，以示群臣。遂召诸将谋，帅师北还。至瓜州，浙西路都统制耶律元宜等谋弑之，箭入帐中。海陵以为宋兵追至。及视箭，曰：“此我兵也。”欲取弓还射，忽又中一箭，仆地，延安少尹纳合斡鲁补先刃之。手足犹动，遂缢杀之。妃嫔等数十人皆遇害。

后世宗数海陵过恶，不当有王封土，不当在诸王茔域，乃降废为海陵侯，复降为庶人，改葬于西南四十里。后人有词叹云：

世上谁人不爱色？惟有海陵无止极。

未曾立马向吴山，大定改元空叹息。

空叹息，空叹息，国破家亡回不得。

孤身客死倩人怜，万古传名为逆贼。

第二十四卷
隋炀帝逸游召谴

《玉树》歌残舞袖斜，景阳宫里剑如麻。

曙星自合临天下，千里空教怨丽华。

这首诗单表隋文帝篡周灭陈，奄有天下，一统太平，真个治得外户不闭，路不拾遗。初时已立太子勇为东宫，却因不得母后独孤氏欢心。原来文帝独孤皇后最是妒忌，文帝畏而爱之。常言："前代帝王，骨肉分争，皆因嫡庶相猜相忌，致有祸胎。今吾家五子同母，傍无异生之子，后来安享太平，绝无后患。"不想太子勇嫡妃元氏无宠，抑郁而死，专宠云定兴之女。所生子女，皆是庶出。独孤皇后心中甚是不愤，每每在文帝前谮愬太子勇之短。文帝极是惧内的，听他言话，太子勇日渐日疏。

却有第二子晋王广，为扬州都总管，生来聪明俊雅，仪容秀丽。十岁即好观古今书传，至于方药、天文地理、百家技艺术数，无不通晓。却只是心怀叵测，阴贼刻深，好钩索人情深浅，又能为矫情忍询之事。刺探得太子勇失爱母后，日夜思所以间之，日与萧妃独处，后宫皆不得御幸。每遇文帝及独孤皇后使来，必与萧妃迎门候接，饮食款待，如平交往来。临去，又以金钱纳诸袖中。以故人人到母后跟前，交口同声，誉称晋王仁孝聪明，不似太子寡恩傲礼，专宠阿云，致有如许豘犊。独孤皇后大以为然，日夜谮之于文帝，说太子勇不堪承嗣大统。后来晋王广又多以金宝珠玉，结交越公杨素，令他谗废太子。杨素是文帝第一个有功之臣，言无不从。皇后谮之于内，杨素毁之于外。文帝积怒太子勇，已非一日。竟废太子勇为庶人，幽之别宫，却立晋王广为太子。受命之日，地皆震动。识者皆知其夺嫡阴谋。独杨素残忍深刻，扬扬得意，以为太子由我得立。威权震天下，百官皆畏而避之。

后来独孤皇后崩，后宫却得近幸。文帝有一位宣华夫人陈氏，陈宣帝之女也。隋灭陈，配掖庭。性聪慧，姿貌无双。及皇后崩后，始进位为贵人。专房擅宠，后宫莫及。文帝寝疾于仁寿宫，夫人与太子广同侍疾。平旦，夫人出更衣，为太子所逼。夫人拒之，发乱神惊，归于帝所。文帝怪其容色有异，问其故，夫人泫然泣曰："太子无礼。"文帝大恚曰："畜生何足付大事，独孤误我！"盖指皇后也。因呼兵部尚书柳述、黄门侍郎元岩、司空越公杨素等曰："召我儿来。"述等将呼太子广，帝曰："勇也。"杨素曰："国本不可屡易，臣不敢奉诏。"帝气哽塞，回面向内不言。

素出语太子广曰："事急矣。"太子广拜素曰："以终身累公。"有顷，左右报素曰："帝呼不应，喉中呦呦有声。"素急入，文帝已崩矣。陈夫人与诸后宫相顾悲恸。晡时，太子广遣使者赍金合，缄封其际，亲书封字以赐夫人。夫人见之惶惧，以为药酒，不敢发。使者促之，乃开，见盒中有同心结数枚。宫人咸相庆曰："得免死矣。"陈夫人恚而却坐，不肯致谢。宫人咸逼之，乃拜使者。太子夜入烝焉。明旦发丧，使人杀故太子勇而后即位。左右扶太子上殿。太子足弱，欲倒者数四，不能上。杨素叱去左右，以手扶接，太子援之乃上。百官莫不嗟叹。杨素归谓家人曰："小儿子吾已提起教作大家，即不知能了当否？"

素恃己有功，于帝多呼为郎君。时宴内宫，宫人偶遗酒污素衣。素叱左右引下加挞焉。帝甚不平，隐忍不发。一日，帝与素钓鱼于后苑池上，并坐，左右张伞以遮日。帝起如厕，回见素坐赭伞下，风骨秀异，神彩毅然。帝大忌之。帝每欲有所为，素辄抑而禁之，由是愈不快于素。会素死，帝曰："使素不死，夷其九族。"先是，素一日欲入朝，见文帝执金钺逐之，曰："此贼，吾欲立勇，竟不从吾言。今必杀汝。"素惊怖入室，召子弟工人语曰："吾必死矣。出见文帝如此如此。"移时而死。

帝自素死，益无忌惮，沉迷女色。一日顾诏近侍曰："人主享天下之富，亦欲极当年之乐，自快其意。今天下富安，外内无事，正吾行乐之日也。今宫殿虽壮丽显敞，苦无曲房小室，幽轩短槛。若得此，则吾期老于其中也。"近侍高昌奏曰："臣有友项升，浙人也。自言能构宫室。"翌日，诏召问之。升曰："臣乞先进图本。"后日进图，帝览之，大悦，即日诏有司供具材木，凡役夫数万，经岁而成。楼阁高下，轩窗掩映，幽房曲室，玉栏朱楯，互相连属，回环四合，牖户自通，千门万户，金碧相辉，照耀人耳目。金虬伏于栋下，玉兽蹲于户傍；壁砌生光，琐窗曜日，工巧之极，自古未之有比也。费用金宝珠玉，库藏为之一空。人误入其中者，虽终日不能出。

帝幸之，大悦，顾左右曰："使真仙游其中，亦当自迷也，可目之曰迷楼。"诏以五品官赐升，仍给内库金帛千疋赏之。诏选良家女数千以居楼中。帝每一幸，经月不出。

是月，大夫何稠进御女车。车之制度绝小，只容一人，有机伏于其中。若御童女，则以机碍女之手足，女纤毫不能动。帝以处女试之，极喜。召何稠谓之曰："卿之巧思，一何神妙如此。"以千金赠之。稠又进转关车，可以升楼阁，如行平地。车中御女，则自摇动。帝尤喜悦，谓稠曰："此车何名?"稠曰："臣任意造成，未有名也，愿赐佳名。"帝曰："卿任其巧意以成车，朕得之，任其意以自乐，可命名任意车也。"帝又令画工绘画士女交合之图数十幅，悬于阁中。其年上官时自江外得替回，铸乌铜鉴数十面，其高五尺，面阔三尺，磨以成镜为屏，环于寝所，诣阙投进。帝以屏纳迷楼中，而御女于其傍，纤毫运转，皆入于鉴中。帝大喜曰："绘画得其形象耳，此得人之真容也，胜绘图万倍矣。"

帝日夕沉荒于迷楼，罄竭其力，亦多倦息。又辟地周二百里为西苑，役民力常百万，内为十六院。聚巧石为山，凿池为五湖四海，诏天下境内所有鸟兽草木，驿送京师。诏定西苑十六院名：景明、迎晖、栖鸾、晨光、明霞、翠华、文安、积珍、影纹、仪凤、仁智、清修、宝林、和明、绮阴、绛阳。每院，择宫中佳丽谨厚有容色美人实之，炀帝常幸御者为之首。分派宦者，主出入易市。又凿五湖，每湖四方十里。东曰翠光湖，南曰迎阳湖，西曰金光湖，北曰洁水湖，中曰广明湖。湖中积土石为山，构亭殿，屈曲环绕澄泓，皆穷极人间华丽。又凿北海，周环四十里，中有三山，效蓬莱、方丈、瀛洲，其上皆台榭回廊，其下水深数丈。开通五湖北海，通行龙凤舸。帝多泛东湖，因制湖上曲《望江南》八阕云：

湖上月，偏照列仙家。水浸寒光铺枕簟，浪摇晴影走金蛇。偏称泛灵槎。　　光景好，轻彩望中斜。清露冷侵银兔影，西风吹落桂枝花。开宴思无涯。

其二云：

湖上柳，烟里不胜催。宿雾洗开明媚眼，东风摇弄好腰肢。烟雨更相宜。　　环曲岸，阴覆画桥低。线拂行人春晚后，絮飞晴雪暖风时。幽意更依依。

其三云：

湖上雪，风急堕还多。轻片有时敲竹户，素华无韵入澄波。望外玉相磨。　　湖水远，天地色相和。仰面莫思梁苑赋，朝来且听玉人歌。不醉拟如何？

其四云：

湖上草，碧翠浪通津。修带不为歌舞缓，浓铺堪作醉人茵。无意衬香衾。　　晴霁后，颜色一般新。游子不归生满地，佳人远意正青春。留咏卒难伸。

其五云：

湖上花，天水浸灵芽。浅芷水边匀玉粉，浓苞天外剪明霞。只在列仙家。　　开烂熳，插鬓若相遮。水殿春寒幽冷艳，玉轩晴照暖添华。清赏思何赊。

其六云：

湖上女，精选正轻盈。犹恨乍离金殿侣，相将尽是采莲人。清唱谩频频。　　轩内好，嬉戏下龙津。玉管朱弦闻尽夜，踏青斗草事青春。玉辇从群真。

其七云：

湖上酒，终日助清欢。檀板轻声银甲缓，醅浮香米玉蛆寒。醉眼暗相看。　　春殿晚，仙艳奉杯盘。湖上风光真可爱，醉乡天地就中宽。帝主正清安。

其八云：

湖上水，流绕禁园中。斜日暖摇清翠动，落花香暖众纹红。蘋末起清风。　　闲纵目，鱼跃小莲东。泛泛轻摇兰棹稳，沉沉寒影上仙官。远意更重重。

帝常游湖上，多令宫中美人歌唱此曲。

大业六年，后苑草木鸟兽，繁息茂盛：桃蹊柳径，翠阴交合；金猿青鹿，动辄成群。自大内开为御道，直通西苑，夹道植长松高柳。帝多宿苑中，去来无时。侍御多夹道而宿，帝往往于中夜即幸焉。

道州贡矮民王义，眉目浓秀，应对敏捷，帝尤爱之。常从帝游，终不得入宫，曰："尔非宫中物也。"义乃出，自宫以求进。帝由是愈加怜爱，得出入内寝。义多卧御榻下。帝游湖海回，多宿十六院。一夕，中夜，帝潜入栖鸾院。时夏气暄烦，院妃庆儿卧于帘下。初月照轩，甚是明朗。庆儿睡中惊魇，若不救者。帝使义呼庆儿。帝自扶起，久方清醒。帝曰："汝梦中何故而如此?"庆儿曰："妾梦中如常时，帝握妾臂，游十六院。至第十院，帝入坐殿上。俄时火发，妾乃奔走，回视帝坐烈焰中，惊呼人救帝，久方睡觉。"帝自强解曰："梦死得生，火有威烈之势。吾居其中，得威者也。"后帝幸江都被弑。帝入第十院，居火中，此其应也。

一夕，帝因观殿壁上有广陵图，帝注目视之移时，不能举步。时萧后在侧，谓帝曰："知他是甚图画?何消帝如此挂心?"帝曰："朕不爱此画，只为思旧游之处耳。"于是以左手凭后肩，右手指图上山水及人烟村落寺宇，历历皆如在目前，谓萧后曰："朕昔征陈后主时游此，岂期久有天下，万机在躬，便不得豁然于怀抱也。"言讫，容色惨然。萧后奏曰："帝意在广陵，何如一幸?"帝闻之，言下恍然，即日召群臣，言欲至广陵，旦夕游赏。议当泛巨舟，自洛入河，自河达海入淮，至广陵。群臣皆言："似此程途，不啻万里，又孟津水紧，沧海波深，若泛巨舟，事恐不测。"时有谏议大夫萧怀静，乃皇后弟也，奏曰："臣闻秦始皇时，金陵有王气，始皇使人凿断砥柱，王气遂绝。今睢阳有王气，又陛下喜在东南，欲泛孟津，又虑危险。况大梁西北有故河道，乃是秦将王离畎水灌大梁之处。乞陛下广集兵夫，于大梁起首开掘，西自河阴，引孟津水入，东至淮阴，放孟津水出。此间地不过千里，况于睢阳境内经过。一则路达广陵，二则凿穿王气。"

帝闻奏大喜。出敕朝堂，有敢谏开河者斩。乃命征北大总管麻叔谋为开河都护，以荡寇将军李渊为开河副使。渊称疾不赴，即以左屯卫将军令狐达代之。诏发天下丁夫，男年十五以上，五十以下者皆至，如有隐匿者斩三族。凡役夫五百四十三万馀人，昼夜开掘，急如星火。又诏江淮诸州，造大船五百只，使命促督。民间有配著造船一只者，家产破用皆尽，犹有不足，枷项笞背，然后鬻卖子女以供官费。到得开河功役渐次将成，龙舟亦就。帝大喜，将幸江都，命越王侗留守东都。宫女半不随驾，争攀号留。且言辽东小国，不足以烦大驾，愿遣将征之。帝意不回。作诗留别宫人云：

我梦江都好，征辽亦偶然。

　　但存颜色在，离别只今年。

车驾既行，师徒百万。

离都旬日，长安贡御车女袁宝儿，年十五，腰肢纤堕，骙憨多态。帝宠爱特厚。时洛阳进合蒂迎辇花，云："得之嵩山坞中，人不知其名，采花者异而贡之。"会帝驾适至，因以"迎辇"名之。帝令宝儿持之，号曰"司花女"。时诏虞世南草《征辽指挥德音敕》，宝儿持花侍侧，注视久之。帝谓世南曰："昔传飞燕可掌上舞，朕常谓儒生饰于文字，岂人能若是乎？及今得宝儿，方昭前事。然多憨态，今注目于卿。卿才人，可便作诗嘲之。"世南应诏，为绝句云：

　　学画莺黄半未成，垂肩亸袖太憨生。

　　缘憨却得君王宠，长把花枝傍辇行。

帝大悦。既至汴京，帝御龙舟，萧后乘凤舸。于是吴越取民间女年十五六岁者五百人，谓之殿脚女，至龙舟凤舸。每船用彩缆十条，每条用殿脚女十人，嫩羊十口，令殿脚女与羊相间而行。时方盛暑，翰林学士虞世基献计，请用垂柳栽于汴渠两堤上。一则树根四散，鞠护河堤；二则牵舟之人，庇其阴；三则牵舟之羊，食其叶。上大喜，诏民间献柳一株，赏一匹绢。百姓竞献之。又令亲种。帝自种一株，群臣次第皆种，方及百姓。时有谣言曰："天子先栽，然后百姓栽。"栽与灾同音，盖妖谶也。栽毕，取御笔写赐垂柳姓杨，曰杨柳也。时舳舻相继，连接千里，自大梁至淮口，联绵不绝。锦帆过处，香闻数里。一日，帝将登龙舟，凭殿脚女吴绛仙肩，喜其媚丽，不与群辈等，爱之。久不移步。绛仙善画长蛾眉，帝色不自禁。回辇，召绛仙，将拜婕妤。萧后性妒忌，故不克谐。帝寝兴罢，擢为龙舟首楫，号日"崆峒夫人"。由是殿脚女争效为长蛾眉。司官吏日给螺子黛五斛，号为蛾绿。螺子黛出波斯国，每颗值十金。后征赋不足，杂以铜黛给之。独绛仙得赐螺黛不绝。帝每倚帘视绛仙，移时不去，顾内谒者曰："古人言秀色若可餐，如绛仙真可疗饥矣。"因吟《持楫篇》赐之曰：

　　旧曲歌桃叶，新妆艳落梅。

　　将身傍轻楫，知是渡江来。

诏殿脚女千辈唱之。时越溪进耀光绫，绫纹突起，有光彩。帝独赐司花女及绛仙，他人莫预。萧后恚愤不怿。由是二姬稍稍不得亲幸，帝常登楼忆之，题《东南柱》二篇云：

　　黯黯愁侵骨，绵绵病欲成。

　　须知潘岳鬓，强半为多情。

又云：

　　不信长相忆，丝从鬓里生。

闲来倚槛立，相望几含情。

殿脚女自至广陵，悉命备月观行宫，绛仙辈亦不得亲侍寝殿。有郎将自瓜州宣事回，进合欢果一器。帝命小黄门以一双驰骑赐绛仙。遇马上摇动，合欢蒂解，绛仙拜赐，因附红笺小简上进曰：

驿骑传双果，君王宠念深。

宁知辞帝里，无复合欢心。

帝览之，不悦，顾小黄门曰："绛仙如何辞怨之深也？"黄门拜而言曰："适走马摇动，及月观，果已离解，不复连理。"帝因言曰："绛仙不独容貌可观，诗意深切，乃女相如也。亦何谢左贵嫔乎？"帝尝醉游后宫，偶见宫婢罗罗者，悦而私之。罗罗畏萧后，不敢迎帝，因托辞以程姬之疾，不可荐寝。帝乃嘲之曰：

个人无赖是横波，黛染隆颅簇小峨。

幸好留侬伴成梦，不留侬住意如何？

帝自达广陵，沉湎滋深，荒淫无度，往往为妖祟所惑。尝游吴公宅鸡台，恍惚间与陈后主相遇。帝幼年与后主甚善，乃起迎之，都忘其已死。后主尚唤帝为殿下。后主戴青纱皂帻，青绰袖，长裾，绿锦纯缘紫纹方平履。舞女数十，罗侍左右。中有一女殊色，帝屡目之。后主云："殿下不识此人耶？即张丽华贵妃也。每忆桃叶山前乘战舰与此妃北渡。尔时丽华最恨，方倚临春阁，试东郭㕙紫毫笔，书小砑红绡，作答江令'璧月'句未终，见韩擒虎跃青骢马，拥万甲骑直来冲人，都不存去就之礼，以至有今日。"言罢，即以绿文测海酒蠡，酌红梁新酿劝帝。帝饮之甚欢，因请丽华舞《玉树后庭花》。丽华白后主，辞以抛掷岁久，自井中出来，腰肢粗巨，无复往时姿态。帝再三强之。乃徐起舞，终一曲。后主问帝："萧妃何如此人？"帝曰："春兰秋菊，各一时之秀也。"后主复诵诗十数篇。帝不记之，独爱《小窗诗》及《寄侍儿碧玉诗》。《小窗诗》云：

午醉醒来晚，无人梦自惊。

夕阳如有意，偏傍小窗明。

《寄碧玉》云：

离别肠应断，相思骨合销。

愁魂若非散，凭仗一相招。

丽华拜求帝赐一章，帝辞以不能。丽华笑曰："尝闻'此处不留侬，会有留侬处'，安得言不能耶？"帝强为之，操笔立成，曰：

见面无多事，闻名尔许时。

坐来生百媚，实个好相知。

丽华捧诗，赧然不怿。后主问帝："龙舟之游乐乎？始谓殿下致治在尧舜之上，今日仍此逸游。大抵人生各图快乐，向时何见罪之深耶？三十六封书，至今使人快快不悦。”帝忽悟其已死，叱之曰：“何今日尚呼我为殿下，复以往事相讯耶？”恍惚不见，帝兀然不自知，惊悸移时。

帝后御龙舟，中道，夜半闻歌者甚悲，其辞曰：

我兄征辽东，饿死青山下。
今我挽龙舟，又困隋堤道。
方今天下饥，路粮无些少。
前去三千程，此身安可保。
寒骨枕荒沙，幽魂泣烟草。
悲损门内妻，望断吾家老。
安得义男儿，焚此无主尸。
引其孤魂回，负其白骨归。

帝闻其歌，遽遣人求其歌者，至晓不得其人。帝颇彷徨，通夕不寐。帝知世祚已去，意欲遂幸永嘉，群臣皆不愿从。扬州朝百官，天下朝贡使无一人至者。有来者，在途遭兵夺其贡物。帝犹与群臣议，诏十三道起兵，诛不朝贡者。帝深识玄象，常夜起观天，乃召太史令袁充，问曰：“天象如何？”充伏地泣涕曰：“星文大恶，贼星逼帝座甚急，恐祸起旦夕，愿陛下遽修德灭之。”帝不乐，乃起，入便殿，索酒自歌曰：

宫木阴浓燕子飞，兴亡自古漫成悲。
他日迷楼更好景，宫中吐艳恋红辉。

歌竟，不胜其悲。近侍奏：“无故而歌甚悲，臣皆不晓。”帝曰：“休问。他日自知也。”俛首不语，召矮民王义问曰：“汝知天下将乱乎？”义泣对曰：“臣远方废民，得蒙上贡，进入深宫，久承恩泽，又尝自宫，以近陛下。天下大乱，固非今日，履霜坚冰，其渐久矣。臣料大祸，事在不救。”帝曰：“子何不早告我也？”义曰：“臣惟不言，言即死久矣。”帝乃泣下沾襟，曰：“子为我陈败乱之理，朕贵知其故也。”明日，义上书曰：

臣本出南楚卑薄之地，逢圣明为治之时，不爱此身，愿从入贡。臣本侏儒，性尤蒙滞。出入左右，积有年岁。浓被圣私，皆逾素望。侍从乘舆，周旋台阁。臣虽至鄙，酷好穷经，颇知善恶之本源，少识兴亡之所以。还往民间，周知利害。深蒙顾问，方敢敷陈。自陛下嗣守元符，体临大器，圣神独断，谋谏莫从。大兴西苑，两至辽东。龙舟逾万艘，宫阙遍天下。兵甲常役百万，士民穷乎山谷，征辽者百不存十，殁葬者十未有一。帑藏全虚，谷粟涌贵。乘舆竟往，行幸无时。兵人侍从，常守空宫。遂令四方失望，天下为墟。方今有家之村，存者可数；子弟死于兵役，老弱困于蓬蒿。兵尸如岳，饿莩盈郊。狗彘厌人之肉，鸢鱼食人之馀。臭闻千里，骨积高原。阴风无人之墟，鬼哭寒草之下。目断平野，千里无烟。万民剥落，不保朝昏。父遗幼子，妻号故夫。孤苦何多，饥荒尤甚。乱离方始，生死谁知。入主爱人，一何至此？陛下圣性毅然，孰敢上谏？或有鲠言，即令赐死。臣下相顾，箝结自全。龙逄复生，安敢议奏！左右近臣，阿谀顺旨，迎合帝意，造作拒谏。皆出此途，乃逢富贵。陛下恶过，从何得闻？方今又败辽师，再幸东土，社稷危于春雪，干戈遍于四方。生民已入涂炭，官吏犹未敢言。陛下自惟，若何为计？陛下欲兴师，则兵吏不顺；欲行幸，则将卫莫从。适当此时，何以自处？陛下虽欲发愤修德，特加爱民，圣慈虽切救时，天下不可复得。大势已去，时不再来。巨厦之崩，一木不能支；洪河已决，掬壤不能救。臣本远人，不知忌讳，事急至此，安敢不言！臣今不死，后必死兵。敢献此书，延颈待尽。

帝省义奏，曰："自古安有不亡之国，不死之主乎？"义曰："陛下尚犹蔽饰己过。陛下常言：吾当跨三皇，超五帝，下视商周，使万世不可及。今日之势如何？能自复回都辇乎？"帝再三加叹。义曰："臣昔不言，诚爱生也；今既具奏，愿以死谢。天下方乱，陛下自爱。"少选，左右报曰："义自刎矣。"帝不胜悲伤，命厚葬焉。时值阁裴虔通、虎贲郎将司马德戡，左右屯卫将军宇文化及，将谋作乱，因请放官奴，分直上下。帝可其奏，即下诏云：

寒暑迭用，所以成岁功也；日月代明，所以均劳逸也。故士子有游息之谈，农夫有休养之节。咨尔髦众：服役甚勤，执劳无怠；埃垢溢于爪发，虮虱结于兜鍪：朕甚悯之。俾尔休番，从便嬉戏，无烦方朔滑稽之请，而从卫士递上之文。朕于侍从之间，可谓恩矣，可依前件施行。

不数日，忽中夜闻外切切有声。帝急起，衣冠御内殿。坐未久，左右伏兵俱起。司马德戡携白刃向帝。帝叱之曰："吾终年重禄养汝，吾无负汝，汝何得负我。"帝常所幸朱贵儿在帝傍，谓德戡曰："三日前，帝虑侍卫秋寒，诏宫人悉絮袍裤，帝自临视。造数千领，两日毕功。前日颁赐，尔等岂不知也？何敢迫胁乘舆。"乃大骂德戡。德戡斩之，血溅帝衣。德戡前数帝罪，且曰："臣实负陛下。但今天下俱叛，二京已为贼据。陛下归亦无门，臣生亦无路。臣已亏臣节，虽欲复已，不可得也，愿得陛下首以谢天下。"乃携剑逼帝。帝复叱曰："汝岂不知诸侯之血入地，大旱三年，况天子乎？死自有法。"命索药酒，不得。左右进练巾，逼帝入阁自经死。萧后率左右宫娥，辍床头小版为棺敛，粗备仪卫，葬于吴公台下。——即前此帝与陈后主相遇处也。

初，帝不爱第三子齐王暕，见之常切齿。每行幸，辄录以自随。及是难作，谓萧后曰："得非阿孩耶？"阿孩，齐王暕小字也。司马德戡等既弑帝，即驰遣骑兵执齐王暕于私第，倮跣驱至当街。暕曰："大家计必杀儿，愿容儿衣冠就死。"——犹意帝遣人杀之。父子见杀，至死不明，可胜痛悼。

后唐文皇太宗皇帝，提兵入京。见迷楼，太宗叹曰："此皆民膏血所为也。"乃命放出诸宫女，焚其宫殿，火经月不灭。前谣前诗，无不应验，方知炀帝非天亡之也。后人有诗：

千里长河一旦开，亡隋波浪九天来。
锦帆未落干戈起，惆怅龙舟不更回。

第二十五卷
独孤生归途闹梦

东园蝴蝶正飞忙，又见罗浮花气香。
梦短梦长缘底事？莫贪磁枕误黄粱。

昔有夫妻二人，各在芳年，新婚燕尔，如胶似漆，如鱼似水。刚刚三日，其夫被官府唤去。原来为急解军粮事，文书上佥了他名姓，要他赴军前交纳。如违限时刻，军法从事。立刻起行，身也不容他转，头也不容他回，只捎得个口信到家。正是上命所差，盖不繇己，一路趱行，心心念念，想着浑家。又不好向人告诉，只落得自己凄惶。行了一日，想到有万遍。是夜宿于旅店，梦见与浑家相聚如常，行其夫妻之事。自此无夜不梦。到一月之后，梦见浑家怀孕在身，醒来付之一笑。且喜如期交纳钱粮，太平无事，星夜赶回家乡。缴了批回，入门见了浑家，欢喜无限。那一往一来，约有三月之遥。

尝言道：新娶不如远归。夜间与浑家细缪恩爱，自不必说。其妻叙及别后相思，因说每夜梦中如此如此。所言光景，与丈夫一般无二，果然有了三个月身孕。若是其夫先说的，内中还有可疑；却是浑家先叙起的。可见梦魂相遇，又能交感成胎，只是彼此精诚所致。如今说个闹梦故事，亦繇夫妇积思而然。正是：

梦中识想非全假，白日奔驰莫认真。

话说大唐德宗皇帝贞元年间，有个进士复姓独孤，双名遐叔，家住洛阳城东崇贤里中。自幼颖异，十岁便能作文。到十五岁上，经史精通，下笔数千言，不待思索。父亲独孤及官为司封之职，昔年存日，曾与遐叔聘下同县司农白行简女儿娟娟小姐为妻。那娟娟小姐，花容月貌，自不必说；刺绣描花，也是等闲之事。单喜他深通文墨，善赋能诗。若教去应文科，稳稳里是个状元。与遐叔正是一双两好，彼此你知我见，所以成了这头亲事。不意遐叔父母连丧，丈人丈母亦相继弃世，功名未遂，家事日渐零落，童仆也无半个留存，刚刚剩得几间房屋。

那白行简的儿子叫做白长吉，是个凶恶势利之徒，见遐叔家道穷了，就要赖他的婚姻，将妹子另配安陵富家。幸得娟娟小姐是个贞烈之女，截发自誓，不肯改节。白长吉强他不过，只得原嫁与遐叔。却是随身衣饰，并无一毫妆奁，止有从幼伏侍一个丫鬟翠翘从嫁。白氏过门之后，甘守贫寒，全无半点怨恨。只是晨炊夜绩，以佐遐叔读书。那遐叔一者敬他截发的志节，二者重他秀丽的词华，三者又爱他娇艳的颜色：真个夫妻相得，似水如鱼。白氏亲族中，到也怜遐叔是个未发达的才子，十分尊敬。止有白长吉一味趋炎附热，说妹子是穷骨头，要跟恁样饿莩，坏他体面，见了遐叔就如眼中之刺，肉内之钉。遐叔虽然贫穷，却又是不肯俯仰人的。因此两下遂绝不相往。

时值贞元十五年，朝廷开科取士，传下黄榜，期于三月间诸进士都赴京师殿试。遐叔别了白氏，前往长安，自谓文才，必魁春榜。那知贡举的官，是礼部侍郎同平章事郑馀庆，本取遐叔卷子第一。岂知策上说着：奉天之难，皆因奸臣卢杞窃弄朝权，致使泾原节度使姚令言与太尉朱泚，得以激变军心，劫夺府库。可见众君子共佐太平而不足，一小人搅乱天下而有馀。故人君用舍不可不慎。原来德宗皇帝心性最是猜忌，说他指斥朝廷，讥讪时政，遂将头卷废弃不录。那白氏两个族叔，一个叫做白居易，一个叫做白敏中，文才本在遐叔之下，却皆登了高科。单单只有遐叔一人落第，好生没趣，连夜收拾行李东归。白居易、白敏中知得，齐来饯行，直送到十里长亭而别。遐叔途中愁闷，赋诗一首。诗云：

> 童年挟策赴西秦，弱冠无成逐路人。
> 时命不将明主合，布衣空惹上京尘。

在路非止一日，回到东都，见了妻子，好生惭赧，终日只在书房里发愤攻书。每想起落第的光景，便凄然泪下。那白氏时时劝解道："大丈夫功名终有际会，何苦颓折如此。"遐叔谢道："多感娘子厚意，屡相宽慰。只是家贫如洗，衣食无聊。纵然巴得日后亨通，难救目前愁困，如之奈何？"白氏道："俗谚有云：'十访九空，也好省穷。'我想公公三十年宦游，岂无几个门生故旧在要路的？你何不趁此闲时，一去访求？倘或得他资助，则三年诵读之费有所赖矣。"只这句话头，提醒了遐叔，答道："娘子之言，虽然有理；但我自幼攻书，未尝交接人事，先父的门生故旧，皆不与知。止认得个韦皋，是京兆人，表字仲翔。当初被丈人张延赏逐出，来投先父，举荐他为官，甚是有恩。如今他现做西川节度使。我若去访他，必有所助。只是东都到西川，相隔万里程途，往返便要经年。我去之后，你在家中用度，从何处置？以此抛撇不下。”白氏道：“既有这个相识，便当整备行李，送你西去。家中事体，我自支持。总有缺乏，姑姊妹家，犹可假贷，不必忧虑。”遐叔欢喜道：“若得如此，我便放心前去。”白氏道：“但是路途跋涉，无人跟随，却怎的好？”遐叔道：“总然有人，也没许多盘费，只索罢了。”遂即拣了个吉日，白氏与遐叔收拾了寒暑衣装，带着丫鬟翠翘，亲至开阳门外一杯饯送。

夫妻正在不舍之际，骤然下起一阵大雨，急奔入路傍一个废寺中去躲避。这寺叫做龙华寺，乃北魏时，广陵王所建，殿宇十分雄壮。阶下栽种名花异果。又有一座钟楼，楼上铜钟，响闻五十里外。后被胡太后移入宫中去了。到唐太宗时，有胡僧另铸一钟在上，却也响得二十馀里。到玄宗时，还有五百僧众，香火不绝。后遭安禄山贼党史思明攻陷东都，杀戮僧众，将钟磬毁为兵器，花果伐为樵苏，以此寺遂颓败。遐叔与白氏看了，叹道：“这等一个道场，难道没有发心的重加修造？”因向佛前祈祷：“阴空保佑：若得成名时节，誓当捐俸，再整山门。”雨霁之后，登途分别：正是：

蝇头微利驱人去，虎口危途访客来。

不题白氏归家。且说遐叔在路，晓行夜宿，整整的一个月，来到荆州地面。下了川船，从此一路都是上水。除非大顺风，方使得布帆。风略小些，便要扯着百丈。你道怎么叫做百丈？原来就是纤子。只那川船上的有些不同：用着一寸多宽的毛竹片子，将生漆绞着麻丝接成的，约有一百多丈，为此川中人叫做百丈。在船头立个辘轳，将百丈盘于其上。岸上扯的人，只听船中打鼓为号。遐叔看了，方才记得杜子美有诗道：“百丈内江船。”又道：“打鼓发船何处郎。”却就是这件东西。又走了十馀日，才是黄牛峡。那山形生成似头黄牛一般，三四十里外，便远远望见。这峡中的水更溜，急切不能勾到，因此上有个俗谚云：“朝见黄牛，暮见黄牛；朝朝暮暮，黄牛如故。”

又走了十馀日，才是瞿塘峡。这水一发急紧。峡中有座石山，叫做滟滪堆。四五月间水涨，这堆止留一些些在水面上。下水的船，一时不及回避，触著这堆，船便粉碎，尤为利害。遐叔见了这般险路，叹道：“万里投人，尚未知失得如何，却先受许多惊恐，我娘子怎生知道？”原来巴东峡江一连三个：第一是瞿塘峡，第二是广阳峡，第三是巫峡。三峡之中，唯巫峡最长。两岸都是高山峻岭，古木阴森，映蔽江面，止露得中间一线的青天。除非日月正中时分，方有光明透下。数百里内，岸上绝无人烟；惟闻猿声昼夜不断。因此有个俗谚云：

巴东三峡巫峡长，猿鸣三声断客肠。

这巫峡上就是巫山，有十二个山峰。山上有一座高唐观，相传楚襄王曾在观中夜寝，梦见一个美人愿荐枕席。临别之时，自称是伏羲皇帝的爱女，小字瑶姬，未行而死，今为巫山之神。朝为行云，暮为行雨，朝朝暮暮，阳台之下。那襄王醒后，还想着神女，教大夫宋玉做《高唐赋》一篇，单形容神女十分的艳色。因此，后人立庙山上，叫做巫山神女庙。遐叔在江中遥望庙宇，掬水为浆，暗暗的祷告道："神女既有精灵，能通梦寐。乞为我特托一梦与家中白氏妻子，说我客途无恙，免其愁念。当赋一言相谢，决不敢学宋大夫作此淫亵之语，有汙神女香名。乞赐仙鉴。"自古道的好："有其人，则有其神。"既是祷告的许了做诗做赋，也发下这点虔诚，难道托梦的只会行云行雨，再没有别些灵感？少不得后来有个应验。正是：

　　祷祈仙梦通闺阁，寄报平安信一缄。

出了巫峡，再经由巴中、巴西地面，都是大江。不觉又行一个多月，方到成都。城外临着大江，却是濯锦江。你道怎么叫做濯锦江？只因成都造得好锦，朝廷称为"蜀锦"。造锦既成，须要取这江水再加洗濯，能使颜色倍加鲜明，故此叫做濯锦江。唐明皇为避安禄山之乱，曾驻跸于此，改成都为南京。这便是西川节度使开府之处，真个沃野千里，人烟凑集，是一花锦世界。遐叔无心观玩，一径入城，奔到帅府门首，访问韦皋消息。岂知数月前，因为云南蛮夷反叛，统领兵马征剿去了，须待平定之后，方得回府。你想那征战之事，可是期得日子定的么？遐叔得了这个消息，惊得进退无措，叹口气道："常言鸟来投林，人来投主。偏是我遐叔恁般命薄。万里而来，却又投人不着。况一路盘缠已尽，这里又无亲识，只有来的路，没有去的路。天那，兀的不是活活坑杀我也！"

自古道：吉人自有天相。遐叔正在帅府门首叹气，傍边忽转过一个道士问道："君子何叹？"遐叔答道："我本东都人氏，复姓独孤，双名遐叔。只因下第家贫，远来投谒故人韦仲翔，希他资助。岂知时命不济，早已出征去了。欲待候他，只恐奏捷无期，又难坐守；欲待回去，争奈盘缠已尽，无可图归。使我进退两难，是以长叹。"那道士说："我本道家，专以济人为事，敝观去此不远。君子既在穷途，若不嫌粗茶淡饭，只在我观中权过几时，等待节使回府，也不负远来这次。"遐叔再三谢道："若得如此，深感深感。只是不好打搅。"便随着道士径投观中而去。你想那道士与遐叔素无半面，知道他是甚底样人，便肯收留在观中去住？假饶这日无人搭救，却不穷途流落，几时归去？岂非是遐叔不遇中之遇？

当下遐叔与道士离了节度府前，行不上一二里许，只见苍松翠柏，交植左右，中间龟背大路，显出一座山门，题着"碧落观"三个簸箕大的金字。这观乃汉时刘先主为道士李寂盖造的。至唐明皇时，有个得道的叫做徐佐卿，重加修建。果然是一尘不到，神仙境界。遐叔进入观中，瞻礼法像了，道士留入房内，重新叙礼，分宾主而坐。遐叔举目观看这房，收拾得十分清雅。只见壁上挂着一幅诗轴，你道这诗轴是那个名人的古迹？却就是遐叔的父亲司封独孤及送徐佐卿还蜀之作。诗云：

羽客笙歌去路催，故人争劝别离杯。

苍龙阙下长相忆，白鹤山头更不回。

原来昔日唐明皇闻得徐佐卿是个有道之士，用安车蒲轮，征聘入朝。佐卿不愿为官，钦赐驰驿还山，满朝公卿大夫，赋诗相赠，皆不如独孤及这首。以此观中相传，珍重不啻拱璧。

遐叔看了父亲遗迹，不觉潸然泪下。道士道：“君子见了这诗，为何掉泪？”遐叔道：“实不相瞒，因见了先人之笔，故此伤感。”道士闻知遐叔即是独孤及之子，朝夕供待，分外加敬。

光阴迅速，不觉过了半年，那时韦皋降服云南诸蛮，重回帅府。遐叔连忙备礼求见，一者称贺他得胜而回，二者诉说自己穷愁，远来干谒的意思。正是：

故人长望贵人厚，几个贵人怜故人。

那韦皋一见遐叔，盛相款宴。正要多留几日，少尽阔怀，岂知吐蕃赞普，时常侵蜀，专恃云南诸蛮为之向导。近闻得韦皋收服云南，失其羽翼，遂起雄兵三十馀万，杀过界来，要与韦皋亲决胜负。这是烽火紧切的事，一面写表申奏朝廷，一面兴师点将，前去抵敌。遐叔叹道：“我在此守了半年，才得相见，忽又有此边报，岂不是命。”便向节度府中告辞。韦皋道：“吐蕃入寇，满地干戈，岂还有路归得。我已分付道士好生管待。且等杀退番兵，道途宁静，然后慢慢的与仁兄饯行便了。”遐叔无奈，只得依允，照旧住在碧落观中。不在话下。

且说韦皋统领大兵，离了成都，直至葭萌关外，早与吐蕃人马相遇。先差通使与他打话道：“我朝自与你国和亲之后，出嫁公主做你国赞婆，永不许兴兵相犯。如今何故背盟，屡屡扰我蜀地？”那赞普答道：“云南诸夷，原是臣伏我国的，你怎么辄敢加兵，侵占疆界？好好的还我云南，我便收兵回去。半声不肯，教你西川也是难保。”韦皋道：“圣朝无外，普天下那一处不属我大唐的？要战便战，云南断还不成。”原来吐蕃没有云南夷人向导，终是路径不熟。却被韦皋预在深林穷谷之间，偏插旗帜，假做伏兵；又教步军舞着藤牌，伏地而进，用大刀砍其马脚。一声炮响，鼓角齐鸣，冲杀过去。那吐蕃一时无措，大败亏输，被韦皋追逐出境，直到赞普新筑的王城，叫做末波城，尽皆打破。杀得吐蕃尸横遍野，血染成河。端的这场厮杀，可也功劳不小。韦皋见吐蕃远遁，即便下令班师，一面差裨将赍捷书飞奏朝廷。一路上：

喜孜孜鞭敲金镫响，笑吟吟齐唱凯歌声。

话分两头。却说独孤遐叔久住碧落观中，十分郁郁，信步游览，消遣客怀。偶到一个去处，叫做升仙桥，乃是汉朝司马相如在临邛县窃了卓文君回到成都，只因家事萧条，受人侮慢，题下两行大字在这桥柱上，说道："大丈夫不乘驷马高车，不过此桥。"后来做了中郎，奉诏开通云南道径，持节而归，果遂其志。遐叔在那桥上，徘徊东望，叹道："小生不愧司马之才，娘子尽有文君之貌。只是怎能勾得这驷马高车的日子？"下了桥，正待取路回观。此时恰是暮春天气，只听得林中子规一声声叫道："不如归去。"遐叔听了这个鸟声，愈加愁闷，又叹道："我当初与娘子临别，本以一年半载为期，岂知担阁到今，不能归去。天那！我不敢望韦皋的厚赠，只愿他早早退了蕃兵，送我归家，却也免得娘子在家朝夕悬望。"

不觉春去夏来，又过一年有馀，才等候得韦皋振旅而还。那时捷书已到朝中。德宗天子知得韦皋战退吐蕃，成了大功，龙颜大喜，御笔加授兵部尚书太子太保，仍领西川节度使。回府之日，合属大小文武，那一个不奉牛酒拜贺。直待军门稍暇，遐叔也到府中称庆。自念客途无以为礼，做得《蜀道易》一篇。你道为何叫做《蜀道易》？当时唐明皇天宝末年，安禄山反乱，却是郑国公严武做西川节度。有个拾遗杜甫，避难来到西川，又有丞相房绾也贬做节度府属官。只因严武性子颇多猜狠，所以翰林供奉李白，做《蜀道难》词。其尾特云："锦城虽云乐，不如早归家。"乃是替房、杜两公忧危的意思。遐叔故将这"难"字改作"易"字，翻成乐府。一者称颂韦皋功德，远过严武；二者见得自己侨寓锦城，得其所主，不比房、杜两公。以此暗暗的打动他。词云：

吁嗟蜀道，古以为难。
蚕丛开国，山川郁盘。
秦置金牛，道路始刊。
天梯石栈，勾接危峦。
仰薄青霄，俯挂飞湍。
猿猴之捷，尚莫能干。
使人对此，宁不悲叹。
自我韦公，建节当关。
荡平西寇，降服南蛮。
风烟宁息，民物殷繁。
四方商贾，争出其间。
匪无跋涉，岂乏跻攀；
若在衽席，既坦而安。

蹲鸱疗饥，筒布御寒。
是称天府，为利多端。
寄言客子，可以开颜。
锦城甚乐，何必思还。

韦皋看见《蜀道易》这一篇，不胜叹服，便对遐叔说："往时李白所作《蜀道难》词，太子宾客贺知章称他是天上谪下来的仙人，今观仁兄高才，何让李白？老夫幕府正缺书记一员，意欲申奏取旨，借重仁兄为礼部员外，权充西川节度府记室参军，庶得朝夕领教。不识仁兄肯曲从否？"遐叔答道："我朝最重科目。凡士子不繇及第出身，便做到九棘三槐，终久被人欺侮。小生虽则三番落第，壮气未衰，怎忍把先世科名，一朝自废？如今叨寓贵镇，已过岁馀，寒荆白氏在家，久无音信。朝夕萦挂，不能去怀。巴得旌旄回府，正要告辞。伏乞俯鉴微情，勿嫌方命。"韦皋谢道："既是仁兄不允，老夫亦不敢相强。只是目下岁暮，冰雪载途，不好行走。不若少待开春，治装送别，未为晚也。"遐叔一来见韦皋意思殷勤，二来想起天气果然寒冷，路上难行，又只得住下。

捱过残腊，到了新年，又早是上元佳节。原来成都府地沃人稠，本是西南都会。自唐明皇驻跸之后，四方朝贡，皆集于此，便有京都气象。又经严郑公镇守巴蜀，专以平静为政，因此闾阎繁富，库藏充饶。现今韦皋继他；降服云南诸夷，击破吐蕃五十万众，威名大振。这韦皋最是豪杰的性子，因见地方宁定，民心归附，预传号令，分付城内城外都要点放花灯，与民同乐。那道令旨传将出去，谁敢不依。自十三至十七，共是五夜，家家门首扎缚灯棚，张挂新奇好灯，巧样烟火，照耀如同白昼。狮蛮社火，鼓乐笙箫，通宵达旦。韦皋每夜大张筵宴，在散花楼上，单请遐叔庆赏元宵。刚到下灯之日，遐叔便去告辞。韦皋再三苦留，终不肯住。乃对遐叔说道："仁兄归心既决，似难相强。只是老夫还有一杯淡酒，些小资装，当在万里桥东，再与仁兄叙别，幸勿固拒。,'即传令拨一船只，次日在万里桥伺候，送遐叔东归；又点长行军士一名护送。

到明日，韦皋设宴在万里桥饯别遐叔，亲举金杯，说道："此桥最古，昔诸葛孔明送费祎使吴，道是万里之行，实始于此，这桥因以得名。今仁兄青云万里，亦由今始，愿努力自爱。老夫蝉冠虽敝，拱听泥金佳报，特为仁兄弹之。"一连的劝了三杯，方才捧出一个锦囊，说道："老夫深荷令先公推荐之力，得有今日。止因王事鞅掌，未得少酬大恩，有累远临，岂不惭汗？但今盗贼生发，势难重挈。老夫聊备三百金，权充路费。此外别有黄金万两，蜀锦千端，俟道路稍宁，专人奉送。勿谓老夫轻薄，为负恩人也。"又唤过军士分付道："一路小心服事，不可怠慢。"军士叩头答应。遐叔再三拜谢道：

“不才受此，已属过望，敢烦后命。”领了锦囊，军士跟随上船。那韦皋还在桥上，直等望不见这船，然后回府。不在话下。

且说遐叔别了韦皋，开船东去。原来下水船，就如箭一般急的，不消两三日，早到巫峡之下。远远的望见巫山神女庙，想起：“当初从此经过，暗祈神女托梦我白氏娘子，许他赋诗为谢。不知这梦曾托得去不曾托得去？我岂可失信。”便口占一首以偿宿愿。诗云：

古木阴生一线天，巫峰十二锁寒烟。
襄王自作风流梦，不是阳台云雨仙。

题毕，又向着山上作礼称谢。过了三峡，又到荆州。不想送来那军士，忽然生起病来，遐叔反要去服事他。又行了几日，来到汉口地方。自此从汝宁至洛阳，都是旱路。那军士病体虽愈，难禁鞍马驰骤。遐叔写下一封书信，留了些盘费，即令随船回去，独自个收拾行李登岸。却也会算计，自己买了一头牲口，望东都进发。约莫行了一个月头，才到洛阳地面。离着开阳门只有三十馀里。是时天色傍晚，一心思量赶回家去，策马前行。又走了十馀里路，早是一轮月上。趁着月色，又走了十来里，隐隐的听得钟鸣鼓响，想道：“城门已闭，纵赶到也进城不及了。此间正是龙华古寺，人疲马乏，不若且就安歇。”解囊下马，投入山门。不争此一夜，有分教：

蝴蝶梦中逢佚女，鹭鸶杓底听娇歌。

话分两头。且说白氏自龙华寺前与遐叔分别之后，虽则家事荒凉，衣食无措，犹喜白氏女工精绝，翰墨傍通。况白姓又是个东京大族，姑姊妹间也有就他学习针指的，也有学做诗词的，少不得具些礼物为酬谢之资，因此尽堪支给。但时时记念丈夫临别之言，本以一年为约，如何三载尚未回家？况闻西川路上有的是一线天、人鲊瓮、蛇倒退、鬼见愁，都这般险恶地面。所以古今称说途路艰难，无如蜀道。想起丈夫经由彼处，必多惊恐。别后杳无书信，知道安否如何：“教我这条肚肠，怎生放得？”欲待亲往西川，体访消息。“只我女娘家，又是个不出闺门的人，怎生去得？除非梦寐之中，与他相见，也好得个明白。”因此朝夕悬念。睡思昏沉，深闺寂寞，兀坐无聊，题诗一首。诗云：

西蜀东京万里分，雁来鱼去两难闻。
深闺只是空相忆，不见关山愁杀人。

那白氏一心想着丈夫，思量要做个梦去寻访。想了三年有馀，再没个真梦。一日正是清明佳节，姑姊妹中，都来邀去踏青游玩。白氏那有恁样闲心肠。推辞不去。到晚上对着一盏孤灯，凄凄惶惶的呆想。坐了一个黄昏，回过头来，看见丫鬟翠翘已是齁齁睡去。白氏自觉没情没绪，只得也上床去睡卧。翻来覆去，那里睡得安稳，想道：“我直恁命薄，要得个梦儿去会他也不能勾。”又想道：“总然梦儿里会着了他，到底是梦中的说话，原作不得准。如今也说不得了。须是亲往蜀中访问他回来，也放下了这条肠子。”却又想道：“我家姊妹中晓得，怎么肯容我去？不如瞒着他们，就在明早悄悄前去。”正想之间，只听得喔喔鸡鸣，天色渐亮。即忙起身梳裹，扮作村庄模样，取了些盘缠银两，并几件衣服，打个包裹，收拾完备。看翠翘时，睡得正熟，也不通他知道，一路开门出去。

离了崇贤里，顷刻出了开阳门，过了龙华寺，不觉又早到襄阳地面。有一座寄锦亭。原来苻秦时，有个安南将军窦滔，镇守襄阳，挈了宠妾赵阳台随任，抛下妻子苏氏。那苏氏名蕙，字若兰，生得才貌双绝。将一幅素锦，长广八寸，织成回文诗句，五色分章，计八百四十一字，诗三千七百五十二首，寄与窦滔。窦滔看见，立时送还阳台，迎接苏氏到任，夫妻恩爱，比前更笃。后人遂为建亭于此。那白氏在亭子上眺望良久，叹道：“我虽不及若兰才貌，却也粗通文墨。纵有织锦回文，谁人为寄，使他早整归鞭，长谐伉俪乎？”乃口占回文词一首，题于亭柱上。词云：

阳春艳曲，丽锦夸文。
伤情织怨，长路怀君。
惜别同心，膺填思悄。
碧凤香残，青鸾梦晓。

若倒读转来，又是一首好词：

晓梦鸾青，残香凤碧。
悄思填膺，心同别惜。
君怀路长，怨织情伤。
文夸锦丽，曲艳春阳。

白氏题罢，离了寄锦亭，不觉又过荆州，来到夔府。恰遇天晚。见前面有所庙宇，遂入庙中投宿。抬头观看，上面悬一金字扁额，写着“高唐观”三个大字，乃知是巫山神女之庙。便于神座前撮土为香，祷告道：“我白氏小字娟娟，本在东京居住。只为儿夫独孤遐叔去访西川节度韦皋，一别三年，杳无归信，是以不辞跋涉，万里相寻，今夕寄宿仙宫，敢陈心曲。吾想神女曾能通梦楚王，况我同是女流，岂不托我一梦？伏乞大赐灵感，显示前期，不胜虔恳之至。”祷罢而睡。果然梦见神女备细说道：“遐叔久寓西川，平安无恙。如今已经辞别，取路东归。你此去怎么还遇得他着？可早早回身家去。须防途次尚有虚惊。保重，保重。”那白氏飒然觉来，只见天已明了，想起神女之言，历历分明，料然不是个春梦。遂起来拜谢神女，出了庙门，重寻旧径，再转东都。在路晓行暮止，迤逦望东而来。

此时正值暮春天气，只见一路上有的是红桃绿柳，燕舞莺啼。白氏贪看景致，不觉日晚，尚离开阳门二十馀里，便趁着月色，躜步归家。忽遇前面一簇游人，笑语喧杂，渐渐的走近。你道是甚么样人？都是洛阳少年，轻薄浪子。每遇花前月下，打伙成群，携着的锦瑟瑶笙，挈着的青尊翠幕，专惯窥人妇女，逞己风流。白氏见那伙人来得不三不四，却待躲避。原来美人映着月光，分外娇艳，早被这伙人瞧破。便一圈圈将转来，对白氏道："我们出郭春游，步月到此，有月无酒，有酒无人，岂不孤负了这般良夜。此去龙华古寺不远，桃李大开。愿小娘子不弃，同去赏玩一回何如？"那白氏听见，不觉一点怒气，从脚底心里直涌到耳朵根边，把一个脸都变得通红了，骂道："你须不是史思明的贼党，清平世界，谁敢调弄良家女子。况我不是寻常已下之人，是白司农的小姐，独孤司封的媳妇，前进士独孤遐叔的浑家。谁敢罗唣！"怎禁这班恶少，那管甚么宦家、良家，任你喊破喉咙，也全不作准。推的推，拥的拥，直逼入龙华寺去赏花。这叫做铁怕落炉，人怕落套。正是：

分明绣阁娇闺妇，权做徵歌侑酒人。

且说遐叔因进城不及，权在龙华寺中寄宿一宵。想起当初从此送别，整整的过了三年："不知我白氏娘子，安否何如？"因诵襄阳孟浩然的诗，说道："近家心转切，不敢问来人。"吟咏数番，潸然泪下。坐到更深，尚未能睡。忽听得墙外人语喧哗，渐渐的走进寺来。遐叔想道："明明是人声，须不是鬼。似这般夜静，难道有甚官府到此？"正惶惑间，只见有十馀人，各执苕帚粪箕，将殿上扫除干净去讫。不多时，又见上百的人，也有铺设茵席的，也有陈列酒肴的，也有提着灯烛的，也有抱着乐器的，络绎而至，摆设得十分齐整。遐叔想道："我晓得了，今日清明佳节，一定是贵家子弟出郭游春。因见月色如昼，殿庭下桃李盛开，烂熳如锦，来此赏玩。若见我时，必被他赶逐。不若且伏在后壁佛桌下，待他酒散，然后就寝。只是我恁般晦气，在古庙中要讨一觉安睡，也不能勾。"即起身躲在后壁，声也不敢则。

又隔了一回，只见六七个少年，服色不一，簇拥着个女郎来到殿堂酒席之上。单推女郎坐在西首，却是第一个坐位。诸少年皆环向而坐，都瞩目在女郎身上。遐叔想道："我猜是豪贵家游春的，果然是了。只这女郎不是个官妓，便是个上妓，何必这般趋奉他？难道有甚良家女子，肯和他们到此饮宴？莫不是强盗们抢夺来的？或拐骗来的？"只见那女郎侧身西坐，攒眉蹙额，有不胜怨恨的意思。

遐叔凝着双眸，悄地偷看，宛似浑家白氏，吃了一惊。这身子就似吊在冰桶里，遍体冷麻，把不住的寒颤。却又想道："呸！我好十分懞憧，娘子是个有节气的，平昔间终日住在房里，亲戚们也不相见，如何肯随这班人行走？世上面貌厮像的尽多，怎么这个女郎就认做娘子？"虽这般想，终是放心不下，悄地的在黑影子里一步步挨近前来，仔细再看，果然声音举止，无一件不是白氏，再无疑惑。却又想道："莫不我一时眼花错认了?"又把眼来擦得十分明亮，再看时节，一发丝毫不差。却又想道："莫不我睡了去，在梦儿里见他?"把眼躩躩，把脚踏踏，分明是醒的，怎么有此诧异的事："难道他做闺女时尚能截发自誓，今日却做出这般勾当。岂为我久客西川，一定不回来了，遂改了节操？我想苏秦落第，嗔他妻子不曾下机迎接。后来做了丞相，尚然不肯认他。不知我明早归家，看他还有甚面目好来见我?"心里不胜忿怒，磨拳擦掌的要打将出去，因见他人多伙众，可不是倒捋虎须？且再含忍，看他怎生的下场。只见一个长须的，举杯向白氏道："古语云：'一人向隅，满坐不乐。'我辈与小娘子虽然乍会，也是天缘。如此良辰美景，亦非易得，何苦恁般愁郁？请放开怀抱，欢饮一杯；并求妙音，以助酒情。"那白氏本是强逼来的，心下十分恨他，欲待不歌，却又想："这班乃是无籍恶少，我又孤身在此，怕触怒了他，一时撒泼起来，岂不反受其辱。"只得拭干眼泪，拔下金雀钗，按板而歌。歌云：

今夕何夕？存耶？没耶？良人去兮天之涯，园树伤心兮三见花。

自古道："词出佳人口。"那白氏把心中之事，拟成歌曲，配着那娇滴滴的声音，呜呜咽咽歌将出来，声调清婉，音韵悠扬，真个直令高鸟停飞，潜鱼起舞，满座无不称赞。长须的连称："有劳，有劳。"把酒一吸而尽。遐叔在黑暗中看见浑家并不推辞，就拔下宝钗按拍歌曲，分明认得是昔年聘物，心中大怒，咬碎牙关，也不听曲中之意，又要抢将出去厮闹。只是恐众寡不敌，反失便宜，又只得按捺住了，再看他们。只见行酒到一个黄衫壮士面前，也举杯对白氏道："聆卿佳音，令人宿酲顿醒，俗念俱消。敢再求一曲，望勿推却。"

白氏心下不悦，脸上通红，说道："好没趣，歌一曲尽勾了，怎么要歌两曲?"那长须的便拿起巨觥说道："请置监令。有拒歌者，罚一巨觥。酒到不干，颜色不乐，并唱旧曲者，俱照此例。"白氏见长须形状凶恶，心中害怕，只得又歌一曲。歌云：

叹衰草，络纬声切切。良人一去不复返，今日坐愁鬓如雪。

歌罢，众人齐声喝采。黄衫人将酒饮干，道声："劳动。"

遐叔见浑家又歌了一曲，愈加忿恨，恨不得眼里放出火来，连这龙华寺都烧个干净。那酒却行到一个白面少年面前，说道："适来音调虽妙，但宾主正欢，歌恁样凄清之曲，恰是不称。如今求歌一曲有情趣的。"众人都和道："说得有理。歌一个新意儿的，劝我们一杯。"白氏无可奈何，又歌一曲云：

劝君酒，君莫辞。落花徒绕枝，流水无返期。莫恃少年时，少年能几时？

白氏歌还未毕，那白面少年便嚷道："方才讲过要个有情趣的，却故意唱恁般冷淡的声音。请监令罚一大觥。"长须人正待要罚，一个紫衣少年立起身来说道："这罚酒且慢着。"白面少年道："却是为何？"紫衣人道："大凡风月场中，全在帮衬，大家得趣。若十分苛罚，反觉我辈俗了。如今且权寄下这杯，待他另换一曲，可不是好。"长须的道："这也说得是。"将大觥放下，那酒就行到紫衣少年面前。白氏料道推托不得，勉强挥泪又歌一曲云：

怨空闺，秋日亦难暮。夫婿绝音书，遥天雁空度。

歌罢，白衣少年笑道："到底都是那些凄怆怨暮之声。再没一毫艳意。"紫衣人道："想是他传派如此，不必过责。"将酒饮尽。行至一个皂帽胡人面前，执杯在手，说道："曲理俺也不十分明白，任凭小娘子歌一个儿，侑这杯酒下去罢了，但莫要冷淡了俺。"白氏因连歌几曲，气喘声促，心下好不耐烦，听说又要再歌，把头掉转，不去理他。长须的见不肯歌，叫道："不应拒歌。"便抛一巨觥。白氏到此地位，势不容已，只得忍泣含啼，饮了这杯罚酒，又歌云：

切切夕风急，露滋庭草湿。

良人去不回，焉知掩闺泣。

皂帽胡人将酒饮罢，却行到一个绿衣少年，举杯请道："夜色虽阑，兴犹未浅。更求妙音，以尽通宵之乐。"那白氏歌这一曲，声气已是断续，好生吃力。见绿衣人又来请歌，那两点秋波中扑簌簌泪珠乱洒。众人齐笑道："对此好花明月，美酒清歌，真乃赏心乐事，有何不美？却恁般凄楚，忒煞不韵。该罚，该罚。"白氏恐怕罚酒，又只得和泪而歌。歌云：

萤火穿白杨，悲风入荒草。

疑是梦中游，愁迷故园道。

白氏这歌，一发前声不接后气，恰如啼残的杜宇，叫断的哀猿。满座闻之，尽觉凄然。只见绿衣人将酒饮罢，长须的含着笑说道："我音律虽不甚妙，但礼无不答。信口诌一曲儿，回敬一杯。你们休要笑话。"众人道："你又几时进了这桩学问？快些唱来。"长须的顿开喉咙，唱道：

花前始相见，花下又相送。

何必言梦中，人生尽如梦。

那声音犹如哮虾蟆、病老猫，把众人笑做一堆，连嘴都笑歪了。说道："我说你晓得什么歌曲。弄这样空头。"长须人到挣得好副老脸，但凭众人笑话，他却面不转色。直到唱完了，方答道："休要见笑。我也是好价钱学来的哩。你们若学得我这几句，也尽勾了。"众人闻说，越发笑一个不止。长须的由他们自笑，却执起一个杯儿，满满斟上，欠身亲奉白氏一杯。直待饮干，然后坐下。

遐叔起初见浑家随着这班少年饮酒，那气恼倒包着身子，若没有这两个鼻孔，险些儿肚子也胀穿了。到这时见众人单逼着他唱曲，浑家又不胜忧恨，涕泣交零，方才明白是逼勒来的。这气到也略平了些。却又想："我娘子自在家里，为何被这班杀才劫到这个荒僻所在？好生委决不下。我且再看他还要怎么？"只见席上又轮到白面的饮酒，他举着金杯，对白氏道："适劳妙歌，都是忧愁怨恨的意思，连我等眼泪不觉吊将下来，终觉败兴。必须再求一风月艳丽之曲，我等洗耳拱听，幸勿推辞。"遐叔暗道："这些杀才，劫掠良家妇女，在此歌曲，还有许多嫌好道歉。"那白氏心中正自烦恼，况且连歌数曲，口干舌燥，声气都乏了，如何肯再唱？低着头，只是不应。那长须的叫道："违令。"又抛下一巨觥。这时遐叔一肚子气怎么再忍得住？暗里从地下摸得两块大砖橛子，先一砖飞去，恰好打中那长须的头；再一砖飞去，打中白氏的额上。只听得殿上一片嚷将起来，叫道："有贼，有贼。"东奔西散，一霎眼间早不见了。

那遐叔走到殿上，四下打看，莫说一个人，连这铺设的酒筵器具，一些没有踪迹。好生奇怪。唬得眼跳心惊，把个舌头伸出，半晌还缩不进去。那遐叔想了一会，叹道："我晓得了。一定是我的娘子已死，他的魂灵游到此间，却被我一砖把他惊散了。"这夜怎么还睡得着？等不得金鸡三唱，便束装上路。

天色未明，已到洛阳城外。捱进开阳门，经奔崇贤里，一步步含着眼泪而来。遥望家门，却又不见一些孝事。那心儿里就是十五六个吊桶打水，七上八落的跳一个不止。进了大门，走到堂上，撞见梅香翠翘，连忙问道："娘子安否何如？"口内虽然问他，身上却担着一把冷汗，诚恐怕说出一句不吉利的话来。只见翠翘不慌不忙的答道："娘子睡在房里，说今早有些头痛，还未曾起来梳洗哩。"

遐叔听见翠翘说道娘子无恙，这一句话就如分娩的孕妇，囫底一声，孩子头落地，心下好不宽畅。只是夜来之事，好生疑惑。忙忙进到卧房里面问道："夜来做甚不好睡。今早走不起？"白氏答道："我昨夜害魇哩。只因你别去三年，杳无归信，我心中时常忧忆。夜来做成一梦，要亲到西川访问你的消息。直行至巫山地面，在神女庙里投歇。那神女又托梦与我，说你已离巴蜀，早晚到家，休得途中错过，枉受辛苦。

我依还寻着旧路而回。将近开阳门二十馀里，踏着月色，要赶进城，忽遇一伙少年，把我逼到龙华寺玩月赏花。饮酒之间，又要我歌曲。整整的歌了六曲，还被一个长须的屡次罚酒。不意从空中飞下两块砖橛子，一块打了长须的头，一块打了我的额角上，瞥然惊醒，遂觉头痛，因此起身不得，还睡在这里。"遐叔听罢，连叫："怪哉，怪哉！怎么有恁般异事！"白氏便问有何异事。遐叔把昨夜寺中宿歇，看见的事情，从头细说一遍。白氏见说，也称奇怪，道："原来我昨夜做的却是真梦？但不知这伙恶少是谁？"遐叔道："这也是梦中之事，不必要深究了。"

说话的，我且问你：那世上说谎的也尽多；少不得依经傍注，有个边际，从没有见你恁样说瞒天谎的祖师。那白氏在家里做梦，到龙华寺中歌曲，须不是亲身下降，怎么独孤遐叔便见他的形像？这般没根据的话，就骗三岁孩子也不肯信，如何哄得我过？看官有所不知：大凡梦者，想也，因也。有因便有想，有想便有梦。那白氏行思坐想，一心记挂着丈夫，所以梦中真灵飞越，有形有像，俱为实境。那遐叔亦因想念浑家，幽思已极，故此虽有醒时，这点神魂，便入了浑家梦中。此乃两下精神相贯，魂魄感通，浅而易见之事，怎说在下掉谎？正是：

只因别后幽思切，致使精灵暗往回。

当下白氏说道："梦中之事，所见皆同，这也不必说了。且问你：一去许久，并无音耗，虽则梦中在巫山庙祈梦，蒙神女指示，说你一路安稳，干求称意。我想蜀道艰难，不知怎生到得成都？便到了成都，不知可曾见韦皋？便见了韦皋，不知赠得你几何？"遐叔惊道："我当初经过巫峡，听说山上神女颇有灵感，曾暗祈他托汝一梦，传个平安消息。不道果然梦见！真个有些灵感。只是我到得成都，偶值韦皋两次出征，因此在碧落观整整的住了两年半，路上走了半年，遂致担阁，有负初盟。犹喜得韦皋故人情重，相待甚厚。若不是我一意告辞，这早晚还被他留住，未得回来。"将那路途跋涉，旅邸凄凉，并韦皋款待赠金，差人远送，前后之事，一一细说。夫妻二人感叹不尽。把那三百金日逐用度，遐叔埋头读书。约莫半年有馀，韦皋差两员将校，赍书送到黄金一万两，蜀锦一千匹。遐叔连忙写了谢书，款待来使去后，对白氏道："我先人出仕三十馀年，何尝有此宦橐。我一来家世清白，二来又是儒素。只前次所赠，已足度日，何必又要许多？且把来封好收置，待我异日成名，另有用处。"白氏依着丈夫言语，收置不题。

且说唐朝制科，率以三岁为期。遐叔自贞元十五年下第，西游巴蜀，却错了十八年这次，直到二十一年，又该殿试时分。打叠行囊，辞别白氏，上京应举。那知贡举官乃是中书门下侍郎崔群，素知遐叔才名，有心检他出来取作首卷，呈上德宗天子，御笔亲题状元及第。那遐叔有名已久，榜下之日，那一个不以为得人。旧例游街三日，曲江赐宴，雁塔题名。钦除翰林修撰，专知制诰。谢恩之后，即写家书，差人迎接白氏夫人赴京，共享富贵。

且说白氏在家，掐指过了试期，眼盼盼悬望佳音。一日，正在闺房中，忽听得堂前鼎沸，连忙教翠翘出去看时，恰正是京中走报的来报喜。白氏问了详细，知得丈夫中了头名状元，以手加额，对天拜谢。整备酒饭，管待报人。顷刻就嚷遍满城。白氏亲族中俱来称贺。那白长吉昔日把遐叔何等奚落，及至中了，却又老着脸皮，备了厚礼也来称贺。那白氏是个记德不记仇的贤妇，念着同胞分上，将前情一笔都勾。相见之间，千欢万喜。白长吉自捱进了身子，无一日不来掇臀捧屁。就是平日从不往来、极疏冷的亲戚，也来殷勤趋奉，到教白氏应酬不暇。那赍书的差人，星夜赶至洛阳，叩见白氏，将书呈上。白氏拆开，看到书后有诗一首，云：

玉京仙府献书人，赐出宫袍似烂银。

寄语机中愁苦妇，好将颜面对苏秦。

白氏看罢，微微笑道："原来相公要迎我至京。"遂留下差人，择吉起程。那时府县拨送船夫，亲戚都来饯送。白长吉亲送妹子至京。遐叔接入衙门，夫妻相见，喜从天降。白长吉向前请罪。遐叔度量宽弘，全无芥蒂，即便摆设家筵款待。不题。

不想那年德宗皇帝晏驾，百官共立顺宗登位。不上半年，顺宗也就崩了。又立宪宗登位，改元元和元年。到四月间，遐叔早升任翰林院学士，知制诰如故。你道他为何升得恁骤？原来大行皇帝的遗诏与新帝登极的诏书，前后四篇，都出遐叔之作。这是朝廷极大手笔，以此累功，不次迁擢。

恰好五月间，有大赦天下诏书，遐叔乘这个机会，就讨了宣赦的差。夫妻二人，衣锦还乡。亲戚们都在十里外迎接，府县官也出郭相迎。遐叔回到家中，焚黄谒墓，杀猪宰羊，做庆喜筵席，遍请亲邻。饮酒中间，说起龙华寺曾许下愿心，要把韦皋送来的黄金万两，蜀锦千匹，都舍在寺里，重修宝殿，再整山门。即便选择吉辰，兴动工役。其时白敏中以中书侍郎请告归家。白居易新授杭州府太守，回来赴任。两个都到遐叔处贺喜。见此胜缘，各各布施。那州县官也要奉承遐叔，无一个不来助工。眼见得这龙华寺不日建造起来，比初时越加齐整。但见：

宝殿嵯峨侵碧落，山门弘敞压阎浮。

却说韦皋久镇蜀中，自知年纪渐老，万一西番南夷，有些决撒，恐损威名，上表固请骸骨，因荐遐叔自代。奉圣旨："韦皋镇蜀多年，功劳积著，可进光禄大夫、右丞相、同平章事，封襄国公，驰驿回朝。独孤遐叔累掌丝纶，王言无忝，访之舆望，佥谓通材，可加兵部侍郎，领西川节度使。仍着走马赴任，无得迟误。钦此。"遐叔接了诏书，恐怕违了钦限，便同白氏夫人乘传而去。未到半路，早有韦皋差官迎接，约定在夔府交代。恰好巫山神女庙正在夔府地方。遐叔与白氏乘此便道，先往庙中行香，谢他托梦的灵感，然后与韦皋相见。叙过寒温，送过敕印，把大小军政一一交盘明白，才吃公宴。当日遐叔就回了席。明早，点集车骑队伍，护送韦皋还朝。从此上任之后，专务镇静，军民安堵，威名更胜。朝廷累加褒赏。直做到太保兼吏兵二部尚书，封魏国公。白氏诰封魏国夫人。夫妻偕老，子孙荣盛。有诗为证：

梦中光景醒时因，醒若真时梦亦真。
莫怪痴人频做梦，怪他说梦亦痴人。

第二十六卷 薛录事鱼服证仙

借问白龙缘底事？蒙他鱼服区区。虽然纵适在河渠。失其云雨势，无乃困余且。　要识灵心能变化，须教无主常虚。非关喜里乍昏愚。庄周曾作蝶，薛伟亦为鱼。

话说唐肃宗乾元年间，有个官人姓薛名伟，吴县人氏，曾中天宝末年进士。初任扶风县尉，名声颇著。后为蜀中青城县主簿。夫人顾氏，乃是吴门第一个大族，不惟容止端丽，兼且性格柔婉。夫妻相得，爱敬如宾。不觉在任又经三年，大尹升迁去了。上司知其廉能，即委他署摄县印。那青城县本在穷山深谷之中，田地硗脊，历年岁歉民贫，盗贼生发。自薛少府署印，立起保甲之法，凡有盗贼，协力缉捕。又设立义学，教育人材。又开义仓，赈济孤寡。每至春间，亲往各乡，课农布种，又把好言劝谕，教他本分为人。因此处处田禾大熟，盗贼尽化为良民。治得县中真个夜不闭户，路不拾遗。百姓戴恩怀德，编成歌谣，称颂其美。歌云：

秋至而收，春至而耘。
吏不催租，夜不闭门。
百姓乐业，立学兴文。
教养兼遂，薛公之恩。
自今孩童，愿以名存。
将何字之？薛儿薛孙。

那薛少府不但廉谨仁慈，爱民如子，就是待那同僚，却也谦恭虚己，百凡从厚。原来这县中有一个县丞，一个主簿，两个县尉。那县丞姓邹名滂，也是进士出身，与薛少府恰是同年好友。两个县尉，一个姓雷，名济，一个姓裴，名宽。这三位官人，为官也都清正，因此臭味相投。每遇公事之暇，或谈诗，或弈棋，或在花前竹下，开樽小饮，彼来此往，十分款洽。

一日正值七夕，薛少府在衙中与夫人乞巧饮宴。原来七夕之期，不论大小人家，少不得具些酒果为乞巧穿针之宴。——你道怎么叫做乞巧穿针？只

因天帝有个女儿，唤做织女星，日夜辛勤织纴。天帝爱其勤谨，配与牵牛星为妇。谁知织女自嫁牛郎之后，贪欢眷恋，却又好梳妆打扮，每日只是梳头，再不去调梭弄织。天帝嗔怒，罚织女住在天河之东，牛郎住在天河之西。一年只许相会一度，正是七月七日。到这一日，却教喜鹊替他在天河上填河而渡。因此世人守他渡河时分，皆于星月之下，将彩线去穿针眼。穿得过的，便为得巧；穿不过的，便不得巧，以此卜一年的巧拙。你想那牛郎、织女眼巴巴盼了一年，才得相会，又只得三四个时辰，忙忙的叙述想念情悰，还恐说不了，那有闲工夫又到人间送巧？岂不是个荒唐之说。

且说薛少府当晚在庭中，与夫人互相劝酬，不觉坐到夜久更深，方才入寝。不道却感了些风露寒凉，遂成一病，浑身如炭火烧的一般，汗出如雨。渐渐三餐不进，精神减少，口里只说道："我如今顷刻也捱不过了，你们何苦留我在这里？不如放我去罢。"你想病人说出这样话头，明明不是好消息了，唬得那顾夫人心胆俱落。难道就这等坐视他死了不成？少不得要去请医问卜，求神许愿。原来县中有一座青城山，是道家第五洞天。山上有座庙宇，塑着一位老君，极有灵感。真是祈晴得晴，祈雨得雨，祈男得男，祈女得女，香火最盛。因此夫人写下疏文，差人到老君庙祈祷。又闻灵签最验，一来求他保佑少府，延福消灾；二来求赐一签，审问凶吉。其时三位同僚闻得，都也素服角带，步至山上行香，情愿减损自己阳寿，代救少府。刚是同僚散后，又是合县父老，率着百姓们，一齐拜祷。显见得少府平日做官好处，能得人心如此。只是求的签是第三十二签。那签诀道：

百道清泉入大江，临流不觉梦魂凉。
何须别向龙门去？自有神鱼三尺长。

差人抄这签诀回衙，与夫人看了，解说不出。想道："闻得往常间人求的皆如活见一般，不知怎地我们求的却说起一个鱼来，与相公的病全无着落？是吉是凶，好生难解。"以此心上就如十五六个吊桶打水，七上八落的，转加忧郁，又想道："这签诀已不见怎的，且去访个医人来调治，倒是正经。"即差人去体访。却访得成都府有个道人李八百，他说是孙真人第一个徒弟，传得龙宫秘方有八百个，因此人都叫他做李八百。真个请他医的，手到病除，极有神效。他门上写下一对春联道："药按韩康无二价，杏栽董奉有千株。"但是请他的，难得就来。若是肯来，这病人便有些生机了。他要的谢仪，却又与人不同：也有未曾开得药箱，先要几百两的；也有医好了，不要分文酬谢，止要吃一醉的。也有闻召即往的，也有请杀不去的。甚是捉他不定：大抵只要心诚他便肯来。夫人知得有这个医家，即差下的当人赍了礼物，星夜赶去请那李八百。恰好他在州里，一请便来。夫人心下方觉少宽。岂知他一进门来，还不曾诊脉，就道："这病势虽则像个死的，却是个不死的。也要请我来则甚？”

当下夫人备将起病根由，并老君庙里占的签诀尽数说与太医知道，求他用药。那李八百只是冷笑道：“这个病从来不上医书的。我也无药可用。唯有死后常将手去摸他胸前。若是一日不冷，一日不可下棺。待到半月二旬之外，他思想食吃，自然渐渐苏醒回来。那老君庙签诀，虽则灵应，然须过后始验，非今日所能猜度得的。”到底不肯下药，竟自去了。也不知少府这病当真不消吃药，自然无事？还是病已犯拙，下不得药的，故此托辞而去？正是：

青龙共白虎同行，吉凶事全然未保。

夫人因见李八百去了，叹道：“这等有名的医人，尚不肯下药，难道还有别一个敢来下药？定然病势不救。唯有奄奄待死而已。”只见热了七日七夜，越加越重。忽然一阵昏迷，闭了眼去，再叫也不醒了。夫人一边啼哭，一边教人禀知三位同僚，要办理后事。那同僚正来问候，得了这个凶信，无不泪下，急至衙中向尸哭了一回，然后与夫人相见，又安慰一番。因是初秋时候，天气还热，分头去备办衣衾棺椁。到第三日，诸色完备，理当殡殓入棺。其时夫人扶尸恸哭，觉得胸前果然有微微暖气，以此信着李八百道人的说话，还要停在床里。只见家人们都道：“从来死人胸前尽有三四日暖的，不是一死便冷，此何足据。现今七月天道，炎热未退。倘遇一声雷响，这尸首就登时涨将起来，怎么还进得棺去？”夫人道：“李道人元说胸前一日不冷，一日不可入棺。‘如今既是暖的，就做不信他，守到半月二十多日，怎忍便三日内带热的将他殓了？况且棺木已备，等我自己日夜守他，只待胸前一冷，就入棺去，也不为迟。天那！但愿李道人的说话灵验，守得我相公重醒回来，何但救了相公一命，却不连我救了两命。”众人再三解说，夫人终是不听。拗他不过，只得依着。停下少府在床，谨谨看守，不在话下。

却说少府病到第七日，身上热极，便是顷刻也挨不过。一心思量要寻个清凉去处消散一消散，或者这病还有好的日子。因此悄地里背了夫人，瞒了同僚，竟提一条竹杖，私离衙斋，也不要一人随从。倏忽之间，已至城外。就如飞鸟辞笼，游鱼脱网一般，心下甚喜，早把这病都忘了。你道少府是个官，怎么出衙去，就没一个人知道？原来想极成梦，梦魂儿觉得如此，这身子依旧自在床上，怎么去得？单苦了守尸的哭哭啼啼，无明无夜，只望着死里求生。岂知他做梦的飘飘忽忽，无碍无拘，到也自苦中取乐。

薛少府出了南门，便向山中游去。来到一座山，叫做龙安山。山上有座亭子，乃是隋文帝封儿子杨秀做蜀王，建亭于此，名为避暑亭。前后左右，皆茂林修竹，长有四面风来，全无一点日影。所以蜀王每到炎天，便率领宾客来此亭中避暑。果然好个清凉去处。少府当下看见，便觉心怀开爽：“若使我不出城，怎知山中有这般境界？但是我在青城县做了许多时，尚且不曾到此。想那三位同僚，怎么晓得？只合与他们知会，同携一尊，为避暑之宴。可惜有了胜地，少了胜友，终是一场欠事。”眼前景物可人，遂作诗一首。诗云：

偷得浮生半日闲，危梯绝壁自跻攀。
虽然呼吸天门近，莫遣乘风去不还。

薛少府在亭子里坐了一会，又向山中行去。那山路上没有些树木荫蔽，怎比得亭子里这般凉爽，以此越行越闷。渐渐行了十馀里，远远望见一条大江。你道这江是甚么江？昔日大禹治水，从岷山导出岷江。过了茂州威州地面，又导出这个江水来，叫做沱江。至今江岸上垂着大铁链，也不知道有多少长，沉在江底，乃是大禹锁着应龙的去处。原来禹治江水，但遇水路不通，便差那应龙前去。随你几百里的高山巨石，只消他尾子一抖，登时就分开做了两处，所以世称大禹叫个“神禹”。若不会驱使这样东西，焉能八年之间，洪水底定？至今泗江水上，也有一条铁链，锁着水母。其形似弥猴一般。这沱江却是应龙，皆因水功既成，锁着以镇后害。岂不是个圣迹？

当下少府在山中行得正闷，况又患着热症的，忽见这片沱江，浩浩荡荡，真个秋水长天一色，自然觉得清凉，直透骨髓，就恨不得把三步并做一步，风车似奔来。岂知从山上望时甚近，及至下得山来，又道还不曾到得沱江，却被一个东潭隔住。这潭也好大哩！水清似镜一般，不论深浅去处，无不见底。况又映着两岸竹树，秋色可掬。少府便脱下衣裳，向潭中洗澡。原来少府是吴人，生长泽国，从幼学得泅水。成人之后，久已不曾弄这本事。不意今日到此游戏，大快夙心。偶然叹道：“人游到底不如鱼健。怎么借得这鱼鳞生在我身上，也好到处游去，岂不更快？”只见旁边有个小鱼，却觑着少府道：“你要变鱼不难，何必假借。待我到河伯处，为你图之。”说声未毕，这小鱼早不见了，把少府吃上一惊，想道：“我怎知这水里是有精怪的？岂可独自一个在里面洗澡。不如早早抽身去罢。”岂知少府既动了这个念头，便少不得堕了那重业障。只教：

衣冠暂解人间累，鳞甲俄看水上生。

薛少府正在沉吟，恰待穿了衣服，寻路回去。忽然这小鱼来报道：“恭喜。河伯已有旨了。”早见一个鱼头人，骑着大鱼，前后导从的小鱼，不计其数，来宣河伯诏曰：

城居水游，浮沉异路，苟非所好，岂有兼通。尔青城县主簿薛伟，家本吴人，官亦散局。乐清江之浩渺，放意而游；厌尘世之喧嚣，拂衣而去。暂从鳞化，未便终身。可权充东潭赤鲤。呜呼！纵远适以忘归，必受神明之罚；昧纤钩而食饵，难逃刀俎之灾。无或失身，以羞吾党。尔其勉之！

少府听诏罢，回顾身上，已都生鳞，全是一个金色鲤鱼。心下虽然骇异，却又想道："事已如此，且待我恣意游玩一番，也晓得水中的意趣。"自此三江五湖，随其意向，无不游适。原来河伯诏书上说充东潭赤鲤，这东潭便似分定的地方一般，不论游到那里，少不得要回到那东潭安歇。单则那一件，也觉得有些儿不自在。过了几日，只见这小鱼又来对薛少府道："你岂不闻山西平阳府有一座山，叫个龙门山，是大禹治水时凿将开的，山下就是黄河。只因山顶上有水接着天河的水，直冲下来，做黄河的源头，所以这个去处，叫做河津。目今八月天气，秋潦将降，雷声先发，普天下鲤鱼，无有不到那里去跳龙门的。你如何不禀辞河伯，也去跳龙门？若跳得过时，便做了龙，岂不更强似做鲤鱼？"

原来少府正在东潭里面住得不耐烦，听见这个消息，心中大喜，即便别了小鱼，竟到河伯处所。但见宫殿都是珊瑚作柱，玳瑁为梁，真个龙宫海藏，自与人世各别。其时河伯管下的地方，岷江、沱江、巴江、渝江、涪江、黔江、平羌江、射洪江、濯锦江、嘉陵江、青衣江、五溪、泸水、七门滩、瞿塘三峡，那一处鲤鱼不来禀辞要去跳龙门的。只有少府是金色鲤鱼，所以各处的都推他为首，同见河伯。旧规有个公宴，就如起送科举的酒席一般。少府和各处鲤鱼一齐领了宴，谢了恩，同向龙门跳去。岂知又跳不过，点额而回。你道怎么叫做点额？因为鲤鱼要跳龙门，逆水上去，把周身的精血都积聚在头顶心里，就如被朱笔在额上点了一点的。以此世人称下第的皆为点额，盖本于此。正是：

龙门浪急难腾跃，额上羞题一点红。

却说青城县里有个渔户叫做赵干，与妻子在沱江上网鱼为业。岂知网着一个癞头鼋，被他把网都牵了去，连赵干也几乎吊下江里。那妻子埋怨道："我们专靠这网做本钱，养活两口。今日连本钱都弄没了，那里还有馀钱再讨得个网来？况且县间官府，早晚常来取鱼，你把甚么应付？"以此整整争了一夜。赵干被他絮聒不过，只得装一个钓竿，商量来东潭钓鱼。你道赵干为何舍了这条大江，却向潭里钓鱼？原来沱江流水最急，正好下网，不好下钓，故因想到东潭另做此一行生意。那钓钩上钩着香香的一大块油面，没下水中。

薛少府自龙门点额回来，也有许多没趣，好几日躲在东潭，不曾出去觅食，肚中饥甚。忽然间赵干的渔船摇来，不免随着他船游去看看。只闻得饵香，便思量去吃他的。已是到了口边，想道："我明明知他饵上有个钩子。若是吞了这饵，可不被他钓了去？我虽是暂时变鱼耍子，难道就没处求食，偏只吃他钓钩上的？"再去船傍周围游了一转，怎当那饵香得酷烈，恰似钻入鼻孔里的一般，肚中又饥，怎么再忍得住？想道："我是个人身，好不多重，这些一钓钩怎么便钓得我起？便被他钓了去，我是县里三衙，他是渔户赵干，岂不认得，自然送我归县，却不是落得吃了他的？”方才把口就饵上一合，还不曾吞下肚子，早被赵干一掣，掣将去了。这便叫做眼里识得破，肚里忍不过。

那赵干钩得一个三尺来长金色鲤鱼，举手加额，叫道：“造化，造化！我再钓得这等几个，便有本钱好结网了。”少府连声叫道：“赵干。你是我县里渔户，快送我回县去。”那赵干只是不应，竟把一根草索贯了鱼腮，放在舱里。只见他妻子说道：“县里不时差人取鱼。我想这等一个大鱼，若被县里一个公差看见，取了去，领得多少官价？不如藏在芦苇之中，等贩子投来，私自卖他，也多赚几文钱用。”赵干说道：“有理。”便把这鱼拿去藏在芦苇中，把一领破蓑衣遮盖，回来对妻子说：“若多卖得几个钱时，拼得沽酒来与你醉饮。今夜再发利市，安知明日不钓了两个？”

那赵干藏鱼回船，还不多时候，只见县里一个公差叫做张弼，来唤赵干道：“裴五爷要个极大鱼的做鲊吃。今早直到沱江边来唤你，你却又移到这个所在，教我团团寻遍，走得个汗流气喘。快些拣一尾大的，同我送去。”赵干道：“有累上下走着屈路了。不是我要移到这里。只为前日弄没了网，无钱去买，没奈何，只得权到此钓几尾去做本钱。却又没个大鱼上钓，止有小鱼三四斤在这里，要便拿了去。”张弼道：“裴五爷分付要大鱼，小的如何去回话？”扑的跳下船，揭开舱板一看，果然通是小的，欲要把去权时答应，又想道：“这般宽阔去处，难道没个大鱼？一定这厮奸诈，藏在那里。”即便上岸各处搜看，却又不见。次后寻到芦苇中，只见一件破蓑衣掀上掀下的乱动。张弼料道必是鱼在底下，急走上前，揭起看时，却是一个三尺来长的金色鲤鱼。赵干夫妻望见，口里只叫得苦。

张弼不管三七二十一，提了那鱼便走。回头向赵干说道：“你哄得我好！待禀了裴五爷，着实打你这厮。”少府大声叫道：“张弼，张弼。你也须认得我。我偶然游到东潭，变鱼耍子。你怎么见我不叩头，到提着我走？”张弼全然不理。只是提了鱼，一直奔回县去。赵干也随后跟来。那张弼一路走，少府也一路骂。提到城门口，只见一个把门的军，叫做胡健，对张弼说道：“好个大鱼。只是裴五爷请各位爷饮宴，专等鱼来做鲊吃，道你去了许久不到，又飞出签来叫你，你可也走紧些。”少府抬头一看，正前日出来的那一座南门，叫做迎薰门，便叫把门军道：“胡健，胡健！前日出城时节，曾分付你道：我自私行出去，不要禀知各位爷，也不要差人迎接。难道我出城不上一月，你就不记得了？如今正该去禀知各位爷，差人迎接才是，怎么把我不放在眼里，这等无状！”岂知把门军胡健也不听见，却与张弼一般。

那张弼一径的提了鱼，进了县门，薛少府还叫骂不止。只见司户吏与刑曹史，两个东西相向在大门内下棋。那司户吏道：“好怕人子。这等大鱼，可有十多斤重?”那刑曹吏道:“好一个活泼泼的金色鲤鱼!只该放在后堂绿漪池里养他看要子,怎么就舍得做鲊吃了?”少府大叫道:“你两个吏,终日在堂上伏事我的,便是我变了鱼,也该认得,怎么见了我都不站起来,也不去报与各位爷知道?”那两个吏依旧在那里下棋,只不听见。少府想道:“俗谚有云:‘不怕官,只怕管。’岂是我管你不着,一些儿不怕我?莫不是我出城这几日。我的官被勾了?纵使勾了官,我不曾离任,到底也还管得他着。且待我见同僚时,把这起奴才从头告诉,教他一个个打得皮开肉绽。”看官们牢记下这个话头,待下回表白。

且说顾夫人谨守薛少府的尸骸,不觉过了二十多日,只见肌肉如故,并不损坏。把手去摸着心头,觉得比前更暖些。渐渐的上至喉咙,下至肚脐,都不甚冷了,想起道人李八百的说话,果然有些灵验。因此在指顶上刺出鲜血来,写成一疏,请了几个有名的道士,在青城山老君庙里建醮,祈求仙方,保护少府回生。许下重修庙宇,再塑金身的愿心。宣疏之日,三位同僚与通县吏民,无不焚香代祷,如当日一般。

我想古语有云:“吉人天相。”难道薛少府这等好官,况兼合县的官民又都来替他祈祷,怕就没有一些儿灵应?只是已死二十多日的人,要他依旧又活转来,虽则老君庙里许下愿的,从无不验之人,但是阎王殿前投到过的,那有退回之鬼。正是:

须知作善还酬善,莫道无神定有神。

却说是夜,道士在醮坛上面,铺下七盏明灯,就如北斗七星之状。原来北斗第七个星,叫做斗杓,春指东方,夏指南方,秋指西方,冬指北方,在天上旋转的;只有第四个星,叫做天枢,他却不动。以此将这天枢星上一灯,特为本命星灯。若是灯明,则本身无事;暗则病势淹缠,灭则定然难救。

其时道士手举法器,朗诵灵章,虔心禳解,伏阴而去,亲奏星官,要保护薛少府重还魂魄,再转阳间。起来看这七盏灯时,尽皆明亮。觉得本命那一盏尤加光彩,显见不该死的符验,便对夫人贺喜道:“少府本命星灯,光彩倍加,重生当在旦夕,切不可过于哀泣,恐惊动他魂魄不安,有难回转。”夫人含着两行眼泪谢道:“若得如此,也不枉做这个道场,和那昼夜看守的辛苦。”得了这个消息,心中少觉宽解。岂知朦胧睡去,做成一梦。明明见少府慌慌忙忙,精赤剥的跑入门来,满身都是鲜血,把两只手掩着脖子叫道:“悔气,悔气。我在江上泛舟,情怀颇畅,忽然狂风陡作,大浪掀天,把舟覆了,却跌在水去。幸遇江神怜我阳寿未绝,赠我一领黄金锁子甲,送得出水,正待寻路入城,不意遇着剪径的强人,要谋这领金甲,一刀把我杀了。你若念夫妻情分,好生看守魂魄,送我回去。”夫人一闻此话,不觉放声大哭,就惊醒了。想道:“适间道士只说不死,如何又有此恶梦?我记得梦书上有一句道：'梦死得生。'莫非他眼下灾悔脱尽，故此身上全无一丝一缕，亦未可知。只是紧紧的守定他尸骸便了。"

到次日，夫人将醮坛上牺牲诸品，分送三位同僚，这个叫做"散福"。其日就是裴县尉作主，会请各衙，也叫做"饮福"。因此裴县尉差张弼去到渔户家取个大鱼来做鲊，好配酒吃。终是邹二衙为着同年情重，在席上叹道："这酒与平常宴会不同，乃为薛公祈祷回生，半是酿坛上的品物。今薛公的生死，未知何如，教我们食怎下咽？"裴五衙便道："古人临食不叹，偏是你念同年，我们不念同僚的？听得道士说他回生，不在昨晚，便是今日。我们且待鱼来做鲊下酒。拼吃个酩酊，只在席上等候他一个消息，岂不是公私两尽？"当日直到未牌时分，张弼方才提着鱼到阶下。原来裴五衙在席上作主，单为等鱼不到，只得停了酒，看邹二衙与雷四衙打双陆，自己在傍边吃着桃子。忽回转头看见张弼，不觉大怒道："我差你取鱼，如何去了许久？若不是飞签催你，你敢是不来了么？"张弼只是叩头，把渔户赵干藏过大鱼的情节，备细禀上一遍。裴五衙便教当直的把赵干拖翻，着实打了五十下皮鞭，打得皮开肉绽，鲜血迸流。你道赵干为何先不走了，偏要跟着张弼到县，自讨打吃？也只恋着这几文的官价，思量领去，却被打了五十皮鞭，价又不曾领得，岂不与这尾金色鲤鱼为贪着香饵上了他的钩儿一般？正是：

世上死生皆为利，不到乌江不肯休。

裴五衙把赵干赶了出去，取去来看，却是一尾金色鲤鱼，有三尺多长。喜叹："此鱼甚好，便可付厨上做鲊来吃！"当下薛少府大声叫道："我那里是鱼？就是你的同僚，岂可错认得我了？我受了许多人的侮慢，正要告诉列位与我出这一口恶气，怎么也认我做鱼，便付厨上做鲊吃？若要作鲊，可不屈我杀了？枉做这几时同僚，一些儿契分安在！"其时同僚们全然不礼。少府便情极了，只得又叫道："邹年兄，我与你同登天宝末年进士，在都下往来最为交厚，今又在此同官，与他们不同，怎么不发一言，坐视我死？"只见邹二衙对裴五衙道："以下官愚见，这鱼还不该做鲊吃。那青城山上老君祠前有老大的一个放生池，尽有建醮的人买着鱼鳖螺蛤等物投放池内，今日之宴，既是薛衙送来的散福，不若也将此鱼投于放生池内，见我们为同僚的情分，种此因果。"那雷四衙便从旁说道："放鱼甚善，因果之说，不可不信。况且酒席美肴馔尽勾多了，何必又要鲊吃？"此时薛少府在阶下，听见叹道："邹年兄好没分晓。既是有心救我，何不就送回衙里去，怎么又要送我上山，却不渴坏了我？虽然如此，也强如死在庖人之手。待我到放生池内，依还变了转来，重换冠带，再坐衙门。且莫说赵干这起狗才，看那同僚扎甚嘴脸来见我？"

正在踌躇，又见那裴五衙答道："老长官要放这鱼，是天地好生之心，何敢不听。但打醮是道家事，不在佛门那一教。要修因果，也不在这上。想道天生万物，专为养人。就如鱼这一种，若不是被人取吃，普天下都是鱼，连河路也不通了。凡人修善，全在这一点心上，不在一张口上。故谚语有云：'佛在心头坐，酒肉穿肠过。'又云：'若依佛法，冷水莫呷。'难道吃了这个鱼，便坏了我们为同僚的心？眼见得好鱼不作鲊吃，倒平白地放了他去。安知我们不吃，又不被水獭吃了？总只一死，还是我们自吃了的是。"少府听了这话，便大叫道："你看两个客人都要放我，怎么你做主人的偏要吃我？这等执拗。莫说同僚情薄，原来宾主之礼，也一些没有的。"

原来雷四衙是个两可的人，见裴五衙一心要做鱼鲊吃，却又对邹二衙道："裴长官不信因果，多分这鱼放生不成了。况今日是他做主人，要以此奉客，怎么好固拒他？我想这鱼不是我等定要杀他，只算今日是他数尽之日，救不得罢了。"当下少府即大声叫道："雷长官，你好没主意，怎么两边撺掇！既是劝他放我，他便不听，你也还该再劝才是。怎么反劝邹年兄也不要救我？敢则你衙斋冷淡，好几时没得鱼吃了，故此待他做鲊来，思量饱餐一顿么？"只得又叫邹二衙道："年兄，年兄。你莫不是乔做人情？故假意劝了这几句，便当完了？你是再也不出半声了。自古道得好：'一死一生，乃见交情。'若非今日我是死的，你是活的，怎知你为同年之情淡薄如此！到底有个放我时节，等我依旧变了转来，也少不得学翟廷尉的故事，将那两句题在我衙门之上，与你看看。年兄，年兄，只怕你悔之晚矣。"少府虽则乱叫乱嚷，宾主都如不闻。

当时裴五衙便唤厨役叫做王士良，因有手段，最整治得好鲊，故将这鱼交付与他，说道："又要好吃，又要快当。不然，照着赵干样子，也奉承你五十皮鞭。"那王士良一头答应，一头就伸过手提鱼。急得少府顶门上飞散了三魂，脚板底荡调了七魄，便大声哭起来道："我平昔和同僚们如兄如弟，极是交好，怎么今日这等哀告，只要杀我？哎，我知道了，一定是妒忌我掌印，起此一片恶心。须知这印是上司委把我的，不是我谋来掌的。若肯放我回衙，我就登时推印，有何难哉！"说了又哭，哭了又说。岂知同僚都做不听见，竟被王士良一把提到厨下，早取过一个砧头来放在上面。

少府举眼看时，却认得是他手里一向做厨役的，便大叫道："王士良，你岂不认得我是薛三爷？若非我将吴下食谱传授与你，看你整治些甚样肴馔出来？能使各位爷这般作兴你？你今日也该想我平昔抬举之恩，快去禀知各位爷，好好送回衙去。却把我来放在砧头上待要怎的？"岂知王士良一些不礼，右手拿刀在手，将鱼头着实按上一下。激得少府心中不胜大怒，便骂："你这狗才！敢只会奉承裴五衙，全不怕我。难道我就没摆布你处？"一挣挣起来，将尾子向王士良脸上只一泼，就似打个耳聒子一般，打得王士良耳鸣眼暗，连忙举手掩面不迭，将那把刀直抛在地下去了。一边拾刀，一边却冷笑道："你这鱼，既是恁的健浪，停一会等我送你到滚锅儿里再游游去。"原来做鲊的，最要刀快，将鱼切得雪片也似薄薄的，略在滚水里面一转，便捞起来，加上椒料，泼上香油，自然松脆鲜美。因此王士良再把刀去磨一下。

其时少府叫他不应，叹口气道："这次磨快了刀来，就是我命尽之日了。想起我在衙虽则患病，也还可忍耐，如何私自跑出，却受这般苦楚。若是我不见这个东潭；便见了东潭，也不下去洗澡；便洗个澡，也不思量变鱼；便思量变鱼，也不受那河伯的诏书，也不至有今日。总只未变鱼之先，被那小鱼十分撺掇；既变鱼之后，又被那赵干把香饵来哄我，都是命凑着，自作自受，好埋怨那个？只可怜见我顾夫人在衙，无儿无女，将谁倚靠？怎生寄得一信与他，使我死也瞑目？"

正在号咷大哭，却被王士良将新磨的快刀，一刀剁下头来。正是：三寸气在，谁肯输半点便宜；七尺躯亡，都付与一场春梦。眼见得少府这一番真个呜呼哀哉了。

未知少府生回日，已见鱼儿命尽时。

这里王士良刚把这鱼头一刀剁下，那边三衙中薛少府在灵床之上，猛地跳起来坐了。莫说顾夫人是个女娘家，就险些儿唬得死了，便是一家们在那里守尸的，那一个不摇首咋舌，叫道："好古怪。好古怪。我们一向紧紧的守定在此，从没个猫儿在他身上跳过，怎么就把死尸吊了起来？"只见少府叹了口气，问道："我不知人事有几日了？"夫人答道："你不要唬我。你已死去了二十五日，只怕不会活哩。"少府道："我何曾死？只做得一个梦，不意梦去了这许多日。"便唤家人去看："三位同僚，此时正在堂上，将吃鱼鲊。教他且放下了箸，不要吃，快请到我衙里来讲话。"

果然同僚们在堂上饮酒，刚刚送到鱼鲊，正要举箸，只见薛衙人禀说："少府活转来了，请三位爷莫吃鱼鲊，便过衙中讲话。"惊得那三位都暴跳起来，说道："医人李八百的把脉，老君庙里铺灯，怎么这等灵验得紧。"忙忙的走过薛衙，连叫："恭喜，恭喜。"只见少府道："列位可晓得么？适才做鲊的这尾金色鲤鱼便是不才。若不被王士良那一刀，我的梦儿时勾醒。"那三位茫茫不知其故，都说道："天下岂有此事。请教老长官试说一番，容下官们洗耳拱听。"薛少府道："适才张弼取鱼到时，邹年兄与雷长官打双陆，裴长官在傍吃桃子。张弼禀渔户赵干藏了大鱼，把小鱼塘塞。裴长官大怒，把赵干鞭了五十。这事有么？"三位道："果是如此。只是老长官如何晓得恁详细？"少府道："再与我唤赵干、张弼和那把守迎薰门军士胡健，户曹刑曹二吏，并厨役王士良来，待我问他。"那三位即便差人，都去唤到。

少府问道："赵干，你在东潭钓鱼，钓得个三尺来长金色鲤鱼，你妻子教你藏在芦苇之中，上头盖着旧蓑衣；张弼来取鱼时，你只推没有大鱼，却被张弼搜出，提到迎薰门下。门军胡健说道：‘裴五爷下飞签催你，你可走快些。’到得县门，门内二吏东西相向，在那里下棋。一个说：‘鱼大得怕人子，作鲊来一定好吃。’一个说：‘这鱼可爱，只该畜在后堂池里，不该做鲊。’王士良把鱼按在砧头上，却被鱼跳起尾来，脸上打了一下。又去磨快了刀，方才下手。这事可都有么？”赵干等都惊道：“事俱有的。但不知三爷何繇知得？”少府道：“这鱼便是我做的。我自被钓之后，那一处不高声大叫，要你们送我回衙，怎么都不听我，却是甚主意。”赵干等都叩头道：“小的们实是不听见。若听见时，怎么敢不送回少府？”又问裴县尉道：“老长官要做鱼鲊之时，邹年兄再三劝你放生，雷长官在傍边撺掇，只是不听，催唤王士良提去。我因放声大哭，说：‘枉做这几时同僚，今日定要杀我，岂是仁者所为。’莫说裴长官不礼，连邹年兄、雷长官，也更无一言，这是何意？”三位相顾道：“我们何尝听见些儿。”一齐起身请罪。少府笑道：“这鱼不死，我也不生。已作往事，不必再题了。”遂把赵干等打发出去。同僚们也作别回衙。将鱼鲊投弃水中，从此立誓再不吃鱼。原来少府叫哭，那曾有甚么声响，但见这鱼口动而已。乃知三位同僚与赵干等，都不听见，盖有以也。

且说顾夫人想起老君庙签诀的句语，无一字不验。乃将求签打醮事情，备细说与少府知道，就要打点了愿。少府惊道：“我在这里几多时，但闻得青城山上有座老君庙，是极盛的香火，怎知道灵应如此。”即便清斋七日，备下明烛净香，亲诣庙中偿愿。一面差人估计木料，装严金像，合用若干工价，将家财俸资凑来买办，择日兴工。到第七日早上，屏去左右，只带一个十二三岁的小门子，自出了衙门，一步一拜，向青城山去。刚至半山，正拜在地，猛然听得有人叫道：“薛少府，你可晓得么？”少府不觉吃了一惊。抬头观看，乃是一个牧童，头戴箬笠，横坐青牛，手持短笛，从一个山坡边转出来的。

当下少府问道：“你要我晓得甚么？”那牧童道：“你晓得神仙中有个琴高，他本骑着赤鲤升天去的。只因在王母座上，把那弹云璈的田四妃觑了一眼，动了凡心，故此两人并谪人世。如今你的前身，便是琴高；你那顾夫人，便是田四妃。为你到官以来，迷恋风尘，不能脱离，故又将你权充东潭赤鲤，受着诸般苦楚，使你回头。你却怎么还不省得？敢是做梦未醒哩？”少府道：“依你说，我的前身，乃是神仙，今已迷惑，又须得一个师父来提醒便好。”牧童道：“你要个提醒的人，远不远千里，近只在目前。这成都府道人李八百，却不是个神仙？他本在汉时叫做韩康，一向卖药长安市上，口不二价。后来为一女子识破了，故此又改名为李八百。人只说他传授得孙真人八百个秘方，正不知他道术还在孙真人之上，实实活过八百多岁了。今你夫妻谪限将满，合该重还仙籍，何不去问那李八百，教他与你打破尘障？”原来夫人止与少府说得香愿的事，不曾说起李八百把脉情繇，因此牧童说着李八百名姓，少府一些也不晓得。心下想道：“山野牧童知道甚么，无过信口胡谈，荒唐之说，何足深信！我只是一步一拜，还愿便了。”岂知才回顾头来，那牧童与牛化作一道紫气，冲天而去。正是：

当面神仙犹不识，前生世事怎能知！

少府因自己做鱼之事，来得奇怪。今番看见牧童化风而去，心下越发惶惑，定道：“连那牧童也是梦中。”好生委决不下。不一时拜到山顶老君座前，叩谢神明保佑，再得回生。只在早晚选定吉日，偿还愿心。拜罢起来，看那老君神像，正是牧童的面貌。又见座旁塑着一头青牛，也与那牧童骑的一般。方悟道：“方才牧童，分明是太上老君指引我重还仙籍，如何有眼无珠，当面错过？”乃再拜请罪。回至衙中，备将牧童的话，细细述与夫人知道。夫人方说起：“病危时节，曾请成都府道人李八百来看脉。他说是死而不死之症，须待死后半月二旬，自然慢慢的活将转来，不必下药。临起身时，又说：‘这签诀灵得紧。直到看见鱼时，方有分晓。’我想他能预知过去未来之事，岂不真是个仙人！莫说老君已经显出化身，指引你去；便不是仙人，既劳他看脉一回，且又这等神验，也该去谢他。”少府听罢，乃道：“原来又有这段姻缘。如何不去谢他。”又清斋了七日，徒步自往成都府去，访那道人李八百。

恰好这一日，李八百正坐在医铺里面，一见少府，便问道：“你做梦可醒了未？”少府扑地拜下，答道：“弟子如今醒了，只求师父指教，使弟子脱离风尘，早闻大道。”李八百笑道：“你须不是没根基的，要去烧丹炼火；你前世原是神仙谪下，太上老君已明明的对你说破。自家身子，还不省得，还来问人？敢是你只认得青城县主簿么？”当下少府恍然大悟，拜谢道：“弟子如今真个醒了！只是老君庙里香愿，尚未偿还。待弟子了愿之后，即便弃了官职，挈了妻子，同师父出家，证还仙籍，未为晚也。”遂别了李八百，急回至青城县，把李八百的话述与夫人知道。夫人也就言上省悟，前身元是西王母前弹云璈的田四妃，因动尘念堕落。当夜便与少府各自一房安下，焚香静坐，修证前因。

次日，少府将印送与邹二衙署摄，备文申报上司。一面催趱工役，盖造殿庭，装严金像，极其齐整。刚到工完之日，那邹二衙为着当时许愿，也要分俸相助，约了两个县尉，到少府衙舍，说知此事。家人只道还在里边静坐，进去通报。只见案上遗下一诗，竟不知少府和夫人都在那里去了。家人拿那首诗递与邹二衙观看，乃是留别同僚吏民的，诗云：

鱼身梦幻欣无恙，若是鱼真死亦真。

到底有生终有死，欲离生死脱红尘。

邹二衙看了这诗，不胜嗟叹，乃道："年兄总要出家修行，也该与我们作别一声，如今觉道忒歉然了。谅来他去还未远。"即差人四下寻访，再也没些踪迹。正在惊讶，裴五衙笑道："二位老长官好不睹事。想他还掉不下水中滋味，多分又去变鲤鱼玩要去了，只到东潭上抓他便了。"

不题同僚们胡猜乱想，再说少府和夫人不往别处，竟至成都去见那李八百。那李八百对着少府笑道："你前身元是琴高，因为你升仙不远，故令赤鲤专在东潭相候。今日依先还你赤鲤，骑坐上升，何如?"又对夫人道："自你谪后，西王母前弹云璈的暂借董双成，如今依旧该是你去弹了。"自然神仙一辈，叫做会中人，再不消甚么口诀，甚么心法，都只是一笑而喻。其时少府夫人也对李八百说道："你先后卖药行医，救度普众，功行亦非小可，何必久混人世?"李八百道："我数合与你同升，故在此相候。"顷刻间，祥云缭绕，瑞霭缤纷，空中仙音响亮，鸾鹤翱翔，仙童仙女，各执旛旛宝盖，前来接引。少府乘着赤鲤，夫人驾了紫霞，李八百跨上白鹤，一齐升天。遍成都老幼，那一个不看见，尽皆望空瞻拜，赞叹不已。至今升仙桥圣迹犹存。诗云：

茫茫宇宙事端新，人既为鱼鱼复人。
识破幻形不碍性，体形修性即仙真。

第二十七卷
李玉英狱中讼冤

人间夫妇愿白首，男长女大无疾疢。男娶妻兮女嫁夫，频见森孙会行走。若还此愿遂心怀，百年瞑目黄泉台。莫教中道有差跌，前妻晚妇情离乖。晚妇狠毒胜蛇蝎，枕边谮语无休歇。自己生儿似宝珍，他人子女遭磨灭。饭不饭兮茶不茶，蓬头垢面徒伤嗟。君不见大舜历山终夜泣，闵骞十月衣芦花。

这篇言语，大抵说人家继母心肠狠毒，将亲生子女胜过一颗九曲明珠，乃希世之宝，何等珍重。这也是人之常情，不足为怪。单可恨的，偏生要把前妻男女，百般凌虐，粪土不如。若年纪在十五六岁，还不十分受苦，纵然磨灭，渐渐长大，日子有数。惟有十岁内外的小儿女，最为可怜。然虽如此，其间原有三等。那三等？第一等，乃富贵之家，幼时自有乳母养娘伏侍，到五六岁便送入学中读书。况且亲族蕃盛，手下婢仆，耳目众多，尚怕被人谈论，还要存个体面。不致有饥寒打骂之苦。或者自生得有子女，要独吞家业，索性倒弄个斩草除根的手段，有诗为证：

焚廪捐阶事可伤，申生遭谤伯奇殃。

后妻煽处从来有，几个男儿肯直肠。

第二等，乃中户人家，虽则体面还有，料道幼时，未必有乳母养娘伏侍，诸色尽要在继母手内出放。那饥寒打骂就不能勾免了。若父亲是个硬挣的，定然卫护女儿，与老婆反目厮闹，不许他凌虐。也有惧怕丈夫利害，背着眼方敢施行。倘遇了那不怕天，不怕地，也不怕羞，也不怕死，越杀越上的泼悍婆娘，动辄便拖刀弄剑，不是刎颈上吊，定是奔井投河，惯把死来唬老公，常有弄假成真，连家业都完在他身上。俗语道得好："逆子顽妻，无药可治。"遇着这般泼妇，难道终日厮闹不成？少不得闹过几次，奈何他不下，到只得诈瞎装聋，含糊忍痛。也有将来过继与人，也有送去为僧学道，或托在父兄外家寄养。这还是有些血气的所为。

又有那一种，横肚肠，烂心肝，忍心害理，无情义的汉子。前妻在生时，何等恩爱，把儿女也何等怜惜，到得死后，娶了晚妻，或奉承他妆奁富厚，或贪恋颜色美丽，或中年娶了少妇，因这几般上，弄得神魂颠倒，意乱心迷，将前妻昔日恩义，撇向东洋大海。儿女也渐渐做了眼中之钉，肉内之刺。到得打骂，莫说护卫劝解，反要加上一顿，取他的欢心。常有后生儿女都已婚嫁，前妻之子，尚无妻室。公论上说不去时，胡乱娶个与他，后母还千方百计，做下魇魅，要他夫妻不睦。若是魇魅不灵，便打儿子，骂媳妇，撺掇老公告忤逆，赶逐出去。那男女之间，女儿更觉苦楚。孩子家打过了，或向学中攻书，或与邻家孩子们顽耍，还可以消遣。做了女儿时，终日不离房户，与那夜叉婆挤做一块，不住脚把他使唤，还要限每日做若干女工。做得少，打骂自不必说。及至趱足了，却又嫌好道歉，也原脱白不过。生下儿女，恰像写着包揽文书的，日夜替他怀抱。倘若啼哭，便道是不情愿，使性儿难为他孩子。偶或有些病症，又道是故意惊唬出来的。就是身上有个蚊虫疤儿，一定也说是故意放来钉的。更有一节苦处，任你滴水成冰的天气，少不得向水孔中洗浣污秽衣服，还要憎嫌洗得不洁净，加一场咒骂。熬到十五六岁，渐渐成人。那时打骂，就把污话来肮脏了。不骂要趁汉，定说想老公。可怜女子家无处伸诉，只好向背后吞声饮泣。倘或听见，又道装这许多妖势。多少女子当不起恁般羞辱，自去寻了一条死路。有诗为证：

不正夫纲但怕婆，怕婆无奈后妻何。

任他打骂亲生女，暗地心疼不敢訶。

第三等，乃朝趁暮食，肩担之家。此等人家儿女。纵是生母在时，只好苟免饥寒，料道没甚丰衣足食。巴到十来岁，也就要指望教去学做生意，趁三文五文帮贴柴火。若又遇着个凶恶继母，岂不是苦上加苦。口中吃的，定然有一顿没一顿，担饥忍饿。就要口热汤，也须请问个主意，不敢擅专。身上穿的，不是前拖一块，定要后破一片。受冻捱寒，也不敢在他面前说个冷字。那几根头发，整年也难得与梳子相会。胡乱挽个角儿，还不是挦得披头盖脸。两只脚久常赤着，从不曾见鞋袜面。若得了双草鞋，就胜如穿着粉底皂靴。专任的是劈柴烧火，担水提浆。稍不如意，软的是拳头脚尖，硬的是木柴棍棒。那咒骂乃口头言语，只当与他消闲。到得将就挑得担子，便限着每日要赚若干钱钞。若还缺了一文，少不得敲个半死。倘肯撺掇老公，卖与人家为奴，这就算他一点阴骘。所以小户人家儿女，经着后母，十个到有九个磨折死了。有诗为证：

小家儿女受艰辛，后母加添妄怒嗔。

打骂饥寒浑不免，人前一样唤娘亲。

说话的，为何只管絮絮叨叨，道后母的许多短处？只因在下今日要说一个继母谋害前妻儿女，后来天理昭彰，反受了国法，与天下的后母做个榜样，故先略道其概。这段话文，若说出来时：

直教铁汉也心酸，总是石人亦泪洒。

你道这段话文，出在那里？就在本朝正德年间，北京顺天府旗手卫，有个荫籍百户李雄。他虽是武弁出身，却从幼聪明好学，深知典籍。及至年长，身材魁伟，膂力过人，使得好刀，射得好箭，是一个文武兼备的将官。因随太监张永征陕西安化王有功，升锦衣卫千户。娶得个夫人何氏，夫妻十分恩爱。生下三女一男：儿子名曰承祖，长女名玉英，次女名桃英，三女名月英。原来是先花后果的。倒是玉英居长，次即承祖。不想何氏自产月英之后，便染了个虚怯症候，不上半年，呜呼哀哉。可怜：

留得旧时残锦绣，每因肠断动悲伤。

那时玉英刚刚六岁，承祖五岁，桃英三岁，月英止有五六个月。虽有养娘奶子伏侍，到底像小鸡失了鸡母，七慌八乱，啼啼哭哭。李雄见儿女这般苦楚，心下烦恼，只得终日住在家中窝伴。他本是个官身，顾着家里，便担阁了公事；到得干办了公事，却又没工夫照管儿女，真个公私不能两尽。捱了几个月日，思想终不是长法，要娶个继室。遂央媒寻亲。那媒婆是走千家踏万户的，得了这句言语，到处一兜，那些人家闻得李雄年纪止有三十来岁，又是锦衣卫千户，一进门就称奶奶，谁个不肯？三日之间，就请了若干庚贴送来，任凭李雄选择。俗语有云：“姻缘本是前生定，不许今人作主张。”李雄千择万选，却拣了个姓焦的人家女儿，年方一十六岁，父母双亡，哥嫂作主。那哥哥叫做焦榕，专在各衙门打干，是一个油里滑的光棍。李雄一时没眼色，成了这头亲事，少不得行礼纳聘。不则一日，娶得回家，花烛成亲。

那焦氏生得有六七分颜色，女工针指，却也百伶百俐，只是心肠有些狠毒。见了四个小儿女，便生嫉妒之念。又见丈夫十分爱惜，又不时叮嘱好生抚育，越发不怀好意。他想道："若没有这一窝子贼男女，那官职产业好歹是我生子女来承受。如今遗下许多短命贼种，纵挣得泼天家计，少不得被他们先拔头筹。设使久后，也只有今日这些家业，派到我的子女，所存几何，可不白白与他辛苦一世？须是哄热了丈夫，后然用言语唆冷他父子，磨灭死两三个，止存个把，就易处了。"

你道天下有恁样好笑的事！自己方才十五六岁，还未知命短命长，生育不生育，却就算到几十年后之事，起这等残忍念头，要害前妻儿女，可胜叹哉！有诗为证：

娶妻原为生儿女，见成儿女反为仇。
不是妇人心最毒，还因男子没长筹。

自此之后，焦氏将着丈夫百般殷勤趋奉。况兼正在妙龄，打扮得如花朵相似，枕席之间，曲意取媚。果然哄得李雄千欢万喜，百顺百依。只有一件不肯听。你道是那件？但说到儿女面上，便道："可怜他没娘之子，年幼娇痴。倘有不到之处，须将好言训诲，莫要深责。"焦氏撺唆了几次，见不肯听，忍耐不住。一日趁老公不在家，寻起李承祖事过，揪来打骂。不道那孩子头皮寡薄，他的手儿又老辣。一顿乱打，那头上却如酵到馒头，登时肿起几个大疙瘩。可怜打得那孩子无个地孔可钻，号淘痛哭。养娘奶子解劝不住。那玉英年纪虽小，生性聪慧，看见兄弟无故遭此毒打，已明白晚母不是个善良之辈，心中苦楚，泪珠乱落。在旁看不过，向前道告，母亲兄弟年幼无知，望乞饶恕则个。"焦氏喝道："小贱人，谁要你多言？难道我打不得的么？你的打也只在头上滴溜溜转了，却与别人讨饶？"玉英闻得这话，愈加哀楚。

正打之间，李雄已回。那孩子抱住父亲，放声号恸。李雄见打得这般光景，暴躁如雷，翻天作地，闹将起来。那婆娘索性抓破脸皮，反要死要活，分毫不让。早有人报知焦榕，特来劝慰。李雄告诉道："娶令妹来，专为要照管这几个儿女，岂是没人打骂，娶来凌贱不成？况又几番嘱付。可怜无母娇幼，你即是亲母一般，凡事将就些，反故意打得如此模样。"焦榕假意埋冤了妹子几句，陪个不是，道："舍妹一来年纪小，不知世故；二来也因从幼养娇了性子，在家任意惯了。妹丈不消气得。"又道："省得在此不喜欢，待我接回去住几日，劝喻他下次不可如此。"道罢，作别而去。

少顷，雇乘轿子，差个女使接焦氏到家。那婆娘一进门，就埋怨焦榕道："哥哥，奴总有甚不好处，也该看爹娘分上访个好对头匹配才是，怎么胡乱肮脏送在这样人家，误我的终身？"焦榕笑道："论起嫁这锦衣卫千户，也不算肮脏了。但是你自己没有见识，怎么抱怨别人？”焦氏道：“那见得我没有见识？”焦榕道：“妹夫既将儿女爱惜，就顺着他性儿，一般着些痛热。”焦氏嚷道：“又不是亲生的，教我着疼热，还要算计哩。”焦榕笑道：“正因这上，说你没见识。自古道：‘将欲取之，必固与之。’你心下越不喜欢这男女，越该加意爱护。”焦氏道：“我恨不得顷刻除了这几个冤孽，方才干净，为何反要将他爱护？”焦榕道：“大抵小儿女，料没甚大过失。况婢仆都是他旧人，与你恩义尚疏，稍加责罚，此辈就到家主面前轻事重报，说你怎地凌虐。妹夫必然着意防范，何繇除得？他存了这片疑心，就是生病死了，还要疑你有甚缘故，可不是无丝有线！你若将就容得，落得做好人。抚养大了，不怕不孝顺你。”焦氏把头三四摇道：“这是断然不成。”

焦榕道：“毕竟容不得，须依我说话。今后将他如亲生看待，婢仆们施些小惠，结为心腹。暗地察访，内中倘有无心向你，并口嘴不好的，便赶逐出去。如此过了一年两载，妹夫信得你真了，婢仆又皆是心腹，你也必然生下子女，分了其爱。那时觑个机会，先除却这孩子，料不疑虑到你。那几个丫头，等待年长，叮嘱童仆们一齐驾起风波，只说有私情勾当。妹夫是有官职的，怕人耻笑，自然逼其自尽。是恁样阴唆阳劝做去，岂不省了目下受气？又见得你是好人。”焦氏听了这片言语，不胜喜欢道：“哥哥言之有理。是我错埋怨你了。今番回去，依此而行。倘到紧要处，再来与哥哥商量。”不题焦榕兄妹计议。

且说李雄因老婆凌贱儿女，反添上一顶愁帽儿，想道：“指望娶他来看顾儿女，却到增了一个魔头。后边日子正长，教这小男女怎生得过？”左思右算，想出一个道理。你道是什么道理？原来收拾起一间书室，请下一个老儒，把玉英、承祖送入书堂读书，每日茶饭俱着人送进去吃，直至晚方才放学。教他远了晚娘，躲这打骂。那桃英、月英自有奶子照管，料然无妨。

常言：“夫妻是打骂不开的。”过了数日，只得差人去接焦氏。焦榕备些礼物，送将回来。焦氏知得请下先生，也解了其意，更不道破。这番归来，果然比先大不相同，一味将笑撮在脸上，调引这几个男女，亲亲热热，胜如亲生。莫说打骂，便是气儿也不再呵一口。待婢仆们也十分宽恕，不常赏赐小东西。大凡下人，肚肠极是窄狭，得了须微之利，便极口称功诵德，欢声溢耳。李雄初时甚觉奇异，只道惧怕他闹吵，当面假意殷勤，背后未必如此。几遍暗地打听，冷眼偷瞧，更不见有甚别样做作。过了年馀，愈加珍爱。李雄万分喜悦，想道：“不知大舅怎生样劝喻，便能改过从善。如此可见好人原容易做的，只在一转念耳。”从此放下这片肚肠。夫妻恩爱愈笃。

那焦氏巴不能生下个儿子。谁知做亲二年，尚没身孕。心中着急，往各处寺观庵堂，烧香许愿。那菩萨果是有些灵验。烧了香，许过愿，真个就身怀六甲。到得十月满足，生下一个儿子，乳名亚奴。你道为何叫这般名字？原来民间有个俗套，恐怕小儿家养不大，常把贱物为名，取其易长的意思，因此每每有牛儿狗儿之名。那焦氏也恐难养，又不好叫恁般名色，故只唤做亚奴，以为比奴仆尚次一等，即如牛儿狗儿之意。李雄只道焦氏真心爱惜儿女，今番生下亚奴，亦十分珍重。三朝满月，遍请亲友吃庆喜筵宴，不在话下。常言说得好："只愁不养，不愁不长。"眨眼间，不觉亚奴又已周岁。

那时玉英已是十龄，长得婉丽飘逸，如画图中人物，且又赋性敏慧，读书过目成诵，善能吟诗作赋。其他描花刺绣，不教自会。兄弟李承祖，虽然也是个聪明孩子，到底赶不上姐姐，曾咏绿萼梅，诗云：

并是调羹种，偏栽碧玉枝。
不夸红有艳，兼笑白无奇。
蕊绽莺忘啄，花香蝶未窥。
陇头羌笛奏，芳草总堪疑。

因有了这般才藻，李雄倍加喜欢，连桃英、月英也送入书堂读书。又尝对焦氏说道："玉英女儿，有如此美才，后日不舍得嫁他出去，访一个有才学的秀士入赘家来，待他夫妇唱和，可不好么？"焦氏口虽赞美，心下越增妒忌。

正要设计下手，不想其年乃正德十四年，陕西反贼杨九儿据皋兰山作乱，累败官军，地方告急。朝廷遣都指挥赵忠充总兵官，统领兵马前去征讨。赵忠知得李雄智勇相兼，特荐为前部先锋。你想军情之事，火一般紧急，可能勾少缓？半月之间，择日出师。李雄收拾行装器械，带领家丁起程。临行时又叮嘱焦氏，好生看管儿女。焦氏答道："这事不消分付。但愿你阵面上神灵护祐，马到成功，博个封妻荫子。"

夫妻父子正在分别，外边报："赵爷传令教场相会。"李雄洒泪出衙。急急上马，直至教场中演武厅上与诸将参谒已毕，朝廷又差兵部官犒劳，三军齐向北阙谢恩，口称万岁三声。赵爷分付李雄带领前部军马先行。李雄领了将令，放起三个轰天大炮，众军一声呐喊，遍地锣鸣，离了教场，望陕西而进。军容整肃，器仗鲜明。一路上逢山开径，遇水叠桥。

不则一日，已至陕西地面，安营下寨，等大军到来，一齐进发。与贼兵连战数阵，互相胜负。到七月十四，贼兵挑战，赵爷令李雄出阵。那李雄统领部下精兵，奋勇杀入。贼兵抵挡不住，大败而走。李雄乘胜追逐数里。不想贼人伏兵四起，团团围住，左冲右突，不能得脱，外面救兵又被截断。李雄部下虽然精勇，终是众寡不敌，鏖战到晚，全军尽没。可怜李雄盖世英雄，到此一场春梦。正是：

正气千寻横宇宙，孤魂万里占清寒。

赵忠出征之事，按下不题。

却说焦氏方要下手，恰好遇着丈夫出征，可不天凑其便。李雄去了数日，一乘轿子，抬到焦榕家里，与他商议。焦榕道："据我主意，再缓几时。"焦氏道："却是为何?"焦榕道："妹夫不在家，死了定生疑惑。如今还是把他倍加好好看承。妹夫回家知道，越信你是个好人。那时出其不意，弄个手脚，必无疑虑，可不妙哉!"焦氏依了焦榕说话，真个把玉英姊妹看承比前又胜几分，终日盼望李雄得胜回朝。谁知已到八月初旬，陕西报到京中，说七月十四日与贼交锋，前部千户李雄恃勇深入，先胜后败，全军尽没。焦榕是专在各衙门打干的，早已知得这个消息，吃了一惊，如飞报与妹子。焦氏闻说丈夫战死，放声号恸。那玉英姊妹尤为可怜，一个个哭得死而复苏。焦氏与焦榕商议，就把先生打发出门，合家挂孝，招魂设祭，摆设灵座。亲友尽来吊唁。那时焦氏将脸皮翻转，动辄便是打骂。

又过了月馀，焦氏向焦榕道："如今丈夫已死，更无别虑，动了手罢。"焦榕道："到有个妙策在此，不消得下手。只教他死在他乡外郡，又怨你不着。"焦氏忙问有何妙策。焦榕道："妹夫阵亡，不知尸首下落。再捱两月，等到严寒天气，差一个心腹家人，同承祖去陕西寻觅妹夫骸骨。他是个孩子家，那曾经途路风霜之苦，水土不服，自然中道病死。设或熬得到彼处，叮嘱家人撇了他，暗地自回。那时身畔没了盘缠，进退无门，不是冻死，定然饿死。这几个丫头，饶他性命，卖与人为妾作婢，还值好些银子。岂非一举两得。"焦氏连称有理。耐至腊月初旬，焦氏唤过李承祖说道："你父亲半世辛勤，不幸丧于沙场，无葬身之地。虽在九泉，安能瞑目?昨日闻得舅舅说，近日赵总兵连胜数阵，敌兵退去千里之外，道路已是宁静。我欲亲往陕西寻觅你父亲骸骨归葬，少尽夫妻之情。又恐我是个少年寡妇，出头露面，必被外人谈耻，故此只得叫家人苗全服事你去走遭。倘能寻得回来，也见你为子的一点孝心。行装都已准备下了，明早便可登程。"承祖闻言，双眼流泪道："母亲言之有理，孩儿明早便行。"

玉英料道不是好意，大吃一惊，乃道："告母亲：爹爹暴弃沙场，理合兄弟前去寻觅。但他年纪幼小，路途跋涉，未曾经惯。万一有些山高水低，可不枉送一死?何不再差一人，与苗全同去，总是一般的。"焦氏大怒道："你这逆种!当初你父存日，将你姊妹如珍宝一般爱惜。如今死了，就忘恩背义，连骸骨也不要了。你读了许多书，难道不晓得昔日木兰代父征西，缇萦上书代刑?这两个一般也是幼年女子，有此孝顺之心。你不能够学他恁般志气，也去寻觅父亲骸骨，反来阻当兄弟莫去!况且承祖还是个男儿，一路又有人服事，须不比木兰女上阵征战，出生入死，那见得有什么山高水低，枉送了性命?要你这样不孝女何用?"一顿乱嚷，把玉英羞得满面通红，哭告道："孩儿岂不念爹爹生身大恩，要寻访骸尸归葬?止因兄弟年纪尚幼，恐受不得辛苦。孩儿情愿代兄弟一行。”焦氏道：“你便想要到外边去游山玩景快活，只怕我心里还不肯哩。”当晚玉英姊妹挤在一处言别，呜呜的哭了半夜。

李承祖道：“姐姐，爹爹骸骨暴弃在外，就死也说不得。待我去寻觅回来，也教母亲放心，不必你忧虑。”到了次早，焦氏催促起程。姊妹们洒泪而别。焦氏又道：“你若寻不着父亲骸骨，也不必来见我，’李承祖哭道：“孩儿如不得爹爹骨殖，料然也无颜再见母亲。”苗全扶他上牲口，径出京师。

你道那苗全是谁？乃焦氏带来赠嫁的家人中第一个心腹，已暗领了主母之意，自在不言之表。主仆二人离了京师，望陕西进发。此时正是隆冬天气，朔风如箭，地上积雪有三四尺高。往来牲口，恰如在绵花堆里行走。那李承祖不上十岁的孩子，况且从幼娇养，何曾受这般苦楚。在牲口背上把不住的寒颤，常常望着雪窝里颠将下来。在路晓行夜宿，约走了十数日。李承祖渐渐饮食减少，生起病来。对苗全道：“我身子觉得不好，且将息两日再行。”苗全道：“小官人，奶奶付的盘缠有限，忙忙趱到那边，只怕转去还用度不来。路上若再担阁两日，越发弄不来了。且勉强捱到省下，那时将养几日罢。”李承祖又问：“到省下还有几多路？”苗全笑道：“早哩。极快还要二十个日子。”李承祖无可奈何，只得熬着病体，含泪而行。有诗为证：

可怜童稚离家乡，匹马迢迢去路长。
遥望沙场何处是？乱云衰草带斜阳。

又行了两日。李承祖看看病体转重，牲口甚难坐。苗全又不肯暂停，也不雇脚力，故意扶着步行，明明要送他上路的意思。又捱了半日，来到一个地方名唤保安村。李承祖道：“苗全，我半步移不动了，快些寻个宿店歇罢。”苗全闻言，暗想道：“看他这个模样，料然活不成了。若到店客中住下，便难脱身，不如撇在此间，回家去罢。”乃道：“小官人，客店离此尚远。你既行走不动，且坐在此，待我先去放下包裹，然后来背你去，何如？”李承祖道：“这也说得有理。”遂扶至一家门首，阶沿上坐下。苗全拽开脚步，走向前去，问个小路抄转，买些饭食吃了，雇个牲口，原从旧路回家去了。不在话下。

且说李承祖坐在阶沿上，等了一回，不见苗全转来。自觉身子存坐不安，倒身卧下，一觉睡去。那个人家却是个孤孀老妪，住得一间屋儿，坐在门口纺纱。初时见一汉子扶个小厮，坐于门口，也不在其意。直至傍晚，拿只桶儿要去打水，恰好拦门熟睡，叫道：“兀那小官人快起来。让我们打水。”

李承祖从梦中惊醒，只道苗全来了。睁眼看时，乃是那屋里的老妪。便挣扎坐起道：“老婆婆有甚话说？”那老妪听得语言不是本地上人物，问道：“你是何处来的，却睡在此间？”李承祖道：“我是京中来的。只因身子有病，行走不动，借坐片时，等家人来到，即便去了。”老妪道：“你家人在那里？”李承祖道：“他说先至客店中，放了包裹，然后来背我去。”老妪道：“哎哟。我见你那家人去时，还是上午。如今天将晚了，难道还走不到？想必包裹中有甚银两，撇下你逃走去了。”李承祖因睡得昏昏沉沉，不曾看天色早晚，只道不多一回。闻了此言，急回头仰天观望，果然日已矬西，吃了一惊，暗想道：“一定这狗才料我病势渐凶，懒得伏侍，逃走去了。如今教我进退两难，怎生是好。”禁不住眼中流泪，放声啼哭。有几个邻家俱走来观看。

那老妪见他哭的苦楚，亦觉孤栖，倒放下水桶，问道：“小官人，你父母是何等样人？有甚紧事，恁般寒天冷月，随个家人行走？还要往那里去？”李承祖带泪说道：“不瞒老婆婆说，我父亲是锦衣卫千户，因随赵总兵往陕西征讨反贼，不幸父亲阵亡。母亲着我同家人苗全到战场上寻觅骸骨归葬。不料途中患病，这奴才就撇我而逃，多分也做个他乡之鬼了。”说罢，又哭。众人闻言，各各嗟叹。那老妪道：“可怜，可怜。原来是好人家子息，些些年纪，有如此孝心，难得，难得！只是你身子既然有病，睡在这冷石上，愈加不好了。且阁闼起来，到我铺上去睡睡，或者你家人还来也未可知。”李承祖道：“多谢婆婆美情！恐不好打搅。”那老妪道：“说那里话。谁人没有患难之处。”遂向前扶他进屋里去。邻家也各自散了。承祖跨入门槛，看时，侧边便是个火炕，那铺儿就在炕上。老妪支持他睡下，急急去汲水烧汤，与承祖吃。到半夜间，老妪摸他身上，犹如一块火炭。至天明看时，神思昏迷，人事不省。那老妪央人去请医诊脉，取出钱钞，赎药与他吃，早晚伏侍。那些邻家听见李承祖病凶，在背后笑那老妪着甚要紧，讨这样烦恼。老妪听见，只做不知，毫无倦怠。这也是李承祖未该命绝，得遇恁般好人。有诗为证：

家中母子犹成怨，路次闲人反着疼。
美恶性生天壤异，反教陌路笑亲情。

李承祖这场大病，捱过残年，直至二月中方才稍可。在铺上看着那老妪谢道：“多感婆婆慈悲，救我性命。正是再生父母。若能挣扎回去，定当厚报大德。”那老妪道：“小官人何出此言？老身不过见你路途孤苦，故此相留，有何恩德，却说厚报二字。”光阴迅速，倏忽又三月已尽，四月将交。那时李承祖病体全愈，身子硬挣，遂要别了老妪，去寻父亲骸骨。

那老妪道：“小官人，你病体新痊，只怕还不可劳动。二来前去不知尚有几多路程，你孤身独自，又无盘缠，如何去得？不如住在这里，待我访问近边有入京的，托他与你带信到家，教个的当亲人来同去方好。”承祖道：“承婆婆过念。只是家里也没有甚亲人可来；二则在此久扰，于心不安；三则恁般温和时候，正好行走。倘再捱几时，天道炎热，又是一节苦楚。我的病症，觉得全妥，料也无妨。就是一路去，少不得是个大道，自然有人往来。

待我慢慢求乞前去，寻着了父亲骸骨，再来相会。”那老妪道：“你纵到彼寻着骸骨，又无银两装载回去，也是徒然。”李承祖道：“那边少不得有官府。待我去求告，或者可怜我父为国身亡，设法装送回家，也未可知。”

那老妪再三苦留不住，又去寻凑几钱银子相赠。两下凄凄惨惨，不忍分别，到像个嫡亲子母。临别时，那老妪含着眼泪嘱道：“小官人转来，是必再看看老身，莫要竟自过去。”李承祖喉间哽咽，答应不出，点头涕泣而去。走两步，又回过头来观看。那老妪在门首，也直至望不见了，方才哭进屋里。这些邻家没一个不笑他是个痴婆子：“一个远方流落的小厮，白白里赔钱赔钞，伏侍得才好，急松松就去了，有甚好处，还这般哭泣！不知他眼泪是何处来的？”遂把这事做笑话传说。

看官，你想那老妪乃是贫穷寡妇，倒有些义气。一个从不识面的患病小厮，收留回去，看顾好了，临行又赍赠银两，依依不舍。像这班邻里，都是须眉男子，自己不肯施仁仗义，及见他人做了好事，反又撅唇簸嘴。可见人面相同，人心各别。闲话休题。

且说李承祖又无脚力，又不认得路径，顺着大道，一路问讯，捱向前去。觉道劳倦，随分庵堂寺院，市镇乡村，即便借宿。又亏着那老妪这几钱银子，将就半饥半饱，度到临洮府。那地方自遭兵火之后，道路荒凉，人民稀少。承祖问了向日争战之处，直至皋兰山相近，思想要祭奠父亲一番。怎奈身边止存得十数文铜钱，只得单买了一陌纸钱，讨个火种，向战场一路跑来。远远望去，只见一片旷野，并无个人影来往，心中先有五分惧怯，便立住脚，不敢进步，却又想道：“我受了千辛刀苦，方到此间。若是害怕，怎能够寻得爹爹骸骨？须索拼命前去。”大着胆飞奔到战场中。举目看时，果然好凄惨也。但见：

> 荒原漠漠，野草萋萋。四郊荆棘交缠，一望黄沙无际。髑髅暴露，堪怜昔日英雄；白骨抛残，可惜当年壮士。阴风习习，惟闻鬼哭神号；寒雾濛濛，但见狐奔兔走。猿啼夜月肠应断，雁唳秋云魂自消。

李承祖吹起火种，焚化纸钱，望空哭拜一回。起来仔细寻觅，团团走遍，但见白骨交加，并没一个全尸。原来赵总兵杀退贼兵，看见尸横遍野，心中不忍，即于战场上设祭阵亡将士，收拾尸骸焚化，因此没有全尸遗存。李承祖寻了半日，身子困倦，坐于乱草之中，歇息片时。忽然想起：“征战之际，遇着便杀，即为战场，料非只此一处。正不知爹爹当日丧于那个地方？我却专在此寻觅，岂不是个骇子？”却又想道：“我李承祖好十分懵懂。爹爹身死已久，血肉定自腐坏，骸骨纵在目前，也难厮认。若寻认不出，可不空受这番劳碌？”

心下苦楚，又向空祷告道："爹爹阴灵不远：孩儿李承祖千里寻访至此，收取骸骨，怎奈不能识认。爹爹，你生前尽忠报国，死后自必为神。乞显示骸骨所在，奉归安葬。免使暴露荒丘，为无祀之鬼。"祝罢，放声号哭。又向白骨丛中，东穿西走一回。看看天色渐晚，料来安身不得，随路行走，要寻个歇处。

行不上一里田地，斜插里林子中，走出一个和尚来。那和尚见了李承祖，把他上下一相，说道："你这孩子，好大胆。此是什么所在，敢独自行走？"李承祖哭诉道："小的乃京师人氏，只因父亲随赵总兵出征阵亡，特到此寻觅骸骨归葬。不道没个下落，天又将晚，要觅个宿处。师父若有庵院，可怜借歇一晚，也是无量功德。"那和尚道："你这小小孩子，反有此孝心，难得，难得。只是尸骸都焚化尽了，那里去寻觅？"

李承祖见说这话，哭倒在地。那和尚扶起道："小官人，哭也无益，且随我去住一晚，明日打点回家去罢。"李承祖无奈，只得随着和尚。又行了二里多路，来到一个小小村落，看来只有五六家人家。那和尚住的是一座小茅庵，开门进去，吹起火来，收拾些饭食，与李承祖吃了。问道："小官人，你父亲是何卫军士？在那个将官部下？叫甚名字？"李承祖道："先父是锦衣卫千户，姓李名雄。"和尚大惊道："原来是李爷的公子！"李承祖道："师父，你如何晓得我先父？"

和尚道："实不相瞒，小僧原是羽林卫军人，名叫曾虎二，去年出征，拨在老爷部下。因见我勇力过人，留我帐前亲随，另眼看承。许我得胜之日，扶持一官。谁知七月十四，随老爷上阵，先斩了数百馀级，贼人败去。一时恃勇，追逐十数里，深入重地。贼人伏兵四起，围裹在内。外面救兵又被截住，全军战没。止存老爷与小僧二人，各带重伤，只得同伏在乱尸之中，到深夜起来逃走，不想老爷已死。小僧望见傍边有一带土墙，随负至墙下，推倒墙土掩埋。那时贼兵反拦在前面，不能归营。逃到一个山湾中，遇一老僧，收留在庵。亏他服事，调养好了金疮，朝暮劝化我出家。我也想：死里逃生，不如图个清闲自在。因此依了他，削发为僧。今年春间，老师父身故。有两个徒弟道我是个浯来僧，不容住在庵中。我想既已出家，争甚是非？让了他们，要往远方去，行脚经过此地，见这茅庵空闲，就做个安身之处，往远近村坊抄化度日。不想公子亲来，天遣相遇。"李承祖见说父亲尸骨尚存，倒身拜谢。和尚连忙扶住，又问道："公子恁般年娇力弱，如何家人也不带一个，独自行走？"李承祖将中途染病，苗全抛弃逃回，亏老妪救济前后事细细说出，又道："若寻不见父亲骨殖，已拼触死沙场。天幸得遇吾师，使我父子皆安。"和尚道："此皆老爷英灵不泯，公子孝行感格，天使其然。只是公子孑然一身，又没盘缠，怎能勾装载回去？"公子道："意欲求本处官府设法，不知可肯?”

和尚笑道：“公子差矣。常言道：‘官情如纸薄。’总然极厚相知，到得死后，也还未可必，何况素无相识？却做恁般痴想。”李承祖道：“如此便怎么好?”和尚沉吟半晌，乃道：“不打紧。我有个道理在此。明日将骸骨盛在一件家伙之内，待我负着，慢慢一路抄化至京，可不好么?”李承祖道：“吾师肯恁般用情，生死衔恩不浅。”和尚道：“我蒙老爷识拔之恩，少效犬马之劳，何足挂齿。”

到了次日，和尚向邻家化了一只破竹笼，两条索子，又借柄锄头，又买了几陌纸钱，锁上庵门，引李承祖前去。约有数里之程，也是一个村落，一发没个人烟。直到土墙边放下竹笼，李承祖就哭啼起来。和尚将纸钱焚化，拜祝一番，运起锄头，掘开泥土，露出一堆白骨。从脚上逐节儿收置笼中，掩上笼盖，将索子紧紧捆牢，和尚负在背上。李承祖掮了锄头，回至庵中。和尚收拾衣钵被窝，打个包儿，做成一担，寻根竹子，挑出庵门。把锄头还了，又与各邻家作别，央他看守。二人离了此处，随路抄化，盘缠尽是有馀。不则一日，已至保安村。李承祖想念那老妪的恩义，径来谢别。谁知那老妪自从李承祖去后，日夕挂怀，染成病症，一命归泉。有几个亲戚，与他备办后事，送出郊外，烧化久矣。李承祖问知邻里，望空遥拜，痛哭一场，方才上路。共行了三个多月，方达京都。

离城尚有十里之远，见旁边有个酒店。和尚道：“公子且在此少歇。”齐入店中，将竹笼放于桌上，对李承祖说道：“本该送公子到府，向灵前叩个头儿才是。只是我原系军人，虽则出家，终有人认得。倘被拿作逃军，便难脱身，只得要在此告别，异日再图相会。”李承祖垂泪道：“吾师言虽有理，但承大德，到我家中，或可少尽。今在此外，无以为报，如之奈何?”和尚道：“何出此言？此行一则感老爷昔年恩谊，二则见公子穷途孤弱，故护送前来。那个贪图你的财物。”正说间，酒保将过酒肴。和尚先摆在竹笼前祭奠，一连叩了四五个头，起来又与李承祖拜别。两下各各流泪。饮了数杯，算还酒钱，又将钱雇个牲口，与李承祖乘坐，把竹笼教脚夫背了，自己也背上包裹，齐出店门，洒泪而别。有诗为证：

欲收父骨走风尘，千里孤穷一病身。
老妪周旋僧作伴，皇天不负孝心人。

话分两头。却说苗全自从撇了李承祖，雇着牲口赶到家中。只说已至战场，无处觅寻骸骨。小官人患病身亡，因少了盘缠，不能带回，就埋在彼。暗将真信透与焦氏。那时玉英姊妹一来思念父亲，二来被焦氏日夕打骂，不胜苦楚。又闻了这个消息，愈加悲伤。焦氏也假意啼哭一番。那童仆们见家主阵亡，小官人又死，各寻旺处飞去，单单剩得苗全夫妻和两个养娘，门庭冷如冰炭。焦氏恨不得一口气吹大了亚奴，袭了官职，依然热闹。又闻得兵科给事中上疏，奏请优恤阵亡将士。圣旨下在兵部查覆。焦氏多将金银与焦榕，到部中上下使用，要谋升个指挥之职。那焦榕平日与人干办，打惯了偏手，就是妹子也说不得也要下只手儿。

一日，焦榕走来回覆妹子说话，焦氏安排酒肴款待。原来他兄妹都与酒瓮同年，吃杀不醉的。从午后吃起直至申牌时分，酒已将竭，还不肯止。又教苗全去买酒。苗全提个酒瓶走出大门，刚欲跨下阶头，远远望见一骑牲口，上坐一个小厮，却是小主人李承祖。吃这惊不小，暗道："原来这冤家还在。"掇转身跑入里边，悄悄报知焦氏。焦氏即与焦榕商议停当，教苗全出后门去买砒霜。二人依旧坐着饮酒，等候李承祖进来，不题。

且说李承祖到了自家门首，跳下牲口，赶脚的背着竹笼，跟将进来。直至堂中，静悄悄并不见一人，心内伤感道："爹爹死了，就弄得这般冷落。"教赶脚的把竹笼供在灵座上，打发自去。李承祖向灵前叩拜，转着去时的苦楚，不觉泪如泉涌，哭倒在拜台之上。焦氏听得哭声，假意教丫头出来观看。

那丫头跑至堂中，见是李承祖，惊得魂不附体，带跌而奔，报道："奶奶，公子的魂灵来家了。"焦氏照面一口涎沫，道："啐！青天白日这样乱话！"丫头道："见在灵前啼哭。奶奶若不信，一同去看。"焦榕也假意说道："不信有这般奇事！"一齐走出外边。李承祖看见，带着眼泪向前拜见。焦榕扶住道："途路风霜，不要拜了。"焦氏挣下几点眼泪，说道："苗全回来，说你有不好的信息。日夜想念，懊悔当初教你出去。今幸无事，万千之喜了。只是可曾寻得骸骨？"李承祖指着竹笼道："这个里边就是。"焦氏捧着竹笼，便哭起天来。

玉英姊妹，已是知得李承祖无恙，又惊又喜，奔至堂前，四个男女，抱做一团而哭。哭了一回，玉英道："苗全说你已死，怎地却又活了？"李承祖将途中染病，苗全不容暂停，直至遇见和尚送归始末，一一道出。焦榕怒道："苗全这奴才恁般可恶。待我送他到官，活活敲死，与贤甥出气。"李承祖道："若得舅舅主张，可知好么！"焦氏道："你途中辛苦了，且进去吃些酒饭，将息身子。"遂都入后边。焦榕扯李承祖坐下，玉英姊妹，自避过一边。焦氏一面教丫头把酒去热，自己踅到后门首，恰好苗全已在那里等候。焦氏接了药，分付他停一回进来。焦氏到厨下，将丫鬟使开，把药倾入壶中，依原走来坐下。

少顷，丫头将酒镟汤得飞滚，拿至桌边。焦榕取过一只茶瓯，满斟一杯，递与承祖道："贤甥，借花献佛，权当与你洗尘。"承祖道："多谢舅舅。"接过手放下，也要斟一杯回敬。焦榕又拿起，直推至口边道："我们饮得多了，这壶中所存有限，你且乘热饮一杯。"李承祖不知好歹，骨都都饮个干净。焦榕又斟过一杯道："小官人家须要饮个双杯。"又推到口边。

那李承祖因是尊长相劝，不敢推托，又饮干了。焦榕再把壶斟时，只有小半杯，一发劝李承祖饮了。那酒不饮也罢，才到腹中，便觉难过，连叫肚痛。焦氏道："想是路上触了臭气了。"李承祖道："也不曾触甚臭气。"焦氏道："或者三不知，那里觉得!"须臾间药性发作，犹如钢枪攒刺，烈火焚烧，疼痛难忍，叫声："痛死我也。"跌倒在地。焦榕假惊道："好端端地，为何痛得恁般利害?"焦氏道："一定是绞肠沙了。"急教丫头扶至玉英床上睡下，乱撷乱跌，只叫难过。慌得玉英姊妹手足无措，那里按得他住。不消半个时辰，五脏迸裂，七窍流红，大叫一声，命归泉府。旁边就哭杀了玉英姊妹，喜杀了焦氏婆娘，也假哭几声。

焦榕道："看这个模样，必是触犯了神道，被丧煞打了。如今幸喜已到家里，还好。只是占了甥女卧处，不当稳便。就今夜殓过，省得他们害怕。"焦氏便去取出些银钱。那时苗全已转进前门，打探听得里边哭声鼎沸，量来已是完帐，径走入来。焦氏恰好看见，把银递与苗全，急忙去买下一具棺木，又买两壶酒，与苗全吃够一醉。先把棺木放在一门厢房里，然后揎拳裸臂，跨入房中，教玉英姊妹走开。向床上翻那尸首，也不揩抹去血污，也不换件衣服，伸着双手，便抱起来。一则那厮有些蛮力，二则又趁着酒兴，三则十数岁孩子，原不甚重，轻轻的托在两臂，直至厢房内盛殓。玉英姊妹，随后哭泣。谁知苗全落了银子，买小了棺木，尸首放下去，两只腿露出了五六寸。只得将腿儿竖起，却又顶浮了棺盖。苗全扯来拽去，没做理会。玉英姊妹看了这个光景，越发哭得惨伤。焦氏沉吟半晌，心生一计。把玉英姊妹并丫头都打发出外，掩上门儿，教苗全将尸首拖在地上，提起斧头，砍下两只小腿，横在头下，倒好做个枕儿。收拾停当，钉上棺盖，开门出来。焦榕自回家去。玉英觑见棺已钉好，暗想道："适来放不下，如何打发我姊妹出来了，便能钉上棺盖？难道他们有甚法术，把棺木化大了，尸首缩小了？"好生委决不下。

过了两日，焦氏备起衣衾棺椁，将丈夫骸骨重新殓过，择日安葬祖茔。恰好优恤的覆本已下：李雄止赠忠勇将军，不准升袭指挥。焦氏用费若干银两，空自送在水里。到了安葬之日，亲邻齐来相送。李承祖也就埋在坟侧。偶有人问及，只说路上得了病症，到家便亡。那亲戚都不是切己之事，那个去查他细底。可怜李承祖沙场内倒闸闼得性命，家庭中反断送了残生。正是：

非故翻如故，宜亲却不亲。

万般皆是命，半点不由人。

常言道："痛定思痛。"李承祖死时，玉英慌张慌智不暇致详，到葬后渐渐想出疑惑来。他道："如何不前不后，恰恰里到家便死，不信有恁般凑巧!

况兼口鼻中又都出血；且又不拣个时辰，也不收拾个干净。棺木小了，也不另换，哄了我们转身，不知怎地，胡乱送入里边。那苗全听说要送他到官，至今半句不题，比前反觉亲密，显系是母亲指使的。看起那般做作，我兄弟这死，必定有些蹊跷。”心中虽则明白，然亦无可奈何，只索付之涕泣而已。

那焦氏谋杀了李承祖之后，却又想道：“这小杀才已除，那几个小贱人，日常虽受了些磨折，也只算与他拂养。须是教他大大吃些苦楚，方不敢把我轻觑。”自此日逐寻头讨脑，动辄便是一顿皮鞭，打得体无完肤，却又不许啼哭。若还则一则声，又重新打起。每日止给两餐稀汤薄粥，如做少了生活，打骂自不消说，连这稀汤薄粥也没有得吃了。身上的好衣服，尽都剥去。将丫头们的旧衣旧裳，换与穿着。腊月天气，也只得三四层单衣，背上披一块旧绵絮。夜间止有一条藁荐，一条破被单遮盖，寒冷难熬，如蛆虫般，搅做一团，苦楚不能尽述。玉英姊妹捱忍不过，几遍要寻死路，却又指望还有个好日，舍不得性命，互相劝解。真个求生不能，求死不得。

看看过了残岁，又是新年。玉英已是十二岁了。那年二月间，正德爷晏驾，嘉靖爷嗣统，下速招遍选嫔妃。府司着令民间挨家呈报，如有隐匿，罪坐邻里。那焦氏的邻家，平昔晓得玉英才貌兼美，将名具报本府，一张上选的黄纸帖在门上。那时焦氏就打张了做皇亲国戚的念头，掉过脸来，将玉英百般奉承，通身换了绫罗锦绣，肥甘美味，与他调养。又将银两教焦榕到礼部使用。那玉英虽经了许多磨折，到底骨格犹存。将息数日，面容顿改，又兼穿起华丽衣服，便似画图中人物。府司选到无数女子，推他为第一，备文齐送到礼部选择。礼部官见了玉英这个容仪，已是万分好了。但只年在幼小，恐不谙侍御，发回宁家。那焦氏因用了许多银子，不能够中选，心下懊悔气恼，原翻过向日嘴脸，好衣服也剥去了，好饮食也没得吃了，打骂也更觉勤了。

常言说得好：“坐吃山空，立吃地陷。”当初李雄家业，原不甚大。自从阵亡后，焦氏单单算计这几个小儿女，那个思想去营运。一窝子坐食，能够几时？况兼为封荫选妃二事，又用空了好些。日渐日深，看看弄得罄尽，两个丫头也卖来，完在肚里。那时没处出豁，只得将住房变卖。谁知苗全这厮，见家中败落，亚奴年纪正小，袭职日子尚远，料想目前没甚好处。趁焦氏卖得房价，夜间拱入卧房，偷了银两，领着老婆，逃往远方受用去了。到次早，焦氏方才觉得。这股闷气无处发泄，又迁怒到玉英姊妹，说道：“如何不醒睡，却被他偷了东西去？”又都奉承一顿皮鞭，一面教焦榕告官缉捕。过了两月，那里有个踪迹？此时买主又来催促出房。无可奈何，与焦榕商议，要把玉英出脱。焦榕道：“玉英这个模样儿，慢慢的觅个好主顾，怕道不是一大注银子。如今急切里寻人，能值得多少？不若先把小的胡乱货一个来使用。”

焦氏依了焦榕，便把桃英卖与一个豪富人家为婢。姊妹分别之时，你我不忍分舍，好不惨伤。焦氏赁了一处小房，择日迁居。玉英想起祖父累世安居，一旦弃诸他人，不胜伤感。走出堂前，抬头看见梁间燕子，补缀旧垒，旁边又营一个新巢，暗叹道："这燕儿是个禽鸟，秋去春来，倒还有归旧巢之日。我李玉英今日离了此地，反没个再来之期。"抚景伤心，托物喻意，乃作《别燕诗》一首。诗云：

新巢泥落旧巢欹，尘半疏帘欲掩迟。
愁对呢喃终一别，画堂依旧主人非。

原来焦氏要依傍焦榕，却搬在他侧边小巷中，相去只有半箭之远，间壁乃是贵家的花园。那房屋止得两间，诸色不便。要桶水儿，直要到邻家去汲。那焦氏平日受用惯的，自去不成，少不得通在玉英、月英两个身上。姊妹此时也难顾羞耻，只得出头露面。又过了几时，桃英的身价渐渐又将摸完。一日傍晚，焦氏引着亚奴在门首闲立，见一个乞丐女儿，止有十数岁，在街上求讨，声音叫得十分惨伤。有个邻家老妪对他说道："这般时候，那个肯舍。不时回去罢。"那叫化女儿哭道："奶奶，你那里晓得我的苦楚。我家老的，限定每日要讨五十文钱，若少了一文，便打个臭死，夜饭也不与我吃，又要在明日补足。如今还少六七文，怎敢回去。"那老妪听说得苦恼，就舍了两文。旁边的人，见老妪舍了，一时助兴，你一文，我一文，登时到有十数文。那叫化女儿，千恩万谢，转身去了。焦氏听了这片言语，那知反拨动了个贪念，想道："这个小化子，一日倒讨得许多钱。我家月英那贱人，面貌又不十分标致，卖与人，也值得有限，何不教他也做这桩道路，倒是个永远利息？"

正在沉吟，恰好月英打水回来。焦氏道："小贱人，你可见那叫街的丫头么？他年纪比你还小，每日倒趁五十文钱。你可有处寻得三文五文哩？"月英道："他是个乞丐，千爷爷、万奶奶，叫来的。孩儿怎比得他。"焦氏喝道："你比他有甚么差？自明日为始，也要出去寻五十文一日，若少一文，便打下你下半截来。"玉英姊妹见说要他求乞，惊得面面相觑，满眼垂泪，一齐跪下，说道："母亲，我家世代为官，多有人认得，也要存个体面。若教出去求乞，岂不辱没门风，被人耻笑？"焦氏道："见今饭也没有得吃了，还要甚么体面，怕甚么耻笑。"月英又苦告道："任凭母亲打死了，我决不去的。"焦氏怒道："你这贱人，恁般不听教训。先打个样儿与你尝尝。"即去寻了一块木柴，揪过来，没头没脑乱敲。月英疼痛难忍，只得叫道："母亲饶恕则个。待我明日去便了。"焦氏放下月英，向玉英道："不教你去，是我的好情了，反来放屁阻挠？"拖翻在地，也吃一顿木柴。到次早，即赶逐月英出门求乞。月英无奈，忍耻依随。自此日逐沿街抄化。若足了这五十文，还没得开口；些儿欠缺，便打个半死。

光阴如箭，不觉玉英年已一十六岁。时直三月下旬，焦榕五十寿诞，焦氏引着亚奴同往祝寿。月英自向街坊抄化去了，止留玉英看家。玉英让焦氏去后，掩上门儿，走入里边，手中拈着针指，思想道："爹爹当年生我姊妹，犹如掌上之珠，热气何曾轻呵一口。谁道遇着这个继母，受万般凌辱。兄弟被他谋死，妹子为奴为丐，一个家业弄得瓦解冰消，沦落到恁样地位，真个草菅不如。尚不知去后，还是怎地结果？"又想道："在世料无好处，不如早死为幸。趁他今日不在家，何不寻个自尽，也省了些打骂之苦？"却又想道："我今年已十六岁了。再忍耐几时，少不得嫁个丈夫，或者有个出头日子，岂可枉送这条性命？"把那前后苦楚事，想了又哭，哭了又想。直哭得个有气无力，没情没绪。放下针指，走至庭中，望见间壁园内，红稀绿暗，燕语莺啼，游丝斜袅，榆荚乱坠。看了这般景色，触目感怀，遂吟《送春诗》一言。诗云：

> 柴扉寂寞锁残春，满地榆钱不疗贫。
> 云鬓衣裳半泥土，野花何事独撩人。

玉英吟罢，又想道："自爹爹亡后，终日被继母磨难，将那吟咏之情，久已付之流水。自移居时，作了《别燕诗》，倏忽又经年许。时光迅速如此。"嗟叹了一回，又恐误了女工，急走入来趱赶，见桌上有个帖儿，便是焦榕请妹子吃寿酒的。玉英在后边裁下两折，寻出笔砚，将两首诗录出，细细展玩，又叹口气道："古来多少聪明女子，或共姊妹赓酬，或是夫妻唱和，成千秋佳话。偏我李玉英恁般命薄，埋没至此，岂不可惜可悲！"又伤感多时，愈觉无聊。将那纸左折右折，随手折成个方胜儿，藏于枕边，却忘收了笔砚，忙忙的趱完针指。天色傍晚，刚是月英到家。焦氏接脚也至，见他泪痕未干，便道："那个难为了你，又在家做妖势？"玉英不敢回答，将做下女工与他点看。月英也把钱交过，收拾些粥汤吃了。又做半夜生活，方才睡卧。

到了明日，焦氏见桌上摆着笔砚，检起那帖儿，后边已去了几折，疑惑玉英写他的不好处，同道："你昨日写的是何事？快把来我看。"玉英道："偶然写首诗儿，没甚别事。"焦氏嚷道："可是写情书约汉子，坏我的帖儿？"玉英被这两句话，羞得彻耳根通红。焦氏见他脸涨红了，只道真有私情勾当，逼他拿出这纸来。又见折着方胜，一发道是真了，寻根棒子，指着玉英道："你这贱人恁般大胆。我刚不在家，便写情书约汉子。快些实说是那个？有情几时了？"玉英哭道："那里说起。却将无影丑事来肮脏。可不屈杀了人。"焦氏怒道："赃证现在，还要口硬。"提起棒子，没头没脑乱打，打得玉英无处躲闪，挣脱了往门首便跑。焦氏道："想是要去叫汉子，相帮打我么？"随后来赶。不想绊上一交，正磕在一块砖上，磕碎了头脑，鲜血满面，嚷道："打得我好。只教你不要慌。"月英上前扶起，又要赶来，到亏亚奴紧紧扯住道："娘，饶了姐姐罢。"那婆娘恐带跌了儿子，只得立住脚，百般辱骂。玉英闪在门旁啼哭。

那邻家每日听得焦氏凌虐这两个女儿，今日又听得打得利害，都在门首议论。恰好焦榕撞来，推门进去。那婆娘一见焦榕，便嚷道："来得好。玉英这贱人偷了汉子，反把我打得如此模样。"焦榕看见他满面是血，信以为实，不问情由，抢过焦氏手中棒子，赶近前，将玉英揪过来便打。那邻家抱不平，齐走来说道："一个十五六岁女子家，才打得一顿大棒，不指望你来劝解，反又去打他。就是做母舅的，也没有打甥女之理。"焦榕自觉乏趣，撇下棒子，径自去了。那邻家又说道："也不见这等人家，无一日不打骂这两个女儿。如今一发连母舅都来助兴了。看起来，这两个女子也难存活。"又一个道："若死了，我们就具个公呈，不怕那姓焦的不偿命。"焦氏一句句听见，邻家发作，只得住口，喝月英推上大门，自去揩抹血污，依旧打发月英出去求乞。

玉英哭了一回，忍着疼痛，原入里边去做针指。那焦氏恨声不绝。到了晚间，吞声饮泣，想道："人生百岁，总只一死，何苦受恁般耻辱打骂。"等至焦氏熟睡，悄悄抽身起来，扯下脚带，悬梁高挂。也是命不该绝。这到亏了晚母不去料理他身上，莫说衣衫褴褛，只这脚带不知缠过了几个年头，布缕虽连，没有筋骨。一用力就断了。刚刚上吊，扑通的跌下地来，惊觉月英，身边不见了阿姐，情知必走这条死路，叫声："不好了。"急跳起身，救醒转来。兀自呜呜而哭。那焦氏也不起身，反骂道："这贱人。你把死来诈我么？且到明日与你理会。"

至次早，分付月英在家看守，教亚奴引着到焦榕家里，将昨日邻家说话，并夜来玉英上吊事说与。又道："倘然死了，反来连累着你。不如先送到官，除了这祸根罢。"焦榕道："要摆布他也不难。那锦衣卫堂上，昔年曾替他打干，与我极是相契。你家又是卫籍，竟送他到这个衙门，谁个敢来放屁。"

焦氏大喜，便教焦榕央人写下状词，说玉英奸淫忤逆，将那两首诗做个执证，一齐至锦衣卫衙门前。焦榕与衙门中人，都是厮熟的，先央进去道知其意。少顷升堂，准了焦氏状词，差四个校尉前去，拘拿玉英到来。那问官听了一面之词，不论曲直，便动刑具。玉英再三折辩，那里肯听。可怜受刑不过，只得屈招，拟成剐罪，发下狱中。两个禁子扶出衙门，正遇月英妹子。原来月英见校尉拿去阿姐，唬得魂飞魄散，急忙锁上门儿，随后跟来打探。望见禁子扶挟出来，便钻向前抱住，放声大哭，旁边转过焦氏，一把扯开道："你这小贱人，家里也不顾了，来此做甚？"月英见了焦氏，犹如老鼠见猫，胆丧心惊，不敢不跟着他走。到家又打勾半死，恨道："你下次若又私地去看了这贱人，查访着实，奸歹也送你到这所在去。”月英口虽答应，终是同胞情分，割舍不下。过了两三日，多求乞得几十文钱，悄地踅到监门口，来探望不题。

再说玉英下到狱中，那禁子头见他生得标致，怀个不良之念，假慈悲照顾他，住在一个好房头，又将些饮食调养。玉英认做好人，感激不尽。叮嘱他：“有个妹子月英，定然来看，千万放他进来，相见一面。”那禁子紧紧记在心上。至第四日午后，月英到监门口道出姓名，那禁子流水开门引见玉英。两下悲号，自不必说。渐至天晚，只得分别。自此月英不时进监看觑。不在话下。

且说那禁子贪爱玉英容貌，眠思梦想，要去奸他。一来耳目众多，无处下手；二则恐玉英不从，喊叫起来，坏了好事。捉空就走去说长问短，把几句风话撩拨。玉英是聪明女子，见话儿说得蹊跷，已明白是个不良之人，留心提防，便不十分招架。一日，正在槛上闷坐，忽见那禁子轻手轻脚走来，低声哑气，笑嘻嘻的说道：“小娘子可晓得我一向照顾你的意思么？”玉英知其来意，即立起身道：“奴家不晓得是甚意思。”那禁子又笑道：“小娘子是个伶俐人，难道不晓得？”便向前搂抱。玉英着了急，乱喊“杀人。”那禁子见不是话头，急忙转身，口内说道：“你不从我么？今晚就与你个辣手。”玉英听了这话，捶胸跌脚的号哭，惊得监中人俱来观看。玉英将那禁子调戏情由，告诉众人。内中有几个抱不平的，叫过那禁子说道：“你强奸犯妇，也有老大的罪名。今后依旧照顾他，万事干休；倘有些儿差错，我众人连名出首，但凭你去计较。”那禁子情亏理虚，满口应承，陪告不是：“下次再不敢去惹他。”正是：

羊肉馒头没得吃，空教惹得一身膻。

玉英在狱不觉又经两月有馀，已是六月初旬。原来每岁夏间，在朝廷例有宽恤之典，差太监审录各衙门未经发落之事。凡事枉人冤，许诸人陈奏。比及六月初旬，玉英闻得这个消息，想起一家骨肉，俱被焦氏陷害，此番若不伸冤，再无昭雪之日矣。遂草起辨冤奏章，将合家受冤始末，细细详述。教月英赍奏，其略云：

臣闻先正有云：五刑以不孝为先，四德以无义为耻。故窦氏投崖，云华坠井，是皆毕命于纲常，流芳于后世也。臣父锦衣卫千户李雄，先娶臣母，生臣姊妹三人，及弟李承祖。不幸丧母之日，臣等俱在孩提。父每见怜，仍娶继母焦氏抚养。臣父于正德十四年七月十四日征陕西反贼阵亡。天祸臣家，流移日甚。臣年十六，未获结褵。姊妹伶仃，孑无依荷。标梅已过，红叶无凭。尝有《送春诗》一绝云云，又有《别燕诗》一绝云云。是皆有感而言，情非得已。

奈母氏不察臣衷，疑为外遇，逼舅焦榕，拿送锦衣卫，诬臣奸淫不孝等情。问官昧臣事理，坐臣极刑。臣女流难辨，俯首听从。盖不敢逆继母之情，以重不孝之罪也。迩蒙圣恩熟审，凡事枉人冤，许诸人陈奏。钦此钦遵。故不得不生乐生之心，以冀超脱。臣父本武人，颇知典籍。臣虽妾妇，幸领遗教。

臣继母年二十，有弟亚奴，生方周岁。母图亲儿荫袭，故当父方死之时，计令臣弟李承祖十岁孩儿，亲往战场，寻父遗骨，陷之死地，以图己私。幸赖天佑父灵，抱骨以归。前计不成，仍将臣弟毒药身死，支解弃埋。又将臣妹李桃英卖为人婢，李月英屏去衣食，沿街抄化。今将臣诬陷前情。臣设有不才，四邻何不纠举？又不曾经获某人，只凭数句之诗，寻风捉影，以陷臣罪。臣之死，固当矣，十岁之弟，有何罪乎？数岁之妹，有何辜乎？臣母之过，臣不敢言。《凯风》有诗，臣当自责。臣死不足惜，恐天下后世之为继母者，得以肆其奸妒而无忌也。伏望陛下俯察臣心，将臣所奏付诸有司。先将臣速斩，以快母氏之心。次将臣诗委勘，有无事情。推详臣母之心，尽在不言之表。则臣之生平获雪，而臣父之灵亦有感于地下矣！

这一篇章疏奏上，天子重瞳亲照，怜其冤抑，倒下圣旨，着三法司严加鞫审。三法司官不敢怠慢，会同拘到一干人犯，连桃英也唤至当堂，逐一细问。焦氏、焦榕初时抵赖，动起刑法，方才吐露真情，与玉英所奏无异。勘得焦氏叛夫杀子，逆理乱伦，与无故杀子孙轻律不同，宜加重刑，以为继母之戒。焦榕通同谋命，亦应抵偿。玉英、月英、亚奴发落宁家。又令变卖焦榕家产，赎回桃英。覆本奏闻，请旨。天子怒其凶恶，连亚奴俱敕即日处斩。玉英又上疏恳言："亚奴尚在襁褓，无所知识。且系李氏一线不绝之嗣，乞赐矜宥。"天子准其所奏，诏下刑部，止将焦榕、焦氏二人绑付法场，即日双双受刑。亚奴终身不许袭职。另择嫡枝次房承荫，以继李雄之嗣。玉英、月英、桃英俱择士人配嫁。至今《列女传》中载有李玉英辨冤奏本，又为赞云：

李氏玉英，父死家倾。
《送春》《别燕》，母疑外情。
置之重狱，险罹非刑。
陈情一疏，冤滞始明。

后人又有诗叹云：

昧心晚母曲如钩，只为亲儿起毒谋。
假饶血化西江水，难洗黄泉一段羞。

第二十八卷
吴衙内邻舟赴约

贪花费尽采花心，身损精神德损阴。

劝汝遇花休浪采，佛门第一戒邪淫。

话说南宋时，江州有一秀才，姓潘名遇，父亲潘朗，曾做长沙太守，高致在家。潘遇已中过省元，别了父亲，买舟往临安会试。前一夜，父亲梦见鼓乐旗彩，送一状元扁额进门，扁上正注潘遇姓名。早起唤儿子说知。潘遇大喜，以为青闱首捷无疑。一路去高歌畅饮，情怀开发。不一日，到了临安，寻觅下处，到一个小小人家。主翁相迎，问："相公可姓潘么?"潘遇道："然也，足下何以知之?"主翁道："夜来梦见土地公公说道，今科状元姓潘，明日午刻到此，你可小心迎接。相公正应其兆。若不嫌寒舍简慢，就在此下榻何如?"潘遇道："若果有此事，房价自当倍奉。"即令家人搬运行李到其家停宿。

主人有女年方二八，颇有姿色。听得父亲说其梦兆，道潘郎有状元之分，在窗下偷觑，又见他仪容俊雅，心怀契慕，无繇通款。一日，潘生因取砚水，偶然童子不在，自往厨房，恰与主人之女相见。其女一笑而避之。潘生魂不附体，遂将金戒指二枚、玉簪一只，嘱付童儿，觑空致意此女，恳求幽会。此女欣然领受，解腰间绣囊相答。约以父亲出外，亲赴书斋。一连数日，潘生望眼将穿，未得其便。直至场事已毕，主翁治杯节劳。饮至更深，主翁大醉。潘生方欲就寝，忽闻轻轻叩门之声，启而视之，乃此女也。不及交言，捧进书斋，成其云雨，十分欢爱。约以成名之后，当娶为侧室。

是夜，潘朗在家，复梦向时鼓乐旗彩，迎状元匾额过其门而去。潘朗梦中唤云："此乃我家旗匾。"送匾者答云："非是。"潘朗追而看之，果然又一姓名矣。送匾者云："今科状元合是汝子潘遇，因做了欺心之事，天帝命削去前程，另换一人也。"潘朗惊醒，将信将疑。未几揭晓，潘朗阅登科记，状元果是梦中所迎匾上姓名，其子落第。待其归而叩之，潘遇抵赖不过，只得实说。父子叹嗟不已。潘遇过了岁馀，心念此女，遣人持金帛往聘之，则此女已适他人矣，心中甚是懊悔。后来连走数科不第，郁郁而终。

因贪片刻欢娱景，误却终身富贵缘。

说话的，依你说，古来才子佳人，往往私谐欢好，后来夫荣妻贵，反成美谈，天公大算盘，如何又差错了？看官有所不知。大凡行奸卖俏，坏人终身名节，其过非小。若是五百年前合为夫妇，月下老赤绳系足，不论幽期明配，总是前缘判定，不亏行止。

听在下再说一件故事，也出在宋朝，却是神宗皇帝年间。有一位官人，姓吴名度，汴京人氏，进士出身，除授长沙府通判。夫人林氏，生得一位衙内，单讳个彦字，年方一十六岁，一表人才，风流潇洒。自幼读书，广通经史，吟诗作赋，件件皆能。更有一件异处，你道是甚异处？这等一个清标人物，却吃得东西，每日要吃三升米饭，二斤多肉，十馀斤酒，其外饮馔不算。这还是吴府尹恐他伤食，酌中定下的规矩。若论起吴衙内，只算做半饥半饱，未能趁心像意。

是年三月间，吴通判任满，升选扬州府尹。彼处吏书差役，带领马船，直至长沙迎接。吴度即日收拾行装，辞别僚友起程。下了马船，一路顺风顺水。非止一日，将近江州。昔日白乐天赠商妇《琵琶行》云："江州司马青衫湿。"便是这个地方。吴府尹船上正扬着满帆，中流稳度。倏忽之间，狂风陡作，怒涛汹涌，险些儿掀翻。莫说吴府尹和夫人们慌张，便是篙师舵工无不失色，急忙收帆拢岸。只有四五里江面，也挣了两个时辰。回顾江中往来船只，那一只上不手忙脚乱。求神许愿，挣得到岸，便谢天不尽了。

这里吴府尹马船至了岸旁，抛锚系缆。那边已先有一只官船停泊。两下相隔约有十数丈远。这官船舱门上帘儿半卷，下边站着一个中年妇人，一个美貌女子。背后又侍立三四个丫鬟。吴衙内在舱中帘内，早已瞧见。那女子果然生得娇艳。怎见得？有诗为证：

秋水为神玉为骨，芙蓉如面柳如眉。
分明月殿瑶池女，不信人间有异姿。

吴衙内看了，不觉魂飘神荡，恨不得就飞到他身边，搂在怀中。只是隔着许多路，看得不十分较切。心生一计，向吴府尹道："爹爹，何不教水手移去，帮在这只船上？到也安稳。"吴府尹依着衙内，分付水手移船。水手不敢怠慢，起锚解缆，撑近那只船旁。吴衙内指望帮过了船边，细细饱看。谁知才傍过去，便掩上舱门，把吴衙内一团高兴，直冷淡到脚指尖上。

你道那船中是甚官员？姓甚名谁？那官人姓贺名章，祖贯建康人氏，也曾中过进士。前任钱塘县尉，新任荆州司户，带领家眷前去赴任，亦为阻风，暂驻江州。三府是他同年，顺便进城拜望去了，故此家眷开着舱门闲玩。中年的便是夫人金氏，美貌女子乃女儿秀娥。原来贺司户没有儿子，止得这秀娥小姐，年才十五，真有沉鱼落雁之容，闭月羞花之貌。女工针指，百伶百俐，不教自能。兼之幼时贺司户曾延师教过读书识字，写作俱高。贺司户夫妇因是独养女儿，钟爱胜如珍宝，要赘个快婿，难乎其配，尚未许人。当下

母子正在舱门口观看这些船只慌乱，却见吴府尹马船帮上来，夫人即教丫鬟下帘掩门进去。

吴府尹是仕路上人，便令人问是何处官府。不一时回报说："是荆州司户，姓贺讳章，今去上任。"吴府尹对夫人道："此人昔年至京应试，与我有交。向为钱塘县尉，不道也升迁了。既在此相遇，礼合拜访。"教从人取帖儿过去传报。从人又禀道："那船上说，贺爷进城拜客未回。"正说间，船头上又报道："贺爷已来了。"吴府尹教取公服穿着，在舱中望去，贺司户坐着一乘四人轿，背后跟随许多人从。原来贺司户去拜三府，不想那三府数日前丁忧去了，所以来得甚快。抬到船边下轿，看见又有一只座船，心内也暗转："不知是何使客?"走入舱中，方待问手下人，吴府尹帖儿早已递进。贺司户看罢，即教相请。恰好舱门相对，走过来就是。见礼已毕，各叙间阔寒温。吃过两杯茶，吴府尹起身作别。

不一时，贺司户回拜。吴府尹款留小酌，唤出吴衙内相见，命坐于旁。贺司户因自己无子，观见吴彦仪表超群，气质温雅，先有四五分欢喜。及至问些古今书史，却又应答如流。贺司户愈加起敬，称赞不绝，暗道："此子人才学识，尽是可人。若得他为婿，与女儿恰好正是一对。但他居汴京，我住建康，两地相悬，往来遥远，难好成偶，深为可惜。"此乃贺司户心内之事，却是说不出的话。吴府尹问道："老先生有几位公子?"贺司户道："实不相瞒，止有小女一人，尚无子嗣。"吴衙内也暗想道："适来这美貌女子，必定是了，看来年纪与我相仿，若求得为妇，平生足矣。但他止有此女，料必不肯远嫁，说也徒然。"又想道："莫说求他为妇，今后要再见一面，也不能勾了。怎做恁般痴想。"吴府尹听得贺司户尚没有子，乃道："原来老先生还无令郎，此亦不可少之事。须广置姬妾，以图生育便好。"贺司户道："多承指教，学生将来亦有此意。"

彼此谈论，不觉更深方止。临别时，吴府尹道："倘今晚风息，明晨即行，恐不及相辞了。"贺司户道："相别已久，后会无期，还求再谈一日。"道罢，回到自己船中。夫人小姐都还未卧，秉烛以待。贺司户酒已半酣，向夫人说起吴府尹高情厚谊，又夸扬吴衙内青年美貌，学问广博，许多好处，将来必是个大器，明日要设席请他父子。因有女儿在旁，不好说出意欲要他为婿这一段情来。那晓得秀娥听了，便怀着爱慕之念。

至次日，风浪转觉狂大，江面上一望去，烟水迷濛，浪头推起约有二三丈高，惟闻澎湃之声。往来要一只船儿做样，却也没有。吴府尹只得住下。贺司户清早就送请帖，邀他父子赴酌。那吴衙内记挂着贺小姐，一夜卧不安稳。早上贺司户相邀，正是挖耳当招，巴不能到他船中，希图再得一觑。

偏这吴府尹不会凑趣，道是父子不好齐扰。吴府尹至午后，独自过去，替儿子写帖辞谢。吴衙内难好说得，好不气恼。幸喜贺司户不听，再三差人相请。吴彦不敢自专，又请了父命，方才脱换服饰，过船相见，入坐饮酒。

早惊动后舱贺小姐，悄悄走至遮堂后，门缝中张望。那吴衙内妆束整齐，比平日愈加丰采飘逸。怎见得？也有诗为证：

何郎俊俏颜如粉，荀令风流坐有香。
若与潘生同过市，不知掷果向谁傍？

贺小姐看见吴衙内这表人物，不觉动了私心，想道："这衙内果然风流俊雅，我若嫁得这般个丈夫，便心满意足了。只是怎好在爹妈面前启齿？除非他家来相求才好。但我便在思想，吴衙内如何晓得？欲待约他面会，怎奈爹妈俱在一处，两边船上，耳目又广，没讨个空处。眼见得难就，只索罢休。"心内虽如此转念，那双眼却紧紧觑定吴衙内。大凡人起了爱念，总有十分丑处，俱认作美处。何况吴衙内本来风流，自然转盼生姿，愈觉可爱。又想道："今番错过此人，后来总配个豪家宦室，恐未必有此才貌兼全。"左思右想，把肠子都想断了，也没个计策与他相会。心下烦恼，倒走去坐下。席还未暖，恰像有人推起身的一般，两只脚又早到屏门后张望。看了一回，又转身去坐。不上吃一碗茶的工夫，却又走来观看，犹如走马灯一般，顷刻几个盘旋，恨不得三四步撵至吴衙内身边，把爱慕之情，一一细罄。

说话的，我且问你，在后舱中，非止贺小姐一人，须有夫人丫鬟等辈，难道这般着迷光景，岂不要看出破绽？看官，有个缘故。只因夫人平素有件毛病，刚到午间，便要熟睡一觉，这时正在睡乡，不得工夫。那丫头们，巴不得夫人小姐不来呼唤，背地自去打伙作乐，谁个管这样闲帐？为此并无人知觉。少顷，夫人睡醒，秀娥只得耐住双脚，闷坐呆想。正是：

相思相见知何日？此时此际难为情。

且说吴衙内身虽坐于席间，心却挂在舱后，不住偷眼瞧看。见屏门紧闭，毫无影响，暗叹道："贺小姐，我特为你而来，不能再见一面，何缘分浅薄如此。"怏怏不乐，连酒也懒得去饮。抵暮席散，归到自己船中，没情没绪，便向床上和衣而卧。这里司户送了吴府尹父子过船，请夫人女儿到中舱夜饭。秀娥一心忆着吴衙内，坐在旁边，不言不语，如醉如痴，酒也不沾一滴，箸也不动一动。夫人看了这个模样，忙问道："儿，为甚一毫东西不吃，只是呆坐？"连问几声，秀娥方答道："身子有些不好，吃不下。"司户道："既然不自在，先去睡罢。"夫人便起身，叫丫鬟掌灯，送他睡下，方才出去。停了一回，夫人又来看觑一番，催丫鬟吃了夜饭，进来打铺相伴。

秀娥睡在帐中，翻来覆去，那里睡得着？忽闻舱外有吟咏之声，侧耳听时，乃是吴衙内的声音。其诗云：

天涯犹有梦，对面岂无缘？

莫道欢娱暂，还期盟誓坚。

秀娥听罢，不胜欢喜道："我想了一日，无计见他一面。如今在外吟诗，岂非天付良缘！料此更深人静，无人知觉，正好与他相会。'又恐丫鬟们未睡，连呼数声，俱不答应，量已熟睡。即披衣起身，将残灯挑得亮亮的，轻轻把舱门推开。吴衙内恰如在门首守候的一般，门启处便钻入来，两手搂抱。秀娥又惊又喜，日间许多想念之情，也不暇诉说，连舱门也不曾闭上，相偎相抱，解衣就寝，成其云雨。

正在酣美深处，只见丫鬟起来解手，喊道："不好了，舱门已开，想必有贼。"惊动合船的人，都到舱门口观看。司户与夫人推门进来，教丫鬟点火寻觅。吴衙内慌做一堆，叫道："小姐，怎么处？"秀娥道："不要着忙，你只躲在床上，料然不寻到此。待我打发他们出去，送你过船。"刚抽身下床，不想丫鬟照见了吴衙内的鞋儿，乃道："贼的鞋也在此，想躲在床上。"司户夫妻便来搜看。秀娥推住，连叫没有。那里肯听，向床上搜出吴衙内。秀娥只叫得"苦也"。司户道："叵耐这厮，怎来点污我家？"夫人便说："吊起拷打。"司户道："也不要打，竟撇入江里去罢。"教两个水手，扛头扛脚，抬将出去。

吴衙内只叫饶命。秀娥扯住叫道："爹妈，都是孩儿之罪，不干他事。"司户也不答应，将秀娥推上一交，把吴衙内扑通撇在水里。秀娥此时也不顾羞耻，跌脚捶胸，哭道："吴衙内，是我害着你了。"又想道："他既因我而死，我又何颜独生？"遂抢出舱门，向着江心便跳。

可怜嫩玉娇香女，化作随波逐浪魂。

秀娥刚跳下水，猛然惊觉，却是梦魇，身子仍在床上。旁边丫鬟还在那里叫喊："小姐苏醒。"秀娥睁眼看时，天已明了，丫鬟俱已起身。外边风浪，依然狂大。丫鬟道："小姐梦见甚的？恁般啼哭，叫唤不醒。"秀娥把言语支吾过了，想道："莫不我与吴衙内没有姻缘之分，显这等凶恶梦兆？"又想道："若得真如梦里这回恩爱，就死亦所甘心。"此时又被梦中那段光景在腹内打搅，越发想得痴了，觉道睡来没些聊赖，推枕而起。丫鬟们都不在眼前，即将门掩上，看着舱门，说道："昨夜吴衙内明明从此进来，搂抱至床，不信到是做梦。"又想道："难道我梦中便这般侥幸，醒时却真个无缘不成？"一头思想，一面随手将舱门推开，用目一觑。只见吴府尹船上舱门大开，吴衙内向着这边船上呆呆而坐。

原来二人卧处，都在后舱，恰好间壁，止隔得五六尺远。若去了两重窗槅，便是一家。那吴衙内也因夜来魂颠梦倒，清早就起身，开着窗儿，观望贺司户船中。这也是癞虾蟆想天鹅肉吃的妄想。那知姻缘有分，数合当然。凑巧贺小姐开窗，两下正打个照面。四目相视，且惊且喜。恰如识熟过的，彼此微微而笑。秀娥欲待通句话儿，期他相会，又恐被人听见。遂取过一幅桃花笺纸，磨得墨浓，醮得笔饱，题诗一首，折成方胜，袖中摸出一方绣帕包裹，卷做一团，掷过船去。吴衙内双手承受，深深唱个肥喏，秀娥还了个礼。然后解开看时，其诗云：

花笺裁锦字，绣帕裹柔肠。

不负襄王梦，行云在此方。

傍边又有一行小字道："今晚妾当挑灯相候，以剪刀声响为号，幸勿爽约。"吴衙内看罢，喜出望外，暗道："不道小姐又有如此秀美才华，真个世间少有。"一头赞羡，即忙取过一幅金笺，题诗一首，腰间解下一条锦带，也卷成一块，掷将过来。秀娥接得看时，这诗与梦中听见的一般，转觉骇然，暗道："如何他才题的诗，昨夜梦中倒先见了？看起来我二人合该为配，故先做这般真梦。"诗后边也有一行小字道："承芳卿雅爱，敢不如命。"看罢，纳诸袖中。正在迷恋之际，恰值丫鬟送面水叩门。秀娥轻轻带上槅子，开放丫鬟。随后夫人也来询视。见女儿已是起身，方放下这片愁心。

那日乃是吴府尹答席，午前贺司户就去赴宴。夫人也自昼寝。秀娥取出那首诗来，不时展玩，私心自喜，盼不到晚。有恁般怪事。每常时，霎霎眼便过了一日。偏生这日的日子，恰像有条绳子系住，再不能勾下去，心下好不焦躁！渐渐捱至黄昏，忽地想着这两个丫鬟碍眼，不当稳便，除非如此如此。到夜饭时，私自赏那帖身伏侍的丫鬟一大壶酒，两碗菜蔬。这两个丫头犹如渴龙见水，吃得一滴不留。少顷贺司户筵散回船，已是烂醉。秀娥恐怕吴衙内也吃醉了，不能赴约，反增忧虑。回到后舱，掩上门儿，教丫鬟将香儿熏好了衾枕，分付道："我还要做些针指，你们先睡则个。"那两个丫鬟正是酒涌上来，面红耳热，脚软头旋，也思量干这道儿，只是不好开口，得了此言，正中下怀，连忙收拾被窝去睡。头儿刚刚着枕，鼻孔中就扇风箱般打鼾了。

秀娥坐了更馀，仔细听那两船人声静悄，寂寂无闻，料得无事，遂把剪刀向桌儿上厮琅的一响。那边吴衙内早已会意。原来吴衙内记挂此事，在席上酒也不敢多饮。贺司户去后，回至舱中，侧耳专听。约莫坐了一个更次，不见些影响，心内正在疑惑，忽听得了剪刀之声，喜不自胜，连忙起身，轻手轻脚，开了窗儿，跨将出去，依原推上，耸身跳过这边船来，向窗门上轻轻弹了三弹。秀娥便来开窗，吴衙内钻入舱中，秀娥原复带上。两下又见了个礼儿。吴衙内在灯下把贺小姐仔细一观，更觉千娇百媚。这时彼此情如火热，那有闲工夫说甚言语。吴衙内捧过贺小姐，松开钮扣，解卸衣裳，双双就枕，酥胸紧贴，玉体轻偎。这场云雨，十分美满。但见：

舱门轻叩小窗开，瞥见犹疑梦里来。

万种欢娱愁不足，梅香熟睡莫惊猜。

一回儿云收雨散，各道想慕之情。秀娥只将梦中听见诗句，却与所赠相同的话说出。吴衙内惊讶道："有恁般奇事！我昨夜所梦，与你分毫不差。因道是奇异，闷坐呆想。不道天使小姐也开窗观觑，遂成好事。看起来，多分是宿世姻缘，故令魂梦先通。明日即恳爹爹求亲，以图偕老百年。"秀娥道："此言正合我意。"二人说到情浓之际，阳台重赴，恩爱转笃，竟自一觉睡去。

不想那晚夜半，风浪平静，五鼓时分，各船尽皆开放。贺司户，吴府尹两边船上，也各收拾篷樯，解缆开船。众水手齐声打号子起篷，早把吴衙内、贺小姐惊醒。又听得水手说道："这般好顺风，怕赶不到蕲州。"唬得吴衙内暗暗只管叫苦，说道："如今怎生是好?"贺小姐道："低声。倘被丫鬟听见，反是老大利害。事已如此，急也无用。你且安下，再作区处。"

吴衙内道："莫要应了昨晚的梦便好。"这句话却点醒了贺小姐，想梦中被丫鬟看见鞋儿，以致事露，遂伸手摸起吴衙内那双丝鞋藏过。贺小姐踌躇了千百万遍，想出一个计来，乃道："我有个法儿在此。"吴衙内道："是甚法儿"贺小姐道："日里你便向床底下躲避，我也只推有病，不往外边陪母亲吃饭，竟讨进舱来。待到了荆州，多将些银两与你，趁起岸时人从纷纭，从闹中脱身，觅个便船回到扬州，然后写书来求亲。爹妈若是允了，不消说起；傥或不肯，只得以实告之。爹妈平日将我极是爱惜，到此地位，料也只得允从。那时可不依旧夫妻会合。"吴衙内道："若得如此，可知好哩。"

到了天明，等丫鬟起身出舱去后，二人也就下床。吴衙内急忙钻入床底下，做一堆儿伏着。两旁俱有箱笼遮隐，床前自有帐幔低垂。贺小姐又紧紧坐在床边，寸步不离。盥漱过了，头也不梳，假意靠在桌上。夫人走入看见，便道："阿呀！为何不梳头，却靠在此?"秀娥道："身子觉道不快，怕得梳头。"夫人道："想是起得早些，伤了风了，还不到床上去睡睡?"秀娥道："因是睡不安稳，才坐在这里。"夫人道："既然要坐，还该再添件衣服，休得冻了，越加不好。教丫鬟寻过一领披风，与他穿起。又坐了一回，丫鬟请吃朝膳。夫人道："儿，你身子不安，莫要吃饭，不如教丫鬟香香的煮些粥儿调养，倒好。"秀娥道："我心里不喜欢吃粥，还是饭好。只不耐烦走动，拿进来吃罢。"夫人道："既恁般，我也在此陪你。"秀娥道："这班丫头，背着你眼，就要胡做了，母亲还到外边去吃。"夫人道："也说得是。"遂转身出去，教丫鬟将饭送进摆在桌上。秀娥道："你们自去，待我唤时方来。"打发丫鬟去后，把门顶上，向床底下招出吴衙内来吃饭。

那吴衙内爬起身，把腰伸了一伸，举目看桌上时，乃是两碗荤菜，一碗素菜，饭只有一吃一添。原来贺小姐平日饭量不济，额定两碗，故此只有这些。你想吴衙内食三升米的肠子，这两碗饭填在那处？微微笑了一笑，举起箸两三超，就便了帐，却又不好说得，忍着饿原向床下躲过。秀娥开门，唤过丫鬟又教添两碗饭来吃了。那丫鬟互相私议道："小姐自来只吃得两碗，今日说道有病，如何反多吃了一半，可不是怪事！"不想夫人听见，走来说道："儿，你身子不快，怎的又吃许多饭食？"秀娥道："不妨事，我还未饱哩。"这一日三餐俱是如此。司户夫妇只道女儿年纪长大，增了饭食，正不知舱中，另有个替吃饭的，还饿得有气无力哩。正是：

安排布地瞒天谎，成就偷香窃玉情。

当晚夜饭过了。贺小姐即教吴衙内先上床睡卧，自己随后解衣入寝。夫人又来看时，见女儿已睡，问了声自去。丫鬟也掩门歇息。吴衙内饥馁难熬，对贺小姐说道："事虽好了，只有一件苦处。"秀娥道："是那件？"吴衙内道："不瞒小姐说，我的食量颇宽。今日这三餐，还不勾我一顿。若这般忍饿过日，怎能捱到荆州？"秀娥道："既恁地，何不早说？明日多讨些就是。"吴衙内道："十分讨得多，又怕惹人疑惑。"秀娥道："不打紧，自有道理，但不知要多少才勾？"吴衙内道："那里像得我意。每顿十来碗也胡乱度得过了。"

到次早，吴衙内依旧躲过。贺小姐诈病在床，呻吟不绝。司户夫人担着愁心，要请医人调治，又在大江中，没处去请。秀娥却也不要，只叫肚里饿得慌。夫人流水催进饭来，又只嫌少，共争了十数多碗，倒把夫人唬了一跳，劝他少吃时，故意使起性儿，连叫："快拿去。不要吃了，索性饿死罢。"夫人是个爱女，见他使性，反陪笑脸道："儿，我是好话，如何便气？你若吃得，尽意吃罢了，只不要勉强。"亲自拿起碗箸，递到他手里。秀娥道："母亲在此看着，我便吃不下去。须通出去了，等我慢慢的，或者吃不完，也未可知。"夫人依他言语，教丫鬟一齐出外。秀娥披衣下床，将门掩上。吴衙内便钻出来。因是昨夜饿坏了，见着这饭，也不谦让，也不抬头，一连十数碗，吃个流星赶月。约莫存得碗馀，方才住手，把贺小姐到看呆了，低低问道："可还少么？"吴衙内道："将就些罢，再吃便没意思了。"泻杯茶漱漱口儿，向床下飕的又钻入去了。

贺小姐将馀下的饭吃罢，开门儿，原到床上睡卧。那丫鬟专等他开门，就奔进去。看见饭儿菜儿，都吃得精光，收着家伙，一路笑道："原来小姐患的却是吃饭病。"报知夫人。夫人闻言，只把头摇，说道："亏他怎地吃上这些。那病儿也患得蹊跷。"急请司户来说知，教他请医问卜。连司户也不肯信，分付午间莫要依他，恐食伤了五脏，便难医治。那知未到午时，秀娥便叫肚饥。夫人再三把好言语劝谕时，秀娥就啼哭起来。夫人没法，只得又依着他。晚间亦是如此。司户夫妻只道女儿得了怪病，十分慌张。

这晚已到蕲州停泊，分付水手明日不要开船。清早差人入城，访问名医。

一面求神占卦。不一时，请下个太医来。那太医衣冠齐楚，气宇轩昂。贺司户迎至舱中，叙礼看坐。那太医晓得是位官员，礼貌甚恭。献过两杯茶，问了些病缘，然后到后舱诊脉。诊过脉，复至中舱坐下。贺司户道："请问太医，小女还是何症？"太医先咳了一声嗽，方答道："令爱是痞膨食积。"贺司户道："先生差矣。痞膨食积乃婴儿之疾，小女今年十五岁了，如何还犯此症？"太医笑道："老先生但知其一，不知其二。令爱名虽十五岁，即今尚在春间，只有十四岁之实。倘在寒月所生，才十三岁有馀。老先生，你且想，十三岁的女子，难道不算婴孩？大抵此症，起于饮食失调，兼之水土不伏，食积于小腹之中，凝滞不消，遂至生热，升至胸中，便觉饥饿。及吃下饮食，反资其火，所以日盛一日。若再过月馀不医，就难治了。"贺司户见说得有些道理，问道："先生所见，极是有理了。但今如何治之？"太医道："如今学生先治其积滞，去其风热，住了热，饮食自然渐渐减少，平复如旧矣。"贺司户道："若得如此神效，自当重酬。"道罢，太医起身作别。贺司户封了药资，差人取得药来，流水煎起，送与秀娥。

那秀娥一心只要早至荆州，那个要吃什么汤药？初时见父母请医，再三阻当不住，又难好道出真情，只得由他慌乱。晓得了医者这班言语，暗自好笑。将来的药，也打发丫鬟将去，竟泼入净桶。求神占卦，有的说是星辰不利，又触犯了鹤神，须请僧道禳解，自然无事；有的说在野旷处，遇了孤魂饿鬼，若设醮追荐，便可痊愈。贺司户夫妻一一依从。见服了几剂药，没些效验，吃饭如旧。又请一个医者。那医者更是扩而充之，乘着轿子，三四个仆从跟随。相见之后，高谈阔论，也先探了病源，方才诊脉，问道："老先生可有那个看过么？"贺司户道："前日曾请一位看来。"医者道："他看的是何症？"贺司户道："说是痞膨食积。"医者呵呵笑道："此乃痨瘵之症，怎说是痞膨食积？"贺司户道："小女年纪尚幼，如何有此症候？"医者道："令爱非七情六欲痨怯之比，他本秉气虚弱，所谓孩儿痨便是。"贺司户道："饮食无度，这是为何？"医者道："寒热交攻，虚火上延，因此容易饥饿。"夫人在屏后打听，教人传说，小姐身子并不发热。医者道："这乃内热外寒骨蒸之症，故不觉得。"又讨前日医者药剂看了，说道："这般克罚药，削弱元气。再服几剂，便难救了。待学生先以煎剂治其虚热，调和脏腑，节其饮食。那时，方以滋阴降火养血补元的丸药，慢慢调理，自当痊可。"贺司户称谢道："全仗神力。"遂辞别而去。

少顷，家人又请一个太医到来。那太医却是个老者，须鬓皓然，步履蹒跚。刚坐下，便夸张善识疑难怪异之病："某官府亏老夫救的，某夫人又亏老夫用甚药奏效。"那门面话儿就说了一大派。又细细问了病者起居饮食，才去诊脉。贺司户被他大话一哄，认做有意思的，暗道："常言老医少卜，或者这医人有些效验，也未可知。”医者诊过了脉，向贺司户道：“还是老先生有缘，得遇老夫。令爱这个病症，非老夫不能识。”

贺司户道：“请问果是何疾？”医者道：“此乃有名色的，谓之膈病。”贺司户道：“吃不下饮食，方是膈病，目今比平常多食几倍，如何是这症候？”医者道：“膈病原有几般。像令爱这膈病俗名唤做老鼠膈。背后尽多尽吃；及至见了人，一些也难下咽喉。后来食多发涨，便成蛊胀。二病相兼，便难医治。如今幸而初起，还不妨得，包在老夫身上，可以除根。”言罢，起身。贺司户送出船头方别。

那时一家都认做老鼠膈，见神见鬼的，请医问卜。那晓得贺小姐把来的药，都送在净桶肚里，背地冷笑。贺司户在蕲州停了几日，算来不是长法，与夫人商议，与医者求了个药方，多买些药材，一路吃去，且到荆州另请医人。那老儿因要他写方，着实诈了好些银两，可不是他的造化。有诗为证：

医人未必尽知医，却是将机便就机。

无病妄猜云有病，却教司户折便宜。

常言说得好：“少女少郎，情色相当。”贺小姐初时，还是个处子，云雨之际，尚是逡巡畏缩。况兼吴衙内心慌胆怯，不敢恣肆，彼此未见十分美满。两三日后，渐入佳境，恣意取乐，忘其所以。一晚夜半，丫环睡醒，听得床上唧唧哝哝，床棱戛戛的响。隔了一回，又听得气喘吁吁，心中怪异，次早报与夫人。夫人也因见女面色红活，不像个病容，正有些疑惑，听了这话，合着他的意思。不去通知司户，竟走来观看，又没些破绽。及细看秀娥面貌，愈觉丰采倍常，却又不好开口问得，倒没了主意。坐了一回，原走出去。朝饭已后，终是放心不下，又进去探觑，把远话挑问。秀娥见夫人话儿问得蹊跷，便不答应。耳边忽闻得打鼾之声。原来吴衙内夜间多做了些正经，不曾睡得，此时吃饱了饭，在床底下酣睡。秀娥一时遮掩不来，被夫人听见，将丫鬟使遣开去，把门顶上，向床下一望。只见靠壁一个拢头孩子，曲着身体，睡得好不自在。夫人暗暗叫苦不迭，对秀娥道：“你做下这等勾当，却诈推有病，唬得我夫妻心花儿急碎了。如今羞人答答，怎地做人。这天杀的，他是那里来的？”

秀娥羞得满面通红，说道：“是孩儿不是，一时做差事了。望母亲遮盖则个。这人不是别个，便是吴府尹的衙内。”夫人失惊道：“吴衙内与你从未见面，况那日你爹在他船上吃酒，还在席间陪侍，夜深方散，四鼓便开船了，如何得能到此？”秀娥从实将司户称赞留心，次日屏后张望，夜来做梦，早上开窗订约，并睡熟船开，前后事细细说出。又道：“不肖女一时情痴，丧名失节，玷辱父母，罪实难逭。但两地相隔数千里，一旦因阻风而会，此乃宿世姻缘，天遣成配，非繇人力。儿与吴衙内誓同生死，各不更改。望母亲好言劝爹曲允，尚可挽回前失；倘爹有别念，儿即自尽，决不偷生苟活。今蒙耻禀知母亲，一任主张。”道罢，泪如雨下。

这里母子便说话，下边吴衙内打齁声越发雷一般响了。此时夫人又气又恼，欲待把他难为，一来娇养惯了，那里舍得？二来恐婢仆闻知，反做话靶，吞声忍气，拽开门走往外边去了。秀娥等母亲转身后，急下床顶上门儿，在床下叫醒吴衙内，埋怨道：“你打齁，也该轻些儿，惊动母亲，事都泄漏了。”吴衙内听说事露，唬得浑身冷汗直淋，上下牙齿，顷刻就趷蹬蹬的相打，半句话也挣不出。秀娥道：“莫要慌！适来与母亲如此如此说了。若爹爹依允，不必讲起；不肯时，拼得学梦中结局，决不教你独受其累。”说到此处，不觉泪珠乱滚。

且说夫人急请司户进来，屏退丫鬟，未曾开言，眼中早已簌簌泪下。司户还道愁女儿病体，反宽慰道：“那医者说，只在数日便可奏效，不消烦恼。”夫人道：“听那老光棍花嘴，什么老鼠膈。论起恁样太医，莫说数日内奏效，就一千年还看不出病体。”司户道：“你且说怎的？”夫人将前事细述。把司户气得个发昏章第十一，连声道：“罢了，罢了。这等不肖之女，做恁般丑事，败坏门风，要他何用？趁今晚都结果了性命，也脱了这个丑名。”这两句话惊得夫人面如土色，劝道：“你我已在中年，止有这点骨血。一发断送，更有何人？论来吴衙内好人家子息，才貌兼全，招他为婿，原是门当户对。独怪他不来求亲，私下做这般勾当。事已如此，也说不得了。将错就错，悄地差人送他回去，写书与吴府尹，令人来下聘，然后成礼，两全其美。今若声张，反妆幌子。”司户沉吟半晌，无可奈何，只得依着夫人。出来问水手道：“这里是甚地方？”水手答道：“前边已是武昌府了。”司户分付就武昌暂停，要差人回去。一面修起书札，唤过一个心腹家人，分付停当。

不一时到了武昌。那家人便上涯写下船只，傍在船边。贺司户与夫人同至后舱。秀娥见了父亲，自觉无颜，把被蒙在面上。司户也不与他说话，只道：“做得好事。”向床底下，呼唤吴衙内。那吴衙内看见了司户夫妇，不知是甚意儿，战兢兢爬出来，伏在地上，口称死罪。司户低责道：“我只道你少年博学，可以成器，不想如此无行，辱我家门。本该撇下江里，才消这点恶气。今姑看你父亲面皮，饶你性命，差人送归。若得成名，便把不肖女与你为妻；如没有这般志气，休得指望。”吴衙内连连叩头领命。司户原教他躲过，捱至夜深人静，悄地教家人引他过船，连丫鬟不容一个见面。彼时两下分别，都还道有甚歹念，十分凄惨，又不敢出声啼哭。秀娥又扯夫人到背后，说道：“此行不知爹爹有甚念头，须教家人回时，讨吴衙内书信覆我，方才放心。”夫人真个依着他，又叮嘱了家人。次日清早开船自去。贺司户船只也自望荆州进发。贺小姐诚恐吴衙内途中有变，心下忧虑。即时真个倒想出病来。正是：

乍别冷如冰，动念热如火。

三百六十病，唯有相思苦。

话分两头。且说吴府尹自那早离了江州，行了几十里路，已是朝膳时分，不见衙内起身。还道夜来中酒，看看至午，不见声息，以为奇怪。夫人自去叫唤，并不答应。那时着了忙。吴府尹教家人打开观看，只有一个空舱。唬得府尹夫妻魂魄飞散，呼天怆地的号哭，只是解说不出。合船的人，都道："这也作怪。总来只有只船，那里去了？除非落在水里。"吴府尹听了众人，遂泊住船，寻人打捞。自江州起至泊船之所，百里内外，把江也捞遍了，那里罗得尸首。一面招魂设祭，把夫人哭得死而复苏。吴府尹因没了儿子，连官也不要做了。手下人再三苦劝，方才前去上任。

不则一日，贺司户家人送吴衙内到来。父子一见，惊喜相半。看了书札，方知就里，将衙内责了一场，款留贺司户家人，住了数日，准备聘礼，写起回书，差人同去求亲。吴衙内也写封私书寄与贺小姐。两下家人领着礼物，别了吴府尹，直至荆州，参见贺司户。收了聘礼。又做回书，打发吴府尹家人回去。那贺小姐正在病中，见了吴衙内书信，然后渐渐痊愈。那吴衙内在衙中，日夜攻书。候至开科，至京应试，一举成名，中了进士。凑巧除授荆州府湘潭县县尹。吴府尹见儿子成名，便告了致仕，同至荆州上任，择吉迎娶贺小姐过门成亲。同僚们前来称贺。

两个花烛下新人，锦衾内一双旧友。

秀娥过门之后，孝敬公姑，夫妻和顺，颇有贤名。后来贺司户因念着女儿，也入籍汴京，靠老终身。吴彦官至龙图阁学士，生得二子，亦登科甲。这回书唤做"吴衙内邻舟赴约"。诗云：

佳人才子貌相当，八句新诗暗自将。

百岁姻缘床下就，丽情千古播词场。

第二十九卷
卢太学诗酒傲王侯

卫河东岸浮丘高，竹舍云居隐凤毛。

遂有文章惊董贾，岂无名誉驾刘曹。

秋天散步青山郭，春日催诗白兔毫。

醉倚湛卢时一啸，长风万里破洪涛。

这首诗，系本朝嘉靖年间一个才子所作。那才子是谁？姓卢名楠字少楩，一字子赤，大名府浚县人也。生得丰姿潇洒，气宇轩昂，飘飘有出尘之表。八岁即能属文，十岁便娴诗律，下笔数千言，倚马可待。人都道他是李青莲再世，曹子建后身。一生好酒任侠，放达不羁，有轻财傲物之志。真个名闻天下，才冠当今。与他往来的，俱是名公巨卿。又且世代簪缨，家赀巨富，日常供奉，拟于王侯。所居在城外浮丘山下，第宅壮丽，高耸云汉。后房粉黛，一个个声色兼妙，又选小奚秀美者数人，教成吹弹歌曲，日以自娱。至于童仆厮养，不计其数。

宅后又构一园，大可两三顷，凿池引水，叠石为山，制度极其精巧，名曰啸圃。大凡花性喜暖，所以名花俱出南方，那北地天气严寒，花到其地，大半冻死，因此至者甚少。设或到得一花一草，必为金珰大畹所有，他人亦不易得。这浚县又是个拗处，比京都更难，故宦家园亭虽有，俱不足观。偏卢楠立心要胜似他人，不惜重价，差人四处构取名花异卉，怪石奇峰，落成这园，遂为一邑之胜。真个景致非常！但见：

楼台高峻，庭院清幽。山叠岷峨怪石，花栽阆苑奇葩。水阁遥通行坞，风轩斜透松寮。回塘曲槛，层层碧浪漾琉璃；叠嶂层峦，点点苍苔铺翡翠。牡丹亭畔，孔雀双栖；芍药栏边，仙禽对舞。萦纡松径，绿阴深处小桥横；屈曲花岐，红艳丛中乔木耸。烟迷翠黛，意淡如无；雨洗青螺，色浓似染。木兰舟荡漾芙蓉水际；秋千架摇曳垂杨影里。朱槛画栏相掩映，湘帘绣幙两交辉。

卢楠日夕吟花课鸟，笑傲其间，虽南面至乐，亦不是过！凡朋友去相访，必留连尽醉方止。倘遇着个声气相投，知音的知己，便兼旬累月，款留在家，不肯轻放出门。若有人患难来投奔的，一一俱有赍发，决不令其空过。因此四方慕名来者，络绎不绝。真个是：

座上客常满，樽中酒不空。

卢楠只因才高学广，以为掇青紫如拾针芥，那知文福不齐，任你锦绣般文章，偏生不中试官之意，一连走上几次，不能勾飞黄腾达。他道世无识者，遂绝意功名，不图进取，惟与骚人剑客、羽士高僧，谈禅理，论剑术，呼卢浮白，放浪山水，自称浮丘山人。曾有五言古诗云：

逸翮奋霄汉，高步蹑天关。
褰衣在椒涂，长风吹海澜。
琼树系游镳，瑶华代朝餐。
恣情戏灵景，静啸喈鸣鸾。
浮世信淆浊，焉能濡羽翰！

话分两头，却说清县知县，姓汪名岑，少年连第，贪婪无比，性复猜刻，又酷好杯中之物。若擎着酒杯，便直饮到天明。自到浚县，不曾遇着对手。平昔也晓得卢楠是个才子，当今推重，交游甚广。又闻得邑中园亭，唯他家为最，酒量又推尊第一。因这三件，有心要结识他，做个相知，差人去请来相会。你道有这样好笑的事么？别个秀才要去结交知县，还要捱风缉缝，央人引进，拜在门下，称为老师。四时八节，馈送礼物，希图以小博大。若知县自来相请，就如朝廷征聘一般，何等荣耀，还把名帖粘在壁上，夸炫亲友。这虽是不肖者所为，有气节的未必如此。但知县相请，也没有不肯去的。偏有卢楠比他人不同，知县一连请了五六次，只当做耳边风，全然不睬，只推自来不入公门。你道因甚如此？那卢楠才高天下，眼底无人，天生就一副侠肠傲骨，视功名如敝蓰，等富贵犹浮云，就是王侯卿相，不曾来拜访，要请去相见，他也断然不肯先施，怎肯轻易去见个县官？真个是天子不得臣，诸侯不得友，绝品的高人。

这卢楠已是个清奇古怪的主儿，撞着知县又是个耐烦琐碎的冤家，请人请到四五次不来，也索罢了，偏生只管去缠帐。见卢楠决不肯来，却到情愿自去就教。又恐卢楠他出，先差人将帖子订期。差人领了言语，一直径到卢家，把帖子递与门公说道："本县老爷，有紧要话，差我来传达你相公，相烦引进。"门公不敢怠慢，即引到园上，来见家主。差人随进园门，举目看时，只见水光绕绿，山色送青，竹木扶疏，交相掩映，林中禽鸟，声如鼓吹。那差人从不曾见这般景致，今日到此，恍如登了洞天仙府，好生欢喜，想道："怪道老爷要来游玩，原来有恁地好景！我也是有些缘分，方得至此观玩这番，也不枉为人一世。"遂四下行走，恣意饱看。

湾湾曲曲，穿过几条花径，走过数处亭台，来到一个所在。周围尽是梅花，一望如雪，霏霏馥馥，清香沁人肌骨。中间显出一座八角亭子，朱甍碧瓦，画栋雕梁，亭中悬一个匾额，大书"玉照亭"三字。下边坐着三四个宾客，赏花饮酒，旁边五六个标致青衣，调丝品竹，按板而歌。有高太史《梅花诗》为证：

琼姿只合在瑶台，谁向江南处处栽。
雪满山中高士卧，月明林下美人来。
寒依疏影萧萧竹，春掩残香漠漠苔。
自去渔郎无好韵，东风愁寂几回开。

门公同差人站在门外，候歌完了，先将帖子禀知，然后差人向前说道："老爷令小人多多拜上相公，说既相公不屑到县，老爷当来拜访；但恐相公他出，又不相值，先差小人来期个日子，好来请教。二来闻府上园亭甚好，顺便就要游玩。"

大凡事当凑就不起，那卢楠见知县频请不去，恬不为怪，却又情愿来就教，未免转过念头，想："他虽然贪鄙，终是个父母官儿，肯屈己敬贤，亦是可取，若又峻拒不许，外人只道我心胸褊狭，不能容物了。"又想道："他是个俗吏，这文章定然不晓得的。那诗律旨趣深奥，料必也没相干。若论典籍，他又是个后生小子，徼幸在睡梦中偷得这进士到手，已是心满意足，谅来还未曾识面。至于理学禅宗，一发梦想所不到了。除此之外，与他谈论，有甚意味，还是莫招揽罢。"却又念其来意惓惓，如拒绝了，似觉不情。正沉吟间，小童斟上酒来。他触境情生，就想到酒上，道："倘会饮酒，亦可免俗。"问来人道："你本官可会饮酒么？"答道："酒是老爷的性命，怎么不会饮？"卢楠又问："能饮得多少？"答道："但见拿着酒杯，整夜吃去，不到酩酊不止，也不知有几多酒量。"卢楠心中喜道："原来这俗物，却会饮酒，单取这节罢。"随教童子取个帖儿，付与来人道："你本官既要来游玩，趁此梅花盛时，就是明日罢。我这里整备酒盒相候。"

差人得了言语，原同门公一齐出来，回到县里，将帖子回覆了知县。知县大喜，正要明日到卢楠家去看梅花，不想晚上人来报新按院到任，连夜起身往府，不能如意。差人将个帖儿辞了。知县到府，接着按院，伺行香过了，回到县时，往还数日，这梅花已是：

纷纷玉瓣堆香砌，片片琼英绕画栏。

汪知县因不曾赴梅花之约，心下怏怏，指望卢楠另来相邀。谁知卢楠出自勉强，见他辞了，即撇过一边，那肯又来相请。

看看已到仲春时候，汪知县又想到卢楠园上去游春，差人先去致意。那差人来到卢家园中，只见园林织锦，堤草铺茵，莺啼燕语，蝶乱蜂忙，景色十分艳丽。须臾，转到桃蹊上，那花浑如万片丹霞，千重红锦，好不烂熳。有诗为证：

桃花开遍上林红，耀服繁华色艳浓。
含笑动人心意切，几多消息五更风。

卢楠正与宾客在花下击鼓催花，豪歌狂饮，差人执帖子上前说知。卢楠乘着酒兴对来人道："你快回去与本官说，若有高兴，即刻就来，不必另约。"众宾客道："成不得。我们正在得趣之时，他若来了，就有许多文诌诌，怎能尽兴？还是改日罢。"卢楠道："说得有理，便是明日。"遂取个帖子，打发来人，回覆知县。

你道天下有恁样不巧的事！次日汪知县刚刚要去游春，谁想夫人有五个月身孕，忽然小产起来，晕倒在地，血污浸着身子。唬得知县已是六神无主，还有甚心肠去吃酒，只得又差人辞了卢楠。这夫人病体直至三月下旬，方才稍可。

那时卢楠园中牡丹开放，冠绝一县，真个好花。有《牡丹诗》为证：

洛阳千古斗春芳，富贵真夸浓艳妆。
一自《清平》传唱后，至今人尚说花王。

汪知县为夫人这病，乱了半个多月，情绪不佳，终日只把酒来消闷，连政事也懒得去理。次后闻得卢家牡丹茂盛，想要去赏玩，因两次失约，不好又来相期，差人送三两书仪，就致看花之意。卢楠日子便期了，却不肯受这书仪。璧返数次，推辞不脱，只得受了。那日天气晴爽，汪知县打帐早衙完了就去。不道刚出私衙，左右来报："吏科给事中某爷告养亲归家，在此经过。"正是要道之人，敢不去奉承么？急忙出郭迎接，馈送下程，设宴款待。只道一两日就行，还可以看得牡丹，那知某给事，又是好胜的人，教知县陪了游览本县胜景之处，盘桓七八日方行。等到去后，又差人约卢楠时，那牡丹已萎谢无遗。卢楠也向他处游玩山水，离家两日矣。

不觉春尽夏临，弹指间又早六月中旬。汪知县打听卢楠已是归家，在园中避暑，又令人去传达，要赏莲花。那差人径至卢家，把帖儿教门公传进。须臾间，门公出来说道："相公有话，唤你当面去分付。"差人随着门公，直到一个荷花池畔，看那池团团约有十亩多大，堤上绿槐碧柳，浓阴蔽日；池内红妆翠盖，艳色映人。有诗为证：

凌波仙子斗新妆，七窍虚心吐异香。
何似花神多薄幸，故将颜色恼人肠。

原来那池也有个名色，唤做滟碧池。池心中有座亭子，名曰锦云亭。此亭四面皆水，不设桥梁，以采莲舟为渡，乃卢楠纳凉之处。门公与差人下了采莲舟，荡动画桨，顷刻到了亭边，系舟登岸。差人举目看那亭子：周围朱栏画槛，翠幔纱窗，荷香馥馥，清风徐徐，水中金鱼戏藻，梁间紫燕寻巢，鸥鹭争飞叶底，鸳鸯对浴岸旁。去那亭中看时，只见藤床湘簟，石榻竹几，瓶中供千叶碧莲，炉内焚百和名香。卢楠科头跣足，斜据石榻，面前放一帙古书，手中执着酒杯。旁边冰盘中，列着金桃雪藕、沉李浮瓜，又有几味案酒。一个小厮捧壶，一个小厮打扇。他便看几行书，饮一杯酒，自取其乐。差人未敢上前，在侧边暗想道："同是父母生长，他如何有这般受用！就是我本官中过进士，还有许多劳碌，怎及得他的自在！"

卢楠抬头看见，即问道："你就是县里差来的么？"差人应道："小人正是。"卢楠道："你那本官。到也好笑。屡次订期定日，却又不来；如今又说要看荷花。恁样不爽利，亏他怎地做了官！我也没有许多闲工夫与他缠帐，任凭他有兴便来，不奈烦又约日子。"差人道："老爷多拜上相公，说久仰相公高才，如渴思浆，巴不得来请教，连次皆为不得已事羁住，故此失约。还求相公期个日子，小人好去回语。"卢楠见来人说话伶俐，却也听信了他，乃道："既如此，竟在后日。"差人得了言语，讨个回帖，同门公依旧下船，拌到柳阴堤下上岸，自去回覆了知县。

那汪知县至后日，早衙发落了些公事，约莫午牌时候，起身去拜卢楠。谁想正值三伏之时，连日酷热非常，汪知县已受了些暑气，这时却又在正午，那轮红日犹如一团烈火，热得他眼中火冒，口内烟生，刚到半路，觉道天旋地转，从轿上直撞下来，险些儿闷死在地。从人急忙救起，抬回县中，送入私衙，渐渐苏醒。分付差人辞了卢楠，一面请太医调治。足足里病了一个多月，方才出堂理事，不在话下。

且说卢楠一日在书房中，查点往来礼物，检着汪知县这封书仪，想道："我与他水米无交，如何白白里受他的东西？须把来消豁了，方才干净。"到八月中，差人来请汪知县中秋夜赏月。那知县却也正有此意，见来相请，好生欢喜，取回帖打发来人，说："多拜上相公，至期准赴。"那知县乃一县之主，难道刚刚只有卢楠请他赏月不成？少不得初十边，就有乡绅同僚中相请，况又是个好饮之徒，可有不去的理么？定然一家家捱次都到。至十四这日，辞了外边酒席，于衙中整备家宴，与夫人在庭中玩赏。那晚月色分外皎洁，比寻常更是不同。有诗为证：

玉宇淡悠悠，金波彻夜流。
最怜圆缺处，曾照古今愁。
风露孤轮影，山河一气秋。
何人吹铁笛？乘醉倚南楼。

夫妻对酌，直饮到酩酊，方才入寝。那知县一来是新起病的人，元神未复；二来连日沉酣糟粕，趁着酒兴，未免走了酒字下这道儿；三来这晚露坐夜深，着了些风寒，三合凑又病起来。眼见得卢楠赏月之约，又虚过了。调摄数日，方能痊可。

那知县在衙中无聊，量道卢楠园中桂花必盛，意欲借此排遣。适值有个江南客来打抽丰，送两大罈惠山泉酒，汪知县就把一罈，差人转送与卢楠。卢楠见说是美酒，正中其怀，无限欢喜，乃道："他的政事文章，我也一概勿论，只这酒中，想亦是知味的了。"即写帖请汪知县后日来赏桂花。有诗为证：

凉影一帘分夜月，天官万斛动秋风。
淮南何用歌《招隐》？自可淹留桂树丛。

自古道："一饮一啄，莫非前定。"像汪知县是个父母官，肯屈己去见个士人，岂不是件异事？谁知两下机缘未到，临期定然生出事故，不能相会。这番请赏桂花，汪知县满意要尽竟日之欢，罄夙昔仰想之诚，不料是日还在眠床上，外面就传板进来报："山西理刑赵爷行取入京，已至河下。"恰正是汪知县乡试房师，怎敢怠慢？即忙起身梳洗，出衙上轿，往河下迎接，设宴款待。你想两个得意师生，没有就别之理，少不得盘桓数日，方才转身。这桂花已是：

飘残金粟随风舞，零乱天香满地铺。

却说卢楠素性刚直豪爽，是个傲上吟下之人，见汪知县屡次卑词尽敬，以其好贤，遂有俯交之念。时值九月末旬，园中菊花开遍，那菊花种数甚多，内中惟有三种为贵。那三种？鹤翎、剪绒、西施。每一种各有几般颜色，花大而媚，所以贵重。有《菊花诗》为证：

不共春风斗百芳，自甘篱落傲秋霜。

园林一片萧疏景，几朵依稀散晚香。

卢楠因想汪知县几遍要看园景，却俱中止，今趁此菊花盛时，何不请来一玩？也不枉他一番敬慕之情，即写帖儿，差人去请次日赏菊。家人拿着帖子，来到县里，正值知县在堂理事，一径走到堂上跪下，把帖子呈上，禀道："家相公多拜上老爷，园中菊花盛开，特请老爷明日赏玩。"汪知县正想要去看菊，因屡次失约，难好启齿，今见特地来请，正是挖耳当招，深中其意，看了帖子，乃道："拜上相公，明日早来领教。"那家人得了言语，即便归家回覆家主道："汪大爷拜上相公，明日绝早就来。"那知县说明日早来，不过是随口的话，那家人改做绝早就来，这也是一时错讹之言。不想因这句错话上，得罪了知县，后来把天大家私，弄得罄尽，险些儿连性命都送了。正是：

舌为利害本，口是祸福门。

当下卢楠心下想道："这知县也好笑，那见赴人筵席，有个绝早就来之理。"又想道："或者慕我家园亭，要尽竟日之游。"分付厨夫："大爷明日绝早就来，酒席须要早些完备。"那厨夫听见知县早来，恐怕临时误事，隔夜就手忙脚乱收拾。卢楠到次早分付门上人："今日若有客来，一概相辞，不必通报。又将个名帖，差人去邀请知县。不到朝食时，酒席都已完备，排设在园上燕喜堂中。上下两席，并无别客相陪。那酒席铺设得花锦相似。正是：

富家一席酒，穷汉半年粮。

且说知县那日早衙投文已过，也不退堂，就要去赴酌。因见天色太早，恐酒席未完，吊一起公事来问。那公事却是新拿到一班强盗，专在卫河里打劫来往客商，因都在娼家宿歇，露出马脚，被捕人拿住解到本县，当下一讯都招。内中一个叫做石雪哥，又扳出本县一个开肉铺的王屠，也是同伙，即差人去拿到。知县问道："王屠，石雪哥招称你是同伙，赃物俱窝顿你家，从实供招，免受刑罚。"王屠禀道："爷爷，小人是个守法良民，就在老爷马足下开个肉铺生理，平昔间就街市上不十分行走，那有这事？莫说与他是个同伙，就是他面貌，从不曾识认。老爷不信，拘邻里来问，平日所行所为，就明白了。”知县又叫石雪哥道：“你莫要诬陷平人，若审出是扳害的，登时就打死你这奴才。”石雪哥道：“小的并非扳害，真实是同伙。”王屠叫道：“我认也认不得你，如何是同伙？”石雪哥道：“王屠，我与你一向同做伙计，怎么诈不认得？就是今日，本心原要出脱你的，只为受刑不过，一时间说了出来，你不要怪我！”王屠叫屈连天道：“这是那里说起？”

知县喝交一齐夹起来，可怜王屠夹得死而复苏，不肯招承。这强盗咬定是个同伙，虽夹死终不改口。是巳牌时分，夹到日已倒西，两下各执一词，难以定招。此时知县一心要去赴宴，已不耐烦，遂依着强盗口词，葫芦提将王屠问成斩罪，其家私尽作赃物入官。画供已毕，一齐发下死囚牢里，即起身上轿，到卢家去吃酒不题。

你道这强盗为甚死咬定王屠是个同伙？那石雪哥当初原是个做小经纪的人，因染了时疫症，把本钱用完，连几件破家伙，也卖来吃在肚里。及至病好，却没本钱去做生意，只存得一只锅儿，要把去卖几十文钱，来营运度日。旁边却又有些破的，生出一个计较：将锅煤拌着泥儿涂好，做个草标儿，提上街去卖。转了半日，都嫌是破的，无人肯买。落后走到王屠对门开米铺的田大郎门首，叫住要买。那田大郎是个近觑眼，却看不出损处，一口就还八十文钱。石雪哥也就肯了。

田大郎将钱递与石雪哥，接过手刚在那里数明。不想王屠在对门看见，叫道：“大郎你且仔细看看，莫要买了破的。”这是嘲他眼力不济，乃一时戏谑之言。谁知田大郎真个重新仔细一看，看出那个破损处来，对王屠道：“早是你说，不然几乎被他哄了，果然是破的。”连忙讨了铜钱，退还锅子。

石雪哥初时买成了，心中正在欢喜，次后讨了钱去，心中痛恨王屠，恨不得与他性命相博。只为自己货儿果然破损，没个因头，难好开口，忍着一肚子恶气，提着锅子转身。临行时，还把王屠怒目而视，巴不能等他问一声，就要与他厮闹。那王屠出自无心，那个去看他。石雪哥见不来招揽，只得自去。不想心中气闷，不曾照管得，脚下绊上一交，把锅子打做千百来块，将王屠就恨入骨髓。思想没了生计，欲要寻条死路，诈那王屠，却又舍不得性命。没甚计较，就学做夜行人，到也顺溜，手到擒来。做了年馀，嫌这生意微细，合入大队里，在卫河中巡绰，得来大碗酒、大块肉，好不快活。那时反又感激王屠起来，他道是：“当日若没有王屠说这句话，卖成这只锅子，有了本钱，这时只做小生意过日，那有恁般快活！”及至恶贯满盈，被拿到官，情真罪当，料无生理，却又想起昔年的事来：“那日若不是他说破，卖这几十文钱做生意度日，不见致有今日。”所以扳害王屠，一口咬定，死也不放。故此他便认得王屠，王屠却不相认。后来直到秋后典刑，齐绑在法场上，王屠问道：“今日总是死了，你且说与我有甚冤仇，害我致此？说个明白，死也甘心。”石雪哥方把前情说出。王屠连喊冤枉，要辨明这事。你想：此际有那个来采你？只好含冤而死。正是：

只因一句闲言语，断送堂堂六尺躯。

闲话休题。且说卢楠早上候起，已至巳牌，不见知县来到，又差人去打听，回报说在那里审问公事。卢楠心上就有三四分不乐，道：“既约了绝早就来，如何这时候还问公事？”停了一回，还不见到，又差人去打听，来报说：“这件公事还未问完哩。”卢楠不乐有六七分了，想道：“是我请他的不是，只得耐这次罢。”

俗语道得好，等人性急。略过一回，又差人去打听，这人行无一箭之远，又差一人前来，顷刻就差上五六个人去打听。少停一齐转来回覆说：“正在堂上夹人，想这事急切未得完哩。”卢楠听见这话，凑成十分不乐，心中大怒道：“原来这俗物一无可取，却只管来缠帐，几乎错认了，如今幸尔还好。”即令家人撇开下面这桌酒席，走上前居中向外而坐，叫道：“快把大杯洒热酒来，洗涤俗气。”家人都禀道：“恐大爷一时来到。”卢楠睁起眼喝道：“哇！还说甚大爷？我这酒可是与俗物吃的么？”家人见家主发怒，谁敢再言？只得把大杯斟上，厨下将肴馔供出，小奚在堂中宫商迭奏，丝竹并呈。

卢楠饮了数杯，又讨出大碗，一连吃上十数多碗，吃得性起，把巾服都脱去了，跣足蓬头，踞坐于椅上，将肴馔撤去，止留果品案酒，又吃上十来大碗，连果品也赏了小奚，惟饮寡酒。又吃上几碗。卢楠酒量虽高，原吃不得急酒，因一时恼怒，连饮了几十碗，不觉大醉，就靠在桌上齁齁睡去。家人谁敢去惊动，整整齐齐，都站在两旁伺候。

里边卢楠便醉了，外面管园的却不晓得。远远望见知县头踏来，急忙进来通报。到了堂中，看见家主已醉，到吃一惊道：“大爷已是到了，相公如何先饮得这个模样？”众家人听得知县来到，都面面相觑，没做理会，齐道：“那桌酒便还在，但相公不能勾醒，却怎好？”管园的道：“且叫醒转来，扶醉陪他一陪也罢。终不然特地请来，冷淡他去不成。”众家人只得上前叫唤，喉咙都喊破了，如何得醒？渐渐听得人声喧杂，料道是知县进来，慌了手脚，四散躲过。单单撇下卢楠一人。只因这番，有分教：佳宾贤主，变为百世冤家；好景名花，化作一场春梦。正是：

盛衰有命天为主，祸福无门人自生。

且说汪知县离了县中，来到卢家园门首，不见卢楠迎接，也没有一个家人伺候，从人乱叫：“门上有人么？快去通报，大爷到了。”并无一人答应。知县料是管门的已进去报了，遂分付：“不必呼唤。”竟自进去，只见门上一个匾额，白地翠书“啸圃”两个大字。进了园门，一带都是柏屏，转过湾来，又显出一座门楼，上书“隔凡”二字。过了此门，便是一条松径。绕出松林，打一看时，但见山岭参差，楼台缥缈，草木萧疏，花竹围环。知县见布置精巧，景色清幽，心下暗喜道："高人胸次，自是不同。"但不闻得一些人声，又不见卢楠相迎，未免疑惑，也还道是园中径路错杂，或者从别道往外迎我，故此相左。一行人在园中，任意东穿西走，反去寻觅主人。

次后来到一个所在，却是三间大堂。一望菊花数百，霜英灿烂，枫叶万树，拥若丹霞，橙橘相亚，累累如金。池边芙蓉千百株，颜色或深或浅，绿水红葩，高下相映，鸳鸯凫鸭之类，戏狎其下。汪知县想道："他请我看菊，必在这个堂中了。"径至堂前下轿。走入看时，那里见甚酒席，惟有一人蓬头跣足，居中向外而坐，靠在桌上打齁，此外更无一个人影。从人赶向前乱喊："老爷到了，还不起来。"汪知县举目看他身上服色不像以下之人，又见旁边放着葛巾野服，分付且莫叫唤，看是何等样人。那常来下帖的差人，向前仔细一看，认得是卢楠，禀道："这就是卢相公，醉倒在此。"汪知县闻言，登时紫涨了面皮，心下大怒道："这厮恁般无理。故意哄我上门羞辱。"欲得教从人将花木打个希烂，又想不是官体，忍着一肚子恶气，急忙上轿，分付回县。

轿夫抬起，打从旧路，直至园门首，依原不见一人。那些皂快，没一个不摇首咋舌道："他不过是个监生，如何将官府恁般藐视？这也是件异事。"知县在轿上听见，自觉没趣，怒恼愈加，想道："他总然才高，也是我的治下，曾请过数遍，不肯来见；情愿就见，又馈送银酒，我亦可为折节敬贤之至矣。他却如此无理，将我侮慢。且莫说我是父母官，即使平交，也不该如此。"到了县里，怒气不息，即便退入私衙不题。

且说卢楠这些家人小厮，见知县去后，方才出头，到堂中看家主时，睡得正浓，直至更馀方醒。众人说道："适才相公睡后，大爷就来，见相公睡着，便起身而去。"卢楠道："可有甚话说？"众人道："小人们恐难好答应，俱走过一边，不曾看见。"卢楠道："正该如此！"又懊悔道："是我一时性急，不曾分付闭了园门，却被这俗物，直至此间，践污了地上。"教管园的，明早快挑水将他进来的路径扫涤干净，又着人寻访常来下帖的差人，将向日所送书仪，并那罈泉酒，发还与他。那差人不敢隐匿，遂即到县里去缴还，不在话下。

却说汪知县退到衙中，夫人接着，见他怒气冲天，问道："你去赴宴，如何这般气恼？"汪知县将其事说知。夫人道："这都是自取，怪不得别人。你是个父母官，横行直撞，少不得有人奉承，如何屡屡卑污苟贱，反去请教子民。他总是有才，与你何益？今日讨恁般怠慢，可知好么。"汪知县又被夫人抢白了几句，一发怒上加怒，坐在交椅上，气愤愤的半晌无语。夫人道："何消气得，自古道：'破家县令。"'只这四个字，把汪知县从睡梦中唤醒，放下了怜才敬士之心，顿提起生事害人之念。当下口中不语，心下踌躇，寻思计策安排卢生：“必置之死地，方泄吾恨。”当夜无话。

汪知县早衙已过，次日唤一个心腹令史，进衙商议。那令史姓谭名遵，颇有才干，惯与知县通贼过付，是一个积年猾吏。当下知县先把卢楠得罪之事叙过，次说要访他过恶参之，以报其恨。谭遵道：“老爷要与卢楠作对，不是轻举妄动的，须寻得一件没躲闪的大事，坐在他身上，方可完得性命。那参访一节，恐未必了事，在老爷反有干碍。”汪知县道：“却是为何？”谭遵道：“卢楠与小人原是同里，晓得他多有大官府往来，且又家私豪富。平昔虽则恃才狂放，却没甚违法之事。总然拿了，少不得有天大分上到上司处挽回，决不致死的田地。那时怀恨挟仇，老爷岂不反受其累？”江知县道：“此言虽是，但他恁般放肆，定有几件恶端，你去细细访来，我自有处。”谭遵答应出来，只见外边缴进原送卢楠的书仪、泉酒。知县见了，转觉没趣，无处出气，迁怒到差人身上，说道不该收他的回来，打了二十毛板，就将银酒都赏了差人。正是：

劝君莫作伤心事，世上应多切齿人。

话分两头。却说浮丘山脚下有个农家，叫做钮成，老婆金氏。夫妻两口，家道贫寒，却又少些行止，因此无人肯把田与他耕种，历年只在卢楠家做长工过日。二年前，生了个儿子，那些一般做工的，同卢家几个家人斗分子与他贺喜。论起钮成恁般穷汉，只该辞了才是，十分情不可却，称家有无，胡乱请众人吃三杯，可也罢了。不想他却去弄空头，装好汉，写身子与卢楠家人卢才，抵借二两银子，整个大大筵席款待众人。邻里尽送汤饼，热烘烘倒像个财主家行事。外边正吃得快活，那得知孩子隔日被猫惊了，这时了帐，十分败兴，不能勾尽欢而散。

那卢才肯借银子与钮成，原怀着个不良之念。你道为何？因见钮成老婆有三四分颜色，指望以此为繇，要勾搭这婆娘。谁知缘分浅薄，这婆娘情愿白白里与别人做些交易，偏不肯上卢才的桩儿，反去学向老公说卢才怎样来调戏。钮成认做老婆是个贞节妇人，把卢才恨入骨髓，立意要赖他这项银子。卢才踅了年馀，见这婆娘妆乔做样，料道不能勾上钩，也把念头休了，一味索银。两下面红了好几场，只是没有。有人教卢才个法儿道：“他年年在你家做长工，何不耐到发工银时，一并扣清，可不干净？”卢才依了此言，再不与他催讨，等到十二月中，打听了发银日子，紧紧伺候。

那卢楠田产广多，除了家人，雇工的也有整百，每年至十二月中预发来岁工银。到了是日，众长工一齐进去领银。卢楠恐家人们作弊，短少了众人的，亲自唱名亲发，又赏一顿酒饭。吃个醉饱，叩谢而出。刚至宅门口，卢才一把扯住钮成，问他要银。那钮成一则还钱肉痛，二则怪他调戏老婆，乘着几杯酒兴，反撒赖起来，将银塞在兜肚里，骂道："狗奴才。只欠得这丢银子，便空心来欺负老爷。今日与你性命相博。"当脑撞一个满怀。卢才不曾提防，踉踉跄跄倒退了十数步，几乎跌上一交，恼动性子，赶上来便打。那句"狗奴才"却又犯了众怒，家人们齐道："这厮恁般放泼。总使你的理直，到底是我家长工，也该让我们一分。怎地欠了银子，反要行凶？打这狗亡八。"齐拥上前乱打。常言道："双拳不敌四手。"钮成独自一个，如何抵当得许多人，着实受了一顿拳脚。卢才看见银子藏在兜肚中，扯断带子，夺过去了。众长工再三苦劝，方才住手，推着钮成回家。

不道卢楠在书房中隐隐听得门首喧嚷，唤管门的查问。他的家法最严，管门的恐怕连累，从实禀说。卢楠即叫卢才进去，说道："我有示在先，家人不许擅放私债，盘算小民，如有此等，定行追还原券，重责逐出。你怎么故违我法：却又截抢工银，行凶打他？这等放肆可恶！"登时追出兜肚银子并那纸文契，打了二十，逐出不用，分付管门的："钮成来时，着他来见我，领了银券去。"管门的连声答应出来，不题。

且说钮成刚吃饱得酒食，受了这顿拳头脚尖，银子原被夺去，转思转恼，愈想愈气。到半夜里，火一般发热起来，觉道心头胀闷难过，次日便爬不起。至第二日早上，对老婆道："我觉得身子不好，莫不要死？你快去叫我哥哥来商议。"自古道："无巧不成话。"原来钮成有个嫡亲哥子钮文，正卖与令史谭遵家为奴。金氏平昔也曾到谭家几次，路径已熟，故此教他去叫。当下金氏听见老公说出要死的话，心下着忙，带转门儿，冒着风寒，一径往县中去寻钮文。

那谭遵四处察访卢楠的事过，并无一件；知县又再三催促，到是个两难之事。这一日正坐在公廨中，只见一个妇人慌慌张张的走入来，举目看时，不是别人，却是家人钮文的弟妇。金氏向前道了万福，同道："请问令史，我家伯伯可在么？"谭遵道："到县门前买小菜就来，你有甚事恁般惊惶？"金氏道："好教令史得知：我丈夫前日与卢监生家人卢才费口，夜间就病起来，如今十分沉重，特来寻伯伯去商量。"谭遵闻言，不胜喜欢，忙问道："且说为甚与他家费口？"金氏即将与卢才借银起，直至相打之事，细细说了一遍。谭遵道："原来恁地。你丈夫没事便罢，有些山高水低，急来报知，包在我身上，与你出气。还要他一注大财乡，彀你下半世快活。"

金氏道："若得令史张主，可知好么。"正说间，钮文已回。金氏将这事说知，一齐同去。临出门时，谭遵又嘱付道："如有变故，速速来报。"钮文应允。离了县中，不消一个时辰，早到家中。推门进去，不见一些声息，到床上看时，把二人唬做一跳。——原来直僵僵挺在上面，不知死过几时了。金氏便号淘大哭起来。正是：

夫妻本是同林鸟，大限来时各自飞。

那些东邻西舍听得哭声，都来观看，齐道："虎一般的后生，活活打死了。可怜，可怜。"钮文对金氏说道："你且莫哭，同去报与我主人，再作区处。"金氏依言，锁了大门，嘱付邻里看觑则个，跟着钮文就走。那邻里中商议道："他家一定去告状了。地方人命重情，我们也须呈明，脱了干系。"随后也往县里去呈报。其时远近村坊尽知钮成已死，早有人报与卢楠。那卢楠原是疏略之人，两日钮成不去领这银券，连其事却也忘了，及至闻了此信，即差人去寻获卢才送官。那知卢才听见钮成死了，料道不肯干休，已先逃之夭夭，不在话下。

且说钮文、金氏，一口气跑到县里，报知谭遵。谭遵大喜，悄悄的先到县中，禀了知县。出来与二人说明就里，教了说话，流水写起状词，单告卢楠强占金氏不遂，将钮成擒归打死，教二人击鼓叫冤。钮文依了家主，领着金氏，不管三七念一，执了一块木柴，把鼓乱敲，口内一片声叫喊："救命。"衙门差役，自有谭遵分付，并无拦阻。汪知县听得击鼓，即时升堂，唤钮文、金氏至案前。才看状词，恰好地邻也到了。

知县专心在卢楠身上，也不看地邻呈子是怎样情繇，假意问了几句，不等发房，即时出签，差人捉卢楠立刻赴县。公差又受了谭遵的叮嘱，说："大爷恼得卢楠要紧，你们此去，只除妇女孩子，其馀但是男子汉，尽数拿来。"众皂快素知知县与卢监生有仇，况且是个大家，若还人少，进不得他家大门，遂聚起三兄四弟，共有四五十人，分明是一群猛虎。

此时隆冬日短，天已傍晚，彤云密布，朔风凛冽，好不寒冷。谭遵要奉承知县，陪出酒浆，与众人先发个兴头。一家点起一根火把，飞奔至卢家门首，发一声喊，齐抢入去，逢着的便拿。家人们不知为甚，唬得东倒西歪，儿啼女哭，没奔一头处。卢楠娘子正同着丫鬟们，在房中围炉向火，忽闻得外面人声鼎沸，只道是漏了火，急叫丫鬟们观看。尚未动步，房门口早有家人报道："大娘，不好了。外边无数人执着火把，打进来也。"卢楠娘子还认是强盗来打动，惊得三十六个牙齿，矻噔噔的相打，慌忙叫丫鬟快闭上房门。言犹未毕，一片火光，早已拥入房里。那些丫头们奔走不迭，只叫："大王爷饶命。"众人道："胡说。我们是本县大爷差来拿卢楠的，什么大王爷？"卢楠娘子见说这话，就明白向日丈夫怠慢了知县，今日寻事故来摆布。便道："既是公差，难道不知法度的？我家总有事在县，量来不过户婚田土的事罢了，须不是大逆不道；如何白日里不来，黑夜间率领多人，明火执杖，打入房帏，乘机抢劫。明日到公堂上去讲，该得何罪？"众公差道："只要还了我卢楠，但凭到公堂上去讲。"遂满房遍搜一过，只拣器皿宝玩，取勾像意，方才出门。又打到别个房里，把姬妾们都惊得躲入床底下去。各处搜到，不见卢楠，料想必在园上，一齐又赶入去。

卢楠正与四五个宾客，在暖阁上饮酒，小优两傍吹唱。恰好差去拿卢才的家人，在那里回话，又是两个乱喊上楼报道："相公，祸事到也。"卢楠带醉问道："有何祸事？"家人道"不知为甚？许多人打进大宅抢劫东西，逢着的便被拿住，今已打入相公房中去了。"众宾客被这一惊，一滴酒也无了，齐道："这是为何？可去看来。"便要起身。卢楠全不在意，反拦住道："由他自抢，我们且自吃酒，莫要败兴。快斟热酒来。"

家人跌足道："相公，外边恁般慌乱，如何还要饮酒！"说声未了，忽见楼前一派火光闪烁，众公差齐拥上楼，唬得那几个小优满楼乱滚，无处藏躲。卢楠大怒，喝道："甚么人？敢到此放肆。"叫人快拿。众公差道："本县大爷请你说话，只怕拿不得的！"一条索子，套在颈里道："快走！快走！"卢楠道："我有何事？这等无礼！偏不去！"众公差道："老实说：向日请便请你不动，如今拿到要拿去的。"牵着索子，推的推，扯的扯，拥下楼来。家人共拿了十四五个。众人还想连宾客都拿，内中有人认得俱是贵家公子，又是有名头秀才，遂不敢去惹他。一行人离了园中，一路闹炒炒直至县里。这几个宾客，放心不下，也随来观看。躲过的家人，也自出头，奉着主母之命，将了银两，赶来央人使用打探，不在话下。

且说汪知县在堂等候，堂前灯笼火把，照辉浑如白昼，四下绝不闻一些人声。众公差押卢楠等，直至丹墀下，举目看那知县，满面杀气，分明坐下个阎罗天子。两行隶卒排列，也与牛头夜叉无二。家人们见了这个威势，一个个胆战心惊。众公差跑上堂禀道："卢楠一齐拿到了。"将一干人带上月台，齐齐跪下。钮文、金氏另跪在一边，惟有卢楠挺然居中而立。汪知县见他不跪，仔细看了一看，冷笑道："是一个土豪！见了官府，犹恁般无状！在外安得不肆行无忌？我且不与你计较，暂请到监里去坐一坐。"卢楠倒走上三四步，横挺着身子说道："就到监里去坐也不妨，只要说个明白，我得何罪，昏夜差人抄没？"知县道："你强占良人妻女不遂，打死钮成，这罪也不小。"卢楠闻言，微微笑道："我只道有甚天大事情，为钮成之事。据你说只不过要我偿他命罢了，何须大惊小怪。但钮成原系我家佣奴，与家人卢才口角而死，却与我无干。即使是我打死，亦无死罪之律，若必欲借彼证此，横加无影之罪，以雪私怨，我卢楠不难屈承，只怕公论难泯！"

汪知县大怒道："你打死平人，昭然耳目，却冒认为奴，污蔑问官，抗拒不跪。公堂之上，尚敢如此狂妄，平日豪横，不问可知矣！今且勿论人命真假，只抗逆父母官，该得何罪？"喝教拿下去打。众公差齐声答应，赶向前一把揪翻。卢楠叫道："士可杀而不可辱，我卢楠堂堂汉子，何惜一死！却要用刑？任凭要我认那一等罪，无不如命，不消责罚。"众公差那里繇他做主，按倒在地，打了三十。知县喝教住了，并家人齐发下狱中监禁。钮成尸首着地方买棺盛殓，发至官坛候验。钮文、金氏干证人等，召保听审。

卢楠打得血肉淋漓，两个家人扶着，一路大笑走出仪门。这几个朋友上前相迎。家人们还恐怕来拿，远远而立，不敢近身。众友问道："为甚事，就到杖责？"卢楠道："并无别事，汪知县公报私仇，借家人卢才的假人命，装在我名下，要加个小小死罪。"众友惊骇道："不信有此等奇冤。"内中一友道："不打紧，待小弟回去，与家父说了，明日拉合县乡绅孝廉，与县公讲明。料县公难灭公论，自然开释。"卢楠道："不消兄等费心，但凭他怎地摆布罢了。只有一件紧事，烦到家间说一声，教把酒多送几坛到狱中来。"众友道："如今酒也该少饮。"卢楠笑道："人生贵在适意，贫富荣辱，俱身外之事，于我何有。难道因他要害我，就不饮酒了？这是一刻也少不得的。"正在那里说话，一个狱卒推着背道："快进狱去，有话另日再说。"那狱卒不是别人，叫做蔡贤，也是汪知县得用之人。卢楠睁起眼喝道："哇！可恶！我自说话，与你何干？"蔡贤也焦躁道："呵呀！你如今是在官人犯了，这样公子气质，且请收起，用不着了。"卢楠大怒道："什么在官人犯，就不进去，便怎么。"蔡贤还要回话，有几个老成的，将他推开，做好做歹，将卢楠进了监门，众友也各自回去。卢楠家人自归家回覆主母，不在话下。

原来卢楠出衙门时，谭遵紧随在后，察访这些说话，一句句听得明白，进衙报与知县。知县到次早只说有病，不出堂理事。众乡官来时，门上人连帖也不受。至午后忽地升堂，唤齐金氏一干人犯，并仵作人等，监中吊出卢楠主仆，径去检验钮成尸首。那仵作人已知县主之意，轻伤尽报做重伤。地邻也理会得知县要与卢楠作对，齐咬定卢楠打死。知县又哄卢楠将出钮成佣工文券，只认做假的，尽皆扯碎。严刑拷打，问成死罪，又加二十大板，长枷手扭，下在死囚牢里。家人们一概三十，满徒三年，召保听候发落。金氏、钮文一干证人等，发回宁家。尸棺俟详转定夺。将招繇叠成文案，并卢楠抗逆不跪等情，细细开载在内，备文申报上司。虽众乡绅力为申理，知县执意不从。有诗为证：

县令从来可破家，冶长非罪亦堪嗟。
福堂今日容高士，名圃无人理百花。

且说卢楠本是贵介之人，生下一个脓窠疮儿，就要请医家调治的，如何经得这等刑杖？到得狱中，昏迷不醒。幸喜合监的人，知他是个有钱主儿，奉承不暇，流水把膏药末药送来。家中娘子又请太医来调治，外修内补，不勾一月，平服如旧。那些亲友，络绎不绝，到监中候问。狱卒人等，已得了银子，欢天喜地，繇他们直进直出，并无拦阻。内中单有蔡贤是知县心腹，如飞禀知县主，魆地到监点闸，搜出五六人来，却都是有名望的举人秀士，不好将他难为，教人送出狱门。又把卢楠打上二十。四五个狱卒，一概重责。那狱卒们明知是蔡贤的缘故，咬牙切齿，因是县主得用之人，谁敢与他计较。

那卢楠平日受用的高堂大厦，锦衣玉食，眼内见的是竹木花卉，耳中闻的是笙箫细乐。到了晚间，娇姬美妾，倚翠偎红，似神仙般散诞的人。如今坐于狱中，住的却是钻头不进半塌不倒的房子；眼前见的无非死犯重囚，语言嘈杂，面目凶顽，分明一班妖魔鬼怪；耳中闻的不过是脚镣手杻铁链之声。到了晚间，提铃喝号，击柝鸣锣，唱那歌儿，何等凄惨。他虽是豪迈之人，见了这般景象，也未免睹物伤情，恨不得肋下顷刻生出两个翅膀飞出狱中。又恨不得提把板斧，劈开狱门，连众犯也都放走。一念转着受辱光景，毛发倒竖，恨道："我卢楠做了一世好汉，却送在这个恶贼手里！如今陷于此间，怎能勾出头日子。总然挣得出去，亦有何颜面见人。要这性命何用？不如寻个自尽，到得干净。"又想道："不可，不可。昔日成汤、文王，有夏台、羑里之囚，孙膑、马迁有刖足腐刑之辱：这几个都是圣贤，尚忍辱待时，我卢楠岂可短见？"却又想道："我卢楠相知满天下，身列缙绅者也不少，难道急难中就坐观成败？还是他们不晓得我受此奇冤？须索写书去通知，教他们到上司处挽回。"遂写起若干书启，差家人分头投递那些相知。也有见任，也有林下，见了书札，无不骇然。也有直达汪知县，要他宽罪的，也有托上司开招的。那些上司官，一来也晓得卢楠是当今才子，有心开释，都把招详驳下县里。回书中又露个题目，教卢楠家属前去告状，转批别衙门开招出罪。卢楠得了此信，心中暗喜，即教家人往各上司诉冤。果然都批发本府理刑勘问。理刑官先已有人致意，不在话下。

却说汪知县几日间连接数十封书札，都是与卢楠求解的。正在踌躇，忽见各上司招详，又都驳转。过了几日，理刑厅又行牌到县，吊卷提人，已明知上司有开招放他之意，心下老大惊惧，想道："这厮果然神通广大，身子坐在狱中，怎么各处关节已是布置到了？若此番脱漏出去，如何饶得我过？一不做，二不休，若不斩草除根，恐有后患。"当晚差谭遵下狱，教狱卒蔡贤拿卢楠到隐僻之处，遍身鞭扑，打勾半死，推倒在地，缚了手足，把土囊压住口鼻，那消一个时辰，呜呼哀哉！可怜满腹文章，到此冤沉狱底。正是：

英雄常抱千年恨，风木寒烟空断魂。

话分两头，却说浚县有个巡捕县丞，姓董名绅，贡士出身，任事强干，用法平恕。见汪知县将卢楠屈陷大辟，十分不平，只因官卑职小，不好开口。每下狱查点，便与卢楠谈论，两下遂成相知。那晚恰好也进监巡视，不见了卢楠。问众狱卒时，都不肯说。恼动性子，一片声喝打，方才低低说："大爷差谭令史来讨气绝，已拿向后边去了。"董县丞大惊道："大爷乃一县父母，那有此事？必是你们这些奴才，索诈不遂，故此谋他性命，快引我去寻来。”众狱卒不敢违逆，直引至后边一条夹道中，劈面撞着谭遵、蔡贤。喝教拿住。上前观看，只见卢楠仰在地上，手足尽皆绑缚，面上压个土囊。董县丞叫左右提起土囊，高声叫唤。也是卢楠命不该死，渐渐苏醒。与他解去绳索，扶至房中，寻些热汤吃了，方能说话。乃将谭遵指挥蔡贤打骂谋害情繇说出。

董县丞安慰一番，教人伏事他睡下。然后带谭遵二人到于厅上，思想：“这事虽出是县主之意，料今败露，也不敢承认。欲要拷问谭遵，又想他是县主心腹，只道我不存体面，反为不美。”单唤过蔡贤，要他招承与谭遵索诈不遂，同谋卢楠性命。那蔡贤初时只推县主所遣，不肯招承。董县丞大怒，喝教夹起来。那众狱卒因蔡贤向日报县主来闸监，打了板子，心中怀恨，寻过一副极短极紧的夹棍，才套上去，就喊叫起来，连称：“愿招。”董县丞即便教住了。众狱卒恨着前日的毒气，只做不听见，倒务命收紧，夹得蔡贤叫爹叫娘，连祖宗十七八代尽叫出来。董县丞连声喝住，方才放了。把纸笔要他亲供。蔡贤只得依着董县丞说话供招。董县丞将来袖过，分付众狱卒：“此二人不许擅自释放，待我见过大爷，然后来取。”起身出狱回衙，连夜备了文书。次早汪知县升堂，便去亲递。

汪知县因不见谭遵回覆，正在疑惑；又见董县丞呈说这事，暗吃一惊，心中虽恨他冲破了网，却又奈何他不得。看了文书，只管摇头：“恐没这事。”董县丞道：“是晚生亲眼见的，怎说没有？堂尊若不信，唤二人对证便了。那谭遵犹可恕，这蔡贤最是无理，连堂尊也还污蔑。若不究治，何以惩戒后人？”汪知县被道着心事，满面通红，生怕传扬出去，坏了名声，只得把蔡贤问徒发遣。自此怀恨董县丞，寻两件风流事过，参与上司，罢官而去。此是后话不题。

再说汪知县因此谋不谐，遂具揭呈，送各上司，又差人往京中传送要道之人。大抵说：卢楠恃富横行乡党，结交势要，打死平人，抗送问官，营谋关节，希图脱罪。把情节做得十分利害，无非要张扬其事，使人不敢救援。又教谭遵将金氏出名，连夜刻起冤单，遍处粘帖。布置停当，然后备文起解到府。那推官原是没担当懦怯之辈，见了知县揭帖并金氏冤单，果然恐怕是非，不敢开招，照旧申报上司。大凡刑狱，经过理刑问结，别官就不敢改动。卢楠指望这番脱离牢狱，谁道反坐实了一重死案，依旧发下浚县狱中监禁。还指望知县去任，再图昭雪。那知汪知县因扳翻了个有名富豪，京中多道他有风力，到得了个美名，行取入京，升为给事之职。他已居当道，卢楠总有通天摄地的神通，也没人敢翻他招案。有一巡按御史樊某，怜其冤枉，开招释罪。汪给事知道，授意与同科官，劾樊巡按一本，说他得了贿赂，卖放重囚，罢官回去，着府县原拿卢楠下狱。因此后来上司虽知其冤，谁肯舍了自己官职，出他的罪名。

光阴迅速，卢楠在狱不觉又是十有馀年，经了两个县官。那时金氏、钮文，虽都病故，汪给事却升了京堂之职，威势正盛，卢楠也不做出狱指望。不道灾星将退，那年又选一个新知县到任。只因这官人来，有分教：

此日重阴方启照，今朝甘露不成霜。

却说浚县新任知县，姓陆名光祖，乃浙江嘉兴府平湖县人氏。那官人胸藏锦绣，腹隐珠玑，有经天纬地之才，济世安民之术。出京时，汪公曾把卢楠的事相嘱，心下就有些疑惑，想道："虽是他旧任之事，今已年久，与他还有甚相干，谆谆教谕？其中必有缘故。"到任之后，访问邑中乡绅，都为称枉，叙其得罪之繇。陆公还恐卢楠是个富家央浼下的，未敢全信。又四下暗暗体访，所说皆同。乃道："既为民上，岂可以私怨罗织，陷人大辟？"欲要申文到上司，与他昭雪。又想道："若先申上司，必然行查驳勘，便不能决截了事，不如先开释了，然后申报。"遂吊出那宗卷来，细细查看，前后招繇，并无一毫空隙。反覆看了几次，想道："此事不得卢才，如何结案？"乃出百金为信赏钱，立限与捕役要拿卢才。不一月，忽然获到，将严刑究讯，审出真情。遂援笔批云：

审得钮成以领工食银于卢楠家，为卢才叩债，以致争斗，则钮成为卢氏之雇工人也明矣。雇工人死，无家翁偿命之理。况放债者才，叩债者才，厮打者亦才，释才坐楠，律何称焉？才遁不到官，累及家翁，死有馀辜，拟抵不枉。卢楠久陷于狱，亦一时之厄也。相应释放云云。

当日监中取出卢楠，当堂打开枷杻，释放回家。合衙门人无不惊骇，就是卢楠也出自意外，甚以为异。陆公备齐申文，把卢才起衅根繇，并受枉始末，一一开叙，亲至府中，相见按院呈递。按院看了申文，道他擅行开释，必有私弊，问道："闻得卢楠家中甚富，贤令独不避嫌乎？"陆公道："知县但知奉法，不知避嫌。但知问其枉不枉，不知问其富不富。若是不枉，夷齐亦无生理；若是枉，陶朱亦无死法。"按院见说得词正理直，更不再问，乃道："昔张公为廷尉；狱无冤民，贤令近之矣。敢不领教！"陆公辞谢而出，不题。

且说卢楠回至家中，合门庆幸，亲友尽来相贺。过了数El，卢楠差人打听陆公已是回县，要去作谢。他却也素位而行，换了青衣小帽。娘子道："受了陆公这般大德大恩，须备些礼物去谢他便好。"卢楠道："我看陆公所为，是个有肝胆的豪杰，不比那龌龊贪利的小辈。若送礼去，反轻亵他了。"娘子道："怎见得是反为轻亵？"卢楠道："我沉冤十馀载，上官皆避嫌不肯见原。陆公初莅此地，即廉知枉，毅然开释，此非有十二分才智，十二分胆识，安能如此？今若以利报之，正所谓故人知我，我不知故人也。如何使得？”即轻身而往。

陆公因他是个才士，不好轻慢，请到后堂相见。卢楠见了陆公，长揖不拜。陆公暗以为奇，也还了一礼，遂教左右看坐。门子就扯把椅子，放在傍边。看官，你道有恁样奇事。那卢楠乃久滞的罪人，亏陆公救援出狱，此是再生恩人，就磕穿头，也是该的，他却长揖不拜。若论别官府见如此无礼，心上定然不乐了。那陆公毫不介意，反又命坐。可见他度量宽洪，好贤极矣。谁想卢楠见教他傍坐，倒不悦起来，说道：“老父母，但有死罪的卢楠，没有傍坐的卢楠。”陆公闻言，即走下来，重新叙礼，说道：“是学生得罪了。”即逊他上坐。两下谈今论古，十分款洽，只恨相见之晚，遂为至友。有诗为证：

昔闻长揖大将军，今见卢生抗陆君。
夕释桁阳朝上坐，丈夫意气薄青云。

话分两头，却话汪公闻得陆公释了卢楠，心中不忿，又托心腹连按院劾上一本。按院也将汪公为县令时，挟怨诬人始末，细细详辩一本。倒下圣旨，将汪公罢官回去，按院照旧供职，陆公安然无恙。那时谭遵已省察在家，专一挑写词状。陆公廉访得实，参了上司，拿下狱中，问边远充军。卢楠从此自谓馀生，绝意仕进，益放于诗酒，家事渐渐沦落，绝不为意。

再说陆公在任，分文不要，爱民如子，况又发奸摘隐，剔清利弊，奸宄慑伏，盗贼屏迹，合县遂有神明之称，声名振于都下。只因不附权要，止迁南京礼部主事。离任之日，士民攀辕卧辙，泣声盈道，送至百里之外。那卢楠直送五百馀里，两下依依不舍，欷歔而别。后来陆公累官至南京吏部尚书。卢楠家已赤贫，乃南游白下，依陆公为主。陆公待为上宾，每日供其酒资一千，纵其游玩山水。所到之处，必有题咏，都中传诵。

一日游采石李学士祠，遇一赤脚道人，风致飘然，卢楠邀之同饮。道人亦出葫芦中玉液以酌卢楠。楠饮之，甘美异常，问道：“此酒出于何处？”道人答道：“此酒乃贫道所自造也。贫道结庵于庐山五老峰下，居士若能同游，当恣君斟酌耳。”卢楠道：“既有美酝，何惮相从！”即刻到李学士祠中，作书寄谢陆公，不携行李，随着那赤脚道人而去。陆公见书，叹道：“翛然而来，翛然而去，以乾坤为逆旅，以七尺为蜉蝣，真狂士也。”遣人于庐山五老峰下访之不获。后十年，陆公致政归田，朝廷遣官存问。陆公使其次子往京谢恩，从人见之于京都，寄问陆公安否。或云：遇仙成道矣。后人有诗赞云：

命蹇英雄不自繇，独将诗酒傲公侯。
一丝不挂飘然去，赢得高名万古留。

后人又有一诗警戒文人，莫学卢公以傲取祸。诗曰：

酒癖诗狂傲骨兼，高人每得俗人嫌。

劝人休蹈卢公辙，凡事还须学谨谦。

第三十卷 李汧公穷邸遇侠客

世事纷纷如弈棋，输赢变幻巧难窥。

但存方寸公平理，恩怨分明不用疑。

话说唐玄宗天宝年间，长安有一士人，姓房名德，生得方面大耳，伟干丰躯。年纪三十以外，家贫落魄，十分淹蹇，全亏着浑家贝氏纺织度日。时遇深秋天气，头上还裹着一顶破头巾，身上穿着一件旧葛衣。那葛衣又逐缕缕开了，却与蓑衣相似。思想："天气渐寒，这模样怎生见人？"知道老婆馀得两匹布儿，欲要讨来做件衣服。谁知老婆原是小家子出身，器量最狭，却又配着一副悍毒的狠心肠。那张嘴头子，又巧于应变，赛过刀一般快。凭你什么事，高来高就，低来低对，死的也说得活起来，活的也说得死了去，是一个翻唇弄舌的婆娘。那婆娘看见房德没甚活路，靠他吃死饭，常把老公欺负。房德因不遇时，说嘴不响，每事只得让他，渐渐的有几分惧内。是日贝氏正在那里思想，老公恁般狼狈，如何得个好日？却又怨父母，嫁错了对头，赚了终身，心下正是十分烦恼。恰好触在气头上，乃道："老大一个汉子，没处寻饭吃，靠着女人过日。如今连衣服都要在老娘身上出豁，说出来可不羞么？"

房德被抢白了这两句，满面羞惭，事在无奈，只得老着脸，低声下气道："娘子，一向深亏你的气力，感激不尽。但目下虽是落薄，少不得有好的日子，权借这布与我，后来发积时，大大报你的情罢。"贝氏摇手道："你的甜话儿哄得我多年了，信不过。这两匹布，老娘自要做件衣服过寒的，休得指望。"房德布又取不得，反讨了许多没趣，欲待厮闹一场，因怕老婆嘴舌又利，喉咙又响，恐被邻家听见，反妆幌子。敢怒而不敢言，憋口气撞出门去，指望寻个相识告借。

走了大半日，一无所遇。那天却又与他做对头，偏生的忽地发一阵风雨起来。这件旧葛衣被风吹得飕飕如落叶之声，就长了一身寒栗子。冒着风雨，奔向前面一古寺中躲避。那寺名为云华禅寺。房德跨进山门看时，已先有个长大汉子，坐在左廊槛上。殿中一个老僧诵经。房德就向右廊槛上坐下，呆呆的看着天上。那雨渐渐止了，暗道："这时不走，只怕少刻又大起来。"却待转身，忽掉过头来，看见墙上画一只禽鸟，翎毛儿、翅膀儿、足儿、尾儿，件件皆有，单单不画鸟头。天下有恁样空脑子的人，自己饥寒尚且难顾，有甚心肠，却评品这画的鸟来。想道："常闻得人说：画鸟先画头。这画法怎与人不同？却又不画完，是甚意故？"一头想，一头看，转觉这鸟画得可爱，乃道："我虽不晓此道，谅这鸟头也没甚难处，何不把来续完。"即往殿上与和尚借了一枝笔，蘸得墨饱，走来将鸟头画出，却也不十分丑，自觉欢喜道："我若学丹青，到可成得。"

刚画时，左廊那汉子就捱过来观看，把房德上下仔细一相，笑容可掬，向前道："秀才，借一步说话。"房德道："足下是谁？有甚见教？"那汉道："秀才不消细问，同在下去，自有好处。"房德正在困穷之乡，听见说有好处，不胜之喜。将笔还了和尚，把破葛衣整一整，随那汉子前去。

此时风雨虽止，地上好生泥泞，却也不顾。离了云华寺，直走出升平门，到乐游原傍边。这所在最是冷落。那汉子向一小角门上连叩三声。停了一回，有个人开门出来，也是个长大汉子，看见房德，亦甚欢喜，上前声喏。房德心中疑道："这两个汉子，是何等样人？不知请我来有甚好处？"问道："这里是谁家？"二汉答道："秀才到里边便晓得。"房德走入门里，二汉原把门撑上，引他进去。房德看时，荆蓁满目，衰草漫天，乃是个败落花园。湾湾曲曲，转到一个半塌不倒的亭子上，里边又走出十四五个汉子，一个个拳长臂大，面貌狰狞，见了房德，尽皆满面堆下笑来，道："秀才请进。"房德暗自惊骇道："这班人来得跷蹊，且看他有甚话说？"

众人迎进亭中，相见已毕，逊在板凳上坐下，问道："秀才尊姓？"房德道："小生姓房，不知列位有何说话？"起初同行那汉道："实不相瞒，我众弟兄乃江湖上豪杰，专做这件没本钱的生意。只为俱是一勇之夫，前日几乎弄出事来，故此对天祷告，要觅个足智多谋的好汉，让他做个大哥，听其指挥。适来云华寺墙上画不完的禽鸟，便是众弟兄对天祷告，设下的誓愿，取羽翼俱全，单少头儿的意思。若合该兴隆，天遣个英雄好汉，补足这鸟，便迎请来为头。等候数日，未得其人。且喜天随人愿，今日遇着秀才恁般魁伟相貌，一定智勇兼备，正是真命寨主了。众兄弟今后任凭调度，保个终身安稳快活，可不好么？"对众人道："快去宰杀牲口，祭拜天地。"内中有三四个，一溜烟跑向后边去了。

房德暗讶道："原来这班人，却是一伙强盗。我乃清清白白的人，如何做恁样事？"答道："列位壮士在上，若要我做别事则可，这一桩实不敢奉命。"众人道："却是为何？"房德道："我乃读书之人，还要巴个出身日子，怎肯干这等犯法的勾当？"众人道："秀才所言差矣！方今杨国忠为相，卖官鬻爵，有钱的，便做大官。除了钱时，就是李太白恁样高才，也受了他的恶气，不能得中，若非辨识番书，恐此时还是个白衣秀士哩。不是冒犯秀才说，看你身上这般光景，也不像有钱的，如何指望官做？不如从了我们，大碗酒大块肉，整套穿衣，论秤分金，且又让你做个掌盘，何等快活散诞！倘若有些气象时，据着个山寨，称孤道寡，也繇得你。”房德沉吟未答。

那汉又道：“秀才十分不肯时，也不敢相强。但只是来得去不得，不从时，便要坏你性命，这却莫怪。”都向靴里飕的拔出刀来，唬得房德魂不附体，倒退下十数步来道：“列位莫动手，容再商量。”众人道：“从不从，一言而决，有甚商量？”

房德想道：“这般荒僻所在，若不依他，岂不白白送了性命，有那个知得？且哄过一时，到明日脱身去出首罢。”算计已定，乃道：“多承列位壮士见爱，但小生平昔胆怯，恐做不得此事。”众人道：“不打紧，初时便胆怯，做过几次，就不觉了。”房德道：“既如此，只得顺从列位。”众人大喜，把刀依旧纳在靴中道：“即今已是一家，皆以弟兄相称了。快将衣服来与大哥换过，好拜天地。”便进去捧出一套锦衣，一顶新唐巾，一双新靴。房德着扮起来，威仪比前更是不同。众人齐声喝采道：“大哥这个人品，莫说做掌盘，就是皇帝，也做得过。”

古语云：“不见可欲，使心不乱。”房德本是个贫士，这般华服，从不曾着体，如今忽地焕然一新，不觉移动其念，把众人那班说话，细细一味，转觉有理，想道：“如今果是杨国忠为相，贿赂公行，不知埋没了多少高才绝学。像我恁样平常学问，真个如何能勾官做？若不得官，终身贫贱，反不如这班人受用了。”又想起：“见今恁般深秋天气，还穿着破葛衣。与浑家要匹布儿做件衣服，尚不能勾。及至仰告亲识，又并无一个肯慨然周济。看起来到是这班人义气，与他素无相识，就把如此华美衣服与我穿着，又推我为主。便依他们胡做一场，到也落过半世快活。”却又想道：“不可，不可。倘被人拿住，这性命就休了。”正在胡思乱想，把肠子搅得七横八竖，疑惑不定。只见众人忙摆香案，抬出一口猪，一腔羊，当天排列，连房德共是十八个好汉，一齐跪下，拈香设誓，歃血为盟。祭过了天地，又与房德八拜为交，各叙姓名。

少顷摆上酒肴，请房德坐了第一席，肥甘美酝，恣意饮啖。房德日常不过黄齑淡饭，尚且自不全，间或觅得些酒肉，也不能勾趁心醉饱。今日这番受用，喜出望外。且又众人轮流把盏，大哥前，大哥后，奉承得眉花眼笑。起初还在欲为未为之间，到此时便肯死心塌地，做这桩事了。想道：“或者我命里合该有些造化，遇着这班弟兄扶助，真个弄出大事业来也未可知。若是小就时，只做两三次，寻了些财物，即便罢手，料必无人晓得。然后去打

杨国忠的关节，觅得个官儿，岂不美哉！万一败露，已是享用过头，便吃刀吃剐，亦所甘心，也强如担饥受冻，一生做个饿莩。”有诗为证：

风雨萧萧夜正寒，扁舟急桨上危滩。
也知此去波涛恶，只为饥寒二字难。

众人杯来盏去，直吃到黄昏时候。一人道：“今日大哥初聚，何不就发个利市？”众人齐声道：“言之有理。还是到那一家去好？”房德道：“京都富家，无过是延平门王元宝这老儿为最，况且又在城外，没有官兵巡逻，前后路径，我皆熟惯。上这一处，就抵得十数家了。不知列位以为何如？”众人喜道：“不瞒大哥说，这老儿我们也在心久了。只因未得其便，不想却与大哥暗合，足见同心。”即将酒席收过，取出硫磺、焰硝、火把、器械之类，一齐扎缚起来。但见：

白布罗头，鞝鞋兜脚。脸上抹黑搽红，手内提刀持斧。袴裩刚过膝，牢拴裹肚；衲袄却齐腰，紧缠搭膊。一队幺魔来世界，数群虎豹入山林。

众人结束停当，挨至更馀天气，出了园门，将门反撑好了，如疾风骤雨而来。这延平门离乐游原约有六七里之远，不多时就到了。

且说王元宝乃京兆尹王鉷的族兄，家有敌国之富，名闻天下，玄宗天子亦尝召见。三日前被小偷窃了若干财物，告知王鉷，责令不良人捕获，又拨三十名健儿防护。不想房德这班人晦气，正撞在网里。当下众强盗取出火种，引着火把，照耀浑如白昼，轮起刀斧，一路砍门进去。那些防护健儿并家人等，俱从睡梦中惊醒，鸣锣呐喊，各执棍棒上前擒拿。庄前庄后邻家闻得，都来救护。这班强盗见人已众了，心下慌张，便放起火来，夺路而走。王家人分一半救火，一半追赶上去，团团围住。众强盗拼命死战，戳伤了几个庄客。终是寡不敌众，被打翻数人，馀者尽力奔脱，房德亦在打翻数内。一齐绳穿索缚，等至天明，解进京兆尹衙门。王鉷发下畿尉推问。

那畿尉姓李名勉，字玄卿，乃宗室之子，素性忠贞尚义，有经天纬地之才，济世安民之志。只为李林甫、杨国忠相继为相，妒贤嫉能，病国殃民，屈在下僚，不能施展其才。这畿尉品级虽卑，却是个刑名官儿。凡捕到盗贼，俱属鞫讯；上司刑狱，悉委推勘。故历任的畿尉，定是酷吏，专用那周兴、来俊臣、索元礼遗下有名色的极刑。是那几般名色？有《西江月》为证：

犊子悬车可畏，驴儿拔橛堪哀。凤凰晒翅命难挨，童子参禅魂猝。　玉女登梯最惨，仙人献果伤哉。猕猴钻火不招来，换个夜叉望海。

那些酷吏，一来仗刑立威，二来或是权要嘱托，希承其旨，每事不问情真情枉，一味严刑锻炼，罗织成招。任你铜筋铁骨的好汉，到此也胆丧魂惊，不知断送了多少忠臣义士。惟有李勉与他尉不同，专尚平恕，一切惨酷之刑，置而不用，临事务在得情，故此并无冤狱。

那一日正值早衙，京尹发下这件事来，十来个强盗，五六个戳伤庄客，跪做一庭，行凶刀斧，都堆在阶下。李勉举目看时，内中惟有房德，人材雄伟，丰采非凡，想道："恁样一条汉子，如何为盗？"心下就怀个矜怜之念。当下先唤巡逻的，并王家庄客，问了被劫情由，然后又问众盗姓名，逐一细鞫。俱系当时就擒，不待用刑，尽皆款伏；又招出党羽窟穴。李勉即差不良人前去捕缉。

问至房德，乃匍匐到案前，含泪而言道："小人自幼业儒，原非盗辈。止因家贫无措，昨到亲戚处告贷，为雨阻于云华寺中，被此辈以计诱，威逼入伙，出于无奈。"遂将画鸟及入伙前后事，一一细诉。李勉已是惜其材貌，又见他说得情词可悯，便有意释放他，却又想："一伙同罪，独放一人，公论难泯。况是上司所委，如何回覆？——除非如此如此。"乃假意叱喝下去，分付俱上了枷杻，禁于狱中，俟拿到馀党再问。砍伤庄客，遣回调理。巡逻人记功有赏。发落众人去后，即唤狱卒王太进衙。——原来王太昔年因误触了本官，被诬构成死罪，也亏李勉审出，原在衙门服役。那王太感激李勉之德，凡有委托，无不尽力。为此就参他做押狱之长。

当下李勉分付道："适来强人内，有个房德，我看此人相貌轩昂，言词挺拔，是个未遇时的豪杰。有心要出脱他，因碍着众人，不好当堂明放；托在你身上，觑个方便，纵他逃走。"取过三两一封银子，教他递与，赠为盘费，速往远处潜避，莫在近边，又为人所获。王太道："相公分付，怎敢有违？但恐遗累众狱卒，却如何处？"李勉道："你放他去后，即引妻小，躲入我衙中，将申文俱做于你的名下，众人自然无事。你在我左右，做个亲随，岂不强如为这贱役？"王太道："若得相公收留，在衙伏侍，万分好了。"将银袖过，急急出衙，来到狱中，对小牢子道："新到囚犯，未经刑杖，莫教聚于一处，恐弄出些事来。"小牢子依言，遂将众人四散分开。王太独引房德置在一个僻静之处，把本官美意，细细说出，又将银两交与。房德不胜感激道："烦禁长哥致谢相公，小人今生若不能补报，死当作犬马酬恩。"王太道："相公一片热肠救你，那指望报答？但愿你此去，改行从善，莫负相公起死回生之德。"房德道："多感禁长哥指教，敢不佩领。"

挨到傍晚，王太眼同众牢子将众犯尽上囚床，第一个先从房德起，然后挨次而去。王太觑众人正手忙脚乱之时，捉空踅过来，将房德放起，开了枷锁，又把自己旧衣帽与他穿了，引至监门口。且喜内外更无一人来往，急忙开了狱门，扠他出去。房德拽开脚步，不顾高低，也不敢回家，挨出城门，连夜而走，心下思想："多感畿尉相公救了性命，如今投兀谁好？想起当今惟有安禄山，最为天子宠任，收罗豪杰，何不投之？”遂取路直至范阳，恰好遇着个故友严庄，为范阳长史，引见禄山。那时安禄山久蓄异志，专一招亡纳叛，见房德生得人材出众，谈吐投机，遂留于部下。房德住了几时，暗地差人迎取妻子到彼，不在话下。正是：

挣破天罗地网，撇开闷海愁城。

得意尽夸今日，回头却认前生。

且说王太当晚只推家中有事要回，分付众牢子好生照管，将匙钥交付明白，出了狱门，来至家中，收拾囊箧，悄悄领着妻子，连夜躲入李勉衙中，不题。

且说众牢子到次早放众囚水火，看房德时，枷锁撇在半边，不知几时逃去了。众人都惊得面如土色，叫苦不迭道：“恁样紧紧上的刑具，不知这死囚怎地挣脱逃走了？却害我们吃屈官司。又不知从何处去的？”四面张望墙壁，并不见块砖瓦落地，连泥屑也没有一些，齐道：“这死囚昨日还哄畿尉相公，说是初犯，到是个积年高手。”内中一人道：“我去报知王狱长，教他快去禀官，作急缉获。”那人一口气跑到王太家，见门闭着，一片声乱敲，那里有人答应。间壁一个邻家走过来，道：“他家昨夜乱了两个更次，想是搬去了。”牢子道：“并不见王狱长说起迁居，那有这事。”邻家道：“无过止这间屋儿，如何敲不应？难道睡死不成？”牢子见说得有理，尽力把门拟开，原来把根木子反撑的，里边止有几件粗重家伙，并无一人。牢子道：“却不作怪。他为甚么也走了？这死囚莫不到是他卖放的？休管是不是，且都推在他身上罢了。”把门依旧带上，也不回狱，径望畿尉衙门前来。

恰好李勉早衙理事，牢子上前禀知。李勉佯惊道：“向来只道王太小心，不想恁般大胆，敢卖放重犯！料他也只躲在左近，你们四散去缉访，获到者自有重赏。”牢子叩头而出。李勉备文报府。王铁以李勉疏虞防闲，以不职奏闻天子，罢官为民。一面悬榜，捕获房德、王太。李勉即日纳还官诰，收拾起身，将王太藏于女人之中，带回家去。

不因济困扶危意，肯作藏亡匿罪人？

李勉家道素贫，却又爱做清官，分文不敢妄取，及至罢任，依原是个寒士。归到乡中，亲率童仆，躬耕而食。家居二年有馀，贫困转剧，乃别了夫人，带着王太并两个家奴，寻访故知。由东都一路，直至河北，闻得故人颜杲卿新任常山太守，遂往谒之。路经柏乡县过，这地方离常山尚有二百馀里。李勉正行间，只见一行头踏，手持白棒，开道而来，呵喝道：“县令相公来，还不下马？”李勉引过半边回避。王太远远望见那县令，上张皂盖，下乘白马，威仪济济，相貌堂堂。仔细认时，不是别个，便是昔年释放的房德，乃道：“相公不消避得，这县令就是房德。”李勉闻言，心中甚喜，道：“我说那人是个未遇时的豪杰，今却果然。但不知怎地就得了官职？”欲要上前去问，又想道：“我若问时，此人只道晓得他在此做官，来与索报了，莫问罢。”分付王太禁声，把头回转，让他过去。

那房德渐渐至近，一眼觑见李勉背身而立，王太也在傍边，又惊又喜。连忙止住从人，跳下马来，向前作揖道：“恩相见了房德，如何不唤一声，反掉转头去？险些儿错过。”李勉还礼道：“恐妨足下政事，故不敢相通。”房德道：“说那里话。难得恩相至此，请到敝衙少叙。”李勉此时，鞍马劳倦，又见其意殷勤，答道：“既承雅情，当暂话片时。”遂上马并辔而行，王太随在后面。不一时到了县中，直至厅前下马。房德请李勉进后堂，转过左边一个书院中来，分付从人不必跟入，止留一个心腹干办陈颜，在门口伺候，一面着人整备上等筵席。将李勉四个牲口，发于后槽喂养，行李即教王太等搬将入去。又教人传话衙中，唤两个家人来伏侍。那两个家人，一个教做路信，一个教做支成，都是房德为县尉时所买。

且说房德为何不要从人入去？只因他平日冒称是宰相房玄龄之后，在人前夸炫家世，同僚中不知他的来历，信以为真，把他十分敬重。今日李勉来至，相见之间，恐题起昔日为盗这段情由，怕众人闻得，传说开去，被人耻笑，做官不起。因此不要从人进去，这是他用心之处。当下李勉步入里边去看时，却是向阳一带三间书室，侧边又是两间厢房。这书室庭户虚敞，牕槅明亮，正中挂一幅名人山水，供一个古铜香炉，炉内香烟馥郁。左边设一张湘妃竹榻，右边架上堆满若干图书。沿牕一只几上，摆列文房四宝。庭中种植许多花木，铺设得十分清雅。这所在乃是县令休沐之处，故尔恁般齐整。

且说房德让李勉进了书房，忙忙的掇过一把椅子，居中安放，请李勉坐下，纳头便拜。李勉急忙扶住道：“足下如何行此大礼？”房德道：“某乃待死之囚，得恩相超拔，又赐赠盘缠，遁逃至此，方有今日。恩相即某之再生父母，岂可不受一拜！”李勉是个忠正之人，见他说得有理，遂受了两拜。房德拜罢起来，又向王太礼谢，引他三人到厢房中坐地，又叮咛道：“倘隶卒询问时，切莫与他说昔年之事。”王太道：“不消分付，小人理会得。”

房德复身到书房中，扯把椅儿，打横相陪道：“深蒙相公活命之恩，日夜感激，未能酬报，不意天赐至此相会。”李勉道：“足下一时被陷，吾不过因便斡旋，何德之有？乃承如此垂念。”献茶已毕，房德又道：“请问恩相，升在何任，得过敝邑？”李勉道：“吾因释放足下，京尹论以不职，罢归乡里。家居无聊，故遍游山水，以畅襟怀。今欲往常山，访故人颜太守，路经于此；不想却遇足下，且已得了官职，甚慰鄙意。”房德道：“原来恩相因某之故，累及罢官，某反苟颜窃禄于此，深切惶愧。”李勉道：“古人为义气上，虽身家尚然不顾，区区卑职，何足为道。但不识足下别后，归于何处，得宰此邑？”

房德道：“某自脱狱，逃至范阳，幸遇故人，引见安节使，收于幕下，甚蒙优礼，半年后，即署此县尉之职。近以县主身故，遂表某为令。自愧谫陋菲才，滥叨民社，还要求恩相指教。”李勉虽则不在其位，却素闻安禄山有反叛之志。今见房德乃是他表举的官职，恐其后来党逆，故就他请教上，把言语去规训道：“做官也没甚难处，但要上不负朝廷，下不害百姓，遇着死生利害之处，总有鼎镬在前，斧锁在后，亦不能夺我之志；切勿为匪人所惑，小利所诱，顿尔改节。虽或侥幸一时，实是贻笑千古。足下立定这个主意，莫说为此县令，就是宰相，亦尽可做得过！”房德谢道：“恩相金玉之言，某当终身佩铭。”两下一递一答，甚说得来。

少顷，路信来禀：“筵宴已完，请爷入席。”房德起身，请李勉至后堂，看时乃是上下两席。房德教从人将下席移过左傍。李勉见他要傍坐，乃道：“足下如此相叙，反觉不安，还请坐转。”房德道：“恩相在上，侍坐已是僭妄，岂敢抗礼？”李勉道：“吾与足下今已为声气之友，何必过谦。”遂令左右，依旧移在对席。从人献过杯箸，房德安席定位。庭下承应乐人，一行儿摆列奏乐。那筵席杯盘罗列，非常丰盛：虽无炮凤烹龙，也极山珍海错。当下宾主欢洽，开怀畅饮，更馀方止。王太等另在一边款待，自不必说。此时二人转觉亲热，携手而行，同归书院。

房德分付路信，取过一副供奉上司的铺盖，亲自施设裀褥，提携溺器。李勉扯住道：“此乃仆从之事，何劳足下自为。”房德道：“某受相公大恩，即使生生世世，执鞭随镫，尚不能报万一；今不过少尽其心，何足为劳。”铺设停当，又教家人另放一榻，在傍相陪。李勉见其言词诚恳，以为信义之士，愈加敬重。两下挑灯对坐，彼此倾心吐胆，各道生平志愿，情投契合，遂为至交，只恨相见之晚。直至夜分，方才就寝。次日同僚官闻得，都来相访。相见之间，房德只说：“是昔年曾蒙识荐，故此有恩。”同僚官又在县主面上讨好，各备筵席款待。

话休烦絮。房德自从李勉到后，终日饮酒谈论，也不理事，也不进衙，其侍奉趋承，就是孝子事亲，也没这般尽礼。李勉见恁样殷勤，诸事俱废，反觉过意不去。住了十来日，作辞起身。房德那里肯放，说道：“恩相至此，正好相聚，那有就去之理。须是多住几月，待某拨夫马送至常山便了。”李勉道：“承足下高谊，原不忍言别。但足下乃一县之主，今因我在此，耽误了许多政务，倘上司知得，不当稳便。况我去心已决，强留于此，反不适意。”房德料道留他不住，乃道：“恩相既坚执要去，某亦不好苦留。只是从此一别，后会无期。明日容治一樽，以尽竟日之欢，后日早行何如？”李勉道：“既承雅意，只得勉留一日。”房德留住了李勉，唤路信跟着回到私衙，要收拾礼物馈送。只因这番，有分教李畿尉险些儿送了性命。正是：

祸兮福所倚，福兮祸所伏。

所以恬淡人，无营心自足。

话分两头，却说房德老婆贝氏，昔年房德落薄时，让他做主惯了，到今做了官，每事也要乔主张。此番见老公唤了两个家人出去，一连十数日，不见进衙，只道瞒了他做甚事体，十分恼恨。这日见老公来到衙里，便待发作，因要探口气，满脸反堆下笑来，问道："外边有何事，久不退衙？"房德道："不要说起，大恩人在此，几乎当面错过。幸喜我眼快瞧着，留得到县里，故此盘桓了这几日。特来与你商量，收拾些礼物送他。"贝氏道："那里什么大恩人？"房德道："哎呀。你如何忘了？便是向年救命的畿尉李相公。只为我走了，带累他罢了官职，今往常山去访颜太守，路经于此，那狱卒王太也随在这里。"贝氏道："原来是这人么？你打帐送他多少东西？"房德道："这个大恩人，乃再生父母，须得重重酬报。"

贝氏道："送十匹绢可少么？"房德呵呵大笑道："奶奶到会说要话，恁地一个恩人，这十匹绢送他家人也少。"贝氏道："胡说。你做了个县官，家人尚没处一注赚十匹绢，一个打抽丰的，如何家人便要许多？老娘还要算计哩。如今做我不着，再加十匹，快些打发起身。"房德道："奶奶怎说出恁样没气力的话来？他救了我性命，又赍赠盘缠，又坏了官职，这二十匹绢当得甚的？"贝氏从来鄙吝，连这二十匹绢，还不舍得的，只为是老公救命之人，故此慨然肯出，他已算做天大的事了。房德兀是嫌少。心中便有些不悦，故意道："一百匹何如？"房德道："这一百匹只勾送王太了。"

贝氏见说一百匹还只勾送王太，正不知要送李勉多少，十分焦躁道："王太送了一百匹，畿尉极少也送得五百匹哩。"房德道："五百匹还不勾。"贝氏怒道："索性凑足一千何如？"房德道："这便差不多了。"贝氏听了这话，向房德劈面一口涎沫道："啐。想是你失心风了。做得几时官，交多少东西与我？却来得这等大落。恐怕连老娘身子卖来，还凑不上一半哩，那里来许多绢送人？"房德看见老婆发喉急，便道："奶奶有话好好商量，怎就着恼？"贝氏嚷道："有甚商量，你若有，自去送他，莫向我说。"房德道："十分少，只得在库上撮去。"贝氏道："啧啧，你好天大的胆儿！库藏乃朝廷钱粮，你敢私自用得的！倘一时上司查核，那时怎地回答？"房德闻言，心中烦恼道："话虽有理，只是恩人又去得急，一时没处设法，却怎生处？"坐在旁边踌躇。

谁想贝氏见老公执意要送恁般厚礼，就是割身上肉，也没这样疼痛，连肠子也急做千百段，顿起不良之念，乃道："看你枉做了个男子汉，这些事没有决断，如何做得大官？我有个捷径法儿在此，到也一劳永逸。"房德认做好话，忙问道："你有甚么法儿？"贝氏答道："自古有言：大恩不报。不如今夜觑个方便，结果了他性命，岂不干净！"只这句话，恼得房德彻耳根通红，喝道："你这不贤妇。当初只为与你讨匹布儿做件衣服不肯，以致出去求告相识，被这班人诱去入伙，险些儿送了性命！若非这恩人，舍了自己官职，释放出来，安得今日夫妻相聚？你不劝我行些好事，反教伤害恩人，于心何忍？"

贝氏一见老公发怒，又陪着笑道："我是好话，怎到发恶！若说得有理，你便听了；没理时，便不要听，何消大惊小怪。"房德道："你且说有甚理？"贝氏道："你道昔年不肯把布与你，至今恨我么？你且想，我自十七岁随了你，日逐所需，那一件不亏我支持？难道这两匹布，真个不舍得？因闻得当初有个苏秦，未遇时，合家佯为不礼，激励他做到六国丞相。我指望学这故事，也把你激发。不道你时运不济，却遇这强盗，又没苏秦那般志气，就随他们胡做，弄出事来。此乃你自作之孽，与我什么相干？那李勉当时岂真为义气上放你么？"房德道："难道是假意？"

贝氏笑道："你枉自有许多聪明，这些事便见不透。大凡做刑名官的，多有贪酷之人，就是至亲至戚，犯到手里，尚不肯顺情。何况与你素无相识，且又情真罪当，怎肯舍了自己官职，轻易纵放个重犯？无非闻说你是个强盗头儿，定有赃物窝顿，指望放了暗地去孝顺，将些去买上嘱下。这官又不坏，又落些入已。不然，如何一伙之中，独独纵你一个？那里知道你是初犯的穷鬼，竟一溜烟走了，他这官又罢休。今番打听着在此做官，可可的来了。"

房德摇首道："没有这事。当初放我，乃一团好意，何尝有丝毫别念。如今他自往常山，偶然遇见，还怕误我公事，把头掉转，不肯相见，并非特地来相见，不要疑坏了人。"贝氏又叹道："他说往常山乃是假话，如何就信以为真？且不要论别件，只他带着王太同行，便见其来意了。"房德道："带王太同行便怎么？"贝氏道："你也忒杀懵懂。那李勉与颜太守是相识，或者去相访是真了；这王太乃京兆府狱卒，难道也与颜太守有旧去相访，却跟着同走。若说把头掉转，不来招揽，此乃冷眼觑你，可去相迎？正是他奸巧之处，岂是好意？如果真要到常山，怎肯又住这几多时！"房德道："他那里肯住，是我再三苦留下的。"贝氏道："这也是他用心处，试你待他的念头诚也不诚。"

房德原是没主意的人，被老婆这班话一耸，渐生疑惑，沉吟不悟。贝氏又道："总来这恩是报不得的。"房德道："如何报不得？"贝氏道："今若报得薄了，他一时翻过脸来，将旧事和盘托出，那时不但官儿了帐，只怕当做越狱强盗拿去，性命登时就送；若报得厚了，他做下额子，不常来取索。如照旧馈送，自不必说；稍不满欲，依然揭起旧案，原走不脱，可不是到底终须一结？自古道：‘先下手为强。’今若不依我言，事到其间，悔之晚矣。”

房德闻说至此，暗暗点头，心肠已是变了，又想了一想，乃道：“如今原是我要报他恩德，他却从无一字题起，恐没这心肠。”贝氏笑道：“他还不曾见你出手，故不开口，到临期自然有说话的。还有一件，他此来这番，纵无别话，你的前程，已是不能保了。”房德道：“却是为何？”贝氏道：“李勉至此，你把他万分亲热，衙门中人不知来历，必定问他家人。那家人肯替你遮掩？少不得以直告之。你想衙门人的口嘴，好不利害。知得本官是强盗出身，定然当做新闻，互相传说。同僚们知得，虽不敢当面笑你，背后诽议也经不起，就是你也无颜再存坐得住。这个还算小可的事，那李勉与颜太守既是好友，到彼难道不说？自然一一道知其详。闻得这老儿最是古怪，且又是他属下，倘被遍河北一传，连夜走路，还只算迟了。那时可不依旧落薄，终身怎处？如今急急下手，还可免得颜太守这头出丑。”

房德初时，原怕李勉家人走漏了消息，故此暗地叮咛王太。如今老婆说出许多利害，正投其所忌，遂把报恩念头，撇向东洋大海，连称：“还是奶奶见得到，不然，几乎反害自己。但他来时，合衙门人通晓得，明日不见了，岂不疑惑？况那尸首也难出脱。”贝氏道：“这个何难？少停出衙，止留几个心腹人答应，其馀都打发去了。将他主仆灌醉，到夜静更深，差人刺死。然后把书院放上一把火烧了，明日寻出些残尸剩骨，假哭一番，衣棺盛殓。那时人只认是火烧死的，有何疑惑。”房德大喜道：“此计甚妙。”便要起身出衙。那婆娘晓得老公心是活的，恐两下久坐长谈，说得入港，又改过念来，乃道：“总则天色还早，且再过一回出去。”房德依着老婆，真个住下。有诗为证：

猛虎口中剑，长蛇尾上针。
两般犹未毒，最毒妇人心。

自古道：“隔墙须有耳，窗外岂无人。”房德夫妻在房说话时，那婆娘一味不舍得这绢匹，专意撺唆老公害人，全不提防有人窥听。况在私衙中，料无外人来往，恣意调唇弄舌。不想家人路信，起初闻得贝氏焦躁，便覆在间壁墙上听他们争多竞少，直至放火烧屋，一句句听得十分仔细，到吃了一惊，想道：“原来我主人曾做过强盗，亏这官人救了性命。今反恩将仇报，天理何在！看起来这般大恩人，尚且如此，何况我奴仆之辈。倘稍有过失，这性命一发死得快了。此等残薄之人，跟他何益。”又想道：“常言救人一命，胜造七级浮屠。何不救了这四人，也是一点阴骘。”却又想道：“若放他们走了，料然不肯饶我，不如也走了罢。”遂取些银两，藏在身边，觑个空，悄悄闪出私衙，一径奔入书院。只见支成在厢房中烹茶，坐于槛上，执着扇子打盹，也不去惊醒他。竟踅入书室，看王太时，却都不在，止有李勉正襟据案而坐，展玩书籍。

路信走近案旁，低低道："相公，你祸事到了。还不快走，更待几时？"李勉被这惊不小，急问："祸从何来？"路信扯到半边，将适来所闻，一一细说，又道："小人因念相公无辜受害，特来通报。如今不走，少顷就不能免祸了。"李勉听了这话，惊得身子犹如吊在冰桶里，把不住的寒颤，向着路信倒身下拜道："若非足下仗义救我，李勉性命定然休矣。大恩大德，自当厚报。决不学此负心之人。"急得路信答拜不迭，道："相公莫要高声，恐支成听得，走漏了消息，彼此难保。"李勉道："但我走了，遗累足下，于心何安？"路信道："小人又无妻室，待相公去后，亦自远遁，不消虑得。"李勉道："既如此，何不随我同往常山？"路信道："相公肯收留，小人情愿执鞭随镫。"李勉道："你乃大恩人，怎说此话？"遂叫王太，一连十数声，再没一人答应，跌足叫苦道："他们都往那里去了？"路信道："待小人去寻来。"李勉又道："马匹俱在后槽，却怎处？"路信道："也等小人去哄他带来。"急出书室，回头看支成已不在槛上打盹了。路信即走入厢房中观看，却也不在。原来支成登东厮去了。

路信只道被他听得，进衙去报房德，心下慌张，覆转身向李勉道："相公，不好了。想被支成听见，去报主人了，快走罢。等不及管家矣。"李勉又吃一惊，半句话也应答不出，弃下行李，光身子同着路信踉踉跄跄抢出书院。做公的见了李勉，坐下的都站起来。李勉两步并作一步，奔出仪门外，见有三骑马系着，是俟侯县令主簿县尉出入的。路信心生一计，对马夫道："李相公要往西门拜客，快带马来。"那马夫晓得李勉是县主贵客，且又县主管家分付，怎敢不依？连忙牵过两骑。李勉刚刚上马，王太撞至马前，手中提着一双麻鞋，问道："相公往何处去？"路信接口道："相公要往西门拜客，你们通到那里去了？"王太道："因麻鞋坏了，上街去买，相公拜那个客？"路信道："你跟来罢了，问怎的？"又叫马夫带那骑马与他乘坐，齐出县门，马夫在后跟随。路信分付道："顷刻就来，不消你随了。"那马夫真个住下。

离了县中，李勉加上一鞭，那马如飞而走。王太见家主恁般慌促，且不知要拜甚客。行不上一箭之地，两个家人，也各提着麻鞋而来，望见家主，便闪在半边，问道："相公往那里去？"李勉道："你且莫问，快跟来便了。"话还未了，那马已跑向前去，二人负命的赶，如何跟得上。看看行近西门，早有两人骑着牲口，从一条巷中横冲出来。路信举目观看，不是别人，却是干办陈颜，同着一个令史。二人见了李勉，滚鞍下马声喏。路信见景生情，急叫道："李相公管家们还少牲口，何不借陈干办的暂用？"李勉暗地意会，遂收缰勒马道："如此甚好。"路信向陈颜道："李相公要去拜客，暂借你的牲口与管家一乘，少顷便来。"二人巴不能奉承得李勉欢喜，指望在本官面前，增添些好言语，可有不肯的理么？连声答应道："相公要用，只管乘去。"等了一回，两个家人带跌的赶到，走得汗淋气喘。陈颜二人将鞭缰递与，两个家人上了马，随李勉趱出城门，纵开丝缰，二十个马蹄，如撒钹相似，循着大道，望常山一路飞奔去了。正是：

折破玉笼飞彩凰，顿开金锁走蛟龙。

话分两头。且说支成上了东厮转来，烹了茶，捧进书室，却不见了李勉。只道在花木中行走，又遍寻一过，也没个影儿，想道："是了，一定两日久坐在此，心中不舒畅，往外闲游去了。"约莫有一个时辰，还不见进来，走出书院去观看，刚至门口，劈面正撞着家主。原来房德被老婆留住，又坐了一大回，方起身打点出衙，恰好遇见支成，问："可见路信么？"支成道："不见，想随李相公出外闲走去了。"房德心中疑虑，正待差支成去寻觅，只见陈颜来到。房德问道："曾见李相公么？"陈颜道："方才出西门遇见。路信说要往那里去拜客，连小人的牲口，都借与他管家乘坐。一行共五个马，飞跑如云，正不知有甚紧事？"房德听罢，料是路信走漏消息，暗地叫苦，也不再问，覆转身，原入私衙，报与老婆知得。那婆娘听说走了，到吃一惊道："罢了，罢了！这祸一发来得速矣。"

房德见老婆也着了急，慌得手足无措，埋怨道："未见得他怎地，都是你说长道短，如今到弄出事来了！"贝氏道："不要慌，自古道：一不做，二不休。事到其间，说不得了。料他去也不远，快唤几个心腹人，连夜追赶前去，扮作强盗，一齐砍了，岂不干净？"房德随唤陈颜进衙，与他计较。陈颜道："这事行不得，一则小人们只好趋承奔走，那杀人勾当，从不曾习惯；二则倘一时有人救应拿住，反送了性命。小人到有一计在此，不消劳师动众，教他一个也逃不脱。"房德欢喜道："你且说有甚妙策？"

陈颜道："小人间壁，一月前有一个异人搬来居住，不言姓名，也不做甚生理，每日出去吃得烂醉方归。小人见他来历跷蹊，行迹诡秘，有心去察他动静。忽一日，有一豪士青布锦袍，跃马而来，从者数人，径到此人之家，留饮三日方去。小人私下问那从者宾主姓名，都不肯说。有一个人悄对小人说：'那人是个剑侠，能飞剑取人之头，又能飞行，顷刻百里。且是极有义气，曾于长安市上代人报仇，白昼杀人，潜迹于此。'相公何不备些礼物前去，只说被李勉陷害，求他报仇。若得应允，便可了事，可不好么？"房德道："此计虽好，只恐他不肯。"陈颜道："他见相公是一县之主，屈己相求，定不推托，还怕连礼物也未必肯受哩。"贝氏在屏后听得，便道："此计甚妙。快去求之。"房德道："将多少礼物送去？"陈颜道："他是个义士，重情不重物，得三百金足矣。"贝氏一力撺掇，就备就了三百金礼物。

天色傍晚，房德易了便服，陈颜、支成相随，也不乘马，悄悄的步行到陈颜家里。原来却住在一条冷巷中，不上四五家邻舍，好不寂静。陈颜留房德到里边坐下，点起灯火，向壁缝中张看，那人还未曾回。走出门口观望，等了一回，只见那人又是烂醉，东倒西歪的，撞入屋里去了。陈颜奔入报知，房德起身就走。陈颜道："相公须打点了一班说话，更要屈膝与他，这事方谐。"房德点头道："是。"一齐到了门首，向门上轻轻扣上两下。那人开门出问："是谁?"陈颜低声哑气答道："本县知县相公，在此拜访义士。"那人带醉说道："咱这里没有什么义士。"便要关门。陈颜道："且莫闭门，还有句说话。"那人道："咱要紧去睡，谁个耐烦？有话明日来说。"房德道："略话片时，即便相别。"那人道："既如此，到里面来。"

三人跨进门内，掩上门儿。引过一层房子，乃是小小客座，点将灯烛荧煌。房德即倒身下拜道："不知义士驾临敝邑，有失迎迓，今日幸得识荆，深慰平生。"那人将手扶住道："足下一县之主，如何行此大礼，岂不失了体面？况咱并非什么义士，不要错认了。"房德道："下官专来拜访义士，安有差错之理。"教陈颜、支成将礼物献上，说道："些个薄礼，特献义士为斗酒之资，望乞哂留。"那人笑道："咱乃闾阎无赖，四海无家，无一技一能，何敢当义士之称？这些礼物也没用处，快请收去。"房德又躬身道："礼物虽微，出自房某一点血诚，幸勿峻拒。"那人道："足下蓦地屈身匹夫，且又赐恁般厚礼，却是为何?"房德道："请义士收了，方好相告。"那人道："咱虽贫贱，誓不取无名之物。足下若不说明白，断然不受。"房德假意哭拜于地道："房某负戴大冤久矣！今仇在目前，无能雪耻。特慕义士是个好男子，有聂政、荆卿之技，故敢斗胆，叩拜阶下。望义士怜念房某含冤负屈，少展半臂之力，刺死此贼，生死不忘大德！"那人摇手道："我说足下认错了，咱资身尚且无策，安能为人谋大事？况杀人勾当，非通小可，设或被人听见这话，反是累咱家，快些请回。"言罢转身，先向外而走。房德上前，一把扯住，道："闻得义士素抱忠义，专一除残祛暴，济困扶危，有古烈士之风。今房某身抱大冤，义士反不见怜，料想此仇永不能报矣。"道罢，又假意啼哭。

那人冷眼瞧了这个光景，只道是真情，方道："足下真个有冤么?"房德道："若没大冤，不敢来求义士。"那人道："既恁样，且坐下，将冤抑之事并仇家姓名，今在何处，细细说来。可行则行，可止则止。"两下遂对面而坐，陈颜、支成站于旁边。房德捏出一段假情，反说："李勉昔年诬指为盗，百般毒刑拷打，陷于狱中，几遍差狱卒王太谋害性命，皆被人知觉，不致于死。幸亏后官审明释放，得官此邑。今又与王太同来挟制，索诈千金，意犹未足，又串通家奴，暗地行刺。事露，适来连此奴挈去，奔往常山，要唆颜太守来摆布。把一片说话，妆点得十分利害。

那人听毕，大怒道："原来足下受此大冤，咱家岂忍坐视！足下且请回县，在咱身上，今夜往常山一路，找寻此贼，为足下报仇，夜半到衙中覆命。"房德道："多感义士高义，某当秉烛以待。事成之日，另有厚报。"那人作色道："咱一生路见不平，拔刀相助，那个希图你的厚报？这礼物咱也不受。"说犹未绝，飘然出门，其去如风，须臾不见了。房德与众人惊得目睁口呆，连声道："真异人也。"权将礼物收回，待他复令时再送。有诗为证：

报仇凭一剑，重义藐千金。
谁谓奸雄舌，能违烈士心？

话分两头。且说王太同两个家人，见家主出了城门，又不拜甚客，只管乱跑，正不知为甚缘故。一口气就行了三十馀里，天色已晚，却又不寻店宿歇。那晚乃是十三，一轮明月，早已升空，趁着月色，不顾途路崎岖，负命而逃，常恐后面有人追赶。在路也无半句言语，只管趱向前去。约莫有二更天气，共行了六十多里，来到一个村镇，已是井陉县地方。那时走得口中又渴，腹内又饥，马也渐渐行走不动。路信道："来路已远，料得无事了，且就此觅个宿处，明日早行。"

李勉依言，径投旅店。谁想夜深了，家家闭户关门，无处可宿。直到市梢头，见一家门儿半开半掩，还在那里收拾家伙，遂一齐下马，走入店门。将牲口卸了鞍辔，系在槽边喂料。路信道："主人家，拣一处洁净所在，与我们安歇。"店家答道："不瞒客官说，小店房头，没有个不洁净的。如今也止空得一间在此。"教小二掌灯引入房中。

李勉向一条板凳上坐下，觉得气喘吁吁。王太忍不住问道："请问相公，那房县主惓惓苦留，后日拨夫马相送，从容而行，有何不美？却反把自己行李弃下，犹如逃难一般，连夜奔走，受这般劳碌。路管家又随着我们同来，是甚意故？"

李勉叹口气道："汝那知就里？若非路管家，我与汝等死无葬身之地矣。今幸得脱虎口，已谢天不尽了，还顾得什么行李、辛苦？"王太惊问其故。李勉方待要说，不想店主人见他们五人五骑，深夜投宿，一毫行李也无，疑是歹人，走进来盘问脚色，说道："众客长做甚生意？打从何处来，这时候到此？"李勉一肚子气恨，正没处说，见店主相问，答道："话头甚长，请坐下了，待我细诉。"乃将房德为盗犯罪，怜其才貌，暗令王太释放，以致罢官；及客游遇见，留回厚款，今日午后，忽然听信老婆谗言，设计杀害，亏路信报知逃脱，前后之事，细说一遍。王太听了这话，连声唾骂："负心之贼！"店主人也不胜嗟叹。

王太道："主人家，相公鞍马辛苦，快些催酒饭来吃了，睡一觉好赶路。"店主人答应出去。只见床底下忽地钻出一个大汉，浑身结束，手持匕首，威风凛凛，杀气腾腾，唬得李勉主仆魂不附体，一齐跪倒，口称："壮士饶命。"那人一把扶起李勉道："不必慌张，自有话说。咱乃义士，平生专抱不平，要杀天下负心之人。适来房德假捏虚情，反说公诬陷，谋他性命，求咱来行刺；那知这贼子恁般狼心狗肺，负义忘恩！早是公说出前情，不然，险些误杀了长者。"李勉连忙叩下头去道："多感义士活命之恩！"那人扯住道："莫谢莫谢，咱暂去便来。"即出庭中，耸身上屋，疾如飞鸟，顷刻不见。主仆都惊得吐了舌，缩不上去，不知再来还有何意。怀着鬼胎，不敢睡卧，连酒饭也吃不下。有诗为证：

奔走长途气上冲，忽然床下起青锋。

一番衷曲殷勤诉，唤醒奇人睡梦中。

再说房德的老婆，见丈夫回来，大事已就，礼物原封不动，喜得满脸都是笑靥。连忙整备酒席，摆在堂上，夫妻秉烛以待。陈颜也留在衙中俟候。三更时分，忽听得庭前宿鸟惊鸣，落叶乱坠，一人跨入堂中。房德举目看时，恰便是那个义士，打扮得如天神一般，比前大似不同，且惊且喜，向前迎接。那义士全不谦让，气忿忿的大踏步走入去，居中坐下。房德夫妻叩拜称谢。方欲启问，只见那义士怒容可掬，飕地掣出匕首，指着骂道："你这负心贼子！李畿尉乃救命大恩人，不思报效，反听妇人之言，背恩反噬。既已事露逃去，便该悔过，却又假捏虚词，哄咱行刺。若非他道出真情，连咱也陷于不义。剐你这负心贼一万刀，方出咱这点不平之气。"

房德未及措辩，头已落地。惊得贝氏慌做一堆。平时且是会说会讲，到此心胆俱裂，一张嘴犹如胶漆粘牢，动弹不得。义士指着骂道："你这泼贱狗妇！不劝丈夫为善，反教他伤害恩人。我且看你肺肝是怎样生的！"托地跳起身来，将贝氏一脚踢翻，左脚踏住头发，右膝捺住两腿。这婆娘连叫："义士饶命。今后再不敢了。"那义士骂道："泼贱淫妇。咱也到肯饶你，只是你不肯饶人。"提起匕首向胸膛上一刀，直剖到脐下。将匕首衔在口中，双手拍开，把五脏六腑，抠将出来，血沥沥提在手中，向灯下照看道："咱只道这狗妇肺肝与人不同，原来也只如此，怎生恁般狠毒？"遂撇过一边，也割下首级，两颗头结做一堆，盛在革囊之中。揩抹了手上血污，藏了匕首，提起革囊，步出庭中，逾垣而去。

说时义胆包天地，话起雄心动鬼神。

再说李勉主仆在旅店中，守至五更时分，忽见一道金光，从庭中飞入。众人一齐惊起，看时正是那义士。放下革囊，说道："负心贼已被咱刳腹屠肠，今携其首在此。"向革囊中取出两颗首级。李勉又惊又喜，倒身下拜道："足下高义，千古所无。请示姓名，当图后报。"义士笑道："咱自来没有姓名，亦不要人酬报。顷咱从床下而来，日后设有相逢，竟以'床下义士'相呼便了。”道罢，向怀中取一包药儿，用小指甲挑少许，弹于首级断处，举手一拱，早已腾上屋檐，挽之不及，须臾不知所往。李勉见弃下两个人头，心中慌张，正没摆布。可霎作怪，看那人头时，渐渐缩小，须臾化为一搭清水，李勉方才放心。坐至天明，路信取些钱钞，还了店家，收拾马匹上路。

说话的，据你说，李勉共行了六十多里方到旅店，这义士又无牲口，如何一夜之间，往返如风？这便是前面说起，顷刻能飞行百里，乃剑侠常事耳。那义士受房德之托，不过黄昏时分，比及追赶，李勉还在途中驰骤，未曾栖息。他先一步埋伏等候。一往一来，有风无影，所以伏于床下，店中全然不知。此是剑术妙处。

且说李勉当夜无话，次日起身，又行了两日，方到常山，径入府中，拜谒颜太守。故人相见，喜随颜开，遂留于衙署中安歇。颜太守也见没有行李，心中奇怪，问其缘故。李勉将前事一一诉出，不胜骇异。

过了两日，柏乡县将县宰夫妻被杀缘由，申文到府。原来是夜陈颜、支成同几个奴仆，见义士行凶，一个个惊号鼠窜，四散潜躲，直至天明，方敢出头。只见两个没头尸首，横在血泊里，五脏六腑，都抠在半边，首级不知去向，桌上器皿，一毫不失。一家叫苦连天，报知主簿县尉，俱吃一惊，齐来验过。细询其情，陈颜只得把房德要害李勉，求人行刺始末说出。主簿县尉，即点起若干做公的，各执兵器，押陈颜作眼，前去捕获刺客。那时哄动合县人民，都跟来看。到了陈颜间壁，打将入去，惟有几间空房，那见一个人影。主簿与县尉商议申文，已晓得李勉是颜太守的好友，从实申报，在他面上，怕有干碍，二则又见得县主薄德；乃将真情隐过，只说半夜被盗越入私衙，杀死县令夫妇，窃去首级，无从捕获，两下周全其事，一面买棺盛殓。颜太守依拟，申文上司。那时河北一路，都是安禄山专制，知得杀了房德，岂不去了一个心腹？倒下回文，着令严加缉获。

李勉闻了这个消息，恐怕缠到身上，遂作别颜太守，回归长安故里。恰好王鉷坐事下狱，凡被劾罢官，尽皆起任。李勉原起畿尉，不上半年，即升监察御史。一日，在长安街上行过，只见一人身衣黄衫，坐下白马，两个胡奴跟随，望着节导中乱撞，从人呵喝不住。李勉举目观看，却便是昔日床下义士，遂滚鞍下马，鞠谢道：“义士别来无恙？”那义士笑道：“亏大人还认得咱家。”李勉道：“李某日夜在心，安有不识之理？请到敝衙少叙。”义士道：“咱另日竭诚来拜，今日不敢从命。倘大人不弃，同到敝寓一话何如？”李勉欣然相从，并马而行。来到庆元坊，一个小角门内入去。过了几重门户，忽然显出一座大宅院，厅堂屋舍，高耸云汉；奴仆趋承，不下数百。李勉暗暗点头道：“真是个异人。”请入堂中，重新见礼，分宾主而坐。顷刻摆下筵席，丰富胜于王侯。唤出家乐在庭前奏乐，一个个都是明眸皓齿，绝色佳人。

义士道："随常小饭，不足以供贵人，幸勿怪。"李勉满口称谢。当下二人席间谈论些古今英雄之事，至晚而散。次日李勉备了些礼物，再来拜访时，止存一所空宅，不知搬向何处去了。嗟叹而回。后来李勉官至中书门下平章事，封为汧国公。王太、路信亦扶持做个小小官职。诗云：

从来恩怨要分明，将怨酬恩最不平。
安得剑仙床下士，人间遍取不平人。

第三十一卷
郑节使立功神臂弓

颠狂弥勒到明州，布袋横拖拄杖头。
饶你化身千百亿，一身还有一身愁。

话说东京汴梁城开封府，有个万万贯的财主员外，姓张，排行第一，双名俊卿。这个员外，冬眠红锦帐，夏卧碧纱厨，两行珠翠引，一对美人扶。家中有赤金白银、斑点玳瑁、鹘轮珍珠、犀牛头上角，大象口中牙。门首一壁开个金银铺，一壁开所质库。他那爹爹张大张员外，方死不多时，只有妈妈在堂。

张员外好善，人叫他做张佛子。忽一日在门首观看，见一个和尚，打扮非常。但见：

双眉垂雪，横眼碧波。衣披烈火，七幅鲛绡，杖拄降魔，九环锡杖。若非圆寂光中客，定是楞严峰顶人。

那和尚走至面前，道："员外拜揖。"员外还礼毕。只见和尚袖中取出个疏头来，上面写道：竹林寺特来抄化五百香罗木。员外口中不说，心下思量："我从小只见说竹林寺，那曾见有？况兼这香罗木，是我爹在日许下愿心，要往东峰、岱岳盖嘉宁大殿，尚未答还。"员外便对和尚道："此是我先人在日，许下愿心，不敢动着。若是吾师要别物，但请法旨。"和尚道："若员外不肯舍施，贫僧到晚自教人取。"说罢转身。员外道："这和尚莫是风。"

天色渐晚，员外吃了三五杯酒，却待去睡，只见当值的来报："员外祸事！家中后园火发。"唬杀员外，慌忙走来时，只见焰焰地烧着。去那火光之中，见那早来和尚，将着百十人，都长七八尺，不类人形，尽数搬这香罗板去。员外赶上看时，火光顿息，和尚和众人都不见了；再来园中一看，不见了那五百片香罗木，枯炭也没些个。却是作怪！"我爹爹许下愿心，却如何好!”一夜不眠。但见：

玉漏声残，金乌吐影。邻鸡三唱，唤佳人傅粉施珠；宝马频嘶，催行客争名夺利。几片晓霞飞海峤，一轮红日上扶桑。

员外起来洗漱罢，去家堂神道前烧了香，向堂前请见妈妈，把昨夜事说了一遍，道：“三月二十八日，却如何上得东峰、岱岳，与爹爹答还心愿?”妈妈道：“我儿休烦恼，到这日却又理会。”员外见说，辞了妈妈，退去金银铺中坐地。却正是二月半天气。正是：

金勒马嘶芳草地，玉楼人醉杏花天。

只听得街上锣声响，一个小节级同个茶酒保，把着团书来请张员外团社。原来大张员外在日，起这个社会，朋友十人，近来死了一两人，不成社会。如今这几位小员外，学前辈做作，约十个朋友起社。却是二月半，便来团社。员外道：“我去不得，要与爹爹还愿时，又不见了香罗木，如何去得?”那人道：“若少了员外一个，便拆散了社会。”员外与决不下，去堂前请见妈妈，告知：“众员外请儿团社，缘没了香罗木与爹爹还愿，儿不敢去。”妈妈就手把着锦袋，说向儿子道：“我这一件宝物，是你爹爹泛海外得来的无价之宝，我儿将此物与爹爹还愿心。”员外接得，打开锦袋红纸包看时，却是一个玉结连绦环。员外谢了妈妈，留了请书团了社，安排上庙。那九个员外，也准备行李，随行人从，不在话下。

却说张员外打扮得一似军官：裹四方大万字头巾，带一双扑兽匾金环，着西川锦纻丝袍，系一条乾红大匾绦，挥一把玉靶压衣刀，穿一双鞯鞋。员外同几个社友，离了家中，迤逦前去。饥飧渴饮，夜住晓行。不则一日，到得东岳，就客店歇了。至日，十个员外都上庙来烧香，各自答还心愿。员外便把玉结连绦环，舍入炳灵公殿内。还愿都了，别无甚事，便在廊下看社火酌献。这几个都是后生家，乘兴去游山，员外在后，徐徐而行。但见：

山明水秀，风软云闲。一岩风景如屏，满目松筠似画。轻烟淡淡。数声啼鸟落花天；丽日融融，是处绿杨芳草地。

员外自觉脚力疲困，却教众员外先行，自己走到一个亭子上歇脚。只听得斧凿之声。看时见一所作场，竹笆夹着。望那里面时，都是七八尺来长大汉做生活。忽地凿出一片木屑来。员外拾起看时，正是园中的香罗木，认得是爹爹花押。疑怪之间，只见一个行者，开笆门，来面前相揖道：“长老法旨，请员外略到山门献茶。”员外入那笆门中，一似身登月殿，步入蓬瀛。但见：

三门高耸，梵宇清幽。当门敕额字分明，两个金刚形勇猛。观音位接水陆台，宝盖相随鬼子母。

员外到得寺中，只见一个和尚出来相揖道：“外日深荷了办缘事，今日幸得员外至此，请过方丈献茶。”员外远观不审，近睹分明，正是向日化香罗木的和尚，只得应道：“日昨多感吾师过访，接待不及。”和尚同至方丈，叙礼分宾主坐定，点茶吃罢，不曾说得一句话。

只见黄巾力士走至面前，暴雷也似声个喏：“告我师，炳灵公相见。”唬得员外神魂荡漾，口中不语，心下思量：“炳灵公是东岳神道，如何来这里相见？”那和尚便请员外：“风屏后少待，贫僧断了此事，却与员外少叙。”员外领法旨，潜身去屏风后立地看时，见十数个黄巾力士，随着一个神道入来，但见：

眉单眼细，貌美神清。身披红锦衮龙袍，腰系蓝田白玉带。裹簇金帽子，着侧面丝鞋。

员外仔细看时，与岳庙塑的一般。只见和尚下阶相揖，礼毕，便问：“昨夜公事如何？”炳灵公道：“此人直不肯认做诸侯，只要做三年天子。”和尚道：“直恁难勘，教押过来。”只见几个力士，押着一大汉，约长八尺，露出满身花绣。至方丈，和尚便道：“教你做诸侯，有何不可？却要图王争帝！好打。”道不了，黄巾力士扑翻长汉在地，打得几杖子。那汉叹一声道：“休休！不肯还我三年天子，胡乱认做诸侯罢。”黄巾力士即时把过文字，安在面前，教他押了花字，便放他去。炳灵公抬身道：“甚劳吾师心力。”相辞别去。

和尚便请员外出来坐定。和尚道：“山门无可见意，略备水酒三杯，少延清话。”员外道：“深感吾师见爱。”道罢，酒至面前。吃了几杯，便教收过一壁。和尚道：“员外可同往山后闲游。”员外道：“谨领法旨。”二人同至山中闲走。但见：

奇峰耸翠，佳木交阴。千层怪石惹闲云，一道飞泉垂素练。万山横碧落，一柱入丹霄。

员外观看之间，喜不自胜，便问和尚：“此处峭壁，直恁险峻。”和尚道“未为险峻，请员外看这路水。”员外低头看时，被和尚推下去。员外吃一惊，却在亭子上睡觉来，道：“作怪。欲道是梦来，口中酒香；道不是梦来，却又不见踪迹。”正疑惑间，只见众员外走来道：“员外，你却怎地不来？独自在这里打磕睡。”张员外道：“贱体有些不自在，有失陪步，得罪得罪。”也不说梦中之事。众员外游山都了，离不得买些人事，整理行装，厮赶归来。

单说张员外到家，亲邻都来远接，与员外洗拂。见了妈妈，欢喜不尽。只见：

四时光景急如梭，一岁光阴如捻指。

却早腊月初头，但见北风凛冽，瑞雪纷纷，有一只《鹧鸪天》词为证：

凛冽严凝雾气昏，空中瑞雪降纷纷。须臾四野难分别，顷刻山河不见痕。　　银世界，玉乾坤，望中隐隐接昆仑。若还不到三更后，直要填平玉帝门。

员外看见雪却大，便教人开仓库散些钱米与穷汉。

且说一个人在客店中，被店小二埋怨道："喏大个汉，没些运智，这早晚兀自不起。今日又是两个月，不还房钱。哥哥你起休。"那人长叹一声："苦，苦。小二哥莫怪，我也是没计奈何。"店小二道："今日前巷张员外散贫，你可讨些汤洗了头脸，胡乱讨得些钱来，且做盘缠，我又不指望你的。"那人道："罪过你!"便去带了那顶搭圾头巾，身上披着破衣服，露着腿，赤着脚，离了客店，迎着风雪走到张员外宅前。事有斗巧，物有故然，却来得迟些，都散了。这个人走至宅前，见门公唱个喏："闻知宅上散贫。"门公道："却不早来，都散了。"那人听得，叫声苦，匹然倒地。

员外在窗中看见，即时教人扶起。顷刻之间，三魂再至，七魄重来。员外仔细看时吃一惊，这人正是亭子上梦中见的，却恁地模样。便问那汉："你是那里人？姓甚名谁？见在那里住？"那人叉着手，告员外："小人是郑州泰宁军大户财主人家孩儿，父母早丧，流落此间，见在宅后王婆店中安歇，姓郑名信。"员外即时讨几件旧衣服与他，讨些饭食请他吃罢，便道："你会甚手艺？"那人道："略会些书算。"员外见说，把些钱物与他，还了店中，便收留他。见他会书算，又似梦中见的一般，便教他在宅中做主管。那人却伶俐，在宅中小心向前。员外甚是敬重，便做心腹人。

又过几时，但见时光如箭，日月如梭，不觉又是二月半间。那众员外便商量来请张员外同去出郊，一则团社，二则赏春。那几个员外，辐夜点了妓弟，一家带着一个寻常间来往说得着行首；知得张员外有孝，怕他不肯带妓女，先请他一个得意的表子在那里。张员外不知是计，走到花园中，见了几个行首厮叫了。只见众中走出一个行首来，他是两京诗酒客，烟花杖子头，唤做王倩，却是张员外说得着的顶老。员外见了，却待要走，被王倩一把扯住道："员外，久别台颜，一向疏失。"员外道："深荷姐姐厚意。缘先父亡去，持服在身，恐外人见之，深为不孝。"便转身来辞众员外道："俊卿荷诸兄见爱，偶贱体不快，坐侍不及，先此告辞。"那众员外和王倩再三相留，员外不得已，只得就席，和王行首并坐。众员外身边一家一个妓弟，便教整顿酒来。

正吃得半酣，只见走一个人入来。如何打扮：

裹一顶蓝青头巾，带一对扑匾金环，着两上领白绫子衫，腰系乾红绒线绦，下着多耳麻鞋，手中携着一个篮儿。

这人走至面前，放下篮儿，叉着手唱三个喏。众员外道："有何话说？"只见那汉就篮内取出砧刀，借个盘子，把块牛肉来切得几片，安在盘里，便来众员外面前道："得知众员外在此吃酒，特来送一劝。"道罢，安在面前，唱个喏便去。张员外看了，暗暗叫苦道："我被那厮诈害几遍了。"——原来那厮是东京破落户，姓夏名德，有一个浑名，叫做"扯驴"。先年曾有个妹子，嫁在老张员外身边，为争口闲气，一条绳缢死了。夏德将此人命为繇，屡次上门唬诈，在小张员外手里，也诈过了一二次。众员外道："不须忧虑，他只是讨些赏赐，我们自吃酒。"道不了，那厮立在面前道："今日夏德有采，遭际这一会员外。"众人道："各支二两银子与他。"讨至张员外面前，员外道："依例支二两。"那厮看着张员外道："员外依例不得。别的员外二两，你却要二百两。"张员外道："我比别的加倍，也只四两，如何要二百两？"夏德道："别的员外没甚事，你却有些瓜葛，莫待我说出来不好看！"张员外被他直诈到二十两。众员外道："也好了。"那厮道："看众员外面也罢，只求便赐。"张员外道："没在此间，把批子去我宅中质库内讨。"

夏扯驴得了批子，唱个喏，便出园门，一径来张员外质库里，揭起青布帘儿，走入去，唱个喏。众人还了礼。未发迹的贵人问道："你赎典，还是解钱？"夏扯驴道："不赎不解，员外有批子在此，教支二十两银。"郑信道："员外买你甚么？支许多银？"那厮道："买我牛肉吃。"郑信道："员外直吃得许多牛肉？"夏扯驴道："主管莫问，只照批子付与我。"两个说来说去，一声高似一声。这郑信只是不肯付与他，将了二十两银子在手道："夏扯驴，我说与你，银子已在此了，我同到花园中，去见员外，若是当面分付得有话，我便与你。"夏扯驴骂道："打脊客作儿。员外与我银子，干你甚事？却要你作难！便与你去见员外。这批子须不是假的。"

这郑信和夏扯驴一径到花园中，见众员外在亭子上吃酒，进前唱个喏。张员外见郑信来，便道："主管没甚事？"郑信道："覆使头，蒙台批支二十两银，如今自把来取台旨。"张员外道："这厮是个破落户，把与他去罢。"夏扯驴就来郑信手中抢那银子。郑信那肯与他，便对夏扯驴道："银子在这里，员外教把与你，我却不肯。你倚着东京破落户，要平白地骗人钱财，别的怕你，我郑信不怕你。就众员外面前，与你比试。你打得我过，便把银子与你；打我不过，教你许多时声名，一旦都休。"夏扯驴听得说："我好没兴，吃这客作欺负。"郑信道："莫说你强我会。这里且是宽，和你赌个胜负。"郑信脱膊下来，众人看了喝采：

> 先自人才出众，那堪满体雕青。左臂上三仙仗剑，右臂上五鬼擒龙。胸前一搭御屏风，脊背上巴山龙出水。

夏扯驴也脱膊下来，众人打一看时，那厮身上刺着的是木拐梯子，黄胖儿忍字。

当下两个在花园中厮打，赌个输赢。这郑信拳到手起，去太阳上打个正着。夏扯驴扑的倒地，登时身死，唬得众员外和妓弟都走了。即时便有做公的围住。郑信拍着手道："我是郑州泰宁军人，见今在张员外宅中做主管。夏扯驴来骗我主人，我拳手重，打杀了他，不干他人之事，便把条索子缚我去。"众人见说道："好汉子，与我东京除了一害，也不到得偿命。"离不得解到开封府，押下凶身对尸。这郑信一发都招认了，下狱定罪。张员外在府里使钱，教好看他，指望迁延，等天恩大赦，不在话下。

忽一日，开封府大尹出城谒庙，正行轿之间，只见路傍一口古井，黑气冲天而起。大尹便教住轿，看了道："怪哉。"便去庙中烧了香。回到府，不入衙中，便教客将诸众官来。不多时，众官皆至，相见茶汤已毕。大尹便道："今日出城谒庙，路旁见一口古井，其中黑气冲天，不知有何妖怪？"众官无人敢应。只有通判起身道："据小官愚见，要知井中怪物，何不具奏朝廷，照会将见在牢中该死罪人，教他下井，去看验的实，必知休咎。"大尹依言，即具奏朝廷。便指挥狱中，拣选当死罪人下井，要看仔细。

大尹和众人到地头，押过罪人把篮盛了，用辘轳放将下去。只听铃响，绞上来看时，止有骨头。一个下去一个死，二人下去一双亡，似此坏了数十人。狱中受了张员外嘱托，也要藏留郑信。大尹台旨，教狱中但有罪人都要押来。却藏留郑信不得，只得押来。大尹教他下井去，郑信道："下去不辞，愿乞五件物。"大尹问："要甚五件？"郑信道："要讨头盔衣甲和靴、剑一口，一斗酒，二斤肉，炊饼之类。"大尹即时教依他所要，一一将至面前。郑信唱了喏，把酒肉和炊饼吃了，披挂衣甲，仗了剑。众人喝声采。但见：

头蓝似雪，衣甲如银。穿一辆抹绿皂靴，手仗七星宝剑。

郑信打扮了，坐在篮中，辘轳放将下去。铃响绞上来看时，不见了郑信。那井中黑气也便不起。大尹再教放下篮去取时，杳无踪迹，一似石沉大海，线断风筝。大尹和众官等候多时，且各自回衙去。

却说未发迹变泰国家节度使郑信到得井底，便走出篮中，仗剑在手，去井中一壁立地。初下来时便黑，在下多时却明。郑信低头看时，见一壁厢一个水口，却好容得身，挨身入去。行不多几步，抬头看时，但见：

山岭相边，烟霞缭绕。芳草长茸茸嫩绿，岩花喷馥馥清香。苍崖郁郁长青松，曲涧涓涓流细水。

郑信正行之间，闷闷不已：知道此处是那里，又没人烟。日中前后，去松阴竹影稀处望时，只见飞檐碧瓦，栋宇轩窗，想有幽人居止。遂登危历险，寻径而往。只闻流水松声，步履之下，渐渐林麓两分，峦峰四合。但见：

溪深水曲，风静云闲。青松锁碧瓦朱甍，修竹映雕檐玉砌。楼台高耸，院宇深沉。若非王者之宫，必是神仙之府。

郑信见这一所宫殿，便去宫前立地多时，更无一人出入。抬头看时，只见门上一面硃红牌金字，写着“日霞之殿”。里面寂寥，杳无人迹。仗剑直入宫门，走到殿内，只见一个女子，枕着件物事，齁齁地裸体而卧。但见：

兰柔柳困，玉弱花羞。似杨妃出浴转香衾，如西子心疼欹玉枕。柳眉敛翠，桃脸凝红。却是西园芍药倚朱栏，南海观音初入定。

郑信见了女子，这却是此怪，便悄悄地把只手衬着那女子，拿了枕头的物事，又轻轻放下女子头。走出外面看时，却是个乾红色皮袋。郑信不解其故，把这件物事，去花树下，将剑掘个坑埋了。又回身仗剑再入殿中，看着那女子，尽力一喝道：“起！”只见那女子闪开那娇滴滴眼儿，慌忙把万种妖娆唬做一团，回头道：“郑郎，你来也。妾守空房，等你多时。妾与你五百年前姻眷，今日得见你。”那女子初时待要变出本相，却被郑信偷了他的神通物事，只得将错就错。若是生得不好时，把来一剑剁了，却见他如花似玉，不觉心动，便问：“女子孰氏？”女子道：“丈夫，你可放下手中宝剑，脱了衣甲，妾和你少叙绸缪。”但见：

暮云笼帝榭，薄霭罩池塘。双双粉蝶宿芳丛，对对黄鹂栖翠柳。画梁悄悄，珠帘放下燕归来；小院沉沉，绣被薰香人欲睡。风定子规啼玉树，月移花影上纱窗。

女子便叫青衣，安排酒来。顷刻之间，酒至面前，百味珍羞俱备。饮至数杯，酒已半酣。女子道：“今日天与之幸，得见丈夫，尽醉方休。”郑信推辞。女子道：“妾与郑郎，是五百年前姻眷，今日岂可推托？”又吃了多时，乃令青衣收过杯盘。两个同携素手，共入兰房。正是：

绣幌低垂，罗衾漫展。两情欢会，共诉海誓山盟；二意和谐，多少云情雨意。云淡淡天边鸾凤，水沉沉交颈鸳鸯。写成今世不休书，结下来生合欢带。

到得天明，女子起来道：“丈夫，夜来深荷见怜。”郑信道：“深感娘娘见爱，未知孰氏？恐另日相见，即当报答深恩。”女子道：“妾乃日霞仙子，我与丈夫尽老百年，何有思归之意？”这两日儿，同行并坐，暮乐朝欢。

忽一日，那女子对郑信道：“丈夫，你耐静则个！我出去便归。”郑信道：“到那里去？”女子道：“我今日去赴上界蟠桃宴便归，留下青衣相伴。如要酒食，旋便指挥。有件事嘱付丈夫，切不可去后宫游戏。若还去时，利害非轻。”那女子分付了，暂别。两个青衣伏侍。郑信独自无聊，遂令安排几杯酒消遣，思量：“却似一场春梦，留落在此。适来我妻分付，莫去后宫，想必另有景致，不交我去。我再试探则个。”遂移步出门，迤逦奔后宫来，打一看，又是一个去处，一个宫门。

到得里面，一个大殿，金书牌额：“月华之殿”。正看之间，听得鞋履响声，脚步鸣，咭咯语笑喧杂之声。只见一簇青衣拥着一个仙女出来，生得：

盈盈玉貌，楚楚梅妆。口点樱桃，眉舒柳叶。轻叠乌云之发，风消雪白之迹。不饶照水芙蓉，恐是凌波菡萏。一尘不染，百媚俱生。

郑信见了，喜不自胜。只见那女子便道："好也！何处不寻，甚处不觅，原来我丈夫只在此间。"不问事繇，便把郑信簇拥将去，叫道："丈夫你来也！妾守空房，等你久矣！"郑信道："娘娘错认了，我自有浑家在前殿。"那女子不繇分说，簇拥在殿上，便教安排酒来。那女子和郑信饮了数杯，二人携手入房，向鸳帏之中，成夫妇之礼。顷刻间云收雨散，整衣而起。

只见青衣来报："前殿日霞娘娘来见。"这女子慌忙藏郑信不及，日霞仙子走至面前道："丈夫，你却走来这里则甚？"便拖住郑信臂膊，将归前殿。月华仙子见了，柳眉剔竖，星眼圆睁道："你却将身嫁他，我却如何？"便带数十个青衣奔来，直至殿上道："姐姐，我的丈夫，你却如何夺了？"日霞仙子道："妹妹，是我丈夫，你却说甚么话？"两个一声高似一声。这郑信被日霞仙子把来藏了，月华仙子无计奈何，两个打做一团，纽做一块。斗了多时，月华仙子觉道斗姐姐不下，喝声起，跳至虚空，变出本相。那日霞仙子，也待要变，原来被郑信埋了他的神通，便变不得，却输了。慌忙走来见郑信，两泪交流道："丈夫，只因你不信我言，故有今日之苦。又被你埋了我的神通，我变不得。若要奈何得他，可把这件物事还我。"

郑信见他哀求不已，只得走来殿外花树下，掘出那件物事来。日霞仙子便再和月华仙子斗圣。日霞仙子又输了，走回来。郑信道："我妻又怎的奈何他不下？"日霞仙子道："为我身怀六甲，赢那贱人不得。我有件事告你。"郑信道："我妻有话但说。"日霞仙子教青衣去取来。不多时，把一张弓，一只箭道："丈夫，此弓非人间所有之物，名为神臂弓，百发百中。我在空中变就神通，和那贱人斗法，你可在下看着白的，射一箭助我一臂之力。"郑信道："好，你但放心。"

说不了，月华仙子又来。两个上云中变出本相相斗。郑信在下看时，那里见两个如花似玉的仙子？只见一个白一个红，两个蜘蛛在空中相斗。郑信道："原来如此。"只见红的输了便走，后面白的赶来，被郑信弯弓，觑得亲，一箭射去，喝声："着！"把那白蜘蛛射了下来。月华仙子大痛无声，便骂："郑信负心贼，暗算了我也！"自往后殿去，不题。这里日霞仙子，收了本相，依先一个如花似玉佳人，看着郑信道："丈夫，深荷厚恩，与妾解围，使妾得遂终身偕老之愿。"两个自此越说得著，行则并肩，坐则叠股，无片时相舍。正是：

春和淑丽，同携手于花前；夏气炎蒸，共纳凉于花下；秋光皎洁，银蟾与桂偶同圆；冬景严凝，玉体与香肩共暖。受物外无穷快乐，享人间不尽欢娱。

倏忽间过了三年，生下一男一女。郑信自思："在此虽是朝欢暮乐，作何道理，发迹变泰?"遂告道："感荷娘娘收留在此，一住三年，生男育女。若得前途发迹，报答我妻，是吾所愿。"日霞仙子见说，泪下如雨道："丈夫你去，不争教我如何？两个孩儿却是怎地?"郑信道："我若得一官半职，便来取你们。"仙子道："丈夫你要何处去?"郑信道："我往太原投军。"仙子见说，便道："丈夫，与你一件物事，教你去投军，有分发迹。"便叫青衣取那张神臂克敌弓，便是今时踏凳弩，分付道："你可带去军前立功，定然有五等诸侯之贵。这一男一女，与你扶养在此。直待一纪之后，奴自遣人送还。"郑信道："我此去若有发迹之日，早晚来迎你母子。"仙子道："你我相遇，亦是夙缘。今三年限满，仙凡路隔，岂复有相见之期乎?"说罢，不觉潸然下泪。

郑信初时求去，听说相见无期，心中感伤，亦流泪不已，情愿再住几时。仙子道："夫妻缘尽，自然分别。妾亦不敢留君，恐误君前程，必遭天谴。"即命青衣置酒饯别。饮至数杯，仙子道："丈夫，你先前携来的剑，和那一副盔甲，权留在此。他日送儿女还你，那时好作信物。"郑信道："但凭贤妻主意。"仙子又亲劝别酒三杯，取一大包金珠相赠，亲自送出宫门。约行数里之程，远远望见路口，仙子道："丈夫，你从此出去，便是大路。前程万里，保重！保重!"郑信方欲眷恋，忽然就脚下起阵狂风，风定后已不见了仙子。但见：

青云藏宝殿，薄雾隐回廊。静听不闻消息之声，回视已失峰峦之势。日霞宫想归海上，神仙女料返蓬莱。多应看罢僧繇画，卷起丹青一幅图。

郑信抱了一张神臂弓，呆呆的立了半晌，没奈何，只得前行。到得路口看时，却是汾州大路，此路去河东太原府不远。那太原府主，却是种相公，讳师道，见在出榜招军。郑信走到辕门投军，献上神臂弓。种相公大喜，分付工人如法制造数千张，遂补郑信为帐前管军指挥。后来收番累立战功，都亏那神臂弓之用。十馀年间，直做到两川节度使之职。时常思念日霞公主恩义，并不婚娶。

话分两头，再说张俊卿员外，自从那年郑信下井之后，好生思念。每年逢了此日，就差主管备下三牲祭礼，亲到井边祭奠，也是不忘故旧之意。如此数年，未尝有缺。忽一日祭奠回来，觉得身子困倦，在厅屋中少憩片时，不觉睡去。梦见天上五色云霞，灿烂夺目，忽然现出一位红衣仙子，左手中抱着一男，右手中抱着一女，高叫："张俊卿，这一对男女，是郑信所生，今日交付与你，你可好生抚养。待郑信发迹之后，送至剑门，不可负吾之托。”说罢，将手中男女，从半空里撇下来。员外接受不迭，惊出一身冷汗。蓦然醒来，口称奇怪。尚未转动，只见门公报道：“方才有个白须公公，领着一男一女，送与员外，说道：‘员外在古井边，曾受他之托。’又有送这个包裹，这一口剑，说是两川节度使的信物在内，教员外亲手开看。男女不知好歹，特来报知。”

张员外听说，正符了梦中之言，打开包裹看时，却是一副盔甲在内，和这口剑。收起，亲走出门前看时，已不见了白须公公，但见如花似玉的一双男女，约莫有三四岁长成。问其来历，但云：“娘是日霞公主，教我去跟寻郑家爹爹。”再叩其详，都不能言。张员外想道：“郑信已堕井中，几曾出来？那里又有儿女，莫非是同名同姓的？”又想起岳庙之梦，分明他有五等诸侯之贵，心中委决不下。且收留着这双男女，好生抚养，一面打探郑信消息。

光阴如箭，看看长大。张员外把作自已亲儿女看成，男取名郑武，女取名彩娘。张员外自有一子，年纪相方，叫做张文。一文一武，如同胞兄弟，同在学堂攻书。彩娘自在闺房针指。又过了几年，并不知郑信下落。

忽一日，张员外走出厅来，忽见门公来报：“有两川节度使，差来进表官员，写了员外姓名居址，问到这里，他要亲自求见。”员外心中疑虑，忙教请进。只见那差官：

> 头顶缠棕大帽，脚踏粉底乌靴。身穿蜀锦窄袖袄子，腰系间银纯铁挺带。行来魁岸之容，面带风尘之色。从者牵着一匹大马相随。

张员外降阶迎接，叙礼已毕。那差官取出一包礼物，并书信一封，说道：“节度使郑爷多多拜上。”张员外拆书看时，认得郑信笔迹，书上写道：

> 信向蒙恩人青目，狱中又多得看觑，此乃莫大之恩也！前入古井，自分无幸，何期有日霞仙子之遇。伉俪三年，复赠资斧，送出汾州投军，累立战功。今叨福庇，在抚蜀中。向无便属，有失奉候。今因进表之便，薄具黄金三十两，蜀锦十端，权表微忱。傥不畏蜀道之难，肯到敝治光顾，信之万幸！悬望悬望！

张员外看罢，举手加额道：“郑家果然发迹变泰，又不忘故旧，远送礼物，真乃有德有行之人也！”遂将向来梦中之事，一一与差官说知。差官亦惊讶不已。是日设筵，款待差官。那差官虽然是有品级的武职，却受了节使分付言语来迎取张员外的，好生谦谨。张员外就留他在家中作寓，日日宴会。

闲话休叙。过了十来日，公事了毕，差官催促员外起身。张员外与院君商量，要带那男女送还郑节使。又想女儿不便同行，只得留在家中，单带那郑武上路。随身行李，童仆四人，和差官共是七个马，一同出了汴京，望剑门一路进发。不一日，到了节度使衙门。差官先入禀复，郑信忙教请进私衙，以家人之礼相见。员外率领郑武拜认父亲，叙及白须公公领来相托，献上盔甲、腰刀信物，并说及两翻奇梦。郑信念起日霞仙子情分，凄然伤感。屈指算之，恰好一十二年，男女皆一十二岁。仙子临行所言，分毫不爽。其时大排筵会，管待张员外，礼为上宾。就席间将女儿彩娘许配员外之子张文，亲家相称。此谓以德报德也。却说郑信思念日霞仙子不已，于锦江之傍，建造日霞行宫，极其壮丽。岁时亲往行香。

再说张员外住了三月有馀，思想家乡。郑信不敢强留，安排车马，送出十里长亭之外。赠遗之厚，自不必说，又将黄金百两，供员外施舍岳庙修造炳灵公大殿。后来因金兀术入寇，天子四下征兵，郑信带领儿子郑武勤王，累败金兵。到汴京复与张俊卿相会，方才认得女婿张文，及女儿彩娘。郑信寿至五十馀，白日看见日霞仙子车驾来迎，无疾而逝。其子郑武以父荫累官至宣抚使。其后金兵入寇不已，各郡县俱仿神臂弓之制，多能杀贼。到徽、钦北狩，康王渡江，为金兵所追，忽见空中有金甲神人，率领神兵，以神臂弓射贼，贼兵始退。康王见旗帜上有“郑”字，以问从驾之臣。有人奏言：“前两川节度使郑信，曾献克敌神臂弓，此必其神来护驾耳。”康王既即位，敕封明灵昭惠王，立庙于江上，至今古迹犹存。诗曰：

> 郑信当年未遇时，俊卿梦里已先知。
> 运来自有因缘到，到手休嫌早共迟。

第三十二卷
黄秀才徼灵玉马坠

> 净几明窗不染尘，图书镇日与相亲。
> 偶然谈及风流事，多少风流误了人。

话说唐乾符年间，扬州有一秀士，姓黄名损，字益之，年方二十一岁，生得丰姿韶秀，一表人才，兼之学富五车，才倾八斗，同辈之中，推为才子。原是阀阅名门，因父母早丧，家道零落。父亲手里遗下一件宝贝，是一块羊脂白玉雕成个马儿，唤做玉马坠，色泽温润，镂刻精工。虽然是小小东西，等闲也没有第二件胜得他的。黄损秀才，自幼爱惜，佩带在身，不曾顷刻之离。偶一日闲游市中，遇着一个老叟。生得怎生模样？

> 头带箬叶冠，身穿百衲袄，腰系黄丝绦，手执逍遥扇。童颜鹤发，碧眼方瞳。不是蓬莱仙长，也须学道高人。

那老者看见黄生，微微而笑。黄生见其仪容古雅，悚然起敬，邀至茶坊，献茶叙话。那老者所谈，无非是理学名言，玄门妙谛。黄生不觉叹服。正当语酣之际，黄生偶然举袂，老者看见了那玉马坠儿，道："愿借一观。"黄生即时解下，双手献与老者。老者看了又看，啧啧叹赏，问道："此坠价值几何？老汉意欲奉价相求，未审郎君允否？"黄生答道："此乃家下祖遗之物，老翁若心爱，便当相赠，何论价乎！"老者道："既蒙郎君慷慨不吝，老汉何敢固辞。老汉他日亦有所报。"遂将此坠悬挂在黄丝绦上，挥手而别，其去如飞。生愕然惊怪，想道："此老定是异人，恨不曾问其姓名也。"这段话阁过不题。

却说荆襄节度使刘守道，平昔慕黄生才名，差官持手书一封，白金采币，聘为幕宾。如何叫做幕宾？但凡幕府军民事冗，要人商议，况一应章奏及书札，亦须要个代笔，必得才智兼全之士，方称其职，厚其礼币，奉为上宾：所以谓之幕宾，又谓之书记。有官职者，则谓之记室参军。黄损秀才，正当穷困无聊之际，却闻得刘节使有此美意，遂欣然许之，先写了回书，打发来人，约定了日期，自到荆州谒见。差官去了。

黄生收拾衣装，别过亲友，一路搭船，行至江州。忽见巨舟泊岸，篷窗雅洁，朱栏油幕，甚是整齐。黄生想道："我若趁得此船，何愁江中波浪之险乎。"适有一水手上岸沽酒，黄生尾其后面问之："此舟从何而来？今往何处？"水手答道："徽人姓韩，今往蜀中做客。"黄生道："此去蜀中，必从荆江而过，小生正欲往彼，未审可容附舟否？"水手道："船颇宽大，那争趁你一人！只是主人家眷在上，未知他意允否若何？"黄生取出青蚨三百，奉为酒资，求其代言。

水手道："官人但少停于此，待我禀过主人，方敢相请。"须臾，水手沽酒回来，黄生复嘱其善言方便，水手应允。不一时，见船上以手相招，黄生即登舟相问，水手道："主人最重斯文，说是个单身秀士，并不推拒。但前舱货物充满，只可于艄头存坐，夜间在后火舱歇宿。主人家眷在于中舱，切须谨慎，勿取其怪。"遂引黄生见了主人韩翁。言谈之间，甚相器重。

是夜，黄生在后火舱中坐了一回，方欲解衣就寝，忽闻筝声凄婉，其声自中舱而出。黄生披衣起坐，侧耳听之：

> 乍雄乍细，若沉若浮。或如雁语长空，或如鹤鸣旷野，或如清泉赴壑，或如乱雨洒窗。汉宫初奏《明妃曲》，唐家新谱《雨淋铃》。

唐时第一琵琶手是康昆仑，第一筝手是郝善素。扬州妓女薛琼琼独得郝善素指法，琼琼与黄生最相契厚。僖宗皇帝妙选天下知音女子，入宫供奉，扬州刺史以琼琼应选。黄生思之不置，遂不忍复听弹筝。今日所闻筝声，宛似薛琼琼所弹。黄生暗暗称奇。

时夜深人静，舟中俱已睡熟。黄生推篷而起，悄然从窗隙中窥之，见舱中一幼女年未及笄，身穿杏红轻绡，云鬟半軃，娇艳非常。燃兰膏，焚凤脑，纤手如玉，抚筝而弹。须臾曲罢，兰销篆灭，杳无所闻矣。那时黄生神魂俱荡，如逢神女仙妃，薛琼琼辈又不足道也！在舱中展转不寐，吟成小词一首。词云：

生平无所愿，愿作乐中筝。得近佳人纤手子，研罗裙上放娇声。便死也为荣。

一夜无眠，巴到天明起坐，便取花笺一幅，楷写前词，后题"维扬黄损"四字，叠成方胜，藏于怀袖。梳洗已毕，频频向中舱观望，绝无动静。少顷，韩翁到后艄答拜，就拉往前舱献茶。黄生身对老翁，心怀幼女，自觉应对失次，心中惭悚，而韩翁殊不知也。忽闻中舱金盆响声，生意此女盥漱，急急起身，从船舷而过，偷眼窥觑窗棂，不甚分明，而香气芬馥，扑于鼻端。生之魂已迷，而骨已软矣，急于袖中取出花笺小词，从窗隙中投入。诚恐舟人旁眴，移步远远而立。两只眼觑定窗棂，真个是目不转睛。

却说中舱那女子梳妆盥手刚毕，忽闻窗间簌簌之响，取而观之，解开方胜，乃是小词一首。读罢，赞叹不已，仍折做方胜，藏于裙带上锦囊之中。明明晓得趁船那秀才夜来闻筝而作，情词俱绝，心中十分欣慕。但内才如此，不知外才何如？遂启半窗，舒头外望，见生凝然独立，如有所思。麟凤之姿，皎皎绝尘，虽潘安、卫蚧，无以过也。心下想道："我生长贾家，耻为贩夫贩妇，若与此生得偕伉俪，岂非至愿！"本欲再看一时，为舟中耳目甚近，只得掩窗。黄生亦退于舱后，然思慕之念益切。时舟尚停泊未开，黄生假推上岸，屡从窗边往来。女闻窗外履声，亦必启窗露面，四目相视，未免彼此送情，只是不能接语。正是：

彼此满怀心腹事，大家都在不言中。

到午后，韩翁有邻舟相识，拉上岸于酒家相款。舟人俱整理篷楫，为明早开船之计。黄生注目窗棂，适此女推窗外望，见生忽然退步，若含羞欲避者。少顷，复以手招生。生喜出望外，移步近窗。女乃开窗细语道："夜勿先寝，妾有一言。"黄生再欲叩之，女已掩窗而去矣。黄生大喜欲狂，恨不能一拳打落日头，把孙行者的瞌睡虫，遍派满船之人，等他呼呼睡去，独留他男女二人，叙一个心满意足。正是：

无情不恨良宵短，有约偏嫌此日长。

至夜韩翁扶醉而归，到船即睡。捱至更深，舟子俱已安息，微闻隔壁弹指三声。黄生急整冠起视。时新月微明，轻风徐拂，女已开半户，向外而立。黄生即于船舷上作揖，女于舱中答礼。生便欲跨足下舱，女不许，向生道："慕君之才，本欲与君吐露心怀，幸勿相逼！"黄生亦不敢造次，乃矬身坐于窗口。女问生道："君何方人氏？有妻室否？"黄生答道："维扬秀才，家贫

未娶。”女道：“妾之母裴姓，亦维扬人也。吾父虽徽籍，浮家蜀中，向到维扬，聘吾母为侧室，止生妾一人。十二岁吾母见背，今三年丧毕，吾父移妾归蜀耳。”黄生道：“既如此，则我与小娘子同乡故旧，安得无情乎？幸述芳名，当铭胸臆。”女道：“妾小字玉娥，幼时吾母教以读书识字，颇通文墨。昨承示佳词，逸思新美，君真天下有心人也。愿得为伯鸾妇，效孟光举案齐眉，妾愿足矣。”黄生道：“小娘子既有此心，我岂木石之比？誓当竭力图之。若不如愿，当终身不娶，以报高情。”女道：“慕君才调，不羞自媒，异日富贵，勿令妾有白头之叹。”黄生道：“卿家雅意，阳侯、河伯实闻此言，如有负心，天地不宥。但小娘子乃尊翁之爱女，小生逆旅贫儒，即使通媒，尊翁未必肯从。异日舟去人离，相会不知何日？不识小娘子有何奇策，使小生得遂盟言？”女道：“夜话已久，严父酒且醒矣，难以尽言。此后三月，必到涪州。十月初三日，乃水神生日，吾父每出入，必往祭赛，舟人尽行。君以是日能到舟次一会，当为决终身之策。幸勿负约，使妾望穿两眸也。”黄生道：“既蒙良约，敢不趋赴。”言毕，舒手欲握女臂，忽闻韩翁酒醒呼茶，女急掩窗。黄生逡巡就寝，忽忽如有所失。从此合眼便见此女，顷刻不能忘情。此女亦不复启窗见生矣。

舟行月馀，方抵荆江。正值上水顺风，舟人欲赶程途，催生登岸。生虽徘徊不忍，难以推托。将酒钱赠了舟子，别过韩翁，取包裹上岸，复伫立凝视中舱，凄然欲泪。女亦微启窗棂，停眸相送。俄顷之间，扬帆而去，迅速如飞。黄生盼望良久，不见了船，不觉堕泪。傍人问其缘故，黄生哽咽不能答一语。正是：

不如意事常八九，可与人言无二三。

黄生呆立江岸，直至天晚，只得就店安歇。次早问了守帅府前，投了名刺。刘公欣然接纳，叙起敬慕之意，随即开筵相待。黄生于席间，思念玉娥，食不下咽。刘公见其精神恍惚，疑有心事，再三问之。黄生含泪不言，但云：“中途有病未痊。”刘公亦好言抚慰。至晚刘公亲自送入书馆，铺设极其华整。黄生心不在焉，郁郁而已。过了数日，黄生恐误玉娥之期，托言欲往邻都访一故友，暂假出外月馀即返。刘公道：“军务倥偬，正欲请教，且待少暇，当从尊命。”又过了数日，生再开言，刘公只是不允。生度不可强，又公馆守卫严密，夜间落锁，不便出入。一连踌躕了三日夜，更无良策。

忽一日，问馆童道：“此间何处可以散闷？”馆童道：“一墙之隔，便是本府后花园中，亭台树木，尽可消遣。”黄生命童子开了书馆，引入后园，游玩了一番，问道：“花园之外，还是何处？”馆童道：“墙外便是街坊，周围有人巡警。日则敲梆，夜则打更。老爷法度，好不严哩！”黄生听在肚里，暗暗打帐：“除非如此如此。”是夜和衣而卧，寝不成寐。捱到五更，鼓声已绝，寂无人声，料此际司更的辛苦了一夜，必然困倦。此时不去，更待何时？近墙有石榴树一株，黄生攀援而上，耸身一跳，出了书房的粉墙，静悄悄一个大花园，园墙上都有荆棘。黄生心生一计，将石块填脚，先扒开那些棘刺，逾墙而出，并无人知觉，早离了帅府。趁此天色未明，拽开脚步便走，忙忙若丧家之狗，急急如漏网之鱼。有诗为证：

已效郗生入幕，何当干木逾垣！

岂有墙东窥宋，却同月下追韩。

次日，馆中童子早起承值，叫声：“奇怪。门不开，户不开，房中不见了黄秀才。”忙去报知刘公。刘公见说，吃了一惊，亲到书房看了一遍，一步步看到后园，见棘刺扒动，墙上有缺，想必那没行止的秀才，从此而去，正不知甚么急务。当下传梆升帐，拘巡警员役询问，皆云不知，刘公责治了一番。因他说邻邦访友，差人于襄邓各府逐县挨查缉访，并无踪影，叹息而罢。

话分两头。却说黄秀才自离帅府，挨门出城，又怕有人追赶，放脚飞跑。逢人问路，晚宿早行，径望涪州而进。自古道：无巧不成话。赶到涪州，刚刚是十月初三日。且说黄秀才在帅府中耽搁多日，如何还赶上？只因客船重大，且是上水，有风则行，无风则止。黄秀才从陆路短盘，风雨无阻，所以赶着了。沿江一路抓寻，只见高樯巨舰，比次凑集，如鱼鳞一般。逐只挨去，并不见韩翁之舟。心中早已着忙，莫非忙中有错，还是再捱转去。方欲回步，只见面前半箭之地，江岸有枯柳数株，下面单单泊着一只船儿。上前仔细观看，那船上寂无一人，止中舱有一女子，独倚篷窗，如有所待。那女子非别，正是玉娥，因为有黄生之约，恐众人耳目之下，相接不便，在父亲前，只说爱那柳树之下泊船，僻静有趣。韩翁爱女，言无不从。此时黄生一见，其喜非小。

谩说洞房花烛夜，且喜他乡遇故知。

那玉娥望见黄生，笑容可掬。其船离岸尚远，黄生便欲跳上。玉娥道：“水势甚急，须牵缆至近方可。”黄生依言，便举手去牵那缆儿。也是合当有事，那缆带在柳树根上，被风浪所激，已自松了。黄生去拿他时，便脱了结。你说巨舟在江涛汹涌之中，何等力气，黄生又是个书生，不是筋节的，一只手如何带得住？说时迟，那时快，只叫得一声“阿呀”，但见舟逐顺流下水，去若飞电，若现若隐，瞬息之间，不知几里。黄生沿岸叫呼。众船上都往水神庙祭赛去了，便有来往舟只，那涪江水势又与下面不同，离川江不远，瞿塘三峡，一路下来，如银河倒泻一般，各船过此，一个个手忙脚乱，自顾且不暇，何暇顾别人？黄生狂走约有一二十里，到空阔处，不见了那船。又走二十来里，料无觅处。欲待转去报与韩翁知道，又恐反惹其祸。对着江面，痛哭了一场，想起远路天涯，孤身无倚，欲再见刘公，又无颜面。况且盘缠缺少，有家难奔，有国难投："不如投向江流，或者得小娘子魂魄相见，也见我黄损不是负心之人。罢！罢！罢！"

人生自古谁无死，留与风流作话文。

黄秀才方欲投江，只听得背后一人叫道："不可，不可。"黄生回头看时，不是别人，正是维扬市上曾遇着请他玉马坠儿这个老叟。黄生见了那老叟，又羞又苦，泪如雨下。老叟道："郎君有何痛苦？说与老汉知道，或者可以分忧一二。"黄生道："到此地位，不得不说了。"便将初遇玉娥，及相约涪江、缆断舟行之事，备细述了一遍。老叟呵呵大笑，道："原来如此，些须小事，如何便拼得一条性命？"黄生道："老翁是局外之人，把这事看得小。依小生看来，比天更高，比海更阔，这事大得多哩。"老叟把十指一轮，说道："老汉颇通数学，方才轮算，尊可命不该绝，郎君还有相会之期。此去前面一里之外，有一茅庵，是我禅兄所居，郎君但往借宿，徐以此事求之，彼必能相济，老汉不及奉陪。"黄生道："老翁若不同去，恐禅师未必相信，不肯留宿。"老叟道："郎君前所惠玉马坠儿，老汉佩带在身，我禅兄所常见，但以此为信可也。"说罢，就黄丝绦上解下玉马坠来，递与黄生。黄生接得在手，老叟竟自飘然去了。

黄生为心事扰乱，依旧不曾问得姓名，懊悔无及。天色已晚，且自前去。约行一里之外，果然荒野中，独独有个茅庵，其门半掩。黄生捱身而入，佛堂中一盏琉璃灯，半明不灭。居中放个蒲团，一位高年胡僧，与塑的西番罗汉无二，盘膝打坐，双眸紧闭，如入定之状。黄生不敢惊动，端跪于前。约有一个时辰，胡僧开眼看见，喝道："何物俗子，敢来混入？"黄生再拜，奉上玉马坠，代老叟致意："今晚求借一宿。"胡僧道："一宿不难，但尘路茫茫，郎君此行将何底止？"黄生道："小生黄损正有心愿，欲求圣僧指迷。"遂将玉娥涪州之约始终叙述，因叩首问计。胡僧道："俺出家人，心如死灰，那管人间儿女之事！"黄生拜求不已。胡僧道："郎君念既至诚，可通神明。但观郎君，必是仕宦中人品，大丈夫以致身青云、显宗扬名为本，此事须于成名之后，从容及之。"黄生又拜道："小生举目无亲，口食尚然不周，那有功名之念？适间若非老翁相救，已作江中之鬼矣。"胡僧道："佛座下有白金十两，聊助郎君路费，且往长安。俟机缘到日，当有以报命耳。"说罢，依先闭目入定去了。

黄生身体亦觉困倦，就蒲团之侧，曲肱而枕之，猛然睡去。醒将转来，已是黎明时候，但见破败荒庵，墙壁俱无，并不见坐禅胡僧的踪迹。上边佛像也剥落破碎，不成模样。佛座下露出白晃晃一锭大银锭，上凿有黄损二字。黄生叫声"惭愧"，方知夜来所遇，真圣僧也，向佛前拜祷了一番，取了这锭银子，权为路费，径往长安。正是：

人有逆天之时，天无绝人之路。万事不由人计较，一生都是命安排。

话分两头。却说韩翁同舟人赛神回来，不见了船，急忙寻问。别个守船的看见，都说："断了缆，被流水滚下去多时了，我们没本事救得。"韩翁大惊，一路寻将下来，闻岸上人所说，亦是如此。抓寻了两三日，并无影响，痛哭而回，不在话下。

再说扬州妓女薛琼琼鸨儿叫做薛媪，为女儿琼琼以弹筝充选，入宫供奉，已及二载。薛媪自去了这女儿，门户萧条，乃买舟欲往长安探女，希求天子恩泽。其舟行至汉水，见有一覆舟自上流而下，回避不迭，碰的一声，正触了船头。那只船就停止不行了。舟人疑覆舟中必有财物，遂牵近岸边，用斧劈开，其中有一女子。薛媪闻知，忙教救出，已是淹淹将尽，只有一丝未断。原来冬天水寒，但是下水便没了命。只因此女藏在中舱，船底遮盖，暖气未泄，所以留得这一息生气。舟中货物，已自漂失了，便有存留，舟人都分散去讫。

薛媪为去了女儿琼琼，正想没有个替代，见此女容貌美丽，喜不可言，慌忙将通身湿衣解下，置于絮被之内，自己将肉身偎贴。那女子得了暖气，渐渐苏醒。然后将姜汤粥食，慢慢扶持，又将好言抚慰。女子渐能言语，索取湿衣中锦囊。薛媪问其来历，女子答道："奴家姓韩，小字玉娥，随父往蜀。舟至涪州，父亲同舟人往赛水神，奴家独守舟中，偶因缆脱，漂没到此。"薛媪道："可曾适人么？"玉娥道："与维扬黄损秀才，曾有百年之约。锦囊中藏有花笺小词，即黄郎所赠也。"

薛媪道："黄秀才原是我女儿琼琼旧交，此人才貌双全，与小娘子正是一对良缘。小娘子不须忧虑，随老身同到长安，来年大比，黄秀才必来应举，那时待老身寻访他来，与娘子续秦晋之盟，岂不美乎？"玉娥道："若得如此，便是重生父母。"自此玉娥，遂拜薛媪为义母。薛媪亦如己女相待。正是：

休言事急且相随，受恩深处亲骨肉。

不一日，行到长安，薛媪赁了小小一所房子，同玉娥住下。其时琼琼入宫进御，宠幸无比，晓得假母到来，无繇相会，但遣人不时馈送些东西候问。玉娥又扃户深藏，终日针指，以助薪水之费，所以薛媪日用宽然有馀。光阴似箭，不觉岁尽春来。怎见得？有诗为证：

爆竹声中一岁除，春风送暖入屠苏。

千门万户曈曈日，总把新桃换旧符。

且说除夜，玉娥想着母死父离，情人又无消息，暗暗坠泪。是夜睡去，梦见天门大开，一尊罗汉从空中出现。玉娥拜诉衷情。罗汉将黄纸一书，从空掷下，纸上写“维扬黄损佳音”六字。玉娥大喜，方欲开看，忽闻霹雳一声，蓦然惊觉，乃是人家岁朝开门，放火炮声响。玉娥想了一回，凄然不乐。其日新年，只得强起梳妆。

薛媪往邻家拜年去了。玉娥垂下竹帘，立于门内，眼觑街市上人来人往，心中想道：“今年是大比之期，不知黄郎曾到长安否？若得他此地经过，重逢一面，应着夜来之梦，也不枉奴死里逃生。”方才转动念头，忽见一个胡僧当帘而立，高叫道：“募化有缘男女。”玉娥从帘中仔细一看，那胡僧面貌与夜来梦中所见罗汉无异，不觉悚然起敬。孤身女子，却又不好招接他。正在踌躇，那胡僧竟自揭帘而入。玉娥倒退几步，闪在一边。胡僧直入中庭，盘膝而坐，顶上现出毫光数道，直透天门。玉娥大惊，跪拜无数，禀道：“弟子堕落火坑，有夙缘未遂，望罗汉指示迷津，救拔苦海。”胡僧道：“汝诚念皈依，但尚有尘劫未脱。老僧赠汝一物，可密藏于身畔，勿许一人知道，他日夫妇重逢，自有灵验。，’当下取出一件宝贝，赠与玉娥，乃是玉马坠儿。玉娥收讫，即见一道金光，冲天而起，胡僧忽然不见。玉娥知是圣僧显化，望空拜谢，将玉马坠牢系襟带之上，薛媪回来，并不题起。

满怀心事无人诉，一炷心香礼圣僧。

再说黄损秀才，得胡僧助了盘缠，一径往长安应试。然虽如此，心上只挂着玉娥，也不去温习经史，也不去静养精神，终日串街走巷，寻觅圣僧，庶几一遇。早出晚回，终日闷闷而已。试期已到，黄生只得随例入场，举笔一挥，绝不思索。他也只当应个故事，那有心情去推敲磨练！谁知那偏是应故事的文字容易入眼。正是：

不愿文章中天下，只愿文章中试官。

金榜开时，高高挂一个黄损名字，除授部郎之职。

其时吕用之专权乱政，引用无籍小人，左道惑众，中外嫉之如仇。然怕他权势，不敢则声。黄损独条陈他前后奸恶，事事有据。天子听信，敕吕用之免官就第。黄生少年高第，又上了这个疏，做了天下第一件快心之事，那一个不钦服他！真个名倾朝野。长安贵戚，闻黄生尚未娶妻，多央媒说合，求他为婿。黄生心念玉娥，有盟言在前，只是推托不允。那时薛媪也风闻得黄损登第，欲待去访他，到是玉娥教他：“且慢。贵易交，富易妻，人情乎，未知黄郎真心何如？”这也是他把细处。

话分两头，且说吕用之闲居私第，终日讲炉鼎之事，差人四下缉访名姝美色，以为婢妾。有人夸薛媪的养女，名曰玉娥，天下绝色，只是不肯轻易见人。吕用之道：“只怕求而没有，那怕有而难求？”当下差干仆数十人，以五百金为聘，也不通名道姓，竟撒向薛媪家中，直入卧房抢出玉娥，不由分说，抬上花花暖轿，望吕府飞奔而走。唬得薛媪软做一团，急忙里想不出的道理。后来晓得吕府中要人，声也不敢则了；欲待投诉黄损，恐无益于事，反讨他抱怨。只得忍气吞声，不在话下。

且说玉娥到了府中，吕用之亲自卷帘，看见姿容绝世，喜不自胜，即命丫鬟养娘，扶至香房，又取出锦衣数箱，奇样首饰，教他装扮。玉娥只是啼哭，将首饰掷之于地，一件衣服也不肯穿。丫鬟养娘回覆吕相公。吕相公只教："莫难为了他。好言相劝。"众人领命，你一句，我一句，只是劝他顺从。玉娥全然不理。正是：

万事可将权势使，寸心不为绮罗移。
姻缘自古皆前定，堪笑狂夫妄用机。

却说吕家门生故吏，闻得相公纳了新宠，都来拜贺，免不得做庆贺筵席。饮至初更，只见后槽马夫喘吁吁上堂禀事："适间有白马一匹，约长丈馀，不知那里来的，突入后槽，啮伤群马。小人持棍赶他，那马直入内宅去了。"吕用之大惊道："那有此事？"即命干仆明火执杖，同着马夫于各房搜检。马屁也不闻得一个，都来回话。吕相公心知不祥之事，不肯信以为然，只怪马夫妄言，不老实，打四十棍，革去不用。众客咸不欢而散。

吕用之乘着酒兴，径入新房，玉娥兀自哭哭啼啼。吕用之一般也会帮衬，说道："我富贵无比，你若顺从，明日就立你为夫人，一生受用不尽。"玉娥道："奴家虽是女流，亦知廉耻，曾许配良人，一女不更二夫；况相公珠翠成群，岂少奴家一人？愿赐矜怜，以全名节。"吕用之那里肯听，用起拔山之力，抱向床头按住，亲解其衣。玉娥双手拒之，气力不加，口中骂声不绝。

正在危急之际，忽有白马一匹，约长丈馀，从床中奔出，向吕用之乱扑乱咬。吕用之着忙，只得放手，喝教侍婢上前。那白马在房中乱舞，逢着便咬，咬得侍婢十损九伤。吕用之惊惶逃窜。比及吕用之出了房门，那白马也不见了。吕用之明明晓得是个妖孽，暗地差人四下访求高人禳解。次日有胡僧到门，自言："善能望气、预知凶吉。今见府上妖气深重，特来禳解。"门上通报了用之，即日请进，甚相敬礼。胡僧道："府上妖气深重，主有非常之祸。"吕用之道："妖气在于何处？"胡僧道："似在房闱之内，待老僧细查。"

吕用之亲自引了胡僧，各房观看。行至玉娥房头，胡僧大惊道："妖气在此！不知此房中是相公何人？"吕用之道："新纳小妾，尚未成婚。"胡僧道："恭喜相公，洪福齐天，得遇老僧。若成亲之后，相公必遭其祸矣。此女乃上帝玉马之精，来人间行祸者。今已到相公府中，若不早些发脱，祸必不免。"吕用之被他说着玉马之事，连呼为神人，请问如何发脱。胡僧道："将此女速赠他人，使他人代受其祸，相公便没事了。"吕用之虽然爱那女色，性命为重，说得活灵活现，怎的不怕？又问了："赠与谁人方好？"胡僧道：

"只拣相公心上第一个不快的，将此女赠之。一月之内，此人必遭其祸。相公可高枕无忧也。"吕用之被黄损一本劾奏罢官，心中最恨的。那时便定了个主意，即忙作礼道："领教，领教。"分付干仆备斋相款，多取金帛厚赠。胡僧道："相公天下福人，老僧特来相救，岂敢受赐。"连斋也不吃，拂衣而去。

分明一席无稽话，却认非常禳祸功。

吕用之当时差人唤取薛媪到府说话。薛媪不敢不来。吕用之便道："你女儿年幼，不知礼数，我府中不好收用。闻得新进士黄损尚无妻室，此人与我有言，我欲将此女送他，解释其恨，须得你亲自送去，善言道达，必得他收纳方好。"薛媪叩首道："相公钧旨，敢不遵依。"吕用之又道："房中衣饰箱笼，尽作嫁资，你可自去收拾，竟自抬去，连你女儿也不消相见了。"薛媪闻言，正中其怀。中堂自有人引进香房。

玉娥见薛媪到来，认是吕用之着他来劝解，心头突突的跳。薛媪向女儿耳边低说道："你如今好了，相公不用，着我另送与一个知趣的人。"玉娥道："奴家所以贪生忍耻，跟随到此，只望黄郎一会。若转赠他人，与陷身此地何异？奴家宁死，不愿为逐浪之萍，随风之絮也。"薛媪道："方才说知趣的人儿，正是黄郎。房中衣饰箱笼，尽数相赠。快些出门，防他有翻悔之事。"玉娥道："原来如此。"当下母子二人，忙忙的收拾停当，嘱付丫鬟养娘，寄谢相公。唤下脚力，一道烟去了。

鳌鱼脱却金钩去，摆尾摇头再不来。

却说黄损闲坐衙斋，忽见门外来报："有维扬薛妈妈求见。"黄生忙教请进。薛媪一见了黄生，连称："贺喜！"黄生道："下官何喜可贺？"薛媪道："老身到长安，已半年有馀，平时不敢来冒渎。今日特奉一贵官之命，送一位小娘子到府成亲。"黄生问道："贵官是那个？"薛媪道："是新罢职的吕相公。"黄生大怒道："这个奸雄，敢以美人局戏我。若不看你旧时情分，就把你叱咤一场。"薛媪道："官人休恼。那美人非别，却是老身的女儿，与官人有瓜葛的。"黄生闻言，就把怒容放下了五分，从容问道："令爱琼琼，久已入宫供奉，以下更有谁人？与下官有何瓜葛？"薛媪道："是老身新认的小女，姓韩名玉娥。"黄生大惊道："你在那里相会来？"薛媪便把汉江捞救之事，说了一遍。"近日被吕相公用强夺去，女儿抵死不从。不知何故，分付老身送与官人，权为修好之意。"黄生摇首道："既被吕用之这厮夺去，必然玷污，岂有白白发出之理，又如何偏送与下官？"薛媪道："只问我女儿便知。"黄生道："莫非不是那维扬韩玉娥么？"薛媪道："见有官人所赠花笺小词为证。"遂出诸袖中，还是被水浸湿过的，都绉了。

黄生见之，提起昔日涪江光景，不觉惨然泪下。即刻命肩舆人从，同薛媪迎接玉娥到衙相会。两下抱头大哭。哭罢，各叙衷肠。玉娥举玉马坠，对生说道："妾若非此物，必为吕贼所污，当以颈血溅其衣，不复得见君面矣。"黄生见坠，大惊道："此玉马坠，原是吾家世宝，去年涪州献与胡僧，芳卿何以得之？"玉娥道："妾除夜曾得一梦，次日岁朝遇一胡僧，宛如梦中所见，将此坠赠我，嘱付我夫妻相会，都在这个坠上。妾谨藏于身。那夜吕贼用强相犯，忽有白马从床头奔出，欲啮吕贼。吕贼惊惶逃去。后闻得也有个胡僧，对吕贼说：'白马为妖，不利主人。'所以将妾赠君，欲贻祸于君耳。"黄生道："如此说，你我夫妻重会，皆胡僧之力。胡僧真神人，玉马坠真神物也！今日礼当谢之。"

遂命设下香案，供养玉马坠于上，摆列酒脯之仪，夫妻双双下拜。薛媪亦从旁叩头。忽见一白马约长丈馀，从香案上跃出，腾空而起。众人急出户看之，见云端里面站着一人，须眉可辨。那人是谁：

维扬市上初相识，再向涪江渡口逢。
今日云端来显相，方知玉马主人翁。

那人便是起首说，维扬市上相遇，请那玉马坠的老翁。老翁跨上白马，须臾烟云缭绕，不知所往。黄生想起江头活命之恩，望空再拜。看案上，玉马坠已不见矣。

是夜，黄损与玉娥遂为夫妇。薛媪养老送终。黄损又差人持书往蜀中访问韩翁，迎来奉养。岁时必设老叟及胡僧神位，焚香礼拜。后黄损官至御史中丞，玉娥生三子，并列仕途，夫妇百年偕老。有诗赞云：

一曲筝声江上听，知音遂缔百年盟。
死生离合皆前定，不是姻缘莫强争。

第三十三卷
十五贯戏言成巧祸
（宋本作《错斩崔宁》）

聪明伶俐自天生，懵懂痴呆未必真。
嫉妒每因眉睫浅，戈矛时起笑谈深。
九曲黄河心较险，十重铁甲面堪憎。
时因酒色亡家国，几见诗书误好人！

这首诗，单表为人难处。只因世路窄狭，人心叵测。大道既远，人情万端。熙熙攘攘，都为利来；蚩蚩蠢蠢，皆纳祸去。持身保家，万千反覆。所以古人云："颦有为颦，笑有为笑。颦笑之间，最宜谨慎。"这回书，单说一个官人，只因酒后一时戏笑之言，遂至杀身破家，陷了几条性命。且先引下一个故事来，权做个得胜头回。

却说故宋朝中，有一个少年举子，姓魏名鹏举，字冲霄，年方一十八岁。娶得一个如花似玉的浑家，未及一月，只因春榜动，选场开，魏生别了妻子，收拾行囊，上京取应。临别时，浑家分付丈夫："得官不得官，早早回来，休抛闪了恩爱夫妻。"魏生答道："功名二字，是俺本领前程，不索贤卿忧虑。"别后登程到京，果然一举成名，除授一甲第二名榜眼及第。在京甚是华艳动人。少不得修了一封家书，差人接取家眷入京。书上先叙了寒温及得官的事，后却写下一行，道是："我在京中早晚无人照管，已讨了一个小老婆，专候夫人到京，同享荣华。"家人收了书程，一径到家，见了夫人，称说贺喜。因取家书呈上。夫人拆开看了，见是如此如此，这般这般，便对家人道："官人直恁负恩。甫能得官，便娶了二夫人。"家人便道："小人在京，并没见有此事。想是官人戏谑之言。夫人到京，便知端的，休得忧虑。"夫人道："恁地说，我也罢了。"却因人舟未便，一面收拾起身，一面寻觅便人，先寄封平安家书到京中去。那寄书人到了京中，寻问新科魏榜眼寓所，下了家书，管待酒饭自回，不题。

却说魏生接书拆开来看了，并无一句闲言闲语，只说道："你在京中娶了一个小老婆，我在家中也嫁了一个小老公，早晚同赴京师也。"魏生见了，也只道是夫人取笑的说话，全不在意，未及收好，外面报说，有个同年相访。京邸寓中，不比在家宽转，那人又是相厚的同年，又晓得魏生并无家眷在内，直至里面坐下，叙了些寒温。魏生起身去解手，那同年偶翻桌上书帖，看见了这封家书，写得好笑，故意朗诵起来。魏生措手不及，通红了脸，说道："这是没理的话！因是小弟戏谑了他，他便取笑写来的。"那同年呵呵大笑道："这节事却是取笑不得的。"别了就去。那人也是一个少年，喜谈乐道，把这封家书一节，顷刻间遍传京邸。也有一班妒忌魏生少年登高科的，将这桩事只当做风闻言事的一个小小新闻，奏上一本，说这魏生年少不检，不宜居清要之职，降处外任。魏生懊恨无及。后来毕竟做官蹭蹬不起，把锦片也似一段美前程，等闲放过去了。

这便是一句戏言，撒漫了一个美官。今日再说一个官人，也只为酒后一时戏言，断送了堂堂七尺之躯，连累两三个人，枉屈害了性命。却是为着甚的？有诗为证。

> 世路崎岖实可哀，傍人笑口等闲开。
> 白云本是无心物，又被狂风引出来。

却说南宋时，建都临安，繁华富贵，不减那汴京故国。去那城中箭桥左侧，有个官人，姓刘名贵，字君荐，祖上原是有根基的人家，到得君荐手中，却是时乖运蹇。先前读书，后来看看不济，却去改业做生意。便是半路上出家的一般，买卖行中，一发不是本等伎俩，又把本钱消折去了。渐渐大房改换小房，赁得两三间房子，与同浑家王氏，年少齐眉。后因没有子嗣，娶下一个小娘子，姓陈，是陈卖糕的女儿，家中都呼为二姐。这也是先前不十分穷薄的时，做下的勾当。至亲三口，并无闲杂人在家。那刘君荐，极是为人和气，乡里见爱，都称他刘官人。“你是一时运限不好，如此落寞，再过几时，定须有个亨通的日子！”说便是这般说，那得有些些好处？只是在家纳闷，无可奈何！

却说一日闲坐家中，只见丈人家里的老王——年近七旬——走来对刘官人说道：“家间老员外生日，特令老汉接取官人娘子，去走一遭。”刘官人便道：“便是我日逐愁闷过日子，连那泰山的寿诞，也都忘了。”便同浑家王氏，收拾随身衣服，打叠个包儿，交与老王背了，分付二姐：“看守家中，今日晚了，不能转回，明晚须索来家。”说了就去。离城二十馀里，到了丈人王员外家，叙了寒温。当日坐间客众，丈人女婿，不好十分叙述许多穷相。到得客散，留在客房里宿歇。

直至天明，丈人却来与女婿攀话，说道：“姐夫，你须不是这般算计，坐吃山空，立吃地陷，咽喉深似海，日月快如梭。你须计较一个常便。我女儿嫁了你，一生也指望丰衣足食，不成只是这等就罢了！”刘官人叹了一口气道：“是。泰山在上，道不得个上山擒虎易，开口告人难。如今的时势，再有谁似泰山这般怜念我的。只索守困，若去求人，便是劳而无功。”丈人便道：“这也难怪你说。老汉却是看你们不过，今日赍助你些少本钱，胡乱去开个柴米店，撰得些利息来过日子，却不好么？”刘官人道：“感蒙泰山恩顾，可知是好。”

当下吃了午饭，丈人取出十五贯钱来，付与刘官人道：“姐夫，且将这些钱去，收拾起店面，开张有日，我便再应付你十贯。你妻子且留在此过几日，待有了开店日子，老汉亲送女儿到你家，就来与你作贺，意下如何？”

刘官人谢了又谢，驮了钱一径出门，到得城中，天色却早晚了，却撞着一个相识，顺路在他家门首经过。那人也要做经纪的人，就与他商量一会，可知是好。便去敲那人门时，里面有人应喏，出来相揖，便问：“老兄下顾，有何见教？”刘官人一一说知就里。那人便道：“小弟闲在家中，老兄用得着时，便来相帮。”刘官人道：“如此甚好。”当下说了些生意的勾当。那人便留刘官人在家，现成杯盘，吃了三杯两盏。刘官人酒量不济，便觉有些朦胧起来，抽身作别，便道：“今日相扰，明早就烦老兄过寒家，计议生理。”那人又送刘官人至路口，作别回家，不在话下。若是说话的，同年生，并肩长。拦腰抱住，把臂拖回，也不见得受这般灾悔！却教刘官人死得不如《五代史》

李存孝，《汉书》中彭越。

却说刘官人驮了钱，一步一步捱到家中，敲门已是点灯时分。小娘子二姐独自在家，没一些事做，守得天黑，闭了门，在灯下打瞌睡。刘官人打门，他那里便听见。敲了半晌，方才知觉，答应一声来了，起身开了门。刘官人进去，到了房中，二姐替刘官人接了钱，放在桌上，便问："官人何处挪移这项钱来，却是甚用?"那刘官人一来有了几分酒，二来怪他开得门迟了，且戏言唬他一唬，便道："说出来，又恐你见怪；不说时，又须通你得知。只是我一时无奈，没计可施，只得把你典与一个客人，又因舍不得你，只典得十五贯钱。若是我有些好处，加利赎你回来。若是照前这般不顺溜，只索罢了。"

那小娘子听了，欲待不信，又见十五贯钱，堆在面前；欲待信来，他平白与我没半句言语，大娘子又过得好，怎么便下得这等狠心辣手?疑狐不决，只得再问道："虽然如此，也须通知我爹娘一声。"刘官人道："若是通知你爹娘，此事断然不成。你明日且到了人家，我慢慢央人与你爹娘说通，他也须怪我不得。"小娘子又问："官人今日在何处吃酒来?"刘官人道："便是把你典与人，写了文书，吃他的酒，才来的。"小娘子又问："大姐姐如何不来?"刘官人道："他因不忍见你分离，待得你明日出了门才来，这也是我没计奈何，一言为定。"说罢，暗地忍不住笑，不脱衣裳，睡在床上，不觉睡去了。

那小娘子好生摆脱不下："不知他卖我与甚色样人家?我须先去爹娘家里说知。就是他明日有人来要我，寻到我家，也须有个下落。"沉吟了一会，却把这十五贯钱，一垛儿堆在刘官人脚后边，趁他酒醉，轻轻的收拾了随身衣服，款款的开了门出去，拽上了门。却去左边一个相熟的邻舍，叫做朱三老儿家里，与朱三妈借宿了一夜，说道："丈夫今日无端卖我，我须先去与爹娘说知。烦你明日对他说一声，既有了主顾，可同我丈夫到爹娘家中来，讨个分晓，也须有个下落。"那邻舍道："小娘子说得有理，你只顾自去，我便与刘官人说知就理。"过了一宵，小娘子作别去了不题。正是：

鳌鱼脱却金钩去，摆尾摇头再不回。

放下一头。却说这里刘官人一觉，直至三更方醒，见桌上灯犹未灭，小娘子不在身边。只道他还在厨下收拾家火，便唤二姐讨茶吃。叫了一回，没人答应，却待挣扎起来，酒尚未醒，不觉又睡了去。不想却有一个做不是的，日间赌输了钱，没处出豁，夜间出来掏摸些东西，却好到刘官人门首。因是小娘子出去了，门儿拽上不关。那贼略推一推，豁地开了。捏手捏脚，直到房中，并无一人知觉。

到得床前，灯火尚明。周围看时，并无一物可取。摸到床上，见一人朝着里床睡去，脚后却有一堆青钱，便去取了几贯。不想惊觉了刘官人，起来喝道："你须不近道理！我从丈人家借办得几贯钱来，养身活命，不争你偷了我的去，却是怎的计结？"那人也不回话，照面一拳，刘官人侧身躲过，便起身与这人相持。那人见刘官人手脚活动，便拔步出房。刘官人不舍，抢出门来，一径赶到厨房里，恰待声张邻舍，起来捉贼。那人急了，正好没出豁，却见明晃晃一把劈柴斧头，正在手边：也是人急计生，被他绰起，一斧正中刘官人面门，扑地倒了，又复一斧，斫倒一边。眼见得刘官人不活了，呜呼哀哉，伏惟尚飨！那人便道："一不做，二不休，却是你来赶我，不是我来寻你。"索性翻身入房，取了十五贯钱。扯条单被，包裹得停当，拽扎得爽俐，出门，拽上了门就走，不题。

次早邻舍起来，见刘官人家门也不开，并无人声息，叫道："刘官人，失晓了。"里面没人答应，捱将进去，只见门也不关。直到里面，见刘官人劈死在地："他家大娘子，两日家前已自往娘家去了，小娘子如何不见？"免不得声张起来。

却有昨夜小娘子借宿的邻家朱三老儿说道："小娘子昨夜黄昏时，到我家宿歇，说道：刘官人无端卖了他，他一径先到爹娘家里去了，教我对刘官人说，既有了主顾，可同到他爹娘家中，也讨得个分晓。今一面着人去追他转来，便有下落；一面着人去报他大娘子到来，再作区处。"众人都道："说得是。"先着人去到王老员外家报了凶信。老员外与女儿大哭起来，对那人道："昨日好端端出门，老汉赠他十五贯钱，教他将来作本，如何便恁的被人杀了？"

那去的人道："好教老员外大娘子得知，昨日刘官人归时，已自昏黑，吃得半酣，我们都不晓得他有钱没钱，归迟归早。只是今早刘官人家，门儿半开，众人推将进去，只见刘官人杀死在地，十五贯钱一文也不见，小娘子也不见踪迹。声张起来，却有左邻朱三老儿出来，说道：'他家小娘子昨夜黄昏时分，借宿他家。小娘子说道：刘官人无端把他典与人了，小娘子要对爹娘说一声，住了一宵，今日径自去了。'如今众人计议，一面来报大娘子与老员外，一面着人去追小娘子。若是半路里追不着的时节，直到他爹娘家中，好歹追他转来，问个明白。老员外与大娘子，须索去走一遭，与刘官人执命。"老员外与大娘子急急收拾起身，管待来人酒饭，三步做一步，赶入城中，不题。

却说那小娘子清早出了邻舍人家，挨上路去，行不上一二里，早是脚疼走不动，坐在路旁。却见一个后生，头带万字头巾，身穿直缝宽衫，背上驮了一个搭膊，里面却是铜钱，脚下丝鞋净袜，一直走上前来。到了小娘子面前，看了一看，虽然没有十二分颜色，却也明眉皓齿，莲脸生春，秋波送媚，好生动人。正是：

野花偏艳目，村酒醉人多。

那后生放下搭膊，向前深深作揖："小娘子独行无伴，却是往那里去的？"小娘子还了万福，道："是奴家要往爹娘家去，因走不上，权歇在此。"因问："哥哥是何处来？今要往何方去？"那后生叉手不离方寸："小人是村里人，因往城中卖了丝帐，讨得些钱，要往褚家堂那边去的。"小娘子道："告哥哥则个，奴家爹娘也在褚家堂左侧，若得哥哥带挈奴家，同走一程，可知是好。"那后生道："有何不可。既如此说，小人情愿伏侍小娘子前去。"

两个厮赶着，一路正行，行不到二三里田地，只见后面两个人脚不点地，赶上前来。赶得汗流气喘，衣襟敞开，连叫："前面小娘子慢走，我却有话说知。"小娘子与那后生看见赶得蹊跷，都立住了脚。后边两个赶到跟前，见了小娘子与那后生，不容分说，一家扯了一个，说道："你们干得好事！却走往那里去？"小娘子吃了一惊，举眼看时，却是两家邻舍，一个就是小娘子昨夜借宿的主人。小娘子便道："昨夜也须告过公公得知，丈夫无端卖我，我自去对爹娘说知；今日赶来，却有何说？"朱三老道："我不管闲帐，只是你家里有杀人公事，你须回去对理。"小娘子道："丈夫卖我，昨日钱已驮在家中，有甚杀人公事？我只是不去。"朱三老道："好自在性儿！你若真个不去，叫起地方有杀人贼在此，烦为一捉，不然，须要连累我们。你这里地方也不得清净。"那个后生见不是话头，便对小娘子道："既如此说，小娘子只索回去，小人自家去休！"那两个赶来的邻舍，齐叫起来说道："若是没有你在此便罢，既然你与小娘子同行同止，你须也去不得！"那后生道："却也古怪，我自半路遇见小娘子，偶然伴他行一程路儿，却有甚皂丝麻线，要勒转我回去？"朱三老道："他家现有杀人公事，不争放你去了，却打没对头官司！"当下不容小娘子和那后生做主。看的人渐渐立满，都道："后生你去不得。你日间不作亏心事，半夜敲门不吃惊，便去何妨！"那赶来的邻舍道："你若不去，便是心虚，我们却和你罢休不得。"四个人只得厮挽着一路转来。

到得刘官人门首，好一场热闹！小娘子入去看时，只见刘官人斧劈倒在地死了，床上十五贯钱分文也不见。开了口合不得，伸了舌缩不上去。那后生也慌了，便道："我恁的晦气！没来由和那小娘子同走一程，却做了干连人。"众人都和闹着。正在那里分豁不开，只见王老员外和女儿一步一攧走回家来，见了女婿身尸，哭了一场，便对小娘子道："你却如何杀了丈夫，劫了十五贯钱，逃走出去？今日天理昭然，有何理说！"小娘子道："十五贯钱，委是有的。只是丈夫昨晚回来，说是无计奈何，将奴家典与他人，典得十五贯身价在此，说过今日便要奴家到他家去。奴家因不知他典与甚色样人家，先去与爹娘说知，故此趁他睡了，将这十五贯钱，一垛儿堆在他脚后边，拽上门，借朱三老家住了一宵，今早自去爹娘家里说知。临去之时，也曾央朱三老对我丈夫说，既然有了主顾，便同到我爹娘家里来交割，却不知因甚杀死在此？”那大娘子道：“可又来！我的父亲昨日明明把十五贯钱与他驮来作本，养赡妻小，他岂有哄你说是典来身价之理？这是你两日因独自在家，勾搭上了人，又见家中好生不济，无心守耐，又见了十五贯钱，一时见财起意，杀死丈夫，劫了钱，又使见识，往邻舍家借宿一夜，却与汉子通同计较，一处逃走。现今你跟着一个男子同走，却有何理说，抵赖得过？”

众人齐声道：“大娘子之言，甚是有理。”又对那后生道：“后生，你却如何与小娘子谋杀亲夫？却暗暗约定在僻静处等候一同去，逃奔他方，却是如何计结！”那人道：“小人自姓崔名宁，与那个娘子无半面之识。小人昨晚入城，卖得几贯丝钱在这里，因路上遇见小娘子，小人偶然问起往那里去的，却独自一个行走。小娘子说起是与小人同路，以此作伴同行，却不知前后因依。”众人那里肯听他分说，搜索他搭膊中，恰好是十五贯钱，一文也不多，一文也不少。众人齐发起喊来道：“是天网恢恢，疏而不漏。你却与小娘子杀了人，拐了钱财，盗了妇女，同往他乡，却连累我地方邻里打没头官司。”

当下大娘子结扭了小娘子，王老员外结扭了崔宁，四邻舍都是证见，一哄都入临安府中来。那府尹听得有杀人公事，即便升堂。便叫一干人犯，逐一从头说来。先是王老员外上去，告说：“相公在上，小人是本府村庄人氏，年近六旬，只生一女。先年嫁与本府城中刘贵为妻，后因无子，娶了陈氏为妾，呼为二姐。一向三口在家过活，并无片言。只因前日是老汉生日，差人接取女儿女婿到家，住了一夜。次日，因见女婿家中全无活计，养赡不起，把十五贯钱与女婿作本，开店养身。却有二姐在家看守。到得昨夜，女婿到家时分，不知因甚缘故，将女婿斧劈死了，二姐却与一个后生，名唤崔宁，一同逃走，被人追捉到来。望相公可怜见老汉的女婿，身死不明。奸夫淫妇，赃证现在，伏乞相公明断。”

府尹听得如此如此，便叫陈氏上来：“你却如何通同奸夫，杀死了亲夫，劫了钱，与人一同逃走，是何理说？”二姐告道：“小妇人嫁与刘贵，虽是个小老婆，却也得他看承得好，大娘子又贤慧，却如何肯起这片歹心？只是昨晚丈夫回来，吃得半酣，驮了十五贯钱进门。小妇人问他来历，丈夫说道，为因养赡不周，将小妇人典与他人，典得十五贯身价在此，又不通我爹娘得知，明日就要小妇人到他家去。小妇人慌了，连夜出门，走到邻舍家里，借宿一宵。今早一径先往爹娘家去，教他对丈夫说，既然卖我有了主顾，可到我爹娘家里来交割。才走得到半路，却见昨夜借宿的邻家赶来，捉住小妇人回来，却不知丈夫杀死的根由。”那府尹喝道：“胡说。这十五贯钱，分明是他丈人与女婿的，你却说是典你的身价，眼见的没巴臂的说话了。况且妇人家，如何黑夜行走？定是脱身之计。这桩事须不是你一个妇人家做的，一定有奸夫帮你谋财害命，你却从实说来。"

那小娘子正待分说，只见几家邻舍一齐跪上去告道："相公的言语，委是青天。他家小娘子，昨夜果然借宿在左邻第二家的，今早他自去了。小的们见他丈夫杀死，一面着人去赶，赶到半路，却见小娘子和那一个后生同走，苦死不肯回来。小的们勉强捉他转来，却又一面着人去接他大娘子与他丈人，到时，说昨日有十五贯钱，付与女婿做生理的。今者女婿已死，这钱不知从何而去。再三问那小娘子时，说道：他出门时，将这钱一堆儿堆在床上。却去搜那后生身边，十五贯钱，分文不少。却不是小娘子与那后生通同作奸？赃证分明，却如何赖得过？"

府尹听他们言言有理，便唤那后生上来道："帝辇之下，怎容你这等胡行？你却如何谋了他小老婆，劫了十五贯钱，杀死了亲夫，今日同往何处？从实招来。"那后生道："小人姓崔名宁，是乡村人氏。昨日往城中卖了丝，卖得这十五贯钱。今早偶然路上撞着这小娘子，并不知他姓甚名谁，那里晓得他家杀人公事？"府尹大怒喝道："胡说！世间不信有这等巧事！他家失去了十五贯钱，你却卖的丝恰好也是十五贯钱，这分明是支吾的说话了。况且他妻莫爱，他马莫骑，你既与那妇人没甚首尾，却如何与他同行共宿？你这等顽皮赖骨，不打，如何肯招？"

当下众人将那崔宁与小娘子，死去活来，拷打一顿。那边王老员外与女儿并一干邻佑人等，口口声声咬他二人。府尹也巴不得了结这段公案。拷讯一回，可怜崔宁和小娘子，受刑不过，只得屈招了，说是一时见财起意，杀死亲夫，劫了十五贯钱，同奸夫逃走是实。左邻右舍都指画了"十"字，将两人大枷枷了，送入死囚牢里。将这十五贯钱，给还原主，也只好奉与衙门中人做使用，也还不勾哩。府尹叠成文案，奏过朝廷，部覆申详，倒下圣旨，说："崔宁不合奸骗人妻，谋财害命，依律处斩。陈氏不合通同奸夫，杀死亲夫，大逆不道，凌迟示众。"当下读了招状，大牢内取出二人来，当厅判一个斩字，一个剐字，押赴市曹，行刑示众。两人浑身是口，也难分说。正是：

哑子谩尝黄檗味，难将苦口对人言。

看官听说：这段公事，果然是小娘子与那崔宁谋财害命的时节，他两人须连夜逃走他方，怎的又去邻舍人家借宿一宵？明早又走到爹娘家去，却被人捉住了？这段冤枉，仔细可以推详出来。谁想问官糊涂，只图了事，不想捶楚之下，何求不得？冥冥之中，积了阴骘，远在儿孙近在身。他两个冤魂，也须放你不过。所以做官的，切不可率意断狱，任情用刑，也要求个公平明允。道不得个死者不可复生，断者不可复续，可胜叹哉！

闲话休题。却说那刘大娘子到得家中，设个灵位，守孝过日。父亲王老员外劝他转身，大娘子说道："不要说起三年之久，也须到小祥之后。"父亲应允自去。光阴迅速，大娘子在家，巴巴结结，将近一年。父亲见他守不过，便叫家里老王去接他来，说："叫大娘子收拾回家，与刘官人做了周年，转了身去罢。"大娘子没计奈何，细思父言亦是有理，收拾了包裹，与老王背了，与邻舍家作别，暂去再来。

一路出城，正值秋天，一阵乌风猛雨，只得落路，往一所林子去躲，不想走错了路。正是：

猪羊走屠宰之家，一脚脚来寻死路。

走入林子里来，只听他林子背后，大喝一声："我乃静山大王在此！行人住脚，须把买路钱与我。"大娘子和那老王吃那一惊不小，只见跳出一个人来：

头带乾红凹面巾，身穿一领旧战袍，腰间红绢搭膊裹肚，脚下蹬一双乌皮皂靴，手执一把朴刀。

舞刀前来。那老王该死，便道："你这剪径的毛团！我须是认得你，做这老性命着与你兑了罢。"一头撞去，被他闪过空。老人家用力猛了，扑地便倒。那人大怒道："这牛子好生无礼！"连搠一两刀，血流在地，眼见得老王养不大了。

那刘大娘子见他凶猛，料道脱身不得，心生一计，叫做脱空计，拍手叫道："杀得好！"那人便住了手，睁圆怪眼，喝道："这是你甚么人？"那大娘子虚心假气的答道："奴家不幸丧了丈夫，却被媒人哄诱，嫁了这个老儿，只会吃饭。今日却得大王杀了，也替奴家除了一害。"那人见大娘子如此小心，又生得有几分颜色，便问道："你肯跟我做个压寨夫人么？"大娘子寻思，无计可施，便道："情愿伏侍大王。"那人回嗔作喜，收拾了刀杖，将老王尸首撺入涧中，领了刘大娘子到一所庄院前来，甚是委曲。只见大王向那地上，拾些土块，抛向屋上去，里面便有人出来开门。到得草堂之上，分付杀羊备酒，与刘大娘子成亲。两口儿且是说得着。正是：

明知不是伴，事急且相随。

不想那大王自得了刘大娘子之后，不上半年，连起了几主大财，家间也丰富了。大娘子甚是有识见，早晚用好言语劝他："自古道：'瓦罐不离井上破，将军难免阵中亡。'你我两人，下半世也勾吃用了，只管做这没天理的勾当，终须不是个好结果！却不道是梁园虽好，不是久恋之家，不若改行从善，做个小小经纪，也得过养身活命。"那大王早晚被他劝转，果然回心转意，把这门道路撇了，却去城市间赁下一处房屋，开了一个杂货店。遇闲暇的日子，也时常去寺院中，念佛持斋。

忽一日在家闲坐，对那大娘子道："我虽是个剪径的出身，却也晓得冤各有头，债各有主。每日间只是唬骗人东西，将来过日子，后来得有了你，一向买卖顺溜，今已改行从善。闲来追思既往，止曾枉杀了两个人，又冤陷了两个人，时常挂念。思欲做些功果，超度他们，一向未曾对你说知。”大娘子便道：“如何是枉杀了两个人？”那大王道：“一个是你的丈夫，前日在林子里的时节，他来撞我，我却杀了他。他须是个老人家，与我往日无仇，如今又谋了他老婆，他死也是不肯甘心的！”大娘子道：“不恁地时，我却那得与你厮守？这也是往事，休题了。”又问：“杀那一个，又是甚人？”

那大王道：“说起来这个人，一发天理上放不过去，且又带累了两个人，无辜偿命。是一年前，也是赌输了，身边并无一文，夜间便去掏摸些东西。不想到一家门首，见他门也不闩。推进去时，里面并无一人。摸到门里，只见一人醉倒在床，脚后却有一堆铜钱，便去摸他几贯。正待要走，却惊醒了。那人起来说道：‘这是我丈人家与我做本钱的，不争你偷去了，一家人口都是饿死。’起身抢出房门。正待声张起来，是我一时见他不是话头，却好一把劈柴斧头在我脚边，这叫做人急计生，绰起斧来，喝一声道，‘不是我，便是你。’两斧劈倒。却去房中将十五贯钱，尽数取了。后来打听得他，却连累了他家小老婆，与那一个后生，唤做崔宁，说他两人谋财害命，双双受了国家刑法。我虽是做了一世强人，只有这两桩人命，是天理人心打不过去的！早晚还要超度他，也是该的。”

那大娘子听说，暗暗地叫苦：“原来我的丈夫也吃这厮杀了，又连累我家二姐与那个后生无辜被戮。思量起来，是我不合当初执证他两人偿命，料他两人阴司中，也须放我不过。”当下权且欢天喜地，并无他说。明日捉个空，便一径到临安府前，叫起屈来。

那时换了一个新任府尹，才得半月。正值升厅，左右捉将那叫屈的妇人进来。刘大娘子到于阶下，放声大哭。哭罢，将那大王前后所为：“怎的杀了我丈夫刘贵。问官不肯推详，含糊了事，却将二姐与那崔宁，朦胧偿命。后来又怎的杀了老王，奸骗了奴家。今日天理昭然，一一是他亲口招承。伏乞相公高抬明镜，昭雪前冤。”说罢又哭。府尹见他情词可悯，即着人去捉那静山大王到来，用刑拷讯，与大娘子口词一些不差。即时问成死罪，奏过官里。待六十日限满，倒下圣旨来，勘得：“静山大王，谋财害命，连累无辜，准律：杀一家非死罪三人者，斩加等，决不待时。原问官断狱失情，削职为民。崔宁与陈氏枉死可怜，有司访其家，谅行优恤。王氏既系强徒威逼成亲，又能伸雪夫冤，着将贼人家产，一半没入官，一半给与王氏养赡终身。”

刘大娘子当日往法场上，看决了静山大王，又取其头去祭献亡夫并小娘子及崔宁，大哭一场。将这一半家私，舍入尼姑庵中，自己朝夕看经念佛，追荐亡魂，尽老百年而绝。有诗为证：

善恶无分总丧躯，只因戏语酿殃危。

劝君出话须诚实，口舌从来是祸基。

第三十四卷
一文钱小隙造奇冤

世上何人会此言，休将名利挂心田。
等闲倒尽十分酒，遇兴高歌一百篇。
物外烟霞为伴侣，壶中日月任婵娟。
他时功满归何处？直驾云车入洞天。

这八句诗，乃回道人所作。那道人是谁？姓吕，名喦，号洞宾，岳州河东人氏。大唐咸通中应进士举，游长安酒肆，遇正阳子钟离先生，点破了黄粱梦，知宦途不足恋，遂求度世之术。钟离先生恐他立志未坚，十遍试过，知其可度。欲授以黄白秘方，使之点石成金，济世利物，然后三千功满，八百行圆。洞宾问道："所点之金，后来还有变异否？"钟离先生答道："直待三千年后，还归本质。，’洞宾愀然不乐道："虽然遂我一时之愿，可惜误了三千年后遇金之人，弟子不愿受此方也。"钟离先生呵呵大笑道："汝有此好心，三千八百尽在于此。吾向蒙苦竹真君分付道：‘汝游人间，若遇两口的，便是你的弟子。’遍游天下，从没见有两口之人，今汝姓吕，即其人也。"遂传以分合阴阳之妙。

洞宾修炼丹成，发誓必须度尽天下众生，方肯上升。从此混迹尘途，自称为回道人。‘‘回”字也是二“口”，暗藏着“吕”字。尝游长沙，手持小小磁罐乞钱，向市上大言："我有长生不死之方，有人肯施钱满罐，便以方授之。"市人不信，争以钱投罐，罐终不满。众皆骇然。忽有一僧人推一车子钱从市东来，戏对道人说："我这车子钱共有千贯，你罐里能容之否？"道人笑道："连车子也推得进，何况钱乎？"那僧不以为然，想着："这罐子有多少大嘴，能容得车儿？明明是说谎。"

道人见其沉吟，便道："只怕你不肯布施。若道个肯字，不愁这车子不进我罐儿里去。"此时众人聚观者极多，一个个肉眼凡夫，谁人肯信，都去撺掇那僧人。那僧人也道必无此事，便道："看你本事，我有何不肯？"道人便将罐子侧着，将罐口向着车儿，尚离三步之远，对僧人道："你敢道三声‘肯’么？"僧人连叫三声："肯，肯，肯。"每叫一声“肯”，那车儿便近一步，到第三个“肯”字，那车儿却像罐内有人扯拽一般，一溜子滚入罐内去了。众人一个眼花，不见了车儿，发声喊，齐道："奇怪！奇怪！"都来张那罐口，只见里面黑洞洞地。那僧人就有不悦之意，问道："你那道人是神仙，还是幻术？"道人口占八句道：

非神亦非仙，非术亦非幻。
天地有终穷，桑田经几变。
此身非吾有，财又何足恋。
苟不从吾游，骑鲸腾汗漫。

那僧人疑心是个妖术，欲同众人执之送官。道人道："你莫非懊悔，不舍得这车子钱财么？我今还你就是。"遂索纸笔，写一道符，投入罐内，喝声："出，出！"众人千百只眼睛，看着罐口，并无动静。道人说道："这罐子贪财，不肯送将出来，待贫道自去讨来还你。"说声未了，耸身望罐口一跳，如落在万丈深潭，影儿也不见了。那僧人连呼："道人出来，道人快出来！"罐里并不则声。僧人大怒，提起罐儿，向地下一掷，其罐打得粉碎，也不见道人，也不见车儿，连先前众人布施的散钱并无一个，正不知那里去了。只见有字纸一幅，取来看时，题得有诗四句道：

寻真要识真，见真浑未悟。
一笑再相逢，驱车东平路。

众人正在传观，只见字迹渐灭，须臾之间，连这幅白纸也不见了。众人才信是神仙，一哄而散。

只有那僧人失脱了一车子钱财，意气沮丧，忽想着诗中"一笑再相逢，驱车东平路"之语，急急回归，行到东平路上，认得自家车儿，车上钱物宛然分毫不动。那道人立于车旁，举手笑道："相待久矣！钱车可自收之。"又叹道："出家之人，尚且惜钱如此，更有何人不爱钱者？普天下无一人可度，可怜哉！可痛哉！"言讫腾云而去。那僧人惊呆了半晌，去看那车轮上，每边各有一"口"字，二"口"成"吕"，乃知吕洞宾也。懊悔无及。正是：

天上神仙容易遇，世间难得舍财人。

方才说吕洞宾的故事，因为那僧人舍不得这一车子钱，把个活神仙，当面挫过。有人论：这一车子钱，岂是小事，也怪那僧人不得。世上还有一文钱也舍不得的。依在下看来，舍得一车子钱，就从那舍得一文钱这一念推广上去；舍不得一文钱，就从那舍不得一车子钱这一念算计入来。不要把钱多钱少，看做两样。如今听在下说这一文钱小小的故事。列位看官们，各宜警醒，惩忿窒欲，且休望超凡入道，也是保身保家的正理。诗云：

不争闲气不贪钱，舍得钱时结得缘。
除却钱财烦恼少，无烦无恼即神仙。

话说江西饶州府浮梁县，有景德镇，是个码头去处。镇上百姓，都以烧

造磁器为业，四方商贾，都来载往苏杭各处贩卖，尽有利息。就中单表一人，叫做邱乙大，是窑户家一个做手。浑家杨氏，善能描画。乙大做就磁胚，就是浑家描画花草人物，两口俱不吃空。住在一个冷巷里，尽可度日有馀。那杨氏年三十六岁，貌颇不丑，也肯与人活动。只为老公利害，只好背地里偶一为之，却不敢明当做事。所生一子，名唤邱长儿，年十四岁，资性愚鲁，尚未会做活，只在家中走跳。

忽一日杨氏患肚疼，思想椒汤吃，把一文钱教长儿到市上买椒。长儿拿了一文钱，才走出门，刚刚遇着东间壁一般做磁胚刘三旺的儿子，叫做再旺，也走出门来。那再旺年十三岁，比长儿到乖巧，平日喜的是攧钱耍子。——怎的样攧钱？也有八个六个，攧出或字或背，一色的谓之浑成。也有七个五个，攧去一背一字间花儿去的，谓之背间。——再旺和长儿，闲常有钱时，多曾在巷口一个空阶头上耍过来。这一日巷中相遇，同走到常时耍钱去处，再旺又要和长儿耍子，长儿道："我今日没有钱在身边。"再旺道："你往那里去？"长儿道："娘肚疼，叫我买椒泡汤吃。"再旺道："你买椒，一定有钱。"长儿道："只有得一文钱。"再旺道："一文钱也好耍，我也把一文与你赌个背字，两背的便都赢去，两字便输，一字一背不算。"长儿道："这文钱是要买椒的，倘或输与你了，把什么去买？"再旺道："不妨事，你若赢了是造化，若输了时，我借与你，下次还我就是。"

长儿一时不老成，就把这文钱撇在地上。再旺在兜肚里也摸出一个钱丢下地来。长儿的钱是个背，再旺的是个字。这攧钱也有先后常规，该是背的先攧。长儿检起两文钱，摊在第二手指上，把大拇指掐住，曲一曲腰，叫声："背。"攧将下去，果然两背。长儿赢了，收起一文，留一文在地。再旺又在兜肚里摸出一文钱来，连地下这文钱拣起，一般样，摊在第二手指上，把大拇指掐住，曲一曲腰，叫声："背。"攧将下去，却是两个字，又是再旺输了。长儿把两个钱都收起，和自己这一文钱，共是三个。长儿赢得顺溜，动了赌兴，问再旺道："还有钱么？"再旺道："钱尽有，只怕你没造化赢得。"

当下伸手在兜肚里摸出十来个净钱，捻在手里，啧啧夸道："好钱！好钱！"问长儿："还敢攧么？"又丢下一文来。长儿又攧了两背，第四次再旺攧，又是两字。一连攧了十来次，都是长儿赢了，共得了十二文，分明是掘藏一般。喜得长儿笑容满面，拿了钱便走。再旺那肯放他，上前拦住，道："你赢了我许多钱，走那里去？"长儿道："娘肚疼，等椒汤吃，我去去，闲时再来。"再旺道："我还有钱在腰里，你赢得时，都送你。"长儿只是要去，再旺发起喉急来，便道："你若不肯攧时，还了我的钱便罢。你把一文钱来骗了我许多钱，如何就去？"长儿道："我是攧得有采，须不是白夺你的。"再旺索性把兜肚里钱，尽数取出，约莫有二三十文，做一堆儿堆在地下道：

"待我输尽了这些钱，便放你走。"

长儿是小厮家，眼孔浅，见了这钱，不觉贪心又起，况且再旺抵死缠住，只得又攧。谁知风无常顺，兵无常胜。这番采头又论到再旺了。照前攧了一二十次，虽则中间互有胜负，却是再旺赢得多。到结末来，这十二文钱，依旧被他复去。长儿刚刚原剩得一文钱。自古道：赌以气胜。初番长儿攧赢了一两文，胆就壮了，偶然有些采头，就连赢数次。到第二番又攧时，不是他心中所愿，况且着了个贪心，手下就觉有些矜持。到一连攧输了几文，去一个舍不得一个，又添了个吝字，气便索然。怎当再旺一股愤气，又且稍粗胆壮，自然赢了。

大凡人富的好过，贫的好过，只有先富后贫的，最是难过。据长儿一文钱起手时，赢得一二文也是勾了，一连得了十二文钱，一拳头捻不住，就似白手成家，何等欢喜！把这钱不看做倘来之物，就认作自己东西，重复输去，好不气闷，痴心还想再像初次赢将转来："就是输了，他原许下借我的，有何不可？"这一交，合该长儿攧了，忍不住按定心坎，再复一攧，又是二字，心里着忙，就去抢那钱，手去迟些，先被再旺抢到手中，都装入兜肚里去了。长儿道："我只有这文钱，要买椒的，你原说过赢时借我，怎的都收去了？"再旺怪长儿先前赢了他十二文钱就要走，今番正好出气。君子报仇，直待三年，小人报仇，只在眼前。怎么还肯把这文钱借他？把长儿双手挡开，故意的一跳一舞，跑入巷去了。急得长儿且哭且叫，也回身进巷扯住再旺要钱，两个扭做一堆厮打。

孙庞斗智谁为胜，楚汉争锋那个强？

却说杨氏，专等椒来泡汤吃，望了多时，不见长儿回来。觉得肚疼定了，走出门来张看，只见长儿和再旺扭住厮打，骂道："小杀才！教你买椒不买，到在此寻闹，还不撒开。"两个小厮听得骂，都放了手。再旺就闪在一边。杨氏问长儿："买的椒在那里？"长儿含着眼泪回道："那买椒的一文钱，被再旺夺去了。"再旺道："他与我攧钱，输与我的。"杨氏只该骂自己儿子，不该攧钱，不该怪别人。况且一文钱，所值几何，既输了去，只索罢休。单因杨氏一时不明，惹出一场大祸，展转的害了多少人的性命。正是：

事不三思终有悔，人能百忍自无忧。

杨氏因等候长儿不来，一肚子恶气，正没出豁，听说赢了他儿子的一文钱，便骂道："天杀的野贼种！要钱时，何不教你娘趁汉？却来骗我家小厮攧钱！"口里一头说，一头便扯再旺来打。恰正抓住了兜肚，凿下两个栗暴。那小厮打急了，把身子负命一挣，却挣断了兜肚带子，落下地来，索郎一声响，兜肚子里面的钱，撒做一地。杨氏道："只还我那一文便了。"长儿得了娘的口气，就势抢了一把钱，奔进自屋里去。

再旺就叫起屈来。杨氏赶进屋里，喝教长儿还了他钱。长儿被娘逼不过，把钱望着街上一撒，再旺一头哭，一头骂，一头检钱。检起时，少了六七文钱，情知是长儿藏下，拦着门只顾骂。杨氏道："也不见这天杀的野贼种，恁地撒泼。"把大门关上，走进去了。

再旺敲了一回门，又骂了一回，哭到自屋里去。母亲孙大娘正在灶下烧火，问其缘故，再旺哭诉道："长儿抢了我的钱，他的娘不说他不是，到骂我天杀的野贼种，要钱时何不教你娘趁汉。"孙大娘不听时，万事全休，一听了这句不入耳的言语，不觉怒从心上起，恶向胆边生。

原来孙大娘最痛儿子，极是护短，又兼性暴，能言快语，是个揽事的女都头。若相骂起来，一连骂十来日，也不口干，有名叫做绰板婆。他与邱家只隔得三四个间壁居住，也晓得杨氏平日有些不三不四的毛病，只为从无口面，不好发挥出来。一闻再旺之语，太阳里爆出火来，立在街头，骂道："狗泼妇，狗淫妇！自己瞒着老公趁汉子，我不管你罢了，到来谤别人。老娘人便看不像，却替老公争气。前门不进师姑，后门不进和尚，拳头上立得人起，臂膊上走得马过，不像你那狗淫妇，人硬货不硬，表壮里不壮，作成老公带了绿帽儿，羞也不羞！还亏你老着脸在街坊上骂人。便臊贱时，也不是恁般做作！我家小厮年幼，连头带脑，也还不勾与你补空，你休得缠他！臊发时还去寻那旧汉子，是多寻几遭，多养了几个野贼种，大起来好做贼。"一声泼妇，一声淫妇，骂一个路绝人稀。杨氏怕老公，不敢揽事，又没处出气，只得骂长儿道："都是你那小天杀的不学好，引这长舌妇开口。"提起木柴，把长儿劈头就打，打得长儿头破血淋，嚎啕大哭。邱乙大正从窑上回来，听得孙大娘叫骂，侧耳多时，一句句都听在肚里，想道："是那家婆娘不秀气？替老公妆幌子，惹这绰板婆叫骂。"及至回家，见长儿啼哭，问起缘繇，到是自家家里招揽的是非。邱乙大是个硬汉，怕人耻笑，声也不喷，气忿忿地坐下。远远的听得骂声不绝，直到黄昏后，方才住口。

邱乙大吃了几碗酒，等到夜深人静，叫老婆来盘问道："你这贱人瞒着我做的好事！趁的许多汉子，姓甚名谁？好好招将出来，我自去寻他说话。"那婆娘原是怕老公的，听得这句话，分明似半空中响一个霹雳，战兢兢还敢开口？邱乙大道："泼贱妇，你有本事偷汉子，如何没本事说出来？若要不知，除非莫为。瞒得老公，瞒不得邻里，今日教我如何做人？你快快说来，也得我心下明白。"杨氏道："没有这事，教我说谁来？"邱乙大道："真个没有？"杨氏道："没有。"邱乙大道："既是没有时，他们如何说你，你如何凭他说，不则一声？显是心虚口软，应他不得。若是真个没有，是他们诈说你时，你今夜吊死在他门上，方表你清白，也出脱了我的丑名，明日我好与他讲话。"

那婆娘怎肯走动，流下泪来，被邱乙大三两个巴掌，扨出大门。把一条麻索丢与他，叫道：“快死，快死！不死便是恋汉子了。”说罢，关上门儿进来。长儿要来开门，被乙大一顿栗暴，打得哭了一场睡去了。乙大有了几分酒意，也自睡了。

单撇杨氏在门外好苦，上天无路，入地无门。千不是，万不是，只是自家不是，除却死，别无良策。自悲自怨了多时，恐怕天明，慌慌张张的取了麻索，去认那刘三旺的门首。也是将死之人，失魂颠智，刘家本在东间壁第三家，却错走到西边去，走过了五六家，到第七家。见门面与刘家相像，忙忙的把几块乱砖衬脚，搭上麻索于檐下，系颈自尽。可怜伶俐妇人，只为一文钱斗气，丧了性命。正是：

地下新添恶死鬼，人间不见画花人。

却说西邻第七家，是个打铁的匠人门首。这匠人浑名叫做白铁，每夜四更，便起来打铁。偶然开了大门撒溺，忽然一阵冷风，吹得毛骨竦然，定睛看时，吃了一惊：

不是傀儡场中鲍老，竟像秋千架上佳人。

檐下挂着一件物事，不知是那里来的，好不怕人。犹恐是眼花，转身进屋，点个亮来一照，原来是新缢的妇人，咽喉气断，眼见得救不活了。欲待不去照管他，到天明被做公的看见，却不是一场飞来横祸，辨不清的官司，思量一计：“将他移在别处，与我便无干了。”耽着惊恐，上前去解这麻索。那白铁本来有些蛮力，轻轻的便取下挂来，背出正街，心慌意急，不暇致详，向一家门里撇下，头也不回，竟自归家，兀自连打几个寒噤，铁也不敢打了，覆上床去睡卧，不在话下。

且说邱乙大，黑早起来开门，打听老婆消息，走到刘三旺门前，并无动静，直走到巷口，也没些踪影，又回来坐地寻思：“莫不是这贱妇逃走他方去了？”又想：“他出门稀少，又是黑暗里，如何行动？”又想道：“他若不死时，麻索必然还在。”再到门前看时，地下不见麻绳：“定是死在刘家门首，被他知觉，藏过了尸首，与我白赖。”又想：“刘三旺昨晚不回，只有那绰板婆和那小厮在家，那有力量搬运？”又想道：“虫蚁也有几只脚儿，岂有人无帮助？且等他开门出来，看他什么光景，见貌辨色，可知就里。”等到刘家开门，再旺出来，把钱去市心里买馍馍点心，并不见有一些惊慌之意。邱乙大心中委决不下，又到街前街后闲荡，打探一回，并无影响。回来看见长儿还睡在床上打齁，不觉怒起，掀开被，向腿上四五下，打得这小厮睡梦里直跳起来。邱乙大道：“娘也被刘家逼死了，你不去讨命，还只管睡！”这句话，分明邱乙大教长儿去惹事，看风色。

长儿听说娘死了，便哭起来，忙忙的穿了衣服，带着哭，一径直赶到刘三旺门首，大骂道："狗娼根，狗淫妇！还我娘来。"那绰板婆孙大娘，见长儿骂上门，如何耐得，急赶出来，骂道："千人射的野贼种，敢上门欺负老娘么?"便揪着长儿头发，却待要打，见邱乙大过来，就放了手。这小厮满街乱跳乱舞，带哭带骂讨娘。邱乙大已耐不住，也骂起来。绰板婆怎肯相让，旁边钻出个再旺来相帮，两下干骂一场，邻里劝开。

邱乙大教长儿看守家里，自去街上央人写了状词，赶到浮梁县告刘三旺和妻孙氏人命事情。大尹准了状词，差人拘拿原被告，和邻里干证，到官审问。原来绰板婆孙氏平昔口嘴不好，极是要冲撞人，邻里都不欢喜，因此说话中间，未免偏向邱乙大几分，把相骂的事情，增添得重大了，隐隐的将这人命，射实在绰板婆身上。这大尹见众人说话相同，信以为实，错认刘三旺将尸藏匿在家，希图脱罪。差人搜检，连地也翻了转来，只是搜寻不出，故此难以定罪。且不用刑，将绰板婆拘禁，差人押刘三旺寻访杨氏下落，邱乙大讨保在外。这场官司好难结哩！有分教：

绰板婆消停口舌，磁器匠担误生涯。

这事且搁过不题。再说白铁将那尸首，却撇在一个开酒店的人家门首。那店中人王公，年纪六十馀岁，有个妈妈，靠着卖酒过日。是夜睡至五更，只听得叩门之声，醒时又不听得。刚刚合眼，却又闻得剥剥声叩响。心中惊异，披衣而起，即唤小二起来，开门观看。只见街头上，不横不直，挡着这件物事。王公还道是个醉汉，对小二道："你仔细看一看，还是远方人，是近处人？若是左近邻里，可叩他家起来，扶了去。"小二依言，俯身下去认看，因背了星光，看不仔细，见颈边拖着麻绳，却认做是条马鞭，便道："不是近边人，想是个马夫。"王公道："你怎么晓得他是个马夫?"小二道："见他身边有根马鞭，故此知得。"王公道："既不是近处人，由他罢!"

小二欺心，要拿他的鞭子，伸手去拾时，却拿不起，只道压在身底下，尽力一扯，那尸首直竖起来，把小二唬了一跳，叫道："阿呀。"连忙放手。那尸扑的倒下去了。连王公也吃一惊，问道："这怎么说?"小二道："只道是根鞭儿，要拿他的，不想却是缢死的人，颈下扣的绳子。"王公听说，慌了手脚，欲待叫破地方，又怕这没头官司惹在身上。不报地方，这事却是洗身不清，便与小二商议，小二道："不打紧，只教他离了我这里，就没事了。"王公道："说得有理，还是拿到那里去好?"小二道："撇他在河里罢。"当下二人动手，直抬到河下。远远望见岸上有人，打着灯笼走来，恐怕被他撞见，不管三七二十一，撇在河边，奔回家去了，不在话下。

且说岸上打灯笼来的是谁？那人乃是本镇一个大户叫做朱常，为人奸诡百出，变诈多端，是个好打官司的主儿。因与隔县一个姓赵的人家争田。这一早要到田头去割稻，同着十来个家人，拿了许多扁挑索子镰刀，正来下舡。

那提灯的在前，走下岸来，只见一人横倒在河边，也认做是个醉汉，便道："这该死的贪这样脓血。若再一个翻身，却不滚在河里，送了性命？"内中一个家人，叫做卜才，是朱常手下第一出尖的帮手，他只道醉汉身边有些钱钞，就蹲倒身，伸手去摸他腰下，却冰一般冷，唬得缩手不迭，便道："原来死的了。"朱常听说是死人，心下顿生不良之念，忙叫："不要嚷。把灯来照看，是老的？是少的？"众人在灯下仔细打灯认，却是个缢死的妇人。朱常道："你们把他颈里绳子快解掉了，打下艄里去藏好。"众人道："老爹，这妇人正不知是甚人谋死的？我们如何到去招揽是非？"朱常道："你莫管他，我自有用处。"众人只得依他，解去麻绳，叫起看船的，扛上船，藏在艄里，将平基盖好。

朱常道："卜才，你回去，媳妇子叫五六个来。"卜才道："这二三十亩稻，勾什么砍，要这许多人去做甚？"朱常道："你只管叫来，我自有用处。"卜才不知是甚意见，即便提灯回去，不一时叫到，坐了一舡，解缆开船。两人荡桨，离了镇上。众人问道："老爹载这东西去有甚用处？"朱常道："如今去割稻，赵家定来拦阻，少不得有一场相打，到告状结杀。如今天赐这东西与我，岂不省了打官司，还有许多妙处。"众人道："老爹怎见省了打官司？又有何妙处？"朱常道："有了这尸首时，只消如此如此，这般这般，却不省了打官司，你们也有些财采。他若不见机，弄到当官，定然我们占个上风，可不好么。"众人都喜道："果然妙计。小人们怎省得？"正是：

算定机谋夸自己，安排圈套害他人。

这些人都是愚野村夫，晓得什么利害？听见家主说得都有财采，当做瓮中取鳖，手到擒来的事，乐极了，巴不得赵家的人，这时便到河边来厮闹便好。心急发狠，荡起桨来，这船恰像生了七八个翅膀一般，顷刻就飞到了。此时天色渐明，朱常教把船歇在空阔无人居住之处，离田中尚有一箭之路。众人都上了岸，寻出一条一股连一股断的烂草绳，将船缆在一颗草根上，止留一个人坐在艄上看守，众男女都下田斫稻。朱常远远的站在岸上打探消耗。原来这地方叫做鲤鱼桥，离景德镇只有十里多远，再过去里许，又唤做太白村，乃南直隶徽州府婺源县所管。因是两省交界之处，人人错壤而居。与朱常争田这人名唤赵完，也是个大富之家，原是浮梁县人户，却住在婺源县地方。两县俱置得有田产。那争的田，止得三十馀亩，乃赵完族兄赵宁的。先把来抵借了朱常银子，却又卖与赵完，恐怕出丑，就拦来佃种，两边影射了三四年。不想近日身死，故此两家相争。这稻子还是赵宁所种。

说话的，这田在赵完屋脚跟头，如何不先斫了，却留与朱常来割？看官有所不知，那赵完也是个强横之徒，看得自己大了，道这田是明中正契买族兄的，又在他的左近；朱常又是隔省人户，料必不敢来斫稻，所以放心托胆。

那知朱常又是个专在虎头上做窠，要吃不怕死的魍魉，竟来放对，正在田中砍稻。早有人报知赵完。赵完道："这厮真是吃了大虫的心，豹子的胆，敢来我这里撩拨！想是来送死么！"儿子赵寿道："爹，自古道：'来者不惧，惧者不来。'也莫轻觑了他！"

赵完问报人道："他们共有多少人在此？"答道："十来个男子，六七个妇人。"赵完道："既如此，也教妇人去。男的对男，女对女，都拿回来，敲断他的孤拐子。连船都拔他上岸，那时方见我的手段。"即便唤起二十多人，十来个妇人，一个个粗脚大手，裸臂揎拳，如疾风骤雨而来。赵完父子随后来看。

且说众人远远的望着田中，便喊道："偷稻的贼不要走。"朱常家人媳妇，看见赵家有人来了，连忙住手，望河边便跑。到得岸旁，朱常连叫快脱衣服。众人一齐卸下，堆做一处，叫一个妇人看守，复身转来，叫道："你来你来，若打输与你，不为好汉。"赵完家有个雇工人，叫做田牛儿，自恃有些气力，抢先飞奔向前。朱家人见他势头来得勇猛，两边一闪，让他冲将过来。才让他冲进时，男子妇人，一裹转来围住。田牛儿叫声："来的好。"提起升箩般拳头，拣着个精壮村夫面上，一拳打去，只指望先打倒了一个硬的，其馀便如摧枯拉朽了。谁知那人却也来得，拳到面上时，将头略偏一偏，这拳便打个空，刚落下来，就顺手牵羊，把拳留住。田牛儿挣脱不得，急起左拳来打，手尚未起，又被一人接住，两边扯开。田牛儿便施展不得。朱家人也不打他，推的推，扯的扯，到像八抬八绰一般，脚不点地竟拿上船。那烂草绳系在草根上，有甚筋骨，初踏上船就断了。艄上人已预先将篙拦住，众人将田牛儿纳在舱中乱打。

赵家后边的人，见田牛儿捉上船去，蜂拥赶上船抢人。朱家妇女，都四散走开，放他上去。说时迟，那时快，拦篙的人一等赵家男子妇人上齐船时，急掉转篙，望岸上用力一点，那船如箭一般，向河心中直荡开去。人众船轻，三四幌便翻将转来。两家男女四十多人，尽都落水。这些妇人各自挣扎上岸，男子就在水中相打，纵横搅乱，激得水溅起来，恰如骤雨相似，把岸上看的人眼都耀花了，只叫莫打，有话上岸来说。正打之间，卜才就人乱中，把那缢死妇人尸首，直撺过去，便喊起来道："地方救护，赵家打死我家人了。"朱常同那六七个妇人，在岸边接应，一齐喊叫，其声震天动地。赵家的妇人，正绞挤湿衣，听得打死了人，带水而逃。水里的人，一个个唬得胆战心惊，正不知是那个打死的，巴不能攞脱逃走。被朱家人乘势追打，吃了老大的亏，挣上了岸，落荒逃奔，此时只恨父母少生了两只脚儿。

朱家人欲要追赶，朱常止住道："如今不是相打的事了，且把尸首收拾起来，抬放他家屋里了，再处。"众人把尸首拖到岸上，卜才认做妻子，假意啼啼哭哭。朱常又教捞起船上篙桨之类，寄顿佃户人家；又对看的人道："列位地方邻里，都是亲眼看见，活打死的，须不是诬陷赵完。倘到官司时，少不得要相烦做个证见，但求实说罢了。"这几句是朱常引人来兜揽处和的话。此时内中若有个有力量的，出来担当，不教朱常把尸首抬去赵家说和，这事也不见得后来害许多人的性命。只因赵完父子，平日是个难说话的，恐怕说而不听，反是一场没趣，况又不晓得朱常心中是甚样个意儿，故此并无一人招揽。朱常见无人招架，教众人穿起衣服，把尸首用芦席卷了，将绳索络好，四人扛着，望赵完家来。看的人随后跟来，观看两家怎地结局？

铜盆撞了铁扫帚，恶人自有恶人磨。

且说赵完父子随后走来，远望着自家人追赶朱家的人，心中欢喜。渐渐至近，只见妇女家人，浑身似水，都像落汤鸡一般，四散奔走。赵完惊讶道："我家人多，如何反被他都打下水去？"急挪步上前，众人看见，乱喊道："阿爹不好了！快回去罢。"赵寿道："你们怎地恁般没用？都被打得这模样！"众人道："打是小事，只是他家死了人却怎处？"赵完听见死了个人，唬得就酥了半边，两只脚就像钉了，半步也行不动。赵寿与田牛儿，两边挟着胳膊而行，扶至家中坐下，半晌方才开言，问道："如何就打死了人？"众人把相打翻船之事，细说一遍，又道："我们也没有打妇人，不知怎地死了？想是淹死的。"赵完心中没了主意，只叫："这事怎好？"那时合家老幼，都丛在一堆，人人心下惊慌。正说之间，人进来报："朱家把尸首抬来了。"赵完又吃这一唬，恰像打坐的禅和子，急得身色一毫不动。

自古道："物极则反，人急计生。"赵寿忽地转起一念，便道："爹莫慌，我自有对付他的计较在此。"便对众人道："你们都向外边闪过，让他们进来之后，听我鸣锣为号，留几个紧守门口，其馀都赶进来拿人，莫教走了一个。解到官司，见许多人白日抢劫，这人命自然从轻。"众人得了言语，一齐转身。赵完恐又打坏了人，分付："只要拿人，不许打人。"众人应允，一阵风出去。赵寿只留下一个心腹义孙赵一郎道："你且在此。"又把妇女妻小打发进去，分付："不要出来。"赵完对儿子道："虽则告他白日打抢，终是人命为重，只怕抵当不过。"赵寿走到耳根前，低低道："如今只消如此这般。"赵完听了大喜，不觉身子就健旺起来，乃道："事不宜迟，快些停当！"赵寿先把各处门户闭好，然后寻了一把斧头，一个棒槌，两扇板门，都已完备，方教赵一郎到厨下叫出一个老儿来。

那老儿名唤丁文，约有六十多岁，原是赵完的表兄，因有了个懒黄病，吃得做不得，却又无男无女，捱在赵完家烧火，博口饭吃。当下老儿不知头脑，走近前问道："兄弟有甚话？"赵完还未答应，赵寿闪过来，提起棒槌，看正太阳，便是一下。那老儿只叫得声"阿呀"，翻身跌倒。赵寿赶上，又复一下，登时了帐。当下赵寿动手时，以为无人看见，不想田牛儿的娘田婆，就住在赵完宅后，听见打死了人，恐是儿子打的，心中着急，要寻来问个仔细，从后边走出，正撞着赵寿行凶。唬得蹲倒在地，便立不起身，口中念声："阿弥陀佛！青天白日，怎做这事！"赵完听得，回头看了一看，把眼向儿子一颠。赵寿会意，急赶近前，照顶门一棒槌打倒，脑浆鲜血一齐喷出。还怕不死，又向肋上三四脚，眼见得不能勾活了。只因这一文钱上起，又送了两条性命。正是：

耐心终有益，任意定生灾。

且说赵一郎起初唤丁老儿时，不道赵寿怀此恶念，蓦见他行凶，惊得直缩到一壁角边去。丁老儿刚刚完事，接脚又撞个田婆来凑成一对，他恐怕这第三棒槌轮到头上，心下着忙，欲待要走，这脚上却像被千百斤石头压住，那里移得动分毫。正在慌张，只见赵完叫道："一郎快来帮一帮。"赵一郎听见叫他相帮，方才放下肚肠，挣扎得动，向前帮赵寿拖这两个尸首，放在遮堂背后，寻两扇板门压好，将遮堂都起浮了窠臼。又分付赵一郎道："你切不可泄漏，待事平了，把家私分一股与你受用。"赵一郎道："小人靠阿爹洪福过日的，怎敢泄漏？"刚刚准备停当，外面人声鼎沸，朱家人已到了。赵完三人退入侧边一间屋里，掩上门儿张看。

且说朱常引家人媳妇扛着尸首赶到赵家，一路打将进去。直到堂中，见四面门户紧闭，并无一个人影。朱常教"把尸首居中停下，打到里边去拿赵完这老亡八出来，锁在死尸脚上。"众人一齐动手，乒乒乓乓将遮堂乱打，那遮堂已是离了窠臼的，不消几下，一扇扇都倒下去，尸首上又压上一层。众人只顾向前，那知下面有物。赵寿见打下遮堂，把锣筛起，外边人听见，发声喊，抢将入来。朱常听得筛锣，只道有人来抢尸首，急掣身出来，众人已至堂中，两下你揪我扯，搅做一团，滚做一块。里边赵完三人大喊："田牛儿，你母亲都被打死了，不要放走了人。"田牛儿听见，急奔来问："我母亲如何却在这里？"赵完道："他刚同丁老官走来问我，遮堂打下，压死在内。我急走得快，方逃得性命，若迟一步儿，这时也不知怎地了。"田牛儿与赵一郎将遮堂搬开，露出两个尸首。田牛儿看娘时，头已打开，脑浆鲜血满地，放声大哭。朱常听见，只道是假的，急抽身一望，果然有两个尸首，着了忙，往外就跑。这些家人媳妇，见家主走了，各要挪脱逃走，一路揪扭打将出来。那知门口有人把住，一个也走不脱，都被拿住。赵完只叫："莫打坏了人。"故此朱常等不十分吃亏。赵寿取出链子绳索，男子妇女锁做一堂。田牛儿痛哭了一回，心中忿怒，跳起身道："我把朱常这狗王八，照依母亲打死罢了。"赵完拦住道："不可不可。如今自有官法治了，你打他做甚？"教众人扯过一边。此时已哄动远近村坊，地方邻里，无有不到赵家观看。赵完留到后边，备起酒饭款待，要众人具个“白昼劫杀”公呈。那些人都是赵完的亲戚佃户、雇工人等，谁敢不依。

赵完连夜装起四五只农船，载了地邻干证人等，把两只将朱常一家人锁缚在舱里，行了一夜，方到婺源县中，候大尹早衙升堂。地方人等先将呈子具上。这大尹展开观看一过，问了备细，即差人押着地方并尸亲赵完、田牛儿、卜才前去。将三个尸首盛殓了，吊来相验。朱常一家人，都发在铺里羁候。那时朱常家中自有佃户报知。儿子朱太星夜赶来看觑，自不必说。

有句俗语道得好：“官无三日急。”那尸棺便吊到了，这大尹如何就有工夫去相验？隔了半个多月，方才出牌，着地方备办登场法物。铺中取出朱常一干人，都到尸场上。仵作人逐一看报，道：“丁文太阳有伤，周围二寸有馀，骨头粉碎。田婆脑门打开，脑髓漏尽，右肋骨踢折三根。二人实系打死。卜才妻子颈下有缢死绳痕，遍身别无伤损，此系缢死是实。”

大尹见报，心中骇异，道：“据这呈子上称说船翻落水身死，如何却是缢死的？”朱常就禀道：“爷爷，众耳众目所见，如何却是缢死的？这明明仵作人得了赵完银子，妄报老爷。”大尹恐怕赵完将别个尸首颠换了，便唤卜才：“你去认这尸首，正是你妻子的么？”卜才上前一认，回覆道：“正是小人妻子。”

大尹道：“是昨日登时死的？”卜才道：“是。”大尹问了详细，自走下来把三个尸首逐一亲验，忤作人所报不差，暗称奇怪。分付把棺木盖上封好，带到县里来审。

大尹在轿上，一路思想，心下明白，回县坐下，发众犯都跪在仪门外，单唤朱常上去，道：“朱常，你不但打死赵家二命，连这妇人，也是你谋死的！须从实招来。”朱常道：“这是家人卜才的妻子馀氏，实被赵完打下水死的，地方上人，都是见的，如何反是小人谋死？爷爷若不信，只问卜才便见明白。”大尹喝道：“胡说。这卜才乃你一路之人，我岂不晓得！敢在我面前支吾。夹起来！”众皂隶一齐答应上前，把朱常鞋袜去了，套上夹棍，便喊起来。那朱常本是富足之人，虽然好打官司，从不曾受此痛苦，只得一一吐实：“这尸首是浮梁江口不知何人撇下的。”

大尹录了口词，叫跪在丹墀下。又唤卜才进来，问道：“死的妇人果是你妻子么？”卜才道：“正是小人妻子。”大尹道：“既是你妻子，如何把他谋死了，诈害赵完？”卜才道：“爷爷，昨日赵完打下水身死，地方上人，都看见的。”大尹把气拍在桌上一连七八拍，大喝道：“你这该死的奴才！这是谁家的妇人，你冒认做妻子，诈害别人？你家主已招称，是你把他谋死。还敢巧辩，快夹起来！”卜才见大尹像道士打灵牌一般，把气拍一片声乱拍乱喊，将魂魄都惊落了，又听见家主已招，只得禀道：“这都是家主教小人认作妻子，并不干小人之事。”大尹道：“你一一从实细说。”卜才将下船遇见尸首，定计诈赵完前后事细说一遍，与朱常无二。

大尹已知是实，又问道：“这妇人虽不是你谋死，也不该冒认为妻，诈害平人。那丁文、田婆却是你与家主打死的，这须没得说。”卜才道：“爷爷，其实不曾打死，就夹死小人，也不招的。”大尹也教跪在丹墀，又唤赵完并地方来问，都执朱常扛尸到家，乘势打死。大尹因朱常造谋诈害赵完事实，连这人命也疑心是真，又把朱常夹起来。朱常熬刑不起，只得屈招。大尹将朱常、卜才各打四十，拟成斩罪，下在死囚牢里。其馀十人，各打二十板，三个充军，七个徒罪，亦各下监。六个妇人，都是杖罪，发回原籍。其田断归赵完，代赵宁还原借朱常银两。又行文关会浮梁县查究妇人尸首来历。

那朱常初念，只要把那尸首做个媒儿，赵完怕打人命官司，必定央人兜收私处，这三十多亩田，不消说起归他，还要扎诈一注大钱，故此用这一片心机。谁知激变赵寿做出没天理事来对付，反中了他计。当下来到牢里，不胜懊悔，想道：“这早若不遇这尸首，也不见得到这地位！”正是：

早知更有强中手，却悔当初枉用心。

朱常料道：“此处定难翻案。”叫儿子分付道：“我想三个尸棺，必是钉稀板薄。交了春气，自然腐烂。你今先去会了该房，捺住关会文书。回去教妇女们，莫要泄漏这缢死尸首消息。一面向本省上司去告准，捱至来年四五月间，然后催关去审，那时烂没了缢死绳痕，好与他白赖。一事虚了，事事皆虚，不愁这死罪不脱。”朱太依着父亲，前去行事，不在话下。

却说景德镇卖酒王公家小二因相帮撇了尸首，指望王公些东西，过了两三日，却不见说起。小二在口内野唱，王公也不在其意。又过了几日，小二不见动静，心中焦躁，忍耐不住，当面明明说道：“阿公，前夜那话儿，亏我把去出脱了还好，若没我时，到天明地方报知官司，差人出来相验，饶你硬挣，不使酒钱，也使茶钱。就拌上十来担涎吐，只怕还不得干净哩！如今省了你许多钱钞，怎么竟不说起谢我?”大凡小人度量极窄，眼孔最浅：偶然替人做件事儿，徼幸得效，便道是天大功劳，就来挟制那人，责他厚报；稍不遂意，便把这事翻局来害。往往人家用错了人，反受其累。譬如小二不过一时用得些气力，便想要王公的银子。那王公若是个知事的，不拘多寡与他些也就罢了，谁知王公又是舍不得一文钱的悭吝老儿，说着要他的钱，恰像割他身上的肉，就面红颈赤起来了。

当下王公见小二要他银子。使发怒道：“你这人忒没理！吃黑饭，护漆柱。吃了我家的饭，得了我的工钱，便是这些小事，略走得几步，如何就要我钱?”小二见他发怒，也就嚷道：“嗜呀！就不把我，也是小事，何消得喉急？用得我着，方吃得你的饭，赚得你的钱，须不是白把我用的。还有一句话，得了你工钱，只做得生活，原不曾说替你拽死尸的。”王婆便走过来道：“你这蛮子，真个惫赖！自古道：‘茄子也让三分老。’怎么一个老人家，全没些尊卑，一般样与他争嚷！”

小二道：“阿婆，我出了力，不把银子与我，反发喉急，怎不要嚷？”王公道：“什么！是我谋死的？要诈我钱！”小二道：“虽不是你谋死，便是擅自移尸，也须有个罪名。”王公道：“你到去首了我来。”小二道：“要我首也不难，只怕你当不起这大门户。”王公赶上前道：“你去首，我不怕。”望外劈颈就扠。那小二不曾提防，捉脚不定，翻筋斗直跌出门外，磕碎脑后，鲜血直淌。小二跌毒了，骂道：“老忘八！亏了我，反打么！”就地下拾起一块砖来，望王公掷去。谁知数合当然，这砖不歪不斜，恰恰正中王公太阳，一交跌倒，再不则声。王婆急上前扶时，只见口开眼定，气绝身亡。跌脚叫苦，便哭起天来。只因这一文钱上，又送一条性命：

总为惜财丧命，方知财命相连。

小二见王公死了，爬起来就跑。王婆喊叫邻里，赶上拿转，锁在王公脚上。问王婆：“因甚事起？”王婆一头哭，一头将前情说出，又道：“烦列位与老身作主则个。”众人道：“这厮原来恁地可恶！先教他吃些痛苦，然后解官。”三四个邻里走上前，一顿拳头脚尖，打得半死，方才住手。教王婆关闭门户，同到县中告状。此时纷纷传说，远近人都来观看。

且说邱乙大正访问妻子尸首不着，官司难结，心中气闷。这一日闻得小二打死王公的根由，想道：“这妇人尸首，莫不就是我的妻子么？”急走来问，见王婆正锁门要去告状。邱乙大上前问了个详细，计算日子，正是他妻子出门这夜，便道：“怪道我家妻子尸首，当朝就不见踪影，原来却是你们撇掉了。如今有了实据，绰板婆却白赖不过了。我同你们见官去！”

当下一干人牵了小二，直到县里。次早大尹升堂，解将进去。地方将前后事细禀。大尹又唤王婆，问了备细。小二料道情真难脱，不待用刑，从实招承。打了三十，问成死罪，下在狱中。邱乙大禀说妻子被刘三旺谋死，正是此日，这尸首一定是他撇下的。证见已确，要求审结。此时婺源县知会文书未到，大尹因没有尸首，终无实据。原发落出去寻觅。再说小二，初时已被邻里打伤，那顿板子，又十分利害。到了狱中，没有使用，又且一顿拳头，三日之间，血崩身死。为这一文钱起，又送一条陛命：

只因贪白镪，番自丧黄泉。

且说邱乙大从县中回家，正打白铁门首经过，只听得里边叫天叫地的啼哭。原来白铁自那夜担着惊恐，出脱这尸首，冒了风寒，回家上得床，就发起寒热，病了十来日，方才断命。所以老婆啼哭。眼见为这一文钱，又送一条性命：

化为阴府惊心鬼，失却阳间打铁人。

邱乙大闻知白铁已死，叹口气道："恁般一个好汉！有得几日，却又了帐。可见世人真是没根的！"走到家里，单单止有这个小厮，鬼一般缩在半边，要口热水，也不能勾。看了那样光景，方懊悔前日逼勒老婆，做了这桩拙事。如今又弄得不尴不尬，心下烦恼，连生意也不去做，终日东寻西觅，并无尸首下落。

看看捱过残年，又早五月中旬。那时朱常儿子朱太已在按院告准状词，批在浮梁县审问，行文到婺源县关提人犯尸棺。起初朱太还不上紧，到了五月间，料得尸首已是腐烂，大大送个东道与婺源县该房，起文关解。那赵完父子因婺源县已经问结，自道没事，毫无畏惧，抱卷赴理。两县解子领了一干人犯，三具尸棺，直至浮梁县当堂投递。大尹将人犯羁禁，尸棺发置官坛候检，打发婺源回文，自不必说。

不则一日，大尹吊出众犯，前去相验。那朱太合衙门通买嘱了，要胜赵完。大尹到尸场上坐下，赵完将浮梁县案卷呈上。大尹看了，对朱常道："你借尸索诈，打死二命，事已问结，如何又告？"朱常禀道："爷爷，赵完打馀氏落水身死，众目共见；却买嘱了地邻仵作，妄报是缢死的。那丁文、田婆，自己情慌，谋害抵饰，硬诬小人打死。且不要论别件，但据小人主仆俱被拿住，赵完是何等势力，却容小人打死二命？况死的俱年七十多岁，难道恁地不知利害，只拣垂死之人来打？爷爷推详这上，就见明白。"大尹道："既如此，当时怎就招承？"朱常道："那赵完衙门情熟，用极刑拷逼，若不屈招，性命已不到今日了。"赵完也禀道："朱常当日倚仗假尸，逢着的便打，合家躲避。那丁文、田婆年老奔走不及，故此遭了毒手。假尸缢死绳痕，是婺源县太爷亲验过的，岂是仵作妄报！如今日久腐烂，巧言诳骗爷爷，希图漏网反陷。但求细看招卷，曲直立见。"大尹道："这也难凭你说。"即教开棺检验。

天下有这等作怪的事，只道尸首经了许久，料已腐烂尽了，谁知都一毫不变，宛然如生。那杨氏颈下这条绳痕，转觉显明，倒教仵作人没做理会。你道为何？他已得了朱常的钱财，若尸首烂坏了，好从中作弊，要出脱朱常，反坐赵完。如今伤痕见在，若虚报了，恐大尹还要亲验；实报了，如何得朱常银子？正在踌躇，大尹早已瞧破，就走下来亲验。那仵作人被大尹监定，不敢隐匿，一一实报。朱常在傍暗暗叫苦。

大尹将所报伤处，将卷对看，分毫不差，对朱常道："你所犯已实，怎么又往上司诳告？"朱常又苦苦分诉。大尹怒道："还要强辨！夹起来！快说这缢死妇人是那里来的？"朱常受刑不过，只得招出："本日早起，在某处河沿边遇见，不知是何人撇下？"那大尹极有记性，忽地想起："去年邱乙大告称，不见了妻子尸首；后来卖酒王婆告小二打死王公，也称是日抬尸首，撇在河沿上起衅。至今尸首没有下落，莫不就是这个么？”暗记在心。当下将朱常、卜才都责三十，照旧死罪下狱，其馀家人减徒召保。赵完等发落宁家，不题。

且说大尹回到县中，吊出邱乙大状词，并王小二那宗案卷查对，果然日子相同，撇尸地处一般，更无疑惑。即着原差，唤到邱乙大、刘三旺干证人等，监中吊出绰板婆孙氏，齐至尸场认看。此时正是五月天道，监中瘟疫大作，那孙氏刚刚病好，还行走不动，刘三旺与再旺扶挟而行。到了尸场上，仵作揭开棺盖，那邱乙大认得老婆尸首，放声号恸，连连叫道：“正是小人妻子。”干证邻里也道：“正是杨氏。”大尹细细鞠问致死情由，邱乙大咬定：“刘三旺夫妻登门打骂，受辱不过，以致缢死。”刘三旺、孙氏，又苦苦折辩。地邻俱称是孙氏起衅，与刘三旺无干。大尹喝教将孙氏拶起。那孙氏是新病好的人，身子虚弱，又行走这番，劳碌过度，又费唇费舌折辩，渐渐神色改变。经着拶子，疼痛难忍，一口气收不来，翻身跌倒，呜呼哀哉！只因这一文钱上起，又送一条性命。正是：

地狱又添长舌鬼，阳间少了绰板声。

大尹看见，即令放拶。刘三旺向前叫喊，喊破喉咙，也唤不转，再旺在旁哀哀啼哭，十分凄惨。大尹心中不忍，向邱乙大道：“你妻子与孙氏角口而死，原非刘三旺拳手相交。今孙氏亦亡，足以抵偿。今后两家和好，尸首各自领归埋葬，不许再告；违者定行重治。”众人叩首依命，各领尸首埋葬，不在话下。

再说朱常、卜才下到狱中，想起枉费许多银两，反受一场刑杖，心中气恼，染起病来，却又沾着瘟气，二病夹攻，不勾数日，双双而死。只因这一文钱上起，又送两条性命：

未诈他人，先损自己。

说话的，我且问你：朱常生心害人，尚然得个丧身亡家之报；那赵完父子活活打死无辜二人，又诬陷了两条性命，他却漏网安享，可见天理原有报不到之处。看官，你可晓得，古老有几句言语么？是那几句？古语道：善有善报，恶有恶报。不是不报，时辰未到。那天公算子，一个个记得明白。古往今来，曾放过那个？这赵完父子漏网受用，一来他的顽福未尽；二来时候不到；三来小子只有一张口，没有两副舌，说了那边，便难顾这边，少不得逐节儿还你一个报应。闲话休题。且说赵完父子，又胜了朱常，回到家中，亲戚邻里，齐来作贺。吃了好几日酒。又过数日，闻得朱常、卜才，俱已死了，一发喜之不胜。田牛儿念着母亲暴露，领归埋葬不题。

时光迅速，不觉又过年馀。原来赵完年纪虽老，还爱风月，身边有个偏房，名唤爱大儿。那爱大儿生得四五分颜色，乔乔画画，正在得趣之时。那老儿虽然风骚，到底老人家，只好虚应故事，怎能勾满其所欲？看见义孙赵一郎身材雄壮，人物乖巧，尚无妻室，倒有心看上了。常常走到厨房下，捱肩擦背，调嘴弄舌。你想世上能有几个坐怀不乱的鲁男子，妇人家反去勾搭，可有不肯之理。两下眉来眼去，不则一日，成就了那事。彼此俱在少年，犹如一对饿虎，那有个饱期，捉空就闪到赵一郎房中，偷一手儿。那赵一郎又有些本领，弄得这婆娘体酥骨软，魄散魂销，恨不时刻并做一块。约莫串了半年有馀。

一日，爱大儿对赵一郎说道："我与你虽然快活了这儿多时，终是碍人耳目，心忙意急，不能勾十分尽兴。不如悄地逃往远处，做个长久夫妻。"赵一郎道："小娘子若真心肯跟我，就在此，可以做得夫妻，何必远去！"爱大儿道："你便是我心上人了，有甚假意。只是怎地在此就做的夫妻！"赵一郎道："向年丁老官与田婆，都是老爹与大官人自己打死诈赖朱家的，当时教我相帮扛抬，曾许事完之日，分一分家私与我。那个棒槌，还是我藏好。一向多承小娘子相爱，故不说起。你今既有此心，我与老爹说，先要了那一分家私，寻个所在住下，然后再央人说，要你为配，不怕他不肯。他若舍不得，那时你悄地竟自走了出来，他可敢道个不字么？设或不达时务，便报与田牛儿，同去告官，教他性命也自难保。"爱大儿闻言，不胜欢喜，道："事不宜迟，作速理会。"说罢，闪出房去。

次日赵一郎探赵完独自个在堂中闲坐，上前说道："向日老爹许过事平之后，分一分家私与我。如今朱家了账已久，要求老爹分一股儿，自去营运。"赵完答道："我晓得了。"再过一日，赵一郎转入后边，遇着爱大儿，递个信儿道："方才与老爹说了：娘子留心察听，看可像肯的。"爱大儿点头会意，各自开去不题。

且说赵完叫赵寿到一间厢房中去，将门掩上，低低把赵一郎说话，学与儿子，又道："我一时含糊应了他，如今还是怎地计较？"赵寿道："我原是哄他的甜话，怎么真个就做这指望？"老儿道："当初不合许出了，今若不与他些，这点念头，如何肯息？"赵寿沉吟了一回，又生起歹念，乃道："若引惯了他，做了个月月红，倒是无了无休的诈端。想起这事，止有他一个晓得，不如一发除了根，永无挂虑。"那老儿若是个有仁心的，劝儿子休了这念，胡乱与他些个东西，或者免得后来之祸，也未可知。千不合，万不合，却说道："我也有这念头，但没有个计策。"赵寿道："有甚难处，明日去买些砒霜，下在酒中，到晚灌他一醉，怕道不就完事。外边人都晓得平日将他厚待的，决不疑惑。"赵完欢喜，以为得计。

他父子商议，只道神鬼不知，那晓得却被爱大儿瞧见，料然必说此事，悄悄走来覆在壁上窥听。虽则听着几句，不当明白，恐怕出来撞着，急闪入去。欲要报与赵一郎，因听得不甚真切，不好轻事重报，心生一计。到晚间，把那老儿多劝上几杯酒，吃得醉醺醺，到了床上，爱大儿反抱定了那老儿撒娇撒痴，淫声浪语。这老儿迷魂了，乘着酒兴，未免做些没正经事体。方在酣美之时，爱大儿道："有句话儿要说，恐气坏了你，不好开口，若不说，又气不过。"这老儿正顽得气喘吁吁，借那句话头，就停住了，说道："是那个冲撞了你？如此着恼！"爱大儿道："叵耐一郎这厮，今早把风话撩拨我，我要扯他来见你，倒说：'老爹和大官人，性命都还在我手里，料道也不敢难为我。'不知有甚缘故，说这般满话。倘在外人面前，也如此说，必疑我家做甚不公不法勾当，可不坏了名声？那样没上下的人，怎生没个计策摆布死了，也省了后患。"那老儿道："原来这厮恁般无礼！不打紧，明晚就见功效了。"爱大儿道："明晚怎地就见功效？"那老儿也是合当命尽，将要药死的话，一五一十说出。

那婆娘得了实信，次早闪来报知赵一郎。赵一郎闻言，吃那惊不小，想道："这样反面无情的狠人！倒要害我性命，如何饶得他过？"摸了棒槌，锁上房门，急来寻着田牛儿，把前事说与。田牛儿怒气冲天，便要赶去厮闹。赵一郎止住道："若先嚷破了，反被他做了准备，不如竟到官司，与他理论。"田牛儿道："也说得是。还到那一县去？"赵一郎道："当初先在婺源县告起，这大尹还在，原到他县里去。"

那太白村离县只有四十馀里，二人拽开脚步，直跑至县中。恰好大尹早堂未退，二人一齐喊叫。大尹唤入，当厅跪下，却没有状词，只是口诉。先是田牛儿哭禀一番，次后赵一郎将赵寿打死丁文、田婆，诬陷朱常、卜才情繇细诉，将行凶棒槌呈上。大尹看时，血痕虽干，鲜明如昨，乃道："既有此情，当时为何不首？"赵一郎道："是时因念主仆情分，不忍出首。如今恐小人泄漏，昨日父子计议，要在今晚将毒药鸩害小人，故不得不来投生。"大尹道："他父子计议，怎地你就晓得？"赵一郎急遽间，不觉吐出实话，说道："亏主人偏房爱大儿报知，方才晓得。"大尹道："你主人偏房，如何肯来报信？想必与你有奸么？"赵一郎被问破心事，脸色俱变，强词抵赖。大尹道："事已显然，不必强辩。"即差人押二人去拿赵完父子并爱大儿前来赴审。到得太白村，天已昏黑，田牛儿留回家歇宿，不题。

且说赵寿早起就去买下砒霜，却不见了赵一郎，问家中上下，都不知道。父子虽然有些疑惑，那个虑到爱大儿泄漏。次日清晨，差人已至，一索捆翻，拿到县中。赵完见爱大儿也拿了，还错认做赵一郎调戏他不从，因此牵连在内，直至赵一郎说出，报他谋害情由，方知向来有奸，懊悔失言。两下辩论一番，不肯招承。怎当严刑煅炼，疼痛难熬，只得一一细招。大尹因他害了四命，情理可恨，赵完父子，各打六十，依律问斩。赵一郎奸骗主妾，背恩反噬；爱大儿通同奸夫，谋害亲夫，各责四十，杂犯死罪，齐下狱中。田牛儿发落宁家。一面备文，申报上司，具疏题请。

不一日，刑部奉旨，倒下号札，四人俱依拟，秋后处决。只因这一文钱，又送了四条性命。虽然是冤各有头，债各有主，若不因那一文钱争闹，杨氏如何得死？没有杨氏的死尸，朱常这诈害一事，也就做不成了。总为这一文钱起，共害了十三条性命。这段话叫做“一文钱小隙造奇冤”，奉劝世人，舍财忍气为上。有诗为证：

相争只为一文钱，小隙谁知奇祸连！
劝汝舍财兼忍气，一生无事得安然。

第三十五卷
徐老仆义愤成家

犬马犹然知恋主，况于列在生人。为奴一日主人身。情恩同父子，名分等君臣。　　主若虐奴非正道，奴如欺主伤伦。能为义仆是良民。盛衰无改节，史册可传神。

说这唐玄宗时，有一官人姓萧，名颖士，字茂挺，兰陵人氏。自幼聪明好学，该博三教九流，贯串诸子百家。上自天文，下至地理，无所不通，无有不晓。真个胸中书富五车，笔下句高千古。年方一十九岁，高掇巍科，名倾朝野，是一个广学的才子。家中有个仆人，名唤杜亮。那杜亮自萧颖士数龄时，就在书房中服事起来。若有驱使，奋勇直前，水火不避，身边并无半文私蓄。陪伴萧颖士读书时，不待分付，自去千方百计，预先寻觅下果品饮馔供奉。有时或烹瓯茶儿，助他清思，或暖杯酒儿，节他辛苦。整夜直服事到天明，从不曾打个瞌睡。如见萧颖士读到得意之处，他在旁也十分欢喜。

那萧颖士般般皆好，件件俱美，只有两桩儿毛病。你道是那两桩？第一件：乃是恃才傲物，不把人看在眼内。才登仕籍，便去冲撞了当朝宰相。那宰相若是个有度量的，还恕得他过，又正冲撞了是第一个忌才的李林甫。那李林甫混名叫做李猫儿，平昔不知坏了多少大臣，乃是杀人不见血的刽子手。却去惹他，可肯轻轻放过？被他略施小计，险些连性命都送了。又亏着座主搭救，止削了官职，坐在家里。第二件：是性子严急，却像一团烈火，片语不投，即暴躁如雷，两太阳火星直爆。奴仆稍有差误，便加捶挞。他的打法，又与别人不同。有甚不同？别人责治家奴，定然计其过犯大小，讨个板子，教人行杖，或打一十，或打二十，分个轻重。惟有萧颖士，不论事体大小，略触着他的性子，便连声喝骂，也不用什么板子，也不要人行杖，亲自跳起身来一把揪翻，随分掣着一件家火，没头没脑乱打。凭你什么人劝解，他也全不作准，直要打个气息；若不像意，还要咬上几口，方才罢手。因是恁般利害，奴仆们惧怕，都四散逃去，单单存得一个杜亮。论起萧颖士，止存得这个家人种儿，每事只该将就些才是。谁知他是天生的性儿，使惯的气儿，打溜的手儿，竟没丝毫更改，依然照旧施行。起先奴仆众多，还打了那个，空了这个，到得秃秃里独有杜亮时，反觉打得勤些。论起杜亮，遇着这般难理会的家主，也该学众人逃走去罢了，偏又寸步不离，甘心受他的责罚。常常打得皮开肉绽，头破血淋，也再无一点退悔之念，一句怨恨之言。打罢起来，整一整衣裳，忍着疼痛，依原在旁答应。

说话的，据你说，杜亮这等奴仆，莫说千中选一，就是走尽天下，也寻不出个对儿。这萧颖士又非黑漆皮灯，泥塞竹管，是那一窍不通的蠢物；他须是身登黄甲，位列朝班，读破万卷，明理的才人，难道恁般不知好歹，一味蛮打，没一点仁慈改悔之念不成？看官有所不知，常言道得好：“江山易改，禀性难移。”那萧颖士平昔原爱杜亮小心驯谨，打过之后，深自懊悔道：“此奴随我多年，并无十分过失，如何只管将他这样毒打？今后断然不可！”到得性发之时，不觉拳脚又轻轻的生在他身上去了。这也不要单怪萧颖士性子急躁，谁教杜亮刚闻得叱喝一声，恰如小鬼见了钟馗一般，扑秃的两条腿就跪倒在地。萧颖士本来是个好打人的，见他做成这个要打局面，少不得奉承几下。

杜亮有个远族兄弟杜明，就住在萧家左边，因见他常打得这个模样，心下到气不过，撺掇杜亮道：“凡做奴仆的，皆因家贫力薄，自难成立，故此投靠人家。一来贪图现成衣食，二来指望家主有个发迹之日，带挈风光，摸得些东西做个小小家业，快活下半世。像阿哥如今随了这措大，早晚辛勤服事，竭力尽心，并不见一些好处，只落得常受他凌辱痛楚。恁样不知好歉的人，跟他有何出息？他家许多人都存住不得，各自四散去了，你何不也别了他，另寻头路？有多少不如你的，投了大官府人家，吃好穿好，还要作成趁一贯两贯。走出衙门前，谁不奉承？那边才叫‘某大叔，有些小事相烦’，还未答应时，这边又叫‘某大叔，我也有件事儿劳动’。真个应接不暇，何等兴头。若是阿哥这样肚里又明白，笔下又来得，做人且又温存小心，走到势要人家，怕道不是重用？你那措大，虽然中个进士，发利市就与李丞相作对，被他弄来坐在家中，料道也没个起官的日子，有何撇不下，定要与他缠帐？”

杜亮道：“这些事，我岂不晓得？若有此念，早已去得多年了，何待吾弟今日劝谕。古语云：‘良臣择主而事，良禽择木而栖。’奴仆虽是下贱，也要择个好使头。像我主人，止是性子躁急，除此之外，只怕舍了他，没处再寻得第二个出来。”杜明道：“满天下无数官员宰相，贵戚豪家，岂有反不如你主人这个穷官？”杜亮道：“他们有的，不过是爵位金银二事。”杜明道：“只这两样尽勾了，还要怎样？”杜亮道：“那爵位乃虚花之事，金银是臭污之物，有甚希罕？如何及得我主人这般高才绝学，拈起笔来，顷刻万言，不要打个稿儿。真个烟云缭绕，华彩缤纷。我所恋恋不舍者，单爱他这一件耳。”杜明听得说出爱他的才学，不觉呵呵大笑，道：“且问阿哥：你既爱他的才学，到饥时可将来当得饭吃，冷时可作得衣穿么？”

杜亮道：“你又说笑话，才学在他腹中，如何济得我的饥寒？”杜明道：“原来又救不得你的饥，又遮不得你的寒，爱他何用？当今有爵位的，尚然只喜趋权附势，没一个肯怜才惜学。你我是个下人，但得饱食暖衣，寻觅些钱钞做家，乃是本等；却这般迂阔，爱什么才学，情愿受其打骂，可不是个呆子！”杜亮笑道：“金银，我命里不曾带来，不做这个指望，还只是守旧。”杜明道：“想是打得你不爽利，故此尚要捱他的棍棒。”杜亮道：“多承贤弟好情，可怜我做兄的；但我主这般博奥才学，总然打死，也甘心服事他。”遂不听杜明之言，仍旧跟随萧颖士。

不想今日一顿拳头，明日一顿棒子，打不上几年，把杜亮打得渐渐遍身疼痛，口内吐血，成了个伤痨症候。初日还强勉趋承，以后打熬不过，半眠半起。又过几时，便久卧床席。那萧颖士见他呕血，情知是打上来的，心下十分懊悔，指望还有好的日子。请医调治，亲自煎汤送药。捱了两月，呜呼哀哉！萧颖士想起他平日的好处，只管涕泣，备办衣棺埋葬。

萧颖士日常亏杜亮服事惯了，到得死后，十分不便，央人四处寻觅仆从，因他打人的名头出了，那个肯来跟随？就有个肯跟他的，也不中其意。有时读书到忘怀之处，还认做杜亮在傍，抬头不见，便掩卷而泣。后来萧颖士知得了杜亮当日不从杜明这班说话，不觉气咽胸中，泪如泉涌，大叫一声：“杜亮！我读了一世的书，不曾遇着个怜才之人，终身沦落；谁想你到是我的知己，却又有眼无珠，枉送了你性命，我之罪也！”言还未毕，口中的鲜血，往外直喷，自此也成了个呕血之疾。将书籍尽皆焚化，口中不住的喊叫杜亮，病了数月，也归大梦。遗命教迁杜亮与他同葬。有诗为证：

纳贿趋权步步先，高才曾见几人怜？
当路若能如杜亮，草莱安得有遗贤？

说话的，这杜亮爱才恋主，果是千古奇人。然看起来，毕竟还带些腐气，未为全美。若有别桩希奇故事，异样话文，再讲回出来。列位看官稳坐着，莫要性急，适来小子道这段小故事，原是入话，还未曾说到正传。那正传却也是个仆人。他比杜亮更是不同，曾独力与孤孀主母，挣起个天大家事，替主母嫁三个女儿，与小主人娶两房娘子，到得死后，并无半文私蓄，至今名垂史册。待小子慢慢的道来，劝谕那世间为奴仆的，也学这般尽心尽力帮家做活，传个美名；莫学那样背恩反噬，尾大不掉的，被人唾骂。

你道这段话文，出在那个朝代？什么地方？原来就在本朝嘉靖爷年间，浙江严州府淳安县，离城数里，有个乡村，名曰锦沙村。村上有一姓徐的庄家，恰是弟兄三人。大的名徐言，次的名徐召，各生得一子；第三个名徐哲，浑家颜氏，到生得二男三女。他弟兄三人，奉着父亲遗命，合锅儿吃饭，并力的耕田。挣下一头牛儿，一骑马儿。又有一个老仆，名叫阿寄，年已五十多岁，夫妻两口，也生下一个儿子，还只有十来岁。那阿寄也就是本村生长，当先因父母丧了，无力殡殓，故此卖身在徐家。为人忠谨小心，朝起晏眠，勤于种作。徐言的父亲大得其力，每事优待。

到得徐言辈掌家，见他年纪有了，便有些厌恶之意。那阿寄又不达时务，遇着徐言弟兄行事有不到处，便苦口规谏。徐哲尚肯服善，听他一两句，那徐言、徐召是个自作自用的性子，反怪他多嘴擦舌，高声叱喝，有时还要奉承几下消食拳头。阿寄的老婆劝道：“你一把年纪的人了，诸事只宜退缩算。他们是后生家世界，时时新，局局变，由他自去主张罢了；何苦定要多口，常讨恁样凌辱！”阿寄道：“我受老主之恩，故此不得不说。”婆子道：“累说不听，这也怪不得你了！”自此阿寄听了老婆言语，缄口结舌，再不干预其事，也省了好些耻辱。正合着古人两句言语，道是

闭口深藏舌，安身处处牢。

不则一日，徐哲忽地患了个伤寒症候，七日之间，即便了帐。那时就哭杀了颜氏母子，少不得衣棺盛殓，做些功果追荐。过了两月，徐言与徐召商议道：“我与你各只一子，三兄弟到有两男三女，一分就抵着我们两分。便是三兄弟在时，一般耕种，还算计不就，何况他已死了。我们日夜吃辛吃苦挣来，却养他一窝子吃死饭的。如今还是小事，到得长大起来，你我儿子婚配了，难道不与他婚男嫁女，岂不比你我反多去四分？意欲即今三股分开，撇脱了这条烂死蛇，由他们有得吃，没得吃，可不与你我没干涉了。只是当初老官儿遗嘱，教道莫要分开，今若违了他言语，被人谈论，却怎地处？”

那时徐召若是个有仁心的，便该劝徐言休了这念才是。谁知他的念头，一发起得久了，听见哥子说出这话，正合其意，乃答道：“老官儿虽有遗嘱，不过是死人说话了，须不是圣旨，违背不得的。况且我们的家事，那个外人敢来谈论！”徐言连称有理，即将田产家私，都暗地配搭停当，只拣不好的留与侄子。徐言又道：“这牛马却怎地分？”徐召沉吟半晌，乃道：“不难。那阿寄夫妻年纪已老，渐渐做不动了，活时到有三个吃死饭的，死了又要赔两

口棺木，把他也当作一股，派与三房里，卸了这干系，可不是好?”

计议已定，到次日备些酒肴，请过几个亲邻坐下，又请出颜氏，并两个侄儿。那两个孩子，大的才得七岁，唤做福儿，小的五岁，叫做寿儿，随着母亲，直到堂前，连颜氏也不知为甚缘故。只见徐言弟兄立起身来道：“列位高亲在上，有一言相告。昔年先父原没甚所遗，多亏我弟兄，挣得些小产业，只望弟兄相守到老，传至子侄这辈分析。不幸三舍弟近日有此大变，弟妇又是个女道家，不知产业多少。况且人家消长不一，到后边多挣得，分与舍侄便好；万一消乏了，那时只道我们有甚私弊，欺负孤儿寡妇，反伤骨肉情义了。故此我兄弟商量，不如趁此完美之时，分作三股，各自领去营运，省得后来争多竞少，特请列位高亲来作眼。”遂向袖中摸出三张分书来，说道：“总是一样配搭，至公无私，只劳列位着个花押。”

颜氏听说要分开自做人家，眼中扑簌簌珠泪交流，哭道：“二位伯伯，我是个孤孀妇人，儿女又小，就是没脚蟹一般，如何撑持的门户？昔日公公原分付莫要分开，还是二位伯伯总管在那里，扶持儿女大了，但凭胡乱分些便罢，决不敢争多竞少。”徐召道：“三娘子，天下无有不散筵席，就合上一千年，少不得有个分开日子。公公乃过世的人了，他的说话，那里作得准。大伯昨日要把牛马分与你。我想侄儿又小，那个去看养，故分阿寄来帮扶。他年纪虽老，筋力还健，赛过一个后生家种作哩。那婆子绩麻纺线，也不是吃死饭的。这孩子再耐他两年，就可下得田了，你不消愁得。”颜氏见他弟兄如此，明知已是做就，料道拗他不过，一味啼哭。那些亲邻看了分书，虽晓得分得不公道，都要做好好先生，那个肯做闲冤家，出尖说话；一齐着了花押，劝慰颜氏收了进去，入席饮酒。有诗为证：

> 分书三纸语从容，人畜均分禀至公。
> 老仆不如牛马用，拥孤孀妇泣西风。

却说阿寄，那一早差他买东买西，请张请李，也不晓得又做甚事体。恰好在南村去请个亲戚，回来时里边事已停妥，刚至门口，正遇见老婆。那婆子恐他晓得了这事，又去多言多语，扯到半边，分付道：“今日是大官人分拨家私，你休得又去闲管，讨他的怠慢!”阿寄闻言，吃了一惊，说道：“当先老主人遗嘱，不要分开，如何见三官人死了，就撇开这孤儿寡妇，教他如何过活？我若不说，再有何人肯说?”转身就走。婆子又扯住道：“清官也断不得家务事，适来许多亲邻，都不开口，你是他手下人，又非甚么高年族长，怎好张主?”阿寄道：“话虽有理，但他们分得公道，便不开口；若有些欺心，就死也说不得，也要讲个明白。”又问道：“可晓得分我在那一房?”婆子道：“这到不晓得。”

阿寄走到堂前，见众人吃酒，正在高兴，不好遽然问得，站在旁边。间壁一个邻家抬头看见，便道："徐老官，你如今分在三房里了。他是孤孀娘子，须是竭力帮助便好。"阿寄随口答道："我年纪已老，做不动了。"口中便说，心下暗转道："原来拨我在三房里，一定他们道我没用了，借手推出的意思。我偏要争口气，挣个事业起来，也不被人耻笑。"遂不问他们分析的事，一径转到颜氏房门口，听得在内啼哭。阿寄立住脚听时，颜氏哭道："天阿！只道与你一竹竿到底，白头相守。那里说起半路上就抛撇了，遗下许多儿女，无依无靠！还指望倚仗做伯伯的扶养长大，谁知你骨肉未寒，便分拨开来。如今教我没投没奔，怎生过日？"又哭道："就是分的田产，他们通是亮里，我是暗中，凭他们分派，那里知得好歹？只一件上，已是他们的肠子狠了。那牛儿可以耕种，马儿可雇倩与人，只拣两件有利息的拿了去，却推两个老头儿与我，反要费我的衣食。"

那老儿听了这话，猛然揭起门帘叫道："三娘，你道老奴单费你的衣食，不及牛马的力么？"颜氏魆地里被他钻进来说这句话，到惊了一跳，收泪问道："你怎地说？"阿寄道："那牛马每年耕种雇倩，不过有得数两利息，还要赔个人去喂养跟随。若论老奴，年纪虽老，精力未衰，路还走得，苦也受得。那经商道业，虽不曾做，也都明白。三娘急急收拾些本钱，待老奴出去做些生意，一年几转，其利岂不胜似马牛数倍？就是我的婆子，平昔又勤于纺织，亦可少助薪水之费。那田产莫管好歹，把来放租与人，讨几担谷子，做了桩主，三娘同姐儿们，也做些活计，将就度日，不要动那资本。营运数年，怕不挣起个事业？何消愁闷。"颜氏见他说得有些来历，乃道："若得你如此出力，可知好哩。但恐你有了年纪，受不得辛苦。"阿寄道："不满三娘说，老便老，健还好。眠得迟，起得早。只怕后生家还赶我不上哩！这到不消虑得。"颜氏道："你打帐做甚生意？"阿寄道："大凡经商，本钱多便大做，本钱少便小做。须到外边去，看临期着便，见景生情，只拣有利息的就做，不是在家论得定的。"颜氏道："说得有理，待我计较起来。"阿寄又讨出分书，将分下的家火，照单逐一点明，搬在一处，然后走至堂前答应。众亲邻直饮至晚方散。

次日，徐言即唤个匠人，把房子两下夹断，教颜氏另自开个门户出入。颜氏一面整顿家中事体，自不必说。一面将簪钗衣饰，悄悄教阿寄去变卖，共凑了十二两银子。颜氏把来交与阿寄道："这些少东西，乃我尽命之资，一家大小俱在此上。今日交付与你，大利息原不指望，但得细微之利也就勾了。临事务要斟酌，路途亦宜小心，切莫有始无终，反被大伯们耻笑。"口中便说，不觉泪随言下。阿寄道："但请放心，老奴自有见识在此，管情不负所托。"颜氏又问道："何时起身？"阿寄回道："今本钱已有了，明早就行。"颜氏道："可要拣个好日？"阿寄道："我出去做生意，便是好日了，何必又拣?”即把银子藏在兜肚之中，走到自己房里，向婆子道：“我明早要出门去做生意，可将旧衣旧裳，打叠在一处。”

原来阿寄止与主母计议，连老婆也不通他知道。这婆子见蓦地说出那句话，也觉骇然，问道：“你往何处去？做甚生意?”阿寄方把前事说与。那婆子道：“阿呀，这是那里说起！你虽然一把年纪，那生意行中，从不曾着脚，却去弄虚头，说大话，兜揽这帐。孤孀娘子的银两，是苦恼东西，莫要把去弄出个话靶，连累他没得过用，岂不终身抱怨？不如依着我，快快送还三娘，拼得早起晏眠，多吃些苦儿，照旧耕种帮扶，彼此到得安逸。”阿寄道：“婆子家晓得什么，只管胡言乱语！那见得我不会做生意，弄坏了事？要你未风先雨。”遂不听老婆，自去收拾了衣服被窝。却没个被囊，只得打个包儿，又做起一个缠袋，准备些干粮。又到市上买了一顶雨伞，一双麻鞋，打点完备，次早先到徐言、徐召二家说道：“老奴今日要往远处做生意，家中无人照管，虽则各分门户，还要二位官人早晚看顾。”徐言二人听了，不觉暗笑，答道：“这倒不消你叮嘱，只要赚了银子回来，送些人事与我们。”阿寄道：“这个自然。”转到家中，吃了饭食，作别了主母，穿上麻鞋，背着包裹雨伞，又分付老婆，早晚须是小心。临出门，颜氏又再三叮咛，阿寄点头答应，大踏步去了。

且说徐言弟兄，等阿寄转身后，都笑道：“可笑那三娘子好没见识，有银子做生意，却不与你我商量，倒听阿寄这老奴才的说话。我想他生长已来，何曾做惯生意？哄骗孤孀妇人的东西，自去快活。这本钱可不白白送落！”徐召道：“便是当初合家时，却不把出来营运，如今才分得，即教阿寄做客经商。我想三娘子又没甚妆奁，这银两定然是老官儿存日，三兄弟克剥下的，今日方才出豁。总之，三娘子瞒着你我做事，若说他不该如此，反道我们妒忌了。且待阿寄折本回来，那时去笑他。”正是：

云端看厮杀，毕竟孰输赢？
路遥知马力，日久见人心。

再说阿寄离了家中，一路思想：“做甚生理便好?”忽地转着道：“闻得贩漆这项道路，颇有利息，况又在近处，何不去试他一试?”定了主意，一直来至庆云山中。原来采漆之处，原有个牙行，阿寄就行家住下。那贩漆的客人，却也甚多，都是挨次儿打发。阿寄想道：“若慢慢的挨去，可不担搁了日子，又费去盘缠。”心生一计，捉个空，扯主人家到一村店中，买三杯请他，说道：“我是个小贩子，本钱短少，守日子不起的，望主人家看乡里分上，怎地设法先打发我去。那一次来，大大再整个东道请你。”也是数合当然，那主人家却正撞着是个贪杯的，吃了他的软口汤，不好回得，一口应承。当晚就往各村户凑足其数，装裹停当，恐怕客人们知得嗔怪，到寄在邻家放下，次日起个五更，打发阿寄起身。

那阿寄发利市，就得了便宜，好不喜欢。教脚夫挑出新安江口，又想道："杭州离此不远，定卖不起价钱。"遂雇船直到苏州。正遇在缺漆之时，见他的货到，犹如宝贝一般，不勾三日，卖个干净。一色都是现银，并无一毫赊帐。除去盘缠使用，足足赚个对合有馀，暗暗感谢天地，即忙收拾起身。

又想道："我今空身回去，须是趁船，这银两在身边，反担干系。何不再贩些别样货去，多少寻些利息也好。"打听得枫桥籼米到得甚多，登时落了几分价钱，乃道："这贩米生意，量来必不吃亏。"遂籴了六十多担籼米，载到杭州出脱。那时乃七月中旬，杭州有一个月不下雨，稻苗都干坏了，米价腾涌。阿寄这载米，又值在巧里，每一挑长了二钱，又赚十多两银子。自言自语道："且喜做来生意，颇颇顺溜，想是我三娘福分到了。"却又想道："既在此间，怎不去问问漆价？若与苏州相去不远，也省好些盘缠。"细细访问时，比苏州反胜。你道为何？原来贩漆的，都道杭州路近价贱，俱往远处去了，杭州到时常短缺。常言道："货无大小，缺者便贵。"故此比别处反胜。

阿寄得了这个消息，喜之不胜，星夜赶到庆云山，已备下些小人事，送与主人家，依旧又买三杯相请。那主人家得了些小便宜，喜逐颜开，一如前番，悄悄先打发他转身。到杭州也不消三两日，就都卖完。计算本利，果然比起先这一帐又多几两，只是少了那回头货的利息。乃道："下次还到远处去。"与牙人算清了帐目，收拾起程，想道："出门好几时了，三娘必然挂念，且回去回覆一声，也教他放心。"又想道："总是收漆，要等候两日；何不先到山中，将银子教主人家一面先收，然后回家，岂不两便。"定了主意，到山中把银两付与牙人，自己赶回家去。正是：

先收漆货两番利，初出茅庐第一功。

且说颜氏自阿寄去后，朝夕悬挂，常恐他消折了这些本钱，怀着鬼胎。耳根边又听得徐言弟兄在背后攧唇簸嘴，愈加烦恼。一日正在房中闷坐，忽见两个儿子乱喊进来道："阿寄回家了。"颜氏闻言，急走出房，阿寄早已在面前。他的老婆也随在背后。阿寄上前，深深唱个大喏。颜氏见了他，反增着一个蹬心拳头，胸前突突的乱跳，诚恐说出句扫兴话来，便问道："你做的是什么生意？可有些利钱？"那阿寄叉手不离方寸，不慌不忙的说道："一来感谢天地保佑，二来托赖三娘洪福，做的却是贩漆生意，赚得五六倍利息。如此如此，这般这般，恐怕三娘放心不下，特归来回覆一声。"颜氏听罢，喜从天降，问道："如今银子在那里？"阿寄道："已留与主人家收漆，不曾带回，我明早就要去的。"那时合家欢天喜地。阿寄住了一晚，次日清早起身，别了颜氏，又往庆云山去了。

且说徐言弟兄，那晚在邻家吃社酒醉倒，故此阿寄归家，全不晓得，到次日齐走过来，问道："阿寄做生意归来，趁了多少银子？"颜氏道："好教二位伯伯知得，他一向贩漆营生，倒觅得五六倍利息。"徐言道："好造化！恁样赚钱时，不勾几年，便做财主哩。"颜氏道："伯伯休要笑话，免得饥寒便勾了。"徐召道："他如今在那里？出去了几多时？怎么也不来见我？这样没礼。"颜氏道："今早原就去了。"徐召道："如何去得恁般急速？"徐言又问道："那银两你可曾见见数么？"颜氏道："他说俱留在行家买货，没有带回。"徐言呵呵笑道："我只道本利已到手了，原来还是空口说白话，眼饱肚中饥。耳边到说得热哄哄，还不知本在何处，利在那里，便信以为真。做经纪的人，左手不托右手，岂有自己回家，银子反留在外人？据我看起来，多分这本钱弄折了，把这鬼话哄你。"

徐召也道："三娘子，论起你家做事，不该我们多口。但你终是女眷家，不知外边世务。既有银两，也该与我二人商量，买几亩田地，还是长策。那阿寄晓得做甚生理？却瞒着我们，将银子与他出去瞎撞。我想那银两，不是你的妆奁，也是三兄弟的私蓄，须不是偷来的，怎看得恁般轻易！"二人一吹一唱，说得颜氏哑口无言，心下也生疑惑，委决不下，把一天欢喜，又变为万般愁闷。按下此处不题。

再说阿寄这老儿急急赶到庆云山中，那行家已与他收完，点明交付。阿寄此番不在苏杭发卖，径到兴化地方，利息比这两处又好。卖完了货，打听得那边米价一两三担，斗斛又大，想起杭州见今荒歉，前次籴客贩的去，尚赚了钱，今在出处贩去，怕不有一两个对合？遂装上一大载米至杭州，准准粜了一两二钱一石，斗斛上多来，恰好顶着船钱使用。那时到山中收漆，便是大客人了，主人家好不奉承。一来是颜氏命中合该造化，二来也亏阿寄经营伶俐。凡贩的货物，定获厚利。一连做了几帐，长有二千馀金。看看捱着残年，算计道："我一个孤身老儿，带着许多财物，不是要处！倘有差跌，前功尽弃。况且年近岁逼，家中必然悬望，不如回去，商议置买些田产，做了根本，将馀下的再出来运弄。"

此时他出路行头，诸色尽备。把银两逐封紧紧包裹，藏在顺袋中。水路用舟，陆路雇马，晏行早歇，十分小心。非止一日，已到家中，把行李驮入。婆子见老公回了，便去报知颜氏。那颜氏一则以喜，一则以惧。所喜者，阿寄回来；所惧者，未知生意长短若何。因向日被徐言弟兄奚落了一场，这番心里比前更是着急。三步并作两步，奔至外厢，望见了这堆行李，料道不像个折本的，心上就安了一半。终是忍不住，便问道："这一向生意如何？银两可曾带回？"阿寄近前见了个礼，说道："三娘不要性急，待我慢慢的细说。"教老婆顶上中门，把行李尽搬至颜氏房中打开，将银子逐封交与颜氏。

颜氏见着许多银两，喜出望外，连忙开箱启笼收藏。阿寄方把往来经营的事说出。颜氏因怕惹是非，徐言当日的话，一句也不说与他知道，但连称："都亏你老人家气力了，且去歇息则个。"又分付："倘大伯们来问起，不要与他讲真话。"阿寄道："老奴理会得。"

正话间，外面闸闸声叩门，原来却是徐言弟兄听见阿寄归了，特来打探消耗。阿寄上前作了两个揖。徐言道："前日闻得你生意十分旺相，今番又趁若干利息？"阿寄道："老奴托赖二位官人洪福，除了本钱盘费，干净趁得四五十两。"徐召道："阿呀！前次便说有五六倍利了，怎地又去了许多时，反少起来？"徐言道："且不要问他趁多趁少，只是银子今次可曾带回？"阿寄道："已交与三娘了。"二人便不言语，转身出去。

再说阿寄与颜氏商议，要置买田产，悄地央人寻觅。大抵出一个财主，生一个败子。那锦沙村有个晏大户，家私豪富，田产广多，单生一子名为世保，取世守其业的意思。谁知这晏世保专于嫖赌，把那老头儿活活气死。合村的人道他是个败子，将晏世保三字，顺口改为献世保。那献世保同着一班无藉，朝欢暮乐，弄完了家中财物，渐渐摇动产业。道是零星卖来不勾用，索性卖一千亩，讨价三千馀两，又要一注儿交银。那村中富者虽有，一时凑不起许多银子，无人上桩。延至岁底，献世保手中越觉干逼，情愿连一所庄房，只要半价。阿寄偶然闻得这个消息，即寻中人去，讨个经帐。恐怕有人先成了去，就约次日成交。献世保听得有了售主，好不欢喜。平日一刻也不着家的，偏这日足迹不敢出门，呆呆的等候中人同往。

且说阿寄料道献世保是爱吃东西的，清早便去买下佳肴美酝，唤个厨夫安排，又向颜氏道："今日这场交易，非同小可。三娘是个女眷家，两位小官人又幼，老奴又是下人，只好在旁说话，难好与他抗礼；须请间壁大官人弟兄来作眼，方是正理。"颜氏道："你就过去请一声。"阿寄即到徐言门首，弟兄正在那里说话。阿寄道："今日三娘买几亩田地，特请二位官人来张主。"二人口中虽然答应，心内又怪颜氏不托他寻觅，好生不乐。徐言说道："既要买田，如何不托你我，又教阿寄张主。直至成交，方才来说？只是这村中，没有什么零星田卖。"徐召道："不必猜疑，少顷便见着落了。"二人坐于门首，等至午前光景，只见献世保同着几个中人，两个小厮，拿着拜匣，一路拍手拍脚的笑来，望着间壁门内齐走进去。徐言弟兄看了，倒吃一唬，都道："咦，好作怪！闻得献世保要卖一千亩田，实价三千馀两，不信他家有许多银子？难道献世保又零卖一二十亩？"疑惑不定，随后跟入。相见已罢，分宾而坐。

阿寄向前说道："晏官人，田价昨日已是言定，一依分付，不敢短少。晏官人也莫要节外生枝，又更他说。"献世保乱嚷道："大丈夫做事，一言已出，驷马难追，若又有他说，便不是人养的了。”阿寄道：“既如此，先立了文契，然后兑银。”

那纸墨笔砚，准备得停停当当，拿过来就是。献世保拈起笔，尽情写了一纸绝契，又道：“省得你不放心，先画了花押，何如?”阿寄道：“如此更好。”徐言兄弟看那契上，果是一千亩田，一所庄房，实价一千五百两。唬得二人面面相觑，伸出了舌头，半日也缩不上去。都暗想道：“阿寄生意总是趁钱，也趁不得这些！莫不是做强盗打劫的，或是掘着了藏？好生难猜。”中人着完花押，阿寄收进去交与颜氏。他已先借下一副天秤法马，提来放在桌上，与颜氏取出银子来兑，一色都是粉块细丝。徐言、徐召眼内放出火来，喉间烟也直冒，恨不得推开众人，通抢回去。不一时兑完，摆出酒肴，饮至更深方散。

次日，阿寄又向颜氏道：“那庄房甚是宽大，何不搬在那边居住？收下的稻子，也好照管。”颜氏晓得徐言弟兄妒忌，也巴不能远开一步，便依他说话，选了新正初六，迁入新房。阿寄又请个先生，教他两位小官人读书。大的取名徐宽，次的名徐宏，家中收拾得十分次第。那些村中人见颜氏买了一千亩田，都传说掘了藏，银子不计其数，连坑厕说来都是银的，谁个不来趋奉。

再说阿寄将家中整顿停当，依旧又出去经营。这番不专于贩漆，但闻有利息的便做。家中收下米谷，又将来腾挪。十年之外，家私巨富。那献世保的田宅，尽归于徐氏。门庭热闹，牛马成群，婢仆雇工人等，也有整百，好不兴头！正是：

富贵本无根，尽从勤里得。
请观懒惰者，面带饥寒色。

那时颜氏三个女儿，都嫁与一般富户。徐宽、徐宏也各婚配。一应婚嫁礼物，尽是阿寄支持，不费颜氏丝毫气力。他又见田产广多，差役烦重，与徐宽弟兄，俱纳个监生，优免若干田役。颜氏也与阿寄儿子完了姻事；又见那老儿年纪衰迈，留在家中照管，不肯放他出去，又派个马儿与他乘坐。那老儿自经营以来，从不曾私吃一些好伙食，也不曾私做一件好衣服，寸丝尺帛，必禀命颜氏，方才敢用。且又知礼数，不论族中老幼，见了必然站起。或乘马在途中遇着，便跳下来闪在路旁，让过去了，然后又行。因此远近亲邻，没一人不把他敬重。就是颜氏母子，也如尊长看承。那徐言、徐召虽也挣起些田产，比着颜氏，尚有天渊之隔，终日眼红颈赤。那老儿揣知二人意思，劝颜氏各助百金之物。又筑起一座新坟，连徐哲父母，一齐安葬。

那老儿整整活到八十，患起病来，颜氏要请医人调治，那老儿道：“人年八十，死乃分内之事，何必又费钱钞。”执意不肯服药。颜氏母子，不住在床前看视，一面准备衣衾棺椁。病了数日，势渐危笃，乃请颜氏母子到房中坐下，说道："老奴牛马力已少尽，死亦无恨，只有一事，越分张主，不要见怪！"

颜氏垂泪道："我母子全亏你气力，方有今日，有甚事体，一凭分付，决不违拗。"那老儿向枕边摸出两纸文书，递与颜氏道："两位小官人，年纪已长，日后少不得要分析，倘那时嫌多道少，便伤了手足之情。故此老奴久已将一应田房财物等件，均分停当，今日交付与二位小官人，各自去管业。"又叮嘱道："那奴仆中难得好人，诸事须要自己经心，切不可重托。"颜氏母子，含泪领命。他的老婆儿子，都在床前啼啼哭哭，也嘱付了几句。忽地又道："只有大官人二官人，不曾面别，终是欠事，可与我去请来。"颜氏即差个家人去请。徐言、徐召说道："好时不直得帮扶我们，临死却来思想，可不扯淡！不去不去！"那家人无法，只得转身。却着徐宏亲自奔来相请，二人灭不过侄儿面皮，勉强随来。那老儿已说话不出，把眼看了两看，点点头儿，奄然而逝。他的老婆儿媳啼哭，自不必说。只这颜氏母子俱放声号恸，便是家中大小男女，念他平日做人好处，也无不下泪。惟有徐言、徐召反有喜色。可怜那老儿：

> 辛勤好似蚕成茧，茧老成丝蚕命休。
> 又似采花蜂酿蜜，甜头到底被人收。

颜氏母子哭了一回，出去支持殓殡之事。徐言、徐召看见棺木坚固，衣衾整齐，扯徐宽弟兄到一边，说道："他是我家家人，将就些罢了！如何要这般好断送？就是当初你家公公与你父亲，也没恁般齐整！"徐宽道："我家全亏他挣起这些事业，若薄了他，内心上也打不过去。"徐召笑道："你老大的人，还是个呆子！这是你母子命中合该有此造化，岂真是他本事挣来的哩。还有一件，他做了许多年数，克剥的私房，必然也有好些，怕道没得结果，你却挖出肉里钱来，与他备后事。"徐宏道："不要冤枉坏人！我看他平日，一厘一毫，都清清白白交与母亲，并不见有什么私房。"徐召又道："做的私房，藏在那里，难道把与你看不成？若不信时，如今将他房中一检，极少也有整千银子。"徐宽道："总有也是他挣下的，好道拿他的不成？"徐言道："虽不拿他的，见个明白也好。"

徐宽弟兄被二人说得疑疑惑惑，遂听了他，也不通颜氏知道，一齐走至阿寄房中，把婆子们哄了出去，闭上房门，开箱倒笼，遍处一搜，只有几件旧衣旧裳，那有分文钱钞！徐召道："一定藏在儿子房里，也去一检。"寻出一包银子，不上二两。包中有个帐儿，徐宽仔细看时，还是他儿子娶妻时，颜氏助他三两银子，用剩下的。徐宏道："我说他没有什么私房，却定要来看！还不快收拾好了，倘被人撞见，反道我们器量小了。"徐言、徐召自觉乏趣，也不别颜氏，径自去了。

徐宽又把这事学向母亲，愈加伤感，令合家挂孝，开丧受吊，多修功果追荐。七终之后，即安葬于新坟旁边。祭葬之礼，每事从厚。颜氏主张，将家产分一股与他儿子，自去成家立业，奉养其母。又教儿子们以叔侄相称。此亦见颜氏不泯阿寄恩义的好处。那合村的人，将阿寄生平行谊，具呈府县，要求旌奖，以劝后人，府县又查勘的实，申报上司，具疏奏闻。朝廷旌表其闾。至今徐氏子孙繁衍，富冠淳安。诗云：

年老筋衰逊马牛，千金致产出人头。
托孤寄命真无愧，羞杀苍头不义侯。

第三十六卷
蔡瑞虹忍辱报仇

酒可陶情适性，兼能解闷消愁。三杯五盏乐悠悠，痛饮翻能损寿。　谨厚化成凶险，精明变作昏流。禹疏仪狄岂无由？狂药使人多咎。

这首词名为《西江月》，是劝人节饮之语。今日说一位官员，只因贪杯上，受了非常之祸。话说这宣德年间，南直隶淮安府淮安卫，有个指挥姓蔡名武，家资富厚，婢仆颇多。平昔别无所好，偏爱的是杯中之物，若一见了酒，连性命也不相顾，人都叫他做“蔡酒鬼”。因这件上，罢官在家。不但蔡指挥会饮，就是夫人田氏，却也一般善酌，二人也不像个夫妻，到像两个酒友。偏生奇怪，蔡指挥夫妻都会饮酒，生得三个儿女，却又滴酒不闻。那大儿蔡韬，次子蔡略，年纪尚小。女儿到有一十五岁，生时因见天上有一条虹霓，五色灿烂，正环在他家屋上，蔡武以为祥瑞，遂取名叫做瑞虹。那女子生得有十二分颜色，善能描龙画凤，刺绣拈花。不独女工伶俐，且有智识才能，家中大小事体，到是他掌管。因见父母日夕沉湎，时常规谏。蔡指挥那里肯依？

话分两头，且说那时有个兵部尚书赵贵，当年未达时，住在淮安卫间壁，家道甚贫，勤苦读书，夜夜直读到鸡鸣方卧。蔡武的父亲老蔡指挥，爱他苦学，时常送柴送米，资助赵贵。后来连科及第，直做到兵部尚书。思念老蔡指挥昔年之情，将蔡武特升了湖广荆襄等处游击将军。是一个上好的美缺，特地差人将文凭送与蔡武。

蔡武心中欢喜，与夫人商议，打点择日赴任。瑞虹道："爹爹，依孩儿看起来，此官莫去做罢！"蔡武道："却是为何？"瑞虹道："做官的一来图名，二来图利，故此千乡万里远去。如今爹爹在家，日日只是吃酒，并不管一毫别事。倘若到任上也是如此，那个把银子送来，岂不白白里乾折了盘缠辛苦，路上还要担惊受怕。就是没得银子趁，也只算是小事，还有别样要紧事体，担干系哩！"蔡武道："除了没银子趁罢了，还有甚么干系？"瑞虹道："爹爹，你一向做官时，不知见过多少了，难道这样事到不晓得？那游击官儿，在武职里便算做美任，在文官上司里，不过是个守令官。不时衙门伺候，东迎西接，都要早起晏眠。我想你平日在家，单管吃酒，自在惯了，倘到那里，依原如此，岂不受上司责罚？这也还不算利害。或是汛地盗贼生发，差拨去捕获，或者别处地方有警，调遣去出征。那时不是马上，定是舟中，身披甲胄，手执戈矛，在生死关系之际，倘若一般终日吃酒，岂不把性命送了？不如在家安闲自在，快活过了日子，却去讨这样烦恼吃！"蔡武道："常言说得好：酒在心头，事在肚里。难道我真个单吃酒不管正事不成？只为家中有你掌管，我落得快活，到了任上，你替我不得时，自然着急，不消你担隔夜忧。况且这样美缺，别人用银子谋干，尚不能勾；如今承赵尚书一片好念，特地差人送上大门，我若不去做，反拂了这一段来意。我自有主意在此，你不要阻当。"瑞虹见父亲立意要去，便道："爹爹既然要去，把酒来戒了，孩儿方才放心。"蔡武道："你晓得我是酒养命的，如何全戒得，只是少吃几杯罢。"遂说下几句口号：

老夫性与命，全靠水边酒。
宁可不吃饭，岂可不饮酒？
今听汝忠言，节饮知谨守。
每常十遍饮，今番一加九。
每常饮十升，今番只一斗。
每常一气吞，今番分两口。
每常床上饮，今番地下走。
每常到三更，今番二更后。
再要裁减时，性命不值狗。

且说蔡武次日即教家人蔡勇，在淮关写了一只民座船，将衣饰细软，都打叠带去，粗重家伙，封锁好了，留一房家人看守，其馀童仆尽随往任所。又买了许多好酒，带路上去吃。择了吉日，备猪羊祭河，作别亲戚，起身下船。艄公扯起篷，由扬州一路进发。

你道艄公是何等样人？那艄公叫做陈小四，也是淮安府人，年纪三十已外，雇着一班水手，共有七人，唤做白满、李鬍子、沈铁甏、秦小圆、何蛮

二、馀蛤蚆、凌歪嘴。这班人都是凶恶之徒，专在河路上谋劫客商。不想今日蔡武晦气，下了他的船只。陈小四起初见发下许多行李，眼中已是放出火来，及至家小下船，又一眼瞧着瑞虹美艳，心中愈加着魂，暗暗算计："且远一步儿下手，省得在近处，容易露人眼目。"

不一日，将到黄州，乃道："此去正好行事了，且与众兄弟们说知。"走到艄上，对众水手道："舱中一注大财乡，不可错过，趁今晚取了罢。"众人笑道："我们有心多日了，因见阿哥不说起，只道让同乡分上，不要了。"陈小四道："因一路来，没有个好下手处，造化他多活了几日！"众人道："他是个武官出身，从人又众，不比其他，须要用心。"陈小四道："他出名的蔡酒鬼，有什么用？少停，等他吃酒到更深，放开手砍他娘罢了，只饶了这小姐，我要留他做个押舱娘子。"商议停当。少顷，到黄州江口泊住，买了些酒肉，安排起来。

众水手吃个醉饱，扬起满帆，舟如箭放。那一日正是十五，刚到黄昏，一轮明月，如同白昼。至一空阔之处，陈小四道："众兄弟，就此处罢，莫向前了。"霎时间，下篷抛锚，各执器械，先向前舱而来。迎头遇着一个家人。那家人见势头来得凶险，叫声："老爷，不好了！"说时迟，那时快，叫声未绝，顶门上已遭一斧，翻身跌倒。那些家人，一个个都抖衣而颤，那里动掸得？被众强盗刀砍斧切，连排价杀去。

且说蔡武自从下船之后，初时几日，酒还少吃，以后觉道无聊，夫妻依先大酌，瑞虹劝谏不止。那一晚与夫人开怀畅饮，酒量已吃到九分，忽听得前舱发喊。瑞虹急教丫鬟来看，那丫鬟唬得寸步难移，叫道："老爹，前舱杀人哩！"蔡奶奶惊得魂不附体，刚刚立起身来，众凶徒已赶进舱。蔡武兀自朦胧醉眼，喝道："我老爷在此，那个敢？"沈铁甏早把蔡武一斧砍倒。众男女一齐跪下，道："金银任凭取去，但求饶命。"众人道："两件俱是要的。"陈小四道："也罢！看乡里情上，饶他砍头，与他一个全尸罢了。"即教快取索子，两个奔向后艄，取出索子，将蔡武夫妻二子，一齐绑起，止空瑞虹。蔡武哭对瑞虹道："不听你言，致有今日。"声犹未绝，都撺向江中去了。其馀丫鬟等辈，一刀一个，杀个干净。有诗为证：

金印将军酒量高，绿林暴客气雄高。
无情波浪兼天涌，疑是胥江起怒涛。

瑞虹见合家都杀，独不害他，料然必来污辱，奔出舱门，望江中便跳。陈小四放下斧头，双手抱住道："小姐不要惊恐！还你快活。"瑞虹大怒，骂道："你这班强盗，害了我全家，尚敢污辱我么？快快放我自尽。"陈小四道："你这般花容月貌，教我如何便舍得？"一头说，一头抱入后舱。瑞虹口中千强盗，万强盗，骂不绝口。众人大怒道："阿哥，那里不寻了一个妻子，

却受这贱人之辱!”便要赶进来杀。陈小四拦住道:“众兄弟，看我分上饶他罢!明日与你陪情。”又对瑞虹道:“快些住口，你若再骂时，连我也不能相救。”瑞虹一头哭，心中暗想:“我若死了，一家之仇，那个去报?且含羞忍辱，待报仇之后，死亦未迟。”方才住口，跌足又哭。陈小四安慰一番。

众人已把尸首尽抛入江中，把船揩抹干净，扯起满帆，又使到一个沙洲边，将箱笼取出，要把东西分派。陈小四道:“众兄弟且不要忙，趁今日十五团圆之夜，待我做了亲，众弟兄吃过庆喜筵席，然后自由自在均分，岂不美哉!”众人道:“也说得是。”连忙将蔡武带来的好酒，打开几坛，将那些食物东西，都安排起来，团团坐在舱中，点得灯烛辉煌，取出蔡武许多银酒器，大家痛饮。

陈小四又抱出瑞虹坐在旁边，道:“小姐，我与你郎才女貌，做对夫妻也不辱抹了你!今夜与我成亲，图个白头到老。”瑞虹掩着面只是哭。众人道:“我众兄弟各人敬阿嫂一杯酒。”便筛过一杯，送在面前。陈小四接在手中，拿向瑞虹口边道:“多谢众弟兄之情，你略略沾些儿。”瑞虹那里采他，把手推开。陈小四笑道:“多谢列位美情，待我替娘子饮罢。”拿起来一饮而尽。秦小圆道:“哥不要吃单杯，吃个双双到老。”又送过一杯，陈小四又接来吃了，也筛过酒，逐个答还。吃了一会，陈小四被众人劝送，吃到八九分醉了。众人道:“我们畅饮，不要难为新人。哥，先请安置罢。”陈小四道:“既如此，列位再请宽坐，我不陪了。”抱起瑞虹，取了灯火，径入后舱，放下瑞虹，闭上舱门，便来与他解衣。那时瑞虹身不由主，被他解脱干净，抱向床中，任情取乐。可惜千金小姐，落在强徒之手。

暴雨摧残娇蕊，狂风吹损柔芽。
那是一宵恩爱，分明夙世冤家。

不题陈小四。且说众人在舱中吃酒，白满道:“陈四哥此时正在乐境了。”沈铁甏道:“他便乐，我们却有些不乐。”秦小圆道:“我们有甚不乐?”沈铁甏道:“皆是同样做事，他到独占了第一件便宜，明日分东西时，可肯让一些么?”李癞子道:“你道是乐，我想这一件，正是不乐之处哩。”众人道:“为何不乐?”李癞子道:“常言说的好:‘斩草不除根，萌芽依旧发。’杀了他一家，恨不得把我们吞在肚里，方才快活，岂肯安心与陈四哥做夫妻?倘到人烟凑集所在，叫喊起来，众人性命，可不都送在他的手里!”众人尽道:“说得是，明日与陈四哥说明，一发杀却，岂不干净。”答道:“陈四哥今夜得了甜头，怎肯杀他?”白满道:“不要与陈四哥说知，悄悄竟行罢。”李癞子道:“若瞒着他杀了，弟兄情上就到不好开交。我有个两得其便的计儿在此:趁陈四哥睡着，打开箱笼，将东西均分，四散去快活。陈四哥已受用了一个妙人，多少留几件与他，后边露出事来，止他自去受累，与我众人无干。或者不出丑，也是他的造化。恁样又不伤了弟兄情分，又连累我们不着，可不好么?”众人齐称道：“好。”立起身把箱笼打开，将出黄白之资，衣饰酒器，都均分了，只拣用不着的留下几件。各自收拾，打了包裹，把舱门关闭，将船使到一个通官路所在泊住，一齐上岸，四散而去。

箧中黄白皆公器，被底红香偏得意。

蜜房割去别人甜，狂蜂犹抱花心睡。

且说陈小四专意在瑞虹身上，外边众人算计，全然不知。直至次日巳牌时分，方才起身来看，一人不见，还只道夜来中酒睡着。走至艄上，却又不在；再到前船去看，那里有个人的影儿?惊骇道：“他们通往何处去了?”心内疑惑。复走入舱中，看那箱笼俱已打开；逐只检看，并无一物，止一只内存些少东西，并书帙之类。方明白众人分去，敢怒而不敢言。想道：“是了，他们见我留着这小姐，恐后事露，故都悄然散去。”又想道：“我如今独自个又行不得这船，住在此，又非长策，到是进退两难。欲待上涯，村中觅个人儿帮行，到有人烟之处，恐怕这小姐喊叫出来，这性命便休了。势在骑虎，留他不得了，不如斩草除根罢。”提起一柄板斧，抢入后舱。

瑞虹还在床上啼哭，虽则泪痕满面，愈觉千娇百媚。那贼徒看了，神荡魂迷，臂垂手软，把杀人肠子，顿时熔化。一柄板斧，扑秃的落在地下。又腾身上去，捧着瑞虹淫媾。可怜嫩蕊娇花，怎当得风狂雨骤!

那贼徒恣意轻薄了一回，说道：“娘子，我晓得你劳碌了，待我去收拾些饮食与你好将息。”跳起身，往艄上打火煮饭。忽地又想起道：“我若迷恋这女子，性命定然断送，欲要杀他，又不忍下手。罢，罢，只算我晦气，弃了这船，也向别处去过日。倘有采头，再觅一注钱财，原旧挣个船儿，依然快活。那女子留在船中，有命时便遇人救了，也算我一点阴骘。”却又想道：“不好不好，如不除他，终久是个祸根。只饶他一刀，与个全尸罢。”煮些饭食吃饱，将平日所积囊资，并留下的些小东西，叠成一个大包，放在一边，寻了一条索子，打个圈儿，赶入舱来。这时瑞虹恐又来淫污，已是穿起衣服，向着里床垂泪，思算报仇之策，不提防这贼徒来谋害。说时迟，那时快，这贼徒奔近前，左手托起头儿，右手就将索子套上。瑞虹方待喊叫，被他随手扣紧，尽力一收。瑞虹疼痛难忍，手足乱动，扑的跳了几跳，直挺挺横在床上便不动了。那贼徒料是已死，即放了手，到外舱拿起包裹，提着一根短棍，跳上涯，大踏步而去。正是：

虽无并枕欢娱，落得一身干净。

原来瑞虹命不该绝，喜得那贼打的是个单结，虽然被这一收时，气断昏迷；才放下手，结就松开，不比那吊死的越坠越紧。咽喉间有了一线之隙，这点气回覆透出，便不致于死。渐渐苏醒，只是遍体酥软，动掸不得，倒像被按摩的捏了个醉杨妃光景。喘了一回，觉道颈下难过，勉强挣起手扯开，心内苦楚，暗哭道："爹阿，当时若听了我的言语，那有今日？只不知与这伙贼徒，前世有甚冤业，合家遭此惨祸！"又哭道："我指望忍辱偷生，还图个报仇雪耻，不道这贼原放我不过。我死也罢了，但是冤沉海底，安能瞑目！"转思转哭，愈想愈哀。

正哭之间，忽然艄上扑通的一声响亮，撞得这船幌上几幌，睡的床铺，险些撕翻。瑞虹被这一惊，哭也倒止住了。侧耳听时，但闻隔船人声喧闹，打号撑篙，这本船不见一些声息。疑惑道："这班强盗为何被人撞了船，却不开口？莫非那船也是同伙？"又想道："或者是捕盗船儿，不敢与他争论。"便欲喊叫，又恐不能了事，方在惶惑之际，船仓中忽地有人大惊小怪，又齐拥入后舱。瑞虹还道是这班强盗，暗道："此番性命定然休矣！"只见众人说道："不知是何处官府，打劫得如此干净？人样也不留一个！"瑞虹听了这句话，已知不是强盗了，挣扎起身，高喊："救命！"众人赶向前看时，见是个美貌女子，扶持下床，问他被劫情由。瑞虹未曾开言，两眼泪珠先下，乃将父亲官爵籍贯，并被难始末，一一细说。又道："列位大哥，可怜我受屈无伸，乞引到官司告理，擒获强徒正法，也是一点阴骘。"众人道："原来是位小姐，可恼受着苦了！但我们都做主不得，须请老爹来与你计较。"内中一个便跑去相请。

不多时，一人跨进舱中，众人齐道："老爹来也！"瑞虹举目看那人面貌魁梧，服饰齐整，见众人称他老爹，料必是个有身家的，哭拜在地。那人慌忙扶住道："小姐何消行此大礼？有话请起来说。"瑞虹又将前事细说一遍。又道："求老爹慨发慈悲，救护我难中之人，生死不忘大德！"那人道："小姐，不消烦恼。我想这班强盗，去路还未远，即今便同你到官司呈告，差人四处追寻，自然逃走不脱。"瑞虹含泪而谢。那人分付手下道："事不宜迟，快扶蔡小姐过船去罢。"众人便来搀扶。瑞虹寻了鞋儿穿起，走出舱门观看，乃是一只双开篷顶号货船。过得船来，请入舱中安息。众水手把贼船上家火东西，尽情搬个干净，方才起篷开船。

你道那人是谁？原来姓卞名福，汉阳府人氏，专在江湖经商，挣起一个老大家业，打造这只大船，众水手俱是家人。这番在下路脱了粮食，装回头货回家，正趁着顺风行走，忽地被一阵大风，直打向到岸边去。艄公把舵务命推挥，全然不应，径向贼船上当艄一撞。见是座船，恐怕拿住费嘴，好生着急。合船人手忙脚乱，要撑开去，不道又阁在浅处，牵扯不动，故此打号用力。因见座船上没个人影，卞福以为怪异，教众水手过来看。已后闻报，止有一个美女子，如此如此，要求搭救。卞福即怀不良之念，用一片假情，哄得过船，便是买卖了，那里是真心肯替他伸冤理枉！

那瑞虹起初因受了这场惨毒，正无门伸诉，所以一见了卞福，犹如见了亲人一般，求他救济，又见说出那班言语，便信以为真，更不疑惑。到得过船心定，想起道："此来差矣！我与这客人，非亲非故，如何指望他出力，跟着同走？虽承他一力担当，又未知是真是假。倘有别样歹念，怎生是好？"

方在疑虑，只见卞福，自去安排着佳肴美馔，承奉瑞虹，说道："小娘子一定饿了，且吃些酒食则个。"瑞虹想着父母，那里下得咽喉？卞福坐在旁边，甜言蜜语，劝了两小杯，开言道："小子有一言商议，不知小姐可肯听否？"瑞虹道："老客有甚见谕？"卞福道："适来小子一时义愤，许小姐同到官司告理，却不曾算到自己这一船货物。我想那衙门之事，原论不定日子的。倘或牵缠半年六月，事体还不能完妥，货物又不能脱去，岂不两下担阁？不如小姐且随我回去，先脱了货物，然后另换一个小船，与你一齐下来理论这事，就盘桓几年，也不妨得。更有一件，你我是个孤男寡女，往来行走，必惹外人谈议，总然彼此清白，谁人肯信？可不是无丝有线？况且小姐举目无亲，身无所归。小子虽然是个商贾，家中颇颇得过，若不弃嫌，就此结为夫妇。那时报仇之事，水里水去，火里火去，包在我身上，一个个缉获来，与你出气，但未知尊意若何？"

瑞虹听了这片言语，暗自心伤，簌簌的泪下，想道："我这般命苦！又遇着不良之人。只是落在他套中，料难摆脱。"乃叹口气道："罢，罢，父母冤仇事大，辱身事小。况已被贼人玷污，总今就死，也算不得贞节了。且待报仇之后，寻个自尽，以洗污名可也。"踌躇已定，含泪答道："官人果然真心肯替奴家报仇雪耻，情愿相从，只要设个誓愿，方才相信。"卞福得了这句言语，喜不自胜，连忙跪下设誓道："卞福若不与小姐报仇雪耻，翻江而死。"道罢起来，分付水手："就前途村镇停泊，买办鱼肉酒果之类，合船吃杯喜酒。"到晚成就好事。

不则一日，已至汉阳。谁想卞福老婆，是个拈酸的领袖，吃醋的班头。卞福平昔极惧怕的，不敢引瑞虹到家，另寻所在安下，叮嘱手下人，不许泄漏。内中又有个请风光博笑脸的，早去报知。那婆娘怒气冲天，要与老公厮闹。却又算计，没有许多闲工夫淘气。倒一字不提，暗地教人寻下掠贩的，期定日子，一手交钱，一手交人。到了是日，那婆娘把卞福灌的烂醉，反锁在房。一乘轿子，抬至瑞虹住处。掠贩的已先在彼等候，随那婆娘进去，教人报知瑞虹说："大娘来了。"瑞虹无奈，只得出来相迎。掠贩的在旁，细细观看，见有十二分颜色，好生欢喜。那婆娘满脸堆笑，对瑞虹道："好笑官人，作事颠倒，既娶你来家，如何又撇在此，成何体面。外人知得，只道我有甚缘故。适来把他埋怨一场，特地自来接你回去，有甚衣饰快些收拾。"瑞虹不见卞福，心内疑惑，推辞不去。那婆娘道："既不愿同住，且去闲玩几日，也见得我亲来相接之情。”瑞虹见这句说得有理，便不好推托，进房整饰。那婆娘一等他转身，即与掠贩的议定身价，教家人在外兑了银两，唤乘轿子，哄瑞虹坐下，轿夫抬起，飞也似走，直至江边一个无人所在，掠贩的引到船边歇下。瑞虹情知中了奸计，放声号哭，要跳向江中。怎当掠贩的两边扶挟，不容转动。遂推入舱中，打发了中人、轿夫，急忙解缆开船，扬着满帆而去。

且说那婆娘卖了瑞虹，将屋中什物收拾归去，把门锁上。回到家中，卞福还正酣睡。那婆娘三四个把掌打醒，数说一回，打骂一回，整整闹了数日。卞福脚影不敢出门。一日捉空踅到瑞虹住处，看见锁着门户，吃了一惊。询问家人，方知被老婆卖去久矣，只气得发昏章第十一。那卞福只因不曾与瑞虹报仇，后来果然翻江而死，应了向日之誓。那婆娘原是个不成才的烂货，自丈夫死后，越发恣意把家私贴完，又被奸夫拐去，卖与烟花门户。可见天道好还，丝毫不爽。有诗为证：

忍耻偷生为父仇，谁知奸计觅风流。
劝君莫设虚言誓，湛湛青天在上头。

再说瑞虹被掠贩的纳在船中，一味悲号。掠贩的劝慰道：“不须啼泣，还你此去丰衣足食，自在快活！强如在卞家受那大老婆的气。”瑞虹也不理他，心内暗想：“欲待自尽，怎奈大仇未报；将为不死，便成淫荡之人。”踌躇千百万遍，终是报仇心切，只得宁耐，看个居止下落，再作区处。行不多路，已是天晚泊船。掠贩的逼他同睡，瑞虹不从，和衣缩在一边。掠贩的便来搂抱，瑞虹乱喊杀人。掠贩的恐被邻船听得，弄出事来，放手不迭，再不敢去缠他。径载到武昌府，转卖与乐户王家。

那乐户家里先有三四个粉头，一个个打扮得乔乔画画，傅粉涂脂，倚门卖俏。瑞虹到了其家，看见这般做作，转加苦楚，又想道：“我今落在烟花地面，报仇之事，已是绝望，还有何颜在世！”遂立意要寻死路，不肯接客。

偏又作怪，但是瑞虹走这条门路，就有人解救，不致伤身。乐户与鸨子商议道：“他既不肯接客，留之何益！倘若三不知，做出把戏，倒是老大利害。不如转货与人，另寻个罢。”常言道：事有凑巧，物有偶然。恰好有一绍兴人，姓胡名悦，因武昌太守是他的亲戚，特来打抽丰，倒也作成寻觅了一大注钱财。那人原是贪花恋酒之徒，做的寓所，近着妓家，闲时便去串走。也曾见过瑞虹，是个绝色丽人，心内着迷，几遍要来入马。因是瑞虹寻死觅活，不能到手。今番听得乐户有出脱的消息，情愿重价娶为偏房。也是有分姻缘，一说就成。

胡悦娶瑞虹到了寓所，当晚整备着酒肴，与瑞虹叙情。那瑞虹只是啼哭，不容亲近。胡悦再三劝慰不止，倒没了主意，说道：“小娘子，你在娼家，或者道是贱事，不肯接客；今日与我成了夫妇，万分好了，还有甚苦情，只管悲恸？你且说来，若有疑难事体，我可以替你分忧解闷。倘事情重大，这府中太爷，是我舍亲，就转托他与你料理，何必自苦如此。”瑞虹见他说话有些来历，方将前事，一一告诉。又道：“官人若能与奴家寻觅仇人，报冤雪耻，莫说得为夫妇，便做奴婢，亦自甘心。”说罢又哭。胡悦闻言答道：“原来你是好人家子女，遭此大难，可怜可怜！但这事非一时可毕，待我先教舍亲出个广捕到处挨缉；一面同你到淮安告官，拿众盗家属追比，自然有个下落。”瑞虹拜倒在地道：“若得官人肯如此用心，生生世世，衔结报效。”胡悦扶起道：“既为夫妇，事同一体，何出此言！”遂携手入寝。

那知胡悦也是一片假情，哄骗过了几日，只说已托太守出广捕缉获去了。瑞虹信以为实，千恩万谢。又住了数日，雇下船只，打叠起身。正遇着顺风顺水，那消十日，早至镇江，另雇小船回家。把瑞虹的事，阁过一边，毫不题起。瑞虹大失所望，但到此地位，无可奈何，遂吃了长斋，日夜暗祷天地，要求报冤。在路非止一日，已到家中。胡悦老婆见娶个美人回来，好生妒忌，时常厮闹。瑞虹总不与他争论，也不要胡悦进房，这婆娘方才少解。

原来绍兴地方，惯做一项生意：凡有钱能干的，都到京中买个三考吏名色，钻谋好地方去做个佐贰官出来，俗名唤做“飞过海”。——怎么叫做“飞过海”？大凡吏员考满，依次选去，不知等上几年；若用了钱，竞选在别人前面，指日便得做官，这谓之“飞过海”。还有独自无力，四五个合做伙计，一人出名做官，其馀坐地分脏。到了任上，先备厚礼，结好堂官，叨揽事管，些小事体，经他衙里，少不得要诈一两五钱。到后觉道声息不好，立脚不住，就悄地逃之夭夭。十个里边，难得一两个来去明白，完名全节。所以天下衙官，大半都出绍兴。那胡悦在家住了年馀，也思量到京干这桩事体。更兼有个相知，见在当道，写书相约，有扶持他的意思，一发喜之不胜。即便处置了银两，打点起程。单虑妻妾在家不睦，与瑞虹计议，要带他同往，许他谋选彼处地方，访觅强盗踪迹。瑞虹已被骗过一次，虽然不信，也还希冀出外行走，或者有个机会，情愿同去。胡悦老婆知得，翻天作地，与老公相打相骂。胡悦全不作准，择了吉日，雇得船只，同瑞虹径自起身。

一路无话，直至京师寻寓所，安顿了瑞虹。次日整备礼物，去拜那相知官员。谁想这官人一月前暴病身亡，合家慌乱，打点扶柩归乡。胡悦没了这个倚靠，身子就酥了半边，思想银子带得甚少，相知又死，这宫职怎能弄得到手？欲待原复归去，又恐被人笑耻，事在两难，狐疑未决，寻访同乡一个相识商议。这人也是走那道儿的，正少了银两，不得完成，遂设计哄骗胡悦，包揽替他图个小就。设或短少，寻人借债。胡悦合该晦气，被他花言巧语，说得热闹，将所带银两一包儿递与。那人把来完成了自己官职，悄地一溜烟径赴任去了。胡悦止剩得一双空手，日逐时需，渐渐欠缺。寄书回家取索盘缠，老婆正恼着他，那肯应付分文。自此流落京师，逐日东奔西撞，与一班京花子合了伙计，骗人财物。

一日，商议要大大寻一注东西，但没甚为由，却想到瑞虹身上，要把来认作妹子，做个美人局。算计停当，胡悦又恐瑞虹不肯，生出一段说话哄他道："我向日指望到此，选得个官职，与你去寻访仇人；不道时运乖蹇，相知已死，又被那天杀的骗去银两；沦落在此，进退两难。欲待回去，又无处设法盘缠。昨日与朋友们议得个计策，倒也尽通。"瑞虹道："是甚计策？"胡悦道："只说你是我的妹子，要与人为妾，倘有人来相看，你便见他一面。等哄得银两到手，连夜悄然起身，他们那里来寻觅。顺路先到淮安，送你到家，访问强徒，也了我心上一件未完。"瑞虹初时本不欲得，次后听说顺路送归家去，方才许允。胡悦讨了瑞虹一个肯字，欢喜无限，教众光棍四处去寻主顾。正是：

安排地网天罗计，专待落坑堕堑人。

话分两头。却说浙江温州府有一秀士，姓朱名源，年纪四旬以外，尚无子嗣。娘子几遍劝他娶个偏房，朱源道："我功名淹蹇，无意于此。"其年秋榜高登，到京会试。谁想福分未齐，春闱不第，羞归故里；与几个同年相约，就在京中读书，以待下科。那同年中晓得朱源还没有儿子，也苦劝他娶妾。朱源听了众人说话，教人寻觅。刚有了这句口风，那些媒人互相传说，几日内便寻下若干头脑，请朱源逐一相看拣择，没有个中得意的。众光棍缉着那个消息，即来上桩，夸称得瑞虹姿色绝世无双，古今罕有。哄动朱源期下日子，亲去相看。此时瑞虹身上衣服，已不十分整齐；胡悦教众光棍借来妆饰停当。

众光棍引了朱源到来。胡悦向前迎迓，礼毕就坐，献过一杯茶，方请出瑞虹站在遮堂门边。朱源走上一步，瑞虹侧着身子，道个万福。朱源即忙还礼，用目仔细一觑，端的娇艳非常，暗暗喝采道："真好个美貌女子！"瑞虹也见朱源人材出众，举止闲雅，暗道："这官人倒好个仪表，果是个斯文人物。但不知甚么晦气，投在网中。"心下存了个懊悔之念，略站片时，转身进去。众光棍从旁衬道："相公，何如？可是我们不说谎么？"朱源点头微笑道："果然不谬。可到小寓议定财礼，择日行聘便了。"道罢起身，众人接脚随去，议了一百两财礼。朱源也闻得京师骗局甚多，恐怕也落了套儿，讲过早上行礼，到晚即要过门。众光棍又去与胡悦商议。

胡悦沉吟半晌，生出一个计，恐瑞虹不肯，教众人坐下，先来与他计较道："适来这举人已肯上桩，只是当日便要过门，难做手脚。如今只得将计就计，依着他送你过去。少不得备下酒肴，你慢慢的饮至五更时分，我同众人便打入来，叫破地方，只说强占有夫妇女，就引你回来，声言要往各衙门呈告。他是个举人，怕干碍前程，自然反来求伏。那时和你从容回去，岂不美哉！”瑞虹闻言，愀然不乐，答道：“我前生不知作下甚业？以至今世遭许多磨难！如何又作恁般没天理的事害人？这个断然不去。”胡悦道：“娘子，我原不欲如此，但出于无奈，方走这条苦肉计，千万不要推托！”瑞虹执意不从。胡悦就双膝跪下道：“娘子，没奈何将就做这一遭，下次再不敢相烦了。”瑞虹被逼不过，只得应允。胡悦急急跑向外边，对众人说知就里。众人齐称妙计，回覆朱源，选起吉日，将银两兑足，送与胡悦收了。众光棍就要把银两分用，胡悦道：“且慢着，等待事妥，分也未迟。”到了晚间，朱源教家人雇乘轿子，去迎瑞虹，一面分付安排下酒馔等候。不一时，已是娶到。两下见过了礼，邀入房中，教家人管待媒人酒饭，自不必说。

单讲朱源同瑞虹到了房中，瑞虹看时，室中灯烛辉煌，设下酒席。朱源在灯下细观其貌，比前倍加美丽，欣欣自得，道声：“娘子请坐。”瑞虹羞涩不敢答应，侧身坐下。朱源教小厮斟过一杯酒，恭恭敬敬递至面前放下，说道：“小娘子，请酒。”瑞虹也不敢开言，也不回敬。朱源知道他是怕羞，微微而笑。自己斟上一杯，对席相陪，又道：“小娘子，我与你已为夫妇，有甚害羞！多少沾一盏儿，小生候乾。”瑞虹只是低头不应。朱源想道：“他是女儿家，一定见小厮们在此，所以怕羞。”即打发出外，掩上门儿，走至身边道：“想是酒寒了，可换些热的饮一杯，不要拂了我的敬意。”遂自斟一杯，递与瑞虹。瑞虹看了这个局面，转觉羞惭，蓦然伤感，想起幼时父母何等珍惜，今日流落至此，身子已被玷污，大仇又不能报，又强逼做这般丑态骗人，可不辱没祖宗！柔肠一转，泪珠簌簌乱下。

朱源看见流泪，低低道：“小娘子，你我千里相逢，天缘会合，有甚不足，这般愁闷？莫不宅上还有甚不堪之事，小娘子记挂么？”连叩数次，并不答应，觉得其容转戚。朱源又道：“细观小娘子之意，必有不得已事，何不说与我知？倘可效力，决不推故。”瑞虹又不则声。朱源到没做理会，只得自斟自饮。吃勾半酣，听谯楼已打二鼓。朱源道：“夜深了，请歇息罢。”瑞虹也全然不采。朱源又不好催逼，到走去书桌上，取过一本书儿观看，陪他同坐。

瑞虹见朱源殷勤相慰，不去理他，并无一毫愠怒之色，转过一念道：“看这举人到是个盛德君子，我当初若遇得此等人，冤仇申雪久矣。”又想道：“我看胡悦这人，一味花言巧语，若专靠在他身上，此仇安能得报？他今明明受过这举人之聘，送我到此；何不将计就计，就跟着他，这冤仇或者到有报雪之期。”左思右想，疑惑不定。朱源又道：“小娘子请睡罢。”瑞虹故意又不答应。朱源依然将书观看。

看看三鼓将绝，瑞虹主意已定。朱源又催他去睡，瑞虹才道："我如今方才是你家的人了。"朱源笑道："难道起初还是别家的人么？"瑞虹道："相公那知就里。我本是胡悦之妾，只因流落京师，与一班光棍生出这计，哄你银子。少顷即打入来，抢我回去，告你强占良人妻女。你怕干碍前程，还要买静求安。"朱源闻言大惊道："有恁般异事！若非小娘子说出，险些落在套中。但你既是胡悦之妾，如何又泄漏与我？"瑞虹哭道："妾有大仇未报，观君盛德长者，必能为妾伸雪，故愿以此身相托。"朱源道："小娘子有何冤抑，可细细说来，定当竭力为你图之。"瑞虹乃将前后事泣诉，连朱源亦自惨然下泪。

正说之间，已打四更。瑞虹道："那一班光棍，不久便到，相公若不早避，必受其累。"朱源道："不要着忙。有同年寓所，离此不远，他房屋尽自深邃。且到那边暂避过一夜，明日另寻所在，远远搬去，有何患哉！"当下开门，悄地唤家人点起灯火，径到同年寓所，敲开门户。那同年见半夜而来，又带着个丽人，只道是来历不明的，甚以为怪。朱源一一道出。那同年即移到外边去睡，让朱源住于内厢。一面教家人们相帮，把行李等件，尽皆搬来，止存两间空房。不在话下。

且说众光棍一等瑞虹上轿，便逼胡悦将出银两分开。买些酒肉，吃到五更天气，一齐赶至朱源寓所，发声喊打将入去。但见两间空屋，那有一个人影。胡悦倒吃了一惊，说道："他如何晓得，预先走了？"对众光棍道："一定是你们倒勾结来捉弄我的，快快把银两还了便罢！"众光棍大怒，也翻转脸皮，说道："你把妻子卖了，又要来打抢，反说我们有甚勾当，须与你干休不得！"将胡悦攒盘打勾臭死。恰好五城兵马经过，结扭到官，审出骗局实情，一概三十，银两追出入官，胡悦短递回籍。有诗为证：

牢笼巧设美人局，美人原不是心腹。
赔了夫人又打臀，手中依旧光陆秃。

且说朱源自娶了瑞虹，彼此相敬相爱，如鱼似水。半年之后，即怀六甲，到得十月满足，生下一个孩子。朱源好不喜欢，写书报知妻子。光阴迅速，那孩子早又周岁。其年又值会试，瑞虹日夜向天祷告，愿得丈夫黄榜题名，早报蔡门之仇。场后开榜，朱源果中了六十五名进士，殿试三甲，该选知县。恰好武昌县缺了县官，朱源就讨了这个缺，对瑞虹道："此去仇人不远，只怕他先死了，便出不得你的气。若还在时，一个个拿来，沥血祭献你的父母，不怕他走上天去。"瑞虹道："若得相公如此用心，奴家死亦瞑目。"朱源一面先差人回家，接取家小在扬州伺候，一同赴任，一面候吏部领凭。不一日领了凭限，辞朝出京。

原来大凡吴、楚之地作宦的，都在临清张家湾雇船，从水路而行，或径赴任所，或从家乡而转，但从其便。那一路都是下水，又快又稳；况带着家小，若没有勘合脚力，陆路一发不便了。每常有下路粮船，运粮到京，交纳过后，那空船回去，就揽这行生意，假充座船，请得个官员坐舱，那船头便去包揽他人货物，图个免税之利，这也是个旧规。

却说朱源同了小奶奶到临清雇船，看了几个舱口，都不称怀，只有一只整齐，中了朱源之意。船头递了姓名手本，磕头相见。管家搬行李安顿舱内，请老爷奶奶下船。烧了神福，船头指挥众人开船。瑞虹在舱中，听得船头说话，是淮安声音，与贼头陈小四一般无二。问丈夫什么名字，朱源查那手本写着：船头吴金叩首，姓名都不相同。可知没相干了，再听他声口，越听越像。转展生疑，放心不下，对丈夫说了。假托分付说话，唤他近舱。瑞虹闪于背后厮认其面貌，又与陈小四无异。只是姓名不同，好生奇怪。欲待盘问，又没个因由。

偶然这一日，朱源的座师船到，过船去拜访。那船头的婆娘进舱来拜见奶奶，送茶为敬。瑞虹看那妇人：

虽无十分颜色，也有一段风流。

瑞虹有心问那妇人道："你几岁了？"那妇人答道："二十九岁了。"又问："那里人氏？"答道："池阳人氏。"瑞虹道："你丈夫不像个池阳人。"那妇人道："这是小妇人的后夫。"瑞虹道："你几岁死过丈夫的？"那妇人道："小妇人夫妇为运粮到此，拙夫一病身亡。如今这拙夫是武昌人氏，原在船上做帮手，丧事中亏他一力相助。小妇人孤身无倚，只得就从了他，顶着前夫名字，完这场差使。"瑞虹问在肚里，暗暗点头，将香帕赏他。那妇人千恩万谢的去了。瑞虹等朱源上船，将这话述与他听了。眼见吴金即是陈小四，正是贼头。朱源道："路途之间不可造次，且忍耐他到地方上施行，还要在他身上追究馀党。"瑞虹道：‘‘相公所见极明。只是仇人相见，分外眼睁，这几日如何好过！"恨不得借滕王阁的顺风，一阵吹到武昌。

饮恨亲冤已数年，枕戈思报叹无缘。

同舟敌国今相遇，又隔江山路几千。

却说朱源舟至扬州，那接取大夫人的还未曾到，只得停泊码头等候。瑞虹心上一发气闷。等到第三日，忽听得岸上鼎沸起来。朱源教人问时，却是船头与岸上两个汉子扭做一团厮打。只听得口口声声说道："你干得好事！"朱源见小奶奶气闷，正没奈何，今番且借这个机会，敲那贼头几个板子，权发利市，当下喝教水手："与我都拿过来！"原来这班水手，与船头面和意不和，也有个缘故。——当初陈小四缢死了瑞虹，弃船而逃，没处投奔，流落到池阳地面。偶值吴金这只粮船起运，少个帮手，陈小四就上了他的船。见吴金老婆像个爱吃枣儿汤的，岂不正中下怀，一路行奸卖俏搭识上了。两个如胶似漆，反多那老公碍眼。船过黄河，吴金害了个寒症。陈小四假意殷勤，赎药调理。那药不按君臣，一服见效，吴金死了。妇人身边取出私财，把与陈小四，只说借他的东西，断送老公。过了一两个七，又推说欠债无偿，就将身子白白的嫁了他。虽然备些酒食，暖住了众人，却也中心不伏，为这缘故，所以面和意不和。——听得舱里叫一声："都拿过来!"蜂拥的上岸，将三个人一齐扣下船来，跪于将军柱边。

朱源问道："为何厮打?"船头禀道："这两个人原是小人合本撑船伙计，因盗了资本，:背地逃走，两三年不见面。今日天遣相逢，小人与他取讨，他倒图赖个人，两个来打一个。望老爷与小人做主。"朱源道："你二人怎么说?"那两个汉子道："小人并没此事，都是一派胡言。"朱源道："难道一些影儿也没有，平地就厮打起来?"那两个汉子道："有个缘故。当初小的们，虽然与他合本撑船，只为他迷恋了个妇女，小的们恐误了生意，把自己本钱收起，各自营运，并不曾欠他分毫。"朱源道："你两个叫什么名字?"那两个汉子不曾开口，倒是陈小四先说道："一个叫沈铁甏，一个叫秦小圆。"

朱源却待再问，只见背后有人扯拽。回头看时，却是丫鬟，悄悄传言，说道："小奶奶请老爷说话。"朱源走进后舱，见瑞虹双行流泪，扯住丈夫衣袖，低声说道："那两个汉子的名字，正是那贼头一伙，同谋打劫的人，不可放他走了。"朱源道："原来如此。事到如今，等不得到武昌了。"慌忙写了名帖，分付打轿，喝叫地方，将三人一串儿缚了，自去拜扬州太守，告诉其事。太守问了备细，且教把三个贼徒收监，次日面审。朱源回到船中，众水手已知陈小四是个强盗，也把谋害吴金的情节，细细禀知。朱源又把这些缘繇，备写一封书帖，送与太守，并求究问馀党。太守看了，忙出飞签，差人拘那妇人，一并听审。扬州城里传遍了这出新闻，又是强盗，又是奸淫事情，有妇人在内，那一个不来观看。临审之时，府前好不热闹。正是：

好事不出门，恶事传千里。

却说太守坐堂，吊出三个贼徒，那妇人也提到了，跪于阶下。陈小四看见那婆娘也到，好生惊怪，道："这厮打小事，如何连累家属?"只见太守却不叫吴金名字，竟叫陈小四。吃这一惊非小，凡事逃那实不过，叫一声不应，再叫一声不得不答应了。太守相公冷笑一声道："你可记得三年前蔡指挥的事么?天网恢恢，疏而不漏。今日有何理说!"三个人面面相觑，却似鱼胶粘口，一字难开。太守又问："那时同谋还有李鬍子、白满、胡蛮二、凌歪嘴、余蛤蚆，如今在那里?，陈小四道："其时虽在那里，一些财帛也不曾分受，都是他这几个席卷而去。只问他两个便知。"沈铁甏、秦小圆道："小的虽然分得些金帛，不像陈小四强奸了他家小姐。"太守已知就里，恐坏了朱源体面，便喝住道："不许闲话！只问你那几个贼徒，现在何处?"秦小圆说："当初分了金帛，四散去了。闻得李鬍子、白满随着山西客人，贩买绒货；胡蛮二、凌歪嘴、余蛤蚆三人，逃在黄州撑船过活。小的们也不曾相会。"

太守相公又叫妇人上前问道："你与陈小四奸密，毒杀亲夫，遂为夫妇，这也是没得说了。"妇人方欲抵赖，只见阶下一班水手都上前禀话，如此如此，这般这般，说得那妇人顿口无言。太守相公大怒，喝教选上号毛板，不论男妇，每人且打四十，打得皮开肉绽，鲜血迸流。当下录了口词，三个强盗通问斩罪，那妇人问了凌迟。齐上刑具，发下死囚牢里。一面出广捕，挨获白满、李鬍子等。太守问了这桩公事，亲到船上答拜朱源，就送审词与看，朱源感谢不尽。瑞虹闻说，也把愁颜放下七分。

又过几日，大奶奶已是接到。瑞虹相见，一妻一妾，甚是和睦。大奶奶又见儿子生得清秀，愈加欢喜。不一日，朱源于武昌上任。管事三日，便差的当捕役缉访贼党胡蛮二等。果然胡蛮二、凌歪嘴在黄州江口撑船，手到拿来。招称："余蛤蚆一年前病死，白满、李鬍子见跟陕西客人，在省城开铺。"朱源权且收监，待拿到馀党，一并问罪。省城与武昌县相去不远，捕役去不多日，把白满、李鬍子二人一索子捆来，解到武昌县。朱源取了口词，每人也打四十。备了文书。差的当公人，解往扬州府里，以结前卷。

朱源做了三年县宰，治得那武昌县道不拾遗，犬不夜吠。行取御史，就出差淮扬地方。瑞虹嘱付道："这班强盗，在扬州狱中，连岁停刑，想未曾决。相公到彼，可了此一事，就与奴家沥血祭奠父亲，并两个兄弟。一以表奴家之诚，二以全相公之信。还有一事，我父亲当初曾收用一婢，名唤碧莲，曾有六个月孕。因母亲不容，就嫁出与本处一个朱裁为妻。后来闻得碧莲所生是个男儿。相公可与奴家用心访问。若这个儿子还在，可主张他复姓，以续蔡门宗祀，此乃相公万代阴功。"说罢，放声大哭，拜倒在地。朱源慌忙扶起道："你方才所说二件，都是我的心事。我若到彼，定然不负所托，就写书信报你得知。"瑞虹再拜称谢。

再说朱源赴任淮、扬，这是代天子巡狩，又与知县到任不同，真个号令出时霜雪凛，威风到处鬼神惊。其时七月中旬，未是决囚之际。朱源先出巡淮安，就托本处府县访缉朱裁及碧莲消息，果然访着。那儿子已八岁了，生得堂堂一貌。府县奉了御史之命，好不奉承，即日香汤沐浴，换了衣履，送在军卫供给，申文报知察院。朱源取名蔡续，特为起奏一本，将蔡武被祸事情，备细达于圣聪："蔡氏当先有汗马功劳，不可令其无后。今有幼子蔡续，合当归宗，俟其出幼承袭。其凶徒陈小四等，秋后处决。"圣旨准奏了。其年冬月，朱源亲自按临扬州，监中取出陈小四与吴金的老婆，共是八个，一齐绑赴法场，剐的剐，斩的斩，干干净净。正是：

善有善报，恶有恶报。

若还不报，时辰未到。

朱源分付刽子手，将那几个贼徒之首，用漆盘盛了，就在城隍庙里设下蔡指挥一门的灵位，香花灯烛，三牲祭醴，把几颗人头，一字儿摆开。朱源亲制祭文拜奠。又于本处选高僧做七七功德，超度亡魂。又替蔡续整顿个家事，嘱付府县青目。其母碧莲一同居住，以奉蔡指挥岁时香火。朱裁另给银两别娶。诸事俱已停妥，备细写下一封家书，差个得力承舍，赍回家中，报知瑞虹。

瑞虹见了书中之事，已知蔡氏有后，诸盗尽已受刑，沥血奠祭，举手加额，感谢天地不尽。是夜，瑞虹沐浴更衣，写下一纸书信，寄谢丈夫。又去拜谢了大奶奶，回房把门拴上，将剪刀自刺其喉而死。其书云：

贱妾瑞虹百拜相公台下：虹身出武家，心娴闺训。男德在义，女德在节；女而不节，与禽何别！虹父韬钤不戒，麹蘖迷神。诲盗亡身，祸及母弟，一时并命。妾心胆俱裂，浴泪弥年。然而隐忍不死者，以为一人之廉耻小，阖门之仇怨大。昔李将军忍耻降虏，欲得当以报汉；妾虽女流，志窃类此。不幸历遭强暴，衷怀未申。幸遇相公，拔我于风波之中，谐我以琴瑟之好。识荆之日，便许复仇。皇天见怜，宦游早遂。诸奸贯满，相次就毙；而且明正典刑，沥血设饷。蔡氏已绝之宗，复蒙披根见本，世禄复延。相公之为德于衰宗者，天高地厚，何以喻兹。妾之仇以雪而志以遂矣。失节贪生，贻玷阀阅，妾且就死，以谢蔡氏之宗于地下。儿子年已六岁，嫡母怜爱，必能成立。妾虽死之日，犹生之年。姻缘有限，不获面别，聊寄一笺，以表衷曲。

大奶奶知得瑞虹死了，痛惜不已，殡殓悉从其厚，将他遗笔封固，付承舍寄往任上。朱源看了，哭倒在地，昏迷半晌方醒。自此患病，闭门者数日，府县都来候问。朱源哭诉情繇，人人堕泪，俱夸瑞虹节孝，今古无比，不在话下。

后来朱源差满回京，历官至三边总制。瑞虹所生之子，名曰朱懋，少年登第，上疏表陈生母蔡瑞虹一生之苦，乞赐旌表。圣旨准奏，特建节孝坊，至今犹在。有诗赞云：

报仇雪耻是男儿，谁道裙钗有执持。

堪笑硁硁真小谅，不成一事枉嗟咨。

第三十七卷
杜子春三入长安

想多情少宜求道，想少情多易入迷。

总是七情难断灭，爱河波浪更堪悲。

话说隋文帝开皇年间，长安城中，有个子弟姓杜，双名子春，浑家韦氏。家住城南，世代在扬州做盐商营运。真有万万贯家资，千千顷田地。那杜子春倚借着父祖资业，那晓得稼穑艰难？且又生性豪侠，要学那石太尉的奢华，孟尝君的气概。宅后造起一座园亭，重价构取名花异卉，巧石奇峰，妆成景致。曲房深院中，置买歌儿舞女，艳妾妖姬，居于其内。每日开宴园中，广召宾客。你想那扬州乃是花锦地面，这些浮浪子弟，轻薄少年，却又尽多，有了杜子春恁样撒漫财主，再有那个不来？虽无食客三千，也有帮闲几百。相交了这般无藉，肯容你在家受用不成？少不得引诱到外边游荡。杜子春心性又是活的，有何不可？但见：

轻车怒马，春陌游行；走狗擎鹰，秋田校猎。青楼买笑，缠头那惜千缗；博局呼卢，一掷常输十万。画船箫管，恣意逍遥；选胜探奇，任情散诞。风月场中都总管，烟花寨内大主盟。

杜子春将银子认做没根的，如土块一般挥霍。那韦氏又是掐得水出的女儿家，也只晓得穿好吃好，不管闲帐。看看家中金银搬完，屯盐卖完，手中干燥，央人四处借债。扬州城中那个不晓得杜子春是个大财主，才说得声，东也掗来，西也送至，又落得几时脾胃。到得没处借时，便去卖田园，货屋宅。那些债主，见他产业摇动，都来取索。那时江中芦洲也去了，海边盐场也脱了，只有花园住宅，不舍得与人，到把衣饰器皿变卖。他是用过大钱的，这些少银两，犹如吃碗泡茶，顷刻就完了。

你想杜子春自幼在金银堆里滚大起来，使滑的手，若一刻没得银用，便过不去。难道用完了这项，却就罢休不成？少不得又把花园住宅出脱。大凡东西多的时节，便觉用之不尽，若到少来，偏觉得易完。卖了房屋，身子还未搬出，银两早又使得干净。那班朋友，见他财产已完，又向旺处去了，谁个再来趋奉？就是奴仆，见家主弄到恁般地位，赎身的赎身，逃走的逃走，去得半个不留。姬妾女婢，标致的准了债去，粗蠢的卖来用度，也自各散去讫。单单剩得夫妻二人相向，几间拉脚屋里居住，渐渐衣服凋敝，米粮欠缺。

莫说平日受恩的不来看觑他，就是杜子春自己也无颜见人，躲在家中。正是：

床头黄金尽，壮士无颜色。

杜子春在扬州做了许多时豪杰，一朝狼狈，再无面目存坐得住，悄悄的归去长安祖居，投托亲戚。原来杜陵韦曲二姓，乃是长安巨族，宗支十分蕃盛，也有为官作宦的，也有商贾经营的，排家都是至亲至戚，因此子春起这念头；也不指望他资助，若肯借贷，便好度日。岂知亲眷们都道，子春泼天家计，尽皆弄完，是个败子，借贷与他，断无还日。为此只推着没有，并无一个应承。便十二分至戚，情不可却，也有周济些的，怎当得子春这个大手段，就是热锅头上，洒着一点水，济得甚事！好几日，没饭得饱吃，东奔西趁，没个头脑。

偶然打向西门经过，时值十二月天气，大雪初晴，寒威凛烈。一阵西风，正从门圈子里刮来，身上又无绵衣，肚中又饿，刮起一身鸡皮栗子，把不住的寒颤，叹口气道："我杜子春岂不枉然！平日攀这许多好亲好眷，今日见我沦落，便不礼我，怎么受我恩的也做这般模样？要结那亲眷何用？要施那仁义何用？我杜子春也是一条好汉，难道就没再好的日子？"

正在那里自言自语，偶有一老者从旁经过，见他叹气，便立住脚问道："郎君为何这般长叹？"杜子春看那老者，生得：

童颜鹤发，碧眼庞眉。声似铜钟，须如银线。戴一顶青绢唐巾，被一领茶褐道袍，腰系丝绦，脚穿麻履。若非得道仙翁，定是修行长者。

杜子春这一肚子气恼，正莫发脱处，遇着这老者来问，就从头备诉一遍。那老者道："俗语有云：'世情看冷暖，人面逐高低。'你当初有钱，是个财主，人自然趋奉你；今日无钱，是个穷鬼，便不礼你，又何怪哉！虽然如此，天不生无禄之人，地不长无根之草，难道你这般汉子，世间就没个慷慨仗义的人周济你的？只是你目下须得银子几何，才勾用度？"子春道："只三百两足矣。"老者笑道："量你好大手段，这三百两干得甚事？再说多些。"子春道："三千两。"老者摇手道："还要增些。"子春道："若得三万两，我依旧到扬州去做财主了，只是难讨这般好施主。"老者道："我老人家虽不甚富，却也一生专行好事，便助你三万两。"袖里取出三百个钱，递与子春，聊备一饭之费。"明日午时，可到西市波斯馆里会我，郎君勿误！"那老者说罢，径一直去了。

子春心中暗喜道："我终日求人，一个个不肯周济，只道一定饿死；谁知遇着这老者发个善心，一送便送我三万两，岂不是天上吊下来的造化！如今且将他赠的钱，买些酒饭吃了，早些安睡。明日午时，到波斯馆里，领他银子去。"走向一个酒店中，把三百钱都先递与主人家，放开怀抱，吃个醉饱，回至家中去睡。却又想道："我杜子春聪明一世，懵懂片时。我家许多好亲好眷，尚不礼我；这老者素无半面之识，怎么就肯送我银子？况且三万两，不是当耍的，便作石头也老重一块。量这老者有多大家私，便把三万两送我？若不是见我嗟叹，特来宽慰我的，必是作耍我的：怎么信得他？明日一定是不该去。"却又想道："我细看那老者，倒像个至诚的。我又不曾与他那求乞，他没有银子送我便罢了，说那谎话怎的？难道是舍真财调假谎，先送我三百个钱，买这个谎说？明日一定是该去。去也是，不去也是。"想了一会，笑道："是了，是了！那里是三万两银子，敢只把三万个钱送我，总是三万之数，也不见得。俗谚道得好：'饥时一口，胜似饱时一斗。'便是三万个钱，也值三十多两，勾我好几日用度，岂可不去？"

子春被这三万银子在肚里打搅，整整一夜不曾得睡，巴到天色将明，不想精神困倦，到一觉睡去，及至醒来，早已日将中了，忙忙的起来梳洗。他若是个有见识的，昨日所赠之钱，还留下几文，到这早买些点心吃了去也好。只因他是使溜的手儿，撒漫的性儿，没钱便烦恼，及至钱入手时，这三百文又不在他心上了。况听见有三万银子相送，已喜出望外，那里算计至此。他的肚皮，两日到饿服了，却也不在心上。梳裹完了，临出门又笑道："我在家也是闲，那波斯馆又不多远，做我几步气力不着，便走走去何妨。若见那老者，不要说起那银子的事，只说昨夜承赐铜钱，今日特来相谢。大家心照，岂不美哉！"

原来波斯馆，都是四夷进贡的人，在此贩卖宝货，无非明珠美玉，文犀瑶石，动是上千上百的价钱，叫做金银窠里。子春一心想着要那老者的银子，又怕他说谎，这两只脚虽则有气没力的，一步步荡到波斯馆来；一双眼却紧紧望那老者在也不在。到得馆前，正待进门，恰好那老者从里面出来，劈头撞见。那老者嗔道："郎君为甚的爽约？我在辰时到此，渐渐的日影挫西，还不见来，好守得不耐烦。你岂不晓得秦末张子房曾遇黄石公子圯桥之上，约后五日五更时分，到此传授兵书。只因子房来迟，又约下五日。直待走了三次，半夜里便去等候，方才传得三略之法，辅佐汉高祖平定天下，封为留侯。我便不如黄石公，看你怎做得张子房？敢是你疑心我没银子把你么？我何苦讨你的疑心。你且回去，我如今没银子了。"只这一句话，唬得子春面如土色，懊悔不及，恰像折翅的老鹤，两只手不觉直掉了下去，想道："三万银子到手快了，怎么恁样没福，到熟睡了去，弄至这时候！如今他却不肯了。"又想道："他若也像黄石公肯再约日子，情愿隔夜打个铺儿睡在此伺候。"又想道："这老官儿既有心送我银子，早晚总是一般的，又吊什么古今，论什么故事？"又想道："还是他没有银子，故把这话来遮掩。"

正在胡猜乱想，那老者恰像在他腹中走过一遭的，便晓得了，乃道：

"我本待再约个日子，也等你走几遭儿，则是你疑我道一定没有银子，故意弄这腔调。罢！罢！罢！有心做个好事，何苦又要你走，可随我到馆里来。"子春见说原与他银子，又像一个跳虎拨着关捩子直竖起来，急松松跟着老者径到西廊下第一间房内。开了壁厨，取出银子，一划都是五十两一个元宝大锭，整整的六百个，便是三万两，摆在子春面前，精光耀目。说道："你可将去，再做生理，只不要负了我相赠的一片意思。"你道杜子春好不莽撞，也不问他姓甚名谁，家居那里，刚刚拱手，说得一声："多谢，多谢！"便顾三十来个脚夫，竟把银子挑回家去。

杜子春到明日绝早，就去买了一匹骏马，一付鞍鞲，又做了几件时新衣服，便去夸耀众亲家眷，说道："据着你们待我，我已饿死多时了。谁想天无绝人之路，却又有做方便的送我好几万银子。我如今依旧往扬州去做盐商，特来相别。有一首《感怀诗》在此，请政。"诗云：

九叩高门十不应，耐他凌辱耐他憎。
如今骑鹤扬州去，莫问腰缠有几星。

那些亲眷们一向讪笑杜子春这个败子，岂知还有发迹之日，这些时见了那首《感怀诗》，老大的好没颜色。却又想道："长安城中，那有这等一舍便舍三万两的大财主？难道我们都不晓得？一定没有这事。"也有说他祖上埋下的银子，想被他掘着了。也有说道，莫非穷极无计，交结了响马强盗头儿，这银子不是打劫客商的，便是偷窃库藏的，都在半信半不信之间。这也不在话下。

且说子春那银子装上几车，出了东都门，径上扬州而去。路上不则一日，早来到扬州家里。浑家韦氏迎着道："看你气色这般光彩，行李又这般沉重，多分有些钱钞，但不知那一个亲眷借贷你的？"子春笑道："银倒有数万，却一分也不是亲眷的。"备细将西门下叹气、波斯馆里赠银的情节，说了一遍。韦氏便道："世间难得这等好人，可曾问他甚么名姓？等我来生也好报答他的恩德。"子春却呆了一晌，说道："其时我只看见银子，连那老者也不看见，竟不曾问得。我如今谨记你的言语，倘或后来再赠我的银子时节，我必先问他名姓便了。"

那子春平时的一起宾客，闻得他自长安还后，带得好几万银子来，依旧做了财主，无不趋奉，似蝇攒蚁附一般。因而撺掇他重妆气象，再整风流。只他是使过上百万银子的，这三万两能勾几时挥霍？不及两年，早已罄尽无馀了。渐渐的卖了马骑驴，卖了驴步走，熬枯受淡，度过日子。岂不知坐吃山空，立吃地陷，终是没有来路。日久岁长，怎生捱得！悔道："千错万错，我当初出长安别亲眷之日，送什么《感怀诗》，分明与他告绝了，如今还有甚嘴脸好去干求他？便是干求，料他也决不礼我。弄得我有家难奔，有国难投，教我怎处！”韦氏道：“倘或前日赠银子的老儿尚在，再赠你些，也不见得。”子春冷笑道：“你好痴心妄想！那个老儿生死若何？贫富若何？怎么还望他赠银子。只是我那亲眷都是肺腑骨肉，到底割不断的。常言：傍生不如傍熟。我如今没奈何，只得还至长安去，求那亲眷。”正是：

要求生活计，难惜脸皮羞。

杜子春重到长安，好不卑词屈体，去求那众亲眷。岂知亲眷们如约会的一般，都说道：“你还去求那顶尖的大财主，我们有甚力量扶持得你起？”只这冷言冷落，带讥带讪的，教人怎么当得！险些把子春一气一个死。

忽一日打从西门经过，劈面遇着老者，子春不胜感愧，早把一个脸都挣得通红了。那老者问道：“看你气色，像个该得一注横财的，只是身上衣服，怎么这般褴褛？莫非又消乏了？”子春谢道：“多蒙老翁送我三万根子，我只说是用不尽的；不知略撒漫一撒漫，便没有了。想是我流年不利，故此没福消受，以至如此。”老者道：“你家好亲好眷，遍满长安，难道更没周济你的？”子春听见说亲眷周济这句话，两个眉头，就攒做一堆，答道：“亲眷虽多，一个个都是一钱不舍的悭吝鬼，怎比得老翁这般慷慨？”老者道：“如今本当再赠你些才是，只是你三万银子不勾用得两年，若活了一百岁，教我那里去讨那百多万赠你？休怪休怪！”把手一拱，望西去了。正是：

须将有日思无日，休想今人似昔人。

那老者去后，子春叹道：“我受了亲眷们许多讪笑，怎么那老者最哀怜我的，也发起说话来。敢是他硬做好汉，送了我三万银子，如今也弄得手头干了。只是除了他，教我再望着那一个搭救。”正在那里自言自语，岂知老者去不多远，却又转来，说道：“人家败子也尽有，从不见你这个败子的头儿！三万银子，恰像三个铜钱，耍耍眼就弄完了。论起你恁样会败，本不该周济你了，只是除了我，再有谁周济你的？你依旧饥寒而死，却不枉了前一番功果。常言道：杀人须见血，救人须救彻。还只是废我几两银子不着，救你这条穷命。”袖里又取出三百个铜钱，递与子春道：“你可将去买些酒饭吃，明日午时仍到波斯馆西廊下相会。既道是三万银子不勾用度，今次须送你十万两。只是要早来些，莫似前番又要我等你！”且莫说那老者发这样慈悲心，送过了三万，还要送他十万，倒也亏杜子春好一副厚面皮，明日又自去领受他的。

当下子春见老者不但又肯周济，且又比先反增了七万，喜出望外，双手接了三百铜钱，深深作了个揖起来，举举手大踏步就走。一直径到一个酒店中，依然把三百个钱做一垛儿先付与酒家。走上酒楼，拣副座头坐下。酒保把酒肴摆将过来。子春一则从昨日至今，还没饭在肚里；二则又有十万银子到手，欢喜过望，放下愁怀，恣意饮啖。那酒家只道他身边还有铜钱，嗄饭案酒，流水搬来。子春又认做是三百钱内之物，并不推辞，尽情吃个醉饱，将剩下东西，都赏了酒保。那酒保们见他手段来得大落，私下议道："这人身上便褴褛，到好个撒漫主顾！"子春下楼，向外便走。酒家道："算明了酒钱去。"子春只道三百钱还吃不了，乃道："馀下的赏你罢，不要算了。"酒家道："这人好混帐，吃透了许多东西，到说这样冠冕话！"子春道："却不干我事，你自送我吃的。"彻身又走。酒家上前一把扯住道："说得好自在！难道再多些，也是送你吃的？"两下争嚷起来。

旁边走过几个邻里相劝，问："吃透多少？"酒家把帐一算，说："还该二百。"子春呵呵大笑道："我只道多吃了几万，恁般着忙！原来止得二百文，乃是小事，何足为道。"酒家道："正是小事，快些数了撒开。"子春道："却恨今日带得钱少，我明日送来还你。"酒家道："认得你是那个，却赊与你？"杜子春道："长安城中，谁不晓得我城南杜子春是个大财主？莫说这二百文，再多些决不少你的。若不相托，写个票儿在此，明日来取。"众人见他自称为大财主，都忍不住笑，把他上下打料。内中有个闻得他来历的，在背后笑道："原来是这个败子，只怕财主如今轮不着你了。"子春早又听见，便道："老丈休得见笑。今日我便是这个嘴脸，明午有个相识，送我十万银子，怕道不依旧做财主么？"众人闻得这话，一发都笑倒了，道："你这人莫不是风了，天下那有送十万银子的？相识在那里？"酒家道："我也不管你有十万二十万，只还了我二百钱走路。"子春道："要，便明日多赏了你两把，今日却一文没有。"酒家道："你是甚么鸟人？吃了东西，不肯还钱！"当胸揪住，却待要打。

子春正挣脱不开，只听有人叫道："莫要打，有话讲理。"分开众人，捱身进来。子春睁睛观看，正好是西门老者，忙叫道："老翁来得恰好！与我评一评理。"老者问道："你们为何揪住这位郎君厮闹？"酒家道："他吃透了二百钱酒，却要白赖，故此取索。"子春道："承老翁所赐三百文，先交付与他，然后饮酒，他自要多把东西与人吃，干我甚事？今情愿明日多还他些，执意不肯，反要打我。老翁，你且说谁个的理直？"老者向酒家道："既是先交钱后饮酒，如何多把与他吃？这是你自己不是。"又对子春道："你在穷困之乡，也不该吃这许多。如今通不许多说，我存得二百钱在此，与你两下和了罢。"袖里摸出钱来，递与酒家。酒家连称多谢。子春道："又蒙老翁周全，无可为报。若不相弃，就此小饮三杯，奉酬何如？"老者微微笑道："不消，改日扰你罢。"向众人道声请了，原覆转身而去。子春也自归家。

这一夜，杜子春心下想道："我在贫窘之中，并无一个哀怜我的，多亏这老儿送我三万银子，如今又许我十万。就是今日，若不遇他来周全，岂不受这酒家的罗唣？明日到波斯馆里，莫说有银子，就做没有，也不可不去。况他前次既不说谎，难道如今却又弄谎不成？"巴不到明日，一径的投波斯馆来。只见那老者已先在彼，依旧引入西廊下房内，搬出二千个元宝锭，便是十万两，交付子春收讫，叮嘱道："这银子难道不许你使用？但不可一造的用尽了，又来寻我。"子春谢道："我杜子春若再败时，老翁也不必看觑我了。"即便顾了车马，将银子装上，向老者叫声聒噪，押着而去。

原来偷鸡猫儿到底不改性的，刚刚挑得银子到家，又早买了鞍马，做了衣服，去辞别那众亲眷，说道："多承指示，教我去求那大财主。果然财主手段，略不留难，又送我十万银子。我如今有了本钱，便住在城中，也有座位了，只是我杜子春天生败子，岂不玷辱列位高亲？不如仍往扬州与盐商合伙，到也稳便。"这个说话，明明是带着刺儿的。那亲眷们却也受了子春一场呕气，敢怒而不敢言。

且说子春，整备车马，将那十万银子，载的载，驮的驮，径往扬州。韦氏看见许多车马，早知道又弄得些银子回来了，便问道："这行李莫非又是西门老儿资助你的？"子春道："不是那老儿，难道还有别个？"韦氏道："可曾问得名姓么？"子春睁着眼道："哎呀！他在波斯馆里搬出十万银子时节，明明记得你的分付，正待问他，却被他婆儿气，再四叮嘱我，好做生理，切不可浪费了，我不免回答他几句。其时一地的元宝锭，又要顾车顾马，看他装载，又要照顾地下，忙忙的收拾不迭，怎讨得闲工夫，又去问他名姓？虽然如此，我也甚是懊悔。万一我杜子春旧性发作，依先用完了，怎么又好求他？却不是天生定该饿死的。"韦氏笑道："你今有了十万银子，还怕穷哩！"

原来子春初得银子时节，甚有做人家的意思，及到扬州，豪心顿发，早把穷愁光景尽皆忘了。莫说旧时那班帮兴不帮败的朋友，又来撺哄；只那韦氏出自大家，不把银子放在眼里的，也只图好看，听其所为。真个银子越多，用度越广，不上三年，将这十万两荡得干干净净，倒比前次越穷了些。韦氏埋怨道："我教你问那老儿名姓，你偏不肯问，今日如何？"

子春道："你埋怨也没用。那老儿送了三万，又送十万，便问得名姓，也不好再求他了。只是那老儿不好求，亲眷又不好求，难道杜子春便是这等坐守死了！我想长安城南祖居，尽值上万多银子，众亲眷们都是图谋的。我既穷了，左右没有面孔在长安住，还要这宅子怎么？常言道：有千年产，没千年主。不如将来变卖，且作用度，省得靠着米囤却饿死了。"这叫做杜子春三入长安，岂不是天生的一条的痴汉！有诗为证：

莫恃黄金积满阶，等闲费尽几时来？
十年为侠成何济，万里投人谁见哀！

却表子春到得长安，再不去求众亲眷，连那老儿也怕去见他，只住在城南宅子里，请了几个有名的经纪，将祖遗的厅房土库几所，下连基地，时值价银一万两，二面议定，亲笔填了文契，托他绝卖。只道这价钱是瓮中捉鳖，手到拿来。岂知亲眷们量他穷极，故意要死他的货，偏不肯买。那经纪都来回了。子春叹道："我杜子春直恁的命低！似这寸金田地，偏有卖主，没有受主。敢则经纪们不济，须自家出去寻个头脑。"刚刚到得大街上，早望见那老者在前面来了，连忙的躲在众人丛里，思量避他。岂知那老者却从背后一把曳住袖子，叫道："郎君，好负心也！"只这一声，羞得杜子春再无容身之地。老者道："你全不记在西门叹气之日乎？老夫虽则凉薄，也曾两次助你好几万银子，且莫说你怎么样报我，难道喏也唱不得一个？见了我到躲了去。我何不把这银子料在水里，也呼地的响一声？"子春谢罪道："我杜子春，单只不会做人家，心肝是有的，宁不知感老翁大恩！只是两次银子，都一造的荡废，望见老翁，不胜惭愧，就恨不得立时死了，以此躲避，岂敢负心！"那老者便道："既是这等，则你回心转意，肯做人家，我还肯助你。"子春道："我这一次，若再败了，就对天设下个誓来。"老者笑道："誓到不必设，你只把做人家勾当说与我听着。"子春又道："我祖上遗下海边上盐场若干所，城里城外冲要去处，店房若干间，长江上下芦洲若干里，良田若干顷，极是有利息的。我当初要银子用，都烂贱的典卖与人了。我若有了银子，尽数取赎回来，不消两年，便可致富。然后兴建义庄，开辟义冢，亲故们羸老的养赡他，幼弱的抚育他，孤孀的存恤他，流离颠沛的拯救他，尸骸暴露的收埋他，我于名教复圆矣。"老者道："你果有此心，我依旧助你。"便向袖里一摸，却又摸出三百个钱，递与子春，约道："明日午时到波斯馆里来会我，再早些便好。"子春因前次受了酒家之气，今番也不去吃酒，别了老者，一径回去。

一头走，一头思想道："我杜子春天生莽汉，幸遇那老者两次赠我银子，我不曾问得他名姓，被妻子埋怨一个不了。如今这次，须不可不问。"只待天色黎明，便投波斯馆去。在门上坐了一会，方才那老者走来。此时尚是辰牌时分。老者喜道："今日来得恰好。我想你说的做人家勾当，若银子少时，怎济得事？须把三十万两助你。算来三十万，要六千个元宝锭，便数也数得一日，故此要你早些来。"便引子春入到西廊下房内，只一搬，搬出六千个元宝锭来，交付明白，叮嘱道："老夫一生家计，尽在此了；你若再败时节，也不必重来见我。"子春拜谢道："敢问老翁高姓大名？尊府那里？"老者道："你待问我怎的？莫非你思量报我么？"子春道："承老翁前后共送了四十三万，这等大恩，还有甚报得？只是狗马之心，一毫难尽。若老翁要宅子住，小子卖契尚在袖里，便敢相奉。"老者笑道："我若要你这宅子，我只守了自家的银子却不好。"子春道："我这杜子春贫乏了，平时亲识没有一个看顾我的，独有老翁三次周济。想我杜子春若无可用之处，怎肯便舍这许多银子？

倘或要用我杜子春，敢不水里水里去，火里火里去？”老者点着头道：“用便有用你去处，只是尚早。且待你家道成立，三年之后，来到华山云台蜂上，老君祠前双桧树下，见我便了。”有诗为证：

四十三万等闲轻，末路犹然讳姓名。
他日云台虽有约，不知何事用狂生？

却说子春把那三十万银子，扛回家去，果然这一次顿改初心，也不去整备鞍马，也不去制备衣服，也不去辞别亲眷，悄悄的雇了车马，收拾停当，径往扬州。原来有了银子，就天上打一个霹雳，满京城无有不知的。那亲眷们都说道：“他有了三十万银子，一般财主体面；况又沾亲，岂可不去饯别！”也有说道：“他没了银子时节，我们不曾礼他，怎么有了银子便去饯别？这个叫做前倨后恭，反被他小觑了我们。”到底愿送者多，不愿送者少，少的拗不过多的，一齐备了酒，送出东都门外，与杜子春饯别。

只见酒到三巡，子春起来谢道：“列位高亲光送，小子信口诌得个曲儿，回敬一杯，休得见笑。”你道是什么曲儿？原来都是叙述穷苦无处求人的意思，只教那亲眷们听着，坐又坐不住，去又去不得，倒是不来送行也罢了，何苦自讨这场没趣。曲云：

我生来的是富家，从幼的喜奢华，财物撒漫贱如沙。觑着囊资渐寡，看看手内光光乍，看看身上丝丝挂。欢娱博得叹和嗟，枉教人作话靶。

待求人难上难，说求人最感伤。朱门走遍自彷徨，没半个钱儿到掌。若没有城西老者宽洪量，三番相赠多情况；这微躯已丧路途傍，请列位高亲主张。

子春唱罢，拍手大笑，向众亲眷说声请了，洋洋而去，心里想道：“我当初没银子时节，去访那亲眷们，莫说请酒，就是一杯茶也没有；今日见我有了银子，便都设酒出门外送我。原来银子这般不可少的，我怎么将来容易荡费了！”一路上好生感叹。

到得扬州，韦氏只道他止卖得些房价在身，不勾撒漫，故此服饰舆马，比前十分收敛。岂知子春在那老者眼前，立下个做人家的誓愿，又被众亲眷们这席酒识破了世态，改转了念头，早把那扶兴不扶败的一起朋友，尽皆谢绝，影也不许他上门。方才陆续的将典卖过盐场客店、芦洲稻田，逐一照了原价，取赎回来。果然本钱大，利钱也大。不上两年，依旧泼天巨富。又在两淮南北，直到瓜州地面，造起几所义庄，庄内各有义田、义学、义冢。不论孤寡老弱，但是要养育的，就给衣食供膳他；要讲读的，就请师傅教训他；要殡殓的，就备棺椁埋葬他。莫说千里内外，感被恩德；便是普天下，那一个不赞道：“杜子春这等败了，还挣起人家。才做得家成，又干了多少好事，岂不是天生的豪杰!"

原来子春牢记那老者期约在心，刚到三年，便把家事一齐交付与妻子韦氏，说道："我杜子春三入长安，若没那老者相助，不知这副穷骨头死在那里？他约我家道成立，三年之外，可到华山云台峰上老君祠前，双桧树下，与他相见，却有用着我的去处。如今已是三年时候，须索到华山去走一遭。"韦氏答道："你受他这等大恩，就如重生父母一般，莫说要用着你，便是要用我时，也说不得了。况你贫穷之日，留我一个在此，尚能支持；如今现有天大家私，又不怕少了我吃的，又不怕少了我穿的，你只管放心，自去便了。"当日整治一杯别酒，亲出城西饯送子春上路。

竹叶杯中辞少妇，莲花峰上访真人。

子春别了韦氏，也不带从人，独自一个上了牲口，径往华山路上前去。原来天下名山，无如五岳。你道那五岳？中岳嵩山、东岳泰山、北岳恒山、南岳霍山、西岳华山。这五岳都是神仙窟宅。五岳之中，惟华山最高。四面看来，都是方的，如刀斧削成一片，故此俗人称为"削成山"。到了华山顶上，别有一条小路，最为艰险，须要攀藤扪葛而行。约莫五十馀里，才是云台峰。子春抬头一望，早见两株桧树，青翠如盖，中间显出一座血红的山门，门上竖着扁额，乃是"太上老君之祠"六个老大的金字。此时乃七月十五，中元令节，天气尚热，况又许多山路，走得子春浑身是汗，连忙拭净敛容，向前顶礼仙像。只见那老者走将出来，比前大是不同，打扮得似神仙一般。但见他：

戴一顶玲珑碧玉星冠，被一领织锦绛绡羽衣，黄丝绶腰间婉转，红云履足下蹒跚。额下银须洒洒，鬓边华发斑斑。两袖香风飘瑞霭，一双光眼露朝星。

那老者遥问道："郎君果能不负前约，远来相访乎？"子春上前纳头拜了两拜，躬身答道："我这身子，都是老翁再生的。既蒙相约，岂敢不来！但不知老翁有何用我杜子春之处？"

老者道："若不用你，要你冲炎冒暑来此怎的!"便引着子春进入老君祠后。这所在，乃是那老者炼药去处。子春举目看时，只见中间一所大堂，堂中一座药灶，玉女九人环灶而立，青龙白虎分守左右。堂下一个大瓮，有七尺多高，瓮口有五尺多阔，满瓮贮着清水。西壁下铺着一张豹皮。老者教子春靠壁向东盘膝坐下，却去提着一壶酒，一盘食来。你道盘中是甚东西？乃是三个白石子。子春暗暗想道："这硬石子怎生好吃？"原来煮熟的，就如芋头一般，味尤甘美。子春走了许多山路，正在饥渴之际，便把酒食都吃尽了。其时红日沉西，天色傍晚。那老者分付道："郎君不远千里，冒暑而来，所约用你去处，单在于此。须要安神定气，坐到天明。但有所见，皆非实境，任他怎生样凶险，怎生样苦毒，都只忍着，不可开言。”分付已毕，自向药灶前去，却又回头叮嘱道：“郎君切不可忘了我的分付，便是一声也则不得的。牢记，牢记！”

子春应允。刚把身子坐定，鼻息调得几口，早看见一个将军，长有一丈五六，头戴凤翅金盔，身穿黄金铠甲，带领着四五千人马，鸣锣击鼓，呐喊摇旗，拥上堂来，喝问：“西壁下坐的是谁？怎么不回避我？快通名姓。”子春全不答应，激得将军大怒，喝教人攒箭射来，也有用刀夹背斫的，也有用枪当心戳的，好不利害！子春谨记老者分付，只是忍着，并不做声。那将军没奈何他，引着兵马也自去了。金甲将军才去，又见一条大蟒蛇，长可十馀丈，将尾缠住子春，以口相向，焰焰的吐出两个舌尖，抵入鼻子孔中。又见一群狼虎，从头上扑下，咆哮之声，振动山谷。那獠牙就如刀锯一般锋利，遍体咬伤，流血满地。又见许多凶神恶鬼，都是铜头铁角，狰狞可畏，跳跃而前。子春任他百般簸弄，也只是忍着。猛地里又起一阵怪风，刮得天昏地黑，大雨如注，堂下水涌起来，直浸到胸前。轰天的霹雳，当头打下，电火四掣，须发都烧。子春一心记着老者分付，只不做声。渐渐的雷收雨息，水也退去。

子春暗暗喜道：“如今天色已霁，想再没有甚么惊唬我了。”岂知前次那金甲大将军，依旧带领人马，拥上堂来，指着子春喝道：“你这云台山妖民，到底不肯通名姓，难道我就奈何不得你？”便令军士，疾去扬州，擒他妻子韦氏到来。说声未毕，韦氏已到，按在地上，先打三百杀威棒，打得个皮开肉绽，鲜血迸流。韦氏哀叫道：“贱妾虽无容德，奉事君子有年，岂无伉俪之情？乞赐一言，救我性命。”子春暗想老者分付，说是“随他所见，皆非实境，安知不是假的？况我受老者大恩，便真是妻子，如何顾得！”并不开言。激得将军大怒，遂将韦氏千刀万剐。韦氏一头哭，一头骂，只说：“枉做了半世夫妻，忍心至此！我死在九泉之下，誓必报冤。”子春只做不听得一般。将军怒道：“这贼妖术已成，留他何用？便可一并杀了。”只见一个军士，手提大刀，走上前来，向子春颈上一挥，早已身首分为两处。你看杜子春，刚才挣得成家，却又死于非命，岂不痛惜可怜！

游魂渺渺归何处？遗业忙忙付甚人？

那子春颈上被斫了一刀，已知身死，早有夜叉在旁，领了他魂魄竟投十地阎君殿下，都道：“子春是个云台峰上妖民，合该押赴酆都地狱，遍受百般苦楚，身躯靡烂。”原来被业风一吹，依然如旧。却又领子春魂魄，托生在宋州原任单父县丞叫做王劝家做个女儿。从小多灾多病，针灸汤药，无时间断。渐渐长成，容色甚美，只是说不出一句说话来，是个哑的。同乡有个进士，叫做卢珪，因慕他美貌，要求为妻。王家推辞，哑的不好相许。卢珪道：

"人家娶媳妇，只要有容有德，岂在说话？便是哑，不强似长舌的。"却便下了财礼，迎取过门，夫妻甚是相得。早生下儿子，已经两岁，生得眉清目秀，红的是唇，白的是齿，真个可爱！

忽一日卢珪抱着抚弄，却问王氏道："你看这儿子，生得好么？"王氏笑而不答。卢珪怒道："我与你结发三载，未尝肯出一声。这是明明鄙贱着我，还说甚恩情那里，总要儿子何用？"到提着两只脚，向石块上只一扑，可怜掌上明珠，扑做一团肉酱。子春却忘记了王家哑女儿，就是他的前身，看见儿子被丈夫活活扑死了，不胜爱惜，刚叫得一个"噫"字，岂知药灶里迸出一道火光，连这一所大堂险些烧了。

其时天已将明，那老者忙忙向前提着子春的头发，将他浸在水瓮里，良久方才火息。老者跌脚叹道："人有七情，乃是喜怒忧惧爱恶欲。我看你六情都尽，惟有爱情未除。若再忍得一刻，我的丹药已成，和你都是仙了。今我丹药还好修炼，只是你的凡胎，却几时脱得？可惜老大世界，要寻一个仙才，难得如此！"子春懊悔无地，走到堂上，看那药灶时，只见中间贯着手臂大一根铁柱，不知仙药都飞在那里去了。老者脱了衣服，跳入灶中，把刀在铁柱上，刮得些药末下来，教子春吃了，遂打发下山。子春伏地谢罪，说道："我杜子春不才，有负老师嘱付。如今情愿跟着老师出家，只望哀怜弟子，收留在山上罢。"老者摇手道："我这所在，如何留得你？可速回去，不必多言。"子春道："既然老师不允，容弟子改过自新，三年之后，再来效用。"老者道："你若修得心尽时，就在家里也好成道；若修心不尽，便来随我，亦有何益？勉之，勉之！"

子春领命，拜别下山。不则一日，已至扬州。韦氏接着问道："那老者要你去，有何用处？"子春道："不要说起，是我不才，负了这老翁一片美情。"韦氏问其缘故，子春道："他是个得道之人，教我看守丹灶，嘱付不许开言。岂知我一时见识不定，失口叫了一个'噫'字，把他数十年辛勤修合的丹药，都弄走了。他道我再忍得一刻，他的丹药成就，连我也做了神仙。这不是坏了他的事，连我的事也坏了？以此归来，重加修省。"韦氏道："你为甚却道这'噫'字？"子春将所见之事，细细说出，夫妻不胜嗟叹。

自此之后，子春把天大家私，丢在脑后，日夕焚香打坐，涤虑凝神，一心思想神仙路上。但遇孤孀贫苦之人，便动千动百的舍与他，虽不比当初败废，却也渐渐的十不存一。倏忽之间，又是三年。一日，对韦氏说道："如今待要再往云台求见那老者，超脱尘凡。所馀家私，尽着勾你用度，譬如我已死，不必更想念了。"那韦氏也是有根器的，听见子春要去，绝无半点留念，只说道："那老者为何肯舍这许多银子送你，明明是看你有神仙之分，故来点化，怎么还不省得？"明早要与子春饯行，岂知子春这晚题下一诗，留别韦氏，已潜自往云台去了。诗云：

骤兴骤败人皆笑，旋死旋生我自惊。
从今撒手离尘网，长啸一声归白云。

你道子春为何不与韦氏面别？只因三年斋戒，一片诚心，要从扬州步行到彼，恐怕韦氏差拨伴当跟随，整备车马送他，故此悄地出了门去。两只脚上，都走起茧子来，方才到得华州地面。上了华山，径奔老君祠下，但见两株桧树，比前越加葱翠。堂中绝无人影，连那药灶也没些踪迹。子春叹道：“一定我杜子春不该做神仙，师父不来点化我了。虽然如此，我发了这等一个愿心，难道不见师父就去了不成？今日死也死在这里，断然不回去了。”便住在祠内，草衣木食，整整过了三年。守那老者不见，只得跪在仙像前叩头，祈告云：

窃惟弟子杜子春，下土愚民，尘凡浊骨。奔逐货利之场，迷恋声色之内。蒙本师慨发慈悲，指皈大道，奈弟子未断爱情，难成正果。遣归修省，三载如初。再叩丹台，一诚不二。洗心涤虑，六根清净无为；养性修真，万缘去除都尽。伏愿道缘早启，仙驭速临。拔凡骨于尘埃，开迷踪于觉路。云云。

子春正在神前祷祝，忽然祠后走出一个人来，叫道：“郎君，你好至诚也！”子者听见有人说话，抬起头来看时，却正是那老者。又惊又喜，向前叩头道：“师父，想杀我也！弟子到此盼望三年，怎的再不能一面？”老者笑道：“我与你朝夕不离，怎说三年不见？”子春道：“师父既在此间，弟子缘何从不看见？”老者道：“你且看座上神像，比我如何？”子春连忙走近老君神像之前，定睛细看，果然与老者全无分别。乃知向来所遇，即是太上老君，便伏地请罪，谢道：“弟子肉眼怎生认得？只望我师哀怜弟子，早传大道。”

老君笑道：“我因怕汝处世日久，尘根不断，故假摄七种情缘，历历试汝。今汝心下已皆清净，又何言哉！我想汉时淮南王刘安，专好神仙，真感得八公下界，与他修合丹药。炼成之日，合宅同升，连那鸡儿狗儿，餂了鼎中药末，也得相随而去，至今鸡鸣天上，犬吠云间。既是你做神仙，岂有妻子偏不得道？我有神丹三丸，特相授汝，可留其一，持归与韦氏服之。教他免堕红尘，早登紫府。”子春再拜，受了神丹，却又禀道：“我弟子贫穷时节，投奔长安亲眷，都道我是败子，并无一个慈悲我的。如今弟子要同妻韦氏，再往长安，将城南祖居舍为太上仙祠，祠中铸造丈六金身，供奉香火。待众亲眷聚集，晓喻一番，也好打破他们这重魔障。不知我师可容许我弟子否？”老君赞道：“善哉，善哉！汝既有此心，待金像铸成之日，吾当显示神通，挈汝升天，未为晚也。”正是：

十年一觉扬州梦，赢得人间败子名。

话分两头，却说韦氏，自子春去后，却也一心修道，屏去繁华，将所遗家私尽行布施，只在一个女道士观中，投斋度日。满扬州人见他夫妻云游的云游，乞丐的乞丐，做出这般行径，都莫知其故。忽一日子春回来，遇着韦氏，两个俱是得道之人，自然不言而喻。便把老君所授神丹，付与韦氏服了，只做抄化模样，径赴长安去投见那众亲眷，呈上一个疏簿，说把城南祖居，舍作太上老君神庙，特募黄金十万两，铸造丈六金身，供奉殿上。要劝那众亲眷，共结善缘。

其时亲眷都笑道："他两次得了横财，尽皆废败，这不必说了；后次又得一大注，做了人家，如何三年之后，白白的送与人去？只他丈夫也罢了，怎么韦氏平时既不谏阻，又把分拨与他用度的，亦皆散舍？岂不夫妻两个都是薄福之人，消受不起，致有今日？眼见得这座祖宅，还值万数银子，怎么又要舍作道院；别来募化黄金，兴铸仙像。这等痴人，便是募得些些，左右也被人骗去。我们礼他则甚！"尽都闭了大门，推辞不管闲事。子春夫妻含笑而归。那亲眷们都量定杜子春夫妻，断然铸不起金像的，故此不肯上疏。

岂知半月之后，子春却又上门递进一个请贴儿，写着道：

> 子春不自量力，谨舍黄金六千斤，铸造老君仙像。仰仗众缘，法相院成。拟于明日奉像升座。特备小斋，启请大德，同观胜事，幸勿他辞！

那亲眷们看见，无不惊讶，叹道："怎么就出得这许多金子？又怎么铸造得这等神速？"连忙差人前去打听，只见众亲眷们上和满都城士庶人家，都是同日有一个杜子春亲送请贴，也不知杜子春有多少身子。都道这事有些跷蹊。到次日，没一个不来。到得城南，只见人山人海，填街塞巷，合城男妇，都来随喜。早望见门楼已都改造过了，造得十分雄壮，上头写着栲栳大金字；是"太上行宫"四个字。进了门楼，只见殿宇廊庑，一划的金碧辉煌，耀睛夺目，俨如天宫一般。再到殿上看时，真个黄金铸就的丈六天身，庄严无比。众亲眷看了，无不摇首咋舌道："真个他弄起恁样大事业！但不知这些金子是何处来的？"又见神座前，摆下一大盘蔬菜，一卮子酒，暗暗想道："这定是他办的斋了，纵便精洁，无过有一两器，不消一个人，便一口吃完了。怎么下个请帖，要遍斋许多人众？"你道好不古怪，只见子春夫妇，但遇着一个到金像前瞻礼的，便捧过斋来请他吃些，没个不吃，没个不赞道甘美。

那亲眷们正在惊叹之际，忽见金像顶上，透出一道神光，化做三朵白云。中间的坐了老君，左边坐了杜子春，右边坐了韦氏，从殿上出来，升到空里，约莫离地十馀丈高。只见子春举手与众人作别，说道："横眼凡民，只知爱惜钱财，焉知大道。但恐三灾横至，四大崩摧，积下家私，抛于何处？可不省哉！可不惜哉！"晓喻方毕，只听得一片笙箫仙乐，响振虚空，旌节导前，旛盖拥后，冉冉升天而去。满城士庶，无不望空合掌顶礼。有诗为证：

千金散尽贫何惜，一念皈依死不移。
慷慨丈夫终得道，白云朵朵上天梯。

第三十八卷 李道人独步云门

尽说神仙事渺茫，谁人能脱利名缰？
今朝偶读云门传，阵阵熏风透体凉。

话说昔日隋文帝开皇初年，有个富翁，姓李名清，家住青州城里，世代开染坊为业。虽则经纪人家，宗族到也蕃盛，合来共有五六千丁，都是有本事，光着手赚得钱的。因此家家饶裕，远近俱称为李半州。一族之中，惟李清年齿最尊，推为族长。那李清天性仁厚，族中不论亲疏远近，个个亲热，一般看待，再无两样心肠。为这件上，合族长幼男女，没一个不把他敬重。每年生日，都去置办礼物，与他续寿。宗族已是大了，却又好胜，各自搜觅异样古物器玩、锦绣绫罗馈送。他生平省俭惜福，不肯过费，俱将来藏置土库中，逐年堆积上去，也不计其数。只有一件事，再不吝惜。你道是那一件？他自幼行善，利人济物，兼之慕仙好道，整千贯价布施。若遇个云游道士，方外全真，即留至家中供养，学些丹术，讲些内养。谁想那班人都是走方光棍，一味说骗钱财，何曾有真实学问！枉自费过若干东西，便是戏法讨不得一个。然虽如此，他这点精诚，终是不改，每日焚香打坐，养性存心，有出世之念。

其年恰好齐头七十，那些子孙们，两月前便在那里商议，说道："七十古稀之年，是人生最难得的，须不比平常诞日，各要寻几件希奇礼物上寿，祝他个长春不老。"李清也料道子孙辈必然如此，预先设下酒席，分着一支一支的，次第请来赴宴。因对众人说："赖得你等勤力，各能生活，每年送我礼物，积至近万，衣装器具，华侈极矣！只是我平生好道，布衣蔬食，垂五十年，要这般华侈的东西，也无用处；我因不好拂你等盛情，所以有受无却。然而一向贮在土库，未尝检阅，多分已皆朽坏了。费你等钱帛，做我的粪土，岂不可惜！今日幸得天曹尚未录我魂气，生日将到，料你等必然经营庆生之礼，甚非我的本意！所以先期相告，切莫为此！"子孙辈皆道："庆生的礼，自古叫做续寿。况兼七十岁，人生能有几次，若不庆贺，何以少展卑下孝顺之心？这可是少得的！”李清道：“既你等主意难夺，只凭我所要的，将来送我何如？”子孙辈欣然道：“愿闻尊命！”李清道：“我要生日前十日，各将手指大麻绳百尺送我，总算起来约有五六万丈，以此续寿，岂不更为长远！”众人闻声，暗暗称怪，齐问道：“太公分付，敢不奉命！但不知要他做甚？”李清笑道：“且待你等都送齐了，然后使你等知之，今犹未可轻言也。”众子孙领了李清分付之后，真个一传十，十传百，都将麻绳百尺，赶在生日前交纳，地上叠得高高的，竟成一座绳山。只是不知他要这许多绳何用。

原来离着青州城南十里，有一座山叫做云门山，山顶上分做两个，俨如斧劈开的。青州城里人家，但是向南的，无不看见这山飞云度鸟，窳儿内经过，皆历历可数。俗人又称为劈山。那山顶中间，却有个大穴，滪滪洞洞的，不知多少深。也有好事的，把大石块投下，从不曾听见些声响，以此人都道是没底的。只见李清受了麻绳之后，便差人到那山上紧靠着穴口，竖起两个大橛子，架上辘轳。家里又唤打竹家火的，做一个结结实实的大竹篮，又到铜铺里买上大小铜铃好几百个，也不知道弄出什么勾当？子孙辈一齐的都来请问，李清方才答道：“我原说终使你等知之，难道我就瞒着去了？我自幼好道，今经五十馀年，一无所得，常见《图经》载那云门山是神仙第七个洞府。我年已七十，便活在世上，也不过两三年了，趁今手足尚还强建，欲于生日这一日，借你等所送的麻绳，用著四根，悬在大竹篮四角，中间另是一根，系上铜铃，待我坐于篮内，却慢慢的绞下。若有些不虞去处，见我摇动中间这绳，或听见铃响，便好将我依旧盘上。万一有缘，得与神仙相遇，也少不得回来，报知你等。”

说犹未毕，只见子孙辈都叩头谏道：“不可，不可！这个大穴里面，且莫说山精木魅、毒蛇怪兽，藏着多少，只是那一道乌黑的臭气，也把人熏死了。高年之人，怎么禁得这般利害？”李清道：“我意已决，便死无悔！你等若不容我，必然私自逃去，从空投下。不得麻绳竹篮，永无出来的日子。”内中也有老成的，晓得他生平是个执性的人，便道：“恭敬不如从命。只是这等天大的事，岂可悄然便去；须要遍告亲戚，同赴云门山相送。也使四海流传，做个美谈，不亦可乎！”李清道：“这却使得。”

那李家一姓子孙，原有五六千，又去通知亲眷，同来拜送。只算一人一个，却不就是上万的人了。到得李清生辰这一日，无不陈了鼓乐，携了酒馔，一齐的捧著李清，竟往云门山去。随着去看的人，也不知有多少，几乎把青州城都出空了。不一时，到了云门山顶。众人举目四下一望，果然好景。但见：

众峰朝拱，列嶂环围。响泠泠流泉幽咽，密葺葺乱草迷离。崖边怪树参天，岩上奇花映日。山径烟深，野色过桥。青霭近冈形势

远，松声隔水白云连。淅淅但闻林坠露，萧萧只听叶吟风。

那竹篮绳索等件，俱已整备停当。众亲眷们，都更递的上前奉酒。内中也有一样高年的说道：“老亲家，你好道之心，这般决烈，必然是神仙路上人，此去保无他虑，但我等做事也要老成，方无后悔。我想这等黑洞洞深穴，从来没人下去，怎把千金之体，轻投不测？今日既有竹篮绳索，不若先取一个狗来，放下去看。若是这狗无事，再把一个伶俐些家人下去，看道有甚么仙迹在那里，待他上来说了，方才送老亲家下去，岂不万全？”李清笑道：“承教，承教！只是要求道的，长拼个死，才得神仙可怜，或肯收为弟子。这个穴内，相传是神仙第七洞府，又不比砒霜毒药，怎么要试他利害？似此疑惑，便是退悔道心，怎能勾超凡脱浊？我主意已定，好歹要下去走遭。不消列位高亲担忧。老汉信口诌得四句俚言，在此留别，望勿见笑！”众亲眷齐道：“愿闻珠玉。”李清随念出一首诗来，诗云：

久拼残命已如无，挥手开门愿不孤。
翻笑壶公曾得道，犹烦市上有悬壶。

众人听了这诗，无不点头嗟叹，勉强解慰道：“老亲家道心恁般坚固，但愿一下去，便得逢仙。”李清道：“多谢列位祈祝，且看老汉缘法何如。”遂起来向空拜了两拜，便去坐在竹篮内，挥手与众亲眷子孙辈作别，再也不说甚话，一径的把麻绳轫轫轹轹放将下去。莫说众亲眷子孙辈，都一个个面色如土，连那看的人也惊呆了，摇头咋舌道：“这老儿好端端在家受用到不好，却痴心妄想，往恁样深穴中去求仙！可不是讨死吃么？”噫！李清这番下去了，不知几时才出世哩？正是：

神仙本是凡人做，只为凡人不肯修。

却说李清放下也不知有几千多丈，觉得到了底上，便爬出竹篮，去看那里面有何仙迹。岂知穴底黑洞洞的，已是不见一些高低，况是地下有水一般，又滑又烂。还不曾走得一步，早跌上一交。那七十岁老人家，有甚气力，才挣得起。又闪上一跌。只两交，就把李清跌得昏晕了去。那上面亲眷子孙辈，看看日色傍晚，又不见中间的麻绳曳动，又不听得铜铃响，都猜着道：“这老人家被那股阴湿的臭气相触，多分不保了。”且把辘轳绞上竹篮看时，只见一个空篮，不见了李清。其时就着了忙，只得又把竹篮放下。守了一会，再绞上来，依旧是个空篮。那伙看的人，也有嗟叹的，也有发笑的，都一哄走了。

子孙辈只是向着穴中放声大哭，埋怨道：“我们苦苦谏阻，只不肯听，偏要下去。七十之人，不为寿夭，只是死便死了，也留个骸骨，等我们好办棺椁葬他。如今弄得尸首都没了，这事怎处？”那亲眷们人人哀感，无不洒泪。内中也有达者说道：“人之生死，无非大数。今日生辰，就是他数尽之日，便留在家里，也少不得是死的。况他志向如此，纵死已遂其志，当无所悔。虽然没了尸首，他衣冠是有的，不若今晚且回去，明早请几个有法力的道士，重到这里，招他魂去。只将衣冠埋葬，也是古人一个葬法。我闻轩辕皇帝，得了大道，已在鼎湖升天去了，还留下一把剑，两只履，装在棺内，葬于桥山。又安知这老翁不做了神仙，也要教我们与他做个空冢。只管对着穴口啼啼哭哭，岂不惑哉！”子孙辈只得依允，拭了眼泪，收拾回家。到明日重来山顶，招魂回去。一般的设座停棺，少不得诸亲众眷都来祭奠。过了七七四十九日，造坟下葬，不在话下。

且说李清被这两跌，晕去好几时，方才醒得转来，又去细细的摸看。原来这穴底，也不多大，只有一丈来阔，周围都是石壁，别无甚奇异之处。况且脚下烂泥，又滑得紧，不能举步，只得仍旧去寻那竹篮坐下，思量曳动绳索，摇响铜铃，待他们再绞上去。伸手遍地摸着，已不见了竹篮，叫又叫不应，飞又飞不出，真个来时有路，去日无门，教李清怎么处置？只得盘膝儿，坐在地下。也不知捱了几日，但觉饥渴得紧，一时难过，想道古人啮雪吞毡，尚且救了性命，这里无雪无毡，只有烂泥在手头，便去抓一把来咽下。岂知神仙窟宅，每遇三千年才一开底里，迸出泥来，叫做“青泥”，专是把与仙人做饭吃的，尽也有些味道，可解饥渴。吃了几口，觉得精神好些。却又去细细摸看，只见石壁擦底下，又有个小穴，高不上二尺。心下想道：“只管坐在泥中，有何了期！左右没命的人了，便这里面有甚么毒蛇妖怪，也顾不得，且是爬将进去，看个下落。”只因这番，直教黑茫茫断头之路，另见个境界风光；活喇喇拼命之夫，重开个铺行生理。正是：

阎王未注今朝死，山穴宁无别道通？

李清不顾性命，钻进小穴里去，约莫的爬了六七里，觉得里面渐渐高了二尺来多，左右是立不直的，只是爬着地走。那老人家也不知天晓日暗，倦时就睡上一觉，饥时就把青泥吃上几口。又爬了二十馀里。只见前面透出星也似一点亮光，想道：“且喜已有出路了。”再把青泥吃些，打起精神，一钻钻向前去。出了穴口，但见青的山，绿的树，又是一个境界。

李清起来伸一伸腰，站一站脚，整衣拂履，望空谢道：“惭愧！今朝脱得这一场大难！”依着大路，走上十四五里，腹中渐渐饥馁，路上又没一个人家卖得饭吃。总有得买，腰边也没钱钞，穴里的青泥，又不曾带得些出来，看看走不动了。只见路傍碧靛青的流水，两岸覆着菊花，且去捧些水吃。岂知这水也不是容易吃的，仙家叫做“菊泉”，最能延年却病。那李清才吃得几口，便觉神清气爽，手脚都轻快了。

又走上十多里，忽望见树顶露出琉璃瓦盖造的屋脊，金碧闪烁，不知甚么所在？飞撚的赶到那里去看，却是血红的观门，周围都是白玉石砌就台基。

共有九层，每一层约有一丈多高，又没个阶坡，只得攀藤扪葛，拼命吊将上去。那门儿又闭着，不敢擅自去叩，只得屏气而待。直等到一佛出世，二佛升天，方才有个青衣童子开门出来，喝道："李清，你来此怎么？"李清连忙的伏地叩头，称道："青州染匠李清不揣凡庸，冒叩洞府，伏乞收为弟子，生死难忘！"那童子笑道："我怎好收留得你？且引你进去恳求我主人便了。"那青衣童子，入去不久，便出来引李清进去。到玉墀之下，仰看壁上华丽如天宫一般，端的好去处。但见：

朱甍耀日，碧瓦标霞。起百尺琉璃宝殿，甃九层白玉瑶台。隐隐雕梁镌玳瑁，行行绣柱嵌珊瑚。琳宫贝阙，飞檐长接彩云浮；玉宇琼楼，画栋每含苍雾宿。曲曲栏干围玛瑙，深深帘幕挂珍珠。青鸾玄鹤双双舞，白鹿丹麟对对游。野外千花开烂熳，林间百鸟啭清幽。

李清去那殿中看时，只见正居中坐着一位仙长，头戴碧玉莲冠，身披缕金羽衣，腰系黄绦，足穿朱舄，手中执着如意，有神游八极之表。东西两傍，每边又坐着四位，一个个仙风道骨，服色不一。满殿祥云缭绕，香气氤氲，真个万籁无声，一尘不到，好生严肃。李清上前，逐位叩了头，依旧将这冒死投见的情节，表诉一遍。只见中间的仙长说道："李清，你未该来此，怎么就擅自投到？我这里没有你的坐位，快回去罢！"李清便涕泣禀道："我李清一生好道，不曾有些儿效验。今日幸得到了仙宫，面见仙长，岂肯空手回去？我已是七十岁的人，左右回去，也没多几时活，难道还再来得成？情愿死便死在阶下，断然不回去了。"那仙长只是摇头不允。

却得旁边的替他禀道："虽则李清未该到此，但他一片虔诚，亦自可怜！我今若不留他，只道神仙到底修不得的了。况我法门中，本以度人为第一功德，姑且收留门下，若是不堪受教，再遣他回去，亦未迟也！"那仙长才点着头道："也罢！也罢！姑容他在西边耳房暂住。"李清连忙拜谢。一头走到耳房里去，一头想道："我若没有些道气，怎得做仙家弟子？只是当初曾与子孙们约道，遇得仙时，少不得给假回去，报知你等。今我再三哀禀，又得傍边这几位仙长相劝，才许收留，怎么又请回去？万一触忤了他，嗔责我尘缘未净，如何是好？且自安心静坐，再过几时，另作区处。"那李清走到西边耳房下，尚未坐定，只见一个老者，从门外进来，禀道："蓬莱山霞明观丁尊师初到，西王母特启瑶池大宴，请群真同赴。"并不见有人陈设，早已九乘鹤驾鸾车，齐齐整整，摆列殿下。其时中间的仙长在前，两傍的八位在后，次第步出殿来。那李清也免不得随着那伙青衣童子，在丹墀里候送。只见仙长觑着李清分付道："你在此，若要观山玩水，任意无拘；惟有北窗，最是轻易开不得的，谨记，谨记！"说罢，各各跨上鸾鹤，腾空而起。自然有云霞拥护，箫管喧阗，这也不能备述。

岂知李清在耳房下，凭窗眺望，看见三面景致。幽禽怪鸟，四时有不绝之音；异草奇花，八节有长春之色。真个观之不足，玩之有馀。渐渐转过身来，只见北窗斜掩，想道："既是三面都好看得，怎么偏生一个北窗，却看不得？必定有甚奇异之处，故不把与我看。如今仙长已去赴会，不知多少程途，未必就回，且待我悄悄的开来看看，仙家那里便知道了。"走上前轻轻把手一推，呀的一声，那窗早已开了。举目仔细一观，有恁般作怪的事！一座青州城正临在北窗之下。见州里人家，历历在目。又见所住高房大宅，渐已残毁，近族傍支，渐已零落，不胜慨叹道："怎么我出来得这几日，家里便是这等一个模样了？俗语道得好：'家无主，屋倒柱。'我若早知如此，就不到得这里也罢！何苦使我子孙恁般不成器，坏了我的门风。"不觉归心顿然而起。岂知叹声未毕，众仙长已早回来了，只听得殿上大叫："李清！李清！"

那李清连忙掩上北窗，走到阶下。中间的仙长大怒道："我分付你不许偷开北窗，你怎么违命，擅自开了？又嗟叹懊悔，思量回去。我所以不肯收留者，正为你尘心不断故也。今日如何还容得你在此，便可速回，无得溷我洞府！"那李清无言可答，只是叩头请罪，哀告道："我来时不知吃了多少苦楚，真个性命是毫厘丝忽上挣来的。如今回去，休说竹篮绳索，已被家里人绞上；就是这三十多里小小穴道中，我老人家怎么还爬得过？"仙长笑道："这不必忧虑，我另有个路径，教人指引你出去。"那李清方才放下了这条肚肠，起来拜谢出门。只见东手头一位，向着仙长不知说甚话。仙长便唤李清："你且转来。"李清想道："一定的又似前番相劝，收留我了。"不胜欣然。急急走转去跪下，听候法旨。

你道那仙长唤李清回来，说些甚么？说道："我遣便遣你回去，只是你没个生理，何以度日？我书架上有的是书，你可随意取一本去，若是要觅衣饭，只看这书上，自然有了。"李清口里答应，心里想道："原来仙长也只晓得这里的事，不晓得我青州郡里的事。我本有万金家计，就是子孙辈连年送的生日礼物，也有好几千，怎么刚出来得这两日，便回去没有饭吃了？"只是难得他一片好意，不免走近书架上，取了一本最薄的，过去拜谢。那仙长问道："书有了么？"李清道："有了。"仙长道："既有了书，去罢！"

李清正待出门，只见西手头一位，向着仙长，也不知说甚话。那仙长把头一点，又叫道："李清你且转来。"李清想道："难道这一番不是劝他收留我的？"岂知仍旧不是。只见仙长道："你回去，也要走好些路，才到得家里。便到了家里，也不能勾就有饭吃，你可吃饱了去。"早有童子，拿出两个大芋头来，递与李清吃。原来是煮熟的鹅卵石，就似芋头一般，软软的，嫩嫩的，又香又甜，比着云门穴底的青泥，越加好吃。再走过去拜谢。那仙长道："李清，你此去，也只消七十多年，还该到这里的。但是青州一郡，多少小儿的性命，都还在你身上！你可广行方便，休得堕落。我有四句偈语，把与你一生受用，你紧记着！"偈语云：

见"石"而行，听"简"而问。
傍"金"而居，先"裴"而遁。

李清再拜受了这偈语，却教初来时原引进的童子送他回去。竟不知又走出个甚的路径来，总便不消得万丈麻绳，难道也没有一些险处？原来那童子指引的路径，全不是旧时来的去处，却绕着这一所仙院，倒转向背后山坡上去。只见一个所在，出得好白石头，有许多人在那里打他。李清问道："仙家要这石头何用？"童子道："这个是白玉，因为早晚又有一个尊师该来，故此差人打去，要做第十把交椅。"李清便问道："这个尊师，是甚么名姓？"童子道："连我们也只听得是这等说，怎么知道？便知道，也不好说得，恐怕泄漏天机，被主人见罪。"一头说，一头走，也行了十四五里，都是龟背大路，两傍参天的古树，间着奇花异卉，看不尽的景致，便再走两里，也不觉的。

又走过一座高山，这路径渐渐僻小，童子把手指道："此去不上十里，就是青州北门了。"李清道："我前日来时，是出南门的，怎么今日却进北门？我生长在青州已七十岁了，那晓得这座云门山是环着州城的。可知道开了北窗，便直看见青州城里。但不知那一边是前路，那一边是后路，可指示我，等我日后再来叩见仙长，只打这条路上来，却不省费许多麻绳吊去云门穴里去？"问未绝口，岂知飕飕的一阵风起，托地跳出一个大虫来，向着李清便扑，惊得李清魂胆俱丧，叫声："苦也！"望后便倒，唬死在地。可怜：

身名未得登仙府，支体先归虎腹中。

说话的，我且问你：尝闻得古老传说，那青泥白石，乃仙家粮糗，凡人急切难遇，若有缘的尝一尝，便疾病不能侵，妖怪不能近，虎狼不能伤。这李清两件既已都曾饱食，况又在洞府中住过，虽则道心不坚，打发回去，却又原许他七十年后，还归洞府，分明是个神仙了，如何却送在大虫口里？看官们莫要性急，待在下慢慢表白出来。那大虫不是平常吃人的虎，乃是个神虎，专与仙家看山守门的，是那童子故意差来把李清惊唬，只教他迷了来路，元非伤他性命。

那李清死去半晌，渐渐的醒转来，口里只叫："救命，救命！"慢慢挣扎坐起看时，大虫已是不见，连青衣童子也不见去向，跌足道："罢了，罢了！这童子一定被大虫驮去吃了。可怜，可怜！"却又想道："那童子是侍从仙长的，料必也有些仙气，大虫如何敢去伤他？决无此理。只是因甚不送我到家，半路就撇了去？"心下好生疑惑，爬将起来，把衣服整顿好了，忽地回头观看，又吃一惊：怎么那来路一划都是高山陡壁，全无路径？连称：“奇怪！奇怪！”口里便说，心中只怕又跳出一个大虫来，却不丧了这条老命。且自负命跑去。约莫走上四五里，却是三叉路口，又没一个行人来往，可以问信。看看日色傍晚，万一走差路头怎了！正在没摆布处，猛然看见一条路上，却有块老大的石头，支出在那里，因而悟道：“仙长传授我的偈语，有句道：‘见石而行。’却不是教我往这条路去？”果然又走上四五里，早是青州北门了。

进了城门，觉得街道还略略可认，只是两边的屋宇，全比往时不同，莫测其故，欲要问人，偏生又不遇着一个熟的。渐渐天色又黑，只得赶回家去。岂知家里房子，也都改换，却另起了大门楼，两边八字墙，好不雄壮！李清暗道：“莫非错走到州前来了？”仔细再看：“像便像个衙门，端只是我家里。难道这等改换了，我便认不得。想我离家去，只在云门穴里，不知担阁了几日，也是有数的。后面钻出小穴来，总是今日这一日，怎么便有这许多差异的事？莫非州里见我不在，就把我家房子，白白的占做衙门？可道凡事也不问个主。只可惜今日晚了，拼到明日，打进状词，与他理会。随你官府，也少不得给官价还我。”只得寻个客店安歇，争奈身边一个钱也没有，不免解件衣服下来，换了一贯钱。还觉腹中是饱的，只买一角酒来吃了。便待去睡，终久心下彷徨，这夜如何睡得着？李清在床上翻来覆去，自嗟自叹，悔道：“我怎么倒去抱怨仙长？他明明说我回去将何度日？教我取书一本，别做生理。又道是：我回去，就也未有饭吃，把两个煮熟的石子与我，岂不是预知已有今日了。”便去袖里把书一摸，且喜得尚在，只如今未有工夫去看。

待到天明，还了房钱，便遍著青州大街上都走转来，莫说众亲眷子孙没有一个，连那染坊铺面，也没一间留下的。只得陪个小心，逢人便问。岂知个个摇头，人人努嘴，都说道：“我们并不知道有甚李清，也并不曾见说云门山穴里有人下去得的。”只教李清茫然莫知所以。看看天晚，只得又向客店中安歇。到第二日，又向小巷儿里，东抄西转，也不曾遇着一个。但是问人，都与大街上说话一般，一发把李清弄呆了，想道：“我也怪前日出来的路径，有些差异，莫非这座青州城是新建的，不是我旧青州？故此没个熟人相遇。天下云门山只有一个，绝无两个。我何不出了南门，径到云门山上一看，若云门山无异，这便是我旧青州了，再慢慢的访问，好歹究出甚的缘故来。”忙忙的奔出南门，径往云门山去。

将至山顶，早见一座亭子，想道：“这路径明明是云门山的，几时有个亭子在这里？且待我看是甚么亭？”原来题着：“烂绳亭。开皇四年立。”李清道：“是了！昔日樵夫曾遇见仙人下棋，他看得一局棋完，不知已过了多少年岁，这斧柄坐在身下，已烂坏了，至今世人传说烂柯的故事。多分是我众子孙，道我将这麻绳吊下云门穴底，也去遇了神仙，把绳都烂掉在山上，故建立这座亭子，名为烂绳亭。无非要四方流传，做个美谈的意思。看他后面写着‘开皇四年立’，却不仍是今年的日月，怎么城里人家就是这等改换了？且再到上边去看。”只见当着穴口，竖个碑石，题道：“李清招魂处。”李清唬了一跳道：“我现今活活的在此，又不曾死，要招我的魂做甚么？”又想了一想道：“是了，是了！是我下到这般险处，提起竹篮上来，又不见了我，疑心道死了，故在此招我的魂回去。”又想一想道：“咦！莫非是我真个死了，今日是魂灵到此？”心下反彷徨起来，不能自决，想道：“既是招魂，必有个葬处；若是葬，必在祖茔左右，人家虽有改换之日，祖宗坟墓，却千年不改换的，何不再去祖坟上一看，或者倒有个明白。”

下了云门山，一径的转过东门，远远望见祖坟上，山势活似一条青龙，从天上飞将下来的。想起：“《葬经》上面有云：‘山如凤举，或似龙蟠，一千年后当出仙官。’看我祖坟上有这等风水，怎么刚出得我一个！才遇见仙人，又被赶逐回家，焉能勾升天日子？却不知这风水，毕竟应在那个身上？”

到了祖坟，不免拜了两拜。只见许多合抱的青松白杨，尽被人伐去，坟上的碑石，也有推倒的，也有打断的，全不似旧时模样，不胜凄感，叹道：“我家众子孙，真个都死断了，就没一个来到坟上照管？”单有一个碑，倒还是竖着的，碑上字迹，仿佛可认，乃是“故道士李清之墓”七个字。李清道：“既是招魂葬，无过把些衣冠埋在里面，料必是个空冢。只是碑石，已被苔藓驳蚀几尽，须不是开皇四年立的，可知我死已多时了。今日来家的，一定是我魂灵，故此幽明间隔，众亲眷子孙，都不得与我相见。不然，这上千上万的人，怎么就没一个在的？”那李清满肚子疑心：“只当青天白日，做梦一般。又不知是生，又不知是死，教我那里去问个明白？”

正在徬徨之际，忽听得隐隐的渔鼓简响，走去看时，却是东岳庙前一个瞎老儿，在那里唱道情，聚着人掠钱。方才想起：“临出山时，仙长传授我的偈语，第二句道：‘听简而问。’这个不是渔鼓简？我该问他的。且自站在一边，待众人散后，过去问他便了。”只见那瞎老儿，止掠得十来文钱，便没人肯出。内中一个道：“先生，你且说唱起来，待我们敛足与你。”瞽者道：“不成不成！我是个瞎子，倘说完了，都一溜走开，那里来寻讨？”众人道：“岂有此理！你是个残疾人，哄了你也不当人子。”那瞽者听信众人，遂敲动渔鼓简板，先念出四句诗来道：

暑往寒来春复秋，夕阳桥下水东流。
将军战马今何在？野草闲花满地愁。

念了这四句诗，次第敷衍正传，乃是“庄子叹骷髅”一段话文，又是道家故事，正合了李清之意。李清挤近一步，侧耳而听，只见那瞽者说一回，唱一回。正叹到骷髅皮生肉长，复命回阳，在地下直跳将起来。那些人也有笑的，也有嗟叹的。却好是个半本，瞽者就住了鼓简，待掠钱足了，方才又说。——此乃是说平话的常规。谁知众人听话时一团高兴，到出钱时，面面相觑，都不肯出手。又有身边没钱的，假意说几句冷话，佯佯的走开去了。刚刚又只掠得五文钱。那掠钱的人，心中焦躁，发起喉急，将众人乱骂。内中有一后生出尖揽事，就与那掠钱的争嚷起来。一递一句，你不谦，我不让，便要上交厮打，把前后掠的十五文钱，撒做一地。众人发声喊，都走了。有几个不走的，且去劝厮打，单撇着瞽者一人。

李清动了个恻隐之心，一头在地上捡起那十五文钱，交付与瞽者，一头口里叹道："世情如此硗薄，钱财恁般珍重！"瞽者接钱在手，闻其叹语，问道："你是兀谁？"李清道："老汉是问信的，你若晓得些根由，到送你几十文酒钱。"瞽者道："问甚么信？"李清道："这青州城内，有个做染匠的李家，你可晓得么？"瞽者道："在下正姓李，敢问老翁高姓大名？"李清道："我叫做李清，今年七十岁了。"瞽者笑道："你怎么欺我瞎子，就要讨我的便宜。我也不是个小伙子，年纪倒比你长些，今年七十六岁了。只我嫡堂的叔曾祖，叫做李清，你怎么也叫做李清？"李清见他说话有些来历，便改着口道："天下尽有同名同姓的，岂敢讨你的便宜？我且问你，那令曾叔祖，如今到那里去了？"

瞽者道："这说话长哩。直在隋文帝开皇四年，我那叔曾祖也是七十岁，要到云门山穴里，访甚么神仙洞府，备下了许多麻绳，一吊吊将下去。你道这个穴里，可是下去得的？自然死了。原来我家合族全仗他一个的福力。自他死后，家事都就零落；况又遭着兵火，遂把我合族子孙，都灭尽了，单留得我一个现世报，还在这里，却又无男无女，靠唱道情度日。"

李清暗忖道："原来错认我死在云门穴里了。"又问道："他吊下云门穴去，也只一年里面，怎么家事就这等零落得快？合族的人，也这等死灭得尽？"瞽者道："哎呀！敢是你老翁说梦哩。如今须不是开皇四年，是大唐朝高宗皇帝永徽五年了。隋文帝坐了二十四年天下，传与炀帝，也做了十四年，被宇文化及谋杀了，因此天下大乱。却是唐太宗打了天下，又让与父亲做皇帝，叫做高祖，坐了九年。太宗自家坐了二十三年。如今皇帝就是太宗的太子，又登基五年了。从开皇四年算起，共是七十二年。我那叔曾祖去世时节，我只有得五岁，如今现活七十六岁了，你还说道快哩。"

李清又道："闻得李家族里，有五六千丁，便隔得七十二年，也不该就都死灭，只剩得你一个。"瞽者道："老翁你怎知这个缘故？只因我族里人，都也有些本事，会光着手赚得钱的。不料隋炀帝死后，有个王世充造反，到我青州，看见我家族里人丁精壮，尽皆拿去当军。那王世充又十分不济，屡战屡败，遂把手下军马，都消折了。我那时若不亏着是个带残疾的，也留不到今日。”李清听了这一篇说话，如梦初觉，如醉方醒，把一肚子疑心，才得明白。身边只有三四十文钱，尽数送与瞽者，也不与他说明这些缘故，便作别转身，再进青州城来。

一路想道：“古诗有云：‘山中方七日，世上已千年。’果然有这等异事！我从开皇四年，吊下云门穴去，往还能得几日，岂知又是唐高宗永徽五年，相隔七十二年了。人世光阴，这样容易过的！若是我在里面多住几时，却不连这青州城也没有了。如今我的子孙已都做故人，自己住的高房大屋，又皆属了别姓，这也不必说起。只是我身边没有半分钱钞，眼前又别无熟识，可以挪借，教我把甚么度日？左右也是个死，那仙长何苦定要赶我回来怎的？”叹了几声，想了一会，猛然省道：“我李清这般懵懂，怎么思量还要做仙哩？我临出门时，仙长明明说我回家来，怕没饭吃，曾教我到他书架上拿本书去，如今现在袖里，何不取出书来，看道另做甚么生意？”

你道这本书，是甚么书？原来是本医书，专治小儿的病症，也不多几个方子在上面。那李清看见，方才悟道：“仙长曾对我说，此去不消七十多年，依旧容我来到那里。我想这七十年，非比云门穴底下，须在人世上好几时，不是容易过的。况我老人家，从来药材行里，不曾着脚，怎便莽莽广广的要去行医！且又没些本钱置办药料；不如到药铺里寻个老成人，与他商量，好做理会。”刚刚走得三百馀步，就有一个白粉招牌，上写着道：“积祖金铺出卖川广道地生熟药材。”

当下李清看见，便大喜道：“仙长传授我的第三句偈语，说道：‘傍金而居。’这不是姓金的了？世称神仙未卜先知，岂不信哉！岂不信哉！”只见铺中坐的，还不上二十多岁，叫做金大郎。李清连忙向前，与他唱个喏，问道：“你这药材，还是现卖，也肯赊卖？”金大郎道：“别人家买药的，都要现钱才卖；只有行医开铺的，是长久主顾，但要药料，只上个帐簿取去，或一季或一月一算，总数还钱，叫做半赊半现。”李清便扯个谎道：“我原是个幼科医人，一向背着包沿村走的，如今年纪老了，也要开个铺面，坐地行医，不知那里有空房，可以赁住？乞赐指引，也好与贵铺做个主顾。”金大郎道：“就是我家隔壁，有一间空房，不见门上贴着‘招赁’两字么？只怕窄狭，不勾居住。”李清道：“我老身别无家小，便一间也尽勾了。只是铺前须要竖面招牌，铺内须要药箱药刀，各色家伙，方才像个行医的。这几件，都在那里去置办？不知可也赊得否？”金大郎道：“我铺里尽有现成馀下的在此，我一发都借了你去。待生意兴旺时，连那药帐，一总算还与我，岂不两得其便？”

那李清亏得金大郎一力周旋，就在他药铺间壁住下，想起：“当初在云门山上，与亲族告别之时，曾有诗云：‘翻笑壶公曾得道，犹烦市上有悬壶。'不意今日回来，又要行医，却不应了两句谶语。"遂在门前，横吊起一面小牌，写着"悬壶处"三个字。直竖起一面大牌，写着"李氏专医小儿疑难杂症"十个字。铺内一应什物家伙，无不完备。真个装一佛像一佛，自然像个专门的太医起来。

恰好这一年青州城里，不论大小人家，都害时行天气，叫做小儿瘟，但沾着的便死。那幼科就没请处，连大方脉的，也请了去。岂知这病，偏生利害，随你有名先生下的药，只当投在水里，眼睁睁都看他死了。只有李清这老儿古怪，不消自到病人家里切脉看病，只要说个症候，怎生模样，便信手撮上一帖药，也不论这药料，有贵有贱，也不论见效不见效，但是一帖，要一百个钱。若讨他两帖的，便道："我的药，怎么还用两帖？"情愿退还了钱，连这一帖也不发了。那讨药的人，都也半信半不信，无奈病势危急，只得也赎一帖，回去吃看。

你道有这等妙药？才到得小儿口里，病就好一半，一咽咽下肚里去，便全然好了。还有拿得药回去，小儿已是死了的，但要煎的药香，冲在那小儿鼻孔内，就醒将转来。这名头就满城传遍，都称他做李一帖。

从此后，也不知医好了多少小儿，也不知赚过了多少钱钞。我想李清是个单身子，日逐用度有限，除算还了房钱药钱，和那什物家伙钱以外，赢馀的难道似平时积攒生日礼一般，都烂掉在家里？毕竟有个来处，也有个去处。原来李清这一次回来，大不似当初性子，有积无散。除还了金大郎铺内赊下各色家伙，并生熟药料的钱，其馀只勾了日逐用度，尽数将来赈济贫乏，略不留难。这叫做广行方便，无量功德。以此声名，越加传播。莫说青州一郡，遍齐鲁地方，但是要做医的，闻得李一帖名头，那一个不来拜从门下，希图学些方术！只见李清再不看甚医书，又不亲到病人家里诊脉，凡遇讨药人来，收了铜钱便撮，止一帖药，又不多几样药味。也有说来病症是一样的，倒与他各样的药；也有说来病症是各样的，倒与他一样药。但见拿药去吃的，无有不效。众皆茫然，莫测其故，只得觅个空间，小心请教。李清道："你等疑我不曾看脉，就要下药。不知医道中，本以望闻问切，目为神圣工巧，可见看脉是医家第四等，不是上等。况小儿科与大方脉不同，他气血未全，有何脉息，可以看得？总之，医者，意也。无过要心下明，指下明，把一个意思揣摩将去。怎么靠得死方子，就好疗病？你等但看我的下药，便当想我所以下药的意思。那《大观本草》这部书，却不出在我山东的，你等熟读本草，先知了药性，才好用药。上者要看本年是甚司天，就与他分个温凉；二者看害病的是那地方人，或近山或近水，就与他分个燥湿；三者看是甚等样人家，富贵的人，多分柔脆，贫贱的人，多分坚强，就与他分个消补。细细的问了症候，该用何等药味，然后出些巧思，按着君臣佐使，加减成方，自然药与病合，病随药去。所以古人将用药比之用兵，全在用得药当，不在药多。赵括徒读父书，终致败灭，此其鉴也！”众等皆拜谢教而退。岂知李清身边，自有薄薄的一本仙书，怎肯轻易泄漏？正是：

小儿有命终须救，老子无书把甚看。

李清自唐高宗永徽五年，行医开铺起，真个光阴迅速，不觉过了第六年，又是显庆五年，龙朔三年，麟德二年，乾封二年，总章二年，咸亨四年，上元二年，仪凤三年，调露一年，永隆一年，开耀一年，一总共是二十七年了。这一年却是永淳元年，忽然有个诏书下来，说御驾亲幸泰山，要修汉武帝封禅的故事。你道如何叫做封禅？只为天下五座名山，称为五岳。五岳之中无如泰山，尤为灵秀，上通于天，云雨皆从此出。故有得道的皇帝，遇着天下太平，风调雨顺，亲到泰山顶上，祭祀岳神，刻下一篇纪功德的颂，告成天地。那碑上刻的字，都是赤金填的，叫做金书。碑外又有个白玉石的套子，叫做玉检。最是朝廷盛举。那天帝是不好欺的，颂上略有些不实，便起怪风暴雨，不能终事。这也不是汉武帝一个创起的，直从大禹以前，就有七十九代，都曾封禅。后来只有秦始皇和汉武帝两个，这怎叫得有道之君？无非要粉饰太平，侈人观听。毕竟秦始皇遇着大雨，只得躲避松树底下；汉武帝下山，也被伤了左足。故此武帝之后，再没有敢去封禅的。那唐高宗这次诏书，已是第三次了。青州地方，正是上泰山的必由去处，刺史官接了诏，不免点起排门夫，填街砌路，迎候圣驾。那李清既有铺面，便也编在人夫数内，催去着役。

其时青州自有了李清行医，羞得那幼科先生，都关了铺门，再没个敢出头的。若教他去做夫砌路，万一小儿们有个急病，一时怎么就请得他到，讨得药吃？因此合郡的人，都到州里去替他禀脱。少不得推几个能言会语的做头，向前禀道：“现今行医的李清已是九十七岁近百的人，有甚么气力当夫？我们情愿替他出钱，另雇精壮少年应役，仍留他在铺里，也好保全我一州的小儿性命。”原来李清开铺这一年，依还说是七十岁，因此人只认他九十七岁，那知他已是一百六十八岁了。从来律上凡七十以上的，即系是年老，准免差役。所以合郡的人，借这个名色，要与他雇工替役，仍留他在铺行医。

岂知州刺史是岭南人，他那地方，最是信巫不信医的，说道：“虽然李清已有九十七岁，想他筋力强健，尽好做工，怎么手里撮得药，偏修不得路？不见姜太公八十二岁，还要辅佐周武王，兴兵上阵。既做了朝廷的百姓，死也则索要做，躲避到那里去？总便他会医小儿，难道偌大一坐青州，只有他幼科一个？查他开铺以来，只得二十七年，以前的青州人家小儿，也不曾见都死绝了。怎么独独除下他一个名字，何以服众？”随他合郡的人，再三苦禀，只是不听。急得那许多人，就没个处置。都走到李清铺前商议，要央个紧要的分上，再去与州官说。李清道：“多谢列位盛情！以我老朽看来，到不去说也罢。你道一些小事有何难，听那州官这等拘执，无过虑着圣驾亲来，非寻常上司之比。少有不当，便是砍头的罪过。故此只要正身著役，恐怕雇工的做出事来，以后不好查究。做官的肚肠，大概如此，断然不肯再听人说。但我揣度事势，这诏书也多分要停止的。在麟德二年一次，调露元年又一次。如今却是第三次。既是前两次不来，难道这一次又来得成？包你五日里面，就有决裂。不若且放下胆，凭他怎生样差拨便了！”

众人听了这篇说话，都怪道：“眼见得州里早晚就要佥了牌，分了路数，押夫着役，如火急一般，那老儿倒说得冰也似冷。若是诏书一日不停止，怕你一日不做夫！我们倒思量与他央个分上，保求顶替，他偏生自要去当。想是在铺里收钱不迭，只要到州里来领他二分一日的工食哩。”都冷笑一声，各自散去。岂知高宗皇帝这一次，已是决意要到泰山封禅，诏下礼部官，草定了一应仪注，只待择个黄道吉日，御驾启行；忽然患了个痿痹的症候，两只脚都站不起来，怎么还去行得这等大礼？因此青州上司，隔不得三日之内，移文下来，将前诏停止。那合郡的人，方信李清神见，越加叹服。

原来山东地面，方术之士最多，自秦始皇好道，遣徐福载了五百个童男童女到蓬莱山，采不死之药。那徐福就是齐人。后来汉武帝也好道，拜李少君为文成将军，栾大为五利将军，日逐在通天台、竹宫、桂馆，祈求神仙下降。那少君、栾大也是齐人。所以世代相传，常有此辈。一向看见李清自七十岁开医铺起，过了二十七年，已是近百的人，再不见他添了一些儿老态，反觉得精神颜色，越越强壮，都猜是有内养的。如今又见他预知过往未来之事，一定是得道之人，与董奉、韩康一般，隐名卖药。因此那些方士，纷纷然都来拜从门下，参玄访道，希图窥他底蕴。屡屡叩问李清，求传大道。李清只推着老朽，元没甚知觉，唯有三十岁起，便绝了欲，万事都不营心，图个静养而已，所以一向没病没痛，或者在此。

方士们疑他隐讳，不肯轻泄，却又问道：“寿便养得，那过去未来之事，须不是容易晓得的。不知老师有何法术，就预期五日内当有停止诏书消息？”李清道：“我那里真是活神仙，能未卜先知的人？岂不知孔夫子萍实商羊故事！只是平日里，听得童谣，揣度将去，偶然符合。盖因童谣出于无心，最是天地间一点灵机，所以有心的试他，无有不验。我从永徽五年，在此开医铺起，听见龙朔年间，就有个童谣，料你等也该记得的。那童谣上说道：

上泰山高，高几层？不怕上不得，倒怕不得登。三度征兵马，旁道打腾腾。三度去，登不得。

果然前两度已验，故知今次断无登理。大抵老人家闻见多，经验多，也无过因此识彼，难道有甚的法术不成！”这方士们见他不肯说，又常是收钱撮药，忙忙的没个闲暇，还有那伙要赈济的来打搅，以此渐渐的也散去了。

明年高宗皇帝晏驾，却是武则天皇后临朝，坐了二十一年，才是太子中宗皇帝，坐了六年，又被韦皇后谋乱，却是睿宗皇帝除了韦后，也坐了六年，传位玄宗皇帝，初年叫做开元，不觉又过了九年，总共四十三年。满青州城都晓得李清已是一百四十岁。一来见他医药神效如旧，二来容颜不老，也如旧日，虽或不是得道神仙，也是个高年人瑞。因此学医的，学道的，还有真实信他的，只在门下不肯散去。正是：

神仙原在阎浮界，骨肉还须夙世成。

话分两头，却说玄宗天子，也志慕神仙，尊崇道教，拜着两个天师，一个叶法善，一个邢和璞，皆是得道的，专为天子访求异人，传授玄素赤黄，及还婴泝流之事。这一年却是开元九年，邢、叶二天师奏道："现有三个真仙在世。一个叫做张果，是恒州条山人；一个叫做罗公远，是鄂州人；一个叫做李清，是北海人。虽然在烟霞之外，无意世上荣华，若是朝廷虔心遣使聘他，或者肯降体而来，也未可知。"因此玄宗天子，差中书舍人徐峤去聘张果，太常博士崔仲芳去聘罗公远，通事舍人裴晤聘李清。三个使臣辞朝别圣，捧着玺书，各自去征聘不题。

原来李清尘世限满，功行已圆，自然神性灵通，早已知裴舍人早晚将到，省起昔日仙长分付的偈语："第四句说道：'先裴而遁。'这个'遁'字，是逃遁之遁，难道叫我逃走不成？明明是该尸解去了。"你道怎么叫做尸解？从来仙家成道之日，少不得要离人世，有一样白日飞升的谓之羽化，有一样也似世人一般死了的，只是棺中到底没有尸骸，这为之尸解。惟有尸解这门，最是不同。随他五行，皆可解去。以此世人都有不知道他是神仙的。

且说李清一个早起，教门生等休挂牌面，说道："我今日不卖药了，只在午时，就要与汝等告别。"众门生齐吃一惊，道："师父好端端的，如何说出这般没正经话来？况弟子辈久侍门下，都不曾传授得师父一毫心法，怎的就去了？还是再留几时，把玄妙与弟子们细讲一讲，那时师父总然仙去，道统流传，使后世也知师父是个有道之人。"李清笑道："我也没甚玄秘可传，也不必后人晓得。今大限已至，岂可强留？只是隔壁金大郎，又不在此，可烦汝等为我买具现成棺木，待我气绝之后，即便下棺，把钉钉上，切不可停到明日。我铺里一应家伙什物，都将来送与金大郎，也见得我与他七十年老邻老舍，做主顾的意思。"众门生一一领命，流水去买办棺木等件，顷刻都完。那金大郎也年八十九岁了，筋骨亦甚强健，步履如飞，挣了老大家业，儿孙满堂，人都叫他是金阿公。只有李清还在少年时看他老起来的，所以原呼他为大郎。那日起五更往乡间去了，所以不在。

李清到了午时，香汤沐浴，换了新衣，走入房中。那些门生，都紧紧跟着。李清道："你们且到门首去，待我静坐片时，将心境清一清，庶使临期不乱。"问："金大郎回了，请来面别，也不枉一向相处之情。"众门生依言，齐走出门，就问金大郎，却还未回。隔了片时，进房观看李清，已是死了。众门生中，也有相从久的，一般痛哭流涕；也有不长俊的，只顾东寻西觅，搜索财物。乱了一回，依他分付，即便入棺。原来这尸，也有好些异处。但见他一双手，两只脚，都交在胸前，如龙蟠一般。怎好便放下去？待要与他扯一扯直，岂知是个僵尸，就如一块生铁打成，动也动不得。只得将就抬入棺中，钉上材盖，停在铺里。李清是久名向知的，顷刻便传遍了半个青州城，主顾人家都来吊探。众门生迎来送往，一个个弄得口苦舌干，腰驼背曲。有诗为证：

百年踪迹混风尘，一旦辞归御白云。
羽盖霓旌何处在，空留药臼付门人。

却说通事舍人裴晤，一路乘传而来，早到青州境上。那刺史官已是知得，帅着合郡父老，香烛迎接。直到州堂开读诏书，却是征聘仙人李清。刺史官茫然无知，遂问众父老。父老们禀道："青州地方，但有个行小儿科的李清，他今年一百四十岁，昨日午时，无病而死，此外并不曾闻有甚仙人李清在那里。"裴舍人见说，倒吃了一惊，叹道："下官受了多少跋涉，赍诏到此，正聘行医的仙人李清，指望敦请得入朝，也叫做不辱君命。偏生不凑巧，刚刚的不先不后，昨日死了，连面也不曾得见。这等无缘，岂不可惜！我想汉武帝时，曾闻得有人修得神仙不死之药，特差中大夫去求他药方，这中大夫也是未到前，适值那人死了。武帝怪他去迟，不曾求得药方，要杀这大夫。亏着东方朔谏道：'那人既有不死之药，定然自己吃过，不该死了；既死了，药便不验，要这方也没用。'武帝方悟。今幸我天子神明，胜于汉武，纵无东方朔之谏，必不至有中大夫之恐。但邢、叶二天师既称他是仙人，自当后天不老，怎么会死？若果死，就不是仙人了。虽然如此，一百四十岁的人，无病而死，便不是仙人，却也难得。"即便分付州官，取左右邻不扶结状，见得李清平日有何行谊，怎地修行的，于某年月某日时，已经身死，方好覆命。

刺史不敢怠慢，即唤李清左近邻佑，责令具结前来，好送天使起身。那些邻舍领命出去，内中一个道："我们尽是后生，不晓得他当初来历详细，如何具结？闻说止有金阿公是他起头相处的，必然知他始末根由。昨日往乡间去了，少不得只在今日明早便归，待他斟酌写一张同去呈递，也好回答。"

众人齐称有理，同回家去。恰好金老儿从乡间归来，一个人背着一大包草头跟着，劈面遇见。众人迎住道："好了，金阿公回也！你昨日不到乡间去，也好与你老友李太医作别。"金老儿道："他往那里去，要作别？"众人道：他昨日午时，已辞世了。"金老儿道："罪过，罪过！我昨日在南门遇见的，怎说恁样话咒他？”众人反吃一惊道：“死也死了，怎么你又看见？想是他的魂灵了。”金老儿也惊道：“不信有这等奇事！”也不回家，一径奔到李清铺里，只见摆着灵柩，众门生一片都带着白，好些人在那里吊问。金老儿只管摇首道：“怪哉！怪哉！”众门生向前道：“我师父昨日午时归天了，因为你老人家不在，这灵柩还停在此。”又递过一张单来，道铺内一应什物家伙，遗命送与你做遗念的。金老儿接了单，也不观看，只叫道：“难道真个死了！我却不信。”众邻舍问道：“金阿公，你且说昨日怎的看见他来？”

金老儿道：“昨日我出门虽早，未出南门，就遇了一个亲戚，苦留回去吃饭，直弄到将晚，方才别得。走到云门山下，已是午牌时分。因见了几种好草药，方在那里收采，撞见一个青衣童子，捧个香炉前走，我也不在其意。不上六七十步，便是你师父来，不知何故，左脚穿着鞋子，右脚却是赤的。我问他到那里去？他说道：‘我因云门山上烂绳亭子里，有九位师父师兄，专等我说话，还有好几日，未得回来哩。’他又在袖里取出一封书，一个锦囊，囊里像是个如意一般，递与我，教带到州里；好好的送甚裴舍人，不要误了他事。即今书与锦囊现在我处，如何却是死了？”便向袖中摸出来看。

众门生起初疑心金老捣鬼，还不肯信，直待见了所寄东西，方才信道：“且莫论午时不午时，只是我师父，从不见出铺门，怎有这东西寄送？岂不古怪！”众邻舍也道：“真也是希见的事！他已死了，如何又会寄东西？却又先晓得裴舍人来聘他，便做道魂灵出现，也没恁般显然！一定是真仙了。”金老儿问道：“什么裴舍人聘他？”众邻舍将朝廷差裴舍人征聘，州官知得已死，着令结状之事说出。金老儿道：“原来如此。如今他既有信物，何必又要结状？我同你们去叩见州官，转达天使。”众人依着金老儿说话，一齐跟来。

金老儿持了书与锦囊，直至州中，将李清昨日遇见寄书的话禀知。州官也道奇异，即带一干人同去回覆天使。那裴舍人正道此行没趣，连催州里结状，就要起身。只见州官引众人捧着书礼，禀是李清昨日午时，转托邻佑金老儿送上天使的，请自启看。裴舍人就教拆开书来，却是一通谢表。表上说道：

> 陛下玉书金格，已简于九清矣。真人降化，保世安民，但当法唐虞之无为，守文景之俭约。恭候运数之极，便登蓬阆之庭。何必木食草衣，刳心灭智，与区区山泽之流，学习方术者哉！无论臣初窥大道，尚未证入仙班；即张果仙尊、罗公远道友，亦将告还方外，皆不能久侍清朝，而共佐至理者也。昔秦始皇远聘安期生于东海之上，安期不赴，因附使者回献赤玉舄一双。臣虽不才，敢忘答效？谨以绿玉如意一枚，聊布鄙忱，愿陛下鉴纳。

裴舍人看罢，不胜叹异，说道：“我闻神仙不死，死者必尸解也。何不启他棺看？若果系空的，定为神仙无疑。却不我回朝去，好覆圣上，连众等亦解了无穷之惑？”合州官民皆以为然。即便同赴铺中，将棺盖打开看时，棺中止有青竹杖一根，鞋一只，竟不知昨日尸首在那里去了？倒是不开看也罢，既是开看之后，更加奇异：但见一道青烟，冲天而起，连那一具棺木，都飞向空中，杳无踪影。唯闻得五样香气，遍满青州，约莫三百里内外，无不触鼻。裴舍人和合州官民，尽皆望空礼拜。少不得将谢表锦囊，好好封裹，送天使还朝去讫。到得明年，普天下疫疠大作，只有青州但闻的这香气的，便不沾染，方知李清死后，为着故里，犹留下这段功果。至今云门山上立祠，春秋祭祀不绝。诗云：

观棋曾说烂柯亭，今日云门见烂绳。
尘世百年如旦暮，痴人犹把利名争。

第三十九卷
汪大尹火焚宝莲寺

削发披缁修道，烧香礼佛心虔。不宜潜地去胡缠，致使清名有玷。　念佛持斋把素，看经打坐参禅。逍遥散诞胜神仙，万贯腰缠不羡。

话说昔日杭州金山寺，有一僧人，法名至慧，从幼出家，积资富裕。一日在街坊上行走，遇着了一个美貌妇人，不觉神魂荡漾，遍体酥麻，恨不得就抱过来，一口水咽下肚去。走过了十来家门面，尚回头观望，心内想道：“这妇人不知是甚样人家？却生得如此美貌！若得与他同睡一夜，就死甘心！”

又想道：“我和尚一般是父娘生长，怎地剃掉了这几茎头发，便不许亲近妇人？我想当初佛爷，也是扯淡，你要成佛作祖，止戒自己罢了，却又立下这个规矩，连后世的人都戒起来。我们是个凡夫，那里打熬得过！又可恨昔日置律法的官员，你们做官的出乘骏马，入罗红颜，何等受用！也该体恤下人，积点阴骘，偏生与和尚做尽对头，设立恁样不通理的律令！如何和尚犯奸，便要责杖？难道和尚不是人身？就是修行一事，也出于各人本心，岂是捉缚加拷得的！”又归怨父母道：“当时既是难养，索性死了，倒也干净！何苦送来做了一家货，今日教我寸步难行。恨着这口怨气，不如还了俗去，娶个老婆，生男育女，也得夫妻团聚。”又想起做和尚的不耕而食，不织而衣，住下高堂精舍，烧香吃茶，恁般受用，放掉不下。

一路胡思乱想，行一步，懒一步，慢腾腾的荡至寺中，昏昏闷坐，未到晚便去睡卧。心上记挂这美貌妇人，难得到手，长吁短叹，怎能合眼，想了一回，又叹口气道："不知这佳人姓名居止，我却在此痴想，可不是个呆子！"又想道："不难，不难，女娘弓鞋小脚，料来行不得远路，定然只在近处。拼几日工夫，到那答地方，寻访消息。或者姻缘有分，再得相遇，也未可知。那时暗地随去，认了住处，寻个熟脚，务要弄他到手。"

算计已定，盼望天明，起身洗盥，取出一件新做的细绢褊衫，并着干鞋净袜，打扮得轻轻薄薄，走出房门，正打从观音殿前经过，暗道："我且问问菩萨，此去可能得遇。"遂双膝跪到，拜了两拜。向桌上拿过签筒，摇了两三摇，扑的跳出一根，取起看时，乃是第十八签，注着上上二字。记得这四句签诀云：

天生与汝有姻缘，今日相逢岂偶然。

莫惜勤劳问贪懒，管教目下胜从前。

求了这签，喜出望外，道："据这签诀上，明明说只在早晚相遇，不可错过机会。"又拜了两拜，放下签筒，急急到所遇之处，见一妇人，冉冉而来。仔细一觑，正是昨日的欢喜冤家，身伴并无一人跟随。这时又惊又喜，想道菩萨的签，果然灵验。此番必定有些好处，紧紧的跟在后边。那妇人向着侧边一个门面，揭起斑竹帘儿，跨脚入去，却又掉转头，对他嘻嘻的微笑，把手相招。这和尚一发魂飞天外，喜之不胜。用目四望，更无一人往来，慌忙也揭起帘儿径钻进去问讯。那妇人也不还礼，绰起袖子望头上一扑，把僧帽打下地来，又赶上一步，举起尖翘翘小脚儿一踢，谷碌碌直滚开在半边，口里格格的冷笑。这和尚惟觉得麝兰扑鼻，说道："娘子休得取笑！"拾取帽子戴好。

那妇人道："你这和尚，青天白日，到我家来做甚？"至慧道："多感娘子错爱，见招至此，怎说这话！"此时色胆如天，也不管他肯不肯，向前搂抱，将衣服乱扯。那妇人笑道："你这贼秃！真是不见妇人面的，怎的就恁般粗卤！且随我进来。"湾湾曲曲，引入房中。彼此解衣，抱向一张榻上行事。刚刚肤肉相凑，只见一个大汉，手提钢斧，抢入房来，喝道："你是何处秃驴？敢至此奸骗良家妇女！"唬得至慧战做一团，跪到在地下道："是小僧有罪了！望看佛爷面上，乞饶狗命，回寺去诵十部《法华经》，保佑施主福寿绵长。"这大汉那里肯听，照顶门一斧，砍翻在地。你道被这一斧，还是死也不死？原来想极成梦，并非实境。那和尚撒然惊觉，想起梦中被杀光景，好生害怕，乃道："偷情路险，莫去惹他，不如本分还俗，倒得安稳。"自此即蓄发娶妻，不上三年，痨瘵而死。离寺之日，曾作诗云：

少年不肯戴儒冠，强把身心赴戒坛。

雪夜孤眠双足冷，霜天剃发髑髅寒。

朱楼美女应无分，红粉佳人不许看。

死后定为惆怅鬼，西天依旧黑漫漫。

适来说这至慧和尚，虽然破戒还俗，也还算做完名全节。如今说一件故事，也是佛门弟子，只为不守清规，弄出一场大事，带累佛面无光，山门失色。这话文出在何处？出在广西南宁府永淳县，在城有个宝莲寺。这寺还是元时所建，累世相传，房廊屋舍，数百多间，田地也有上千馀亩。钱粮广盛，衣食丰富，是个有名的古刹。本寺住持，法名佛显，以下僧众，约有百馀，一个个都分派得有职掌。凡到寺中游玩的，便有个僧人来相迎，先请至净室中献茶，然后陪侍遍寺随喜一过，又摆设茶食果品，相待十分尽礼。虽则来者必留，其中原分等则，若遇官宦富豪，另有一般延款，这也不必细说。

大凡僧家的东西，赛过吕太后的筵宴，不是轻易吃得的！却是为何？那和尚们，名虽出家，利心比俗人更狠。这几瓯清茶，几碟果品，便是钓鱼的香饵，不管贫富，就送过一个疏簿，募化钱粮。不是托言塑佛妆金，定是说重修殿宇；再没话讲，便把佛前香灯油为名。若遇着肯舍的，便道是可扰之家，面前千般谄谀，不时去说骗；设遇着不肯舍的，就道是鄙吝之徒，背后百样诋毁，走过去还要唾几口涎沫。所以僧家再无个餍足之期。又有一等人，自己亲族贫乏，尚不肯周济分文，到得此辈募缘，偏肯整几两价布施，岂不是舍本从末的痴汉！有诗为证：

人面不看看佛面，平人不施施僧人。

若念慈悲分缓急，不如济苦与怜贫。

惟有宝莲寺与他处不同，时常建造殿宇楼阁，并不启口向人募化。为此远近士庶，都道此寺和尚善良，分外敬重，反肯施舍，比募缘的，倒胜数倍。况兼本寺相传有个子孙堂，极是灵应，若去烧香求嗣的，真个祈男得男，祈女得女。你道是怎地样这般灵感？原来子孙堂两旁，各设下净室十数间，中设床帐，凡祈嗣的，须要壮年无病的妇女，斋戒七日，亲到寺中拜祷，向佛讨筶。如讨得圣筶，就宿于净室中一宵，每房只宿一人。若讨不得圣筶，便是举念不诚，和尚替他忏悔一番，又斋戒七日，再来祈祷。那净室中四面严密，无一毫隙缝，先教其家夫男仆从，周遭点检一过。任凭拣择停当，至晚送妇女进房安歇，亲人仆从睡在门外看守。为此并无疑惑。

那妇女回去，果然便能怀孕，生下男女，且又魁伟肥大，疾病不生。因有这些效验，不论士宦民庶眷属，无有不到子孙堂求嗣，就是邻邦隔县闻知，也都来祈祷。这寺中每日人山人海，好不热闹，布施的财物不计其数。

有人问那妇女，当夜菩萨有甚显应。也有说梦佛送子的，也有说梦罗汉来睡的，也有推托没有梦的，也有羞涩不肯说的，也有祈后再不往的，也有四时不常去的。你且想：佛菩萨昔日自己修行，尚然割恩断爱，怎肯管民间情欲之事，夜夜到这寺里，托梦送子？可不是个乱话！只为这地方，原是信巫不信医的，故此因邪入邪，认以为真，迷而不悟，白白里送妻女到寺，与这班贼秃受用。正是：

分明断肠草，错认活人丹。

原来这寺中僧人，外貌假作谦恭之态，却倒十分贪淫奸恶。那净室虽然紧密，俱有暗道可入，俟至钟声定后，妇女睡熟，便来奸宿。那妇女醒觉时，已被轻薄，欲待声张，又恐反坏名头，只有忍羞而就。一则妇女身无疾病，且又斋戒神清；二则僧人少年精壮，又重价修合种子丸药，送与本妇吞服，故此多有胎孕，十发九中。那妇女中识廉耻的，好似哑子吃黄连，苦在心头，不敢告诉丈夫。有那一等无耻淫荡的，倒借此为繇，不时取乐。如此浸淫，不知年代。

也是那班贼秃恶贯已盈，天遣一位官人前来。那官人是谁？就是本县新任大尹，姓汪名旦，祖贯福建泉州晋江县人氏，少年科第，极是聪察。晓得此地夷汉杂居，土俗慓悍，最为难治。莅任之后，摘伏发隐，不畏豪横，不上半年，治得县中奸宄敛迹，盗贼潜踪，人民悦服。访得宝莲寺，有祈嗣灵应之事，心内不信。想道："既是菩萨有灵，只消祈祷，何必又要妇女在寺宿歇，其中定有情弊。但未见实迹，不好轻举妄动，须到寺亲验一番，然后相机而行。"择了九月朔日，特至宝莲寺行香。一行人从簇拥到寺前。汪大尹观看那寺周围，都是粉墙包裹，墙边种植高槐古柳，血红的一座朱漆门楼，上悬金书扁额，题着"宝莲禅寺"四个大字。山门对过，乃是一带照墙，傍墙停下许多空轿。山门内外，烧香的往来挤拥，看见大尹到来，四散走去。那些轿夫，也都手忙脚乱，将轿抬开。

汪大尹分付左右，莫要惊动他们。住持僧闻知本县大爷亲来行香，撞起钟鼓，唤齐僧众，齐到山门口跪接。汪大尹直至大雄宝殿，方才下轿。汪大尹看那寺院，果然造得齐整，但见：

层层楼阁，叠叠廊房。大雄殿外，彩云缭绕罩朱扉；接众堂前，瑞气氤氲笼碧瓦。老桧修篁，掩映画梁雕栋；苍松古柏，荫遮曲槛回栏。果然净土人间少，天下名山僧占多。

汪大尹向佛前拈香礼拜，暗暗祷告，要究求嗣弊窦。拜罢，佛显率众僧向前叩见，请入方丈坐下。献茶已毕，汪大尹向佛显道："闻得你合寺僧人，焚修勤谨，戒行精严，都亏你主持之功。可将年贯开来，待我申报上司，请给度牒与你，就署为本县僧官，永持此寺。"佛显闻言，喜出意外，叩头称谢。汪大尹又道："还闻得你寺中祈嗣，最是灵感，可有这事么？"佛显禀道："本寺有个子孙堂，果然显应的！"汪大尹道："祈嗣的可要做甚斋醮？"佛显道："并不要设斋诵经，止要求嗣妇女，身无疾病，举念虔诚，斋戒七日，在佛前祷祝，讨得圣筈，就旁边净室中安歇，祈得有梦，便能生子。"汪大尹道："妇女家在僧寺安歇，只怕不便。"佛显道："这净室中，四围紧密，一女一室，门外就是本家亲人守护，并不许一个闲杂人往来，原是稳便的！"汪大尹道："原来如此。我也还无子嗣，但夫人不好来得。"佛显道："老爷若要求嗣，只消亲自拈香祈祷，夫人在衙斋戒，也能灵验。"汪大尹道："民俗都要在寺安歇，方才有效，怎地夫人不来也能灵验？"佛显道："老爷乃万民之主，况又护持佛法，一念之诚，便与天地感通，岂是常人可比！"

你道佛显为何不要夫人前来？俗语道得好："贼人心虚。"他做了这般勾当，恐夫人来时，随从众多，看出破绽，故此阻当。谁知这大尹也是一片假情，探他的口气，当下汪大尹道："也说得是。待我另日竭诚来拜，且先去游玩一番。"即起身教佛显引导，从大殿旁穿过，便是子孙堂。那些烧香男女，听说知县进来，四散潜躲不迭。汪大尹看这子孙堂，也是三间大殿，雕梁绣柱，画栋飞甍，金碧耀目。正中间一座神厨，内供养着一尊女神，珠冠璎珞，绣袍彩帔，手内抱着一个孩子，旁边又站四五个男女。这神道便叫做子孙娘娘。神厨上黄罗绣幔，两下银钩挂开，舍下的神鞋，五色相兼，约有数百馀双。绣旛宝盖，重重叠叠，不知其数。架上画烛火光，照彻上下。炉内香烟喷薄，贯满殿庭。左边供的是送子张仙，右边便是延寿星官。汪大尹向佛前作个揖，四下闲走一回，又教佛显引去观宿歇妇女的净室。原来那房子是逐间隔断，上面天花顶板，下边尽铺地平，中间床帏桌椅，摆设得甚是济楚。汪大尹四遭细细看觑，真个无丝毫隙缝。就是鼠虫蚂蚁，无处可匿。汪大尹寻不出破绽，原转出大殿上轿，佛显又率众僧到山门外跪送。

汪大尹在轿上一路沉吟道："看这净室，周回严密，不像个有情弊的。但一块泥塑木雕的神道，怎地如此灵感？莫不有甚邪神，托名诳惑？"左想右算，忽地想出一个计策，回至县中，唤过一个令史，分付道："你悄地去唤两名妓女，假妆做家眷，今晚送至宝莲寺宿歇。预备下朱墨汁两碗，夜间若有人来奸宿，暗涂其头，明早我亲至寺中查勘。切不可走漏消息！"令史领了言语，即去接了两个相熟表子来家，唤做张媚姐、李婉儿。令史将前事说与，两个妓女，见说县主所差，怎敢不依？挨到傍晚，妓女妆束做良家模样，顾下两乘轿子，仆从扛抬铺盖，把朱墨汁藏在一个盒子中，跟随于后，一齐至宝莲寺内。令史拣了两间净室，安顿停当，留下家人，自去回覆县主。不一时，和尚教小沙弥来掌灯送茶。是晚祈嗣的妇女，共有十数馀人，那个来查考这两个妓女是不曾烧香讨筈过的？须臾间，钟鸣鼓响，已是起更时分，众妇女尽皆入寝。亲戚人等，各在门外看守，和尚也自关闭门户进去，不题。

且说张媚姐掩上门儿，将银硃碗放在枕边，把灯挑得明亮，解衣上床，心中有事，不敢睡着，不时向帐外观望。约莫一更天气，四下人声静悄，忽听得床前地平下，格格的响，还道是鼠虫作耗，抬头看时，见一扇地平板，渐渐推过在一边，地下钻出一个人头，直立起来，乃是一个和尚，到把张媚姐唬了一跳，暗道："原来这些和尚，设下恁般贼计，奸骗良家妇女，怪道县主用这片心机。"且不做声，看那和尚轻手轻脚，走去吹灭灯火，步到床前，脱卸衣服，揭开帐幔，捱入被中。张媚姐只做睡着。那和尚到了被里，腾身上去，款款托起双股，就弄起来。张媚姐假作梦中惊醒，说道："你是何人？夤夜至此淫污。"举手推他下去。那和尚双手紧紧搂抱，说道："我是金身罗汉，特来送子与你。"口中便说，下边恣意狂荡。那和尚颇有本领，云雨之际十分勇猛。张媚姐是个宿妓，也还当他不起，顽得个气促声喘。趁他情浓深处，伸手蘸了银硃，向和尚头上，尽都抹到。这和尚只道是爱他，全然不觉。一连耍了两次，方才起身下床，递过一个包儿道："这是调经种子丸，每服三钱，清晨滚汤送下，连服数日，自然胎孕坚固，生育快易。"说罢而去。

张媚姐身子已是烦倦，朦胧合眼，觉得身边又有人捱来。这和尚更是粗卤，方到被中，双手流水拍开两股，望下乱挝。张媚姐还道是初起的和尚，推住道："我顽了两次，身子疲倦，正要睡卧，如何又来？怎地这般不知餍足？"和尚道："娘子不要错认了，我是方到的新客，滋味还未曾尝，怎说不知餍足？"张媚姐看见和尚轮流来宿，心内惧怕，说道："我身体怯弱，不惯这事，休得只管胡缠。"和尚道："不打紧，我有绝妙春意丸在此，你若服了，就通宵顽耍，也不妨得。"即伸手向衣服中，摸个纸包递与。张媚姐恐怕药中有毒，不敢吞服，也把银硃，涂了他头上。那和尚比前的又狠，直戏到鸡鸣时候方去，原把地平盖好，不题。

再说李婉儿才上得床，不想灯火被火蛾儿扑灭，却也不敢合眼。更馀时候，忽然床后簌簌的声响，早有一人扯起帐子，钻上床来，捱身入被，把李婉儿双关抱紧，一张口就凑过来做嘴。李婉儿伸手去摸他头上，乃是一个精光葫芦，却又性急，便蘸着墨汁摩弄，问道："你是那一房长老？"这和尚并不答言，径来行事。李婉儿年纪比张媚姐还小几年，性格风骚，经着这件东西又惊又喜，想道："一向闻得和尚极有本事，我还未信，不想果然。"不觉兴动，遂耸身而就。这场云雨，端的快畅：

一个是空门释子，一个是楚馆佳人。空门释子，假作罗汉真身；楚馆佳人，错认良家少妇。一个似积年石臼，经几多碎捣零舂；一个似新打木桩，尽耐得狂风骤浪。一个不管佛门戒律，但恣欢娱；一个虽奉县主叮咛，且图快乐。浑似阿难菩萨逢魔女，犹如玉通和尚戏红莲。

云雨刚毕，床后又钻一个人来，低低说道："你们快活得勾了，也该让我来顽顽，难道定要十分尽兴。"那和尚微微冷笑，起身自去。后来的和尚到了被中，轻轻款款，把李婉儿满身抚摸。李婉儿假意推托不肯，和尚捧住亲个嘴道："娘子想是适来被他顽倦了，我有春意丸在此，与你发兴。"遂嘴对嘴吐过药来。李婉儿咽下肚去，觉得香气透鼻，交接之间，体骨酥软，十分得趣。李婉儿虽然淫乐，不敢有误县主之事，又蘸了墨汁，向和尚头上周围摸转，说道："倒好个光头。"和尚道："娘子，我是个多情知趣的妙人，不比那一班粗蠢东西。若不弃嫌，常来走走。"李婉儿假意应承。云雨之后，一般也送一包种子丸药。到鸡鸣时分，珍重而别。正是：

偶然僧俗一宵好，难算夫妻百夜恩。

话分两头，且说那夜，汪大尹得了令史回话，至次日五鼓出衙，唤起百馀名快手民壮，各带绳索器械，径到宝莲寺前，分付伏于两旁，等候呼唤，随身止带十数馀人。此时天已平明，寺门未开，教左右敲开。里边住持佛显知得县主来到，衣服也穿不及，又唤起十数个小和尚，急急赶出迎接。直到殿前下轿，汪大尹也不拜佛，径入方丈坐下，佛显同众僧叩见。

汪大尹讨过众僧名簿查点。佛显教道人撞起钟鼓，唤集众僧。那些和尚都从睡梦中惊醒，闻得知县在方丈中点名，个个仓忙奔走，不一时都已到齐。汪大尹教众僧把僧帽尽皆除去。那些和尚怎敢不依，但不晓得有何缘故。当时不除，到也罢了，才取下帽子，内中显出两个血染的红顶，一双墨涂的黑顶。

汪大尹喝令左右，将四个和尚锁住，推至面前跪下，问道："你这四人为何头上涂抹红硃黑墨？"那四僧还不知是那里来的，面面相觑，无言可对，众和尚也各骇异。汪大尹连问几声，没奈何，只得推称同伴中取笑，并非别故。汪大尹笑道："我且唤取笑的人来，与你执证。"即教令史去唤两个妓女。谁知都被那和尚们盘桓了一夜，这时正好熟睡。那令史和家人险些敲折臂膊，喊破喉咙，方才惊觉起身，跟至方丈中跪下。汪大尹问道："你二人夜来有何所见？从实说来。"二妓各将和尚轮流奸宿，并赠春意种子丸药，及硃墨涂顶，前后事一一细说，袖中摸出种子春意丸呈上。众僧见事已败露，都唬得胆战心惊，暗暗叫苦。那四个和尚，一味叩头乞命。

汪大尹喝道："你这班贼驴！焉敢假托神道，哄诱愚民，奸淫良善！如今有何理说？"佛显心生一计，教众僧徐徐跪下，禀道："本寺僧众，尽守清规，止有此四人，贪淫奸恶，屡训不悛。正欲合词呈治，今幸老爷察出，罪实该死，其馀实是无干，望老爷超拔！"汪大尹道："闻得昨晚求嗣的也甚众，料必室中都有暗道。这四个奸淫的，如何不到别个房里，恰恰都聚在一处，人我彀中，难道有这般巧事？”佛显又禀道：“其实净室，惟此两间有个私路，别房俱各没有。”汪大尹道：“这也不难，待我唤众妇女来问，若无所见，便与众僧无干。”

即差左右，将祈嗣妇女，尽皆唤至盘问，异口同声，俱称并无和尚奸宿。汪大尹晓得他怕羞不肯实说，喝令左右搜检身边，各有种子丸一包。汪大尹笑道：“既无和尚奸宿，这种子丸是何处来的？”众妇人个个羞得是面红颈赤。汪大尹又道：“想是春意丸，你们通服过了。”众妇人一发不敢答应。汪大尹更不穷究，发令回去。那些妇女的丈夫亲属，在旁听了，都气得遍身麻木，含着羞耻，领回不题。

佛显见搜出了众妇女种子丸，又强辨是入寺时所送，两个妓女又执是奸后送的。汪大尹道：“事已显露，还要抵赖！”教左右唤进民壮快手人等，将寺中僧众，尽都绑缚，止空了香公道人，并两个幼年沙弥。佛显初时意欲行凶，因看手下人众，又有器械，遂不敢动手。汪大尹一面分付令史，将两个妓女送回。起身上轿，一行人押着众僧在前。那时哄动了一路居民，都随来观看。汪大尹回到县中，当堂细审，用起刑具。众和尚平日本是受用之人，如何熬得？才套上夹棍，就从实招称。汪大尹录了口词，发下狱中监禁，准备文书，申报上司，不在话下。

且说佛显来到狱中，与众和尚商议一个计策，对禁子凌志说道：“我们一时做下不是，悔之无及！如今到了此处，料然无个出头之期。但今早拿时，都是空身，把甚么来使用？我寺中向来积下的钱财甚多，若肯悄地放我三四人回寺取来，禁牌的常例，自不必说，分外再送一百两雪花。”那凌志见说得热闹动火，便道：“我们同辈人多，不繇一人作主，这百金四散分开，所得几何，岂不是有名无实！如出得二百两与众人，另外我要一百两偏手，若肯出这数，即今就同你去。”佛显一口应承道：“但凭禁牌分付罢了，怎敢违拗！”凌志即与众禁子说知，私下押着四个和尚回寺，到各房搜括，果然金银无数。佛显先将三百两交与凌志。众人得了银子，一个个眉花眼笑。佛显又道：“列位再少待片时，待我收拾几床铺盖进去，也好睡卧。”众人连称：“有理。”纵放他们去打叠。这四个和尚把寺中短刀斧头之类，裹在铺盖之中，收拾完备，教香公唤起几个脚夫，一同抬入监去。又买起若干酒肉，遍请合监上下，把禁子灌得烂醉，专等黄昏时候，动手越狱。正是：

打点劈开生死路，安排跳出鬼门关。

且说汪大尹，因拿出了这个弊端，心中自喜，当晚在衙中秉烛而坐，定稿申报上司，猛地想起道：“我收许多凶徒在监，倘有不测之变，如何抵当？”即写硃票，差人遍召快手，各带兵器到县，直宿防卫。约莫更初时分，监中众僧，取出刀斧，一齐呐喊，砍翻禁子，打开狱门，把重囚尽皆放起，杀将出来，高声喊叫："有冤报冤，有仇报仇，只杀知县，不伤百姓。让我者生，挡我者死。"其声震天动地。此时值宿兵快，恰好刚到，就在监门口战斗。汪大尹衙中闻得，连忙升堂。县旁百姓听得越狱，都执枪刀前来救护。和尚虽然拼命，都是短兵，快手俱用长枪，故此伤者甚多，不能得出。佛显知事不济，遂教众人住手，退入监中，把刀斧藏过，扬言道："谋反的止是十数馀人，都已当先被杀，我等俱不愿反，容至当堂禀明。"

汪大尹见事已定，差刑房吏带领兵快，到监查验，将应有兵器，尽数搜出，当堂呈看。汪大尹大怒，向众人说道："这班贼驴，淫恶滔天，事急又思谋反。我若没有防备，不但我一人遭他凶手，连满城百姓，尽受荼毒了。若不尽诛，何以儆后？"唤过兵快，将出的刀斧，给散与他，分付道："恶僧事虽不谐，久后终有不测，难以防制。可乘他今夜反狱，除一应人犯，留明日审问，其馀众僧，各砍首级来报。"众人领了言语，点起火把，蜂拥入监。佛显见势头不好，连叫："谋反不是我等。"言还未毕，头已落地。须臾之间，百馀和尚，齐皆斩讫，犹如乱滚西瓜。正是：

善恶到头终有报，只争来早与来迟。

汪大尹次日吊出众犯，审问狱中缘何藏得许多兵器？众犯供出禁子凌志等得了银子，私放僧人回去，带进兵器等情。汪大尹问了详细，原发下狱，查点禁子凌志等，俱已杀死，遂连夜备文，申详上司，将宝莲寺尽皆烧毁。其审单云：

> 看得僧佛显等，心沉欲海，恶炽火坑。用智设机，计哄良家祈嗣；穿墉穴地，强邀信女通情。紧抱着娇娥，兀的是菩萨从天降；难推去和尚，则索道罗汉梦中来。可怜嫩蕊新花，拍残狂蝶；却恨温香软玉，抛掷终风。白练受污，不可洗也；黑夜忍辱，安敢言乎！乃使李婉儿硃抹其顶，又遣张媚姐墨涅其颠。红艳欲流，想长老头横冲经水；黑煤如染，岂和尚颈倒浸墨池。收送福堂，波罗蜜自做甘受；陷入色界，磨兜坚有口难言。乃藏刀剑于皮囊，寂灭翻成贼虐；顾动干戈于圜棘，慈悲变作强梁。夜色正昏，护法神通开犴狴；钟声甫定，金刚勇力破拘挛。釜中之鱼，既漏网而又跋扈；柙中之虎，欲走圹而先噬人。奸窈窕，淫善良，死且不宥；杀禁子，伤民壮，罪欲何逃！反狱奸淫，其罪已重；戮尸枭首，其法允宜。僧佛显众恶之魁，粉碎其骨；宝莲寺藏奸之薮，火焚其巢。庶发地藏之奸，用清无垢之佛。

这篇审单一出，满城传诵，百姓尽皆称快。往时之妇女，曾在寺求子，生男育女者，丈夫皆不肯认。大者逐出，小者溺死。多有妇女怀羞自缢，民风自此始正。各省直州府传闻此事，无不出榜戒谕，从今不许妇女入寺烧香。

至今上司往往明文严禁，盖为此也！后汪大尹因此起名，遂钦取为监察御史。有诗为证：

子嗣原非可强求，况于入寺起淫偷。
从今勘破鸳鸯梦，泾渭分源莫混流。

第四十卷
马当神风送滕王阁

山藏异宝山含秀，沙有黄金沙放光。
好事若藏人肺腑，言谈语话不寻常。

这四句诗，单说着自古至今，有那一等怀才抱德、韬光晦迹的文人秀才，就比那奇珍异宝，良金美玉，藏于泥土之中；一旦出世，遇良工匠，切磋琢磨，方始成器，故秀才二字，不可乱称。秀者江山之秀，才者天下之才。但凡人胸中有秀气，腹内有才识，出言吐语，自不一般，所以谓之不寻常。说话的，兀的说这才学则甚？因在下今日要说一桩“风送滕王阁”的故事。

那故事出在大唐高宗朝间，有一秀士，姓王名勃，字子安，祖贯晋州龙门人氏，幼有大才，通贯九经，诗书满腹。时年一十三岁，常随母舅游于江湖。一日从金陵欲往九江，路经马当山下，此乃九江第一险处。怎见得？有陆鲁望《马当山铭》为证：

山之险莫过于太行，水之险莫过于吕梁，合二险而为一，吾又闻乎马当。

王勃舟至马当，忽然风涛乱滚，碧波际天，云阴罩野，水响翻空。那船将次倾覆。满船的人尽皆恐惧，虔诚祷告江神，许愿保护；惟有王勃端坐船上，毫无惧色，朗朗读书。舟人怪异，问道：“满船之人，死在须臾，今郎君全无惧色，却是为何？”王勃笑道：“我命在天，岂在龙神！”舟人大惊道：“郎君勿出此言！”王勃道：“我当救此数人之命。”道罢，遂取纸笔，吟诗一首，掷于水中。须臾云收雾散，风浪俱息。其诗曰：

唐圣非狂楚，江渊异汨罗。
平生仗忠节，今日任风波。

此时满船人相贺道：“郎君奇才，能动江神，乃得获安；不然，诸人皆不免水厄。”王勃道：“生死在天，有何可避！”众人深服其言。少顷，船皆泊岸，舟人视时，即马当山也。舟人皆登岸。王勃上岸，独自闲游。正行之间，只见当道路边，青松影里，绿桧荫中，见一古庙。王勃向前看时，上面有朱红漆牌金篆书字，写着：敕赐中源水府行宫。王勃一见，就身边取笔，吟诗一首于壁上。诗曰：

马当山下泊孤舟，岸侧芦花簇翠流。
忽睹朱门斜半掩，层层瑞气锁清幽。

诗罢，走入庙中，四下看视，真个好座庙宇。怎见得？有诗为证：

碧瓦连云起，朱门映日开。
一团金作栋，千片玉为街。
帝子亲书额，名人手篆碑。
庇民兼护国，风雨应时来。

王勃行至神前，焚香祝告已毕，又赏玩江景多时。正欲归舟，忽于江水之际，见一老叟，坐于块石之上：碧眼长眉，须鬓皤然，颜如莹玉，神清气爽，貌若神仙。王勃见而异之，乃整衣向前，与老人作揖。老叟道："子非王勃乎？"王勃大惊道："某与老叟素不相识，亦非亲旧，何以知勃名姓？"老叟道："我知之久矣！"王勃知老叟不是凡人，遂拱手立于块石之侧。老叟命勃同坐，王勃不敢，再三相让方坐。老叟道："吾早来闻尔于船内作诗，义理可观。子有如此清才，何不进取，身达青霄之上；而困于家食，受此旅况之凄凉乎？"王勃答道："家寒窘追，缺乏盘费，不能特达，以此流落穷途，有失青云之望。"

老叟道："来日重阳佳节，洪都阎府君，欲作《滕王阁记》。子有绝世之才，何不竟往献赋，可获资财数千，且能垂名后世。"王勃道："此到洪都，有几多路程？"老叟道："水路共七百馀里。"王勃道："今已晚矣！止有一夕，焉能得达？"老叟道："子但登舟，我当助清风一帆，使子明日早达洪都。"王勃再拜道："敢问老丈，仙耶神耶？"老叟道："吾即中源水君，适来山上之庙，便是我的香火。"王勃大惊，又拜道："勃乃三尺童稚，一介寒儒，肉眼凡夫，冒渎尊神，请勿见罪！"老叟道："是何言也！但到洪都，若得润笔之金，可以分惠。"王勃道："果有所赠，岂敢自私。"老叟笑道："吾戏言耳！"须臾有一舟至，老叟令王勃乘之。勃乃再拜，辞别老叟上船。方才解缆张帆，但见祥风缥缈，瑞气盘旋，红光罩岸，紫雾笼堤。王勃骇然回视，江岸老叟，不知所在，已失故地矣。只见：

风声飒飒，浪势淙淙。帆开若翅展，舟去似星飞。回头已失千山，眨眼如趋百里。晨鸡未唱，须臾忽过鄱阳；漏鼓犹传，仿佛已临江右。这叫做：运去雷轰荐福碑，时来风送滕王阁。

顷刻天明，船头一望，果然已到洪都。王勃心下且惊且喜，分付舟人："只于此相等。"揽衣登岸，徐步入城。看那洪都果然好景。有诗为证：

洪都风景最繁华，仿佛参差十万家。

水绿山蓝花似锦，连城带阁锁烟霞。

是日正是九月九日，王勃直诣帅府，正见本府阎都督果然开宴，遍请江左名儒，士夫秀士，俱会堂上。太守开筵命坐，酒果排列，佳肴满席，请各处来到名儒，分尊卑而坐。当日所坐之人，与阎公对席者，乃新除澧州牧学士宇文钧，其间亦有赴任官，亦有进士刘祥道、张禹锡等。其他文词超绝，抱玉怀珠者百馀人，皆是当世名儒。王勃年幼，坐于座末。

少顷，阎公起身，对诸儒道："帝子旧阁，乃洪都绝景。是以相屈诸公至此，欲求大才，作此《滕王阁记》，刻石为碑，以记后来，留万世佳名，使不失其胜迹。愿诸名士勿辞为幸！"遂使左右朱衣吏人，捧笔砚纸至诸儒之前。诸人不敢轻受，一个让一个，从上至下。却好轮到王勃面前，王勃更不推辞，慨然受之。满座之人，见勃年幼，却又面生，心各不美，相视私语道："此小子是何氏之子？敢无礼如是耶！"此时阎公见王勃受纸，心亦怏怏，遂起身更衣，至一小厅之内。阎公口中不言，自思道："吾有婿乃长沙人也，姓吴名子章，此人有冠世之才。今日邀请诸儒作此记，若诸儒相让，则使吾婿作此文，以光显门庭也。是何小子，辄敢欺在堂名儒，无分毫礼让！"分付吏人，观其所作，可来报知。

良久，一吏报道："南昌故郡，洪都新府。"阎公道："此乃老生常谈，谁人不会！"一吏又报道："星分翼轸，地接衡庐。"阎公道："此故事也。"又一吏报道："襟三江而带五湖，控蛮荆而引瓯越。"阎公不语。又一吏报道："物华天表，龙光射斗牛之墟；人杰地灵，徐孺下陈蕃之榻。"阎公道："此子意欲与吾相见也。"又一吏报道："雄州雾列，俊彩星驰。台隍枕夷夏之邦，宾主接东南之美。"阎公心中微动，想道："此子之才，信亦可人！"数吏分驰报句，阎公暗暗称奇。又一吏报道："落霞与孤鹜齐飞，秋水共长天一色。"阎公听罢，不觉以手拍几道："此子落笔若有神助，真天才也！"遂更衣复出至座前。宾主诸儒，尽皆失色。阎公视王勃道："观子之文，乃天下奇才也！"欲邀勃上座。王勃辞道："待俚语成篇，然后请教。"须臾文成，呈上阎公。公视之大喜，遂令左右，从上至下，遍示诸儒。一个个面如土色，莫不惊伏，不敢拟议一字。其全篇刻在古文中，至今为人称诵。

阎公乃自携王勃之手，坐于左席道："帝子之阁，风流千古，有子之文，使吾等今日雅会，亦得闻于后世。从此洪都风月，江山无价，皆子之力也。吾当厚报。"正说之间，忽有一人，离席而起，高声道："是何三尺童稚？将先儒遗文，伪言自己新作，瞒昧左右，当以盗论，兀自扬扬得意耶！"王勃闻言大惊。太守阎公举目视之，乃其婿吴子章也。子章道："此乃旧文，吾收之久矣。"阎公道："何以知之？"子章道："恐诸儒不信，吾试念一遍。"当

下子章遂对众客之前，朗朗而诵，从头至尾，无一字差错。念毕，座间诸儒失色，阎公亦疑，众犹豫不决。

王勃听罢，颜色不变，徐徐说道："观公之记问，不让杨修之学，子建之能，王平之阅市，张松之一览。"吴子章道："乃是先儒旧文，吾素所背诵耳。"王勃又道："公言先儒旧文，别有诗乎？"子章道："无诗。"道罢，王勃遂起身离席，对诸儒问道："此文果新文旧文乎？后有诗八句，诸公莫有记之者否？"问之再三，人皆不答。王勃乃拂纸如飞，有如宿搆。其诗曰：

滕王高阁临江渚，珮玉鸣銮罢歌舞。
画栋朝飞南浦云，珠帘暮卷西山雨。
闲云潭影日悠悠，物换星移几度秋。
阁中帝子今何在？槛外长江空自流。

诗罢呈上，太守阎公，并座间诸儒、其婿吴子章看毕。王勃道："此新文旧文乎？"子章见之，大惭惶恐而退。众宾齐起坐向阎公道："王子之作性，令婿之记性，皆天下罕有，真可谓双璧矣！"阎公曰："诸公之言诚然也！"于是吴子章与王勃互相钦敬，满座欢然，饮宴至暮方散。众宾去后，阎公独留勃饮。次日王勃告辞，阎公乃赐五百缣及黄白酒器，共值千金。勃拜谢辞归，阎公传左右相送下船，舟人解缆而行。勃但闻水声潺潺，疾如风雨。诘旦，船复至马当山下，维舟泊岸。王勃将阎公所赠金帛，携至庙中，陈于中源水君之前，叩头称谢。起身，见壁上所题之诗，宛然如新。遂依前韵，复作诗一首：

好风一夜送轻舟，倏忽征帆达上流。
深感神功知夙契，来生愿得伴清幽。

王勃题诗已毕，步出庙门，欲买牲牢酒礼以献，看岸边船已不见了，其舟人亦不知所在。

正犹豫间，忽然祥云瑞霭，笼罩庙堂，香风起处，见一老人，坐于石矶之上，即前日所见中源水君。勃向前再拜，谢道："前日得蒙上圣，助一帆之风，到于洪都，使勃得获厚利。勃当备牲牢酒礼，至于庙下，拜谢尊神，以表吾心。"老人见说，俛首而笑："子适来言供备牲牢者，何牢也？吾闻少牢者羊，太牢者牛。礼，诸侯无故不杀牛，大夫无故不杀羊。吾岂可以一帆风，而受子之厚献乎！吾水府以好生为德，杀生以祀，吾亦不敢享也，更不必费子措置。适来观子庙下留题，有伴我清幽之意，吾亦甚喜。但子命数未终，凡限未绝，更俟数年，吾当图相会耳。"王勃遂稽首拜谢道："愿从尊命！然勃之寿算前程，可得闻乎？"老叟道："寿算者阴府主之，不敢轻泄天机，而招阴祸。吾言子之穷通，无害也。吾观子之躯，神强而骨弱，气清体羸，况子脑骨亏陷，目睛不全，子虽有子建之才，高士之俊，终不能贵矣。

况富贵乃神主之，人之一钟一粟，皆由分定，何况卿相乎？昔孔子大圣，为帝王师范，尚不免陈蔡之厄，所谓秀而不实者也。子但力行善事，自有天曹注福，穷通寿夭，皆不足计矣！子切记之！”于是与勃作别。

叟行数步，复又走回，对王勃道：“吾有少意相托：子若过长芦之祠，当买阴帛，与我焚之。”王勃道：“此何由也？”老叟道：“吾昔负长芦之神薄债未偿，子可与吾偿之。”王勃道：“非勃不舍，适来观上圣殿上，金钱堆积如山，何不以此还之？”老叟道：“汝不知殿上之钱，皆是贪利酷求之人，害物私心之辈，损人益己，克众成家，偶一过此，妄求非福，神不危而心自危之，所以求献于庙。此乃枉物，譬如吾之赃矣，焉敢用哉？”王勃再拜受教。老叟即化清风而去。王勃骇然，仍携金帛之类，离马当山，趁船径往长芦。每思神所说“脑骨亏陷，目睛不全，终不能贵”，心怀怏怏不乐。

船至长芦，正思神叟所嘱，化财还债之言，忽然寒风大作，雪浪翻空，群鸦绕船，噪声不绝。其鸦或歇桅橹，或落船头，船不能进。满船人莫不惊骇畏惧。王勃亦自骇然，乃问舟人：“此是何处？”舟人道：“此是长芦地方。”王勃听了，方想江神之言，遂焚香默祷江神，候风息上岸，买金钱答还。祝毕，香烟未绝，群鸦皆散，浪息风平，于是一船人莫不欣喜。次日舟人以船泊岸，王勃买金钱十万下船，复至夜来风起之处焚化，船乃前进。后来罗隐先生到此，曾作八句诗道：

江神有意怜才子，倏忽威灵助去程。
一夕清风雷电疾，满碑佳句雪冰清。
直教丽藻传千古，不但雄名动两京。
不是明灵祐祠客，洪都佳景绝无声。

王勃亲远任海隅，策骑往省，至一驿舍，欲求暂歇。方询问驿吏，忽闻驿堂上，一人口呼：“王君，久不拜见，今日何由至此？”王勃闻言大惊，视之略有面善，似曾相识，忘其姓名。只见其人道：“王君何忘乎？昔日洪府相会，学士宇文钧也。”勃大喜，乃整衣而揖。遂邀王勃同坐。叙话间，命驿吏献茶。茶罢，学士道：“某想洪府之乐，安知今日有海道之忧，岂不悲哉！”王勃道：“学士因何至此？”学士道：“钧累任教授，后越阙为右司谏官。唐天子欲征高丽，钧直谏，触犯龙颜，将钧迁于海岛。千里独行，方悲寂寞！何期旅邸，得遇故人。某有《迁客诗》一首，为君诵之。”诗曰：

万里为迁客，孤舟泛渺茫。
湖田多种藕，海岛半收粮。
愿遂归秦计，劳收辟瘴方。
每思缄口者，帝德在君旁。

王勃道：“有犯无隐，事君之礼。学士虽为迁客，直声播于千古矣！”遂答诗一首。诗曰：

食禄只忧贫，何名是直臣！
能言真为国，获罪岂惭人。
海驿程程远，霜髯日日新。
史官如下笔，应也泪沾巾。

当夜二人互相吟咏，至半夜同宿于驿舍。次日学士置酒管待王勃毕，至第三日学士邀勃同行，俄然天色下雨，复留海驿。二人谈论，终日不倦。至第五日，方始天晴，二人同下海船，饮食宿卧，皆于一处。船开数日，至大洋深波之中，忽然狂风怒吼，怪浪波番，其舟在水，飘飘如一叶，似欲倾覆。舟人皆大恐。学士宇文钧心中大惊，骇叹道："远谪海隅，不想又遭风波，此实命也！"王勃面不改容，因述昔年马当山遇风始末，并叙中源水君，两次相遇之语，真个是死生有命，富贵在天。风波虽大，不足介意！谈论方终，却见波涛暂息，风浪不生，舟人皆喜。

满船之人，忽闻水上仙乐飘然而至，五色祥云从天降下，浮于水面，看看来到王勃船边。众人皆惊。只见祥云影里，幢幡宝盖，绛节旌旗，锦衣对对，绣袄攒攒，花帽双双，朱衣簇簇，两行摆开。前面有数十人，皆仙娥玉女，仙衣灼灼，玉珮珊珊。前有一青衣女童，手执碧符，遂呼王勃道："奉娘娘之命，特来召子。"王勃愕然，问女童道："娘娘是何人也？"女童道："乃掌天下水籍文簿，上仙高贵玉女吴彩鸾便是，今于蓬莱方丈，翠华居止，其内有马当山水君，举子文章贯古今，特来请子同往蓬莱方丈，作词文记，以表蓬莱之佳景。可速往。不可违娘娘之命！"王勃道："与君人神异途，焉有相召之言？我闻生死分定于天，寿算乃阴府所主，岂有玉女召我作文？何召之有？吾实不从。"道罢，女童道："君如不去，中源水君必自至矣。"

道犹未了，只见一朵乌云，自东南角上而来，看看至近，到于船边，从空坠下。就水面之上，见一神人，头戴黄罗包巾，身穿百花绣袍，手仗除妖七星剑，高声大叫："王勃！吾奉蓬莱仙女敕，召汝作文词，何不往也？况中源水君亦在蓬莱赴会，今众仙等之久矣。子亦有仙骨之分，昔日你曾庙下题诗，愿伴清幽，岂可忘之！"王勃听言自思："马当山中源水君曾言日后遇于海岛，岂非前定乎？"遂忻然道："愿从命矣！"神人见说，遂召鬼卒，牵马来至舟侧。王勃甚喜，亦忘深渊，意为平地，乃回身与学士及满船之人作别，牵衣出马，望水面攀鞍上马。但见乌云惨惨，黑雾漫漫，云霄隐隐，满船之人及宇文钧学士无不惊骇！同视王勃，不知所在。须臾，雾散云收，风恬浪静，满船之人俱各无事，唯有王勃乃作神仙去矣！

从来才子是神仙，风送南昌岂偶然。
赋就滕王高阁句，便随仙仗伴中源。

图书在版编目(CIP)数据

醒世恒言：全2册/(明)冯梦龙编. -- 哈尔滨：黑龙江美术出版社，2012.7
(中国古典文学名著丛书)
ISBN 978-7-5318-3512-7

Ⅰ.①醒… Ⅱ.①冯… Ⅲ.①话本小说－中国－明代 Ⅳ.①I242.3

中国版本图书馆CIP数据核字(2012)第134369号

醒世恒言

作　　者　冯梦龙
责任编辑　陈颖杰　郭建廷
出版发行　黑龙江美术出版社
地　　址　哈尔滨市道里区安定街225号
邮政编码　150016
发行电话　(0451)84270514
网　　址　www.hljmscbs.com
经　　销　全国新华书店
印　　刷　哈尔滨市石桥印务有限公司
开　　本　720×1020　1/16
印　　张　34.25
字　　数　624千字
版　　次　2012年9月第1版
印　　次　2012年9月第1次印刷
书　　号　ISBN 978-7-5318-3512-7
定　　价　152.00元(上下)